LA GRANDE GUERRE

OUVRAGES DU MÊME AUTEUR

Chez le même éditeur

Poincaré, 1961.
Histoire de la France, 1976.
Les guerres de Religion, 1980.

Chez d'autres éditeurs

L'Affaire Dreyfus, P.U.F., 1959.
La Paix de Versailles et l'opinion publique en France, thèse d'État,
    Flammarion, 1972.
Poincaré, publication critique des mémoires du Président, écrit en
    collaboration avec Jacques Bariéty, Plon, 1974.
Histoire de la Radio et de la Télévision, éditions de Richelieu,
    1973.

Pierre Miquel

LA GRANDE GUERRE

FAYARD

Avant-propos

« La guerre, dit Alain, naît des passions. » Assurément, celle de
« 14-18 » ne peut se réduire à un jeu de causalités politiques ou
économiques. Aujourd'hui encore, elle n'a pas fini de susciter des
réactions passionnelles, que l'on parle des mutineries françaises ou
des crimes de guerre allemands. On ne met pas impunément en
ligne des millions d'hommes sans que, dans toute l'Europe, les
traces n'en soient profondément inscrites, dans plusieurs générations. En Allemagne comme en France, en Italie comme en
Grande-Bretagne, les greniers sont encore pleins des souvenirs de
cette guerre.

Car elle n'a pas seulement concerné les combattants et leurs
familles. Elle a mêlé aux événements tous les habitants des villes et
des campagnes, exigeant d'eux des efforts, des souffrances, des
sacrifices, des patiences. La « Grande » Guerre était déjà « totale »
et doit être envisagée aujourd'hui comme telle. Elle a eu, dans
l'horreur, un rôle pionnier. Les innovations « scientifiques » de la
civilisation industrielle ont permis d'envoyer sans crier gare de
nombreuses victimes au fond de l'océan, dans les hôpitaux des gazés
par milliers, dans les camps de concentration les premiers déportés
et les populations « déplacées ». De ce point de vue, la « Grande
Guerre » n'est pas du XIXe siècle, elle est bien du nôtre, de l'atroce
XXe siècle.

On l'appelle aussi « Première Guerre mondiale ». Elle le mérite à
plus d'un titre. D'abord parce qu'elle a justifié en partie la
prédiction de Lénine : elle a bien engendré la révolution – dans un
seul pays il est vrai. Ensuite, parce qu'elle a fait franchir l'océan à
près de deux millions d'Américains, ce qui, pour les adeptes de la
doctrine de Monroë, constituait une première. Les « sammies »
(ainsi appelait-on, en 1918, les « G.I's. » pour les distinguer des
« tommies ») ont défilé, après tant d'autres « alliés », dans les villes
françaises, avec des fleurs sur leurs grands chapeaux de boy-scouts,

et leur président Woodrow Wilson a dû faire construire des bateaux par centaines pour les transporter, les ravitailler. En entrant dans la guerre, l'Amérique ne pouvait refuser plus longtemps d'assumer ouvertement son rôle mondial.

Les États-Unis ne sont pas les seuls à s'être mobilisés. Tous les peuples dominés ou entraînés par l'Angleterre ont payé leur tribut. Les Canadiens, les Indiens, les Sud-Africains ont combattu dans la plaine des Flandres, ainsi que les Néo-Zélandais et les Australiens. La France a fait appel aux Sénégalais, aux Marocains, et même aux Indochinois. Du monde entier sont venus dans les usines d'Europe de l'Ouest des travailleurs plus ou moins volontaires, des Chinois, des Kabyles et des Malgaches. On a même pensé à importer des Abyssins. Les Allemands, pour assurer leurs fabrications, ont déporté des populations entières de travailleurs des régions occupées : Belges, Français du Nord, Polonais. De toute l'Europe des champs de bataille, les « populations déplacées », soit par l'exode, soit par les échanges, se sont repliées sur des zones plus tranquilles et intégrées à la production de guerre. Des Balkans sont venus les Serbes, les Grecs, les Albanais, d'Orient les Arméniens, les Syriens, les Libanais, d'Europe de l'Est les Polonais, les Tchèques, les Russes. La guerre a mis en mouvement des armées d'émigrés fuyant les invasions, les bombardements, les dures occupations.

Hors de l'Europe, à quelques exceptions près, le monde a peu souffert des combats. Mais le continent européen, dans sa presque totalité, a été dévasté de l'Atlantique à l'Oural. Les sociétés européennes n'ont pas été, au même titre, victimes de la guerre. Au départ, d'Ouest en Est, elles étaient extrêmement différentes. Les famines et les exterminations de Russie, de Pologne ou de Turquie d'Asie – n'oublions pas le génocide des Arméniens en 1915 – sont d'une tout autre nature que le massacre scientifique des populations plus évoluées d'Europe de l'Ouest. Les Anglais, certes, meurent aussi, comme les paysans de la Beauce et les techniciens de la Ruhr. Mais le propre de cette guerre est d'avoir confronté, plus que rapproché dans la mort, des peuples jusque-là dominés par des « empires » ou des « alliances » plus ou moins inégales. Ce que l'on appelle, d'un mot peu clair, l'« impérialisme » tenait en 1914 les peuples d'Europe et du Moyen Orient dans un carcan serré de contraintes. Le carcan, avec la guerre, a volé en éclats. Quand Polonais et Tchèques se sont aperçus qu'ils pouvaient être Tchèques ou Polonais, il a été difficile de les maintenir dans les régiments des armées allemande ou autrichienne. Et les Arabes ont réagi de même par rapport aux officiers anatoliens. Quand les Marocains ou les Algériens sont venus donner leur vie et verser leur sang parmi les troupes françaises, ils se sont aperçus qu'ils étaient souvent beaucoup mieux considérés par les dames de la Croix-Rouge que par les Français d'outre-Méditerranée. Ainsi la « Grande » Guerre a-t-elle éveillé, contre les rapports inégaux de peuples inégaux, un formidable désir de liberté. De ce point de vue aussi, elle est résolument moderne.

Ajoutons que, pour nous, elle reste par excellence une guerre française. Notre peuple a participé jusqu'à l'épuisement, avec un étonnant esprit de sacrifice, mais aussi avec une efficacité cardinale, à un grand mouvement de l'histoire. Sans doute ne faut-il pas aborder aujourd'hui, de ce point de vue trop restrictif, le récit des événements de 1914-1918. Mais comment ne pas avoir à l'esprit la préoccupation de ne pas trahir les espoirs et jusqu'aux révoltes de tous ceux-là qui ont été pris, sans l'avoir demandé, dans la plus grande bourrasque de l'histoire contemporaine, et qui ont donné toutes leurs forces pour que ce sacrifice, ces souffrances, cette immense misère, aient un sens et ouvrent sur un avenir de paix?

PREMIÈRE PARTIE

L'été
des
généraux

1
Le grand départ

En juin 1914, l'Europe est en paix depuis quarante-trois ans : les souvenirs de la guerre de 1870 s'estompent dans le passé. Les jeunes générations ont oublié la guerre. Pourtant, chaque grande nation européenne consomme, tous les ans, pour ses armements, d'un à deux millions de francs. Cette « paix armée » est à la merci d'un incident. L'Allemagne et l'Autriche, alliées depuis longtemps, peuvent affronter du jour au lendemain la Russie et la France, alliées depuis 1892, la France et l'Angleterre, unies par l'Entente cordiale de 1904.

Personne, en juin 1914, ne croit à la guerre. Le 28, un archiduc d'Autriche est assassiné à Sarajevo, probablement, pense-t-on, par des terroristes serbes. Que l'Autriche menace la Serbie paraît normal. L'Europe a surmonté des crises autrement plus graves.

Quatre semaines plus tard, le conflit général éclate : le 28 juillet, l'Autriche a déclaré la guerre à la Serbie. Le 30, un ordre de mobilisation générale est lancé en Russie. Le 31, l'Autriche-Hongrie mobilise à son tour. Le 1ᵉʳ août, l'Allemagne déclare la guerre à la Russie, le 3 à la France. Le 4, l'Angleterre entre en guerre. L'Autriche, le 5, déclare la guerre à la Russie et, le 12, la France et l'Angleterre déclarent la guerre à l'Autriche. L'Italie est la seule grande puissance, pourtant alliée de l'Autriche et de l'Allemagne, à rester neutre. La « Grande Guerre » a commencé. En quatre ans, plus de 65 millions d'hommes seront mobilisés.

Pourquoi le feu a-t-il pris si vite en Europe? Pourquoi les hommes sont-ils partis, sans résistance, quelquefois avec enthousiasme, le plus souvent avec résignation et par sens du devoir? En quelques jours, les trains conduisent les millions

*de mobilisés aux frontières. Le premier cataclysme du
XXᵉ siècle est en marche : rien ne peut plus l'arrêter.*

L'été très chaud de 1914 a condamné aux bains de mer, aux
stations de montagne et aux villes d'eaux tout ce que l'Europe de
l'Ouest compte de bourgeois cossus, d'ambassadeurs fatigués, de
militaires d'un rang supérieur que l'attentat de Sarajevo, perpétré
par un terroriste probablement serbe contre un archiduc autrichien,
n'inquiète guère. A Dinard, à Deauville ou à Baden Baden, la vie
mondaine a pris son train d'été, elle s'est assoupie. Ceux qui n'ont
pas la chance de prendre des vacances – l'immense majorité des
citoyens de l'Europe – sont au travail. Les paysans se songent qu'à
rentrer les moissons.

On ne se rend pas compte, en Bretagne, en Irlande ou en
Bessarabie, que des trains d'artillerie se mettent en route en grand
nombre pour prendre position sur les rives du Danube, contre la
capitale des Serbes, Belgrade. Ces artilleurs sont autrichiens. Ils
n'ont pas encore l'ordre de tirer. Mais ils savent que leur pays vient
de déclarer la guerre aux Serbes et qu'il faut très vite mater cette
petite nation rebelle. A Sarajevo, ville autrichienne, le feld-
marshall-lieutenant von Kostanjevac passe en revue des éléments de
la première division qui doivent combattre sur le front serbe. Peu de
Serbes parmi les recrues. L'état-major de Vienne est prudent : une
bigarrure étrange de conscrits venus de toutes les régions de
l'empire, Roumains, Croates, Slovaques, Hongrois, et un fort
encadrement d'Allemands. L'armée autrichienne est prête. Elle est
déjà mobilisée pour écraser la Serbie. Le 28 juillet, elle lui a
officiellement déclaré la guerre. Les ponts sur le Danube sont
coupés. Le 29, l'artillerie autrichienne ouvre le feu. Belgrade est
bombardée.

Le canon, d'un bout à l'autre de l'Europe, résonne soudain
comme un tocsin. Toutes les capitales ont les yeux fixés sur la
Russie. Le tsar va-t-il abandonner la Serbie? Déjà *le Temps*, le
journal français le plus lu à l'étranger, annonce que les troupes
d'assaut autrichiennes se préparent à franchir le Danube. Le tsar a
prévenu que, dans ce cas, il mobiliserait aussitôt contre la frontière
d'Autriche les quatre districts militaires de Kazan, d'Odessa, de
Kiev et même de Moscou... Dans les rues de la capitale russe, le
peuple ignore les échanges de télégrammes entre les chancelleries,
mais le jeudi 30 juillet, à 18 heures, l'ordre de mobilisation générale
est lancé. Dans toutes les Russies, il va être diffusé par le
télégraphe. Aucun sujet du tsar n'est plus censé l'ignorer : « Par-
dessus la tête de la petite Serbie, c'est contre la grande Russie que le
glaive est tiré », lit-on dans les journaux officiels. Les 1 423 000 soldats et officiers de l'armée d'active vont rejoindre les frontières,

l'appel des réservistes va fournir plus de trois millions d'hommes. 4 400 000 Russes, sur une population de 170 millions d'habitants, vont endosser l'uniforme. Nombreux sont donc ceux que la mobilisation ne touche pas : plus de 48 % restent au travail; exemptés pour raisons familiales, ils vont pouvoir rentrer les moissons. Rares sont les contingents levés dans les régions les plus éloignées – et les moins russes – de l'empire. Les Cosaques sont l'exception. L'armée du tsar est nombreuse, relativement homogène, mais l'état-major garde d'immenses réserves. Les cloches qui sonnent lugubrement dans les villages, les affiches rouges sur les murs des villes, que bien peu savent lire, annoncent une lutte sans merci mais sont loin de convoquer toute la population mobilisable aux frontières.

Bien pourvus de canons Krupp et Schneider, les régiments d'active déjà sous les armes attendent le signal du départ. Les premiers convois de réservistes prennent les trains d'assaut pour se rendre, non pas dans leurs corps d'affectation, mais dans les capitales de districts où ils sont rassemblés, habillés, armés, et où ils attendent, parfois de nombreux jours, de constituer des détachements organisés en divisions ou en corps d'armée. Combien de temps prendra cette mobilisation dans l'immense Russie? Nul ne peut le savoir ni le prévoir dans les états-majors européens, et les généraux français ont grand-peur que le tsar ne puisse tenir ses engagements : rendre en quinze jours son armée opérationnelle et envahir aussitôt la Prusse...

Les trains interminables de trente-cinq wagons, dont les locomotives sont chauffées la plupart du temps au bois, font la queue sur les huit lignes principales immédiatement engorgées, dont cinq seulement sont à deux voies. Les généraux russes savent qu'ils doivent faire vite : le vendredi 31, vers midi, les Autrichiens ont à leur tour décrété la mobilisation générale. Mais comment se hâter quand on est bloqué par la mauvaise organisation des chemins de fer? Pas de gares régulatrices, un seul organisme pour étaler le trafic. Il n'est pas étonnant que les trains s'écoulent aussi lentement : 20 km/h en moyenne, et il faut 128 trains pour transporter un seul corps d'armée! De Moscou à Brest-Litovsk, les soldats passent plus d'une semaine dans les wagons surchargés, pestant contre la chaleur accablante, le ravitaillement insuffisant. Encore leurs officiers craignent-ils le sabotage des voies par les révolutionnaires et les espions... Les généraux savent s'emporter contre les responsables des chemins de fer, mais bien peu admettent les nécessités de la guerre moderne. Les dix derniers promus au grade de général connaissent mal les hommes et la pratique de la campagne. La moitié seulement a commandé un régiment. Ces généraux de cour sont irrités par les longs déplacements. On irait plus vite à pied ou à cheval. Soljénitsyne raconte qu'un de ces généraux fait évacuer un convoi : « Sommes-nous des Allemands, dit-il, pour dépendre des trains ? Nos braves feront aussi bien ça à pied ! »

En Allemagne, les trains fonctionnent avec une précision remarquable. Le vendredi 31, les premières mesures sont prises. C'est l'état de danger de guerre *(Kriegsgefahrzustand) :* l'Allemagne s'isole du monde, elle peut se préparer au conflit dans le secret. Le lendemain 1ᵉʳ août, à 16 heures, c'est la mobilisation générale. Les Français ont décrété la leur à 15 h 45. Des deux côtés du Rhin, on peut lire les mêmes convocations de réservistes, les mêmes appels des classes. Chez les Allemands, la presse martèle depuis quelques jours les raisons de partir en guerre. Il s'agit de défendre, peut-on lire, « notre belle Allemagne » qui se trouve menacée à l'est par le « monde russe », à l'ouest par la « clique gouvernementale française aveuglée ». Le danger russe est amplifié, on montre les Cosaques qui attendent l'heure du pillage, à une étape de Koenigsberg, la ville du philosophe Kant. Les barbares sont aux portes ! Une marée de moujiks, de paysans illettrés, menés par des aristocrates qui ont peur de la révolution (ceci vise les sociaux-démocrates) ne rêve que de prendre Berlin. Les « bons » Allemands doivent faire leur devoir.

A vrai dire, les trains circulent depuis quelques jours déjà à proximité des frontières françaises et russes. Messimy, le ministre français de la Guerre, a annoncé dès le 30 juillet au général commandant à Châlons-sur-Marne qu'une brigade bavaroise en état de guerre s'est installée sur les bords de la Moselle. Des correspondants du 2ᵉ bureau ont signalé dès le 27 juillet que les personnels des hangars à zeppelins de Trèves sont consignés dans leurs bases. On a observé non loin de là des véhicules transportant des pontons pour franchir les rivières. Les chevaux sont harnachés, tout est prêt pour l'invasion.

A Thionville, en Lorraine annexée, les officiers sont déjà mobilisés. A Metz, les receveurs des postes sont consignés ; des mitrailleuses, des voitures de munitions prennent sans arrêt le chemin du fort de Lothringen. Des fours de campagne, des roulantes sont rassemblés dans la place. Le 29 juillet, un corps bavarois a fait son entrée dans la localité de Sainte-Marie-aux-Chênes. Les trains circulent sans arrêt. Les Allemands pratiquent une sorte de mobilisation clandestine, les employés des chemins de fer couchent dans les wagons, ils n'ont pas le droit d'abandonner leur poste. Toute la région se prépare à la guerre. Les ouvriers belges rejoignent leur pays où ils sont, dit-on, appelés pour leur propre mobilisation abandonnant les aciéries de Longwy. Les Italiens cherchent aussi à prendre le large, mais il n'est pas facile de circuler : depuis le 25 juillet, la place de Metz est en état de siège et le 30, les uhlans barrent les routes à la frontière. Les troupes arrivent de nuit, dans des trains aux lumières voilées. A Offenbourg, les espions français signalent le passage continu des troupes bavaroises qui montent vers le Nord. Les recrues arrivent en civil; ils s'habillent à la hâte pour gagner la frontière. Les renseignements sont centralisés à l'état-major grâce à la télégraphie sans fil que l'on vient d'installer sur la cathédrale de Strasbourg.

L'Alsace et la Lorraine sont depuis le 31 juillet sous autorité militaire. Les contrôles routiers se multiplient, on interpelle à domicile les personnalités suspectes. Les libertés sont supprimées, les journaux interdits. Deux cents personnes sont arrêtées dans la région de Metz, dont le député au Reichstag Lévêque, une vingtaine de prêtres, des journalistes francophones. On les enferme dans une vieille forteresse des bords du Rhin, puis on les place en résidence surveillée dans plusieurs villes éloignées d'Allemagne. Un conseiller général de 69 ans passe 30 jours au secret.

A ces détails près, la mobilisation s'effectue dans l'ensemble du Reich sans aucune difficulté, même dans le *Reichsland* d'Alsace-Lorraine où 3 000 jeunes gens seulement passent la frontière pour s'engager dans l'armée française. Tous les autres portent le *Feldgrau*. Les responsables des villes et des villages de la zone annexée pensent-ils tous comme le maire de Metz, Foret, que « Dieu doit conduire nos braves troupes de victoire en victoire »? Ils avaient, en tout cas, protesté de leur fidélité « à l'Empereur et au Reich », comme le fait remarquer Roth, l'historien de la Lorraine annexée [1]. Un de ces notables, l'industriel Jaunez, avait reçu dans son château de Remelfing le Kaiser en personne, il enrage quand il apprend que son fils a déserté l'armée allemande pour s'enfuir à l'étranger. L'exemple du chanoine Collin, francophile notoire, qui avait eu la chance de sauter le 29 juillet dans le dernier train en partance pour le Luxembourg, exaspérait les Allemands. Le bon chanoine avait pu rejoindre Paris. Ils se consolaient en constatant la docilité exemplaire des recrues des régions annexées, même s'ils n'avaient pas confiance dans leur valeur militaire. Après tout, les Polonais des marches de l'Est, les Danois du Schleswig et les mineurs de Westphalie n'étaient guère plus recommandables aux yeux des officiers prussiens qui n'allaient pas tarder à classer leurs divisions en catégories, suivant leur valeur au feu.

A l'annonce de la mobilisation, les commandants de la Garde prussienne ordonnèrent la grande parade dans Berlin. Ils ne doutaient pas d'en finir très vite, en quatre semaines; c'est ce qu'écrivaient les cuirassiers blancs et les *Todeskopfhusaren* à leurs femmes et à leurs fiancées. La mobilisation suscite une véritable émulation : c'est à qui se fera recruter dans les unités les plus prestigieuses, les zeppelins par exemple. Le fils d'un riche

---

1. Roth, *La Lorraine annexée.*

fabricant de soieries de Dresde parvient à se faire engager dans un équipage grâce à un oncle influent à Berlin : il pourra voir l'Europe depuis une nacelle. Un Autrichien du nom d'Hitler écrit au roi de Bavière pour s'engager dans son armée. Il habite alors Munich ; il est là, dans la foule, à l'annonce de la mobilisation. Enthousiasme, hystérie devant la Feldherrnhalle, le Palais des Maréchaux. Des jeunes gens parcourent les rues en hurlant les paroles de *la Garde au Rhin*. On exige de l'orchestre du café Fahrig, sur la Karlsplatz, qu'il joue sans arrêt le *Deutschland über alles*. Quand les musiciens exténués rangent leurs cors et leurs violons, la foule excédée met le feu au café. L'Allemagne, disent les orateurs de coin de rue, doit lutter « pour sa liberté et pour son avenir ». Il n'y a pas là que des pangermanistes. Le jeune Hitler enrage de voir les jeunes gens rejoindre leur corps en chantant. Quand il reçoit enfin l'acceptation du roi de Bavière, il exulte, le voilà fantassin au 1ᵉʳ bavarois! Les Autrichiens l'avaient déjà jugé « inapte au combat et aux tâches auxiliaires »...

L'armée allemande est prête, le 31, à envisager l'exécution du plan de guerre. Depuis le 27, les troupes sont revenues des manœuvres d'été. La très forte armée active est déjà à pied d'œuvre. Les ouvrages, les ponts, les tunnels sont gardés. En trois jours de mobilisation, grâce à la parfaite organisation des chemins de fer, la couverture des frontières est assurée, les troupes commencent à se masser du côté d'Aix-la-Chapelle. Les brigades mixtes à mobilisation accélérée se concentrent en Lorraine. Les troupes sont acheminées précisément vers leurs bases de départ, avec tout le matériel destiné à l'invasion. Le lieutenant-colonel Hentsch a rejoint l'état-major du colonel général de Moltke. Ce Prussien, ancien élève de la *Kriegsakademie*, l'école de guerre la plus prestigieuse du monde, est à la tête du service des renseignements du G.Q.G. allemand. A ce titre, rien ne doit lui échapper des différentes phases de la concentration française. Il doit pouvoir la suivre heure par heure.

Contrairement à ce que les Allemands pouvaient espérer, la mobilisation française s'effectue normalement. Les affiches n'ont guère étonné la foule parisienne qui disposait de tous les moyens d'information possibles. Mais le tocsin a surpris les gens des campagnes qui rentraient leur foin ou leur grain. Les affiches aux petits drapeaux tricolores ont rappelé les mauvais souvenirs de 1870 que les anciens avaient oubliés depuis plus de quarante ans. A la fièvre des villes, on peut opposer en France la calme résignation des campagnes.

L'annonce de la guerre, dans les villages, n'est jamais un événement joyeux, surtout dans l'Est et dans le Nord où l'on redoute les invasions. Dans toutes les régions de France, les scènes de mobilisation décrites évoquent généralement le courage tranquille et digne. « Les hommes, écrit l'historien Marc Bloch qui a vécu l'événement, n'étaient pas gais, ils étaient résolus, ce qui est mieux ». « Résignation grave et angoisse diffuse », écrit l'historien ancien combattant André Latreille, et Henri Bidou le Lyonnais, historien de la guerre, parle d'« un courage résolu, sans forfanterie ni faiblesse ».

La tradition a gardé le souvenir d'une journée bruyante, exaltée, presque joyeuse. C'est vrai dans les grandes villes : à Paris, la foule a défilé sur les boulevards en insultant Guillaume et en criant : « C'est l'Alsace qu'il nous faut ». Comme à Berlin ou à Munich, des bandes de jeunes gens se sont répandues dans les rues de Rouen, de Montpellier, de Lyon. A Toulouse, les orchestres des cafés ont joué cent fois *la Marseillaise*. Les villes du Midi se sont signalées par leur exaltation. A Bordeaux, on a crié : « Vive la Russie ! » A Pau, on n'a pas dormi de la nuit.

Jean-Jacques Becker a fort justement signalé [2] combien l'agitation (d'ailleurs mesurée et inégale selon les villes) ne devait pas faire oublier le calme digne et résigné de la France profonde. Bien souvent, dans les campagnes, on ne s'attendait pas à la guerre. Stupeur en Charente, surprise totale à Ajaccio, étonnement dans le Gard et dans les Hautes-Alpes. Becker a lu tous les journaux, consulté toutes les fiches d'instituteurs, étudié de près les réactions des Savoyards, des Alpins, des Bretons des Côtes-du-Nord, des vignerons du Gard. La plupart du temps, les gens sont occupés à la moisson quand ils entendent sonner le tocsin. Aussitôt ils se rassemblent, vont aux nouvelles. Aucun trouble, de l'émotion plutôt, voire de la tristesse comme à Carmaux où l'on a annoncé, la veille, l'assassinat de Jean Jaurès. « A Carmaux, note le préfet du Tarn, dès la réception du télégramme annonçant la mobilisation, dix tambours et clairons ont parcouru la ville au milieu d'un silence impressionnant. »

Même silence en Bretagne, à Plumaudan, quand le recteur lit en chaire l'ordre fatal. « Voici le glas de nos gars qui sonne », dit une vieille paysanne. Le trompette public, dans Annecy, vient interrompre une joyeuse kermesse où les lignards du 30ᵉ affichaient leur insouciance. Joseph Serand raconte la scène : « Dans les rues pleines de monde, les gens s'embrassent, les mains se serrent avec une cordialité spontanée, quelques femmes pleurent d'émotion. On cause, on discute posément, avec un calme qui décèle la résolution ». On démonte les manèges de chevaux de bois, les baraques de tir forain. Quel dommage, pense l'abbé Poulin à Lons-le-Saunier, pas de fête de la Saint-Désiré cette année ! Les saltimbanques reprennent la route, les jeux et les bals sont interdits. Les maires du midi

2. J.-J. Becker, *Comment les Français sont entrés en guerre.*

reçoivent une directive du ministre de l'agriculture pour « reporter » la date de l'ouverture de la chasse qui avait été fixée au 15 août. Personne ne songe à une guerre prolongée. Il faut partir pour en finir très vite. Seuls les hommes occupés aux batteuses continuent le travail. Quand le grain est coupé, il faut le battre coûte que coûte...

Les communes rurales sont prévenues les unes après les autres, jusqu'au moindre hameau. Des gendarmes circulant à bord d'automobiles réquisitionnées portent les ordres. La description est la même en Normandie et en Lorraine, dans la Sarthe et en Franche-Comté. Dès l'arrivée des gendarmes, les trompettes sonnent, les tambours de ville battent, les cloches se mettent en branle. Les maires lisent l'ordre en criant : « Vive la France! » A sa grande surprise, l'abbé Poulin voit des hommes venus de hameaux reculés envahir son église pour se confesser. « Beaucoup de mères, dit l'abbé, beaucoup d'épouses, de sœurs sont venues à l'église avec leurs fils, leurs maris, leurs frères pour prier. Que c'est triste de les voir pleurer! » Et l'abbé distribue des médailles aux futurs soldats. Ils les acceptent, dit-il, « avec plaisir ».

Emilie Carles a raconté l'arrivée du garde champêtre dans son hameau du Briançonnais : « La guerre, la guerre, se dit la petite, qui a 14 ans; on se regardait les uns les autres, on était tellement loin de ça! Nous, on était dans l'herbe au milieu des trousses et on avait notre guerre à nous, celle que nous menions contre l'orage qui menaçait ». Mais les feuilles individuelles sont arrivées. Le village est bouleversé : « Tout le monde était dehors, on se parlait, on s'interrogeait.... Il y en avait qui prenaient ça à la rigolade, mais il y avait les autres, les inquiets qui voyaient tout en noir... En l'espace d'une semaine, le village avait changé du tout au tout. Il n'y avait plus d'hommes entre vingt et quarante ans ». Les feuilles individuelles, apportées par les gendarmes, sont reçues avec la même gravité à Réméréville, en Lorraine. Les ordres sont délivrés dans la nuit du 1ᵉʳ août, à vingt-trois heures. « Des lumières s'allument aux fenêtres, la nuit est obscure; dans l'ombre, le long des maisons, passent des silhouettes. Les mobilisés se hâtent... On brusque les adieux sans oser dire le mot " au revoir ". Les larmes ne coulent pas. Leur source est trop profonde. Les yeux, devenus plus graves, gardent leur éclat énergique. » A une heure du matin, c'est fini, tous les hommes sont partis. A la frontière, on n'a pas le droit d'attendre, l'attaque brusquée menace.

Plus loin, en Champagne, à Épernay, le maire, Maurice Pol-Roger, rassemble son conseil à neuf heures du soir. Il y a des mesures d'urgence à prendre. « Ce ne sont point, dit-il, les cris ni les fanfaronnades qui sont le signe de la force et de la résolution. » Il constate avec plaisir que, dans les rues d'Épernay, « pas de cris inutiles, on se rencontre, on se demande : quand pars-tu? On se quitte en se disant : bonne chance, et vive la France! » Ainsi les braillards, les exaltés, ceux qui voulaient « rapporter les moustaches à Guillaume », ceux qui disaient qu'ils seraient de retour pour les vendanges, où étaient-ils donc? On pourrait croire, au vu des témoignages, qu'ils étaient rares et isolés. Mais il faut prendre garde que ces écrits de l'époque émanent de gens mûrs et responsables, d'instituteurs, de conseillers municipaux, de journalistes soucieux de maintenir le calme, le « moral » de la population. Les scènes de débordement collectif sont attestées en maints endroits; si elles sont toujours absentes des récits venus de la campagne, nulle part les témoignages n'en sont plus abondants qu'à Paris.

Dorgelès d'abord : « " Ça y est, lui dit-on le 1ᵉʳ août dans la rue, c'est affiché à la mairie! ". Je n'ai fait qu'un bond jusqu'à la rue Drouot, en fendant la cohue qui déjà remplissait la cour. Je me suis approché de la fascinante feuille blanche collée à la porte... trois lignes écrites d'une main qui tremblait. C'était le faire-part d'un million et demi de Français. » Les gens autour de lui sont atterrés, « effarés ». Mais ils se reprennent très vite : « Soudainement, un vent héroïque a redressé les têtes. Quoi? C'était la guerre? Eh bien, soit! Allons-y! Sans que nul n'ait donné le signal, *la Marseillaise* a jailli de milliers de poitrines, des gerbes de drapeaux sont apparues aux fenêtres ». Et la foule des braillards s'est répandue sur les boulevards.

Au 50ᵉ régiment d'infanterie, à Périgueux, le chef de bataillon Blondout descend du bureau du colonel, un papier à la main. Sans avoit été appelés par aucune sonnerie, officiers et hommes de troupe accourent vers lui de tous côtés. On fait cercle. Il dit : « Attendez un peu, tout à l'heure je vous permettrai un cri, un seul. » Il lit l'ordre de mobilisation générale. Puis il ajoute : « Et maintenant, vive la France! » Et la foule des soldats répète en un cri immense, joyeux et enthousiaste : « Vive la France! » Quelques semaines plus tard, le chef de bataillon Blondout était tué au combat.

On n'a guère entendu de ces cris et de ces chansons à l'École de Saint-Cyr, ce jour-là. Les élèves avaient célébré la veille au soir, furtivement mais non sans émotion, le baptême de la promotion. Ils étaient consignés. Le samedi à 16 heures, un officier avait lu l'ordre devant toute l'école qui s'écrasait dans l'escalier du Grand Carré. La mobilisation n'était certes pas une surprise. Ceux qui avaient circulé à bicyclette, le matin, dans les rues de Versailles, racontaient qu'ils avaient vu les canons lourds alignés dans la rue du Château, les dragons défilant dans la rue de l'Orangerie, le casque voilé de kaki. Ils avaient assisté aux premières réquisitions de chevaux. Là, devant l'escalier du Carré, les mains se serrent. « Tout le monde est devenu grave. » Le soir, les élèves ont chanté l'hymne de l'école, « tous ensemble, à pleine voix ». Oui, raconte Jacques Humbert, « le dernier soir fut grave ».

Les bureaux d'engagement font le plein dans les villes. Dix mille Alsaciens-Lorrains vont être recrutés. Ils se précipitent à Fontainebleau, dans les bureaux de la Légion étrangère. On a imaginé pour eux cette procédure : sitôt engagés, ils sont déclarés français et versés dans d'autres corps. Dorgelès raconte que sur les boulevards, des hommes défilent derrière des pancartes : « Volontaires alsaciens, volontaires juifs, volontaires polonais ». Blaise Cendrars le Suisse et l'Italien Canudo lancent un appel aux étrangers. De jeunes Américains riches, Norman Prince, Kiffin Rockwell, William Thaw, demandent à s'engager. On dit que des Garibaldiens sont venus d'Italie. Les mineurs polonais du Nord veulent faire leur devoir. L'armée ne sait que faire, dans l'immédiat, de ces recrues imprévues. Elle hésite aussi à incorporer les nombreux Français trop âgés qui veulent néanmoins partir. Ceux qui avaient abandonné la carrière militaire veulent reprendre du galon, quel que soit leur âge. Un colon d'Algérie, Edouard de Warren, veut combattre en Lorraine, sa terre natale, sous son uniforme de capitaine. Il a 43 ans. Louis de Clermont-Tonnerre, démissionnaire de l'armée et maire de Bertangles, en Picardie, où il possède un beau domaine rural, part aussitôt rejoindre la brigade territoriale de Beauvais. Il veut servir dans une unité combattante. Il fera la guerre comme officier de zouaves.

Paradoxalement, l'armée accueille mieux les généraux que les simples officiers. C'est qu'elle en a besoin. Tout ce qui porte des feuilles de chêne est engagé, car il faut des chefs aux nouvelles brigades, aux nouvelles divisions. On maintient dans leur commandement ceux qui venaient, comme Fayolle, de partir à la retraite ; on leur donne du galon. Etrange pénurie! Les ressources de l'annuaire offrent 122 généraux de division alors qu'il en faut 165! L'âge de la retraite est de 62 ans à la brigade, de 65 à la division. On fait une razzia de retraités. Le vieux général Brugère, artilleur encore vert de 73 ans, remonte à cheval. On voit des brigadiers d'infanterie septuagénaires et des divisionnaires qui ne sont guère plus jeunes. On maintient à 68 ans Bailloud, à 67 ans Maunoury et Pau. Beaucoup de ces chefs ont combattu en 1870. Leur âge moyen est-il trop élevé? En face, von Bülow, von Hausen et von Kluck ont tous trois 68 ans. Quant à Hindenburg, il a jadis combattu dans la Garde prussienne à la bataille de Saint-Privat. Il n'a pas moins de 67 ans.

Les engagés demandent évidemment à être versés tout de suite, quels que soient leur âge et leur grade, dans les unités combattantes. Quelle que soit aussi leur profession. Barrès déplore de voir un chirurgien émérite des hôpitaux parisiens servir comme adjudant d'infanterie. Les intellectuels sont fantassins, du moins les littéraires et les juristes. Charles Péguy l'illustre, que ses camarades appellent « le pion », il est sous-lieutenant dans la « biffe ». Il y a même des députés combattants. André Maginot, ancien sous-secrétaire d'Etat, aurait parfaitement pu obtenir une affectation sans danger. Mais cet homme de l'Est veut se battre, il part comme fantassin, avec son ami **Chevillon**. Il **prend** le train de midi, le 1ᵉʳ août. Les abords de la **gare de l'Est sont noirs** de monde, il fend la foule, qui est silencieuse, « **comme oppressée**, dit-il, dans l'attente du grand drame qui se prépare. **Pas de** démonstrations bruyantes, des serrements de main, des étreintes passionnées, des étreintes qui voudraient retenir... Des femmes pleurent, des vieux ont des visages de détresse, mais tous cherchent à se raidir contre l'émotion pour ne pas diminuer le courage de ceux qui partent ». Dans le compartiment d'André Maginot, alors qu'il roule vers l'est, un « vieux monsieur » de 44 ans, décoré, les cheveux en brosse : c'est un engagé volontaire, encore un ancien officier qui avait abandonné l'armée parce qu'il n'aimait pas la vie de garnison. Il est parti aussitôt, presque sans bagage.

Les volontaires ne sont pas que de vieux capitaines enfin comblés par l'heure de la « revanche ». Il y a des jeunes en grand nombre, ceux qui devancent l'appel de leur classe et qui s'engagent à 18 ans pour pouvoir choisir leur arme. Ils pensent que la guerre sera courte et qu'ils seront quittes plus vite avec honneur de leurs obligations militaires. D'autres demandent à partir bien qu'ils aient été ajournés ou réformés. La société française, dans les années 1900, est militaire : les sociétés de tir recrutent et encadrent les jeunes gens; en France comme en Allemagne, les « sociétés de gymnastique » sont en fait des lieux de préparation à la vie militaire. On s'y exerce aussi dans la cour des lycées et des gymnases. Celui qui n'est pas reconnu « bon pour le service » au conseil de révision vit assez mal son isolement, et la guerre aggrave son malaise. Il n'est pas bon de rester au village quand tous les autres sont partis. Un conscrit breton, ajourné par deux fois, écrit au préfet du Finistère. Il a été opéré de l'appendicite au mois de mai, il demande à comparaître devant le conseil de réforme qui se tiendra à Quimper à la fin d'août : « Je suis très bien guéri, écrit-il au préfet, et puis, si la guerre est déclarée, je serai plus endurci à la fatigue quand j'aurai un peu d'entraînement... Ne craignez pas que je ne sois pas assez fort, parce que, depuis le mois de mai, j'ai aidé aux durs travaux de la fenaison et je n'ai été nullement incommodé. » Il indique ensuite les raisons de sa démarche : « Je suis sans position et il me serait absolument impossible de me placer avant d'avoir fait mon service ». Il ne fait aucune différence entre le service et la guerre. Il n'a pas peur d'une hécatombe et ne croit pas à une guerre longue. Il joint au préfet un timbre pour la réponse.

Tous les conscrits, il est vrai, ne déploient pas le zèle de ce jeune Breton. Ceux qui sont authentiquement malades ont beaucoup de mal à rester chez eux. Pourtant les réformés ne sont pas rares, même en 1914. Dans un bureau de recrutement de Quimper, 189 conscrits seulement sont classés « bons pour le service armé », et 28 pour l'auxiliaire; 29 se sont engagés, devançant l'appel, mais 20 ont été exemptés, 43 ajournés, 23 mis en sursis.

Ni les majors ni les gendarmes ne sont tendres pour ceux qui veulent échapper, avec les meilleures raisons, au recrutement. En Bourgogne, les maires exigent une enquête de gendarmerie quand leurs administrés se prétendent malades. « Je souffre de l'estomac, dit ce jeune Bourguignon, mes mets se composent de cacao à l'eau et de pommes de terre cuites au four... Le docteur m'a ordonné des douches chaudes et des injections sous-cutanées de cacodylate de soude... Je n'ai pas de force et ne peux me livrer à des travaux pénibles. Je ne me crois pas capable de faire un soldat. » Les gendarmes interrogent les voisins dont les enfants sont déjà partis. Ils déclarent le candidat solide comme un pont. Le voilà recruté dans l'auxiliaire... A Dijon, tous doivent partir, même les employés de la préfecture. Le préfet veut-il garder son jeune secrétaire? Le général commandant la région fronce le sourcil : « Si vous tenez à le conserver, lui écrit-il, je pourrai donner l'ordre au 16ᵉ d'infanterie de le détacher pour être employé dans vos bureaux ». Le préfet ne répond pas. Comment dérober ce jeune homme à la mobilisation?

S'il y a des réformés et des ajournés, il y a peu d'insoumis. On redoutait 14 % de défections d'origine politique ou syndicale. Pour l'armée, cela voulait dire une perte sèche de 300 000 hommes. Le pourcentage des insoumis fut infime : 1,5 %. Quelques-uns réussirent à franchir les frontières, au Pays Basque, dans le Jura, ils ont fui vers l'Espagne ou la Suisse. D'autres, qui se cachaient en France, furent retrouvés par les gendarmes et bien souvent dénoncés par les populations des villages. Il est vrai que le gouvernement, par l'offre d'une prime, encourageait les chasseurs. La liste des insoumis, avec leurs photographies, était placardée dans les cantons.

La plupart du temps, ceux qui refusaient de partir étaient des asociaux, des vagabonds, des débiles ou des étourdis qui n'avaient pas rejoint à temps leur centre de mobilisation. Perdus dans leur village, ils ignoraient les rigueurs de la loi. Il y avait aussi des Français employés au loin à l'étranger, qui n'étaient pas en mesure de rejoindre. Parfois les nouvelles d'Europe ne pouvaient leur parvenir. Jean-Jacques Becker a pourtant identifié un groupe de réfractaires organisés dans la région de Saint-Étienne, un petit maquis d'insoumis. Ceux-là étaient armés et se proclamaient libertaires. Ils ont été arrêtés au bout de quelques jours par les gendarmes. Pour lutter contre l'insoumission, que l'on prévoyait beaucoup plus ample, on avait d'ailleurs multiplié les effectifs de la gendarmerie, devenue prévôté. A Lyon, la 14ᵉ légion avait sévère-

ment traqué les insoumis, puis les déserteurs. Ceux-ci n'étaient pas
très nombreux.

On comprend pourquoi les préfets n'ont pas eu à faire usage, lors
de la mobilisation, du fameux « Carnet B » contenant la liste des
personnes dangereuses qu'il fallait mettre préventivement à l'ombre. Parmi les inscrits, deux députés, dont Pierre Laval, élu
d'Aubervilliers. Le préfet du Nord, Felix Trépont, avait lui-même
recommandé au ministre de l'Intérieur Malvy, contre l'avis de ses
sous-préfets qui redoutaient des troubles, de n'arrêter personne.
Pourtant, le Nord était l'une des rares régions où les syndicats
avaient organisé jusqu'au dernier moment une propagande active
contre la guerre. Mais comment arrêter, dans l'arrondissement de
Valenciennes par exemple, des militants qui étaient des élus du
peuple, des conseillers généraux, des maires? « On risquait, par des
arrestations intempestives, de compromettre l'élan patriotique dans
plusieurs centres ouvriers », dit le préfet.

Car cet élan existe, il l'a constaté. Les mineurs de la Ruhr se
mobilisent en Allemagne, même s'ils sont socialistes et syndiqués.
Ils partent à la guerre pour en finir avec l'autocratie russe. De même
les mineurs français du Nord décident de partir pour abattre, une
fois pour toutes, le militarisme prussien menaçant. Pas plus que les
socialistes allemands ne rendent le Kaiser responsable de la guerre,
les socialistes français ne mettent alors en question les efforts de
leur gouvernement pour éviter l'affrontement. Le préfet du Nord en
tire les conclusions : socialistes et syndiqués sont des patriotes
comme les autres, il ne faut arrêter, dit-il, que « les espions, les
anarchistes et les saboteurs ».

Au total, dans le département du Nord, 59 personnes, sur une
liste de 243 suspects. Ces mesures préventives ne gênent en rien la
mobilisation dont le climat est bon. Les militants arrêtés sont en
majorité relâchés. Becker a retrouvé et publié les *Mémoires* de ce
préfet, tout heureux de parler dans sa correspondance avec le
ministère de « l'élan patriotique du Nord ». « Dans l'après-midi [du
2 août], dit-il, de fortes colonnes de mobilisables entraient dans Lille
pour rejoindre leurs corps. Ils marchaient d'un pas résolu et
chantaient *la Marseillaise* avec une impressionnante gravité ». Le
préfet a remarqué, « en tête de la colonne, un prêtre immense qui
chante avec les autres recrues ». Voilà, pense-t-il, l'« union sacrée »
réalisée dans la rue.

Le comportement des mobilisés est loin d'être exemplaire, à
Lille pas plus qu'ailleurs. Le sergent-major Guillebeau, qui vient
à Lille – de Verdun où il terminait son service au jour de la
mobilisation – pour prendre en charge et organiser le régiment
de réservistes (le 365ᵉ R.I.) qui doit se constituer. Le trajet se
fait en train. Le sergent-major n'a qu'un revolver sans cartouches

et sans étui, un sabre sans fourreau. Etui et fourreau, lui dit-on à Verdun, doivent être « touchés » à Lille. Les hommes se présentent sous le préau d'une école communale, mais repartent les jours suivants sans rien dire, pour coucher chez eux. Il faut les attendre, parfois les faire rechercher. Il y a beaucoup de désordre dans certains corps. L'armement, l'habillement font parfois défaut. Les territoriaux ne trouvent pas chaussure à leur pied. Ils sont encore à moitié civils. On ne peut leur donner de Lebel, ils ont des fusils Gras. Pour rejoindre leur corps, ils peinent, vont à pied, ne trouvent pas dans la banlieue de Paris de moyens de transport. Faute de pouvoir prendre le métro avec son important bagage, Marc Bloch est aidé par un sergent de ville qui réquisitionne pour lui une voiture de maraîcher : priorité au soldat! Il arrive en gare de La Chapelle, calé « parmi les choux et les carottes ». Quand il débarque dans Amiens, il a du mal à trouver son corps : « Je n'ai jamais compris, écrit-il, pourquoi on y voyait tant d'officiers pharmaciens ».

On a parfois du mal, faute de casernes assez vastes, à loger tous les mobilisés. A Quimper, c'est la presse; les recrues ou les rappelés arrivent par toutes les routes. D'autres rejoignent la ville par train parce que c'est leur centre de mobilisation. Les Bigoudens, lit-on dans la presse locale, arrivent en groupe de Fouesnant et de la région, drapeau tricolore sur la musette. A Brest comme à Quimper, la troupe envahit les lycées, les collèges, les écoles, les salles de gymnastique ou de spectacle, et même les halles. C'est au château de Brest que la majorité des soldats vient s'habiller. Les gens de Saint-Pol-de-Léon sont venus avec leur fanfare, la « Saintpolitaine », et Roger Laouennan, qui raconte cet embarquement pittoresque, évoque aussi les gens de Vannes qui chantent, en sortant de la messe : « Jamais les Prussiens n'viendront... manger la soupe en Bretagne... » A Lorient, à Vannes, à Nantes, les rues sont pleines de soldats. Ils ne restent pas longtemps en ville, où l'on ne sait où les loger, ils campent devant la gare, sur les places où l'on réquisitionne chevaux, carrioles, automobiles. A Nantes, les casernes sont pleines, il faut loger le 65e d'infanterie au grand complet, le 81e de territoriale, le 3e dragons, le 51e d'artillerie avec tous ses équipages, le 11e train, plus les infirmiers militaires et les dragons de la territoriale. Pour évacuer tous ces militaires, les trains se succèdent sans désemparer.

Il en est de même à Châlons où Maurice Genevoix s'impatiente. Il a rejoint son corps le 4 août et il n'a rien à faire. Pas un seul partenaire au billard dans l'unique café convenable de la ville. « C'est un tohu-bohu indescriptible, écrit-il [3]. Je suis au 106e régiment de réserve... Mon capitaine est un crétin et j'ai pour cogradé

3. Lettres inédites communiquées à l'auteur par Mme Maurice Genevoix.

un gros type qui semble un veau... » Où trouver un uniforme de sous-lieutenant ? A Paris, il a pris ses précautions. En attendant son train, il est allé au quartier du Temple et là, il a « dégoté pièce par pièce un uniforme de sous-lieutenant ». Il n'a toujours pas d'arme. « S'il n'y en a pas, dit-il, je prendrai tout simplement un fusil et une baïonnette, et ça vaudra mieux. »

Si, dans la troupe, on constate des désordres ou des retards, la situation est plus grave dans les places fortes qui manquent de moyens de défense. Le général qui commande à Maubeuge envoie un S.O.S. à Paris : « Maubeuge pas mobilisé. Travaux de défense à peine commencés. » Quand Maginot visite Verdun, le commandant n'a pas reçu les tracteurs, les projecteurs, les grosses pièces qu'il a demandés. « J'aurai tout ce qu'il me faut, assure-t-il, mais cela n'aura pas été sans peine ». Dans les centres de mobilisation, les responsables sont débordés. Il faut organiser en hâte les unités, trouver des armes, diriger les volontaires de 18 ans sur les camps spéciaux pour formation accélérée, avec les engagés. Guillebeau, le sergent-major, accompagne les officiers et quelques spécialistes du 165e d'infanterie en garnison à Verdun pour former les compagnies du 365e à Lille. La besogne est immense, il faut sans cesse improviser. Le lieutenant Charles de Gaulle, du 33e d'infanterie, a de la chance : il n'attend que cinq jours pour embarquer avec son régiment dans la direction du Nord. C'est qu'il doit faire partie des troupes de couverture qui viennent de toute la France, même de Bretagne.

A Rennes, le 41e d'infanterie, comme le 19e à Brest ou le 71e à Saint-Brieuc, sont rapidement en état de guerre. Les colonels savent que le général Foch a quitté son beau domaine de Traonfeunteuniou pour gagner le 20e corps à Nancy, où l'attend son commandement. A pied, en char à bancs, dans les wagons des petits trains d'intérêt local, les « économiques », les Bretons gagnent leurs casernes. Ils sont parfois équipés en un temps record, et mis en condition par un général impatient, Bonnier par exemple, un « colonial » comme Joffre, qui commande la division de Rennes. Dans la nuit qui précède la mobilisation, celui-ci impose aux soldats du contingent une marche-manœuvre épuisante... En une seule journée, les réservistes du 41e sont équipés : trois classes reçoivent les Lebel et les grandes capotes bleues. Il ne manque pas un cheval de trait aux équipages d'artillerie. Dans tout le pays, plus de 600 000 chevaux se trouvent mobilisés, prêts à embarquer dans les wagons de bois garnis de paille.

Le gouvernement français n'a pas été en reste sur l'état-major allemand. Il a eu pour premier souci d'envoyer à pied d'œuvre les troupes de couverture, même s'il a eu la prudence de leur interdire l'accès d'une zone de dix kilomètres avant la frontière, pour éviter tout incident. Dix divisions de cavalerie et quarante-sept divisions d'infanterie, soit au total 800 000 jeunes soldats d'active et 621 000 réservistes de trois classes, doivent gagner les positions de départ de l'offensive française et couvrir les frontières du nord et de l'est. Il n'est pas question d'attendre la déclaration de guerre, il ne faut pas être surpris. Comme en Allemagne, l'énorme machine se met en marche, les trains se suivent sur les grands itinéraires. Dès le 26 juillet, le commandement a fait organiser la garde des voies. Les troupes doivent être protégées contre d'éventuels sabotages. Des volontaires, habillés en civil et armés d'un fusil Gras, assurent la protection des ouvrages. Sur le parcours Paris-Rennes, considéré comme vital, les gardes sont postés tous les deux kilomètres. 240 000 hommes sont ainsi expédiés en quelques heures, avec tout leur matériel de campagne, les Bretons et les Picards du 2ᵉ corps, les Parisiens et les Champenois du 6ᵉ, les Lorrains du 20ᵉ et du 21ᵉ. La Compagnie de l'Est, qui n'avait pas attendu la mobilisation pour interrompre les communications ferroviaires avec les pays annexés, avait réuni en grand nombre locomotives et wagons. Dès le 31 juillet, les trains chargés à ras bord déversaient les premières troupes, 349 convois se succédant sans interruption. Après le 1ᵉʳ août, le mouvement était encore intensifié, car il fallait aussi acheminer les réservistes vers les centres de mobilisation. L'organisation des transports passait sous la seule responsabilité des militaires et était réglée sans défaillance.

Les 621 000 réservistes constituaient 25 divisions, les 184 000 territoriaux en formaient 12. Au total, avec l'active, 2 260 000 hommes, tous convoqués à la gare la plus proche de leur domicile, du deuxième au quatrième jour, suivant la distance qu'ils avaient à parcourir. Les wagons réquisitionnés, désaffectés, reconvertis en transports de troupe, les attendaient sur les voies : plus de 10 000 trains. Les réservistes, une fois conduits dans les centres de mobilisation, devaient ensuite être acheminés sur les points de concentration. Double opération qui rendait les voies disponibles pour tout transport autre que militaire. Pourtant, il fallait bien rapatrier les étrangers, faire transiter ceux qui venaient d'Europe centrale, permettre aux touristes, aux baigneurs, aux régatiers, aux alpinistes ou tout simplement aux familles bourgeoises de rentrer chez eux. Dans les gares, c'était un désordre indescriptible, on ne distribuait les billets que pour de courts trajets, et dans la mesure des trains disponibles. Un journaliste italien doit prendre successivement sept billets pour aller de Paris à Bruxelles. Il n'y a plus de classes ni de tarifs, tout le monde paie un prix unique ; dans les gares, les soldats forment les faisceaux sur les quais. Il sont bousculés par des touristes excédés, comme l'écrivain Colette qui rentre de Saint-Malo où la guerre l'a surprise. Des Anglais ou des Américains rapatriés de Suisse ou d'Autriche veulent regagner leur pays. Comment leur refuser trop longtemps l'accès aux convois ?

Le train est lent, les militaires en gardent un souvenir pénible :
« Les trains de troupe, écrit Marc Bloch, ignorent les routes
directes. Ils promènent lentement sur de petites lignes tortueuses les
soldats qui, pressés aux portières, chansonnent les vertus des
épouses de chefs de gare. De Morlaix au front, nous mîmes trois
jours et quatre nuits. » Les accidents ne sont pas rares : des
incendies, des tamponnements. Des soldats du 61° R.I., montés sur
les toits des wagons, sont décapités dans un tunnel. La consigne est
donnée aux journaux de n'en pas parler. Mais si les réservistes ont
conservé de mauvais souvenirs des wagons garnis de paille, ils
évoquent toujours avec émotion l'instant du départ. Car si la
mobilisation a été accueillie en France avec une surprise émue,
l'entrée en guerre s'est faite dans un climat de fièvre.

Il faut dire que la situation se modifie d'heure en heure à
partir du 1ᵉʳ août. Les renseignements reçus par Joffre sont
inquiétants, l'opinion publique est déconcertée. On embarque des
millions d'hommes et ce n'est pas la guerre! Le 31 juillet, les
Allemands ont achevé la mise en place de leurs troupes de
couverture. Mais ils ont en outre déjà réuni à proximité de la
frontière 5 ou 7 corps d'armée. Si les Français attendent encore,
ils risquent d'avoir devant eux toute une nation armée sans
affiches de mobilisation, sans décision officielle, une mobilisation
clandestine par petits paquets!
Les renseignements continuent d'affluer au 2ᵉ bureau. Des
automobiles bourrées d'officiers sont entrées au Luxembourg. Les
Allemands vont-ils violer la neutralité belge? Ils ont envoyé aux
Belges, apprend-on le 2 août, un ultimatum. Après tout, le roi Albert
peut décider de les laisser passer.
Dans l'immédiat, il mobilise. Depuis 1912, les Belges ont préparé
la levée de 340 000 hommes, dont 130 000 sont affectés à la défense
des importantes forteresses de Liège, d'Anvers et de Namur. Six
divisions sont à pied d'œuvre. Les Belges sont en mesure de livrer un
combat de retardement si les Allemands envahissent leur pays.
Mais ils doivent pouvoir compter sur l'aide rapide des Français et
des Anglais.
D'autres pays proches s'inquiètent. Les Hollandais, qui ont
longtemps redouté de se trouver sur les routes de l'invasion, et
surtout les Suisses qui, prévoyants, mobilisent dès le 1ᵉʳ août. En six
jours, ils envoient 250 000 hommes et 45 000 chevaux garder leurs
frontières. 6 divisions d'infanterie et 4 brigades de cavalerie avec
une artillerie nombreuse se portent surtout vers l'ouest, le long de la
frontière française. La position forte du Vully-Morat défend les lacs
de Neuchâtel, de Bienne et de Morat. Un autre ensemble, celui du
Hauenstein, défend l'accès du territoire à partir du Haut-Rhin. Les
Suisses sont bien décidés à faire respecter leur neutralité.

Et les Belges? Ils craignent que les secours français et anglais ne viennent trop tard. Il savent que déjà, le Luxembourg est envahi, sa capitale occupée par un corps d'armée allemand. On peut craindre qu'ils ne capitulent sans combat, qu'ils n'ouvrent leurs frontières. Le 2 août, quand l'invasion du Luxembourg est confirmée, le général de la 1ᵐ région reçoit l'ordre du grand état-major français de ne pas permettre aux troupes d'approcher à plus de 2 km de la frontière belge. L'impératif politique domine. Il s'agit d'éviter toute provocation.

Pourtant, les Allemands ne se gênent pas et multiplient les incidents. A Nomeny, en Lorraine, il n'y a aucune troupe française; les généraux ont reçu l'ordre de se retirer à 10 km. L'ordre de mobilisation a été porté par un dragon en automobile. Les Allemands, sachant que le village n'est pas défendu et que les hommes sont partis, multiplient impunément les patrouilles. A partir du 2 août, ils envoient les uhlans dans les villages de la Seille. Les télégrammes affluent à l'état-major sur les violations de frontières. Il y a des incidents à Cirey, à Longwy. Le plus grave est celui qui coûte la vie au caporal Peugeot (instituteur dans le civil) à Joncherey. Dans ce village éloigné de plus de dix kilomètres de Mulhouse, deux patrouilles de chasseurs à cheval attaquent par surprise un détachement français. A quoi sert donc la prudence? Elle n'est plus de mise, dit Messimy, le ministre de la Guerre : il rend à Joffre la liberté d'avancer jusqu'à la frontière le 2 août à 14 heures.

Pourtant la doctrine officielle, affirmée par Poincaré dans une célèbre proclamation affichée le dimanche matin dans toutes les communes de France, c'est que « la mobilisation n'est pas la guerre ». Comment le croire, alors que l'on fait aussi venir les troupes d'Afrique du Nord? Lyautey reçoit de Paris télégramme sur télégramme pour qu'il expédie au plus vite 20 bataillons et 6 batteries. Il en a besoin dans le Rif, il proteste. Qu'importe, on lui enverra des territoriaux. L'Algérie et la Tunisie devront équiper deux divisions. Ces troupes doivent passer la Méditerranée sur des transports dont les voyages sont déjà programmés. Comment croire que la Belgique, qui vient seulement de décréter sa mobilisation, pourra résister à l'ultimatum allemand? Si elle ne résiste pas, comment penser que l'invasion de la Belgique sans déclaration de guerre n'est pas l'inévitable prélude à une guerre générale?

L'état-major, qui avait fait prendre des mesures de précaution aux unités stationnées à proximité de la frontière italienne, est soulagé d'apprendre, le dimanche soir, que l'Italie restera neutre. L'opinion française, qui attend fébrilement la réaction de l'Angleterre, apprend le même jour avec satisfaction que la flotte britannique est mobilisée. Décidément, on entre peu à peu dans l'état de guerre sans qu'aucune autre déclaration n'ait été rendue publique, sauf de l'Allemagne à la Russie le 1ᵉʳ août.

Le 3 août, l'ambassadeur de Schoen notifie à Viviani la déclaration de guerre de l'Allemagne. Il quitte la capitale en abandonnant ses archives à l'ambassadeur des États-Unis. Il est reconduit par train spécial à la frontière avec son personnel. A Berlin, Jules Cambon a également abandonné ses archives à l'ambassadeur américain. Il quitte l'Allemagne via la Hollande, par ses propres moyens. Il était temps : les incidents de frontière se multipliaient, les militaires français échangeaient des coups de feu avec les Allemands en Lorraine. Un avion allemand avait jeté trois bombes sur Lunéville. Il devenait difficile de maintenir la fiction de l'état de paix. Dans la soirée, on recevait à Paris la réponse des Belges à l'ultimatum allemand. C'était un refus. La guerre était bien inévitable. Les généraux pouvaient respirer : elle ne pouvait plus leur échapper. L'état de siège était proclamé en Belgique. Le 4, l'Angleterre ordonnait la mobilisation de toutes ses forces armées et peu après, déclarait la guerre à l'Allemagne qui avait refusé de respecter le territoire belge. Ainsi, après la Serbie, la Belgique était la victime désignée de l'invasion. Les grandes nations occidentales attendaient qu'elle résistât jusqu'à la limite de ses forces sans avoir elles-mêmes les moyens de la secourir.

L'Angleterre basculait à son tour dans la guerre. La mobilisation en Grande-Bretagne, où il n'y avait pas de conscription, tenait du racolage. Il fallait stimuler les bonnes volontés, susciter les engagements. Les musiques de la Garde, celles des régiments d'Écosse se relayaient sur les places des villes. Trafalgar et Saint Paul, Covent Garden et le Circus étaient les centres de recrutement. Le racolage s'avérait le plus fructueux à Trafalgar où des orateurs civils et militaires prenaient la parole. Le meeting terminé, les recrues se joignaient au défilé avec fanfare, vers une autre place de la ville. Une campagne d'affiches sur les murs, dans les restaurants, sur les autobus et les taxis, rappelait leur devoir aux jeunes gens : « Kitchener a besoin d'hommes ! » ou encore, en lettres rouges : « Remember Belgium ! »

Car le Premier ministre anglais, Lord Asquith, avait demandé à Kitchener, le populaire héros de l'armée des Indes et de la guerre des Boers, d'être secrétaire d'Etat à la Guerre. Kitchener, le 3 août, s'apprêtait à partir pour le Caire où il devait diriger la mission anglaise. Il était déjà à bord du paquebot quand le messager d'Asquith était venu le chercher pour le conduire au Foreign Office. Il devait assurer au plus vite l'envoi en France de 6 divisions d'infanterie et d'une division de cavalerie. L'armée terrestre de Grande-Bretagne n'était pas, au départ, plus importante que l'armée belge. Kitchener avait l'intention de former 60 divisions.

Mais, le 4 août 1914, il ne pouvait pas espérer que trois millions d'Anglais répondraient à son appel. Kitchener, en 1870, avait été volontaire dans l'armée de la Loire de Chanzy. En organisant les premiers secours de l'Angleterre à la Belgique et à la France, il inspirait aux chefs français la plus grande confiance.

L'entrée en guerre de l'Angleterre avait une conséquence immédiate : le gel des mers et des ports. Tous les bateaux de commerce fuyaient à l'annonce par radio du conflit, cherchant un port où s'abriter. Les grandes stations de radiotélégraphie diffusaient la nouvelle sur les cinq continents. Poldhin avait commencé, puis Glace Bay relayée par New York. Buenos Aires et Cape Town avaient repris le message, transmis en Asie par Aden, Hong Kong et Yokohama. Les ordres diffusés aux navires des pays belligérants étaient de s'abriter dans un port neutre et d'attendre sans rien risquer. Les navires en partance étaient consignés, les liaisons transatlantiques interrompues. Le journaliste italien Luigi Barzini, du *Corriere della Sera*, était en mer sur un bateau espagnol, entre le Mexique et Santander. Son paquebot dut subir les patrouilles de croiseurs et arborer en permanence, pour arriver à destination, le grand pavillon d'Alphonse XIII. Les ports des pays neutres étaient bientôt encombrés d'immenses transatlantiques. Il y en avait plus de 50 à Ténériffe, autant à Las Palmas. Lisbonne, Vigo accueillaient les fugitifs. En Extrême-Orient, le Japon mobilisait sa flotte. Tout donnait à penser qu'il allait se ranger aux côtés de l'Angleterre. Il n'y aurait bientôt plus de sécurité pour les pavillons allemands et autrichiens. Déjà les cargos restaient à quai à New York ou à Charleston. Dans les ports des dominions ou des colonies françaises, à Dakar comme à Sidney, ils étaient saisis.

On s'inquiétait de la grande flotte allemande. Les amiraux français et anglais s'étaient partagé les mers. Les Français, moins puissants, se chargeaient de la Méditerranée. Justement, le bruit courait que deux cuirassés corsaires avaient franchi le détroit de Gibraltar et s'apprêtaient à couler les transports des lignes d'Afrique du Nord. Les Italiens, neutres, ne pourraient que laisser passer les bâtiments autrichiens de l'Adriatique, dont certains étaient redoutables. La flotte de Bretagne s'apprêtait à appareiller pour renforcer les escadres de Méditerranée. Tout ce qui pouvait flotter était réquisitionné pour garder les côtes, mêmes les chalutiers de Lorient et les vieux vapeurs charbonniers.

L'Angleterre ne s'était pas encore engagée dans le conflit, son pavillon n'interdisait pas le passage du Pas de Calais. Pourtant, le 3 août, on redoutait une agression de la marine de guerre allemande. Qui empêcherait les Allemands de lancer un raid sur les côtes françaises? Précisément, l'amiral Rouyer reçoit par radio-télégramme l'information que la grande flotte allemande vient de passer d'est en ouest le canal de Kiel. Une manœuvre se précise. Les

Anglais restent embusqués dans leur base de Scapa Flow. Il n'y a pas un navire français capable d'arrêter les cuirassés lourds allemands, la 2ᵉ escadre légère, basée à Cherbourg, est la seule force que l'on puisse opposer à une agression venue de la mer. Elle est aussitôt mobilisée.

Le conseil des ministres en a décidé ainsi. Poincaré a demandé sa démission au vieux sénateur de l'Aude, Gauthier, malade et fatigué, qui était ministre de la Marine. Celui-ci avait oublié d'envoyer l'ordre... C'est à 23 heures, le 2 août, que l'amiral Rouyer reçoit le télégramme, et les marins de la *Jeanne d'Arc* et de *la Marseillaise*, des rappelés, s'apprêtent à partir pour cette mission suicide. La tradition rapporte que leurs officiers, avant d'embarquer, postent leur testament.

Avec les torpilleurs basés à Dunkerque, la flotte de Cherbourg s'avance vers le nord en poussant les machines fatiguées par de longues années de service. Vers 16 heures, le 3 août, l'escadre est dans les eaux du Pas de Calais. Des fumées à l'horizon : branle-bas de combat... Amis ou ennemis? Les navires battent pavillon anglais. Les Bretons sont sauvés, ils peuvent repartir plein sud : l'Angleterre va déclarer la guerre à l'Allemagne le lendemain, elle assure seule, désormais, la garde du détroit. D'ailleurs, la flotte allemande a regagné ses bases, elle ne s'est pas aventurée loin vers l'ouest. L'équipée bretonne a l'avantage de rassurer spectaculairement tous ceux qui doutaient de l'entrée en guerre de la Grande-Bretagne aux côtés de la France. « L'Angleterre est avec nous, hourrah! » crient les Bretons.

Du 1ᵉʳ au 4 août, les Allemands pouvaient croire que la Grande-Bretagne ne se déciderait jamais à leur faire la guerre, et les Français qu'ils allaient subir seuls le premier choc des masses allemandes. La nervosité des rappelés et des responsables est à son comble. Les lenteurs de la mobilisation, pour certains corps, semblent démentir la version de la « guerre courte » qui est alors généralement reçue. Maurice Genevoix enrage d'être à Châlons, condamné à l'immobilité, pendant plus de quinze jours : « Nous ne bougeons pas de Châlons, écrira-t-il le 20 août [4], et ne savons pas encore à quel moment nous pourrons en partir... Je ne sais pas ce qu'est Châlons en temps de paix, mais, en temps de guerre, la ville n'est pas folâtre. » Les mobilisés s'inquiètent, les civils perdent leur sang-froid.

A la campagne, le premier devoir est de rentrer les blés. On trouve cette notation dans tous les récits. La moisson est l'obsession primordiale. Les mobilisés ne partent qu'au tout dernier moment. Ils travaillent jusqu'à l'heure même du départ. Les jeunes, les vieux

4. Lettre inédite communiquée à l'auteur par Mme Maurice Genevoix.

et surtout les femmes les remplacent. Mais que de bras en moins ! La famille Goalès, dans le petit bourg d'Argol, en Bretagne, a trois fils mobilisables. Les deux aînés partent au premier jour. Ils seront tués dès les premières batailles. Le troisième fait la moisson. Il ne partira qu'à la levée de sa classe, quelques mois plus tard. Les récoltes rentrées, il faut en livrer tout de suite une partie à l'armée, en particulier l'avoine. Le ministère de la Guerre a expressément demandé aux préfets de « faire les plus grands efforts pour couvrir les besoins urgents de l'armée ». Dans le Montbrisonnais, on s'inquiète. Il a beaucoup plu et les paysans ne veulent pas faire battre, ils n'ont pas de quoi fournir les réquisitions. Ils offrent pourtant le quart de la récolte d'avoine. A quoi bon en garder de grandes quantités puisqu'il n'y a plus de chevaux ? Ceux-ci ont été pris par la cavalerie.

Si les moissons remplissent les granges, on ne peut empêcher la population de s'inquiéter pour le ravitaillement. Dans les grandes villes, non seulement les bourgeois ont pris leurs précautions en retirant des sommes d'argent des banques, mais les femmes ont assiégé les magasins pour constituer des réserves de sucre, de pâtes, de conserves. Les réquisitions ont dépossédé les greniers, les réserves des boulangeries. En 1914, le pain tient encore un grand rôle dans l'alimentation des Français. On redoute une situation de pénurie dans le Montbrisonnais où les boulangeries, le 3 août, n'ont que deux jours de farine d'avance. Un télégramme alarmant provient de Corse : « A Bastia, récolte blé coupée mais sur terre et pas battue. Battage impossible. Seulement femmes et enfants. Région Ajaccio n'a plus que trois jours de farine. Disette. » Mêmes échos dans l'Hérault où le préfet télégraphie : « Il n'y a plus que 5 jours de farine à Montpellier. » Il faut chaque jour, pour nourrir la population civile de l'Hérault, 500 quintaux de blé et 600 quintaux de farine. Où les trouver ? En Algérie. Les ordres sont donnés d'urgence et, en quarante-huit heures, le blé d'Alger est débarqué à Ajaccio. Louis Dreyfus et ses agents cherchent du blé dans toute la Méditerranée. Il débarquera bientôt à Marseille. Les importations de blé américain doivent de toute façon permettre d'assurer la soudure.

Mais, plus encore que le manque de farine, la population redoute le départ des boulangers : « Dans un grand nombre de communes, remarque le préfet de Versailles, patrons et ouvriers boulangers sont mobilisés. Il serait peut-être nécessaire que Monsieur le ministre de la Guerre autorisât un homme par boulangerie à ne rejoindre son corps qu'ultérieurement. » Le préfet de la Dordogne, qui craint aussi la pénurie de farine, pleure le départ de ses boulangers : « Il est certain que le problème de l'alimentation en pain des villes de Périgueux et de Bergerac sera difficile à résoudre du fait du départ des professionnels... » Quant aux habitants de l'île de Sein, ils ne supportent pas l'idée de voir partir leur boulanger. Le premier maître de la marine en retraite Porsmague, chevalier de la Légion d'honneur, écrit au préfet au nom des habitants : nous sommes 1 200, dit-il, et nous n'avons qu'un boulanger. Guillon Jean-Louis a servi jadis comme boulanger sur la flotte et il a reçu sa convocation au 118ᵉ d'infanterie. Il doit rester sur l'île. D'ailleurs, ajoute le premier maître, « on peut s'attendre à une invasion de navires ennemis, comme en 1870 ».

A Lons-le-Saulnier, où l'on redoute aussi la disette, l'abbé Poulin ne cache pas son angoisse : il n'a plus d'hosties. Il en parle avec le père Vuillermet, un dominicain de Poligny qui part dans les ambulances parce qu'il ne veut pas être aumônier militaire : il n'a aucune envie de faire la guerre à cheval « et de se tenir un peu à distance des hommes ». Le père lui conseille de demander aux ursulines. Elles répondent qu'elles ont épuisé leurs réserves de farine fournie par les trappistes. Comment protester, alors qu'on manque de pain pour nourrir même les mobilisés dans certains centres ? L'abbé finit par ressortir son vieux moule à hosties et à les fabriquer lui-même. Le curé de Mouchard, son voisin, vient en chercher. Il fournit bientôt tout l'arrondissement.

La peur de manquer de vivres est d'autant plus ressentie que les agriculteurs sont partis à l'armée et que l'on doit déjà accueillir dans les villes et les villages les premiers réfugiés : comme ces femmes de mauvaise vie venues de Belfort, qui font scandale dans les environs de Lons. Il est vrai que les zones frontalières regorgent d'individus mal identifiés, que l'on prend bientôt pour des espions. Il est vrai que l'état-major allemand comme l'état-major français ont recours aux agents de renseignement pour être informés avec le plus de précision possible sur les mouvements de l'ennemi. Il est vrai que les agents allemands sont actifs : le ministre de la guerre écrit le 1ᵉʳ août au général en chef pour lui expliquer qu'il a « quelque raison de craindre une fuite sur le fil spécial reliant le G.Q.G. au ministère ». Il fait faire un enquête par les gens des Postes. Les agents français en Allemagne préviennent le 2ᵉ bureau que les espions allemands circulent en automobile à l'arrière du front. Les espions en auto sont particulièrement traqués. Ils sont nombreux en Belgique, où l'on soupçonne aussi les aviateurs. L'un d'entre eux est pris et fusillé.

Il est vrai que les Russes ont un service d'espionnage efficace qui transmet des renseignements au G.Q.G. français, de même que les Autrichiens renseignent efficacement les Allemands. Mais les Français voient des ennemis et des espions partout, ils sont atteints d'espionnite. Près de Lons-le-Saunier, on arrête des prévenus accusés de vouloir faire sauter un pont. La foule prévenue accourt, « poussant des cris de mort ». L'enquête faite, on s'aperçoit qu'il s'agit d'un déséquilibré. Le curé de Mouchard, près de Lons, est particulièrement vigilant et surveille les automobiles. Les « espions » sont traqués partout en France. En Dordogne, les jeunes gens de Périgueux arrachent les panneaux-réclame « Bouillon Kub », persuadés que ces pancartes contiennent des indications pour l'armée allemande. Le gouvernement, devant les manifestations inquiétantes de même nature, fait enlever partout les pancartes... A Périgueux, on brise le magasin d'un horloger du nom de Schoke, Allemand marié à une Française. La foule l'accuse d'avoir crié « Vive l'Allemagne », et il faut faire garder sa maison. Il y a des incidents dans toute la Dordogne où les gens des châteaux sont soupçonnés d'avoir des liens en Allemagne. Une famille d'origine belge est ainsi persécutée. On accuse la baronne du lieu, dont le mari est ambassadeur de Belgique près le Saint-Siège, d'avoir des relations familiales en Autriche. On voit aussi des espions partout en Normandie, du côté d'Avranches où la foule fait un mauvais parti à des montreurs d'ours bosniaques. Dans toute la France, des bandes de jeunes gens arrachent les affiches du Bouillon Kub, des machines à coudre Singer, et l'on pille les boutiques à noms allemands, comme celles portant l'enseigne des potages Maggi. Ces arrachages donnent lieu à de véritables cérémonies, avec chants patriotiques. Les incidents sont parfois plus graves. A Toulouse, la foule veut lyncher un Allemand; à Lunel, on arrête quatre Alsaciens établis depuis fort longtemps. Les lettres de dénonciation pleuvent, notamment à propos des employés des grands hôtels et des restaurants. Tous les Français détenteurs d'un poste de radio sont fichés à la police. Dans le Finistère, on découvre qu'il s'agit d'un curé, d'un vicaire, de deux horlogers, d'un retraité de la marine et de deux directeurs d'école. Il n'importe! tout ce qui est étranger est suspect. On surveille un certain Cymerman qui est venu faire une enquête ethnologique sur les Bigoudens; un artiste peintre du nom de Kammerer, que l'on soupçonne d'espionner à l'île de Groix les bases de sous-marins. On surveille aussi les Suisses, les régatiers autrichiens que l'on prie de rentrer chez eux, les femmes de chambre et les chauffeurs originaires d'Allemagne. Les domestiques des maisons bourgeoises de Pont-Aven ou de Bénodet sont traqués, arrêtés, reconduits à la frontière. On surveille même les religieuses. A Paris, le sergent-major Guillebeau signale au commissaire de police « deux espions allemands déguisés en bonnes sœurs à l'angle du boulevard Picpus et de la rue du Rendez-Vous ».

Les mauvais procédés français à l'encontre des sujets allemands font écho aux mauvais procédés allemands à l'encontre des Russes. Dès le début de la guerre, les Berlinois se montrent impitoyables : ils ont peur d'une invasion de la Prusse orientale et réagissent très vivement : les résidents russes sont insultés, l'impératrice douairière de Russie se voit interdire de continuer en Allemagne son voyage de

Londres à Saint-Pétersbourg, les membres de l'ambassade du tsar à Berlin sont molestés par la foule au moment de leur départ. Les Russes habitant l'Allemagne sont obligés de se cacher puis de quitter rapidement le pays, comme les Allemands la France. Le grand-duc Michaïlovitch, oncle du tsar, est placé en résidence surveillée; on lui explique qu'il ne peut sortir ni voyager sans danger.

Ces violences collectives irraisonnées expriment l'inquiétude des opinions publiques devant les risques d'invasion. Pourtant, on continue d'affirmer et sans doute de croire, en Allemagne comme en France, que la guerre sera de courte durée. Pourquoi tant d'illusions?

En France, non seulement on pense que la guerre sera brève, mais aussi qu'elle sera victorieuse. Becker rencontre cette conviction dans la majorité des documents qu'il a consultés. Les plus pessimistes pensent que tout sera réglé en six mois. Comment pourrait-il en être autrement? « Nous sommes prêts, dit un instituteur des Charentes. Ce n'est plus comme en 1870. » Comment pourrait-elle durer longtemps, avec les engins modernes de destruction, les mitrailleuses, les avions, les canons à tir rapide, les explosifs? Les Allemands aussi ont tout cela?... C'est oublier les Russes, le « rouleau compresseur » : comment les Teutons pourraient-ils tenir? L'analyse, certes, ne résiste pas à l'examen, mais la croyance en une guerre courte est universelle. C'est peut-être encore, note Bainville dans son *Journal,* « une façon de ne pas croire à la guerre... une dernière espérance ».

Une fois connues la déclaration de guerre de l'Allemagne et l'entrée de l'Angleterre dans le conflit, les Français partent au son bruyant des clairons. Autant la mobilisation ne soulève pas, dans l'ensemble du pays, d'enthousiasme délirant, autant le départ des mobilisés donne lieu à des manifestations patriotiques où s'expriment à l'évidence le soutien et la confiance de la population civile. La France aime son armée et compte qu'elle revienne bientôt victorieuse. Les témoignages sont unanimes. A la gare de Bel Air-Raccordement, le 4 août, les soldats du 276ᵉ régiment d'infanterie s'embarquent devant un talus « noir de monde ». Le train est « décoré, pavoisé comme pour une fête ». D'immenses inscriptions à la craie : « Train de plaisir pour Berlin, à mort Guillaume et les Boches! » Sur la locomotive, des drapeaux aux couleurs alliées. Sur le quai, un petit homme « au visage énergique, à la barbe blonde, le regard malicieux derrière le binocle, surveille les arrivées d'un air paternel ». C'est le lieutenant Péguy. A l'arrivée à Coulommiers, même spectacle : un cortège d'accueil, drapeau déployé, une gare décorée et la foule... Même enthousiasme au départ du régiment d'active, le 76ᵉ, au matin du 6 août. « Nul ne doute de la victoire », note Victor Boudon qui est dans la compagnie de Péguy. Avant le départ du 276ᵉ, régiment de réservistes, une cérémonie au drapeau, devant le colonel, avec discours et musique. Enfin, le 10 août, le régiment part à la guerre en chantant. Les wagons, où l'on s'entasse à 46, sont décorés, fleuris, couverts d'inscriptions. Accueil enthousiaste, au bout du voyage, par les populations de Saint-Mihiel et des villages environnants. Le vin gris de Lorraine emplit les bidons.

Même élan, même moral dans les souvenirs de Marc Bloch. Quand son train passe par Sedan, il est « heureux, dit-il, de parler de victoire devant le grand champ de bataille de la défaite ». Les départs aux frontières sont partout l'occasion de manifestations patriotiques. A Montauban, le colonel, avant de partir, présente aux dragons du 10ᵉ leur étendard. Ils défilent ensuite dans la ville. On acclame les officiers, qui sont de noblesse gasconne, comme Marcelier de Gaujac ou Taillefer de Laportalière. On jette des fleurs aux soldats casqués et porteurs de lances, comme on acclame à Paris les cuirassiers du 2ᵉ régiment, commandés par le colonel Halna du Fretay, quand ils quittent leur cantonnement de l'Ecole militaire pour se rendre, à travers Paris noir de monde, jusqu'à la gare de La Chapelle. Le comte Tony de Vibraye, qui est de la fête, couche ce soir-là sur la paille des wagons.

En Tarn-et-Garonne, à Auvilar, les tambours réunissent la population le dimanche pour une grande manifestation patriotique sous les drapeaux français et russe. Une jeune Russe de passage dans la ville se trouve être l'objet d'une vibrante ovation. Elle est littéralement portée en triomphe. A Epernay où l'on devait, le 1ᵉʳ août, faire partir une colonie de vacances pour Zuydcoote, le maire, au lieu de donner le départ de la grande course du « vélo sparnacien », se rend à la gare pour saluer le drapeau du 9ᵉ régiment de dragons, commandé par le colonel Emé de Marcieu. Moins d'enthousiasme au 33ᵉ d'infanterie : le lieutenant de Gaulle note au départ d'Arras : « Peu de monde, mais des gens résolus qui retiennent leurs larmes ». A Annecy, la foule acclame l'armée rassemblée, le dimanche, dans une grande manifestation patriotique avec fanfare et *Marseillaise*. Le colonel du 30ᵉ de ligne commande le salut au drapeau sur le Champ-de-Mars au milieu d'une foule énorme, avant d'embarquer. Les soldats ont des petits drapeaux tricolores sur leurs képis recouverts d'un manchon bleu. Même enthousiasme à Périgueux, à Toulouse, à Bergerac. Le régiment de Lille, aux dires du préfet, s'embarque dans l'émotion générale au son de *la Marseillaise* et du *Petit Quinquin*. Le colonel prend en main une baïonnette et crie : « C'est avec ça, mes enfants, que nous allons besogner pour la France ».

L'enthousiasme est-il moindre dans les pays traditionnellement socialistes ? On a vu la bonne tenue des troupes de Lille. Le tonnelier Barthas est intarissable sur l'instant privilégié du départ : « On vit des choses extraordinaires, dit-il, des frères irréconciliables se réconcilièrent, des belles-mères avec leurs gendres ou belles-filles qui, la veille encore, se seraient griffés et arraché les cheveux, échangèrent le baiser de paix, des voisins qui ne voisinaient plus reprirent les plus amicales relations. Il n'y eut plus d'adversaires politiques ; insultes, injures, haines, tout fut oublié. Le premier effet de la guerre était d'accomplir un miracle, celui de la paix, de la concorde, de la réconciliation entre des gens qui s'exécraient ». Dans la ville industrielle de Montluçon, dont les élus sont depuis longtemps socialistes, les 3 000 hommes et les 183 chevaux du colonel Trabuco s'embarquent pour la Lorraine au 6ᵉ jour de la mobilisation. Des casernes, le régiment défile au milieu des acclamations pour se rendre à la gare où trois trains sont nécessaires à son embarquement. Dans le « Midi rouge », le socialiste Renaud prend sa place dans un train décoré et le paysan Raybaut, à Antibes, s'embarque dans une gare « bondée de gens, des pauvres mères qui pleuraient, des filles de tout âge qui nous donnaient à boire »...

On pourrait multiplier les témoignages, parler aussi de la Garde prussienne quittant Berlin dans l'enthousiasme, ou des marins de la 2ᵉ escadre allemande longuement acclamés à leur passage devant Kiel. Les cris belliqueux et les manifestations ne sont pas moins chaleureux en Russie. Soljénitsyne évoque les scènes de violence contre l'ambassade d'Allemagne à Saint-Isaac, les cris de la foule lors de l'affichage de la proclamation impériale. Toute l'Europe est partie en guerre dans des manifestations d'allégresse, avec la conviction que la guerre ne durerait pas. Les généraux pouvaient être satisfaits : des millions de soldats français, russes, allemands, austro-hongrois, serbes, anglais et belges se précipitaient aux frontières, bien décidés à en finir. Aucun ne pouvait imaginer l'horreur du lendemain. C'était la première fois qu'en Europe, de telles masses d'hommes se préparaient à une bataille d'extermination sous la houlette de généraux pleins de confiance qui n'avaient pas fait préparer de vêtements d'hiver. Le perspicace abbé Poulin sentait-il chez ces hommes jeunes et enthousiastes une pointe d'angoisse retenue ? « J'ai surpris entre eux cette question, note-t-il : " Reviendrons-nous ? " »

2

Les causes de la catastrophe

Si l'orage surgit tout à coup, en juillet 1914, c'est que l'Europe est devenue une zone de dépression. Les crises s'y succèdent depuis le début du siècle, de plus en plus violentes et rapprochées : dans les Balkans, les Russes ne veulent pas laisser les Autrichiens accéder à la Méditerranée en débouchant sur Salonique. Allemands et Autrichiens ne veulent pas davantage que les Russes pèsent sur les Détroits en dépeçant l'Empire turc malade. Les Anglais voient d'un mauvais œil les Allemands prendre pied en Turquie. L'Autriche-Hongrie, la Russie sont des États historiques dominant des nationalités bigarrées, toujours au bord de la révolte. Ils surveillent jalousement les petits peuples libres, bruyants et belliqueux des Balkans, la Bulgarie, la Grèce, la Roumanie et surtout la Serbie : ils tentent de les dominer, veulent à tout prix éviter que ces nouvelles nations n'entraînent vers l'indépendance les peuples qu'ils asservissent.

Des ensembles se sont constitués pour instaurer l'ordre européen. Prévaut en 1914 un équilibre de la terreur où deux blocs d'alliance se partagent le continent : la France a conclu en 1892 une alliance militaire avec la Russie et, en 1904, une « Entente cordiale » avec l'Angleterre, qui n'implique pas d'accord militaire précis. Mais l'Angleterre garantit la neutralité de la Belgique. L'Allemagne et l'Autriche sont unies à l'Italie par la Triplice, renouvelée en 1912. Si l'Italie n'est pas un partenaire sûr en temps de guerre (elle ne partage pas les intérêts balkaniques de l'Autriche), Vienne et Berlin s'entendent parfaitement, surtout au niveau des états-majors. Les deux blocs ont poussé au réarmement, et la rivalité navale entre l'Angleterre et l'Allemagne fait rage.

On a évité la guerre de justesse lors de la dernière crise européenne, celle d'Agadir. Les Allemands avaient exigé sous

*la menace une négociation avec les Français sur le Maroc où
les intérêts des deux pays étaient concurrents. Jusqu'à quand
la France et l'Angleterre pourraient-elles empêcher l'Allemagne, devenue une grande puissance commerciale, industrielle
et navale, de participer au partage du monde et à son
exploitation par l'Europe? Il était trop tôt pour en découdre,
pensaient les états-majors en 1911. Mais, depuis lors, dans
tous les grands pays, on resserrait les alliances, on augmen-
tait les budgets militaires et l'on vendait des armes aux
petites nations belliqueuses. C'est dans ce climat qu'éclate la
crise de Sarajevo.*

Pour les militaires, la guerre n'est pas une catastrophe, c'est
l'aboutissement normal de leurs efforts. La préparer avec le plus de
soin et d'efficacité possible est leur affaire. Aussi, depuis fort
longtemps, les généraux allemands, autrichiens, russes et français se
préparent-ils à se faire la guerre sur le continent. Tenant compte des
systèmes d'alliances et des intérêts stratégiques, ils ont mis au point
des formules offensives qui sont des secrets de polichinelle et qui,
sur dix ans, varient très peu.

C'est à partir de 1891 que les Allemands travaillent assidûment à
leur plan de guerre, parce que la conjoncture en Europe est nouvelle :
Bismarck vient d'être écarté des affaires par Guillaume II et les
Français semblent avoir réussi à conclure avec les Russes un projet
d'entente. Il faut désormais que l'Allemagne s'habitue à l'idée que, si
elle fait la guerre, elle aura à combattre sur deux fronts.

Les généraux prussiens ont conservé le mythe de la guerre
napoléonienne d'anéantissement par une action rapide et définitive.
Sedan et Sadowa sont toujours les modèles de l'état-major.
L'important, dans le « plan de guerre », est donc l'organisation de la
concentration des troupes sur le terrain, qui seule permet de frapper
vite et fort. L'essentiel du plan prussien tient dans l'efficacité des
premiers jours de mobilisation, et dans l'heureuse disposition des
corps d'armée. Ludendorff, principal collaborateur du général von
Schlieffen, auteur du plan allemand, explique dans ses souvenirs :
« La concentration, telle qu'elle s'opéra en août 1914, a été conçue
par le général comte von Schlieffen, un des plus grand militaires qui
aient jamais vécu ». De 1904 à 1913, Ludendorff, pour sa part,
travaille à la section des opérations du grand état-major. Il est une
des chevilles ouvrières du plan.

Guillaume II lui-même a nommé Schlieffen en 1891. Le général
comte reste à la tête de l'état-major jusqu'en 1906. Son successeur
est von Moltke, neveu du maréchal de Bismarck. Moltke poursuit
fidèlement l'œuvre de Schlieffen. L'idée de base est toujours la
même : il faut anéantir un des deux adversaires très vite, avant

d'attaquer le deuxième. Schlieffen a d'abord étudié la possibilité d'intervenir en premier lieu contre la Russie. Il a dû y renoncer, n'étant pas sûr de pouvoir infliger aux Russes une défaite décisive. Il s'est alors retourné contre la France.

Le grand état-major a calculé qu'il disposait de 30 à 40 jours pour venir à bout de la résistance des Français. Il aurait ainsi les moyens d'attaquer les Russes qui avaient besoin d'au moins 40 jours pour mobiliser leurs troupes. Il suffisait, dans un premier temps, de leur opposer un rideau de soldats, et de masser toutes les forces à l'ouest.

Elles permettraient de prendre les Français en tenaille : une pince s'avance en perçant à Charmes, entre Toul et Épinal, une autre pince déborde les armées françaises en envahissant la Belgique. Le tour est joué : comme les Romains à Cannes, les Français sont encerclés. C'est un colossal Sedan. Pour empêcher les Français de réagir en attaquant en Lorraine, vers le nord, on fortifie Metz, Strasbourg et Mutzig, on en fait des barrières infranchissables, des camps retranchés. Des tonnes de béton (le budget des fortifications est de 45 millions de marks en 1905) remplacent les divisions en Lorraine et en Alsace. Les armées opérationnelles seront concentrées au nord.

L'invasion rapide de la Belgique est une nécessité. Il faut prévoir l'opposition de l'Angleterre et passer outre. C'est éventuellement le travail des diplomates que de la neutraliser. La marche à travers la riche Belgique est essentielle : l'armée pourra s'y ravitailler, reconstituer rapidement les voies ferrées et utiliser le réseau routier très dense. Peut-on renoncer à cette voie royale ?

Ludendorff explique et justifie l'invasion de la Belgique : l'état-major ne peut pas courir le risque d'avancer en France dans une région bien protégée, en laissant « son aile droite à la merci des armées anglaise, belge et française réunies », qui auraient pu à loisir s'entendre et prendre de flanc l'armée allemande. « Nous aurions perdu, dit-il, notre région industrielle du Rhin inférieur : notre défaite eût été consommée. » En s'emparant tout de suite de la Belgique industrielle et du Nord de la France, c'est lui qui, le premier, porte à l'adversaire le coup fatal.

Prendre la Belgique est un problème technique : il suffit de commander à Krupp les obusiers géants qui viendront en peu de temps à bout des forts. L'armée belge n'existe pas. Le roi des Belges autorisera sans doute le passage des troupes allemandes. On peut même envisager de traverser le Limbourg hollandais, pour être plus vite devant Anvers : on gagnera ainsi trois jours. La première armée, formée de corps venus du Nord, doit se concentrer en effet autour de Crefeld. Pourquoi ne pas demander aussi le passage à la Hollande ? se dit Schlieffen.

Il en vient à concentrer le maximum possible de forces contre la

Belgique, et à minimiser la tenaille de Lorraine. Une opération devant Nancy suffira à retenir les Français. S'ils avancent vers l'Allemagne ils seront reçus à Metz. Il faut masser au Nord une force formidable, 18 corps d'armée qui marcheront aussitôt sur Bruxelles et Paris.

Les grandes lignes du plan une fois arrêtées, l'état-major obtient immédiatement les moyens de sa réalisation : d'abord la construction des forteresses ; puis la réalisation d'un réseau très serré de voies de chemin de fer entre la Meuse et le Rhin, de Düsseldorf et de Coblence à Liège et à Trèves. Il faut en effet suivre l'invasion, faire avancer ravitaillement et renforts. Les troupes de réserve, les corps d'*Ersatz* (on appelait ainsi les unités formées à la hâte, avec les excédents de la mobilisation), doivent occuper le terrain après le passage des divisions d'assaut. Un million d'hommes se jetteront tous ensemble sur la Belgique, et les chemins de fer doivent suivre leur avance fulgurante.

Moltke, successeur de Schlieffen, transforme peu son plan. Il évite le viol du territoire hollandais par la première armée, place 3 corps d'armée en Russie pour tenir compte de l'accroissement des moyens russes depuis la défaite russo-japonaise, fortifie le groupe de Lorraine pour faire face à l'offensive française qui s'annonce importante. Il demande surtout le renforcement des effectifs de l'armée, un crédit d'un milliard de marks pour les travaux de défense et les armements lourds.

Le plan allemand tient en effet le plus grand compte des progrès techniques en matière de guerre : la France dispose du Lebel depuis 1885, un fusil qui utilise la poudre sans fumée. Toutes les armées ont des fusils à magasins de huit cartouches, le Mauser, le Mannlicher autrichien, le Lee-Metford anglais. Ils tirent à 2 000 mètres. Les mitrailleuses Maxim tirent deux mille balles en trois minutes. Les canons de 75 français, quinze obus à la minute. Les premières auto-mitrailleuses sont essayées en 1896, les armées disposent de tracteurs et de trains blindés, elles utilisent le téléphone et les avions pour le réglage des tirs d'artillerie. Les nouvelles armes ont été expérimentées pendant la guerre des Boers, en Afrique du Sud, mais surtout en Extrême-Orient : la guerre russo-japonaise a montré que les armes à tir rapide transformaient vite la guerre de mouvement en guerre de position. Ces nouvelles conditions techniques, largement mises au point pendant les récentes guerres balkaniques, renforcent paradoxalement le plan offensif allemand : le seul moyen de gagner la guerre vite est d'attaquer l'ennemi avant qu'il n'ait pu construire des défenses, de l'envelopper par surprise au lieu de l'attaquer de front. L'invasion de la Belgique n'est pas un caprice cynique de l'état-major. Elle est la seule solution rationnelle au problème posé par une guerre moderne et continentale.

Les militaires du grand état-major allemand dominent donc la situation et imposent leurs conceptions aux politiques. Ils exigent une préparation accélérée du pays à l'offensive rapide dès les premiers jours de la guerre. Ils rendent nécessaire une préparation diplomatique qui tente de justifier l'invasion de la Belgique en faisant la démonstration que l'Allemagne agressée n'a pas d'autre issue pour survivre. Ils imposent enfin la transformation du *Reichsland* d'Alsace-Lorraine en un glacis défensif où les populations doivent s'intégrer de gré ou de force. Nouvelle loi militaire, renforcement des armements, durcissement de l'implantation allemande dans les territoires annexés, orientation de la diplomatie vers la préparation des opérations de guerre : le grand état-major n'a qu'un devoir – être prêt et tenir le pays prêt pour le jour de l'invasion.

Le plan français n'est pas moins contraignant, même s'il donne l'impression d'être plus fluctuant. Depuis 1872, l'état-major n'a pas étudié moins de seize plans de concentration, tous destinés à préparer une guerre contre l'Allemagne. Depuis plus de 40 ans, l'élaboration des plans de guerre est le travail essentiel des officiers d'état-major. Les sept premiers plans, de 1872 à 1884, étaient essentiellement défensifs. C'est à partir de 1887 que l'on envisage un plan offensif. Depuis lors, les plans français vont constamment s'adapter aux progrès de la technique, mais aussi aux modifications apportées par l'alliance russe et l'élaboration du plan allemand. On pense d'abord qu'il faut faire face à une situation de concentration des troupes allemandes en Lorraine. On prévoit en 1895 d'y rassembler 17 corps d'armée active et 5 de réserve. Nancy est considérée comme le pivot de la défense française. L'invasion de la Belgique est évoquée, mais elle ne doit pas contrarier l'effort principal d'offensive que le général Saussier recommande sur Sarrebourg. En Belgique, il suffira « de contenir les avant-gardes ennemies jusqu'à ce qu'une décision ait pu être prise en Lorraine ». C'est l'auteur du plan 15, le général Brugère, qui le premier soupçonne, en 1905, que les Allemands pourraient avoir l'intention de déborder notre aile gauche. Les services de renseignement ont en effet signalé le développement des voies ferrées au nord de Trèves, dans l'Eifel, près de la frontière belge. Les Allemands travaillent d'arrache-pied à construire une ligne fortifiée en Lorraine, ce qui rend douteux le succès d'une offensive française dans cette région. Le général Brugère prend quelques dispositions pour permettre à l'armée française de faire face. Une 5ᵉ armée sera déployée autour de Revigny... A l'évidence, il faut étendre notre concentration à l'ouest de Verdun.

La loi de 1905, réduisant en France le service militaire à deux ans, oblige l'état-major à revoir ses plans. Il doit multiplier des unités moins bien pourvues en bataillons, mais renforcées de canons à tir rapide. Les Allemands ont en effet, avec le 77, de quoi répondre désormais à notre 75. Le 16ᵉ plan s'efforce de disposer sur le terrain les unités selon un réseau suffisamment large pour faire face à toutes les situations créées par l'ennemi « dont les intentions restent forcément obscures ». Ainsi ce plan organise la résistance, mobilise les réserves et ne parle plus d'offensive. Des renseignements secrets obtenus le 2 mai 1908 laissent apparaître comme « très probable » l'invasion de la Belgique. Mais si l'on étend trop le front vers l'ouest, pense l'état-major, « cela rendrait bien inutile la recherche de notre aile et leur faciliterait singulièrement une attaque centrale ». On reste donc fidèle à la doctrine de la concentration dans le Nord-Est. Seule mesure nouvelle envisagée : le renforcement de la place de Maubeuge, qui permettra de surveiller l'espace belge.

Les intentions allemandes sont mieux connues en 1911. Le général français Michel rencontre l'Anglais Wilson, directeur des opérations au *War Office*. Leurs renseignements concordent : l'ennemi laissera peu de troupes sur le front russe, il cherchera la décision à l'ouest. Il passera forcément au nord de la Meuse, pour éviter les Ardennes « qui n'ont guère plus de 13 routes ». Wilson précise même que les Allemands chercheront forcément « à prendre Liège par une attaque brusquée » pour éviter de franchir l'espace hollandais. S'ils envahissaient la Hollande, cela donnerait à la *Royal Navy* un trop beau prétexte pour bloquer le port de Rotterdam, vital pour la Ruhr. Wilson et Michel tombent d'accord : il faut lancer tout de suite une offensive en Belgique. Pour la première fois, alors que Schlieffen travaille depuis 1891, le plan allemand est percé à jour, une parade est imaginée. Onze corps d'armée seraient portés vers le nord... Ce plan est rejeté à l'unanimité lors de la séance du 19 juillet du Conseil supérieur de la Guerre. Michel n'a-t-il pas prévu (sacrilège!) d'utiliser les réserves en première ligne? Il doit démissionner. Le ministre de la Guerre, Messimy, décide de réorganiser le haut commandement pour lui donner unité et force. Il crée un poste de chef d'état-major général qu'il confie à Joffre, en précisant qu'il « nomme à la tête de l'état-major la haute personnalité militaire jugée la plus apte à exercer éventuellement, en cas de guerre, le commandement du principal groupe d'armées ».

En 1911, la guerre est proche. Le nouveau chef d'état-major a peu de temps pour organiser la défense contre un plan de concentration allemand qui a été mûri, perfectionné, soigneusement mis au point, sans changement essentiel, pendant dix ans. Joffre précise d'entrée de jeu qu'il « s'agit d'organiser l'offensive française et non la parade ou la riposte à une offensive allemande ». Il est le représentant désigné de cette doctrine de l'offensive qui fait les beaux cours de l'École de guerre où enseignent Foch et le colonel de

Grandmaison. Pourtant, Joffre a pour première préoccupation de renforcer le groupe d'armées intervenant à l'ouest de son dispositif, afin de faire face à l'offensive allemande dont il ne fait plus de doute dans son esprit qu'elle a de grandes chances de frapper au nord.

Pourquoi ne pas reprendre, dès lors, l'idée de Michel d'une offensive française dans cette région? Joffre, qui ne laisse rien au hasard, sollicite une audience du président du Conseil Poincaré, le 21 février 1912, pour lui demander la permission, le cas échéant, d'envahir la Belgique. Poincaré, très étonné, fait immédiatement des objections :
– Il faudrait à tout le moins, dit-il, que notre intervention fût justifiée par la menace positive d'une invasion allemande.

Joffre sait bien que, de toute façon, il n'a pas les moyens ferroviaires de porter ses armées en Belgique. Il n'insiste pas. Les Allemands travaillent depuis de longues années à organiser les bases ferroviaires de leur concentration le long de la frontière belge. Les crédits nécessaires à l'amélioration des lignes françaises ne seront débloqués qu'au cours de l'hiver 1913-1914. On construisait pourtant la ligne Laugagne-Le Puy qui devait permettre aux trains du 16ᵉ corps d'armée de relier directement Montpellier à Saint-Étienne, mais ce n'était pas une réponse directe à la menace d'invasion! Certaines lignes, dans le Nord, et dans l'Est, devaient être quadruplées pour faire face au trafic de guerre : il n'y avait pas une heure à perdre.

Nouvelle alerte le 19 mars 1913, quand un document secret allemand tombe entre les mains du service français de renseignement : l'armée allemande est en mesure d'envahir la France par attaque brusquée, car elle peut mobiliser en 24 heures les corps de frontière et en 48 heures les réserves nécessaires pour un assaut dit de « surprise stratégique ». Cette information oblige de nouveau l'état-major français à accoucher d'un nouveau plan, le dix-septième, qui a des implications politiques importantes.

Jusqu'alors, les effectifs de temps de paix étaient équivalents entre la France et l'Allemagne. Ils sont brusquement augmentés en Allemagne de 168 000 hommes... ce qui porte l'armée active à 870 000 hommes entraînés pour la guerre immédiate, avec des unités de pionniers, de mitrailleurs, d'artilleurs à pied, de spécialistes des liaisons et des communications, une formidable machine de guerre constamment disponible. Un très grand nombre de réservistes inscrits et bien encadrés peuvent être levés au premier danger. Le plan de mobilisation allemand, dont un exemplaire est en mai 1914 sur le bureau des officiers français de renseignement, prévoit la mobilisation rapide des premières lignes en six jours, de l'ensemble de l'armée d'opérations au treizième jour. En raison de l'état du réseau ferroviaire, on n'imagine pas que les Allemands puissent concentrer au nord de Trèves, le long de la frontière belge, plus de 11 corps d'armée.

Le renforcement du système militaire allemand oblige à revoir d'abord le recrutement de l'armée française. Une loi des cadres permet d'augmenter de dix les régiments d'infanterie et d'assurer l'encadrement immédiat des réserves en cas de guerre. Mais l'état-major exige, par le vote unanime du Conseil supérieur de la Guerre (4 mars 1913) que l'on porte à trois ans la durée du service militaire, afin de corriger le déséquilibre des effectifs d'active entre l'Allemagne et la France. Vivement combattue par la gauche, cette loi de 3 ans est adoptée le 7 août 1913 après une longue campagne hostile des socialistes, des radicaux, des syndicats et de tous les antimilitaristes. Ainsi, en France comme en Allemagne, moins facilement peut-être, les nécessités reconnues par l'état-major deviennent de plus en plus impératives pour le pouvoir politique : la Chambre élue en 1914 (mai) est majoritairement hostile au service de trois ans et à la préparation de la guerre, mais l'élection de Poincaré à la présidence de la République et l'imbrication des problèmes politiques permettent de diviser la nouvelle majorité et de maintenir une loi que l'état-major a toujours unanimement déclarée indispensable à la Défense.

Il ne cesse de réclamer des crédits pour organiser, à l'allemande, des camps retranchés qui protègent la concentration des troupes. Limités et tardifs, ces crédits permettent tout juste de commencer les défenses du Grand-Couronné de Nancy, d'améliorer la ligne des Hauts de Meuse et d'envisager la défense de la forêt de Charmes, au nord d'Épinal. Par contre, le haut commandement prévoit avec beaucoup de précision les moyens ferroviaires mis à la disposition des troupes venues des dépôts de l'intérieur : les gens du Nord iront dans les Ardennes, ceux de l'Ouest et de Paris sur l'Aisne et sur Verdun. Les hommes du Sud-Ouest débarqueront en Lorraine et dans la région de Bar-le-Duc ; ceux du Centre dans les Vosges, ceux du Midi à Belfort et à Mirecourt. Des automobiles en grand nombre seront affectées aux sections sanitaires et au ravitaillement en viande fraîche. Elles seront toutes réquisitionnées : 4 000 voitures de tourisme et les transports en commun seront livrés aux gendarmes, soit 9 500 véhicules au total. Le gros du ravitaillement sera délivré après le 17ᵉ jour de mobilisation, quand toutes les troupes seront en place, par les gares régulatrices du chemin de fer (Gray, Is-sur-Tille, Châlons-sur-Marne, Troyes, Reims et Laon). Ainsi les chemins de fer prévoient l'acheminement des corps d'armée et aussi leur approvisionnement régulier pendant la campagne, mais seulement à partir du 17ᵉ jour. Il faut espérer que les réserves de vivres accumulées au voisinage des unités mises en place sera suffisant pour que les réquisitions ne soient pas trop lourdes. La mobilisation rassemble en effet 4 millions d'hommes.

L'armée ne doit pas se concentrer à l'ouest des Ardennes. Le plan n° 17 reprend à cet égard les dispositions des plans précédents. Les départements dits « de la zone des armées », à l'ouest du front, ne sont concernés que pour certains de leurs arrondissements : Valenciennes, Cambrai, Avesnes et Douai, en raison de l'arrivée escomptée du corps expéditionnaire anglais ; Laon, Saint-Quentin et Vervins dans l'Aisne.

Ainsi ce plan français, qui entre en vigueur le 15 avril 1914, méconnaît l'importance de la concentration allemande sur la frontière belge, mais, cette fois, sans en écarter la possibilité. Comme les plans précédents, il groupe le gros des forces françaises entre Verdun et Épinal, mais comprend cependant deux nouveautés :

D'abord, il se veut offensif : une attaque française doit se dessiner très vite, partie sur la Haute-Alsace (et l'on escompte, dit le document, le « soulèvement des populations alsaciennes restées fidèles à la cause française »), partie sur la Sarre par Château-Salins. La 3ᵉ armée appuiera le mouvement des deux premières en préparant éventuellement « un premier investissement de la place de Metz ». L'offensive française espère pouvoir percer dans les points faibles de la zone fortifiée allemande.

La deuxième nouveauté, c'est qu'une certaine masse de divisions est prévue pour faire face à l'éventuelle invasion de la Belgique : la 5ᵉ armée, dont la concentration est poussée plus à l'ouest, jusqu'à Hirson, et qui sera renforcée par le corps expéditionnaire britannique, dont on prévoit la concentration non sur la Sambre ou l'Escaut, mais sur la ligne Hirson-Reims. Dans l'hypothèse de l'invasion de la Belgique, la 5ᵉ armée devra entrer dans le Luxembourg belge, elle sera soutenue par la 4ᵉ. Dans l'immédiat, un corps de cavalerie, celui du général Sordet, aura mission de rechercher le contact de l'ennemi. Un seul régiment d'infanterie est prévu pour se porter sur Dinant et occuper les ponts de la Meuse.

Telles sont les dispositions de l'état-major français pour contenir la ruée allemande sur Bruxelles dont il n'a pas les moyens de mesurer l'importance.

Il est vrai qu'il n'a pas réussi, contrairement au G.Q.G. allemand, à faire pression sur le pouvoir politique pour obtenir l'alliance ou la neutralité positive des Belges. Jusqu'au dernier moment, le gouvernement français se garde de la moindre intervention dont l'Angleterre pourrait prendre ombrage. Il sait que l'invasion de la Belgique par les troupes allemandes est en fait le seul élément décisif pour l'engagement des forces anglaises sur le continent.

Des accords ont été conclus, il est vrai, depuis l'Entente cordiale. Mais ils sont toujours conditionnels. La décision d'envoyer (éventuellement) 6 divisions est prise en 1911 par l'état-major anglais. Wilson tient à préciser que « ce nouveau plan ne préjuge en rien de la décision que le gouvernement anglais pourra être amené à prendre le moment voulu. Il restera libre, comme auparavant, d'intervenir ou non et de fixer lui-même l'effectif des forces qu'il estimera à propos d'envoyer sur le continent ». En juillet, après le « coup de poing d'Agadir » et la crise diplomatique que provoque l'envoi de la canonnière allemande *Panther* devant le petit port marocain, Wilson rencontre Dubail, chef d'état-major général de l'armée. Ces pourparlers, dit encore Wilson, « ne peuvent lier en rien les gouvernements français et anglais ». Pourtant, ils sont le prélude à des entretiens réguliers d'états-majors qui prévoient la concentration sur Maubeuge-Hirson des divisions anglaises du 12ᵉ au 16ᵉ jour de la mobilisation. Un plan de transport ferroviaire est prévu en France. Des ports (Calais, Rouen, Le Havre) sont affectés aux Anglais. On comprend, dans ces conditions, que l'état-major français ait tenu à préciser, lors de l'élaboration du 17ᵉ plan : « L'Angleterre ne nous a pas assuré sa coopération d'une manière certaine, et n'a même voulu prendre aucun engagement par écrit. » On exclut donc les forces anglaises des plans d'opérations. Par contre, on n'a pas les moyens de se passer de l'alliance russe, et les plus grands efforts sont demandés sur ce point au pouvoir politique pour comptabiliser avec précision les éléments du renfort russe.

On croit cette alliance solide, parce qu'elle a pour fondement l'arme financière. Depuis plus de vingt ans, le capital français s'est investi en Russie, d'abord dans les emprunts d'État. Quoi de plus solide qu'un investissement en or massif pour consolider une bonne et belle alliance? Le comte de Witte peut dire : « La France, c'est la caisse »; pour les Français, la Russie c'est « une réserve inépuisable de soldats [1] ».

La France n'a profité d'abord que de la répulsion du marché de Berlin – infiniment moins riche en capitaux placés à l'étranger que celui de Paris – pour les valeurs russes. A partir de 1888, note René Girault [2], Berlin faiblit. Bismarck ne ménage pas les Russes outre mesure. Il ne peut empêcher les « junkers », ces grands propriétaires de l'Est, de demander la fermeture des frontières allemandes aux blés russes, ni les industriels de la Ruhr de souhaiter que les capitaux mobilisés en fonds russes soient employés d'une manière plus rentable dans le financement du marché intérieur. Berlin se débarrasse des fonds russes. Comment les ministres du tsar vont-ils financer leur expansion? Un seul marché peut les accueillir en Europe : Paris.

A Paris, les banques juives font la fine bouche. Le tsar est un

1. État-major de l'armée : *Documents sur les armées étrangères.*
2. René Girault : *Emprunts russes et investissements français en Russie*, thèse d'État.

antisémite redoutable, il persécute les juifs ou les laisse persécuter dans tout l'empire. Est-il très moral de l'aider à surmonter ses difficultés économiques ? Sur la place de Vienne, déjà, la finance juive a fermé ses portes [3]. Les Rothschild de Paris demandent au tsar d'abolir les lois qui briment les Juifs. En 1887, ils n'ont rien obtenu. Dès lors ils se désintéressent du premier emprunt. Mais les autres banques s'ouvrent, avec le Crédit Lyonnais d'Henri Germain comme leader. Mallet, Vernes et Hottinguer sont à leur tour intéressés. Tous ont le privilège d'ouvrir des succursales à Saint-Pétersbourg. On dit que Paribas va elle aussi soutenir les fonds russes... Le tsar multiplie les bonnes manières. Il fait dire à Carnot, président de la très anticléricale République française, qu'il n'en veut pas au président du Conseil français, Charles Floquet, d'avoir jadis crié aux oreilles d'Alexandre II : « Vive la Pologne, Monsieur ! »

Le premier emprunt, en décembre 1888, est un vrai succès. Les banques en tirent un formidable bénéfice : 110 000 souscripteurs ont acheté avec leur or. Les Rothschild pouvaient-ils rester en marge de cette nouvelle course au trésor ? Ils devinrent bientôt les têtes de file des placements russes en Europe de l'Ouest. Pouvaient-ils d'ailleurs se désintéresser du marché russe, alors qu'ils avaient déjà investi dans les pétroles du Caucase ? Les Russes, de leur côté, pouvaient-ils se passer des services du plus grand promoteur européen de lignes de chemin de fer ? Il semble que, du côté du tsar, des promesses aient été faites et non tenues. Mais voici qu'à la surprise générale, les emprunts de 1891 s'effondrent, les valeurs russes sont en chute libre. Le tsar vient de nommer le grand-duc Serge Alexandrovitch gouverneur de Moscou en remplacement du prince Dolgoroukov dont on blâmait la complaisance coupable envers les juifs de la ville sainte. On en chasse tous les artisans avec la plus grande brutalité. Les consuls ont des ordres pour refuser tout visa aux Juifs, qui n'ont pas le droit d'acheter la terre russe. On menace les intérêts Rothschild dans les pétroles.

Mais la disponibilité du marché russe reste une tentation pour les financiers, et les intérêts politiques organisent le rapprochement. Les généraux russes font à Paris des visites incognito, s'intéressent vivement au matériel de guerre. Un contrat pour une commande de 500 000 fusils a été passé avec la manufacture de Châtellerault. Pourtant, les Russes font encore bonne figure aux Allemands, ils hésitent à s'engager dans une alliance politique et militaire avec la France. Les Rothschild, en boycottant les valeurs russes, servent donc les intérêts du gouvernement français : au moment où se perpétue la Triplice, alliance entre l'Allemagne, l'Autriche et l'Italie, il faut forcer le tsar à choisir : s'il veut le

---

3. Bernard Michel : *Banques et banquiers en Autriche*, thèse d'État.

marché français, il doit aussi s'engager dans l'alliance française. Comme l'écrit René Girault, « la concordance de vues entre les Rothschild et le gouvernement français ne relève sans doute pas du hasard ».

Le tsar n'a pas le choix : les marchés financiers anglais et allemands lui sont fermés. Il doit ouvrir sa bonne ville de Cronstadt à la visite de la flotte française de l'amiral Gervais. C'est le vrai début de l'alliance, dont parlent déjà à Paris le général de Boisdeffre et le général Obroutchev. Les Russes commandent un million de fusils Lebel, et bientôt des canons à Cail et à Schneider. On laisse entendre à Decauville qu'il pourrait bien avoir la commande du Transsibérien. Le rapprochement se précise en 1893 quand les marins russes viennent en visite à Toulon. Les entretiens Boisdeffre-Obroutchev s'étaient poursuivis à Saint-Pétersbourg. Boisdeffre voulait obtenir le secours de la Russie si la France était attaquée par l'Allemagne. Obroutchev voulait obtenir pour son pays la même garantie contre l'Autriche. Les Français s'engageaient à mobiliser 1 300 000 hommes et les Russes 800 000. Il avait fallu seize mois pour que le tsar signe enfin les accords secrets en décembre 1893. Jusqu'au dernier moment, les partisans de l'alliance allemande avaient manœuvré. Les Français ne l'avaient emporté que de justesse.

En 1914, la situation avait beaucoup évolué. La France avait largement participé aux emprunts d'État, aidé puissamment aux investissements dans les chemins de fer, insisté pour que l'on construisît en priorité ceux qui avaient une importance stratégique, devaient permettre une concentration rapide de l'armée russe. Le tsar avait néanmoins négligé ces lignes, donnant la préférence aux liaisons économiques. En 1913, le gouvernement français mit comme condition à un nouvel emprunt la construction de 5 330 km de lignes stratégiques en 4 ans, pour 11 000 km de voies d'intérêt économique. Déjà, Delcassé en 1899 avait dû se livrer à un véritable chantage sur le comte de Witte pour obtenir la mise en chantier de la ligne Orenburg-Tachkent, vitale du point de vue militaire. Plus tard, Clemenceau, Pichon et Fallières avaient présenté la même revendication. Joffre, qui s'était entretenu longuement avec le général Gilinsky, en 1912, avait attiré très vivement l'attention de Poincaré sur ce problème crucial. Il fallait doubler ou quadrupler les lignes principales pour amener rapidement les unités russes en Pologne. Sinon, les promesses de mobilisation du tsar n'étaient que chiffon de papier.

L'état-major français n'eut satisfaction que très tard : c'est seulement en 1913 que le tsar s'engageait à augmenter son armée d'active de 365 000 hommes et à dédoubler trois voies de circulation en Russie d'Europe, avec une communication directe de Riazan et Toula vers Varsovie. Il n'était pas question de compter sur ces liaisons essentielles avant 1918. L'opinion de Joffre était faite : la Russie entrerait en guerre avec des moyens de fortune.

Le renfort russe était cependant loin d'être négligeable. Avec son armée d'active de 1 300 000 hommes et ses 4 millions de réservistes instruits, l'armée russe fixait facilement les 1 400 000 Austro-Hongrois amis de l'Allemagne, et obligeait le grand état-major à laisser des corps d'armée en Prusse orientale. L'armée russe s'était beaucoup modernisée : son état-major prévoyait la mobilisation en Europe de 28 corps d'armée actifs, avec 361 batteries attelées, 28 groupes d'obusiers à deux batteries de 6 pièces et 15 groupes lourds à 3 batteries de 4 pièces. 42 batteries à cheval accompagnaient la cavalerie : 560 escadrons. Il fallait aussi compter sur la réserve : 37 divisions d'infanterie, 20 divisions de cavalerie avec l'artillerie correspondante et les célèbres *sotnias* cosaques, plus de 500 escadrons des meilleurs cavaliers d'Europe. Une note de juillet 1913 précisait que les Russes devaient se hâter de rechercher le contact avec les Allemands : le front devait s'ébaucher au 15e jour de la mobilisation et l'offensive au 23e jour. On prévoyait d'atteindre Thorn et Koenigsberg au 35e jour de la guerre. Pendant ce temps, la France supporterait seule ou presque l'immense poussée alle-mande.

S'il existe en effet des difficultés, des imprécisions dans les rapports entre la France et ses alliés, si le général Joffre n'est pas encore assuré, au moment de la mobilisation, de l'appui effectif de l'Angleterre, s'il n'est pas davantage certain de l'effi-cacité immédiate de l'armée russe, le grand état-major allemand, lui, est en accord complet avec le commandement autrichien. Entre les *Junkers* qui commandent l'armée allemande et la caste aristocratique à la tête des troupes austro-hongroises, le langage est commun. Il n'y a pas méfiance, mais admiration à Vienne à l'égard des produits de la *Kriegsakademie,* même si, dans le passé, les Autrichiens ont eu à pâtir des méthodes de l'armée prussienne. Ils ont appris à leur détriment en 1866 que seule une armée moderne peut faire une guerre moderne. Ils n'ont pas eu besoin des Allemands pour développer une puissante industrie d'armements : le grand Emil Skoda a transformé son modeste atelier de Pilzen en une immense fabrique d'armes de renommée mondiale. En 1912, quand les Hongrois, pour faire montre d'indépendance vis-à-vis de Vienne, demandent au Prussien Krupp de leur construire leur propre usine d'armements, c'est finalement Skoda qui l'emporte et qui construit l'usine de Györ. Les Autrichiens ont leurs fusils, leurs canons, leurs obusiers et une armée active de 590 000 hommes avec des régiments com-muns à l'Autriche et à la Hongrie (K und K : *königliche und kaiserliche*), des régiments de la *Landwehr* autrichienne et de la

Honved hongroise. L'armée pratique l'amalgame des nationalités éparpillées et intégrées au sein de régiments où l'aristocratie hongroise, polonaise et surtout allemande exerce toujours le commandement. Les princes polonais de Vienne, par passion anti-russe, sont parmi les plus bellicistes de l'état-major : Golororski, qui commande la 10ᵉ division, pondère dans ses régiments les Ruthènes, qui sont des Ukrainiens, et les Polonais, les Tchèques, qui sont la majorité, avec des Allemands. Tous ses officiers sont allemands. L'état-major est commandé par un grand seigneur qui a toute la confiance du vieil empereur François-Joseph, Conrad von Hötzendorf. Les officiers qui entourent Conrad forment cette caste militaire en réalité nobiliaire, seule admise aux honneurs de la cour et au pouvoir réel de décision qui appartient aux hommes de confiance de l'empereur. L'influence de ces grands seigneurs est sans doute encore plus grande sur un François-Joseph fatigué, au fond de lui-même enclin à la modération, que ne peut l'être la caste des junkers prussiens sur le bouillant Guillaume II.

Conrad von Hötzendorf a des contacts directs et amicaux avec Moltke. Un accord très ancien, signé en 1879, lie les deux pays. Les chefs d'état-major envisagent depuis très longtemps l'éventualité d'une guerre – qui pourrait être européenne – à propos des Balkans. Après les graves craquements de 1908, Moltke écrit à Conrad von Hötzendorf, le 21 janvier 1909 : « Il faut prévoir qu'un moment peut venir où, devant les provocations serbes, la patience de la Monarchie sera à bout. Alors il ne lui restera guère d'autre parti à prendre que de marcher contre la Serbie... Je crois que seule une invasion de la Serbie par l'Autriche pourrait déterminer éventuellement une intervention active de la Russie. Cela créera le *casus foederis* pour l'Allemagne... Dans le moment même où la Russie mobiliserait, l'Allemagne mobiliserait aussi, et mobiliserait toute son armée ». Le pacte austro-allemand est défensif, comme l'entente franco-russe. Néanmoins, les chefs d'état-major des deux pays considèrent à l'évidence la guerre comme la seule issue vraisemblable des conflits balkaniques.

Une publication militaire du 5 mars 1914 reflète l'état d'esprit de l'état-major avant le déclenchement de la crise européenne : « Le moment est venu de choisir soit une politique offensive utilisant les avantages actuels [c'est-à-dire la supériorité austro-allemande en effectifs et en armements] et prévenant ainsi l'attaque certaine de l'adversaire, soit une politique d'attente pendant laquelle la prépondérance de l'ennemi ne fera que s'accroître ». Et l'article conclut : « L'attaque est la meilleure défense ».

Techniquement, les états-majors de Berlin et de Vienne ont tendance à penser que s'il faut faire la guerre, le plus tôt sera le mieux. Ils s'y préparent avec acharnement et savent qu'ils peuvent compter sur la solidité et l'efficacité de l'alliance : les Autrichiens, en cas de guerre, envisagent d'envoyer deux ou trois corps d'armée sur le front français. La seule inconnue, pour Berlin et Vienne, est l'attitude de l'Italie, qui est en principe, leur alliée, dans la Triplice. Mais elle ne tient pas un grand rôle dans leurs calculs de guerre. Si elle n'est pas avec eux, on compte à tout le moins qu'elle restera neutre. Bien pourvue en artillerie lourde, en mitrailleuses, en canons de campagne, l'armée autrichienne n'a rien à envier à l'armée allemande, prête à l'action. Les Autrichiens disposent en particulier d'un excellent canon de 88 mm dont on n'entend pas venir les obus. Les réseaux homogènes de chemin de fer permettent, entre les deux pays, de faciles liaisons. Les Allemands ont pratiquement achevé leur programme de fortifications.

A l'ouest, l'Angleterre n'a pas d'armée, la France vient de se donner les moyens de protéger ses frontières et dispose d'un armement efficace en canons de campagne et en mitrailleuses ; mais elle manque d'armement lourd et ses forteresses ne sont pas en état de faire face à l'agression. Elle vient de planifier une concentration ferroviaire rapide et d'obliger son allié russe à suivre la même voie. Il est vrai qu'au printemps de 1914, les états-majors allemand et autrichien peuvent envisager fort sereinement un conflit armé dans l'immédiat. Il est vrai aussi qu'ils sont plus proches, plus écoutés du pouvoir de décision politique de leurs pays respectifs que leurs homologues français et britanniques du leur. Ce déséquilibre dans le système européen de paix armée risque, au moindre incident, de faire pencher la balance du côté de la guerre. Von Moltke et Conrad von Hötzendorf le mesurent parfaitement.

Le 28 juin 1914, l'archiduc héritier d'Autriche François-Ferdinand et sa femme sont assassinés à Sarajevo, en Bosnie. Le fait divers fait le tour des agences de presse sans susciter d'importants commentaires politiques. L'opinion publique a l'habitude de ces attentats ou de ces affrontements dans les petits États balkaniques qui sont le ventre mou de l'Europe. Au lieu d'y apporter la paix, les grandes puissances y attisent les conflits, suscitent les rivalités pour étendre leur influence et leur clientèle. L'Autriche-Hongrie et la Russie, particulièrement.

Comme la Serbie voisine, la Bosnie faisait jadis partie de l'Empire ottoman, ainsi que la plupart des États balkaniques. Sur ses plateaux herbeux, la population vivait chichement de troupeaux de chèvres et de moutons, de maigres champs de céréales. Les Bosniaques étaient pour partie musulmans, pour partie orthodoxes ou catholiques. C'est l'appui armé des Russes qui avait permis aux Serbes du prince Milan, aux Monténégrins du prince Nicolas, aux Bulgares et aux Roumains de se libérer des Turcs. Ainsi, il y avait, grâce au tsar, une Serbie indépendante. Pour calmer les Autri-

chiens, les Russes leur avaient reconnu la disposition de la Bosnie et
de l'Herzégovine, qu'ils occupaient depuis 1878. Trente ans plus
tard, en 1908, Vienne avait annexé purement et simplement la
Bosnie : à cette époque, le ministre des Affaires étrangères,
d'Aerenthal, avait convaincu l'empereur qu'une politique ambitieuse était possible dans les Balkans, et que l'Autriche devait
s'ouvrir, en construisant une ligne de chemin de fer, le débouché de
la ville grecque de Salonique, sur la mer Egée. Conrad von
Hötzendorf, déjà chef de l'état-major, poussait vivement à la guerre
contre la Serbie. Enfin l'héritier de l'empereur, Ferdinand, rêvait de
former une masse de populations slaves organisées, dans les
provinces du sud de l'empire, qui ferait pièce à la monarchie
hongroise. L'annexion de la Bosnie faisait encore l'objet de
pourparlers avec la Russie et si la négociation avait été possible,
c'est que l'Allemagne avait donné à entendre qu'elle soutiendrait
son alliée. Par contre, la France, par la voix de son ministre Pichon,
avait fait savoir à la Russie qu'elle devait éviter un conflit européen

« que l'opinion publique française ne comprendrait pas ». Conrad, sûr de l'appui de Moltke, était prêt à envahir la Serbie, seule à protester contre l'annexion. Comment osait-on annexer une population entièrement slave, disait-on à Belgrade, sans songer seulement à la consulter ? L'armée autrichienne était prête, un ultimatum était envoyé aux Serbes : ils devaient affirmer « qu'ils n'étaient pas lésés par l'annexion de la Bosnie-Herzégovine et s'engageaient à vivre désormais avec l'empire en termes de bon voisinage ». La Russie, non soutenue, laissait faire. Le sort de la Bosnie était réglé.

Tels étaient les rapports de force entre Vienne et Belgrade : la Serbie, coupée de la mer, dépendait entièrement de l'Autriche. Sa seule chance d'agrandissement vers l'Adriatique venait de lui être refusée. Son indépendance n'était plus que formelle. Elle était condamnée à l'isolement, à la misère, à une surveillance policière constante, car elle était naturellement, aux yeux du cabinet de Vienne, un foyer permanent d'agitation pour toutes les provinces du sud de l'empire. Plus que jamais, en 1914, Conrad von Hötzendorf rêvait d'envahir la Serbie et de casser définitivement sa résistance.

Il se trouve que l'assassin de l'archiduc, Prinzip, était un révolutionnaire bosniaque qui n'agissait pas seul : il était, pensait-on à Vienne, en relation avec une organisation terroriste serbe, la Main Noire, dont le chef avait été l'organisateur de l'attentat de 1903 contre le roi Alexandre et la reine Draga. Le but de la Main Noire était de constituer un État yougoslave avec la Serbie, la Bosnie, le Monténégro, l'Albanie, la Croatie et le sud de la Hongrie : elle voulait arracher ces provinces aux États qui les dominaient, principalement l'Autriche-Hongrie. La Main Noire passait pour recevoir des encouragements substantiels de Saint-Pétersbourg. Il ne fait aucun doute que les assassins (car Prinzip n'agissait pas seul) étaient venus de Belgrade. La Main Noire était-elle donc, comme l'ont aussitôt affirmé les autorités de Vienne, la source du complot ?

Ainsi que le fait remarquer Imanuel Geiss [4], on peut avoir quelques doutes à ce sujet. Le modèle des révolutionnaires slaves est évidemment italien. Comme les nationalistes italiens ont développé avant 1859 des mouvements terroristes contre l'occupant autrichien en s'appuyant sur un État italien indépendant : le Piémont, de même les comploteurs et terroristes bosniaques et autres s'appuient sur l'État serbe de Belgrade, et la Main Noire n'est pas la seule organisation nationaliste. Les Slaves n'ont cessé de protester contre le compromis de 1867 qui a créé la double monarchie autrichienne et hongroise sur la base du mot cynique de François-Joseph aux

4. Imanuel Geiss, *July 1914.*

Hongrois : « Gardez vos hordes, nous garderons les nôtres ». Les Slaves aussi veulent exister. Par là même, ils menacent l'Autriche-Hongrie dans son principe : « L'unification des Slaves du Sud, écrit Conrad von Hötzendorf à l'archiduc François-Ferdinand le 14 décembre 1912, est un des plus puissants mouvements nationaux, que nous ne pouvons ignorer ni sous-estimer... Le coût [de cette unification] pour la Monarchie serait la perte de ses provinces slaves du Sud et, par conséquent, de presque toute sa façade maritime. La perte de territoire et de prestige reléguerait la Monarchie au rang de petite puissance ». La mentalité « féodale » (Geiss) de Conrad n'admet pas cette éventualité. Il ne voit d'autre issue que la guerre, et l'attentat le confirme pleinement dans ses vues. Le prince assassiné était justement un partisan libéral de la réforme du système des nationalités, un ami des Slaves du Sud. Quand il avait fait son entrée dans Sarajevo sous les arcs de triomphe, il revenait des manœuvres de Bosnie et c'était le jour anniversaire de la bataille de Kasovo en 1389, où les chevaliers serbes étaient morts héroïquement devant les envahisseurs turcs. Tuer l'archiduc ce jour-là, c'était à l'évidence répondre à une provocation par un acte de violence qui rendrait à jamais impossible tout compromis de Vienne avec les Slaves.

A Vienne, on a bien imprudemment laissé l'archiduc prendre le chemin de ce que l'ambassadeur d'Allemagne à Londres, Lichnowsky, appelait « l'allée des lanceurs de bombes ». On a pourtant des raisons de penser que le cabinet de Vienne avait été prévenu. Mais il n'avait tenu aucun compte des avertissements du premier ministre serbe Pachitch. Celui-ci aurait autorisé son représentant à Vienne, Jovanovitch, à parler au ministre autrichien Bilinski : « Parmi les jeunes Serbes, lui aurait-il dit, il peut s'en trouver un qui mette dans son fusil une cartouche à balle au lieu d'une cartouche à blanc... Il serait bon et raisonnable que l'archiduc s'abstînt d'aller à Sarajevo. »

D'après Vladimir Dedijer, auteur du plus récent ouvrage sur l'attentat[5], le gouvernement serbe n'avait nullement les moyens de prévenir le drame, faute d'informations suffisantes. Le colonel Dimitrievitch, connu sous le nom d'Apix, aurait certes pu l'informer puisqu'il était en principe chef du 2ᵉ bureau de l'état-major serbe. Mais « Apix » ne souhaitait que de renverser le gouvernement Pachitch. On ne pouvait lui faire confiance. Les officiers de l'armée, les terroristes de la Main Noire étaient tous hostiles à ce gouvernement modéré que l'on accusait de soumission à Vienne.

Pourtant, Pachitch avait entendu parler du passage de la frontière par des jeunes gens armés. Il avait demandé une enquête

5. Vladimir Dedijer, *The Road to Sarajevo*, New York et Londres, 1966.

au chef des services secrets. Des pistolets avaient disparu dans les magasins de l'armée.

— C'est pour le service de protection, avait répondu Apix. Il faut bien assurer la sécurité de l'archiduc.

Mais il avait en même temps averti les conspirateurs qu'il n'était pas prudent d'agir, le gouvernement serbe étant au courant. Pachitch avait fait surveiller les frontières pour empêcher le passage des jeunes activistes en armes.

Le coup venait de Bosnie, pas de Serbie. Les conspirateurs étaient des sujets autrichiens. Ils ne tinrent aucun compte des injonctions du colonel « Apix ». Prinzip, le chef du groupe, décida de passer à l'action. La Main Noire était sans prise directe sur lui. Il relevait en fait du mouvement Jeune Bosnie qui se recrutait chez les intellectuels, les étudiants et même les collégiens. Ils avaient des idées moins ambitieuses, mais plus pratiques que les militaires pan-serbes de la Main Noire : ils réclamaient dans l'immédiat une solution fédérale avec égalité garantie pour tous les groupes de Slaves. C'est des cercles Jeune Bosnie qu'était venue l'idée de l'attentat. La Main Noire avait seulement fourni un apport technique : les armes, les entraîneurs, les complicités. Il n'était donc pas possible de rendre le gouvernement serbe, ni même la Main Noire, directement responsables de l'attentat. Prinzip et ses amis étaient des terroristes incontrôlables : la Main Noire n'avait pu les arrêter.

Les réactions de l'opinion européenne après l'attentat n'étaient pas inquiétantes. Poincaré avait à deux reprises exprimé ses condoléances, la Russie était embarrassée, manquant probablement d'informations précises sur les origines de la conspiration. Les Anglais ne prenaient pas le drame au sérieux : « La tragédie de Sarajevo ne conduira pas à des complications ultérieures », écrivait du *Foreign Office* sir Arthur Nicolson à Buchanan, son ambassadeur à Saint-Pétersbourg. A Vienne, les réactions n'étaient guère plus vives. L'archiduc, avec ses manières distantes, était peu populaire. Dans les milieux gouvernementaux, on lui reprochait ses intentions libérales. A la nouvelle de l'assassinat, pas d'émotion dans l'opinion, pas de manifestations. Même au jour du meurtre, le 29 juin, les autorités n'avaient pas fermé le Prater, ce grand parc des plaisirs de Vienne. Le vieil empereur n'aimait guère ce neveu qui avait épousé contre son gré une comtesse de Bohême.

— Dieu l'a voulu! aurait-il dit simplement en guise d'oraison funèbre.

« Réaction bigote », dit Geiss, bien conforme au personnage, à la suite de la mort d'un « héritier mal aimé ». En Hongrie, les nobles magyars respirent, ils détestaient l'archiduc. Deux d'entre eux se mariaient ce jour-là : rien ne vient troubler les fêtes splendides. Les membres du gouvernement autrichien étaient eux-mêmes soulagés d'être débarrassés de ce qu'ils appelaient le « contre-gouvernement » de François-Ferdinand.

Naturellement, le parti des militaires en profite aussitôt pour relancer l'idée d'une guerre préventive contre la Serbie. Le baron Conrad von Hötzendorf se savait soutenu par l'opinion unanime de l'état-major et des cadres de l'armée. Le ministre de la Guerre lui-même, Krobatin, partageait ses vues : quelle belle occasion d'en finir avec les Serbes! Plus inattendu était l'engagement dans ce parti de la guerre de diplomates comme le comte Hoyos, le comte Macchio, le comte Forgach. Pourtant, le ministre des Affaires étrangères Berchtold se montrait prudent et résistait de son mieux à la campagne aussitôt lancée par la presse de langue allemande lue par les classes moyennes de Vienne. Il savait au reste que l'empereur n'était pas partisan de la guerre, pas plus que le comte Tisza, le Premier ministre hongrois. Il y avait d'autre part à Vienne un milieu financier actif, extrêmement hostile à l'aventure. Bernard Michel [6] l'a bien montré : des banquiers autrichiens ne cessent de protester contre la dureté à l'égard de la Serbie des grands propriétaires fonciers d'Autriche, les Agrariens, qui multiplient les mesures vexatoires en matière d'importations de produits serbes. Les banquiers ont toujours estimé que l'annexion de la Bosnie n'avait aucune valeur économique, qu'elle serait une charge pour l'État. A la nouvelle de l'attentat, Simon Krausz, ami intime et banquier de Tisza, avait prévenu l'homme politique des risques de conflit. Spitzmüller, dans son discours sur la mort de l'archiduc prononcé le 1er juillet au *Kreditanstalt,* avait salué en François-Ferdinand le « prince de la paix » : « Le Haut Seigneur était pleinement conscient qu'en l'état actuel de l'économie, alors que nous avons déjà à souffrir sans cela des inévitables préparatifs, une catastrophe comme celle que représenterait une guerre européenne doit être absolument épargnée à notre économie ». Le comte Berchtold sait parfaitement que la caste militaire lui reproche son excessive modération dans les discussions internationales. Mais il sait aussi que dans les précédentes crises, il n'a pas toujours pu compter sur l'engagement effectif de Berlin aux côtés de Vienne. Les crises balkaniques ont finalement laissé les Autrichiens seuls en face de l'insoluble problème des nationalités. Pourquoi en irait-il autrement au mois de juin 1914?

Cette opinion de Berchtold est parfaitement partagée par les chancelleries européennes et par les grands organes d'opinion. S'il y a crise, elle se réglera comme se sont réglées les précédentes, balkaniques et marocaine. La diplomatie européenne est parfaitement outillée pour faire face à des situations toujours analogues.

---

6. Bernard Michel, *Banques et banquiers en Autriche au début du XXe siècle,* thèse d'État.

Elle sait que l'équilibre des deux blocs étouffe toujours, à la longue, le risque de guerre. L'Allemagne, l'Autriche et l'Italie, puissances de la Triplice, se retrouvent périodiquement en face des trois puissances de l'Entente : France, Russie, Angleterre. Le système fonctionne assez bien depuis 1906, depuis la Conférence d'Algésiras. L'Entente cordiale entre la France et l'Angleterre, négociée par Delcassé en 1904, s'était complétée par une entente entre l'Angleterre et la Russie en 1907. Tout rapprochement entre la Russie et l'Allemagne avait été écarté. Berchtold savait bien que seul un appui sans partage de l'Allemagne pouvait permettre à l'Autriche d'agir dans les Balkans. Or cet appui, pendant la crise bosniaque, lui avait été très précisément mesuré. Sans doute Bülow avait-il aidé très fermement la diplomatie autrichienne pendant la négocation. Mais il n'avait pas envoyé d'ultimatum à la Russie, il s'était contenté de menaces vagues. Serait-il allé plus loin si les Russes avaient décidé de soutenir la Serbie? Berchtold pouvait en douter. Il avait en tous cas, suivant en cela les conseils du ministre anglais Grey, fait preuve de modération dans l'ultimatum qu'il avait adressé à la Serbie.

C'est surtout pendant les guerres balkaniques que le comte Berchtold avait pu mesurer les réticences de l'Allemagne à s'engager dans la guerre. En 1911, lors de la crise d'Agadir, l'Autriche avait pourtant soutenu à fond la position allemande. Mais elle n'était pas partie prenante : les accords qui suivirent portaient uniquement sur des questions coloniales à propos du Maroc, du Congo et d'une petite partie du Cameroun. Mais, en 1912, l'incendie éclate dans les Balkans. Les Serbes, sachant que l'Autriche ne leur permettra jamais d'atteindre la mer Adriatique, ont des ambitions vers l'est, les Albanais se révoltent contre les Turcs, les Crétois demandent à rejoindre les Grecs. Les Serbes s'allient aux Bulgares et aux Monténégrins, ils veulent faire main basse sur la Macédoine qui appartient encore aux Turcs. Les Grecs se joignent à la coalition. En vain Vienne multiplie les conseils de modération, en vain Saint-Pétersbourg menace les Bulgares des pires représailles s'ils prennent Constantinople. Malgré la révolution jeune-turque, personne n'a confiance dans la capacité de résistance du vieil empire. Tout le monde parie sur la fin définitive de « l'homme malade » de l'Europe.

Les Autrichiens réarment alors. Conrad von Hötzendorf, qui vient d'être rappelé à l'état-major, ne veut pas entendre parler de la présence des Serbes sur l'Adriatique. Il fait défendre l'idée d'une grande Albanie. L'Autriche allait-elle entrer dans la guerre qui menaçait? Il fallait l'éviter à tout prix. Poincaré, Grey et Sazonov acceptaient l'idée d'une Albanie indépendante : « Quelle que soit notre sympathie pour la Serbie, expliquait Poincaré, nous ne saurions la soutenir dans une prétention qui l'expose à un ultimatum immédiat de l'Autriche ». Les Allemands, de leur côté, avertissaient Vienne : ils ne trouvaient pas la guerre opportune. « La guerre entre le slavisme et le germanisme, expliquait le chancelier allemand Bethman-Hollweg, sera terrible et amènera une cohésion de tous les efforts. Il faut qu'elle soit comprise par l'opinion, ce qui ne serait pas le cas actuellement. »

Ainsi la défaite des Turcs avait placé l'Europe devant ses responsabilités : fallait-il faire la guerre pour se partager les dépouilles? A l'évidence, la France et l'Allemagne avaient répondu non. La Russie et l'Autriche avaient dû suivre. Les nations balkaniques avaient été invitées à s'entendre en suivant le schéma autrichien de règlement. Elles n'avaient pas obéi : Bulgares et Grecs se disputaient Salonique, Bulgares et Serbes la région de Monastir. Bientôt, la Grèce et la Serbie faisaient la guerre aux Bulgares. La Roumanie mobilisait à son tour contre la Bulgarie. Dans cette nouvelle affaire, Vienne pouvait redouter de nouveau une extension de la Serbie. Elle se hâta d'intervenir pour menacer. Berlin désapprouva cette intervention. « Si l'Autriche attaque la Serbie, disait pour sa part l'Italien Giolitti, il est évident que le *casus foederis* ne se vérifie pas, c'est une action qu'elle accomplit pour son propre compte... Il est nécessaire que cela soit déclaré à l'Autriche de la façon la plus formelle. » Les Allemands s'en chargèrent, et l'Autriche dut assister à l'écrasement des Bulgares contre lesquels même les Turcs avaient repris les armes. Vienne ne pouvait empêcher la Serbie d'annexer tous les pays compris entre le Vardar et la Strouma. De surcroît la conférence de Londres, qui mettait fin aux guerres balkaniques, promettait aux Serbes un chemin de fer vers l'Adriatique. Ainsi l'Allemagne, malgré son appui signalé dans les circonstances les plus difficiles, n'avait en fait pas permis à l'Autriche de contenir les ambitions serbes. Elle n'avait pas voulu risquer la guerre pour soutenir son alliée.

Grand seigneur fort riche et de nature pacifique, le comte Berchtold n'était pas disposé à plier devant les exigences de l'état-major qui ne parlait que de revanche contre les Serbes. Sans doute n'avait-il pas envers Conrad l'attitude cassante de son prédécesseur Aerenthal, qui avait dû se passer des services du bouillant militaire. Berchtold avait rappelé Conrad et il se flattait de le manœuvrer. Il fit donc dire au Premier ministre hongrois Tisza qu'il estimait nécessaire de punir les Serbes, tout en affirmant à Conrad qu'il n'avait pas d'autre intention dans l'immédiat que de demander une enquête de police et la dissolution des sociétés secrètes. Tisza protesta auprès de l'empereur, jugeant trop intransigeante l'attitude du ministre des Affaires étrangères, et Berchtold n'eut aucun mal à avertir ensuite Conrad que l'empereur et le Premier ministre autrichien, le comte Stürghk, étaient partisans de « garder la tête froide ». Tisza craignait avec juste raison, disait-il, que l'Allemagne ne refusât de soutenir l'Autriche alors qu'à l'évidence, la Russie soutiendrait la Serbie. L'attitude de l'Allemagne, encore inconnue, était déterminante. Rien ne pouvait être fait sans son accord.

A Berlin, les jeux ne sont pas faits. Les responsables principaux, au début de juillet, sont absents. Le Kaiser ne pense qu'à ses régates en mer du Nord, auxquelles il tient par-dessus tout. Le chancelier Bethmann-Hollweg est en sa résidence d'été d'Hohenfinow. Le chef d'état-major Moltke est aux bains à Carlsbad. Le secrétaire d'État Jagow est en pleine lune de miel. Il n'y a guère, pour recevoir l'ambassadeur d'Autriche, qui vient lui-même d'être tenu au courant des intentions de son gouvernement par l'intermédiaire du comte Hoyos, que le secrétaire d'État Zimmermann. Ce dernier tient un langage modéré et se montre très conscient du fait qu'une agression de l'Autriche contre la Serbie entraînerait inévitablement la guerre mondiale, en raison de la mobilisation immédiate de la Russie. D'après Geiss, l'analyse faite alors par le ministère des Affaires étrangères allemand n'est nullement inquiétante. Ni l'Angleterre ni la France, ni même la Russie ne sont menaçantes. Le ministre saxon à Berlin écrit le 2 juillet que « ni la Russie ni la France ne veulent partir en guerre ». Il doute que l'empereur d'Allemagne consente à une action qui serait incontestablement de nature à déclencher la guerre mondiale, alors que personne ne le souhaite.

Mais il y a l'état-major. Le journaliste allemand Victor Naumann en a averti, dès le 1ᵉʳ juillet, le comte Hoyos : dans les cercles de l'armée de terre ou de la marine, et peut-être aussi dans certains bureaux du ministère des Affaires étrangères, « l'idée d'une guerre préventive contre la Russie – qui réarme très rapidement – est regardée avec moins de défaveur qu'un an auparavant ». Le 6 juin, le ministre saxon Lerchenfelds rapporte que Bethmann-Hollweg, tout en affirmant que le Kaiser n'a aucune volonté agressive, lui a dit que la guerre préventive était « exigée par beaucoup de généraux ». Le diplomate saxon Leuckart écrit le 3 juillet qu'il a rencontré le comte Waldersee, quartier-maître général au grand état-major, lequel lui a dit : « Nous pourrions être impliqués d'un jour à l'autre dans une guerre. »

Reste le Kaiser... Va-t-il donner raison aux généraux? Quand il reçoit le premier rapport de son ambassadeur après l'assassinat, il l'annote en marge, suivant son habitude. Il faut en finir avec les Serbes, dit-il, « vite » et « maintenant ou jamais ». La ligne est donnée. Les aristocrates qui peuplent les ambassades ou les consulats, ceux qui occupent tout l'état-major, ont désormais les ordres du maître. C'est la ligne dure qui est choisie. Ils vont pouvoir tout mettre en œuvre pour préparer la guerre dans de bonnes conditions. Comme l'écrit Geiss, dès le 4 juillet, il n'y a plus à Berlin « ni confusion ni divergences ». « Le Kaiser a décidé la guerre contre la Serbie avant même de savoir si cette solution était celle que les Autrichiens souhaitaient vraiment. »

Cette décision, il la fait connaître à l'ambassadeur d'Autriche qu'il reçoit à déjeuner au Nouveau Palais le 5 juillet. Il lui dit qu'il n'a pas besoin de consulter le chancelier Bethmann-Hollweg pour assurer l'Autriche de son plein soutien. Il ajoute que l'action contre la Serbie doit être rapide. La Russie, même si elle veut faire la guerre, n'est pas encore prête, « elle y regardera à deux fois ». Aussitôt après le déjeuner, le Kaiser convoque les politiques et les généraux. Le général Plessen, son aide de camp, note qu'à cette réunion, seul le ministre prussien de la Guerre, Falkenhayn, émet quelques réserves. L'opinion admise est qu'une action rapide et limitée découragera la Russie d'intervenir. Même si la guerre générale se déclenche, Falkenhayn donne l'assurance que l'armée allemande, bien préparée, a toutes chances de gagner. Le Kaiser sait que les Russes ne sont pas prêts et que les Français manquent d'artillerie lourde. Il ne croit pas la guerre proche ni inévitable. La flotte de haute mer ne reçoit pas d'ordre pour modifier son projet de voyage en Norvège.

Au demeurant, les généraux allemands Moltke et Falkenhayn ne sont pas convaincus de la fermeté des intentions autrichiennes. Les Viennois vont-ils réellement faire la guerre ? Le 6, le Kaiser a commandé le train spécial qui doit le conduire à Kiel. Il fera ses régates. Il ne néglige cependant pas d'avertir le célèbre fabriquant de canons Krupp qu'il y aurait lieu de s'assurer des approvisionnements en munitions en cas de conflit. Les conversations privées (et non une consultation du conseil privé) que le Kaiser a eues les 5 et 6 juillet avec ses conseillers n'ont pas eu d'autre résultat. Pourtant, la décision fondamentale d'assurer l'Autriche de l'aide inconditionnelle de l'Allemagne a bien été prise ces jours-là. Par un homme seul, qui n'estimait pas utile de réunir des instances officielles pour en discuter : le Kaiser n'a recueilli l'avis que de conseillers et du chancelier du Reich dont il estimait d'avance l'approbation certaine.

En Autriche, la rapidité de la réaction allemande a surpris. C'est alors seulement que Berchtold, ministre des Affaires étrangères, a décidé de rejoindre le camp des « faucons ». L'empereur François-Joseph et les Premiers ministres autrichien et hongrois ne firent plus d'objections. Pourtant, Tisza exigea que l'on envoyât un ultimatum à la Serbie, avant de lui déclarer la guerre. Mais il fut convenu que cet ultimatum serait inacceptable, et la discussion des ministres et généraux, le 7 juillet à Vienne, porta essentiellement sur les mesures de mobilisation. Comme l'a écrit Pierre Renouvin, « que l'intervention de la Russie aux côtés de la Serbie fût probable ou seulement possible, elle fut prise en compte dans les calculs allemands... Il n'est pas douteux qu'en laissant l'Autriche déclarer la guerre à la Serbie, le gouvernement allemand a accepté de plein gré l'éventualité de la guerre européenne à un moment où il croyait encore à l'abstention de l'Angleterre ».

Dès lors, deux types d'opérations se déclenchent simultanément dans des directions contradictoires : celles des militaires, qui dans tous les pays envisagent de plus en plus sérieusement un conflit général; celles des diplomates qui, en apparence, tendent à empêcher l'affrontement.

Pourtant, en 1914, tout comme les militaires, ces diplomates sont des hommes de la caste nobiliaire entièrement dévouée aux monarques dont dépendent encore la guerre et la paix. Les ambassadeurs du Kaiser sont princes, comme Lichnowski, en poste à Berlin, comtes comme Pourtales qui est à Pétersbourg, barons comme Schoen à Paris, Flotow à Rome, ou Julius von Giesinger à Belgrade. Les Russes sont comtes comme Benckendorff, ambassadeur à Londres, ou princes comme Nicolaï Alexandrovitch Kudaschev, conseiller du tsar à Vienne. Les Italiens sont princes ou marquis : Imperiali à Londres, Carlotti di Riparbelle à Saint-Pétersbourg. Les Anglais sont des lords aux châteaux prestigieux comme sir Francis Bertie, ambassadeur à Paris, ou sir George William Buchanan en poste à Saint-Pétersbourg; à Vienne réside sir Maurice William de Bunsen, à Rome sir Rennell Rodd. Le sous-secrétaire d'État aux Affaires étrangères est sir Arthur Nicholson, son chef est sir Edward Grey. Il n'est pas un poste militaire ou diplomatique que l'empereur d'Autriche ne pourvoie d'un titulaire de bonne et ancienne noblesse : les diplomates sont comtes, comme Czernin à Bucarest, Mensdoroff-Pouilly Dietrichstein à Londres, Szapary von Szapar à Saint-Pétersbourg, Szacsen von Temerin à Paris ou Ladislas Szögyény-Marich à Berlin. Tizsa et Stürgkh, les Premiers ministres, sont aussi comtes, et le chef d'état-major Conrad von Hötzendorf est baron. Il n'est guère que la République française, seul régime non monarchique parmi les grandes puissances européennes, à n'avoir pour ambassadeurs que des bourgeois cossus comme les frères Cambon à Berlin et à Londres, Dumaine à Vienne et Barère à Rome. On compte de nombreux nobles dans la Carrière et dans l'armée, mais ils ne se trouvent pas au premier plan. Le général Joffre est le fils d'un tonnelier de Rivesaltes.

Au début de juillet, ces personnages titrés, y compris les militaires, sont en vacances. Il faut prendre le temps de les rappeler. La première des mobilisations est la leur : il faut faire venir à Potsdam Moltke et Tirpitz, pas trop vite cependant pour ne pas donner l'alarme à l'Europe : ainsi Moltke termine sa cure et l'empereur sa croisière. On n'interrompt guère, à Berlin, que la lune de miel du secrétaire Jagow. Les généraux, amiraux, gouvernants ne regagnent leurs bureaux qu'après le 20 juillet. Il y a alors comme une pause dans la crise. C'est seulement le 23 que le chancelier juge bon de mettre dans la confidence le ministre de l'Intérieur Clemens von Delbrück qui abandonne « furtivement », dit Geiss, sa résidence d'été. Même les Autrichiens sont au vert : l'empereur à Bad Ischl, de même que Conrad et le ministre de la Guerre Krobatin. On en avertit le Kaiser qui croise en mer sur son yacht blanc, le *Hohenzollern.* C'est à dessein qu'on a éloigné de Vienne les généraux. Aucune provocation dans la presse allemande et autrichienne, le silence. Guillaume II pousse la sollicitude jusqu'à envoyer un télégramme de félicitations au roi Pierre de Serbie pour son anniversaire. L'ambassadeur de Russie s'y trompe : il part en vacances, abandonnant son poste à Vienne le 21 !

En réalité, le cabinet de Vienne prépare son ultimatum et sa mobilisation. Le texte du premier n'est soumis au Conseil des ministres que le 19. Berchtold suggère de ne le remettre à Belgrade qu'après le 24, car, du 20 au 23, le président de la République et le président du Conseil français sont en voyage officiel en Russie : il ne faut pas qu'ils puissent se concerter immédiatement avec leurs alliés. Le ministre autrichien tient également compte dans son calcul des impératifs agricoles : il faut rentrer les récoltes avant de partir en guerre. On choisit finalement le 23, date du départ des Français. Conrad, de son côté, a préparé l'invasion de la Serbie. Il estime que 16 jours seront nécessaires pour la mobilisation, mais des mesures secrètes seront prises dès que possible. Les Allemands sont tenus parfaitement au courant des termes de l'ultimatum et des dates des opérations. Ils s'irritent des longs délais accumulés par les Autrichiens : 48 heures accordées à la Serbie, 16 jours prévus pour mobiliser, cela repousse la date réelle de l'intervention au 16 août : trop tard, dit Berlin. D'ici là, l'Europe aura eu le temps d'organiser sa résistance et sa riposte. Il faut aller beaucoup plus vite! Les Allemands donnent l'exemple : dès le 19 juillet, le ministre de l'Intérieur se concerte avec le ministre de la Guerre pour mettre au point le détail des décrets et ordonnances de la mobilisation. Dès le 16, le chancelier Bethmann-Hollweg écrit au secrétaire d'Etat pour l'Alsace-Lorraine, Roedern, pour l'inciter à étouffer tout foyer de provocation. La France, pense le chancelier, est trop dans l'embarras pour ne pas retenir, autant qu'elle le pourra, le tsar dans ses fureurs guerrières. Les polémiques de presse ont été suspendues à Berlin. Il faut aussi y mettre un terme à Strasbourg. Le terrain doit être partout préparé en Europe pour qu'à la suite de l'irrecevable ultimatum, la guerre autrichienne fasse vite oublier l'élimination de la Serbie. Avant même que l'ultimatum ne fût rendu public, le ministère allemand des Affaires étrangères avait pris soin d'attirer discrètement l'attention des chancelleries européennes sur la nécessité de laisser l'Autriche régler seule ses problèmes. Le secrétaire d'Etat Jagow avait lui-même donné un bref commentaire dans la *Gazette de l'Allemagne du Nord*, souhaitant que le conflit « demeure localisé ». Réussit-il à convaincre l'adversaire ? Poincaré, à Saint-Pétersbourg, s'arrange pour dire, lors d'une réception diplomatique, quelques mots à l'ambassadeur autrichien Szàpàry : « Il ne faut pas oublier que la Serbie a des amis et qu'une situation pourrait être créée qui serait dangereuse pour la paix ». Les Anglais déclarent qu'ils sont prêts à pousser la Serbie à accepter les termes de l'ultimatum « à condition qu'ils soient modérés et conciliables avec l'indépendance de la nation serbe ». Les Italiens affirment qu'ils ne sont pas prêts à envisager la guerre pour la Serbie. En somme, l'Europe paraît disposée à accepter le coup de force, peut-on penser à Berlin.

A 18 heures, le 23 juillet, le ministre Giesl délivre l'ultimatum au Premier ministre serbe. Celui-ci a jusqu'au 25 pour y répondre. Les chancelleries européennes reçoivent notification du texte le 24. Elles ont seulement 15 heures pour réagir.

La Serbie est accusée de complicité dans l'attentat. Elle doit châtier tous les coupables, se désolidariser de l'action nationaliste qu'elle doit formellement condamner et accepter la participation de la police autrichienne à l'enquête en Serbie même. Ce dernier point, surtout, est inacceptable. Pachitch, le Premier ministre serbe, en appelle aussitôt à la Russie, à l'Italie, à l'Angleterre pour obtenir un délai supplémentaire.

L'Europe découvre alors la crise. A Paris, on prend subitement au sérieux les avertissements de l'ambassadeur Jules Cambon qui avait signalé le 21 « les avis préliminaires de mobilisation qui doivent mettre l'Allemagne dans une sorte de garde-à-vous pendant les périodes de tension » et qui viennent d'être adressés aux classes concernées. La mise en garde adressée au quai d'Orsay par le baron de Schöen était non moins inquiétante : le « gouvernement allemand désire ardemment que le conflit soit localisé, toute intervention d'une autre puissance devant, par le jeu naturel des alliances, entraîner des conséquences incalculables ». Poincaré décide de hâter son retour et annule ses visites au Danemark et en Norvège.

Les Russes réagissent avec rapidité : au Conseil du 25 juillet, le tsar déclare qu'il faut aider la Serbie et ordonne les mesures préparatoires à la mobilisation; mais, dans le même temps, le ministre Sazonov veut obtenir des délais et conseille à la Serbie de ne pas résister dans l'éventualité d'une agression autrichienne.

Cependant que Grey hésite et que Poincaré poursuit son voyage, l'ambassadeur français Paléologue prend imprudemment sur lui de déclarer que la France assumera ses responsabilités dans l'alliance. A-t-il reçu, pour faire cette déclaration, l'aval de son président ? A

Londres, sir Eyre A. Crowe se demande au *Foreign Office* si le seul moyen de maintenir la paix ne serait pas que l'Angleterre affirme avec force qu'elle rejoindra, le cas échéant, le camp de ses alliés. De Pétersbourg, lord Buchanan défend cette thèse dans une lettre à Grey. Paléologue lui a dit « qu'une attitude ferme et unie était notre seule chance de sauver la paix ». Pourquoi ne pas mobiliser la flotte, comme le suggérait Winston Churchill? Cela ne serait-il pas de nature à faire réfléchir l'Allemagne?

Le 24 juillet, le ministre allemand de l'Intérieur Delbrück prend toutes les mesures nécessaires pour faire face aux oppositions qui pourraient se manifester chez les peuples minoritaires d'Allemagne (Alsaciens et Lorrains, Polonais et Danois) et chez les sociaux-démocrates. Berlin et Vienne, d'un commun accord, ont rejeté toute demande de délai pour ce qui est de l'ultimatum à la Serbie. Jagow presse l'état-major autrichien de se préparer à une campagne très brève. Il se charge de faire traîner les réponses aux tentatives de médiation des Anglais. « Ici, à Berlin, écrit l'ambassadeur autrichien Szögyény, tout délai dans le déclenchement des opérations de guerre est considéré comme risquant d'entraîner une intervention des puissances étrangères. » Le chargé d'affaires autrichien à Belgrade a reçu des instructions précises : si les Serbes n'acceptent pas *tous* les points de l'ultimatum, il faut rompre.

Ils acceptent tout, sauf le dernier point (les policiers autrichiens à Belgrade). L'historien italien Albertini suggère que s'ils résistent à une capitulation totale, ce n'est pas seulement pour l'honneur, c'est qu'ils ont reçu des Russes un télégramme leur promettant une aide immédiate en cas d'invasion. Si les Russes promettent, c'est que les Français les ont soutenus, soit au cours du voyage des présidents à Saint-Pétersbourg, soit par l'intermédiaire de Paléologue. L'historien français Pierre Renouvin ne conteste pas que Paléologue ait laissé échapper des paroles peu responsables. Mais s'il juge « troublant » que Poincaré n'ait pas, à son habitude, conservé de trace écrite des entretiens de Saint-Pétersbourg, et si le président français a sans doute manifesté en Russie une certaine fermeté de langage, on ne trouve aucune mention qu'il ait souscrit avec les Russes des accords de soutien militaire. La preuve? Cinq jours plus tard, l'attaché militaire russe à Paris vient demander à Joffre si, « aux termes de la convention entre la Russie et la France, dans le cas où l'Allemagne mobiliserait seulement une partie de ses forces contre la Russie, la France serait tenue de décréter sa mobilisation ». Et Renouvin de conclure : « C'est bien la preuve que Raymond Poincaré, dans les entretiens de Pétersbourg, n'avait pas été au-delà d'une simple affirmation de fidélité à l'alliance, sans examiner de plus près ce qui pourrait survenir ». L'historien ouest-allemand Imanuel Geiss fait remarquer pour sa part que la décision des Russes de ne pas permettre l'invasion de la Serbie était de toute façon connue dès le 21 juillet par une intervention de Sazonov auprès de l'ambassadeur allemand Pourtales. « Les Autrichiens, écrit Geiss, auraient pu se satisfaire de l'incroyable complaisance des Serbes s'ils n'avaient recherché un prétexte à la guerre. »

A trois heures, le 23 juillet, les Serbes mobilisèrent avant même d'avoir rendu leur réponse. Provocation? Belgrade, sur les bords du Danube, était à la merci d'une attaque-surprise. L'ambassadeur d'Autriche, dès la réponse des Serbes connue, rompit immédiatement les relations diplomatiques. En une demi-heure, son personnel prenait le train. En dix minutes, tous étaient en Autriche. Ils y apprenaient que la mobilisation partielle contre la Serbie avait déjà été décrétée. L'ambassadeur de France apprenait à Vienne que 8 corps d'armée autrichiens étaient prêts à passer à l'action. Les conseils de Jagow avaient porté : l'Autriche-Hongrie était sur le pied de guerre. L'Europe réussirait-elle à circonscrire ce conflit comme le ministère allemand semblait le souhaiter?

Il se trouve que les différentes chancelleries européennes – soit inefficacité, soit complicité avec les états-majors – ne parviennent pas à éviter l'extension du conflit. Elles ne peuvent ou ne veulent lutter contre le mouvement qui entraîne le vieux continent vers une guerre généralisée.

Lord Grey, le 26, propose une conférence à quatre des puissances non impliquées : France, Angleterre, Italie, Allemagne. Berlin refuse de laisser traiter l'Autriche comme un coupable traîné devant quelque aréopage. A Pétersbourg, l'ambassadeur allemand Pourtales accepte de suivre à titre personnel la suggestion du ministre Sazonov : rendre l'ultimatum acceptable n'est peut-être, dit-il, qu'« une affaire de mots ». Il faudrait une nouvelle rédaction. Pourtales n'y est pas hostile. Sazonov saute sur l'occasion, alerte aussitôt son ambassadeur à Vienne pour trouver une formule acceptable par Vienne, Belgrade et Pétersbourg. « J'ai l'impression, écrit Pourtales à Jagow, que Sazonov, peut-être à la suite d'informations en provenance de Paris ou de Londres, a calmé ses nerfs et cherche maintenant une issue ». Mais Vienne ne répond pas et Pourtales est désavoué. En Allemagne, Moltke prépare déjà l'invasion de la Belgique et demande aux Affaires étrangères une action diplomatique appropriée. Jagow peaufine la lettre qu'il va faire parvenir au roi des Belges, demandant le droit de passage pour l'armée allemande, sous prétexte que les Français préparent leur propre entrée en Belgique. En France aussi, on rappelle les officiers et les permissionnaires dès le 25, on envisage des mesures de surveillance des frontières et des voies ferrées, on prépare activement la mobilisation. Ce jour-là, Lyautey, au Maroc, reçoit un télégramme de Joffre lui demandant de rapatrier trois régiments de tirailleurs. On sait que des mesures de mobilisation partielle sont appliquées en hâte en Autriche-Hongrie, et l'attaché militaire français à Vienne télégraphie à Paris que des mesures secrètes de mobilisation sont prises en Russie dans les districts de Vilna, Varsovie et Saint-Pétersbourg. La flotte allemande a reçu l'ordre de regagner ses bases et les garnisons de Strasbourg et Sarrebourg sont consignées.

Dans les chancelleries, on a conscience qu'il devient d'heure en heure plus difficile de sauver la paix. L'Autriche bénéficiait à l'origine d'opinions favorables dans de nombreux pays. Elle était victime du terrorisme serbe. Voilà que la Serbie, après l'ultimatum, retourne la situation en sa faveur. C'est elle qui est la victime et lord Grey proteste auprès de l'ambassadeur d'Allemagne contre la dureté de cet ultimatum. Même l'empereur d'Allemagne ne peut déclarer la guerre sans avoir les apparences du bon droit pour lui. Bethmann-Hollweg et Jagow changent alors d'attitude politique : il leur faut montrer qu'ils défendent la paix, tout en sollicitant la neutralité de l'Angleterre. Jagow joue les médiateurs entre Londres et Vienne. Il n'hésite pas à avertir les Autrichiens qu'il faut, à son avis, repousser les offres de médiation anglaise, mais il se donne bonne conscience en les transmettant lui-même. Il rejette toutefois la proposition française qui lui suggérait de modérer Vienne comme Paris modérerait Pétersbourg.

C'est le Kaiser lui-même qui donne néanmoins l'exemple du doute; quand il rentre de croisière, le 28, il lit le texte de la réponse des Serbes, qui le stupéfie : « Avec cela, dit-il, jamais je n'aurais ordonné une mobilisation ». Il demande aussitôt aux Affaires étrangères de conseiller la prudence à Vienne. On ne fait pas la guerre à un ennemi prostré. Il propose que l'armée autrichienne entre dans Belgrade et y reste pendant la durée de la négociation : une simple prise de gage. C'est la suggestion de l'Angleterre : il suffit de donner à l'Autriche une « satisfaction d'honneur », comme l'écrit Guillaume II à Jagow.

Une heure plus tard, l'Europe apprend pourtant avec stupeur que l'Autriche vient de déclarer la guerre à la Serbie. On apprend en même temps en France que les gares ont leurs quais dégagés à Strasbourg pour les débarquements militaires, et que des réservistes ont été rappelés par convocations individuelles. Méthodiquement, les Allemands accélèrent leurs travaux de défense dans les places de Metz et de Thionville. Que vaut alors la tardive velléité de paix de l'empereur, si elle existe ?

Le chancelier Bethmann-Hollweg, transmettant les ordres de son souverain à Vienne, les déforme fortement. Il omet de dire que, selon le Kaiser, il n'y a plus de *casus belli*, il insiste sur la soumission totale qu'il faut obtenir de la Serbie. Il envoie l'ambassadeur Tschirschky avertir le gouvernement autrichien qu'il ne faut pas tenir compte de la démarche de paix anglaise, et que l'Allemagne ne souhaite nullement retenir l'Autriche-Hongrie. Le 29, la note anglaise est écartée par Vienne. A cette date, la mobilisation partielle des quatre arrondissements voisins de la frontière autrichienne est décrétée par Sazonov qui s'estime couvert par l'ambassadeur français Paléologue. Il adresse en même temps un appel urgent à Londres pour que le gouvernement anglais se déclare solidaire des Français et des Russes.

Dans l'après-midi du 29, Poincaré et Viviani arrivent enfin à Dunkerque au milieu d'un grand concours de foule. « Ce qui me frappe, note Poincaré, c'est qu'ici beaucoup de personnes semblent croire la guerre imminente. » C'est vrai, rien d'irrémédiable n'a encore été décidé. Mais, depuis le 28, le général Joffre a fait savoir à Ignatiev, l'attaché russe à Paris, que la France était prête à assumer ses responsabilités d'alliée. Le 28 aussi, lord Grey avait informé Berlin et Vienne qu'il souhaitait vivement que le conflit entre Vienne et Belgrade fût évité. Le même jour, aux Communes, il avait averti les députés que la guerre était inévitable si une seule grande puissance se mêlait du conflit austro-serbe, et que cette guerre aurait d'incalculables conséquences. Il avait envoyé des instructions à son ambassadeur à Berlin afin qu'une nouvelle démarche soit faite, conjointement avec Jules Cambon, incitant Berlin à proposer sa médiation. L'ambassadeur l'a averti : la mobilisation « partielle » des Russes implique un énorme risque de guerre. Les Allemands considèrent que « la mobilisation en Russie est un système si compliqué qu'il est difficile d'en cerner exactement les contours ». Les Allemands sont donc obligés de se montrer prudents s'ils ne veulent pas être surpris. Autrement dit, même une mobilisation partielle des Russes peut conduire l'Allemagne à mobiliser, et si elle mobilise, avec le plan Schlieffen, ce ne peut être que contre la France.

Les généraux russes supplient le tsar d'ordonner la mobilisation générale, car une mobilisation partielle ne peut susciter que des retards et de la confusion, mettant la Russie à la merci d'une invasion. Le tsar accepte, puis refuse. Il échange des télégrammes avec le Kaiser : « Une ignoble guerre, dit-il, a été déclarée à un faible pays. L'indignation en Russie est immense », et il supplie le Kaiser d'intervenir. Celui-ci note en bas de page : « C'est une tentative pour déplacer la responsabilité de la guerre sur mes propres épaules », et de répondre au tsar que les rois ont un « intérêt commun » à débarrasser l'Europe de gens qui n'ont pas hésité « à tuer leur propre roi et sa femme ». La situation devient dramatique en Russie quand on apprend que l'artillerie autrichienne vient de bombarder Belgrade avant même que l'armée autrichienne n'ait achevé sa propre mobilisation. Le courant belliciste s'affirme, le tsar se dit « débordé ». Les généraux russes lui représentent l'urgence de mesures immédiates de protection. Dans tous les pays d'Europe, la parole passe aux militaires. En Allemagne, le 29, Moltke, chef d'état-major, averti par lettre le chancelier Bethmann-Hollweg : la Russie a déjà mobilisé non pas 8 corps d'armée, comme l'Autriche, mais 20, tout en poussant ses préparatifs sur sa frontière commune avec l'Allemagne. La Russie va surtout menacer l'Autriche, qui sera contrainte de mobiliser la totalité de son armée. Le choc est inévitable et l'Allemagne ne peut manquer de soutenir son alliée. Elle doit donc aussi mobiliser, entraînant du coup la mobilisation française. Et le chef d'état-major conclut : « La situation militaire devient de jour en jour plus défavorable pour nous et si nos adversaires continuent à se préparer sans être gênés, cette situation nous conduira aux plus funestes conséquences ». Le plan allemand exige en effet, pour lancer le pays dans la guerre, que l'on sache au plus vite si le principal ennemi de l'Allemagne, la France, entre ou non dans le conflit. Sinon, la tranquille mobilisation des Russes peut empêcher l'Allemagne d'appliquer son plan car, mobilisant elle-même trop tard, elle s'avérera incapable de lancer ses corps d'armée sur la France alors qu'elle aura ses frontières orientales ouvertes à la masse des Russes. C'est dès la mobilisation russe, sans attendre la française, que l'Allemagne doit mobiliser, non pas pour « secourir son alliée », mais pour exécuter son plan de guerre.

Quand Jagow déclarait aux puissances occidentales que la mobilisation partielle des Russes ne risquait pas d'entraîner l'Allemagne dans le conflit, il n'exprimait donc pas un avis conforme à celui de l'état-major. Pourtant, Bethmann-Hollweg ne cède pas immédiatement aux pressions des militaires, car il veut une guerre où l'Allemagne soit incontestablement agressée par la Russie. Il faut que Saint-Pétersbourg prenne les devants. Il refuse la mobilisation que réclame Moltke, et même de décréter la « situation de danger de guerre » que demande, le 29, Falkenhayn. Mais il prévient Paris et Pétersbourg que seul l'arrêt immédiat des préparatifs militaires peut empêcher l'Allemagne de prendre des mesures semblables. Ainsi les Russes, s'ils ne mobilisent pas, se déconsidèrent, mais s'ils mobilisent, ils apparaissent comme l'agresseur. Ils prennent une demi-mesure et décident, le 29, la mobilisation partielle contre l'Autriche-Hongrie.

Pour l'état-major allemand, il reste une inconnue : l'attitude de l'Angleterre. Le 29, lord Grey a dit à l'ambassadeur allemand à Londres que l'Angleterre ne resterait pas neutre en cas de guerre européenne, mais il n'a pas pu « garantir » à la France l'intervention de la Grande-Bretagne. Il y a dans son pays, dit-il, trop d'oppositions à la guerre. Pas plus que de la France une promesse d'engagement, l'Allemagne n'obtient l'assurance du non-engagement de Grey. A Berlin, la pression de l'état-major sur Bethmann-Hollweg devient intenable. Le chef d'état-major n'hésite pas à écrire à son collègue autrichien Conrad pour lui demander de mobiliser toutes ses forces contre les Russes. Il n'hésite pas davantage à faire auprès du chancelier une démarche qui est un véritable ultimatum : l'Allemagne doit mobiliser au plus tard le 31 à midi.

Cinq minutes auparavant, à 11 heures 55, parvient enfin le télégramme de Pourtales annonçant la mobilisation générale des Russes : le chancelier peut avoir bonne conscience, il a son alibi. L'« état de danger de guerre » est aussitôt proclamé par l'empereur. L'Allemagne envoie à Paris et Saint-Pétersbourg un ultimatum demandant le désarmement immédiat. Les désidérata de l'état-major sont en tous points respectés : de Paris on exige, si les Français choisissent la neutralité, qu'ils livrent en gage les forteresses de Toul et Verdun. Les Français savent depuis le 30 que les Allemands accélèrent leurs préparatifs. Eux-mêmes ont pris des mesures de pré-mobilisation : des deux côtés de la frontière, les troupes de couverture ont pris position. Mais les Allemands, dit-on, sont en avance et Joffre fait à son tour pression sur son gouvernement : « Si l'état de tension continue et si les Allemands, sous couvert de conversations diplomatiques, continuent l'application de leur plan de mobilisation dont ils poursuivent l'exécution en évitant d'en prononcer le nom, il est absolument nécessaire que le gouvernement sache qu'à partir de ce soir [31 juillet], tout retard de 24 heures apporté à la convocation des réservistes et à l'envoi du télégramme de couverture se traduira par un recul de notre dispositif de concentration, c'est-à-dire par l'abandon initial d'une partie de notre territoire, soit de 15 à 20 km par jour de retard ». Ainsi, de part et d'autre de la frontière, la machine est en marche, on ne peut plus l'arrêter.

Le gouvernement français décide à 17 heures d'envoyer le télégramme : « Faites partir les troupes de couverture ». On s'attend dès lors à l'imminence de l'ordre de mobilisation. Les Autrichiens sont tous sous les armes, les Belges eux-mêmes ont rappelé trois classes. Mais Poincaré ne veut pas donner l'ordre avant le gouvernement allemand. Par mesure de précaution, et suivant les conseils de Jules Cambon, il a ordonné aux troupes de se retirer à 10 km de la frontière pour éviter tout incident. C'est presque simultanément que les ordres de mobilisation sont signés en Allemagne et en France, le 31 juillet. l'Allemagne prend sans plus attendre l'initiative de déclarer la guerre à la Russie le 1ᵉʳ août. Le plan Schlieffen entre en application. Il s'agit de précipiter la France dans la guerre au plus vite. Le 2 août, le chargé d'affaires allemand à Bruxelles reçoit l'ordre d'ouvrir l'enveloppe scellée qu'il doit délivrer au gouvernement belge, réclamant le libre passage pour l'armée allemande. Au matin du 3 août, cette demande est rejetée. Aux premières heures du 4 août, les troupes allemandes sont en mesure de commencer l'invasion.

Or l'Allemagne n'a toujours pas déclaré la guerre à la France, elle se borne à justifier son agression en prétendant que les Français ont bombardé Nuremberg et franchi la frontière, déguisés en Allemands. Pas davantage l'Autriche-Hongrie n'a déclaré la guerre à la Russie. La France s'efforce désespérément d'obtenir une réponse précise de l'Angleterre. C'est seulement la violation du territoire belge, le 4 au petit matin, qui décide Grey à lancer un ultimatum aux Allemands en début d'après-midi. Il demande le retrait immédiat de leurs troupes. Depuis la veille à 18 h 15, l'Allemagne a déclaré la guerre à la France, elle ne peut plus reculer. L'entrée en guerre de la Grande-Bretagne, qui jusqu'ici s'était contentée de promettre à la France le secours de sa flotte, ne fait plus alors de doute. Les atermoiements du cabinet autrichien, devenu subitement hésitant, cessent sous la pression allemande : la dernière, l'Autriche-Hongrie déclare la guerre à la Russie le 6 août.

Ainsi l'Europe est au bord du drame. Hormis l'Angleterre, longtemps réticente, et l'Autriche-Hongrie, en retard d'une déclaration, tous les gouvernements belligérants − le français compris − ont accepté la guerre en quelques jours, « avec une stupéfiante rapidité », comme l'écrivait Jules Isaac. Il est vrai qu'ils pouvaient penser, comme les mobilisés, que cette guerre serait de courte durée. Pour qu'elle soit la plus brève possible, les états-majors faisaient montre d'une belle impatience. Les Allemands voulaient écraser *vite* les Français pour se retourner contre les Russes, les Autrichiens se débarrasser *vite* des Serbes pour faire face aux Cosaques, les Russes devaient arriver *vite* aux frontières pour soulager la France de la pression allemande, et les Français devaient se retrouver *vite* en Lorraine pour lancer leur fameuse offensive de dégagement. Tous pensaient que de la rapidité dépendait leur salut.

Les historiens qui ont réfléchi sur cette guerre ont d'abord songé à dresser un bilan des responsabilités : le kaiser et le tsar, Isvolsky et Poincaré, Bethmann-Hollweg (le plus récent coupable, cible favorite de l'historien allemand F. Fischer) et Conrad von Hötzendorf, tous se sont succédé au pilori sans que les accusations portées contre eux soient vraiment convaincantes. Comment croire à la responsabilité d'une poignée d'hommes dans le déclenchement d'un conflit d'une telle ampleur ?

Derrière les responsables allemands, dit Fritz Fischer dans *Krieg der Illusionen*, il y a « la volonté de guerre de l'Allemagne » qui doit être recherchée « dans les difficultés que rencontrait son expansion dans le monde, et en particulier dans les Balkans ». Il est vrai que des succès spectaculaires : influence en Bulgarie, expansion en

Turquie, sont tempérés par des déceptions ailleurs; l'Allemagne, dont l'économie connaît une certaine crise au début de l'année 1914 (450 000 chômeurs) est désormais bloquée dans les Balkans. Elle doit compter sur la rivalité financière de l'Autriche-Hongrie, affronter le dynamisme du capital français en Turquie et en Serbie; même en Grèce et en Roumanie, son influence est contrebattue. Les Turcs, grands amis des Allemands, négocient un emprunt de 500 millions sur la place de Paris et Talaat bey, en mai 1914, est allé rendre visite au tsar. Krupp est furieux : l'argent allemand s'est investi massivement dans le chemin de fer de Bagdad, mais personne n'a songé à dégager des crédits pour payer ses canons. Ainsi, comme le pense Rathenau, « l'ère des grandes conquêtes est passée pour l'Allemagne ». A l'Est? Le nouveau traité de commerce est imposé par le tsar à la suite d'une campagne « contre l'invasion germanique ». A l'Ouest? L'Angleterre occupe tous les marchés, elle est désormais sur ses gardes, elle songe périodiquement à revenir au protectionnisme, comme la France bien protégée dans son espace économique. Comment trouver des « compensations » en Afrique orientale, en Afrique occidentale ou dans les petites îles d'Océanie, alors que les « nations de proie » se sont déjà emparées, outre-mer, des territoires les plus rentables? « Depuis 40 ans, dit en janvier 1914 Bethmann-Hollweg à Jules Cambon, la France a poursuivi une politique grandiose. Elle s'est assuré un immense empire de par le monde. Elle est partout. Pendant ce temps, l'Allemagne inactive ne suivait pas cet exemple et aujourd'hui, elle a besoin de place au soleil. » Et le placide Bethmann-Hollweg poursuit : « L'Allemagne, son unité constituée, voit sa population augmenter démesurément et sa marine, son industrie, son commerce, prendre de jour en jour un développement sans égal. Elle est condamnée en quelque sorte à se répandre dans le monde ».

C'est vrai, l'Allemagne, par sa puissante expansion économique, sape en profondeur le fameux « équilibre européen ». Les nations qui se préparent à entrer en guerre ne sont pas égales : l'Allemagne est, pour la rapidité de son essor, de loin la première si l'on considère la production dans sa masse. En 1914, la puissance mondiale s'exprime encore en tonnes de charbon, bien que l'ère du pétrole et de l'électricité soit déjà commencée. Le charbon, comme l'a écrit Maurice Baumont, « anime l'immense appareil industriel du Reich, il est au cœur, non pas même de toute l'industrie, mais de toute la vie du pays ». En Allemagne, le charbon donne la suprématie à la Prusse : elle en extrait 179 millions de tonnes sur les 190 millions de la production totale en 1913. C'est le charbon prussien qui a fait l'unité allemande. Depuis que la guerre française, en 1815, a installé la Prusse sur le Rhin, elle a fait de l'Allemagne unifiée une puissance mondiale. « En quelques générations, dit encore le perspicace Maurice Baumont, l'Allemagne a acquis une puissance

houillère qui menace la suprématie commerciale de la Grande-
Bretagne. » La constitution d'une « force houillère en Allemagne »
est une des causes profondes de la guerre : cette force ne pouvait
qu'être attirée par les réserves françaises de fer, et la flotte
charbonnière ne pouvait que menacer l'Angleterre dans le fondement principal de sa domination. En outre, la possession de charbon
permettait à l'Allemagne d'envisager la guerre comme un des
éléments de sa politique. « La guerre de 1914-18, dit Baumont,
révèle tragiquement la puissance que la houille confère aux pays qui
l'ont en surcroît. Sans le charbon, aliment essentiel et quotidien des
industries du fer, facteur décisif de la lutte nationale, elle n'aurait
pu durer que quelques semaines. » Les rois de la mine, les directeurs
de la *Schwerindustrie*, deviennent les arbitres de la politique
allemande. En 1913, avec près de 23 000 fours à coke, l'Allemagne
dépasse de beaucoup l'Angleterre, de même dans l'utilisation des
sous-produits de la houille qui alimentent une formidable industrie
chimique des colorants, mais aussi des explosifs, des composés
azotés, du sulfate d'ammoniac et du benzol. Le bassin de la Ruhr à
lui seul dispose de plus de réserves que toute l'Angleterre. Les
maîtres du charbon peuvent se croire les maîtres du monde. Les
Krupp, les Thyssen, les Stinnes et tous les heureux propriétaires des
« mines-usines» de la Ruhr représentent la première puissance
charbonnière, sidérurgique, industrielle du continent. D'immenses
établissements sidérurgiques ont été créés aussi en Lorraine
annexée et au Luxembourg. Les grands groupes de la Ruhr
possèdent les deux tiers de la production des mines de fer. En
échange, des ouvertures ont été faites aux maîtres de forges lorrains
de Wendel pour qu'ils achètent des mines de charbon en Allemagne.
La puissance d'expansion de la *Schwerindustrie* est considérable, et
les nouveaux riches de la Ruhr (les ancêtres de Stinnes étaient
marchands de charbon, ceux de Krupp, épiciers) ne rêvent que de
s'étendre encore, sans repos. « *Rast ich, so rost ich* » est la devise de
Thyssen : « se reposer, c'est se rouiller ». Il a acheté des mines en
Lorraine et même en Normandie; il est, avec Stinnes, « le tyran
assyrien à la barbe noire », le plus gros magnat de l'acier et du
charbon. Il est d'autres magnats dans l'Est, en Silésie, qui sont des
nobles authentiques de vieille souche prussienne, comme le comte
Guido Henckel von Donnersmarck qui joue dans la vie parisienne
un rôle éclatant (il épouse en 1871 la Païva). Jouissant de la plus
grosse fortune d'Allemagne après celle de Bertha Krupp, il fait
travailler dans ses mines, comme les autres comtes et princes
d'Empire de Silésie, des armées de mineurs ruthènes et polonais.
L'Allemagne devait d'ailleurs une grande partie de l'extraction de
son charbon aux Polonais, qui constituaient en 1914 un tiers de la
main-d'œuvre aux côtés des Belges, des Italiens, des Hollandais...
La formidable industrie de la Ruhr attirait des ouvriers de toute

l'Europe sous-developpée et vendait ses produits dans tous les pays de l'Europe riche : l'essentiel du coke utilisé en France venait d'Allemagne. La seule faiblesse des industriels superconcentrés de la Ruhr, c'est qu'ils n'avaient pas su enlever le marché... allemand aux marchands anglais d'anthracite : ceux-ci fournissaient, en 1914, plus d'un tiers du charbon brûlé à Berlin !

L'Allemagne, au début du XXe siècle, vient de vivre la phase de sa plus grande expansion : sa population passe de 41 millions en 1870 à plus de 67 millions d'habitants, et pourtant les Allemands émigrent de moins en moins. Berlin, Hambourg, Cologne, Mayence ont été prises d'une frénésie de construction pour loger les innombrables nouveaux citadins venus des campagnes : 6 Allemands sur 10, en 1910, habitent la ville, le plus souvent dans des logements très médiocres. Mais si nombreux, si bien encadrés que soient les Allemands, ils sont d'abord des consommateurs et il faut importer pour les nourrir, importer pour fournir à l'industrie les matières premières dont elle ne dispose pas sur place. La machine industrielle, par sa puissance même, oblige l'Etat à de nouvelles orientations, et les responsables de l'économie à exporter. Une flotte toute neuve est construite, les maisons de commerce dressent leur personnel à la conquête des marchés; pour être classé au second rang des échanges mondiaux, juste après celui de Grande-Bretagne, le commerce allemand a dû s'implanter au bout du monde, en Chine, en Amérique latine où les ressortissants allemands sont nombreux, en Afrique et en Turquie. L'effort est incessant, il n'est jamais à la mesure des incroyables possibilités de croissance d'une industrie qui s'appuie de plus en plus sur la recherche scientifique et sur l'amélioration des procédés et méthodes de production.

Comme le disent en 1914 Rathenau et Ballin, le maître de Hambourg : l'expansion allemande « doit être maintenue à n'importe quel prix ». Au prix de la guerre? Les propriétaires des immenses domaines de l'Est, les junkers, font depuis longtemps appel à l'aide de l'Etat pour qu'il contribue financièrement à la modernisation de l'agriculture. Comment l'Allemagne pourrait-elle, en temps de guerre, résister au blocus? Ce grand argument des junkers est toujours écouté, et l'on ne manque pas d'engager l'Allemagne, dès l'époque de Bismarck, dans une politique protectionniste qui accorde satisfaction aux agriculteurs, mais provoque des frictions avec la Russie. Malgré ces mesures de protection, malgré les progrès de son agriculture, l'Allemagne doit cependant importer des denrées de consommation, elle ne jouit pas de son autonomie alimentaire. Son charbon lui permet de faire la guerre, mais son sol ne lui permet pas d'envisager de nourrir longtemps ses soldats.

Autre faiblesse : la finance. Les marchés financiers de Paris et de

Londres restent souverains. Depuis la venue au pouvoir de Guillaume II, et déjà du temps de Bismarck, les investissements allemands tentent les épargnants, dissuadés de placer leurs économies à l'étranger. L'industrie a cherché à réserver à la production le revenu des capitaux allemands et les banques, par leur système très efficace, ont eu pour tâche essentielle de financer l'industrialisation, puis le grand commerce. Mais, en restant bloqués en Allemagne, les capitaux allemands ne peuvent lutter contre la finance exportatrice des pays de l'Ouest qui considèrent le revenu des capitaux placés à l'étranger comme une source croissante de leur richesse : les balances de la France et de l'Angleterre seraient sans lui en déficit. L'aisance capitaliste des pays de l'Atlantique irrite les financiers de Berlin, qui manquent souvent de fonds pour investir en Turquie ou en Chine.

Pour trouver des disponibilités, il faut accroître encore les revenus de l'Allemagne, exporter plus. Le commerce triple de 1890 à 1913, mais l'Allemagne, à cette date, n'exporte que 30 % de sa production totale, alors que son excédent exportable pourrait être de 60 à 70 %. Encore est-elle obligée, en 1913, d'importer plus qu'elle ne vend. Sa grande flotte commerciale rencontre, dans tous les ports du monde, la concurrence dominante et souveraine de l'Angleterre. Grâce au bas prix de l'acier allemand qu'elle importe, celle-ci construit, à partir de 1890, une flotte rénovée, compétitive. L'énormité de ses investissements à l'étranger (94 millions de livres de revenu annuel en 1890, 200 millions en 1914) facilite puissamment ses relations commerciales. Son industrie s'est modernisée, rationalisée, elle a accepté le challenge de l'Allemagne, même dans l'industrie chimique où Ludwig Mond est un géant mondial. Charles Parson, l'inventeur de la turbine, est aussi célèbre que l'Allemand Diesel et W.D. Pearson est « le plus grand entrepreneur de travaux publics du monde ». Les Anglais, qui produisent 80 millions de tonnes de charbon de plus que les Allemands, ont investi dans le pétrole du Moyen-Orient avec W. Knox d'Arcy. Si les maîtres de forges et les cotonniers ont gardé une mentalité malthusienne, si les industriels dédaignent assez largement le progrès technique (en 1912, comme le remarque Roland Marx, onze écoles polytechniques allemandes fournirent aux industries 3 000 ingénieurs, quand 530 étudiants obtenaient leur licence ès sciences ou en technologie dans les universités anglaises ou galloises), si l'Angleterre ne compte en 1914 qu'un peu plus de 7 000 ingénieurs, sa production d'acier et de fonte progresse régulièrement de 2 % par an, ses chantiers navals regorgent de commandes et elle compte déjà 265 000 automobiles ou camions en 1914 (on y dénombre alors plus de 200 marques de véhicules !). Même si elle doit importer d'Allemagne ses machines laitières, ses colorants, ses instruments d'optique, et d'Amérique nombre de ses automobiles et de ses machines agricoles, l'Angleterre a de loin la première flotte mondiale. Celle de l'Allemagne, quatre fois plus importante qu'en 1870, n'atteint guère que 4 millions de tonnes. L'Angleterre n'a fait que doubler la sienne pendant la même période, mais elle en est à 13 millions de tonnes. Comme le dit Roland Marx : en 1914, « le géant est ébranlé, mais possède encore des moyens considérables ». L'Angleterre règne sur toutes les mers et il faut aux Allemands beaucoup de courage pour vouloir lui disputer son titre. La France dont l'essor est remarquable depuis 1895, la Russie en plein développement et la Grande-Bretagne représentent à elles trois une masse de 238 millions d'Européens (sans compter les Russes à l'est de l'Oural) contre 120 millions d'Allemands et d'Austro-Hongrois. La balance n'est pas égale : elle n'incite pas à rechercher « la guerre à tout prix ».

Peut-elle avoir pour objet de liquider, sur un des « points chauds » du monde, une concurrence économique particulièrement vive? Dans les Balkans, au Moyen-Orient, en Russie, c'est vrai, la volonté de pénétration de l'économie allemande ou autrichienne s'oppose souvent aux Russes, aux Anglais et aux Français. Jusqu'à vouloir la guerre? Non, répond René Girault pour ce qui est de la Russie : il est vrai que dans ce pays, l'Allemagne a pour principal adversaire la France : « Pendant un moment, l'Allemagne a cru pouvoir constituer un attelage à trois qui, économiquement, la satisferait : l'Allemagne fournirait son équipement et ses brevets, la France ses capitaux, la Russie ses forces brutes intactes; ni la Russie, qui veut exploiter à son profit ses richesses, ni la France qui pense être en mesure de s'imposer grâce à ses capitaux, ne l'ont accepté. La coopération économique franco-russe prend ainsi une allure nettement germanophobe. Dans cette mesure, elle contribue à la préparation lointaine du conflit ». Lointaine, mais certes pas immédiate... Jacques Thobie [7], étudiant l'Empire ottoman, est plus net encore : la rivalité franco-allemande en Turquie, doublée d'une rivalité anglo-russe, est porteuse de contradictions, donc de conflits; « il n'en reste pas moins qu'à l'été de 1914, ces contradictions... ne passent point par une crise aiguë mais, au contraire, par une phase de relatif apaisement ».

Que dire des rapports économiques franco-allemands? Raymond Poidevin montre à l'évidence [8] qu'il y a des difficultés, mais qu'elles ne sont pas de nature à inciter l'Allemagne à vouloir « briser par la force la mauvaise volonté française ». Les banquiers et les industriels allemands ne tirent à aucun moment de « conséquences belliqueuses » des « chicanes » qui leur sont faites par la France.

7. J. Thobie, *Intérêts de l'impérialisme français dans l'Empire ottoman, 1895-1914*, thèse d'État.

8. Raymond Poidevin, *Les Relations économiques et financières entre la France et l'Allemagne de 1898 à 1914*, thèse d'État.

Faut-il rechercher plus d'agressivité chez les banquiers ou les industriels de Vienne? Pas davantage. Bernard Michel établit avec force que la finance viennoise, tout à fait étrangère au monde décisionnaire de l'aristocratie, n'a jamais été favorable à la guerre, et moins que jamais en 1914. On connaît même la prise de position en faveur de la paix, au plus fort de la crise, du directeur du *Boden Kreditsanstalt* Sieghart; comme le dit Michel, « le capitalisme bancaire était hors d'état de déclencher le conflit de 1914, tout comme il était incapable de l'empêcher ».

Si l'on admet que les rivalités économiques ne sont aucunement la cause du déclenchement de la crise de 1914 qui a entraîné si brusquement la guerre, on peut se demander pourquoi, dans les pays les plus évolués d'Europe, aucun frein n'a pu alors fonctionner. Il est tout de même remarquable de constater que dans aucun pays, sauf peut-être en Grande-Bretagne, il n'y a eu de débat parlementaire préalable sur la guerre. Les débats sur les crédits militaires ont été postérieurs, en France et en Allemagne, à la mobilisation et même à la déclaration de guerre. Ils se sont terminés par de véritables cérémonies d'unanimisme patriotique, ou, comme on dit en France, d'*union sacrée*. Le débat français date du 4 août. Le gouvernement a décidé de convoquer les Chambres en session extraordinaire. C'est à sa demande que députés et sénateurs sont réunis. Il en a besoin pour le vote des crédits et pour les lois d'urgence que la guerre rend nécessaires. Tous les parlementaires sont présents. En fait, il n'y a pas de débat. Les Chambres entendent le message du président de la République, une déclaration du président du Conseil Viviani, un discours de Paul Deschanel, président de la Chambre, sur Jaurès assassiné. Le vote de la Chambre est unanime. « Nul ne peut croire de bonne foi, dit Viviani, que nous sommes les agresseurs... Ce qu'on attaque, ce sont les libertés de l'Europe dont la France, ses alliés et ses amis, sont fiers d'être les défenseurs. » Après le vote, la Chambre et le Sénat s'ajournent *sine die*.

Même genre de séance à Bruxelles où, le même jour, les deux Chambres réunies accueillent le roi des Belges, l'acclamant longuement dans son discours : « Un pays qui se défend, dit-il, s'impose au respect de tous ».

La Belgique était réellement agressée. La France était en passe de l'être. Mais l'Allemagne?

Rien n'obligeait le Kaiser, maître de la guerre et de la paix, à demander l'avis du Parlement avant de déclarer la guerre à la Russie et à la France. Mais lui aussi tenait à ce qu'il fût clair que l'Allemagne entrait en guerre parce qu'elle était menacée. Quand il déclare le premier la guerre à la Russie, le chancelier Bethmann-Hollweg est sûr d'avoir derrière lui tous les Allemands, y compris ceux qui votent social-démocrate. Quand le Parlement est réuni le 4 août, tous les députés, comme en France, votent les crédits de guerre, y compris la gauche du S.P.D., Karl Liebknecht, fils du grand Wilhelm, donnant l'exemple.

Il n'est naturellement pas question pour le tsar, qui est un autocrate, de solliciter l'avis de la chambre élue qu'il a fini par admettre mais que la gauche, par dérision, appelle « la Douma des seigneurs », tant l'élection de 1912 a écarté des urnes l'essentiel des forces de contestation populaire.

Quant à l'empereur François-Joseph, il ne tient nullement à convoquer le *Reichsrat,* où il rencontre les pires difficultés avec les Tchèques. Aussi utilise-t-il un article de la loi constitutionnelle qui lui permet de gouverner par décrets quand le Parlement n'est pas en session : comment d'ailleurs y serait-il, puisqu'il n'est pas convoqué? Certes, le comte Tisza, qui domine son Parlement de Hongrie, n'a pas les mêmes problèmes avec ses députés magyars, qui constituent la majorité. Mais à quoi bon leur demander leur avis alors que le comte s'est rallié à la politique de guerre de l'empereur d'Autriche?

La seule opposition parlementaire à la guerre ne pouvait provenir que du plus vieux parlement du monde, celui d'Angleterre. C'est la raison fondamentale de la prudence et de la lenteur de lord Grey. Il n'était nullement assuré de pouvoir entraîner les Communes dans sa politique. Lui-même a pris très tard conscience de la gravité de la situation. Ayant peu de sympathie pour les Serbes, très mal vus dans les journaux anglais, il a d'abord trouvé normal que l'Autriche demande des comptes et des sanctions. Il a tout de suite essayé de modérer Berlin pour qu'une « troisième guerre balkanique » n'éclate pas à propos de Sarajevo. Il y a eu un débat aux Communes, juste après l'attentat. On a parlé de tout autre sujet. L'assemblée, dit Elie Halévy [9], était « distraite, clairsemée ». Le colonel House assistait à cette séance. Il venait de Berlin où il avait entendu des bruits de bottes. Sir Edward Grey n'a pas du tout voulu partager ses angoisses. Il préférait parler de ses pêches au saumon. « Je prévois que l'orage va se dissiper », lui écrivait le 9 juillet Nicholson du *Foreign Office.* Son ambassadeur à Sofia, sir Henry Bax Ironside, lui avait expliqué que l'Autriche resterait en paix « tant que vivrait l'empereur ». Lord Grey avait bien plus à redouter la grève générale en Angleterre et l'insurrection des Irlandais.

Le dimanche de la crise, le sang coulait à Dublin. Comment faire comprendre aux Communes que l'Europe allait vers la guerre, alors que l'Angleterre était déjà en guerre civile? Grey avait laissé faire Churchill quand celui-ci avait empêché les équipages de la Flotte, de retour de manœuvres, de se disperser. La première escadre s'était mobilisée à Portsmouth, la seconde était mobilisable en peu de

9. Elie Halévy, *Histoire du peuple anglais.*

temps. La flotte anglaise veillait donc. Après la déclaration de guerre de l'Autriche à la Serbie, avec l'approbation de Grey, elle avait emprunté de nuit le Pas de Calais, « tous feux éteints », pour aller prendre position en Écosse, à Scapa Flow, en face de la flotte du Kaiser, à l'aube du 29 juillet. Ainsi Grey s'était arrangé pour faire comprendre aux Allemands qu'il n'était pas disposé à rester neutre en toute éventualité, et il n'avait pas demandé l'avis des Communes pour intimider de la sorte le Kaiser. Churchill avait même obtenu qu'il proclamât la *precautionary period,* l'état de préparation à la guerre. L'Angleterre était, de ce point de vue, en avance sur le continent; ses précautions étaient prises.

Comment prendre au sérieux une crise européenne qui survient un vendredi 31 juillet, jour de départ en vacances ou en long week-end, car le lundi 3 août est férié? Les Anglais, note Elie Halévy, « se ruèrent vers les gares, vers les ports de la Manche, à la recherche du repos et du plaisir ». Sans doute lord Grey enrage-t-il de ne pouvoir repartir pour pêcher le saumon en Écosse. Il sait que son ministre Lloyd George doit recevoir une délégation des financiers de la City, conduite par le vieux lord Rothschild. A titre personnel, celui-ci a écrit à l'empereur Guillaume pour le supplier de préserver la paix. Le vendredi, il est dans le bureau de Lloyd George, il lui demande de sauver le pays et l'Europe : déjà le crédit de l'Angleterre est ébranlé, la Bourse vacille... La presse monte cette démarche en épingle. La « banque judéo-allemande se mobilise », dit le *Morning Post.* Mais Grey est impressionné. Peut-être se souvient-il des prédictions d'Engels : « Huit à dix millions de soldats s'entr'égorgeront et tondront l'Europe aussi ras que le ferait un essaim de sauterelles... les couronnes rouleront par douzaines sur le pavé ». Grey ne peut pas vouloir la guerre si la City ne la veut pas.

Pourtant, le ministre de la Guerre rappelle la *réserve spéciale,* quand il apprend la mobilisation de toutes les armées européennes le 31, et il ordonne de protéger, comme partout en Europe, les gares et les ministères; l'Amirauté rappelle les pêcheurs dans les ports. Le samedi 1er août, Winston Churchill, approuvé par le Premier ministre Asquith, a mobilisé la flotte. Les chefs de l'opposition unioniste rentrent de la campagne pour assurer Asquith de leur soutien. Par contre, des ministres libéraux menacent de démissionner : John Burns le pacifiste, lord Morley le gladstonien, qui refuse de faire partie d'un cabinet de guerre. Mais Simon et Llyod George, neutralistes, restent dans le gouvernement au lieu de suivre leurs collègues.

Quand les Communes entendirent lord Grey, le lundi matin, tous les députés savaient que le roi des Belges, ayant repoussé l'ultimatum allemand, demandait l'aide de l'Angleterre. Ce qu'il avait poliment refusé à Poincaré le 2, George V ne pouvait le refuser le 3 à

Albert 1ᵉʳ. Le dogme de la neutralité de la Belgique et de la défense de la liberté d'Anvers était intangible en Grande-Bretagne. Grey l'expliqua aux Communes. « Son discours froid, mesuré, exempt d'éloquence, dit Halévy, rallia l'adhésion pratiquement unanime de l'assemblée. » « Pourquoi, demanda Ramsay MacDonald, le leader travailliste, dire que vous allez au secours de la Belgique quand en fait vous vous engagez dans une grande guerre européenne qui va changer toute la carte de l'Europe? » Les quelques voix pacifistes qui s'élèvent alors ne pouvaient être entendues : l'Angleterre avait mobilisé, on faisait la queue devant les bureaux de recrutement. Le lendemain, la Belgique était envahie.

Il y avait un autre frein possible à la fureur guerrière de l'Europe : le pacifisme des masses ouvrières mobilisées par les syndicats et les partis socialistes. Même en Russie, l'autocratie dominait mal ses ouvriers révolutionnaires. Pendant la visite de Poincaré, il y avait eu des troubles à Saint-Pétersbourg, la troupe avait dû charger, des blessés et des morts dans les rues avaient été évacués d'urgence. Dans les faubourgs, le comte de Pourtales, ambassadeur d'Allemagne, avait entendu dire que les ouvriers chargés par les Cosaques chantaient *la Marseillaise*. L'Europe révolutionnaire allait-elle se dresser contre la guerre?

Au sein du mouvement socialiste, les deux partis les plus avancés étaient l'allemand et le français. Ils dominaient les réunions de l'Internationale. La tradition antimilitariste, anarcho-syndicaliste française avait, dans le passé, provoqué bien des troubles dans le pays. Très récemment, le vote de la loi de trois ans avait suscité des manifestations jusque dans les villes de garnison de l'Est, comme Toul. La police surveillait de près les organisations susceptibles de « décourager le moral de l'armée ». Ces anarchistes, frappés par une longue et minutieuse répression, étaient, en 1914, minoritaires et disséminés. Mais leur état d'esprit n'était pas sans influencer plus d'un chef syndical à la C.G.T. Il semblait inspirer le directeur du journal *la Guerre sociale,* Gustave Hervé, qui écrivait en 1912 : « Contre la guerre déclarée, il n'y a qu'une mesure efficace, l'insurrection. » « Le capitalisme, disait le socialiste Jaurès, porte en lui la guerre comme la nuée l'orage. » Lutter contre la guerre, c'était donc vouloir détruire le capitalisme au moment où il n'a plus d'autre ressource, pour survivre, que de tuer. Que représentent alors les socialistes unis dans la IIᵉ Internationale? Un million de voix en France, autant en Autriche, trois millions en Allemagne, 500 000 en Angleterre, 27 partis dans le monde, une véritable armée...

La question de la guerre a été pour la première fois débattue au congrès de Stuttgart, en 1907 : la délégation française a proposé, en cas de mobilisation, l'insurrection et la grève générale. Seule l'Allemande Rosa Luxembourg approuve. L'Autrichien Adler est dubitatif, comme le Belge Vandervelde. Les Allemands Bebel et Vollmar, qui représentent la quasi-totalité du S.P.D., parlent de « pieuse utopie ». La motion votée est d'une grande imprécision : « Si une guerre menace d'éclater, c'est un devoir de la classe ouvrière dans les pays concernés... de faire tous les efforts pour empêcher la guerre par tous les moyens... qui varient naturellement selon l'acuité de la lutte des classes et la situation politique générale. » Le congrès de Copenhague, en 1910, n'accouche pas d'un texte plus mobilisateur. L'Anglais Keir Hardie et le Français Vaillant proposent de nouveau la grève générale; la motion est renvoyée à un congrès suivant. Celui de Bâle, en 1912, ne devait pas être plus positif.

En France, c'est dans les milieux syndicalistes qu'il faut chercher l'opposition la plus violente à la guerre. Les orateurs multiplient dans les congrès les violentes déclarations antimilitaristes et recommandent l'insurrection et la grève générale. « Le congrès, est-il dit à Paris en 1912, ne reconnaît pas à l'État bourgeois le droit de disposer de la classe ouvrière », et le délégué Jouhaux déclare à la salle Wagram : « Si la guerre est déclarée, nous, nous refusons d'aller aux frontières ». Les anarchistes, nombreux à la C.G.T., prévoient le sabotage des voies ferrées. Le jardinier Louis Lecoin, emprisonné quand il faisait son service pour avoir refusé de participer à la répression d'une grève, est de nouveau arrêté en 1912 pour propos séditieux et condamné à 5 ans de prison. Anarchistes et syndicalistes sont partisans de la violence. Jaurès et les socialistes, quant à eux, entendent que la lutte contre la guerre emprunte des voies légales et pacifiques. Peuvent-ils réussir?

Ils disposent d'un million d'exemplaires de journaux, soixante hebdomadaires, des quotidiens en province et *l'Humanité* à Paris, qui tire à 100 000 exemplaires. *La Bataille syndicaliste,* l'organe de la C.G.T., tire à 40 000. Toute cette presse mène la bataille contre la loi des trois ans. Chez les socialistes, c'est au nom de la patrie en danger que Jaurès et ses amis suggèrent une autre loi militaire. Ils ne combattent pas l'idée de guerre défensive, bien au contraire. Et pourtant, c'est Jaurès qui obtient au congrès extraordinaire des socialistes réuni à Paris en juillet 1914 le vote d'une motion favorable à la grève générale, contre Jules Guesde qui affirmait qu'en cas de guerre déclarée, la grève générale ne serait efficace que dans les pays les plus avancés et favoriserait donc indirectement les autocrates fauteurs de guerre, russe et austro-hongrois. L'assassinat de l'archiduc avait opéré ce miracle. Le 27 juillet, *la Bataille syndicaliste* appelait ses militants à manifester à Paris sur les boulevards et dans toutes les villes de province. L'édition s'enleva à 100 000 exemplaires.

Le 28 juillet, alors que l'Autriche a déclaré la guerre à la Serbie, la C.G.T., à la suite d'une réunion de son comité confédéral, parle de la nécessaire « protestation ouvrière » contre la guerre, mais admet la « lourde responsabilité » de l'Autriche « devant l'histoire » et demande au gouvernement français d'œuvrer pour la paix : « Dans cette action, les gouvernements de ces pays [qui travaillent en faveur de la paix] ont le peuple français avec eux. » Plus question de dénoncer la guerre comme un cancer du capitalisme. L'agression contre la Serbie a déjà fait changer le ton. Au parti socialiste, Jaurès, le 29, recommande le « sang-froid » : « Il faut laisser aux diplomates, aux généraux et aux cléricaux de Vienne le temps de se heurter aux difficultés naturelles de leur déplorable entreprise. » Dès lors Jaurès suit avec une passion, une attention, un espoir que rien ne peut abattre, les différentes tentatives de médiation, entrant lui-même dans la bataille et n'hésitant pas à stimuler le gouvernement quand il le juge trop tiède ou trop mou. Jaurès, dans ces tragiques journées, porte l'espérance de tout un peuple hostile à la guerre. Il veut encore croire que la levée des socialistes fera reculer les gouvernements des États du Centre. Il se réjouit des manifestations des socialistes autrichiens contre la guerre, le 26, et attend les réactions des socialistes allemands avec fièvre. Il ne doute pas des efforts pacifiques du gouvernement français mais prend en charge, par l'intermédiaire des partis socialistes, sa propre négociation. Il n'est plus question d'organiser la grève générale contre la mobilisation, mais de mobiliser les masses socialistes par l'intermédiaire de l'Internationale. Dans ce dessein, Jaurès fait le voyage de Bruxelles pour retrouver, au bureau de l'Internationale, avec Guesde, Vaillant et Sembat, Haase et Rosa Luxembourg, Adler et Keir Hardie, Irving et Vandervelde. Il ne sort rien de plus de cette rencontre qu'une manifestation géante aux portes du Cirque de Bruxelles et des recommandations visant à multiplier, dans tous les pays d'Europe concernés, à l'imitation des Berlinois qui viennent de défiler dans les rues en protestant contre la guerre, des meetings et des prises de position qui fassent réfléchir les gouvernants. Une date est prise pour discuter d'une attitude commune des dirigeants : le 9 août à Paris...

Effectivement, des manifestations, les deux derniers jours de juillet, ont lieu dans de nombreuses villes françaises : à Brest, les gendarmes chargent la foule, il y a des violences à Reims, une grande mobilisation (20 000 personnes, d'après Becker et Kriegel [10]) à Lyon place Bellecour. Le gouvernement montre les dents, menace d'arrêter les leaders cégétistes. Messimy, qui prépare sa mobilisation, aurait dit, selon *la Bataille syndicaliste* : « Laissez-moi la guillotine, et je garantis la victoire ». Le 31, il n'est plus du tout question de grève générale dans les mots d'ordre diffusés par la C.G.T. On ne parle que de manifestations pacifistes. Comme le

10. J.-J. Becker, A. Kriegel : *1914, La Guerre et le mouvement ouvrier français.*

disent Kriegel et Becker, « le 31 juillet, l'hypothèque révolutionnaire levée, syndicalistes et socialistes sont désormais réunis dans
une même conception de la lutte ouvrière pour la paix, animés de la
même volonté de combattre pour une politique de négociation ».
C'est la ligne Jaurès qui l'emporte. Pendant toute la journée du 31,
celui-ci a multiplié les démarches auprès du gouvernement,
mobilisé ses collègues à la Chambre, préparé un important article
pour *l'Humanité* du lendemain. A 21 h 40, il est assassiné.

La mort de Jaurès précède de quelques heures l'ordre de
mobilisation générale du 1er août en France et en Allemagne. Le 2
août, le Parti socialiste est réuni place Wagram. Il y a Longuet, le
vieux Camélinat, ancien de la Commune, et Sembat, et Cachin, et
l'ancêtre Vaillant. Tous parlent de défendre leur pays agressé,
« comme des hommes conscients et libres, amis des hommes de
l'univers tout entier » (Cachin). Le 4 août, sur la tombe de Jaurès, le
cégétiste Jouhaux prononce son fameux discours qui intègre les
ouvriers, « soldats de la liberté », à la défense nationale : « Empe-
reurs d'Allemagne et d'Autriche-Hongrie, hobereaux de Prusse et
grands seigneurs autrichiens... nous prenons l'engagement de sonner
le glas de votre règne ! »

En Allemagne, les socialistes savaient fort bien que le gouvernement impérial disposait de textes qui étaient, en cas de
mobilisation, l'équivalent du fameux *Carnet B* français. L'empereur
avait assez insisté sur la répression pour que son ministre de
l'Intérieur se gardât de lui désobéir. Mais le chancelier Bethmann-
Hollweg ne souhaitait pas partir en guerre avec les sociaux-
démocrates dans les prisons du Reich. Il savait qu'en juin 1914, à
Munich, au congrès des syndicats, on avait mis le gouvernement en
garde contre le danger de guerre. La crise ouverte après Sarajevo
avait médiocrement mobilisé les militants qui, dans le *Vorwärts*,
pouvaient lire des articles très hostiles aux Serbes. Les journaux
socialistes dénonçaient volontiers les dangers de l'impérialisme
russe et pan-slave. Pourtant, à partir du 25, c'est le gouvernement
autrichien et sa « frivole provocation de guerre » qui devenaient la
cible des socialistes allemands. Ceux-ci organisèrent dans les villes
ces manifestations qui grisaient Jaurès et indignaient si fort
Guillaume II. Comme en France, toutefois, la presse de gauche ne
mettait pas en question la volonté gouvernementale de négocier.
Bethmann-Hollweg, sur ce point, avait parfaitement réussi. « Guillaume II s'est montré l'ami de la paix internationale », écrivait
Vorwärts le 30 juillet. Droz remarque [11] que ce jour-là, Rosa
Luxembourg elle-même semble croire à la volonté conciliatrice de
l'empereur. Bethmann-Hollweg va jusqu'à recevoir le 29 un
dirigeant socialiste, Südekum, pour l'assurer que l'Allemagne fait

11. J. Droz, *Le Socialisme démocratique, 1860-1940.*

tout pour la paix. En revanche, le socialiste « peut lui donner l'assurance qu'en cas de guerre, il n'y aurait pas de grève générale ». Le 31 juillet, au sein du groupe parlementaire, une majorité est décidée à voter les crédits militaires. Les grèves sont interrompues le 2 août sur mot d'ordre des syndicats et le 3 août, par 78 voix contre 14, la décision de vote favorable est prise. Il n'y a pas, comme en France, unanimité. Liebknecht, Ledebour et Haase sont contre. Mais il a une majorité écrasante. En Autriche, le courant anti-russe balaie la résistance des sociaux-démocrates. Toute l'Europe de gauche est entraînée dans cette « vague de chauvinisme » dont a parlé Monatte.

Ce « chauvinisme », tous les pays belligérants d'Europe – sauf peut-être l'Angleterre – en font l'éclatante démonstration en ce début d'août 1914, alors que l'on pouvait craindre jusque-là l'indifférence et l'apathie des foules devant la montée des périls. La mobilisation morale est un facteur indispensable quand commence une guerre, les responsables politiques le savent bien. Une mauvaise volonté des mobilisés, plus même que les refus de partir, aurait pu s'avérer très préjudiciable aux « plans de guerre » des états-majors. Le Kaiser lui-même, qui n'hésitait pas à réclamer des mesures de répression contre les sociaux-démocrates récalcitrants, tint à avertir son chancelier que, pour avoir quelque chance de succès dans la mobilisation politique de l'opinion, il devait conditionner étroitement la presse. Il n'est d'ailleurs pas trop difficile d'envoyer des consignes aux journaux qui sont directement entre les mains des financiers ou des industriels de la Ruhr. Sans parler de *Die Post,* le journal pangermaniste, qui est quasiment la propriété de l'industriel sarrois Stumm, le *Berliner Lokalanzeiger* appartient au konzern Scherl, le *Berliner Tageblatt* est dévoué aux banquiers, le *Rheinisch Westfälische Zeitung* appartient au club des propriétaires de la Ruhr. Les mots d'ordre passent d'autant plus facilement que toutes les formations politiques, aux élections de 1912, ont été frappées de stupeur devant les progrès fulgurants des « rouges », et que les députés libéraux ont rejoint le centre catholique et les conservateurs pour une alliance fondamentale reposant sur un seul article : la défense du régime économique et social existant. Dès lors qu'il ne peut y avoir, contre la S.P.D., d'opposition désunie, les éléments les plus progressistes sont pris au piège de la peur : même s'ils détestent la droite militariste et pangermaniste, ils ne peuvent manquer d'accepter le conservatisme impérial – qui va jusqu'à différer éternellement le vote d'une réforme électorale démocratique pour la Prusse.

Tous les industriels, tous les banquiers allemands n'étaient pas des chauvins attachés aux valeurs nouvellement affirmées du pangermanisme. Un Rathenau, par exemple, pensait qu'une entente avec l'Angleterre était indispensable et qu'il fallait éviter la guerre destructrice. C'était aussi l'avis d'Albert Ballin, le grand armateur de Hambourg, qui s'était personnellement entremis auprès de Winston Churchill dans la recherche d'un accord germano-anglais. Beaucoup d'industriels éclairés pensaient que l'Allemagne, au lieu de se lancer dans une aventure annexionniste, pouvait fort bien développer en Europe centrale une politique de progrès portant sur un espace économique de 120 millions d'habitants. Cette idée de la *Mitteleuropa* était même assez bien reçue par certains socialistes autrichiens comme Karl Renner. Mais l'industrie lourde rhéno-westphalienne, si l'on en croit l'historien allemand Willibald Gutsche [12], soutenait les pangermanistes qui souhaitaient un espace économique ouvert aussi bien vers l'ouest que vers l'est. Les pangermanistes devaient être l'élément mobilisateur dominant de l'opinion publique en Allemagne. Très appuyés par l'état-major et par l'administration, ils disposaient du soutien de puissants milieux d'affaires et de complicités au gouvernement. Le système militaire et éducatif (qui, jusque dans les universités, enseignait la supériorité de la patrie allemande, de la science allemande) faisait leur jeu. Plusieurs ligues (la Ligue navale, la Ligue militaire, la Ligue coloniale) diffusaient leurs idées auprès de plus d'un million et demi d'adhérents. En 1914, la Ligue militaire comptait à elle seule plus de 300 000 fidèles. Les enseignants, les avocats, les professions libérales, les cadres bourgeois étaient les adhérents privilégiés de ces ligues dont les thèmes étaient ceux-là même de la *Weltpolitik* chère à Guillaume II : l'Allemagne devait rechercher les voies de son avenir sur mer, construire une flotte puissante, acquérir de nouveaux territoires, concevoir une domination à l'échelle mondiale sur le modèle de celle de l'Angleterre. Ainsi l'avenir de l'industrie et de la population allemandes serait-il assuré. Les ligues avaient joué un rôle important lors des dernières crises internationales, en particulier de la crise marocaine de 1911. Elles avaient protesté avec vigueur contre l'accord signé, jugé insuffisant pour l'Allemagne. De Berlin, l'attaché militaire français, le colonel Serret, suivait avec vigilance les effets de ce « conditionnement moral » dans lequel on n'hésitait pas à embrigader la jeunesse. En 1914, le colonel assiste aux grandes fêtes sportives organisées à Berlin du 3 au 8 juin par le *Jungdeutschlandbund,* qui « complète l'école et prépare au régiment, poursuivant à la fois la préparation militaire, l'amélio-ration physique de la race et le développement du loyalisme ». Ce sont des officiers qui entraînent les jeunes gens et dirigent les épreuves où l'escrime et le tir au pistolet ont leur part. On y voit « un prince de sang royal en maillot et jambes nues, une princesse de Prusse se mêlant dans l'arène à la foule des concurrents en sueur

---

12. Willibald Gutsche, *Erst Europa und dann die Welt.*

pour féliciter son fils à l'arrivée et présider à son massage; tout cela est un spectacle nouveau, digne d'attention ». Il y a aussi des jeunes dans la piscine des officiers de la *Kriegsakademie* et l'on a fait devant l'empereur une parade sportive de « gymnastes civils des deux sexes, 10 à 12 000 ». Le colonel insiste sur la nouveauté de ce genre de spectacles en Allemagne : on n'a jamais vu d' « officiers en maillot » paradant devant la foule berlinoise. « Si mon grand-père voyait cela, lui dit le Kaiser, il nous enverrait tous aux arrêts. » Le *Jungdeutschlandbund* compte 800 000 adhérents en Allemagne. « Quel exemple », dit l'empereur.

Le conditionnement de la jeunesse par les valeurs du sport militaire marque de grands succès. Parmi les officiers « en maillot » qui paradent sur les pelouses berlinoises, il y a peut-être le Kronprinz qui passe pour un furieux défenseur des ligues. Il assiste en tout cas à tous les meetings où l'on vient applaudir les prouesses des aviateurs militaires. Les ligues n'hésitent pas à répandre dans le jeune public certains mots d'ordre de haine en période de crise : n'importe quel Allemand peut acheter dans les librairies des cartes postales éditées par une société de propagande contre la Légion étrangère française et qui montre les officiers racolant de « bons Allemands » avant de leur faire subir les pires traitements, châtiments publics et exécutions dans le bled. C'est, bien sûr, la Ligue pangermaniste qui donne le ton de cette propagande chaque fois qu'une crise franco-allemande permet une exploitation polémique.

Elle s'appuie à l'évidence sur la sensibilité de l'opinion allemande aux thèmes nationaux martelés à l'école, répétés dans l'armée. Jamais, explique l'historien allemand Ritter [13], le militarisme n'a été aussi développé que sous le règne de Guillaume II. Le prestige social de l'armée est immense : chaque famille bourgeoise rêve pour ses garçons d'épaulettes d'officier. La « caste militaire » prussienne constitue dans le pays un modèle d'ordre, d'efficacité, de valeur morale et religieuse. C'est l'ensemble d'un système de gouvernement des hommes et des consciences qui rend aux ligues nationalistes la partie facile dans le conditionnement final, celui de l'été 1914.

Dans ce domaine, la France radicale-socialiste n'est pas en retard d'une guerre. Depuis plus de quarante ans, elle a développé des filières sociales de formation qui donnent au combattant d'août 1914 des points de repère précis : les jeunes Français sont, autant que les Allemands, familiers des sociétés de gymnastique et de tir. A Dijon, par exemple, c'est le général commandant la région qui nomme, comme instructeurs scolaires, les capitaines de pompiers. Des sous-officiers sont instructeurs dans les communes et, en même

13. G. Ritter, *Staatskunst und Kriegshandwerk*.

temps, maîtres de gymnastique. Les sociétés de tir, comme celle des
« chevaliers dijonnais », y ont repris les traditions des franc-tireurs
de 1870. Une centaine de jeunes gens s'y entraînent : ils sont les
descendants des « francs-tireurs dijonnais ». La société des « chevaliers de l'Auxois » est subventionnée par l'État sur rapport du
général de la région. Elle a pour but « de faire du sport et de
préparer de bons soldats »; tous les notables de la région, qu'ils
soient notaires, instituteurs ou limonadiers, en font partie. En prix,
les concurrents des concours de tir obtiennent du ministère de la
Guerre des jumelles de campagne. Une société nationale de tir
regroupe les fédérations départementales et prépare les jeunes gens
au « brevet d'aptitude militaire ». Il est dit dans les statuts de ces
sociétés que « leurs membres sont appelés à se retrouver dans les
mêmes régiments ».

Ces régiments sont commandés par des officiers qui jouissent
encore d'un prestige social. La tradition républicaine issue de
Gambetta veut que l'on choisisse les gradés en fonction de leur
valeur, non de leur milieu ou de considérations politiques. Il est vrai
que le principal concours de recrutement pour l'armée française est
celui de Polytechnique et que les jeunes gens reçus sont souvent
d'anciens élèves du collège de jésuites de la rue des Postes.
L'Affaire Dreyfus a permis aux anticléricaux – Clemenceau, Zola –
de tonner contre les « généraux de la jésuitière ». Plus tard, l'affaire
des fiches du général André a fait la preuve du sectarisme de la
République combiste en matière de nominations aux plus petits
grades. Le climat de méfiance et d'hostilité entre officiers n'est pas
sensiblement amélioré avant 1914. On peut en voir un écho dans la
disgrâce de Michel. Les officiers « francs-maçons » (comme Joffre;
même s'il n'est pas allé depuis longtemps aux réunions maçonni-
ques, il est catalogué comme tel) sont opposés aux « jésuites »
comme Castelnau. De l'extérieur, pourtant, le prestige des officiers
est intact, et le régiment poursuit chez les recrues l'œuvre
d'endoctrinement patriotique commencée à l'école où les enfants,
comme la montré Pierre Nora [14], apprennent dans le « petit
Lavisse » quel devoir l'histoire de France impose au futur soldat :
aimer son pays et vouloir le défendre.

Même si la société française est moins hiérarchisée et plus mobile
que l'allemande, même si la bourgeoisie intellectuelle française fait
preuve, dans l'affaire de Saverne par exemple, de « tendances
pacifistes, à l'encontre de la même couche sociale en Allemagne »,
comme l'a montré Gilbert Ziebura [15], il reste qu'à partir de 1911
surtout, la répétition et l'aggravation des crises franco-allemandes

14. Pierre Nora, *Ernest Lavisse, son rôle dans la formation du sentiment national.*
15. *Die deutsche Frage in der öffentlichen Meinung Frankreichs von 1911-1914,*
Berlin.

provoque en France un renouveau nationaliste qui n'a rien à voir avec l'idée de revanche latente dans la masse de la population. Ziebura le précise bien : en dehors de la « droite nationaliste » déchaînée après 1911, il existe en France un « centre national », poincariste, qui applaudit à l'effort de réarmement français, à la loi de trois ans, à l'élection de Poincaré à la présidence de la République, à la recherche de sécurités à l'extérieur : alliance russe et « entente cordiale ». Ces Français moyens sont anticléricaux et chantent l'hymne du tsar, ils sont prêts, depuis 1911, à la mobilisation, même s'ils attendent de leur gouvernement qu'il fasse tout pour maintenir, selon la formule de Poincaré, « la paix dans la dignité ».

Mais il y a aussi, comme en Allemagne, une droite nationaliste qui, à l'exemple de Déroulède, sonne le clairon de la revanche. Victor Margueritte, dans *les Frontières du Cœur,* roman publié en 1912, montre qu'un Allemand ne saurait épouser une Française dans un climat de guerre imminente. René Bazin écrit *les Oberlé.* L'antagonisme des races a été souligné par le roman de Barrès, *Colette Baudoche.* Dans *M. et Le Moloch,* Marcel Prévost fait mesurer au public français la virulence du sentiment national allemand. Claude Digeon [16] montre bien que les grands écrivains français, les Gide, les Proust, les Valéry, les Claudel sont tout à fait en dehors de ce climat, mais Bourget, Barrès, Margueritte et Prévost sont alors des auteurs populaires, lus des masses. « Politiquement, écrit Digeon, la question allemande passionne le pays tout entier. La guerre est devenue le grand souci national : tout un peuple sait qu'il y participera et que son avenir dépendra du sort des armes. »

S'il l'avait oublié, les nationalistes sont là pour le lui rappeler. Ils ont des ligues, des vedettes comme Déroulède ou Barrès, des ralliés illustres comme Péguy ou Bergson; ils sont, comme le rappelle opportunément Raoul Girardet, venus de la droite comme Maurras ou de la gauche comme Déroulède [17]. Ils se réunissent devant la statue de Strasbourg, place de la Concorde, et défilent devant celle de Jeanne d'Arc. On voit beaucoup de jeunes dans leurs cortèges, ceux-là mêmes qui répondent à l'*Enquête d'Agathon,* publiée en 1912 par Henri Massis et Alfred de Tarde. « Ce que j'aime dans la jeunesse d'aujourd'hui, disait Lyautey cette année-là, c'est qu'elle n'a pas peur de la guerre, ni du mot, ni de la chose. » C'est elle qui crie « Vive l'armée! Vive l'Alsace-Lorraine! A bas l'Allemagne! » aux revues du 14 juillet ou lors des retraites aux flambeaux. Sans doute ces exaltés de la revanche sont-ils une minorité, mais ils sont toujours là, aux périodes de difficultés, pour faire entendre la voix de l'intransigeance : ils sont les permanents de la mobilisation morale.

16. Claude Digeon, *La Crise allemande de la pensée française, 1870-1914,* thèse d'Etat.
17. Raoul Girardet, *Le Nationalisme.*

La France de 1870 était, pour le Zola de *la Débâcle,* un train fou chargé de soldats ivres. Il n'en est pas du tout de même de la France de 1914 qui est, dans ses profondeurs, accoutumée à l'idée de guerre. Digeon l'établit fortement : « Cette prise de conscience collective explique que le désarroi de 1870 ne se soit pas reproduit en 1914 ».

C'est la croyance dans la fatalité de la guerre qui porte aussi les jeunes Anglais vers les centres de recrutement. Quant aux masses russes, mobilisées brutalement par des cavaliers qui ont le fouet en main, elles sont encadrées par des officiers convaincus de la nécessité d'une grande guerre patriotique qui sauvera le tsar et la Sainte Russie de la misère et de la révolution. Ils sont applaudis, aux jours de parade, quand défilent les régiments de la Garde, par une bourgeoisie d'affaires et d'offices aussi désireuse d'en découdre que celle des bonnes villes allemandes.

Ainsi le climat guerrier est-il répandu dans tous les pays belligérants au cours de l'été chaud de 1914. Il n'a pas été difficile, selon le vœu de Guillaume II, de « préparer l'opinion ». Elle était prête de longue date, en dépit de l'existence de courants pacifistes en Europe de l'Ouest et jusqu'en Allemagne et en Autriche. Si cette tendance avait beaucoup inquiété les dirigeants, le pacifisme des masses profondes, leur immobilisme n'avaient pas constitué un frein.

Que les gens s'attendent à la guerre ne veut pourtant pas dire qu'ils la souhaitent, même s'ils savent qu'ils ne peuvent que la subir, qu'elle va « tomber » sur eux comme l'orage, comme l'épidémie, comme la peste. Il faut donc supposer que la déflagration de l'été a d'autres causes, profondes *et* immédiates, et que le feu n'a pas pris tout seul.

La première cause, c'est la peur. Le XIXᵉ siècle, depuis la Révolution française et Napoléon Iᵉʳ, a secoué l'Europe d'une suite de guerres et de révolutions. La grande idée nationale s'est d'abord exprimée sur des barricades et des champs de bataille. Mais toutes les nations n'ont pas idéalement réalisé leur rassemblement. Par la force, elles ont réuni dans leurs frontières des peuples qui ne demandaient pas à y être retenus. Par la force, elles ont dû supporter que des populations sœurs soient gardées prisonnières d'autres ensembles nationaux. La grande peur de l'Europe, c'est l'explosion des nationalités. Français et Italiens souffrent davantage du *moins* que du *plus* : les uns ont mal à l'Alsace-Lorraine, les autres aux « terres irrédentes » peuplées d'Italiens, autour de Fiume et de Trieste, en Dalmatie. Mais les Allemands, à coups de canons Krupp, ont annexé des Polonais et des Danois, et surtout des Alsaciens-Lorrains dont ils prétendaient qu'ils étaient de leur langue et de leur race. S'ils l'étaient, pourquoi les traiter en inférieurs? Ceux-ci n'ont pas eu le droit, après l'annexion de 1871, d'être des Allemands à part entière comme les Badois ou les Bavarois. Ils sont restés des annexés du *Reichsland,* des « Allemands de deuxième classe ». S'ils obtiennent de l'empereur, en 1911, une constitution plus favorable, avec un parlement et une représentation de trois députés à Berlin, ils gardent un *Statthalter* prussien et un statut inférieur. Pourtant, ils paient les impôts allemands et envoient leurs enfants au recrutement, ils protestent vivement quand l'administration, contre l'opinion publique unanime, défend un officier brutal qui frappe des recrues à Saverne. Même s'ils ne regardent pas la France avec des yeux doux (la République anticléricale et protectionniste ne correspond ni à leurs convictions, ni à leurs intérêts), même si leur désir n'est pas de rejoindre l'espace français mais d'être autonomes, ils s'attirent la plus violente réaction quand ils repoussent dans leur parlement local la loi militaire allemande de 1912. Guillaume II fait dire au bourgmestre de Strasbourg qu'il va annexer purement et simplement la province à la Prusse. En Pologne comme en Alsace-Lorraine, l'administration allemande n'a jamais considéré les habitants comme des Allemands, mais comme des indigènes qu'il fallait germaniser. En Posnanie et en Prusse occidentale, elle a même tenté d'exproprier les Polonais pour distribuer leurs terres à des colons allemands.

Où regarderaient les Polonais pour chercher leur liberté? En Russie, ils sont tout aussi asservis. La Russie, comme l'Autriche-Hongrie, est un État historique qui recouvre, sous la couronne du tsar, des peuples conquis ou acquis par le jeu des héritages ou des mariages princiers; elle n'a aucun droit à maintenir ces peuples sous sa domination, hormis les droits de l'histoire des princes. Des peuples entiers, les Polonais, les Ukrainiens, sont répartis arbitrairement entre les deux empires. En 1914, les Ukrainiens-Ruthènes demandent leur indépendance en Galicie autrichienne et leur autonomie en Russie. Les nationalistes russes, octobristes et Cent Noirs, les bourgeois patriotes du parti constitutionnel-démocrate les poursuivent de leur haine. On déporte leurs chefs, comme Hrouchevskyi, on supprime leurs journaux. Ils sont 5 millions en Autriche-Hongrie, 30 en Russie. Trois millions iront combattre, pas toujours de plein gré, dans l'armée russe. Les Polonais, les Finlandais, les peuples de la Baltique, ceux du Caucase ne sont pas davantage partisans du centralisme autocratique. L'administration russe doit être vigilante, elle est toujours à la merci de révoltes.

La situation est encore plus grave dans les deux empires du Sud, l'Autriche-Hongrie et la Turquie : certains milieux viennois, autour de l'archiduc assassiné, s'étaient montrés favorables à l'évolution de la double monarchie autrichienne et hongroise vers un « trialisme » qui eût fait leur part aux Slaves. La mésentente des Allemands, des Polonais et des Tchèques au Nord est continuelle, l'agitation des

Slaves – détestés par les Hongrois – au Sud est dangereuse, car elle s'appuie sur ce petit État indépendant de Serbie qui leur sert de modèle. Si les Balkans sont une poudrière, c'est d'abord parce qu'ils mettent en question la cohésion du grand État historique d'Autriche-Hongrie.

Le recul des Turcs d'Europe ne doit pas faire illusion : si les Turcs apparaissent en 1914 comme faibles et divisés, s'ils réussissent mal à contenir les velléités d'indépendance des Arabes du Proche-Orient, des Arméniens et de tous les peuples qu'ils retiennent sous leur joug, ils sont sur la voie d'un redressement politique avec le parti « jeune turc » qui tient le pouvoir depuis 1908 et qui veut faire de la Turquie un État moderne, avec constitution et parlement. Il n'hésite pas à atttirer sur son territoire de nombreux conseillers allemands qui non seulement projettent, comme Liman von Sanders, de construire à travers l'Anatolie et jusqu'à la Perse un véritable chemin de fer continental, mais se proposent aussi d'équiper puissamment l'armée turque. Ainsi le vieil empire, accablé depuis le début du siècle par les révoltes des nationalités qu'il tenait sous sa domination, est devenu lui-même une nation qui revendique le droit à une existence moderne en se libérant des contraintes économiques et financières des Occidentaux.

Tous les États ont peur de la révolte des nations, même les plus traditionnellement démocratiques : la question d'Irlande met l'Angleterre au bord de la guerre civile pendant l'été de 1914. Les Irlandais rejettent, en Ulster, le *Home Rule* et prennent les armes.

L'Europe a peur aussi des révoltes sociales et de la grande révolution annoncée par les nouveaux messies du marxisme. La Russie, en 1905, en a fait la violente expérience. Après sa défaite contre les Japonais, le tsar renforce l'autocratie pour survivre, rogne les quelques concessions libérales qu'il avait pu consentir. Il sait qu'à Genève, à Bâle, à Paris, les émigrés complotent et attendent l'heure du retour. La montée électorale des partis ouvriers en Allemagne, en Italie, en Autriche, en France, inquiète les parlementaires qui, jusqu'ici, gouvernaient dans tous les pays sans risque de troubles, par le seul jeu de l'alternance des partis bourgeois. Les longues grèves des dockers, des cheminots et des mineurs d'Angleterre et du pays de Galles provoquent ce sursaut libéral et cette nouvelle donne de la politique anglaise qui n'est pas sans répandre de douloureuses angoisses dans la City des banquiers et l'enceinte de la Chambre des Lords.

L'Europe de la peur s'est confortée en organisant une solide défense sociale contre les menées révolutionnaires, en faisant dans les pays libéraux certaines concessions nécessaires et en organisant des systèmes politiques et militaires qui sont à la fois une assurance d'ordre à l'intérieur et d'équilibre des forces à l'extérieur. Depuis

1871, la France et l'Allemagne ont les yeux fixés sur les effectifs respectifs de leurs armées. Depuis 1890, la Grande-Bretagne et le Reich de Guillaume II surveillent comme le lait sur le feu les nouvelles unités de leurs flottes de guerre. La peur a conduit au surarmement.

En France, la recherche en matière d'armement est, avant 1914, une des plus fécondes de l'industrie, au point qu'on a pu s'interroger sur l'importance des « retombées technologiques » des programmes militaires sur les fabrications industrielles, en particulier pour les aciers spéciaux. Au XIXᵉ siècle, les armements étaient fabriqués dans les arsenaux et les manufactures d'État comme Châtellerault, Tulle, Saint-Étienne ou Bourges. Les programmes qui précèdent la guerre obligent l'État à passer des marchés de plus en plus nombreux avec l'industrie privée, dont certaines firmes seulement parviennent à monter des productions rentables. Mais celles-là font fortune. Sans atteindre le gigantisme de Krupp ou de Skoda, Schneider, Marine-Homécourt et Châtillon-Commentry développent dans les petites villes du Centre une production qui prend en charge 71 % des marchés de la marine et une forte proportion des marchés de l'artillerie. François Crouzet [18] souligne la « remarquable prospérité de ces entreprises, notamment à partir de 1908 ». « L'augmentation de nos affaires, dit l'un de leurs dirigeants en 1913, a dépassé nos prévisions les plus optimistes. » De plus, la loi autorise désormais ces firmes privées à vendre du matériel de guerre à l'étranger. Elles ne se privent pas pour rivaliser avec Krupp, Skoda et les grandes firmes anglaises sur les marchés balkaniques : Krupp et Schneider se disputent littéralement les commandes turques, serbes, bulgares, russes; l'une et l'autre demandent à leurs diplomaties de les aider à décrocher les contrats. En Russie, une industrie nationale se construit avec l'aide de capitaux et de techniciens étrangers : les usines Putilov fournissent bientôt en canons la marine et l'artillerie du tsar qui doivent encore acheter beaucoup à l'extérieur. La concurrence des « marchands de canons » ne se limite pas à l'Europe. Ils obtiennent des marchés au Mexique, en Amérique latine, et jusque chez le roi du Maroc. Le haut profit des ventes justifie l'importance de la recherche, sans cesse approfondie et différenciée.

L'effort le plus important, à la fois technique et financier, concerne naturellement la marine : les commandes d'État engendrent en Angleterre, dit François Crouzet, une « élite de grandes entreprises », financièrement très puissantes. La recherche très sophistiquée sur les canons à tir rapide, les nouveaux explosifs ou les obusiers géants capables de percer le béton mobilise des équipes

18. François Crouzet, *Les Industries d'armement*, in *R.H.M.C.*

nombreuses de chercheurs, mais relativement peu de matières premières. En revanche, la construction des pondéreux *dreadnoughts* (cuirassés monstrueux de 30 000 tonnes dont l'ancre pèse à elle seule 10 tonnes) mobilise de formidables arsenaux. L'Angleterre, seule puissance maritime mondiale en 1914, dont le pouvoir est alors incontestable et universellement redouté (elle a permis, en vendant ses armements au Japon, de lui donner la victoire contre les Russes), ne supporte pas le programme naval allemand lancé par von Tirpitz. En 1904, lord Fischer a décidé de relever le défi et de maintenir, malgré les constructions allemandes, l'avance de la flotte de guerre anglaise qui doit être supérieure aux deux flottes suivantes réunies, l'allemande et la française par exemple. En Angleterre, on redoute l'invasion des monstres allemands; en Allemagne, on est repris par le fameux « complexe de Copenhague » (en 1807, en bombardant la capitale danoise, les Anglais avaient écarté toute menace contre leur pays). La peur inspirée par la flotte est de nature à faire accélérer, dans les deux pays, les programmes d'armements dans de folles proportions. En vain la diplomatie anglaise tente-t-elle de persuader les Allemands de réduire leurs constructions. Churchill explique que la flotte allemande « constitue une Alsace-Lorraine entre les deux pays ». Le Kaiser tient néanmoins à sa flotte, élément de base de la future *Weltpolitik*. « Pour l'Angleterre, dit Churchill, la flotte est une nécessité. Pour l'Allemagne, un objet de luxe. Elle est pour nous synonyme d'existence; pour eux, d'expansion. » Les dépenses navales dépassent le chiffre formidable de 44 millions de livres en 1912 et l'Amirauté en réclame 51 millions pour 1913-1914. Churchill l'emporte, engouffre les crédits dans les arsenaux, engage des nouveaux marins, améliore leurs conditions de vie, élargit la base de recrutement des officiers, crée une grande marine efficace et démocratique, étudie même la mise en chantier de *superdreadnoughts* à blindages épais de 315 mm et coûtant 2 250 000 livres pièce! Ils seront capables de tirer 7 tonnes de bordée à 19 kilomètres et de marcher au pétrole. Les dépenses militaires et navales anglaises ont doublé depuis le début du programme, elles ont quadruplé en Allemagne. « C'est du militarisme en délire », écrivait au président Wilson le colonel House, son envoyé en Europe. Des centaines de millions de marks et de livres sterling (sans parler des programmes lourds des marines autrichienne et russe, italienne et même turque : un *dreadnought* turc était en construction en Angleterre en 1914) sont investis dans les arsenaux pour peupler les bases navales géantes. Le plus puissant peuple du monde et l'État le plus militarisé d'Europe sont entraînés, sans pouvoir s'entendre, dans l'escalade du surarmement.

Un tel effort consenti par des nations civilisées les surprend elles-mêmes : une vive opposition se forme en Angleterre, dont Churchill doit triompher pour imposer la poursuite de son programme. Beaucoup de voix s'élèvent en Allemagne pour demander une pause dans la course de von Tirpitz : ce sont les voix de l'état-major de l'armée de terre qui proteste contre les crédits accordés à la marine. Les états-majors, qui disposent des moyens gigantesques mis à leur disposition par l'effort des nations, ne sont évidemment pas maîtres de les engager comme bon leur semble. Toutefois, ils ont sur les politiques un pouvoir de nature technicienne. Quand Caillaux, président du Conseil en 1911, demande à Joffre, au début de la crise d'Agadir, s'il est prêt à gagner la guerre, le général répond évasivement : comment partir en guerre sans s'être assuré de tous les moyens nécessaires? Les lords de l'Amirauté pensent que leur supériorité ne sera pas établie avant 1920. L'état-major français estime que le réarmement de l'armée russe et l'équipement de la Russie en voies ferrées lui permettront de faire la guerre en 1917. Les états-majors allemands et autrichiens pensent que leur supériorité passagère en armements terrestres doit leur permettre de croiser le fer dans des conditions avantageuses à condition que l'on saisisse tout de suite l'occasion d'un conflit. A plusieurs reprises, note Immanuel Geiss, les états-majors des puissances centrales interviennent pour hâter les décisions du pouvoir civil. Moltke et Conrad von Hötzendorf jouent ainsi, dans la crise ultime, un rôle déterminant. L'abandon des plans de guerre aux militaires, sans contrôle possible des civils, est, pour Pierre Renouvin, une des causes essentielles du cataclysme.

Il est vrai que la négociation diplomatique n'a jamais pu prévaloir, dans les rapports anglo-allemands, sur les exigences des amiraux. Ils ont imposé leur cadence de production. Les chiffres parlaient pour eux dans la logique qu'ils avaient choisie et fait accepter une fois pour toutes. Il en était de même des programmes militaires : l'état-major français unanime avait imposé au pouvoir politique la dure bataille pour la loi de trois ans, et personne n'avait jamais discuté la conception de Joffre d'une offensive en Lorraine. La tradition du pouvoir républicain, depuis Gambetta, était de faire confiance aux militaires, même s'ils n'étaient pas républicains. Il se trouve que Joffre l'était.

En Allemagne, les considérations de l'état-major ont été des plus contraignantes pour la politique suivie par Bethmann-Hollweg, et nul n'a jamais remis en question le plan Schlieffen qui obligeait l'état-major à préparer l'attaque liminaire de la France et à violer la neutralité belge. L'empereur a eu – dit-on – un très bref moment de joie à la fin juillet quand il a pu croire que la France et la Grande-Bretagne resteraient neutres. Il se croyait d'un coup libéré du plan Schlieffen qui avait empoisonné tout son règne. Bien sûr, cette joie n'était qu'illusoire. En Allemagne comme en France, la contrainte des plans de guerre, acceptée sans discussion par les politiques, est une des causes majeures du déclenchement du conflit. Aucun homme politique, à partir du 30 juillet, n'était en mesure de contredire ses chefs d'état-major.

Mais le feu prend mieux dans la forêt sèche et l'incendie, par vent violent, est inextinguible. Les grands vents de l'Europe, en 1914, tiennent au recul progressif mais définitif de l'anticyclone de Grande-Bretagne. Il est loin, le temps du *Rule Britannia,* de Kipling et de la reine Victoria. Les Anglais par leur flotte de guerre et de commerce, par leurs possessions immenses, par leurs dominions, par leurs capitaux, par leur charbon, par leur prestige, sont encore les maîtres du monde. Ils peuvent lever, s'ils mobilisent, des armées de Blancs et de Noirs, d'Indiens et d'Égyptiens, de Canadiens et d'Australiens. Aussi n'admettent-ils pas de reculer devant un concurrent plus fougueux, plus courageux, mieux organisé. Ils sont prêts à se ruiner en canons de marine pour tenter de maintenir leur suprématie du bon vieux temps. Ils vont mourir en France par centaines de milliers pour contenir en Europe l'hégémonie allemande, cette bourrasque industrielle qui vient buter contre les frontières économiques et politiques du vieux monde. Il est remarquable que l'Angleterre est le seul pays à être entré en guerre sans qu'on la lui ait déclarée. Elle a mis sa puissance dans la balance pour rester l'arbitre en Europe, comme au temps de Napoléon.

Les deux grands empires de l'Est ont eu cette réaction conservatrice : l'Autriche, faute d'avoir imaginé une solution au problème de ses nationalités, s'est laissé entraîner par les « faucons » à la solution de force. Le tsar aussi a cédé, bien qu'il fût très affaibli par sa guerre malheureuse contre le Japon. Comment résister à la pression des grands-ducs et des industriels qui voulaient tout ensemble en finir avec ce qui menaçait l'ancienne et la nouvelle Russie, celle des boyards et celle des usines Putilov?... Les princes qui commandent l'armée lèvent des Cosaques en Ukraine et des fantassins en Pologne. Les Allemands aussi embrigadent des Alsaciens ou des Danois, et les Anglais des Indiens, et les Autrichiens des Serbes et des Croates, et les Français des Sénégalais bientôt les Turcs vont mobiliser les Syriens et les Yankees enverront en ligne les Noirs de Harlem et de Virginie. Le grand vent d'Europe se lève et soulève bientôt les peuples du monde. Ce sont eux qui menaceront l'ordre ancien, l'Europe des trônes et de la rente, bien plus sûrement que les mitrailleuses et les canons lourds de Krupp. Dans les trains haletants qui les conduisent aux frontières, les douze millions de mobilisés ne savent pas, avant les premiers combats, qu'ils vont entraîner le reste du monde dans le déchirement de l'Europe.

3

Les premières batailles

Au début du mois d'août, les états-majors français et allemands précipitaient la concentration de leurs troupes pour appliquer sur le terrain les projets longuement mis au point devant les cartes. Chacun suivait son schéma sans se préoccuper de celui de l'adversaire.

Ainsi Joffre faisait-il attaquer tout de suite en Alsace, sans attendre la fin de la concentration des armées prévue pour le 17 août : dix jours plus tôt, les troupes de couverture de la Ire armée du général Dubail attaquaient sur Mulhouse, prise le lendemain, reprise le 10 par les Allemands. Une deuxième offensive, confiée à Pau, débouchait du 14 au 17, avec deux armées en ligne, sur Sarrebourg au nord des Vosges, et de nouveau sur Mulhouse. Nouvel échec : Mulhouse reprise devait être abandonnée, ainsi que la Haute-Alsace, sauf la petite ville de Thann. Troisième offensive de toutes les armées françaises du centre et de l'est déclenchée le 19 août : Dubail échoue devant Sarrebourg, Foch devant Morhange. Les Français se replient sur le Grand-Couronné de Nancy.

A partir du 21 août, les Allemands prennent l'offensive dans les Ardennes ; deux armées marchent sur Neufchâteau et Arlon. Ils empêchent Ruffey d'avancer, ils repoussent de Langle de Cary jusqu'à la Meuse. A cette date, et depuis le 20 août, les Allemands ont envahi la Belgique et pris Bruxelles. Leurs deux premières armées (von Kluck et von Bülow) foncent sur la frontière française. Von Bülow rejoint à Dinant et à Charleroi la 3e armée de von Hausen : tous deux livrent bataille le 23 août. L'armée Lanrezac, soutenue par les Anglais, est battue et commence sa retraite le 24. A cette date, le général en chef français, Joffre, sait qu'il n'a plus aucune chance d'appliquer son plan d'offensive. Il doit songer à protéger Paris.

Le plan Schlieffen a permis à Moltke de régler son compte à l'armée française, comme prévu, en moins de quinze jours de campagne.

Le 4 août 1914 à Bône (Algérie), 4 heures du matin. Un bateau de guerre devant le port, battant pavillon anglais. Vive agitation sur les quais de la gare. Dans une heure doit partir pour Marseille, via Alger, un bataillon de *turcos,* les populaires tirailleurs algériens. Parents et amis se sont levés avant l'aube pour les accompagner. Surprise, panique : le navire que l'on croyait anglais ouvre soudain le feu sur le port. 140 obus de gros calibre en moins de 20 minutes. Le vapeur *Saint-Thomas* n'est pas touché. Un mort, André Gaglione, employé des Ponts et Chaussées, et 10 000 francs de dégâts. Le navire allemand s'enfuit à toute vapeur, lâchant une bordée sur le phare, le sémaphore et le fort gênois. Sur la côte, pas un seul canon en batterie, personne n'a pu répondre à l'agression.

Une heure plus tard, un autre bateau de guerre arbore le pavillon russe devant Philippeville. 20 obus en 4 minutes sur la gare, l'usine à gaz, la caserne. Des munitions gaspillées, l'agresseur n'a pas trouvé sa cible. Déçu, il s'enfuit après une salve sur El-Kantara : 16 morts et 20 blessés. Que fait donc la marine française?

Elle a la charge d'assurer, aux premiers jours de la mobilisation, le transport de 35 000 soldats d'Algérie des 37ᵉ et 38ᵉ divisions, attendues avec impatience par Joffre. Elle doit aussi acheminer les troupes arrachées à Lyautey par l'état-major : « C'est en Lorraine que se joue le sort du Maroc », lui a télégraphié Messimy. Treize bataillons de zouaves (les zouaves sont des soldats blancs, métropolitains ou « pieds-noirs »), cinq bataillons de chasseurs à pied du général Ditte et la division « marocaine » du général Humbert, qui compte beaucoup de tirailleurs algériens. On prévoit aussi d'embarquer une partie de la cavalerie de l'armée d'Afrique : les brillants chasseurs et les rutilants spahis. La flotte, dont la base est Bizerte en Tunisie, doit assurer la sécurité de ces transports. Le commandement de la marine, qui craint les raids de sous-marins, a finalement décidé d'organiser tous les convois à partir de la seule ville d'Alger et non pas, comme il était prévu, à partir de tous les ports de la côte. Les Allemands n'ont pas dû pouvoir surprendre le nouveau dispositif.

L'amiral allemand Souchon, qui commande le *Goeben* et le *Breslau,* est provisoirement basé à Messine. L'Italie s'étant déclarée neutre, il doit rejoindre la base autrichienne de Pola et s'enfermer dans l'Adriatique, ou bien forcer Gibraltar pour rejoindre la grande flotte allemande. Souchon choisit d'inquiéter, avec ses canons de 280 mm et ses soutes pleines d'obus, les transports de troupes français : 89 navires bourrés d'hommes et de chevaux, une proie tentante. A Bizerte, les Français n'ont pas de force d'intervention. Les Anglais sont à Malte, la route est libre.

Le 3 août, un des bateaux a été signalé par radio dans les parages du cap Bon. Mais la flotte française a reçu l'ordre de ne pas attaquer avant la déclaration de guerre. C'est perdre un temps précieux et permettre aux deux corsaires allemands de prendre position, trompant l'escadre à leur poursuite, qui vient de Toulon, devant les ports d'Algérie. De Malte, les Anglais de l'amiral Milne ont foncé sur Gibraltar pour fermer la nasse et attendre les deux navires au débouché. L'amiral Boué de Lapeyrère, angoissé par le raid, décide de retarder les départs d'Alger jusqu'au 6 août et de former les navires en convois protégés. Les croiseurs anglais repèrent enfin les deux pirates. Mais l'Angleterre n'a pas encore déclaré la guerre; ils les suivent, faute de pouvoir les attaquer. Souchon, à leur surprise, fait route vers l'est à toute vapeur. Échappant aux Anglais, il réussit à charbonner à Messine en 36 heures : l'équipage fait des prodiges, chargeant sans désemparer 1 580 tonnes de briques noires dans le *Goeben!* L'amiral Souchon vient de recevoir de von Tirpitz l'ordre de cingler sur Constantinople. Les Turcs ne sont pas encore les alliés de l'Allemagne, mais les croiseurs y seront bien reçus. Pourtant, l'ordre est annulé un peu plus tard. Une mission navale anglaise travaille encore à Constantinople et les généraux Wagenheim et Liman von Sanders ne souhaitent pas trop de précipitation. Au sein du gouvernement jeune-turc, Enver pacha, ministre de la Guerre, et Talaat bey, ministre de l'Intérieur, leur sont favorables. Mais le ministre Djavid pacha leur est hostile. Il ne faut pas bousculer les Turcs.

Souchon n'a pas le choix. Les Anglais ont repris la poursuite, et cette fois ils ont ordre de couler l'adversaire. Les Allemands forcent les machines et réussissent à s'échapper, au prix de quelques dégâts sur le *Breslau.* Le 10, ils se présentent devant les Dardanelles. Un torpilleur turc les guide à travers les barrages de mines, alors que d'autres navires refusent le passage aux poursuivants anglais. Ceux-ci protestent. On leur répond qu'il n'y a pas de navires allemands dans les Dardanelles, seulement deux unités turques achetées à l'Allemagne, le cuirassé *Sultan Yavouz Selim* et le croiseur *Midilli.* Les Turcs n'ont aucun scrupule : les Anglais ne viennent-ils pas de saisir dans les chantiers de la Clyde les cuirassés que les Turcs leur avaient commandés? L'amiral Souchon et ses officiers coiffent le fez, follement acclamés par la population de Constantinople. Ainsi finit la première bataille de la Grande Guerre.

La première grande surprise, c'est l'attaque de l'armée française en Alsace, qui précède la ruée allemande à travers la Belgique. Retenus par la forteresse de Liège et par la résistance imprévue de l'armée belge, les Allemands attendent en effet de parfaire leur concentration avant de lancer leur assaut général. Mais les Français n'attendent pas : deux armées partent à l'assaut, la 2ᵉ par le sud, la 1ʳᵉ par l'ouest, en Lorraine, sur la crête des Vosges. Dès le quatrième jour de la mobilisation, il a été prévu d'engager des troupes en Alsace. Le général Dubail doit entrer sans délai dans Mulhouse. Le général Bonneau doit s'emparer au plus tôt des Vosges. L'opération est menée tambour battant. Pourtant, le général Bonneau nourrit quelques inquiétudes. Les troupes de son 7ᵉ corps sont singulièrement disparates. Une brigade (la 114ᵉ) a puisé ses éléments dans cinq régiments différents. Il fallait faire vite, attaquer au plus tôt, les hommes, à peine habillés, manquent d'entraînement pour la guerre. Il n'importe. Joffre, dans son G.Q.G. de Vitry-le-François, a des renseignements concordants : si l'on craint l'arrivée de renforts autrichiens, la zone de Mulhouse est presque vide, la ville elle-même aurait été évacuée : il faut foncer sans retard, fixer les Allemands au sud puisque, selon les informations recueillies, tous leurs trains sont occupés à transporter les troupes vers le nord.

Le 7 août, les troupes du général Bonneau abattent au petit matin les poteaux frontière : geste symbolique, amplement repris par la presse française illustrée. Une brigade, descendant des cols des Vosges, longe le ballon d'Alsace et occupe, après une courte bataille avec les troupes allemandes de couverture, la ville de Thann. Une division s'empare d'Altkirch et les cavaliers français, en dolman bleu ciel, poussent déjà des reconnaissances au sud jusqu'aux bords de l'Ill. Villes et villages ont été assez péniblement conquis. On s'y retranche, on s'y installe avant de reprendre la progression. Le général Bonneau prend son temps. Joffre le rappelle à l'ordre. Pourquoi ne pense-t-il donc qu'à « s'arrêter » ? Il doit « pousser au plus vite sur Mulhouse » et détruire les ponts du Rhin. Il faut évidemment empêcher les Allemands d'envoyer des renforts.

On craint en effet que ces renforts, massés dans la région de Bâle, ne mettent en déroute l'offensive française. Dubail, qui commande l'armée, demande des réserves pour couvrir les arrières de Bonneau. On attend la 66ᵉ division. Elle n'a pas fini de débarquer... Joffre promet d'envoyer la 44ᵉ division, qui vient des Alpes. Elle n'a plus rien à faire dans cette région depuis que l'Italie s'est déclarée neutre. Mais on ne doit pas compter sur elle avant le 15 août. De mauvais gré, Joffre lance donc dans la bataille à peine commencée une division de réserve disponible, la 57ᵉ. Il faut bien rassurer le général Bonneau.

Ainsi, le 8 août à midi, l'offensive sur Mulhouse peut reprendre. L'arme à la bretelle, sous une chaleur accablante, drapeau et fanfare en tête, les régiments de la 14ᵉ division font leur entrée dans la ville que les Allemands ont abandonnée. Les troupes du général

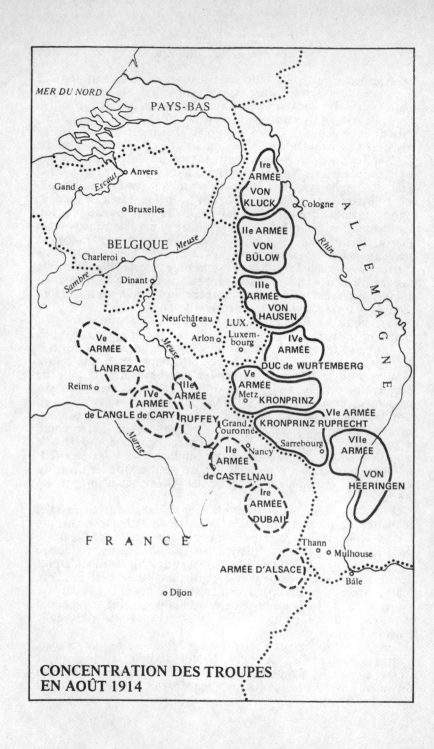

MER DU NORD

PAYS-BAS

Anvers

Gand

Escaut

Bruxelles

Cologne

ALLEMAGNE

BELGIQUE

Meuse

Charleroi

Dinant

Sambre

Rhin

Ire ARMÉE VON KLUCK

IIe ARMÉE VON BÜLOW

IIIe ARMÉE VON HAUSEN

Neufchâteau

LUX.

Luxembourg

Arlon

Meuse

Ve ARMÉE LANREZAC

IVe ARMÉE DUC de WURTEMBERG

Reims

IVe ARMÉE de LANGLE de CARY

IIIe ARMÉE RUFFEY

Ve ARMÉE KRONPRINZ

Metz

VIe ARMÉE KRONPRINZ RUPRECHT

Grand Couronné

VIIe ARMÉE VON HEERINGEN

Marne

IIe ARMÉE de CASTELNAU

Nancy

Sarrebourg

Ire ARMÉE DUBAIL

F R A N C E

Thann

Mulhouse

ARMÉE D'ALSACE

Bâle

Dijon

CONCENTRATION DES TROUPES EN AOÛT 1914

Bataille ont occupé la Tête de Chien et le ballon de Guebwiller. « Enfants de l'Alsace, proclame Joffre, après 44 ans d'une doulou-reuse attente, les soldats français foulent à nouveau le sol de votre noble pays. Ils sont les premiers ouvriers de la grande œuvre de la Revanche... »

Dans la ville, aucune précaution n'est prise. Les unités de reconnaissance s'arrêtent vers l'est à la lisière de la grande forêt de la Hardt, où l'on signale de fortes concentrations allemandes. Les commandants d'unités ne pensent pas à s'emparer des banques et des postes, ni même à couper le téléphone qui continue de fonctionner avec Strasbourg! Vers minuit, le général Curé, qui commande la 14ᵉ division, prend la décision d'évacuer la ville à la hâte et de se retrancher à ses portes. La forêt de la Hardt, disent les reconnaissances, « est un réservoir qui se remplit de troupes ». Les soldats exténués et affamés attendent la contre-attaque. Dubail, qui commande la 1ʳᵉ armée, s'en indigne : « Vous ne pouvez rester immobile à Mulhouse, dit-il à Bonneau. L'ennemi a déjà eu trop de temps pour se remettre et préparer une riposte. » Il promet des renforts, demande que l'on tienne Mulhouse.

Quand l'ordre arrive, les Allemands ont déjà attaqué, non pas par la forêt de la Hardt, mais par le nord, sur Cernay. Les chasseurs de Montbéliard résistent de leur mieux, mais bientôt l'attaque est générale, les Allemands sortent de partout. Les tirs de barrage du colonel Nivelle, qui commande l'artillerie du corps d'armée, ne les ralentissent qu'à peine. Les troupes sont épuisées; le 10 août au matin, le général Dubail doit annoncer à Joffre l'évacuation de Mulhouse.

Le général en chef procède alors au premier « limogeage » de la guerre : il remplace Bonneau, jugé responsable de l'échec, par Vautier à la tête du 7ᵉ corps d'armée et crée une nouvelle armée, dite d'Alsace, commandée par Pau, avec des troupes de réserve venues des Alpes, de Vesoul, de Belfort, de Montpellier, de Clermont-Ferrand. Les chasseurs des Alpes tiendront les cols des Vosges.

Joffre est étonné, indigné : le 7ᵉ corps français n'avait devant lui qu'un seul corps d'armée allemand. Pourquoi ce recul? Il accuse le commandement d'incapacité, taille, tranche, il renvoie aussi le général Curé, responsable de la 14ᵉ division d'infanterie, qui a fait retraite « dans un désordre indescriptible, un enchevêtrement de canons, de cavaliers et de traînards ». Il va jusqu'à culpabiliser les dragons de la 8ᵉ division de cavalerie dont le chef, Aubier, est remplacé par Mazel. Les dragons d'Auxonne, de Belfort et de Dijon sont accusés de mollesse et d'imprévoyance. « Cette division fait preuve d'une inertie absolue », dit le rapport. Des mutations sont opérées, des renforts envoyés, les troupes sont laissées quelques jours au repos et l'offensive repart, toujours en direction de Mulhouse et Colmar à partir du 12 août. Est-elle plus satisfaisante? Le général Pau est pessimiste : les Allemands ne battent pas en retraite, ils manœuvrent, ils libèrent le Sud de l'Alsace. Mulhouse est réoccupée, Munster prise sans coup férir : les Allemands ne risquent rien, ils ont établi leur barrage plus haut, entre Neuf-Brisach, Colmar et Ingersheim, un barrage infranchissable. Pourquoi, dès lors, conserver, à Mulhouse, « l'obligation de faire subsister une population de 300 000 habitants »? demande Pau. Y a-t-il des raisons politiques? Le général en chef ne répond pas. Mulhouse est de nouveau évacuée. Quelques jours plus tard, l'armée d'Alsace, repliée sur Belfort, est dissoute.

On devine que Joffre n'est pas trop angoissé par cet échec. L'offensive sur Mulhouse était surtout psychologique. Le gros de la 1ʳᵉ armée avait une autre mission, conforme, celle-là, à tous les plans français d'« offensive » depuis le début du siècle : la percée à l'ouest des Vosges sur Sarrebourg, vers Phalsbourg, Saverne et Strasbourg. Pour la réussite de cette grande entreprise, Joffre n'a pas ménagé les moyens. Il a demandé, au Nord-Ouest, l'appui de deux corps de la 2ᵉ armée du général de Castelnau, il a massé devant le trouée de Sarrebourg deux corps d'armée tout frais, le 13ᵉ, de Clermont-Ferrand (général Alix), et le 8ᵉ de Bourges (général de Castelli). Les divisionnaires ont conscience d'avoir à réaliser la grande idée de l'état-major, celle qui doit mettre fin aux inquiétudes que donnent les nouvelles venues de Belgique. Il faut fixer les Allemands par cette offensive, combinée à celle qui va se dérouler en Lorraine.

Dans les Vosges, le 21ᵉ corps d'armée, commandé par un général politique qui a occupé un poste à l'Élysée, Legrand-Girarde, doit tenir les hauteurs du massif du Donon et les cols débouchant sur la plaine d'Alsace. La même mission est dévolue, plus au sud, au 14ᵉ corps d'armée du général Pouradier-Duteil, qui a des régiments formés à Grenoble, Annecy, Lyon et Chambéry. Chasseurs à pied et chasseurs alpins sont de la partie, comme il est normal dans des combats de montagne.

La résistance allemande n'est pas très forte dans les Vosges, sauf autour de Sainte-Marie-aux-Mines. Le 149ᵉ régiment d'Épinal y a subi de lourdes pertes. Pourtant, le 14 août, tous les passages des Vosges sont occupés. A leur grande surprise, les soldats n'ont pas ordre de descendre dans la plaine. Ils ne peuvent savoir que l'offensive a lieu plus au nord, dans la vallée de la Meurthe, devant Sarrebourg.

Mal montée, l'attaque dans la plaine échoue d'abord devant Cirey, où la division de Clermont-Ferrand subit de lourdes pertes. Les fantassins de Riom ou de Montluçon meurent par centaines sous le tir des mitrailleuses. Au combat du Petitmont, les 14 et 15 août, le colonel du 121ᵉ R. I. (Trabucco) est blessé, il a 3 officiers et 53 soldats tués, 51 blessés ou disparus. Les hommes sont braves, héroïques même : un boxeur amateur, légendaire dans Montluçon pour sa force d'Hercule (caporal Joannin), prend un drapeau allemand sans le faire exprès : il ne sait identifier, de loin, ce morceau de bois fiché dans le sol. Les pertes occasionnées par l'attaque désastreuse sur Cirey font l'objet d'un rapport à l'état-major. D'après le général Demange, cette attaque « a été abominablement montée, ou plutôt pas montée du tout. La charge aurait été donnée intempestivement à 2 km environ du village ». Le général de division Silhol, qui devait être relevé de son commandement, s'est expliqué sur cet échec : « Il prétendit seulement, dit le rapport, que des clairons avaient sonné la charge sans son ordre, ni sur celui du commandant de la brigade, ni sur celui du colonel commandant le 121ᵉ régiment d'infanterie ».

Pendant que, dans les Vosges, les têtes de vallées sont conquises et que le 14ᵉ corps s'avance vers Villé, les Français progressent enfin vers Sarrebourg, dans des conditions suspectes : comme en Haute-Alsace, les Allemands se retirent, abandonnent Sarrebourg où entre dans la plus grande réserve un régiment du 8ᵉ corps. Cette prudence est bien venue : l'artillerie lourde ennemie est massée sur la rive droite de la Sarre et les Français se heurtent à de formidables positions défensives. C'est « une véritable guerre de siège », dit le général Dubail qui n'a naturellement pas les moyens de la faire.

Aussi, quand l'ennemi passe à l'offensive, il faut évacuer Sarrebourg. Dubail apprend que Castelnau, à son flanc gauche, est en retraite. Il ne peut se maintenir. Les deux corps d'armée avancés doivent reculer dans des conditions qui ne sont pas toujours heureuses. Les troupes, qui marchent depuis huit jours, sont épuisées; au 13ᵉ corps, la fatigue est extrême, les hommes du 14ᵉ « ne dorment plus, ne mangent plus »; les chevaux de la 6ᵉ division de cavalerie n'ont pas eu d'avoine depuis plus de deux jours. La 26ᵉ division, qui joue de malheur, doit décrocher en hâte et laisser sur place la moitié de ses canons de 75...

Une fois de plus, le haut commandement se décida à sanctionner les défaillances des officiers généraux. Le général Pau, qui n'avait pas réussi l'affaire d'Alsace, était poliment retiré du théâtre des opérations. Son 7ᵉ corps devait être transporté sur le front de Picardie. Les réservistes du général Archinard, qui avaient renforcé l'armée d'Alsace, étaient presque tous remerciés, à commencer par Archinard lui-même, pourtant camarade de promotion de Joffre à Polytechnique. Il était à un an de la retraite! Le général Woirhayes, qui commandait la 66ᵉ division de réserve de Montpellier, était accusé de défaillances graves dans les liaisons. Son général de brigade Sauzède était également écarté. On lui reprochait d'avoir toléré de graves manquements à la discipline. Le divisionnaire Besset, de Dijon, faisait partie de la même charrette.

L'armée de Sarrebourg n'était pas mieux traitée : le général de brigade Pierbot, du 14ᵉ corps de Lyon, avait échoué dans une attaque : éliminé. Le général Bourdériat, qui commandait la 13ᵉ division, avait abandonné le massif du Donon sur lequel on comptait pour assurer la sécurité du dispositif français : ce professeur à l'École de guerre, « qui manquait d'énergie » (Legrand-Girarde), était lui aussi « limogé », ainsi que le général commandant la 6ᵉ division de cavalerie, « qui s'est dit fatigué depuis le début des hostilités », selon Dubail.

Joffre n'était pas moins dur pour les généraux commandant les corps d'armée : Pouradier-Duteil est relevé de son commandement ; Alix, commandant le 13ᵉ corps, est laissé en activité à cause de sa bravoure proverbiale, mais Dubail le semonce vertement pour ses liaisons insuffisantes et pour sa négligence : que n'a-t-il employé son artillerie lourde devant Cirey?

Les défaillances du commandement ont été redressées. Mais la plus grande surprise, pour Joffre, a été l'attitude des troupes elles-mêmes. Dès les premières batailles, elles sont totalement – même les troupes d'active – déconcertées par le feu allemand. Que dire alors des réservistes? L'un d'entre eux, le caporal Delabeye, du 14ᵉ régiment d'infanterie de Grenoble, a laissé des mémoires qui en disent long sur ces réactions des hommes aux premiers affrontement, probablement inconnues des officiers supérieurs du G.Q.G. de Vitry-le-François.

Ce volontaire aurait pu être réformé pour myopie, il est parti en guerre, par patriotisme, avec un lorgnon. Il a quitté Grenoble par la porte de France, derrière le drapeau. On l'a d'abord maintenu à la frontière italienne, puis on l'a dirigé sur l'Est; il a rejoint, à Bruyères, la 1ʳᵉ armée du général Dubail pour lequel il a une sorte de vénération. Il le décrit à Lépanges, passant les régiments en revue, « nous dominant, dit-il, du haut de son tertre ». Le 11 août, il est à Fraize, au pied du col de Bonhomme. Aucun enthousiasme chez les Vosgiens qui semblent résignés d'avance à l'invasion. « On devinait que tout était prêt pour fuir au premier signal. » Sa première constatation, c'est le peu de confiance des frontaliers dans l'armée française, d'autant que des faux bruits circulent : il y aurait 20 corps d'armée allemands en Alsace! Il grimpe les pentes des Vosges, et, par Wissembach, prend la route du col de Sainte-Marie-aux-Mines. On range le drapeau, les musiciens sortent des brassards de la Croix-Rouge. C'est l'aube du 14 août, la danse va commencer.

Ils partent pour « assiéger Strasbourg » derrière de fringants chasseurs à cheval et des hussards de Chambéry, « figuration d'opérette égarée en ces lieux ». Le général Baquet, qui commande la brigade, ne paraît pas plus sérieux au caporal; « avec sa tunique noire et ses culottes rouges », c'est, dit-il, « un survivant de Solferino ou de Saint-Privat ». Le « vieux colonel » qui commande le 104ᵉ leur dit, « les épaules affaissées, le visage pâle » : « Nous allons attaquer ». C'est le premier feu. Laissons la parole au caporal :

« Je me souviens très bien que j'étais en train de retirer mes jumelles de leur étui lorsque, soudain, je reçus une violente commotion en plein visage. Des détonations formidables éclataient dans un bois situé à 1 500 mètres environ. Moins d'une seconde après arrivaient sur nous, avec des sifflements stridents, une dizaine d'obus qui éclataient au-dessus de nos têtes, projetant, avec un bruit terrifiant, des éclats et de la mitraille. Sous cette rafale brutale, inattendue, foudroyante, *mes hommes s'enfuirent de tous côtés.* Absolument pétrifié, le cerveau en déroute, j'étais dans l'impossibilité de bouger de place, bien que mon instinct me commandât de fuir... Les explosions, tantôt à hauteur d'homme, tantôt au sommet des arbres, se succédaient à la cadence d'une dizaine à peu près... L'air craquait, une fumée âcre, jaune, puante, envahissait le bois et séchait notre gorge... J'allais d'un arbre à l'autre, tantôt courbé en deux, tantôt à plat ventre, comme une bête traquée... Que pouvait un homme sur ce volcan crachant feu et acier?

– Delabeye, me disait Guillermin, nous ne reverrons plus la Savoie, nous sommes foutus, que je te dis. »

La première impression du caporal, c'est donc l'affolement devant l'inimaginable intensité du feu d'artillerie allemand. Malgré les consignes multipliées par les commandants d'armée, les chefs d'unités font attaquer les hommes sans préparation d'artillerie. C'est la panique qui est responsable des « défaillances » des réservistes de Montpellier et de Lyon, de l'insuccès des Montluçonnais du 121ᵉ. « Il ne pouvait plus être question, dit le caporal, de s'emparer de Sainte-Marie sans s'exposer à des sacrifices énormes. » Un mythe vient de disparaître : celui de l'attaque rapide et foudroyante « à la baïonnette ». Les premiers morts défilent, « étendus sur des brancards, leurs corps raidis moulés par les draps blancs ».

Après le tir d'artillerie, les balles de l'infanterie : elles tombent dru sur les Grenoblois. Qui tire? Les tranchées ennemies sont invisibles. Quand les Allemands attaquent, ils sont également invisibles : « J'aperçus vaguement, à une cinquantaine de mètres devant nous, des hommes vêtus de gris ». On les reconnaît seulement quand on aperçoit les casques à pointe dont l'éclat est dissimulé par des housses grisâtres. Quelle différence avec les uniformes d'opérette de l'armée française! Ce que le caporal ne peut pas savoir, c'est que le Kaiser en faisait l'objet continuel de ses plaisanteries. En juin 1914, il disait à l'attaché militaire français :

– Avez-vous enfin choisi une couleur pour votre uniforme?

– Oui, sire, répondait l'attaché, un gris **bleuâtre** assez clair. La couleur de cette brume qu'on voit là-bas à la lisière de ces bois.

– Très bien », répond le Kaiser, et il s'étrangle de rire en pensant aux pantalons rouges. « De quand date le pantalon rouge ? De la Restauration et de Louis-Philippe, je crois ?... C'est en bleu que vous avez remporté vos plus grandes victoires. »

Mais l'attaché militaire peut multiplier ses rapports à Paris. Les uniformes bleus restent dans les cartons. C'est en képi doublé d'un manchon et pantalon rouge que le caporal Delabeye part en guerre...

Quand il entre dans Sainte-Marie-aux-Mines, dont les enseignes sont allemandes, il est très étonné de constater que la population vit en bons termes avec les autorités. Une vieille dame lui explique avec douceur que sa fille est mariée avec un épicier de Kiel et que ses enfants servent en *feldgrau*. La servante alsacienne, au café, ne fait pas la différence entre soldats français et allemands. « J'aime tout le monde, lui dit-elle, je vous assure. » Le caporal pense aussitôt que ces Alsaciens ont peur, qu'ils n'osent pas affirmer leurs préférences. Un juif, marchand de poupées alsaciennes, lui dit de se méfier :

– Ils nous ont dit qu'ils partaient parce qu'ils n'étaient pas en force, mais que, dans quelques jours, ils seraient là. »

Le coiffeur précise sa pensée :

– Les Alsaciens d'origine aiment la France, c'est certain. Beaucoup de gens ici sont nés avant l'annexion, mais aucun n'a jamais désiré un massacre général pour redevenir français ! Massacre dans lequel les Alsaciens vont trinquer dur ! Songez, caporal, qu'à Sainte-Marie seulement, il y a près d'un millier de mobilisés dans l'armée allemande. » Et le coiffeur ajoute : « Un de vos officiers que j'ai servi hier soir était étonné de notre manque d'enthousiasme à votre arrivée. Il ne faut pas s'en étonner. Les parents sont partout des parents. Vos fusils tueront demain aussi bien les Allemands que les Alsaciens... »

Deuxième constatation : l'effet psychologique recherché par Joffre avec l'invasion de l'Alsace ne s'est pas produit : la « guerre de revanche » ne « libère » pas des populations occupées depuis plus de 40 ans, mais leur apporte seulement la menace d'un massacre général. Pas de quoi donner du moral à l'armée française. Les soldats, déçus, voient des espions partout et ne tardent pas à se sentir en pays hostile. S'ils tombent, au cours de la retraite, sur les villageois des pays frontaliers français, ils sont obligés de conseiller la prudence aux plus exaltés d'entre eux. Le caporal, qui a marché quarante kilomètres dans la journée, est recueilli, soigné par un vieil homme qui lui met de l'avoine grillée dans ses souliers pour les sécher et lui donne des tranches de lard pour graisser son fusil rouillé. Il lui montre un chassepot de 1870 :

– Si les Prussiens viennent par ici, dit-il, je les descends comme des loups!

Pour qu'il ne soit pas fusillé, le caporal profite d'un moment d'inattention pour jeter le vieux fusil dans une mare. Il n'a pas commencé la guerre depuis longtemps, mais il a déjà compris toutes les horreurs dont elle menace la population civile.

Lui-même connaît très vite les affres de la retraite. Le décrochage de la 2ᵉ armée (Castelnau) entraîne celui de la première armée sur l'ensemble de son front, sous les coups des Bavarois enhardis par la retraite française et qui ont réuni les moyens d'une solide offensive. Le caporal craint d'avoir à reculer jusqu'à Épinal sous le feu des 130 et 150 mm allemands. Son vieux colonel a été relevé de son commandement. Les unités du régiment se débandent, se perdent de vue. Le caporal et ses hommes passent la Meurthe à gué et marchent vers Saint-Dié. Au presbytère de Nompatelise, le général Blazer organise les positions de défense, fait arrêter les fuyards. Les hommes se regroupent, contre-attaquent. L'offensive allemande vient mourir au sud de la Meurthe, au pied du massif des Rouges-Eaux que la division doit tenir à tout prix. Depuis dix jours, le caporal livre bataille. Il ne comprend pas pourquoi, vers Nancy, ceux de la 2ᵉ armée ont lâché pied, et il ne sait pas du tout ce qui peut se passer à la frontière nord, du côté de la Belgique.

Autour de Nancy, la 2ᵉ armée de Curières de Castelnau avait également reçu l'ordre de lancer une offensive. Elle comprend un corps de Nancy (le 20ᵉ, commandé par Foch) et la division de cavalerie de Lunéville comme troupes de couverture, mais reçoit plusieurs corps d'armée du midi : le 15ᵉ de Marseille, le 16ᵉ de Montpellier, le 18ᵉ de Bordeaux, avec le 8ᵉ de Dijon. La prise de contact des Méridionaux du 15ᵉ corps avec la Lorraine est difficile : dès le 10 août, le général qui commande la cavalerie de Lunéville, Lescot, « a jugé opportun » de faire attaquer le village de La Garde (au nord-est de Lunéville) par deux bataillons d'infanterie venus d'Avignon et de Nîmes. Les Méridionaux doivent charger à la baïonnette. Ils sont bientôt submergés par des renforts allemands sortis des bois, et canonnés par l'artillerie lourde. Les pertes sont sévères : 300 tués, 700 blessés, plus de 1 000 disparus. Castelnau, furieux, donne des instructions pour « éviter les engagements inutiles ».

Le général a pour consigne de lancer une offensive en direction de Château-Salins et Sarrebrück. Quand il donne, le 14, l'ordre de marcher aux 15ᵉ, 16ᵉ et 20ᵉ corps, tous avancent sans difficulté, sauf le 15ᵉ qui se heurte à une sérieuse résistance dans le village de Moncourt. De nouveau, il faut l'enlever à la baïonnette. Cette fois, c'est la division de Nice qui est engagée. Les fantassins d'Antibes et de Toulon doivent coucher sur place et craignent une attaque de nuit. Le général Carbillet, qui les commande, demande en renfort la division d'Avignon. Ses hommes, dit-il, sont à bout. Accordé. Castelnau promet même des chasseurs alpins. Le 15 août, le 15ᵉ corps doit repartir à l'attaque.

Il ne peut y parvenir. La division de Nice a épuisé ses munitions, elle n'a plus rien à manger. Seul les Marseillais du 141ᵉ ont encore des cartouches, mais ils sont en dehors du village et les Allemands bombardent sans cesse les gens d'Antibes et de Toulon avec des obus explosifs qui blessent beaucoup d'hommes et démoralisent les autres. 1 000 sont déjà hors de combat. Le service de santé réclame à cor et à cri des automobiles pour évacuer les blessés. Les patrouilles du 6ᵉ hussards de Marseille signalent des concentrations ennemies. Castelnau, averti, demande à la division d'Avignon de relever immédiatement celle de Nice et de préparer la poursuite de l'offensive. Pourtant, il a mesuré l'efficacité de la technique défensive des Bavarois, les batteries enterrées, les tranchées dissimulées. Il faut employer, recommande-t-il, « les procédés spéciaux se rapprochant de ceux préconisés pour la guerre de siège ». Il faut aussi reposer les corps d'armée. L'attaque des trois corps d'armée sur Saint-Avold est remise au 19.

Ce jour-là, le 15ᵉ corps est de nouveau à la traîne. Son chef, échaudé par les pertes infernales de Moncourt, hésite à entrer dans Dieuze que les Bavarois ont cependant évacuée. Une reconnaissance du 6ᵉ hussards l'a rendu prudent : la ville, dit-il, est « un nid à projectiles ». Des batteries couvrent les hauteurs. Il ne veut pas, une fois de plus, sacrifier ses Méridionaux. Mais, à gauche, le 20ᵉ corps de Foch brûle d'avancer. Il a dépassé Château-Salins, il demande des instructions. Comment aller plus vite? C'est le 16ᵉ corps de Montpellier qui est accroché à son tour et perd beaucoup de monde sous les bombardements de l'artillerie. Le soutien des canons français est insuffisant. Le 15ᵉ corps ne peut progresser davantage. Son chef, Espinasse, demande en vain à sa propre artillerie d'avancer pour contre-battre les tirs allemands. Vincent, le général qui commande le feu, n'a pas assez de pièces lourdes. Quant aux 75, s'ils montent en ligne, dit-il, ils se feront « casser ». Castelnau est pris entre Foch, qui veut avancer trop vite, et les deux corps d'armée du Midi dont la route est semée d'embûches. Il a limogé, avant l'entrée en campagne, les généraux qui lui paraissaient trop inadaptés au combat : le général Bizard, par exemple, qui commandait la 70ᵉ division de réserve de Neufchâteau, qu'il avait remplacé par Fayolle, ou le général Lescot, commandant la 2ᵉ division de cavalerie, responsable de l'immense faute de La Garde. Il hésite, en pleine bataille, à prononcer de nouvelles sanctions.

La 6ᵉ armée du Kronprinz de Bavière ne lui en laisse pas le temps : elle attaque avec ses 4 corps d'armée, cependant que von Heeringen lance lui aussi la contre-offensive en Alsace. Si les attaques françaises avaient été simultanées, les répliques allemandes l'étaient aussi : devant des forces supérieures, à la bataille de Morhange, tous les corps doivent reculer, y compris le 20ᵉ de Foch. Le 15ᵉ, dit son chef, a « le moral bon, surtout devant les fantassins ennemis », ce qui implique qu'il apprécie peu les tirs d'artillerie répétés qu'il a subis depuis le début de la campagne. Le 16ᵉ corps est le plus touché : sa 31ᵉ division, celle de Montpellier, n'est plus apte à soutenir l'effort. Force est à Castelnau d'ordonner une retraite générale. Le 15ᵉ corps ne tient plus. Espinasse, son chef, explique à Castelnau que les unités ont subi des pertes énormes : le 3ᵉ régiment d'Hyères n'a plus que 100 hommes par compagnie. « Le moral est très déprimé chez tous, officiers et soldats. L'infanterie désespère du concours de l'artillerie, elle a subi dans certaines compagnies jusqu'à 80 % de pertes par le feu de l'artillerie, sans avoir pu tirer. Par suite de son état de fatigue physique et morale, la [29ᵉ] division est actuellement hors d'état de fournir un nouvel effort offensif et même de fournir une défense énergique. » Castelnau tire les conclusions de l'échec : toute l'armée doit trouver sa sécurité derrière la Meurthe, à l'abri des premières défenses du Grand-Couronné de Nancy. La retraite s'effectue en une longue marche de nuit qui, pour certaines unités, ressemble à une débandade. Ces défaillances sont annoncées dans la presse parisienne. *Le Matin* du 24 août publie un article du sénateur Gervais qui décrit la déroute du 15ᵉ corps, dont une division se serait débandée. Les récits de témoins parlent d'un « effondrement complet de la discipline » ; des « soldats sont montés sur des charrettes de paysans », d'autres ont pris des chevaux d'officiers pour fuir plus vite. Il faut poster des gendarmes à l'arrière pour retenir les déserteurs. Les hommes prétendent avoir perdu leurs armes en traversant la Meurthe. Seuls les chasseurs alpins, venus en renfort de Nice, restent en bon ordre.

On a beaucoup polémiqué sur la « défaillance » du 15ᵉ corps. Il faut remarquer que le 16ᵉ n'était guère plus brillant. Ces troupes surmenées, attaquées en pleine retraite, n'avaient plus les moyens physiques de se défendre. Le 20ᵉ corps lui-même, superbement commandé par Foch et formé de soldats de la région de Toul, avait subi les conséquences d'une faute immense : la 39ᵉ division avait laissé surprendre son artillerie par une attaque de flanc. Tous les canons étaient pris, l'infanterie de Toul décimée. Même le général de brigade Wirbel était blessé, ainsi que les deux colonels : la brigade était commandée par un chef de bataillon... Foch n'ose pas changer le chef d'unité dont le fils vient d'être tué au feu. Peut-être craint-il aussi que ne soit terni le prestige de son corps. A la 70ᵉ division de réserve, qui est sous son commandement, des milliers d'hommes sont tués pour une attaque mal menée : « Pas d'éclaireurs, note Fayolle, pas de patrouille de combat... Aucune préparation, c'est fou ! » Manque de valeur combative des réservistes et, surtout, de leur encadrement, surprise devant le canon ennemi, abandon des lignes de résistance par des soldats épuisés. L'armée Castelnau ne réussit pas mieux que l'armée Dubail à accomplir le grand dessein du général Joffre. L'offensive française a échoué. C'est tout juste si, par des miracles d'énergie, Castelnau peut se reconstituer et résister sur le Grand-Couronné.

Avec la retraite qui, par moments, fait penser à une déroute, les fantassins de Curières de Castelnau découvrent avec surprise la guerre moderne et sa terrible puissance de feu. Les mises en garde du général en chef n'avaient pourtant pas manqué : prudence nécessaire dans l'attaque, bonne utilisation d'artillerie, organisation immédiate des positions acquises. Mais l'absence de canons lourds, l'insuffisance de l'aviation de repérage est le principal handicap des Français, ainsi que la difficulté des liaisons entre les unités. Le général d'armée n'est pas toujours capable de redresser à temps les erreurs de ses subordonnés, leurs initiatives malheureuses, leurs hardiesses inutiles. Il est souvent mis devant le fait accompli. Quand au feu allemand, il n'a pas les moyens de le contrebattre. C'est tout juste s'il peut veiller à enterrer ses troupes pour leur permettre de résister, ce qui ne sera fait que devant Nancy. La déroute des 15ᵉ et 16ᵉ corps ne tient donc pas au naturel léger des populations méridionales, mais bien à l'inadaptation des commandants d'unités, et des moyens dont ils disposent, à la forme moderne de guerre allemande. Les 9 361 officiers, les 314 084 hommes et les 110 962 chevaux de la 2ᵉ armée française ont subi d'intenses bombardements et fait campagne pour se retrouver, dix jours plus tard, épuisés et amoindris, en deçà de leurs bases de départ.

Situation désagréable pour les chefs, démoralisante pour les soldats. La défection du 15ᵉ corps fait le tour de la France et devient un problème politique. L'injuste suspicion dans laquelle sont tenus tous les combattants du Midi est telle que quelque temps après (le 17 septembre) l'état-major télégraphie à Marseille : « Des hommes du 15ᵉ corps seraient illégalement rentrés dans leurs foyers. Sans dire raison des recherches, vous prescris faire effectuer par gendarmerie enquête approfondie. Ferez procéder à arrestation immédiate s'il y a lieu et à traduction devant conseil de guerre ».

Bien avant la déroute, les cas de panique par bombardement ont été nombreux en ligne et n'ont pas toujours été dominés sans difficulté. Le caporal Delabeye, découvrant les premières tranchées allemandes, admire ces ouvrages qui permettent à deux officiers postés à chaque extrémité de la ligne d'empêcher les hommes de s'enfuir. A la 34ᵉ brigade d'infanterie, un médecin-chef doit sortir son revolver pour ramener de force les hommes au feu. Dans la débandade des corps du Midi, la gendarmerie doit intervenir et arrêter les fuyards qui ne se soumettent pas aux ordres. Joffre pense d'abord à frapper les officiers qui ont été quelquefois pris dans les mouvements de panique. Le ministère l'avertit le 15 août qu'un « décret supprime la nécessité de consulter le conseil supérieur de la Guerre pour mettre d'office à la retraite un officier général ». Mais on peut aller plus loin : « Pour les généraux et officiers qui auraient fait montre non seulement d'insuffisance ou de faiblesse, mais encore d'incapacité ou de lâcheté manifeste devant l'ennemi, je continue à penser que le conseil de guerre s'impose ». Joffre n'a pas attendu les premières défaillances pour rappeler aux commandants d'unités les dispositions de l'article 229 du Code de justice militaire autorisant les supérieurs, « en cas de ralliement des fuyards ou de la nécessité d'arrêter le pillage », de frapper les subordonnés et de les obliger physiquement à obéir. Depuis le 3 août, le gouvernement a autorisé le commandement militaire à faire exécuter des sentences de mort. Il n'a que le devoir de rendre compte.

Les cours martiales ne sont pas encore établies, mais Joffre multiplie les circulaires aux chefs de corps pour assurer la stricte discipline. Le ministre de la Guerre Millerand réclame des peines graves contre ceux qui se mutilent pour ne plus aller au feu (8 août), contre ceux qui absorbent de l'acide picrique pour être déclarés inaptes. Il faut poursuivre ces défaillants, dit le ministre, pour abandon de poste, voire même abandon de poste en état d'alerte. Naturellement, les premières défaites accroissent la vigilance de l'état-major et du Ministère en matière de répression. Les instructions données autorisent les chefs d'unité à contraindre sous la menace les hommes aux tâches les plus dures. Quinze jours après l'entrée en campagne, les mutations nécessaire n'ont pas toujours été opérées, de nombreux chefs de bataillons ou de régiments inaptes restent en activité. Genevoix signale l'incompréhensible attitude d'un officier de santé qui fait arrêter un soldat héroïque au feu mais blessé à la main, en l'accusant de s'être lui-même mutilé. Marc Bloch décrit un capitaine pleutre et grossier qui ne connaît que deux moyens de faire marcher ses soldats : « les injurier et les menacer du conseil de guerre. Je l'ai entendu traiter de charognes des hommes qui, l'avant-veille, avaient supporté sans broncher le feu épouvantable des canons et des mitrailleuses... Un jour il frappa. L'affaire fut étouffée, je crois ». Le caporal Delabeye n'est pas fâché d'être débarrassé de son vieux colonel incapable : celui-ci ne sévit pas, il subit, ce qui n'est pas mieux. Il se comporte lui-même, sans le savoir, en héros et passe sergent quand, dans la retraite, il réunit spontanément des camarades qui ne savent pas où se diriger, pour les regrouper et constituer un centre de résistance. Les officiers mettent longtemps avant de s'apercevoir que ce groupe existe.

Sur la grande quantité d'officiers rappelés pour commander des centaines de milliers de mobilisés, il était inévitable que les défaillances et les incapacités fussent aussi leur fait. En leur conseillant la plus grande rigueur, l'état-major prenait la responsabilité de couvrir certains excès de la répression, cependant incontrôlables.

Les pertes importantes que le corps des officiers subit lors des premières batailles (elles étaient si lourdes qu'on put croire à une généralisation des « tireurs d'officiers » spécialisés dans les lignes allemandes) favorisait toutefois un renouvellement rapide du commandement par la promotion immédiate au front. Les nouveaux gradés n'étaient certes pas brevetés de l'École de guerre, mais ils avaient connu le feu et les possibilités des hommes. Les défaillances du commandement, au moment des premières paniques, furent ainsi corrigées par une reprise en main qui allait remédier au relâchement de la discipline : le haut commandement souhaitait que celle-ci fût juste, mais sévère. Il avait tiré cet enseignement des échecs d'août en Lorraine.

Les soldats épuisés de Nancy ou de Saint-Dié n'avaient fait que la découverte du feu, non des crimes de guerre. Ils avaient pu constater – contrairement aux rumeurs qui circulaient au début de la campagne – que les Allemands ne fusillaient pas les prisonniers et qu'ils n'achevaient pas les blessés. Plusieurs milliers d'entre eux (dont André Kahn) avaient déjà pris le chemin des camps en Allemagne. Les soldats français, n'ayant pas occupé de territoire allemand, n'avaient pu eux-mêmes appliquer les instructions de l'état-major en pareille hypothèse, ni donc se trouver confrontés au problème d'une occupation. Les territoires occupés d'Alsace et de Lorraine étaient réputés « libérés », il n'était pas question d'en considérer les populations comme ennemies. Mais, s'ils étaient entrés en Allemagne, leurs officiers leur auraient fait appliquer les directives émises par télégramme en date du 22 août du Conseil des ministres : des proclamations affichées dans les deux langues, la saisie des caisses publiques, des automobiles et des bicyclettes, la nomination de commissions municipales et de nouveaux fonctionnaires. Enfin, il fallait « prendre des otages nombreux parmi les maires et principalement les instituteurs et les percepteurs ».

Cette politique des otages est précisément celle que les Allemands ont systématiquement appliquée dans les villages occupés de Lorraine, immédiatement après la défaite de Morhange. Les maires et les notables sont immédiatement contactés et rendus responsables de la bonne tenue de leur localité. Quand le village est réoccupé, des représailles sont exercées contre ceux qui ont fraternisé avec les Français. Beaucoup de Lorrains ont en effet accueilli les Français « avec une franche sympathie », si l'on en croit

François Roth [1], entre Delme et le Donon. Les récits de l'abbé Evrard et du curé de Pettoncourt sont affirmatifs sur ce point. A Sarrebourg, la population libérée a pillé les maisons prussiennes des fonctionnaires immigrés et des officiers de l'armée allemande. Beaucoup d'habitants, il est vrai, et surtout de paysans, sont restés méfiants, comme le remarque André Kahn dans son journal : « Fourbes et craintifs, dit-il, ils ont peur d'un retour offensif des Allemands et osent à peine nous adresser la parole ». Après leur victoire, qu'il annoncent à sons de trompe dans Metz en faisant sonner à toute volée la « Mutte » (grande cloche de la cathédrale), les Allemands se livrent à des représailles contre les « Francillons de Lorraine ». A Sarrebourg, l'abbé Evrard est arrêté et traduit devant un conseil de guerre (mais finalement acquitté). L'Église et les maisons de Dalhain sont incendiées sous prétexte que la ville a accueilli des francs-tireurs. 80 personnes sont déportées à Deux-Ponts, plusieurs sont fusillées. Roth dit que le chancelier Bethmann-Hollweg est indigné du comportement de ces Lorrains et qu'il a demandé sur la question un rapport au *Statthalter*. Toute liberté est supprimée dans Metz, y compris celle de circuler. L'usage public de la langue française est interdit, toute activité anti-allemande est réprimée. Trois mille Messins sont condamnés pour « attitude anti-allemande ». Dans les villages repris, les municipalités sont changées, le personnel épuré. On accuse le maire de Fénétrange de ne pas avoir pavoisé sa maison pour les victoires allemandes. On arrête des prêtres, on élimine des pasteurs. On fait régner sur la Lorraine annexée l'ordre de l'occupant.

Les villages abandonnés par la 2ᵉ armée de la Lorraine française connaissent un sort pire encore : Nomeny, chef-lieu de canton de 1 200 habitants, à 28 kilomètres au nord-est de Nancy, à 4 kilomètres de la frontière, est un village martyr. Longtemps à la merci des raids de cavalerie allemands, par sa proximité de la frontière, il est une première fois occupé par le 66ᵉ régiment français venu de Tours, le jour du 15 août. D'autres Français arrivent, le village sera défendu. Ce sont les troupes du 9ᵉ corps d'armée, relevées par des régiments de réserve qui constituent l'aile gauche de l'offensive française. Le 20, les Bavarois attaquent. Ils commencent par bombarder le village en chassant les Français qui refluent sur la route de Nancy. Une dizaine de tirailleurs, derrière une barricade proche de la gare, s'efforcent de retenir la poursuite des Bavarois. Nouveau bombardement, plus sévère encore. Quand il cesse, les Allemands avancent, incendiant toutes les maisons; ils tirent au hasard dans les rues sur tout ce qui bouge. Les habitants se terrent dans les caves, dans les jardins.

– On a tiré sur un de nos officiers! hurle un soldat.

1. François Roth, *op. cit.*

Ils jettent du pétrole dans les soupiraux des caves, tirent sur la population qui trouve refuge auprès du curé, dans l'église bombardée. Le notaire, le boucher sont tués. Des vieillards, des femmes, des enfants sont abattus ou blessés : 70 victimes en quelques heures. Les soldats pillent les maisons abandonnées, cherchent partout les partisans. Les hommes sont isolés, gardés par des sentinelles baïonnette au canon. Les femmes et les enfants sont lâchés sur la route de Nancy. Les otages passent une nuit d'horreur, ils s'attendent à être fusillés. On les relâche le lendemain. Un rapport signé de Georges Payelle, premier président de la Cour des comptes, de Maringer, conseiller d'État, et de Paillot, conseiller à la Cour de cassation, a été établi par la commission instituée en septembre 1914 « en vue de constater les actes commis par l'ennemi en violation du droit des gens ».

Les rescapés de Nomeny sont arrivés le 20 août sur la place Stanislas à Nancy, en peignoir, en pantoufles, enveloppés dans des couvertures boueuses. Ils ont accablé de leur récit la population anxieuse qui les questionnait, au point de provoquer une véritable panique et de susciter la réaction du préfet. A ses plaintes, le ministre de la Guerre répond vertement : « Vous invite expressément à ne pas envoyer au gouvernement des télégrammes inspirés sans doute de sentiments généreux mais de nature à impressionner l'opinion. Calmez les nerfs de la population et commencez par calmer les vôtres ».

Ainsi le terrorisme a payé : les Allemands ont réussi à troubler le préfet de Meurthe-et-Moselle, à semer l'angoisse dans la population de Nancy au moment où ils se préparaient à investir la ville. La répétition des actes de violence envers la population civile de Lorraine n'est certainement pas l'effet du hasard. La peur des partisans peut expliquer des réactions individuelles de groupes de combattants, non un comportement systématique : dans la zone des armées, les Allemands ont décidé de faire régner l'ordre par la terreur. Au moindre incident, ils ont des instructions pour incendier et fusiller des otages.

Le préfet de Meurthe-et-Moselle est obligé d'interdire les attroupements autour des premiers réfugiés des villages. Quand la population de Nancy apprend que le directeur de l'hôtel des postes est parti pour Toul, la panique s'installe. Les trains pour Paris sont pris d'assaut à la gare, les notables déménagent ou évacuent leur famille. Celle du directeur de *l'Est républicain* se réfugie en Bretagne. Comme le fait remarquer Bruno Leuret : « Le maximum d'exactions se produit lors du passage de la vague ou lorsque la troupe est en retraite [2] ». Les gens de Nancy veulent prévenir

2. *Les Réfugiés de Meurthe-et-Moselle pendant la Première Guerre mondiale*, MM Nancy, 1977.

l'entrée des Allemands dans leur ville. Ils partent pour échapper aux bombardements, aux pillages, aux violences. Ils ont vu défiler les populations de Badonviller (11 morts), de Nomeny (70 morts) et de Gerbéviller (50 morts). A Lunéville aussi, 3 000 habitants prennent le train, sur une population de 21 000.

Partir ou rester? Les Allemands préfèrent à l'évidence que les populations françaises rejoignent la France : autant de bouches à nourrir en moins et de foyers d'accueil éliminés pour les francs-tireurs, hantise héritée de 1870. Ils y voient aussi l'avantage d'encombrer les routes et les gares françaises dans la zone des opérations militaires. Enfin, les informations données par les populations en exode, nécessairement amplifiées, sont de nature à semer la panique. Beaucoup de villageois ont néanmoins choisi de rester pour protéger leurs biens : les maisons vides étaient en effet réputées libres pour le pillage. Faux calcul : à Gerbéviller, on a brûlé les maisons dont les habitants étaient réfugiés dans les caves...

A Nancy, Castelnau, qui vient de perdre son fils et son gendre à la bataille, garde la tête froide. Le général Léon Durand, qui défend la ville, ferme la gare et interdit toute sortie des services officiels. Le préfet Mirman retrouve son sang-froid. La ville est prête à soutenir le siège. Elle est pourtant loin d'avoir oublié la détresse des réfugiés de Nomeny. Les Français croyaient à une guerre courte; ils découvrent, avec le massacre des civils, une guerre atroce.

Dans les villages de Lorraine et des Vosges, les notables ont souvent le souci de rester sur place pour éviter le pire à la population qui les a élus maires ou conseillers municipaux. Charles Cartier-Bresson, industriel à Celles-sur-Plaine [3], sait parfaitement que les Allemands ont une peur réelle des embuscades et des francs-tireurs. Ils ont incendié le 12 août Badonviller tout proche. Les civils ont été tués dans les rues alors qu'ils sortaient des maisons brûlées. Quinze otages ont été déportés en Allemagne. Dans la vallée de la Celle, le 23 août, Vexaincourt est également en flammes : les Bavarois ont trouvé un Lebel dans une grange... On fusille des otages sur le bord de la route : le maire et le curé de Luvigny, le maire de Vexaincourt, le maire et le curé d'Allarmont. Les officiers affirment : on a tiré sur nous.

La plupart du temps, ces coups de feu proviennent de soldats français isolés ou tirant par petits groupes pour protéger leur retraite – ou encore de soldats allemands ivres de pillage, dont les armes partent seules. Charles Cartier-Bresson sait mieux qu'un autre qu'il ne peut y avoir de francs-tireurs à Celles. Il attend les

3. Pierre Fourchy, *Souvenirs d'un maire de la frontière*, in « Le Pays Lorrain », 1978, n° 4.

Allemands seul dans sa maison bourgeoise (sa femme est restée à Nancy), avec ses domestiques et une cousine réfugiée. Il fait préparer à la mairie une affiche exhortant la population « au calme et au courage » : « Je rappelle que les lois de la guerre défendent à la partie civile de la population toute agression ou acte d'hostilité contre les troupes ennemies ».

La bataille contourne Celles qui échappe aux combats de rue. Le maire est satisfait. Un des prétextes aux représailles de l'ennemi tombe : il n'y a plus de soldats français dans la petite ville. Le 24 août, à 8 heures et demie du matin, les Allemands font leur entrée. Les bonnes du maire descendent à la cave, avec les familles du concierge et du jardinier. Les soldats sonnent à la porte, demandent s'il y a des soldats français dans la maison. Le maire les rassure, sort, parle à l'officier. Encadré par quatre soldats en armes, les deux personnages font, dans les rues, le tour du village pour s'assurer que tout y est paisible. Le commandant est un baron prussien, il s'étonne de la fuite des habitants. « Il semble vraiment de bonne foi, dit Cartier-Bresson. Après tout, il peut arriver directement du territoire allemand et ignorer les sauvageries auxquelles il n'a pas pris part. » Et le baron de définir les lois de la guerre : « Les habitants restés chez eux ne seront pas molestés et les soldats paieront chez les commerçants tout ce qu'ils achèteront, ayant reçu des ordres en conséquence. Mais le gouvernement reconnaît à ces soldats le droit de piller les caves abandonnées ».

Puis le major donne des ordres : l'affiche rédigée par le maire ne lui paraît pas suffisante, il fait « tambouriner » par le cantonnier-appariteur de la mairie un texte plus explicite : « Par ordre de l'autorité militaire allemande, les habitants de Celles sont prévenus que ceux qui tireraient sur la troupe seraient fusillés ainsi que leur famille, et leur maison brûlée. Il est ordonné en outre de ne pas fermer à clé les portes des maisons et de laisser ouverts tous les contrevents et persiennes ».

Le baron major ne cache pas au maire combien il est heureux de le voir à son poste : « Les Allemands, lui dit-il, se vengent des localités dont les municipalités se sont enfuies ». Celles est bientôt envahie par une brigade allemande complète, avec son artillerie. Le général von Deimling fait défiler ses troupes. Il a derrière lui des otages, le curé et le maire d'Allarmont. Il les fait fusiller sur-le-champ. Quand le maire de Celles entre chez lui, il trouve sa maison convertie en hôpital et le défilé des blessés commence : il y en a dans le chalet d'entrée, sur les pelouses du jardin, dans le kiosque. Le maire et ses gens sont relégués sous les combles.

Au village, le pillage des maisons abandonnées à commencé; les soldats ont surtout acheté ou volé des boissons. Un coup de feu part à la tombée du jour.

– On a tiré sur nous des maisons d'en face!

C'est l'incident, le maire est entouré d'officiers. Il ne perd pas son calme. Pourtant, il n'est pas absolument sûr de lui. « Pourvu que quelque pauvre diable, se dit-il, n'ait pas perdu la tête dans ce tumulte et n'ait pas déchargé quelque vieux pistolet... » Enfin, il respire. Les officiers viennent d'apprendre que le coup provient du fusil d'un de leurs soldats ivre. Il n'importe. Le maire est arrêté avec son adjoint, saisi comme otage. Des soldats alsaciens les rassurent : ils seront relâchés dès que les troupes auront quitté le village. On leur fait rejoindre un autre groupe d'otages que les soldats poussent devant eux, et tous prennent la route du village voisin de Senones. La troupe doit patienter, car le col n'est pas libre : des chasseurs français le défendent. Au soir, la progression reprend. On entre dans Senones dont un pâté de maisons flambe. Toujours les représailles. Pour le maire, c'est la responsabilité des chefs qui est en jeu : « Ils ont farci le cerveau de leurs troupes d'histoires de francs-tireurs et d'attaques traîtresses de civils ». Enfin il réussit à se faire signer un laissez-passer et à trouver une carriole pour rentrer chez lui.

Sa maison n'est plus libre, il doit prendre le logement de l'instituteur. Un « capitaine d'aérostiers », Milekzenski, veut faire payer par la commune son zeppelin abattu dans la forêt par les Français et pillé par la population. Le maire doit céder et signer un engagement de 14 000 francs. Trente hommes sont réquisitionnés pour enlever les restes du zeppelin.

L'occupation commence : elle ne dure pas longtemps. Les Français reviennent le 13 septembre. Mais, pendant quatre ans, le village reste à quelques kilomètres du front stabilisé. Charles Cartier-Bresson avait pu lui éviter le pire. Mais il était à la merci du moindre incident. Il avait échappé de justesse au sort des maires des communes voisines. Les fusillés pour l'exemple, les maisons incendiées par représailles étaient vraiment la règle dans l'armée allemande. La troupe en guerre ne tolérait rien des civils et les terrorisait à dessein pour n'avoir rien à en redouter.

Le maire de Celles a pu constater, presque aux premières lignes, les méthodes de combat des Allemands. Ils attaquent quand ils sont sûrs de leur supériorité en effectifs (un officier est fier de lui annoncer qu'ils combattent à trois brigades contre deux et qu'ils seront nécessairement vainqueurs). A la moindre canonnade, ils cessent leur progression et s'abritent. Si l'affaire devient plus sérieuse, ils s'enterrent. Pour l'attaque, les mitrailleuses et les canons de campagne fendent les colonnes pour se trouver au premier feu et obtenir ainsi la décision. Après seulement, l'infanterie entre prudemment en ligne, en surveillant le moindre repli de terrain. Tout cela, Charles Cartier-Bresson l'a vu immédiatement. Les Allemands ne sont pas mieux équipés que les Français, ils ont une autre manière de combattre. Ces observations sur le terrain rejoignent les commentaires qu'Henri Contamine n'a pas cessé de faire dans ses ouvrages [4]. A-t-il assez combattu la « légende tenace » de la supériorité allemande en mitrailleuses! En réalité, les Allemands, qui en avaient le même nombre, les répartissaient autrement : chaque régiment les groupait en une compagnie spéciale qui disposait de six pièces (deux par bataillon, comme les Français) aisément mobilisables et formant une redoutable masse de feu. Ils les utilisaient en tirs de flanquement et en tirs croisés. L'unique supériorité allemande était celle de l'artillerie, mais seulement dans son emploi : les divisions d'infanterie françaises disposaient de 36 canons de 75 dont la puissance de feu était un peu supérieure aux 48 canons de 77 et aux obusiers de 105 des divisions allemandes. « Mais la grande unité d'active d'outre-Vosges, dit Contamine, y ajoutait 8 pièces de 150, alors que la française ne disposait que d'une moyenne de 5 tubes de 120 ou de 155. » Ces batailles « de frontière » révèlent donc à l'évidence la supériorité du feu (canons et mitrailleuses), que l'état-major français n'ignorait d'ailleurs nullement. Mais sans doute avait-il encore beaucoup à apprendre, sur le terrain, sur la mobilisation et l'utilisation de ces moyens.

Si l'armée de Lorraine ignore à peu près tout de la situation en Belgique, Paris ne comprend ni les raisons ni l'étendue de la défaite en Lorraine. Poincaré s'en indigne. L'étranger, déjà alerté par les Allemands, parle de la « fuite » de « huit corps d'armée français », de 10 000 prisonniers et de 50 canons pris. Quatre jours auparavant, on avait remis au président le premier drapeau pris à l'ennemi, un fanion de bataillon exactement conforme aux vieux emblèmes de l'armée prussienne, avec aigle noire et croix blanche, marqué au chiffre de Guillaume II. On avait même organisé un défilé de la Garde républicaine portant dans Paris le trophée de l'Élysée aux Invalides. Poincaré avait demandé à Messimy de partir au front pour féliciter les vainqueurs. L'annonce de la défaite de Morhange et des menaces pesant sur Nancy lui avait paru plus grave que l'invasion de la Belgique. Il est vrai qu'on lui avait caché les « défaillances » des corps et que l'on avait minimisé les pertes.

Mal informé sur Nancy, alors qu'il était député de Bar-le-Duc, comment le président aurait-il pu l'être mieux sur Liège ou sur Bruxelles quand l'état-major lui-même pataugeait? Il avait appris, dès le 5 août, le début de l'assaut lancé contre Liège. Le ministre français à Bruxelles, Klobukowski, lui envoyait des télégrammes : la population de Bruxelles chantait *la Marseillaise* et attendait avec impatience l'arrivée des Français. Mais comment pourraient-ils courir sur Liège alors que leur concentration est tout juste commencée? Joffre, consulté, promet d'envoyer les cavaliers de

---

4. Henri Contamine, *Commentaire des carnets secrets de la Grande Guerre du maréchal Fayolle*, Paris, Plon 1964.

Sordet et les fantassins de Mangin. C'est tout ce qu'il peut faire.
« Nous nous résignons, dit Poincaré, à l'inévitable. » Et d'évoquer
« l'étonnante avance que l'état-major allemand a prise » dans sa
mobilisation. Encore une légende que dissipe Henri Contamine :
« On répétait que l'armée d'une république parlementaire ne
pourrait être aussi vite prête que celle d'une monarchie militaire.
Erreur ». La concentration allemande ne commence en fait que le
7 août. L'avance est du côté français. Mais les Allemands portent
immédiatement à pied d'œuvre les masses nécessaires pour l'invasion. Les Français concentrent vite, plus vite de quelques jours, mais
sur les fronts de l'Est où ils n'ont pas su profiter de leur avantage. En
outre, l'invasion de la Belgique et du Nord de la France ne prévoit
pas, du côté allemand, la manœuvre par chemin de fer. Moltke,
contrairement à Joffre, fait avancer ses troupes à pied. L'état-
major français peut donc très légitimement compter sur un
certain délai avant le grand choc décisif. Il peut même laisser
entendre à Poincaré que l'invasion du Nord n'est pas une certitude.

Les civils restent dans l'ignorance presque totale des événements
de Belgique, qui sont lents à se dessiner. Le 6 août, « le bruit des
batailles de Belgique, dit Poincaré, nous arrive indistinct et confus.
Les informations militaires que nous recevons sont vagues et
contradictoires. On envoie Philippe Berthelot, directeur-adjoint au
Quai d'Orsay, voir le roi des Belges « pour qu'il rapporte des
renseignements précis ». Il a le plus grand mal à remplir sa mission.
Il est arrêté à tous les petits postes par les gardes civiques belges qui
sont en sentinelles sur les routes. Il arrive enfin, annonçant que les
forts de Liège résistent toujours et que les Belges se préparent à
défendre avec acharnement les lignes de Meuse. « Le général
Léman [5], lui a dit le roi, porte sur lui une lettre royale lui prescrivant
de résister jusqu'à la mort. »

– Au besoin, je prendrai moi-même un fusil, a-t-il ajouté.

La France décore, faute de pouvoir aider. Le roi reçoit la médaille
militaire, la ville de Liège, la Légion d'honneur. C'est seulement le
15 août que des renseignements précis arrivent : Liège tient
toujours, mais le général Léman, blessé, est fait prisonnier. Des
cavaliers s'avancent jusqu'à Dinant et Givet. De nouveau, les Belges
demandent de l'aide. Cette fois, Joffre, dit Poincaré, « donne l'ordre
au général Sordet de franchir la Sambre avec ses cavaliers ». Il
apprend, le 17, que le roi des Belges reste à l'armée, mais que sa
famille, avec le gouvernement tout entier, quitte Bruxelles pour
s'installer à Anvers. Il semble que 13 corps d'armée allemands aient
été identifiés le 18 par l'état-major. Ils avanceraient, en trois
armées, sur Namur et Givet. A Poincaré inquiet, Joffre répond que

5. Gouverneur de Liège.

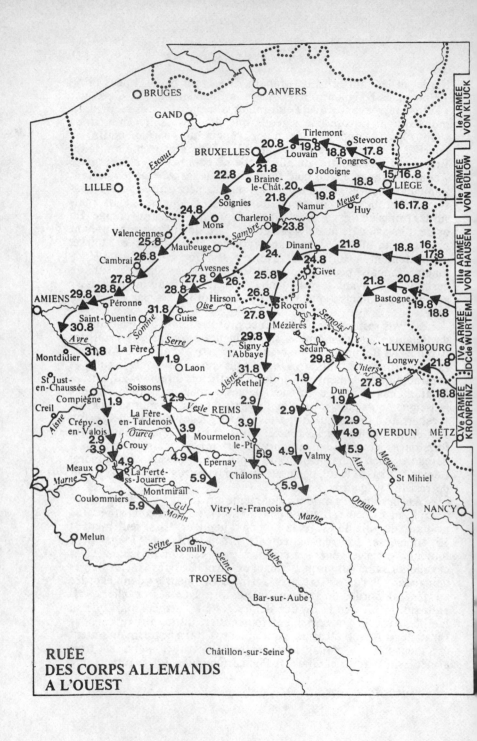

RUÉE
DES CORPS ALLEMANDS
A L'OUEST

« le grand quartier général ne peut naturellement pas savoir si les Allemands ne prendront pas le parti d'interrompre leur marche pour rabattre leur droite face à notre frontière et pour tomber brusquement sur le centre de nos armées ». Pour s'opposer à la ruée allemande, il n'a prévu qu'un mouvement de la 5ᵉ armée et Poincaré se satisfait de ces explications données le jour même où on lui apporte le premier drapeau allemand conquis.

C'est seulement le 20 août qu'on lui annonce la ruée de quatre corps allemands sur la Belgique : ils percent sur la ligne Tirlemont-Waterloo où les Belges n'ont que 50 000 hommes. Le ministre français à Bruxelles télégraphie. « L'armée belge, dit Poincaré, ne peut tenir indéfiniment en rase campagne contre des forces supérieures. » Il reprend, sur ce point, l'analyse de Joffre. Mais sa résistance permet aux Français d'achever la concentration : que demander de plus ? Le colonel Aldebert, qui fait en Belgique des reproches aux Belges, ne garde pas son poste d'attaché militaire, il est muté aux armées. Que les Belges se replient sur Anvers est normal, estime-t-on à Paris. Quant à l'occupation de Bruxelles, « si pénible qu'elle soit, elle n'est pas militairement un désastre ». Ainsi en juge Poincaré. Quand, de Lille, le 21 août, lui parviennent des messages angoissés – « le bruit court que les Allemands s'avancent en masse sur Mons et Charleroi » –, il n'a pas de réaction, il fait toujours confiance au plan Joffre, au plan n° 17, celui qui mise sur une grande offensive sur le Luxembourg. La troisième carte du généralissime..

Le haut commandement allemand avait pris son temps. Il faisait dépendre l'invasion de la Belgique de la neutralisation du verrou de Liège. Pendant que les troupes spéciales s'acharnaient sur les forts, les corps d'invasion avaient toute latitude pour se préparer minutieusement à la frontière. Moltke attachait à Liège la plus grande importance. Il avait détaché sur place auprès du général von Emmich, chargé de l'opération, le premier quartier-maître de l'armée, le major général Ludendoff. Liège avait été attaquée dans la nuit du 5 au 6 août. L'attaque de nuit ayant échoué, elle avait été reprise la nuit suivante. Von Emmich était entré dans Liège le 7 août au matin, le commandement allemand accusait déjà la population civile d'avoir tiré sur ses troupes. Ludendorff avait dû prendre le commandement de la 14ᵉ brigade d'infanterie dont le chef avait été tué. La ville était prise, mais non les forts.

La préoccupation de l'état-major était que la prise de Liège, nécessairement différée, n'affectât pas l'ordre des troupes d'invasion. On était sans nouvelles de von Emmich. On chargea le général de cavalerie von Einem de rétablir le contact, et l'on mit en place les unités de la 2ᵉ armée sur ses « routes de marche, ainsi qu'il était prévu, au 12ᵉ jour de la mobilisation, conformément à l'instruction sur la concentration⁶ ». L'ordre est de « se porter en avant le 13 août », même si les forts ne sont pas tombés. On contournera Liège par le sud et l'artillerie d'attaque fera le nécessaire.

Cette artillerie est en place dès le 12. L'avancée de ces mortiers de 420, capables de percer les plus grandes épaisseurs de béton armé, est un événement de première grandeur. Ils sont tractés par des engins à vapeur qui font un bruit terrifiant, ils avancent lentement sur les routes. Mais quand ils sont en place, les forts tombent. Le 14 août, la rive droite de la Meuse est conquise; le lendemain, d'autres forts sont pris. Trois corps d'armée ont été retardés d'une semaine. A partir du 15 août, la 2ᵉ armée peut prendre les routes de l'invasion au grand complet, aux côtés de la 1ʳᵉ. Le 16 août à midi, les derniers forts de Liège sont réduits.

La Belgique continue à résister. L'armée se concentre sur la ligne Anvers-Louvain-Namur. Elle a contre elle la Garde prussienne et trois corps d'armée, dont un de réserve, le Q.G. de la 2e armée étant à Liège. Une autre armée, la 3ᵉ, est à pied d'œuvre à la frontière. Elle avance à partir du 17 vers Givet, parce que Joffre a mis en mouvement le corps Sordet pour protéger son flanc gauche des forces d'invasion. La cavalerie prend pour objectif les hauteurs à l'est de Dinant. Le 17, elle n'a pas dépassé l'Ourthe. Avec des moyens importants, la 1ʳᵉ armée attaque le 18, dans la direction de Bruxelles, le nord de l'armée belge concentrée derrière la Gette. Cette petite armée, qui n'a aucune artillerie lourde et peu de mitrailleuses, résiste de son mieux, mais ne peut faire de miracles : ayant recueilli les rescapés du siège de Liège, elle fait retraite sur Anvers. Le 18 août, la 1ʳᵉ armée allemande est à Tirlemont. Aussitôt, les unités d'artillerie lourde qui avaient écrasé Liège sont dirigées sur Namur par les deux rives de la Meuse. Le général d'artillerie von Gallwitz est chargé du nouveau siège avec l'appui du corps de réserve de la Garde prussienne. Il a à sa disposition, outre les monstres de Liège, les obusiers lourds de campagne du 11ᵉ corps d'armée, les mortiers de 210 et 4 batteries de 305 autrichiens.

La marche sur Bruxelles de la 1ʳᵉ armée n'était plus contrariée. La ville était prise sans résistance le 20 août. « Je lui avais adressé, dit Moltke, une lettre dans laquelle je la menaçais des sanctions les plus sévères en cas de résistance. » Les Allemands devaient faire vite : ils craignaient l'acheminement de renforts anglais sur Anvers, et de français sur Namur.

Ils ne pouvaient mesurer au juste l'importance des forces françaises sur la Sambre. Elles étaient en fait négligeables : personne d'ailleurs en France, jusqu'au 18 août, ne savait au juste où les Allemands se trouvaient en Belgique. Le corps de cavalerie Sordet, qui avait lancé un raid sur Liège, avait trouvé le pays « vide

6. Moltke : *Mon rapport sur la bataille de la Marne*, Paris, 1930.

d'Allemands », et affirmé qu'Arlon était libre. L'état-major pouvait penser que la résistance de Liège avait découragé pour un temps les forces d'invasion. Le jeudi 20 août, aux dires du correspondant de guerre italien Luigi Barzini, « les chemins de fer français rétablissaient le service des trains express entre Paris et Bruxelles ». Il n'y avait pas de troupes françaises à l'ouest de Maubeuge. On pouvait encore croire que la guerre se déroulerait à l'Est.

Pour en avoir le cœur net, Barzini prend son billet à la gare du Nord. Il ne sait pas encore que Bruxelles est tombée. Il est arrêté dans son voyage à 15 kilomètres seulement de la ville. Il ne sait pas que, dans la gare de Hal, il peut voir arriver les Allemands d'une heure à l'autre. Il est surpris de n'avoir aperçu, de la fenêtre de son compartiment, « aucune concentration, aucun mouvement » en France le long de la frontière. « Les stations comme les villages dormaient dans la solitude, surveillés par un piquet de territoriaux. » En Belgique, le calme est encore plus impressionnant : les paysans moissonnent, les cheminées d'usine crachent leur fumée, pas un soldat, pas une sentinelle. Quelques drapeaux sur les bâtiments officiels, comme pour une kermesse.

Mais, tout à coup, les uhlans sont signalés, c'est la panique! Le train repart vers la France, envahi par les pèlerins qui étaient venus prier, à l'occasion de la mort du pape, la vierge de Hal. Personne à la station frontière de Blandain, juste avant Lille. Barzini est stupéfait : « les portes sont ouvertes ». En Belgique, on parle des « armées introuvables » qui « marchent la nuit et se cachent le jour ». Mais les Allemands ont franchi la Meuse à Huy et sont entrés dans Bruxelles, c'est une certitude. Que font donc les Alliés?

Ils sont perplexes. Les reconnaissances aériennes effectuées en permanence sur la Belgique, les missions des dirigeables *Adjudant Réau* et *Adjudant Vincenot*, rendent surtout préoccupante, aux yeux de Joffre, la situation dans le Luxembourg belge. Craint-il une attaque sur Sedan? Il ne croit pas, en tout cas, à un déferlement des armées allemandes sur le Nord. Au demeurant, il ne souhaite pas y livrer bataille, car il sait que l'armée anglaise a des retards dans sa concentration : elle ne sera finalement opérationnelle que le 26 août. Il se réjouit de ce que les Allemands ne soient pas encore prêts et s'attardent à hauteur de Liège. Sa seule inquiétude vient des mouvements de cavalerie repérés par l'aviation vers Neufchâteau et Arlon. Les représentants de l'état-major à Bruxelles confirment cette impression : le 10 août, ils tiennent les combats de Tirlemont pour des « manœuvres d'intimidation ». On envoie le dirigeable *Fleurus* pour étudier, sur Neufchâteau, les mouvements des deux divisions de cavalerie allemandes. L'arrivée des uhlans sur la Meuse, au sud de Namur, produit une intense émotion. Joffre décide aussitôt de pousser la cavalerie française, et même le

4ᵉ groupe de réserve, sur Givet et Dinant. Lanrezac demande beaucoup plus : il l'obtient enfin. De Bruxelles, des renseignements laissent prévoir une poussée très forte dans la région. N'y a-t-il pas déjà plus de 10 000 Allemands dans Arlon ?

— Il faut transporter toute la 5ᵉ armée entre Sambre et Meuse, dit Lanrezac.

Joffre lui accorde l'autorisation d'élargir son dispositif sur sa gauche : déjà les Allemands marchent sur Dinant. Il faut à tout prix garder les ponts de la Meuse. La 5ᵉ armée se portera avec le gros de ses forces sur Philippeville et Marienbourg, prête à défendre Dinant. Tel est le dernier mot du général en chef qui ne croit toujours pas à une attaque massive des Allemands de Bruxelles vers Paris.

Faire traverser un pays hostile à des armées nombreuses et pressées, tel est désormais le problème de l'état-major allemand. Les Français ont longtemps pensé — et l'avance des éléments de la 3ᵉ armée allemande dans le Luxembourg belge les conforte dans cette opinion — que leurs ennemis se contenteraient d'une « violation restreinte » de la Belgique : ils attaqueraient de Dinant à Longwy, dans l'axe de Sedan. Leur aile droite n'avait pas assez de forces, croyait-on à Vitry-le-François, pour envisager un parcours plus à l'ouest. D'ailleurs, la « violation restreinte » serait moins grave du point de vue international, moins menaçante pour l'Angleterre.

C'était sous-estimer la volonté de Moltke d'en finir vite. Le plan Schlieffen reposait sur la défaite très rapide des Français ; Moltke avait 6 semaines et 3 armées pour en venir à bout. Soit 12 corps d'armée, 600 000 hommes pour la seule 1ʳᵉ armée de von Kluck et la seule 2ᵉ armée de von Bülow. Avec la 3ᵉ armée de von Hausen et le soutien de la 4ᵉ armée du duc de Wurtemberg qui envahit le Luxembourg, c'est plus d'un million d'hommes casqués et bottés qui vont franchir le territoire de la petite Belgique, qui compte un peu moins de 7 millions d'habitants. Von Kluck a des ordres pour porter sa 1ʳᵉ armée le plus vite possible de Bruxelles vers Mons et la frontière française, à travers des campagnes presque totalement dégarnies de troupes. Von Bülow doit avancer vers Charleroi, cependant que von Hausen va prendre position sur la ligne Dinant-Namur, avec le soutien du duc de Wurtemberg. Ainsi, toute la Belgique est traversée par les troupes allemandes.

Le chef de la section « opérations » de l'état-major général explique que les armées d'invasion ne peuvent profiter du réseau de chemins de fer belge. « Les Belges, dit Tappen, avaient détruit complètement leurs voies ferrées, ainsi que nous nous y attendions. » La grande majorité des corps d'armée marche au pas et couche dans les granges, dans les maisons des villages belges. C'est à marche forcée qu'ils se déplacent vers le sud. L'armée von Kluck est le

15 août à Tongres, le 17 à Saint-Trond, le 18 devant Tirlemont :
20 kilomètres par jour environ, mais c'est encore la période des
combats. La cadence de l'invasion va s'accélérer : le 19, l'armée a
dépassé Louvain, 30 kilomètres. Le 20, elle fait 50 kilomètres et
contourne Bruxelles. Une vingtaine de kilomètres le 21, 40 le 22, et
50 le 23 où la frontière est atteinte au sud-ouest de Mons. Soit, en
8 jours, près de 200 kilomètres. Même les chevaux sont épuisés.

Les généraux sont furieux des destructions opérées par l'armée
belge dans sa retraite. En entrant à Visé, ils avaient fait distribuer
des tracts à la population : « Ils nous faut le chemin libre,
disaient-ils; des destructions de ponts, de tunnels, de voies ferrées
devront être regardées comme des actions hostiles. » Dans sa
proclamation du 9 août, von Bülow affirmait qu'il « sévirait contre
toute tentative de la population d'opposer de la résistance aux
troupes allemandes ou de porter tort à nos intérêts militaires. » Les
bourgmestres des régions envahies avaient aussitôt averti leurs
concitoyens, tel celui de Hasselt : « Vous vous abstiendrez surtout
de sévices contre les troupes allemandes, et notamment de tirer sur
elles. Dans le cas où des habitants tireraient sur des soldats de
l'armée allemande, le tiers de la population mâle serait passé par les
armes ». A Namur, le 25, Bülow montrait plus de rigueur encore :
trois jours plus tôt, à Andenne, il avait fait fusiller, de son propre
aveu, cent personnes. A Namur, il menaçait de travaux forcés en
Allemagne tous ceux qui ne livreraient pas les soldats belges et
français, et de mort les détenteurs d'armes et d'explosifs. Dans
chaque rue, dix otages seraient saisis et fusillés au premier attentat.
Il était interdit de circuler dans les rues après 8 heures, et de fermer
à clé les portes des maisons.

Ces mesures très strictes furent appliquées par les commandants
d'unités avec la dernière rigueur : au moindre incident, les
Allemands accusaient les Belges d'entretenir sous leur toit des
francs-tireurs, notamment dans Liège et aux principales étapes de la
marche sur Bruxelles, mais aussi dans le Sud du Luxembourg belge
dont les villes et villages furent ravagés par le passage des troupes :
incendies, pillages, violences, exécutions sommaires, notamment à
Arlon où furent fusillés publiquement plus de cent otages pris à
Ethe et à Rossignol.

Une commission d'enquête créée par le roi le 8 août, à l'heure des
premières violences, s'efforça de dresser le « livre rouge » de la
violation du droit des gens tel qu'il avait été défini avant la guerre à
La Haye. Les principales étapes de la marche de la 1ʳᵉ armée étaient
sanglantes : à Aerschot et dans sa région, le 18 août, quarante
hommes avaient été passés par les armes. Le bourgmestre Tielmans
et son fils, accusés d'avoir tué un officier supérieur, étaient
naturellement fusillés. Deuxième étape : Diest; incendies de villages, exécution d'otages. Troisième étape : Louvain; le bourgmestre,

le sénateur Van der Kelen, le vice-recteur de l'université, le curé doyen, les magistrats, les échevins sont retenus comme otages. Des armes sont saisies, les logements et les vivres réquisitionnés. Beaucoup d'habitants ont quitté la ville et le bourgmestre a exhorté la population au calme. Manteuffel, qui commande la place, exige aussitôt le paiement d'une indemnité et fait saisir l'encaisse des banques. Pas un citoyen de Louvain ne manifeste, tous restent dans leurs maisons quand l'armée allemande triomphante défile en chantant dans les rues. Mais, le 28 août, des coups de feu éclatent. Sans doute un obscur engagement entre des troupes allemandes repoussées d'Anvers par les Belges et d'autres troupes en marche, venant de Liège. 10 morts allemands. L'origine des coups de feu est douteuse. Mais, aussitôt, les mesures de répression sont prises : la ville flambe, 75 otages entassés dans des wagons à bestiaux partent pour Cologne. D'autres sont envoyés sur la route de Bruxelles. Une vingtaine sont fusillés sur place. Les habitants marchent vers Tirlemont le 27, en un sinistre cortège de 10 000 personnes. Les Halles universitaires, le Palais de justice, plus de 800 maisons sont la proie des flammes.

Louvain devient, pour la propagande française et anglaise, le symbole de la « barbarie » allemande ! Une des plus belles bibliothèques d'Europe a brûlé. Pour la propagande allemande, la résistance des Belges et l'assassinat de soldats par traîtrise renforce le mythe du franc-tireur et incite des chefs d'unités, qui poursuivent leur route vers la France, à une rigueur accrue. Les méthodes de terreur utilisées en Belgique rappellent dans tous leurs horribles détails celles dont les villages de Lorraine ont été victimes. Le départ des Belges en exode engendre le phénomène de propagation de la terreur par les récits des survivants. Ainsi, l'arrivée des troupes allemandes est précédée, en France du Nord, par une telle réputation de brutalité et même de cruauté (on dit que les Allemands coupent les mains des enfants) qu'elle provoque un exode des civils sur les routes et dans les gares. Les appels au calme et au sang-froid prodigués par l'autorité militaire française sont impuissants devant l'amplification de la rumeur.

Le 22 août, alors que les uhlans sont en vue de Mons, la grande bataille que l'armée française veut livrer à l'ouest du camp retranché de Metz est en train d'échouer. Joffre a maintenu beaucoup de forces disponibles pour cette manœuvre destinée à obliger les corps d'armée allemands de Belgique à infléchir leur route vers l'ouest de Metz et à livrer bataille sur le terrain choisi par les Français au lieu de poursuivre leur invasion du Nord. Ce calcul de Joffre a échoué. La troisième grande bataille des frontières est perdue.

De Vitry-le-François, il avait envoyé l'ordre à Ruffey, qui

commandait la 3ᵉ armée, de se tenir prêt à foncer sur Briey et Longwy. Cette armée, qui venait de Châlons, comptait plus de 230 000 hommes et 80 000 chevaux. Elle avait à sa disposition 147 batteries et représentait, avec sa division de cavalerie (cuirassiers de Saint-Germain et de Rambouillet, dragons de Melun et de Fontainebleau) une masse d'intervention imposante. Elle était renforcée dans son attaque par la 4ᵉ armée du général de Langle de Cary, qui devait se porter sur Sedan avec ses 155 000 fusils et le célèbre « corps colonial ». La première division de cavalerie du général Sordet, avec ses 72 escadrons, ses 9 batteries et son escadrille d'avions Blériot, devait éclairer l'offensive.

La division Sordet avait été la première à entrer en Belgique. Le 6 août, le cuirassier comte Tony de Vibraye avait salué, partant de Sedan, le drapeau belge accroché à la branche d'un sapin de la frontière. Il était passé par Bouillon, acclamé par la population. Dix-huit régiments allaient s'efforcer d'éclairer l'état-major sur la marche des armées allemandes, cependant que deux régiments d'infanterie, transportés en autobus et en camions, étaient chargés de garder les ponts de la Meuse, de Vireux à Dinant. Un raid avait été lancé sur Liège, les chevaux trottant à raison de 10 km/h en moyenne. 10 000 chevaux parcoururent ainsi, sous une chaleur caniculaire, 200 kilomètres en trois jours. Au terme de cette randonnée, il avait fallu remplacer plus de 15 000 fers. Les bêtes étaient harassées, les hommes morts de faim. Namur, Tirlemont, Neufchâteau, Dinant... les cavaliers de Sordet avaient fini par prendre position, le 20 août, à l'ouest du canal de Charleroi, sans pouvoir davantage livrer bataille. On leur avait donné pour mission d'attendre et de protéger les premiers débarquements de l'armée anglaise.

Joffre savait désormais que les groupes allemands marchaient tous d'est en ouest, et que la 3ᵉ armée seule, peut-être renforcée par la 4ᵉ, risquait d'attaquer sur la Meuse. Elle était bientôt identifiée vers Dinant. Dès lors, la décision de Joffre était prise : la 3ᵉ armée de Ruffey devait rechercher le contact de l'ennemi beaucoup plus au nord, et s'avancer en Belgique sur Neufchâteau. Les aviateurs anglais étaient formels : au moins six corps d'armée avaient traversé Bruxelles, avec trois corps de cavalerie. Les Allemands attaquaient par le nord.

Il fallait les bousculer, déranger leur plan d'invasion. « Une armée – télégraphiait le préfet de la Meuse – était entrée en Belgique, venue du Luxembourg, par Arlon, elle avait défilé en masse pendant des heures entières. » Très bien, dit Joffre, c'est donc là qu'il faut attaquer. Ruffey et de Langle de Cary marcheront vers le nord, soutenus par Lanrezac qui, avec sa 5ᵉ armée, surveillera le front à l'ouest de Namur. Le 22 août, trois corps d'armée de Ruffey s'ébranlent par un brouillard opaque, dans une région boisée. Les hussards d'Alençon, commandés par le colonel de Hautecloque, éclairent la marche. Un peu après Virton, où les convois d'artillerie encombrent les ruelles étroites, les têtes de colonne sont surprises par le feu allemand. Le colonel du 130ᵉ régiment de Mayenne vient d'être tué. Les Parisiens de la division du général de Trintinian ne peuvent se maintenir dans le village d'Ethe. L'attaque du 4ᵉ corps a échoué.

Celle du 5ᵉ, plus à l'est, n'est pas plus heureuse. Elle est aussi gênée par le brouillard, qui empêche toute canonnade et le repérage par avion. Les « pantalons rouges » d'Orléans, de Montargis, de Paris et de Coulommiers se font tuer par milliers devant les mitrailleuses allemandes bien protégées, par des fantassins grisâtres dissimulés dans des tranchées. Bientôt les munitions manquent, car les chemins d'accès n'ont pas été dégagés. Les Français tombent par lignes entières. Quand le brouillard se dissipe, l'artillerie allemande prend avantage sur les batteries françaises, et l'ensemble du corps doit se retirer. Le 6ᵉ corps, commandé par Sarrail, devait avancer à l'est de Longwy : il n'y parvient pas davantage ; le feu croisé des canons lourds allemands, les positions retranchées de l'infanterie l'en empêchent. Il faut que Grossetti, le vigoureux chef d'état-major de la 3ᵉ armée, rende lui-même visite au général Bonin, dont les troupes sont en retraite vers la Chiers, pour que s'arrête la débandade. Ruffey envisageait une retraite générale. On lui prescrit de poursuivre l'offensive le 23.

Pourtant, l'attaque n'aura pas lieu ce jour-là. Le général Ruffey tire les leçons de l'expérience : les unités du 5ᵉ corps sont épuisées, celles du 6ᵉ ne valent pas mieux. Il rend compte à Joffre qu'il ne peut envisager de poursuivre sans reposer ses troupes. Au reste, il faut changer de méthode : « On ne peut admettre, écrit Ruffey, les charges à la baïonnette dans les conditions où elles se sont produites ici la plupart du temps. La journée du 22 a été meurtrière. Il ne faut désormais attaquer qu'après une solide préparation d'artillerie ». Il fait, en somme, la même analyse que le chef de la 2ᵉ armée voisine, le général Curières de Castelnau.

En outre, Ruffey s'est aperçu qu'il avait devant lui des unités de la 5ᵉ armée commandée par le Kronprinz en personne. Il demande le renfort de cette « armée de Lorraine » que Joffre vient de constituer avec des régiments de réserve commandés par Maunoury. Joffre refuse : la mission de la nouvelle armée, dit-il, « est avant tout d'empêcher l'ennemi de passer entre Toul et Verdun ». Dans ces conditions, Maunoury n'envoie qu'une seule division en renfort : est-ce suffisant pour obtenir la décision, avec les régiments parisiens fatigués qui se sont débandés après l'attaque ?

Les chances de dégager la place de Longwy, où résistait une garnison de 3 500 hommes commandés par le colonel Darche, étaient de plus en plus minces. Le 21, le vieux fort de Vauban avait subi un très sérieux bombardement. Au moment où Joffre lançait l'offensive de ses 3ᵉ et 4ᵉ armées, de l'autre côté de la frontière, le Kronprinz, en bombardant Longwy, préparait sa propre offensive, prévue pour le 22 août. Impatient de se couvrir de lauriers, il avait obtenu l'ordre d'attaque de Moltke. L'épais brouillard avait empêché les missions de reconnaissance de rendre compte des concentrations. Les raids de la 5ᵉ division française de cavalerie, trop timides, n'avaient nullement contrarié les mouvements de l'armée du Kronprinz.

Comme en Lorraine, Joffre demanda des têtes. Le général Gillain, qui commandait cette belle division inutilisée de cuirassiers et de dragons, fut écarté de son commandement : il n'avait pas été, disait-on, en mesure d'informer le général Sarrail, commandant les excellentes troupes du 6ᵉ corps d'armée, qu'il allait trouver devant lui *trois* corps allemands et combattre dans des conditions d'infériorité manifeste. Le général Brochin, qui commandait le 5ᵉ corps, était déplacé. Son divisionnaire Martin, rendu responsable de la défaillance des régiments d'Orléans, de Blois, de Montargis et d'Auxerre, n'avait pas su retenir ses troupes en débandade, surprises au lever du brouillard sans aucune protection d'artillerie sur un plateau dénudé par les tirs précis des Allemands. C'est Grossetti, chef de l'état-major de l'armée, qui avait dû lui-même récupérer les fuyards. Le général Brochin était alors introuvable. Quant au général Auger, qui commandait la 10ᵉ division parisienne, il était quasiment prostré : « J'étais, écrira-t-il plus tard au ministre, dans un état de fatigue cérébrale qui ne me permettait plus d'exercer mon commandement comme il convient [7] ». Surmené aussi, le général de Lartigue, qui commandait la division du Mans. Ruffey devait demander sa mutation. Bien qu'il fût jeune (57 ans) et d'un grand courage physique, il avait lancé les fantassins de Laval et du Mans à l'attaque de positions allemandes moins nombreuses mais bien retranchées : 700 hommes par régiment étaient hors de combat. Au régiment de Mayenne, il ne restait qu'un bataillon ! Trintinian, qui commandait la division parisienne, n'était pas davantage ménagé : ce bel officier, coqueluche des revues parisiennes pour l'élégance de son uniforme et ses fontes en peau de léopard, est accusé d'avoir laissé surprendre ses brigades « dans les fonds où se trouvait le village d'Ethe, sans avoir attendu que le 14ᵉ hussards ait reconnu les abords des forêts avoisinantes ». Il devait être, un peu plus tard, l'objet d'une mutation.

Les commandants d'unités de la 4ᵉ armée ne devaient pas être plus heureux au combat. Pourtant, elle était nombreuse et n'avait devant elle que des unités aux effectifs inférieurs. Elle combattait

7. Rocolle, *op. cit.*

sur le terrain difficile, il est vrai, des Ardennes. Comme le fait remarquer Rocolle, le terrain n'était pas moins difficile pour les Allemands : « L'armée du duc de Wurtemberg (4°) n'avait qu'un couloir de 35 kilomètres, entre les 3° et 5° armées allemandes, pour faire avancer ses trois corps actifs et ses deux corps de réserve ». Elle ne pouvait opposer aux Français que les trois premiers corps, et de Langle de Cary disposait, en face, de cinq corps et demi, au moins dix divisions opérationnelles, avec le renfort de deux divisions de cavalerie. Cependant, l'attaque est mal préparée, mal éclairée. Les cavaliers signalent vers Neufchâteau, but de l'opération, la présence de deux divisions allemandes. Le corps colonial, qui aura pour mission d'attaquer Neufchâteau, néglige cet avertissement et s'avance en confiance. On sait que l'état-major de la 4° armée allemande vient d'être transporté de Trèves à Bastogne et que le duc de Wurtemberg s'apprête à infléchir son mouvement de l'ouest vers le sud, comme le recommande le plan Schlieffen à toutes les grandes unités. On envoie des aviateurs pour voir s'il a commencé sa conversion. Le moment est bien choisi pour attaquer l'armée ducale. Il faut la bousculer et percer le centre du dispositif allemand. L'attaque de la 4° armée est la clé de voûte du plan Joffre.

Malheureusement, ses unités font mouvement vers le nord à travers des régions boisées, sur des routes d'inégale viabilité et sans liaisons commodes entre elles. La 4° division du général Rabier, qui marche sur Étalle, reste sans liaison, pendant toute une journée, avec le 4° corps à sa droite et le corps colonial à sa gauche. Elle subit seule une attaque venant de l'est, et sa marche est fortement retardée : elle découvre donc, par son retard, le flanc droit du corps colonial, engagé plus loin et plus vite; à l'heure de l'accrochage, celui-ci est déjà à Rossignol.

Dans la forêt de Neufchâteau, les excellents « marsouins » du général Raffanel (3° division) sont arrêtés par des fantassins allemands postés en grand nombre dans les bois. Les renforts ne peuvent lui parvenir, les Allemands ont fait sauter à coups de canons le pont sur la Semoy. Voilà le général pris au piège, obligé de s'enfermer dans Rossignol avec les débris de 5 bataillons, attaqué de front et de flanc, bientôt isolé.

Les marsouins se font tuer. Le général Rondony, qui commande la 3° brigade, meurt au combat, non loin du lieutenant Psichari qui commandait le feu d'une batterie. L'autre brigadier, le général Montignault, est blessé. On voit Raffanel près de la Samoy, un fusil à la main. Son cadavre est identifié le soir. Plus de 10 000 hommes perdus. C'est un désastre. Seule l'avancée du général Leblois sur Termes, bien tardive, permet d'organiser un repli. Dans toute cette affaire, le général Lefèvre, qui commandait le corps colonial, a été débordé, mal informé, incapable d'envoyer à temps des renforts et de transmettre efficacement ses ordres.

L'action du 17ᵉ corps d'armée de Toulouse n'est pas plus efficace. Le général Poline qui le commande a pour mission d'avancer vers le plateau de Bertrix. Les fantassins de Montauban et de Marmande sont écrasés par l'artillerie avant d'avoir pu attaquer « à la baïonnette ». Faute de soutien d'artillerie, le régiment de Toulouse se fait tuer devant Anloy. Toute la journée, les batteries françaises avaient recherché des positions de tir sans pouvoir les installer. La brigade du colonel Huc, avec ceux de Cahors et d'Agen, est envoyée devant les Allemands qui contre-attaquent : elle est décimée par le canon. L'ordre de repli est donné alors que l'ennemi se garde bien de poursuivre.

A Anloy, la supériorité des Français était de 8 contre 3. Leur échec s'explique uniquement par l'inefficacité totale de leur artillerie. La division de Toulouse avait eu 2 000 tués ou blessés quand elle reçut l'ordre de se replier. La défaillance des artilleurs était aussi responsable de l'échec de la division de Montauban, commandée par le général de Villemejane. Ne sachant où placer leurs pièces, ils s'étaient laissés finalement surprendre dans la forêt par les Allemands qui contre-attaquèrent en force. Une panique s'ensuivit, décrite par le général Paloque[8] : « Des scènes désordonnées, des voitures emballées, des défaillances individuelles d'hommes sans coiffure, les yeux hors de la tête, sourds à tout ordre, restant ahuris, le regard lointain, plein des plus atroces visions, ne sachant répondre que : « Quel malheur ! ». Le général Poline, qui commande le 17ᵉ corps, est lui-même prostré, atterré. On lui apprend que le régiment de Mirande a perdu son colonel et son drapeau, que le 18ᵉ d'artillerie n'a plus que 8 canons, que le régiment de Montauban a perdu 1 300 hommes. Comme à Rossignol, c'est un désastre. Joffre renvoie immédiatement Poline et le général de Villemejane, qui commandait la 33ᵉ division. Huc, chef de la 65ᵉ brigade, a été tué au combat. Fraisse, le brigadier de la 66ᵉ, sera muté un peu plus tard.

Le général Joffre est furieux : il n'est pas permis de perdre quand on a la supériorité numérique. On lui apprend que le 11ᵉ corps du général Eydoux, qui combattait plus à l'ouest, a également échoué. Il a fait attaquer sans résultat, par les « pantalons rouges » de Brest, un village à la baïonnette; il a lancé ceux de Nantes et ceux d'Ancenis sans préparation d'artillerie dans une charge meurtrière. Il est vrai que les chasseurs de Pontivy, envoyés en reconnaissance, lui avaient dit que la région était « libre ». Ils n'avaient sans doute pas pris la peine d'identifier les fortes colonnes allemandes qui venaient du nord. Encore une occasion manquée.

Très tardivement informé sur la marche de ses unités, le général

---

8. Général Paloque, *Bertrix, la 33ᵉ division*, brochure de la bibliothèque de l'École de guerre.

de Langle de Cary, dans son Q.G. de Stenay, n'apprenait le double désastre qu'en fin de journée, et, le 23, il devait constater le repli presque général. Seul le 12ᵉ corps, de Limoges, était intact, mais il se trouvait dans une position dangereusement avancée. Il fallait à l'évidence lui ordonner le repli. Mais Joffre ne l'entendait pas de cette oreille. Il exprimait sa « surprise » au général d'armée : « L'ensemble des renseignements recueillis, lui dit-il, ne montre devant votre front que trois corps ennemis environ. Par suite, il vous faut reprendre l'offensive ». Comment de Langle de Cary pourrait-il obéir, avec le corps colonial désorganisé, le 17ᵉ corps décimé et le 11ᵉ corps en retraite ? Même le général Roques, du 12ᵉ corps, lui écrit : « J'ai le devoir de vous dire, après examen très attentif de l'état physique des hommes, que le 12ᵉ corps a besoin de toute la journée de demain pour se remettre ».

Nulle part l'offensive n'a pu être reprise. De Vitry-le-François, Joffre croyait surprendre le centre de l'armée allemande. Mais, sur le terrain, faute d'avoir pris les précautions essentielles, ce sont les chefs d'unités français qui furent surpris, ici comme ailleurs, par l'étonnante efficacité des troupes du vieux Moltke.

Tout le poids de l'invasion portait désormais sur la gauche du dispositif français, et Joffre n'avait plus d'autre ressource que de se garder face à la Belgique. L'échec presque simultané des armées de l'Est le soumettait totalement aux conséquences du plan Schlieffen. Pour contenir la ruée allemande, il n'avait à proximité que la 5ᵉ armée de Lanrezac, et l'espoir d'une arrivée rapide des Anglais.

Lanrezac, le 21, obtient enfin l'autorisation de porter ses corps d'armée vers le Nord. Certes, Joffre avait pris des mesures préparatoires : le 13 août, il avait affecté à l'armée Lanrezac deux unités supplémentaires venues d'Algérie, la 37ᵉ et la 38ᵉ divisions. Il avait également dirigé vers la 5ᵉ armée le corps de cavalerie Sordet, il est vrai très fatigué, et le 4ᵉ groupe de divisions de réserve. La frontière du Nord était gardée par les quatre divisions territoriales du général d'Amade et le 18ᵉ corps avait reçu des instructions pour s'embarquer en chemin de fer : pris à la 2ᵉ armée, ce corps d'armée de Bordeaux, commandé par le général de Mas-Latrie, n'avait pas jusqu'ici beaucoup souffert. Il compensait la perte du 2ᵉ corps qui avait été affecté à l'armée de Langle de Cary.

Lanrezac avait vu assez vite clair dans le dispositif allemand. Il avait donné l'ordre à son 1ᵉʳ corps d'armée de se trouver dès le 14 très au nord, dans la région de Philippeville, pour accrocher l'ennemi et, si possible, lui interdire le franchissement de la Meuse. Le 14 août, il s'était lui-même rendu au G.Q.G. de Vitry-le-François pour convaincre Joffre. Il y avait menace d'un « mouvement enveloppant ». Il fallait immédiatement porter la 5ᵉ armée sur l'axe Givet-Maubeuge.

Joffre en était d'autant plus facilement convenu qu'une menace allemande se précisait sur Dinant. Ce jour-même, les ponts d'Anseremme et de Dinant étaient attaqués. Le lieutenant de Gaulle, du 33ᵉ d'infanterie (1ᵉʳ corps d'armée de Franchet d'Espérey) fait partie de cette action. La veille, il a fait 30 km à pied pour arriver à Ostricourt. Il n'a aucun renseignement sur l'ennemi. Ses hommes ont dormi dehors, devant les maisons. Il a fait un dîner « fort gai, quoique médiocre ». Au café, un cycliste est venu l'avertir : les Allemands attaquent!

Le bataillon est à pied d'œuvre à Dinant avant que les Allemands n'arrivent. « Les hommes moulus dorment sur le pavé. » Ils n'ont pas eu le temps de « manger la soupe ». Des compagnies prennent position dans la citadelle. A l'aube, bombardement. « Enfin, se dit de Gaulle, on va les voir! » Sa compagnie est sur une tranchée de chemin de fer, de part et d'autre d'un passage à niveau. De Gaulle est assis sur un banc. Devant lui passent les premiers blessés; pas un coup de canon français, et déjà l'ennemi est manifestement sur la citadelle. Il tire à la mitrailleuse sur le chemin de fer. La citadelle est évacuée, et de Gaulle blessé au genou. Le capitaine, l'adjudant-chef sont aussi touchés. L'artillerie allemande tonne. Il y a « un début de débandade ». « Sur la route couverte de mourants, un concert de lamentations et d'appels au secours. » Enfin les obus français arrivent. Le 73ᵉ de Béthune charge, baïonnette au canon. Le 33ᵉ part à l'arrière : il n'a pas pu donner.

Les chasseurs à pied saxons qui ont réussi à passer le pont sont en retraite, mais Joffre a réfléchi : il faut absolument empêcher les Allemands de franchir la Meuse. Lanrezac avait raison : il faut avancer, tous corps d'armée réunis. Le 18ᵉ corps vient d'embarquer à Toul, il débarquera le 18 entre Avesnes et Hirson pour se concentrer vers Beaumont : une bataille décisive va se livrer, celle de Charleroi. Les Belges se sont retirés vers Anvers, les Anglais ne sont pas arrivés, qu'importe! Il n'y a pas une minute à perdre. Joffre, tout de même, s'inquiète : il sait que Lanrezac a devant lui des forces importantes et qu'il lui faudrait rapidement du renfort. Que font donc les Anglais?

Ils ont prévu d'envoyer 4 divisions d'infanterie et une division de cavalerie, soit 120 000 hommes qui pourraient se concentrer dans la région Hirson-Maubeuge. Deux divisions doivent suivre dès que la défense de l'Angleterre pourra être organisée par le « contingent territorial ». Kitchener, à sa prise de pouvoir, s'était vite rendu compte que ces chiffres étaient dérisoires. Il avait dressé des plans pour lever rapidement une armée de 60 divisions. Dans l'immédiat, il demandait à l'enrôlement 100 000 hommes de plus, qui devaient former les « divisions K ».

Les premières troupes devaient être embarquées sans retard. Des lignes de chemin de fer et des ports avaient été réservés en France, ainsi que des cantonnements. Sur le point de débarquement au front de l'armée anglaise, Kitchener n'était pas d'accord avec Joffre. Amiens était à l'origine prévue. Pourquoi avoir changé le plan initial, pourquoi demander aux Anglais de se concentrer sur Maubeuge? « Rien ne pouvait être pire pour le moral des troupes, dit Kitchener à la réunion au *War Office* du 12 août, que le résultat de leur première rencontre en plus de 50 ans avec un ennemi européen se traduisît par une retraite forcée. » Kitchener connaît bien sir John French, qui a combattu sous ses ordres en Afrique du Sud. « French, écrivait-il jadis au ministre, est de tout premier ordre et il possède la confiance absolue de tous ceux qui servent sous ses ordres, comme il possède la mienne. » Dans les instructions qu'il lui envoie, il lui précise qu' « une grande prudence s'impose » et il ajoute : « Je vous prie de voir très nettement que votre commandement est entièrement indépendant et que vous ne serez jamais, en aucun cas, et dans aucun sens, sous les ordres d'un général allié. » A son quartier général de Cateau, à partir du 17 août, sir John French préparait la mise en place de ses troupes. La veille, il avait rencontré Joffre au G.Q.G. de Vitry-le-François. Il avait également vu Lanrezac à son Q.G. de Rethel. Il avait promis une entrée en ligne rapide de ses corps d'armée.

A son arrivée en France, le général Grierson mourait subitement dans son quartier général de Landrecies. Il fallut le remplacer d'urgence par Smith-Dorrien qui commandait ainsi le 2ᵉ corps, le 1ᵉʳ étant sous l'autorité de Haig. Allenby commandait la cavalerie. Kitchener avait promis l'envoi très rapide, en renfort, d'une division nouvelle, mais il fallait le temps de l'instruire. Dès le 21 août, les « tommies » avaient pris pied dans la région de Maubeuge. Ils s'avançaient au nord vers Mons où les Allemands arrivaient le 23. French avait envoyé son aviation en reconnaissance : il craignait d'être surpris par des forces très supérieures. A peine avait-il disposé ses unités à l'ouest de la Sambre qu'il était attaqué par les premières lignes allemandes : le général Smith-Dorrien devait reculer sous le poids de six divisions de la 1ʳᵉ armée allemande. Sitôt débarqués, les Anglais seraient-ils contraints, comme l'avait prévu Kitchener, de se replier?

A leur droite, ils n'avaient que des cavaliers français et les trois divisions de territoriaux, de vieux soldats commandés par le général d'Amade, rentré d'urgence de l'armée des Alpes. Le 23, les abords de Lille avaient déjà essuyé le feu des patrouilles avancées de uhlans. Ceux-ci avaient chassé à coups de lance les territoriaux qui occupaient Tournai. Si Joffre attendait les Anglais, les Anglais attendaient aussi Joffre : l'armée française devait tenir, entre Sambre et Meuse; sinon, ils repartaient. Il n'était pas question, avait expliqué Kitchener, que le petit corps expéditionnaire anglais tînt tête presque seul à deux ou trois armées allemandes.

Un ordre de la 5ᵉ armée française tombe entre les mains des Allemands. Il est aussitôt expédié par Moltke à Coblence avec le code de déchiffrement du service radio français. Les Allemands savent qu'ils ont devant eux quatre corps d'armée prêts à l'attaque, qui les attendent au sud de la Sambre pour les rejeter sur le fleuve à hauteur de Charleroi-Namur. Le Q.G. de von Bülow est porté à Fleurus, où Moltke lui-même est venu le 22. Ce jour-là, l'aile gauche de la 2ᵉ armée prend solidement pied au sud de la Sambre, cependant que l'armée von Kluck est déjà au contact des Anglais. Les Allemands sont décidés à passer.

Joffre sait parfaitement que Lanrezac aura devant lui la Garde prussienne, les 7ᵉ et 10ᵉ corps d'armée, sans doute le 2ᵉ et le 9ᵉ. Il pressent l'existence, en renfort, du 7ᵉ corps d'armée de réserve. Des colonnes importantes ont été identifiées dans la région de Gembloux et de Fleurus. Une grande bataille va se livrer en Belgique. Les aviateurs français sont formels : ils attaquent!

Lanrezac a fait préparer des positions pour les batteries d'artillerie lourde des 10ᵉ et 3ᵉ corps : cinq groupes pour attendre l'assaut au sud de Charleroi et Châtelet. Le 1ᵉʳ corps de Franchet d'Esperey est à droite, le 18ᵉ de Bordeaux est à l'ouest, sur le cours de la Sambre. Déjà le 10ᵉ corps a dû reculer devant l'attaque de la Garde et d'une dizaine de régiments de la 2ᵉ armée allemande : Defforges, qui commande le 10ᵉ corps, s'est replié sur la bonne position de Fosse. Il annonce à Lanrezac qu'il engagera le combat le 22 « pour rejeter l'ennemi au-delà de la Sambre ». Les Allemands sont parfaitement au courant de son intention.

Defforges et Sauret, qui commandent le 10ᵉ et le 3ᵉ corps, précipitent leur attaque, malgré les conseils de prudence du général d'armée qui n'est que très mal renseigné sur leurs intentions. Le 22, ils avancent leur infanterie vers le nord, abandonnent leurs positions de défense et s'engagent dans le fond de la vallée. Pourtant, des renseignements inquiétants parviennent de l'aile droite de l'armée. Les Saxons du 13ᵉ corps ont attaqué sur la Meuse les ponts de Dinant et d'Anseremme, ils risquent de prendre à revers tous les corps de Lanrezac si la 51ᵉ division française de réserve ne parvient pas à les contenir. Par radio, Moltke a demandé au général von Hausen, qui commande la 3ᵉ armée, d'intervenir dès que possible. Il a promis « d'ouvrir le feu sur la Meuse le 23 au matin ». Il sait qu'il trouvera devant lui, outre la 51ᵉ division de renfort, les deux divisions de Lille et d'Arras, bonnes troupes commandées par Franchet d'Esperey.

Les attaques françaises sur la Sambre échouent. Les zouaves de la 37ᵉ division sont repoussés, les Bretons de Rennes et de

Saint-Sevran sont épuisés, harcelés par les tirs d'artillerie ennemie. Les Normands de la 5ᵉ division, qui comprend le 39ᵉ d'infanterie de Rouen, celui de Dorgelès, doivent aussi se replier. Les Français doivent reculer au-delà de la position qu'ils avaient préparée sur les plateaux de Fosse et du sud de Châtelet. Le 10ᵉ corps a été le plus éprouvé : il a perdu son chef, le général Boé, grièvement blessé. Beaucoup d'officiers sont hors de combat. Lanrezac n'a plus d'espoir que dans le corps d'armée de Bordeaux, le 18ᵉ, qui n'a guère été engagé, et dans l'intervention des Anglais sur son aile gauche. Il sait qu'il va devoir se mesurer à la plus grande masse des troupes d'invasion.

La Garde impériale est en position devant Defforges et Sauret, mais on ne connaît pas exactement les unités qui soutiennent l'attaque décisive du 23 août. On sait que, dans la nuit, les forts de Namur ont été vivement attaqués. Les Belges doivent en sortir, abandonner la ville et gagner, à 7 kilomètres au sud, la position de Bois-de-Villers. On apprend aussi que les Allemands de von Hausen ont réussi à franchir la Meuse au sud de Dinant. L'aile droite risque d'être tournée... Franchet d'Esperey alerte aussitôt Mangin, commandant la 8ᵉ brigade; éclairé par les chasseurs de La Fère du colonel de Guitaut, celui-ci arrive trop tard pour repousser les Allemands au-delà de la Meuse; Franchet d'Esperey doit reculer vers le sud et disposer son corps d'armée parallèlement à la Meuse, pour essayer de contenir von Hausen : la bataille s'engage mal. Il est vrai que les fantassins de Laon et de Givet, commandés par Mangin, parviennent à enlever à la baïonnette le village d'Onhaye, retardant ainsi l'avance allemande.

C'est le 3ᵉ corps, le plus exposé, qui cède le premier, au centre du front. Normands et Parisiens sont enfoncés après une puissante préparation d'artillerie. Leur retraite entraîne celle des Bordelais du 18ᵉ corps. Pour empêcher la destruction complète de son armée, Lanrezac ordonne, pour le 24, une retraite générale à l'aube entre Maubeuge et le massif des Ardennes. Le verrou de Charleroi vient de sauter.

Avec 30 divisions, von Bülow vient de bousculer les 19 divisions de Lanrezac, des Belges et des Anglais. Von Hausen à droite, von Kluck à gauche étaient prêts à envelopper complètement l'armée Lanrezac si elle n'avait pas très vite décroché. Le chef de la 5ᵉ armée française avait appris que de Langle de Cary, sur sa droite, venait de se replier, laissant grande ouverte la porte d'invasion entre Givet et Mézières.

La défaite française était nette, mais les Allemands n'avaient pas réussi une bataille d'anéantissement. Lanrezac échappait, même s'il avait laissé entre les mains de l'ennemi 4 000 prisonniers, 35 canons et des drapeaux qui allaient illustrer les parades de Berlin. Toutes les armées françaises étaient en retraite. Moltke pouvait donner son

« ordre de poursuite ». « Dans les six semaines [prévues par le plan Schlieffen], toute cette histoire-là sera liquidée », disait-il à son chef d'état-major von Tappen. Confiant dans l'issue de la guerre, il laissait trois divisions devant Maubeuge et remettait quatre divisions, dont la Garde, à disposition de la Direction suprême pour qu'elle puisse désormais les utiliser à l'Est.

Les imprudences des commandants d'unités avaient sans doute été responsables, non de l'effondrement qui avait des causes stratégiques, mais des pertes inutiles au début de la bataille : était-il utile d'engager les régiments venus d'Algérie, au matin du 22 août, devant les mitrailleuses et les positions allemandes installées dans la vallée? Le 2e zouaves, chargeant en rangs compacts, perdit ce jour-là beaucoup de ses effectifs. Quelques heures plus tard, ce fut le tour du 1er zouaves et du 1er régiment de tirailleurs algériens. Plus de 1 000 turcos trouvèrent la mort dans les charges à la baïonnette. Le général qui commandait la 19e division de Rennes était un colonial surnommé « Sème-la-mort ». Il n'était pas ménager de ses hommes. Joffre devait « limoger » Sauret, le commandant du 3e corps, « introuvable au moment le plus critique de la journée ». Sans le général Rouquérol, commandant de l'artillerie, le corps tout entier aurait été perdu : « En l'absence des divisionnaires du corps d'armée, avait-il dit en plantant son fanion au bord de la route, je prend le commandement. » La guerre avait révélé les vrais chefs, écarté les défaillants. Mais elle avait déjà fait des milliers de victimes sans que la Belgique et le Nord de la France aient pu échapper à l'invasion. 130 000 hommes étaient tombés dans les seules journées des 20, 21 et 22 août. Le plan Schlieffen avait fait ses preuves : les Allemands étaient aux portes. Ils n'avaient plus qu'à entrer. Toutes les offensives de l'armée française, d'un bout à l'autre du front, avaient échoué.

4

La Marne

*Depuis le 24 août, les armées françaises sont en retraite,
assaillies par trois armées allemandes venues du nord et du
nord-est. Les deux premières, de von Kluck et von Bülow,
menacent Paris.*

*Joffre crée une nouvelle armée, la 6ᵉ, confiée à Maunoury,
avec des troupes venues de Lorraine. Il la rassemble dans la
région parisienne, pour qu'elle puisse attaquer von Kluck sur
son flanc droit. Il va créer une autre armée, la 9ᵉ, confiée à
Foch, pour empêcher les Allemands de percer au centre. Il a
décidé – obtenant sur ce point l'accord des Anglais – de
résister sur la Marne et de lancer une contre-offensive avec
ses troupes épuisées par douze jours de retraite.*

*Le 31 août, il apprendra que les Russes viennent de subir à
Tannenberg une très grande défaite. La responsabilité de la
guerre pèse désormais totalement sur ses épaules. Il sait
qu'il peut compter, à Paris, sur l'appui total de Gallieni qui
commande le camp retranché.*

*La bataille de la Marne commence le 6 septembre et se
livre sur un front de près de 200 kilomètres, de Creil à
Vitry-le-François. Elle se termine le 9 au soir. C'est le 10 au
matin que Joffre constate la retraite de ses ennemis qui se
replient, sans trop de désordre, sur l'Aisne. Cette victoire
« incontestable » lui revient incontestablement.*

Vitry-le-François, le 24 août. Les gens de liaison, les estafettes, les
voitures de généraux se succèdent : c'est la fièvre. Les nouvelles des
armées sont mauvaises. Castelnau se bat devant Nancy, Dubail s'est
replié sur la ligne Lunéville-Saint-Dié, Ruffey et de Langle de Cary
ont battu en retraite. Dans le collège qui sert de quartier général, le
seul à garder son calme est le général Joffre.

Sous la chaleur torride, il demande à Gamelin, son plus proche collaborateur, de faire venir le lieutenant-colonel Dupont, chef du 2ᵉ bureau. Il veut savoir au juste ce que prépare l'ennemi. Comment faire le point, en pleine retraite? Le 3ᵉ bureau, qui assure la liaison avec les armées, ne sait plus où donner de la tête. A peine arrivées, les informations s'avèrent dépassées. Le général Berthelot, premier aide-major général, demande à Joffre de nouvelles directives. Mais le général en chef n'a qu'une obsession : préparer les arrières pour recevoir et reconstituer les unités débandées. Il fait venir Laffon de Ladébat et lui demande d'étudier soigneusement l'accueil et les étapes.

Au mur de son bureau, Gamelin vient de mettre à jour la grande carte du front, au 1 200 000ᵉ, en tenant compte des renseignements de la nuit. La 5ᵉ armée a reculé sur la ligne Maubeuge-Valenciennes, ce n'est pas encore trop grave ; pourvu que Maubeuge tienne! « Nous sommes condamnés, bougonne Joffre, à une défensive appuyée sur nos places fortes. » Il appelle Ragueneau, le lieutenant-colonel chargé à son état-major des questions de transports. Joffre est un officier du génie. Pour lui, la guerre est d'abord un problème de régulation ferroviaire. « Préparez immédiatement un plan de transport du 7ᵉ corps d'armée d'Alsace vers le Nord », lui dit-il.

Il retourne devant la carte avec Berthelot. L'armée de Lorraine doit s'appuyer solidement sur Verdun, et plus à l'est sur le Grand-Couronné de Nancy. Il faut préparer la retraite des 3ᵉ et 4ᵉ armées et les organiser sur des positions défensives. Maubeuge doit tenir, pour abriter et soutenir la retraite de Lanrezac. A l'ouest, les Anglais se replieront sur Cambrai. Que sont devenues leurs deux divisions supplémentaires? De Londres, l'attaché militaire de La Panouze a télégraphié que leur arrivée était très douteuse dans l'immédiat. Cinq divisions belges défendent Anvers où se sont réfugiés le roi et sa famille. Les troupes de Namur se replient sur Marienbourg.

Faut-il défendre Lille? Le gouvernement l'a déclarée ville ouverte. Joffre donne pour directive de faire sauter, dans la retraite, toutes les voies de chemin de fer dans le Nord et de s'établir sur une ligne Valenciennes-Arras. Deux divisions de réserve doivent y prendre position immédiatement. Tous ces ordres sont donnés calmement, l'un après l'autre, et aussitôt exécutés. Ce calme rassure les jeunes capitaines du quartier général. Ce jour-là, comme les autres, le chef va déjeuner à 11 heures avec ses proches.

L'après-midi, après sa « promenade de santé », il fait rédiger une instruction à l'intention des chefs de corps, pour tirer la leçon des échecs. Nous avons été battus, pense Joffre, non par la stratégie (il fallait bien attaquer le groupe d'armées du centre), mais par la tactique. Il est désormais interdit de lancer l'infanterie à l'assaut sans une solide préparation d'artillerie. Il ne faut pas « lancer l'attaque en formation dense, mais au moyen d'une vague mince, constamment alimentée par l'arrière ». Il faut « organiser aussitôt tout point d'appui conquis ». On peut s'étonner que Joffre ait attendu le 24 août pour donner aux commandants d'armée d'aussi précieux conseils. En réalité, il ne fait que répéter ce qu'il a toujours dit, ce qu'ils ont eux-mêmes prescrit. C'est au front, au moment des assauts, que les liaisons infanterie-artillerie ont été défaillantes, que les ordres ont été donnés trop vite, à la légère. Joffre se réserve de frapper encore à la tête, d'écarter de nouveau les mauvais chefs. Pour l'instant, la consigne est de faire retraite dans l'ordre, en préparant des positions.

Dans la nuit du 25 au 26 août, prévoyant l'organisation de ces positions de repli derrière la Somme et l'Aisne, Joffre recommande d'arrêter l'ennemi sur tous les points où une résistance est possible, afin de permettre aux arrières de se reconstituer. Il est essentiel de pouvoir y former « une masse capable de reprendre l'offensive, pendant que les autres armées contiendront, le temps nécessaire, les efforts de l'ennemi ». Elles doivent « utiliser tous les obstacles pour arrêter par des contre-attaques courtes et violentes, dont l'élément principal sera l'artillerie, la marche de l'ennemi ou tout au moins la retarder ».

Dans la retraite, la plus stricte discipline doit être respectée. « Les hommes ont un laisser-aller et un débraillé intolérables, dit Joffre, certains quittent leurs colonnes sans autorisation et sans qu'un ordre vienne les rappeler à leur place. Les voitures marchent sans ordre à des distances qui allongent les colonnes d'une manière démesurée. On s'arrête dans les villages au risque d'interrompre toute circulation. Les mouvements des colonnes de voitures sont mal réglés... Le général en chef n'hésitera pas à frapper de sanctions sévères et à traduire au besoin en conseil de guerre tout chef de corps ou tout chef de détachement qui n'obtiendra pas de sa troupe une discipline exacte et complète. »

Sur le terrain, ces ordres se traduisent par une vigilance accrue des prévôtés qui surveillent les arrières des armées. Il faut arrêter les fuyards et les espions. A l'ouest de la ligne de Bruxelles-Cambrai, il y a peu d'Allemands, pas davantage de Français : quelques territoriaux, quelques uhlans. Le 25 août, Lille, Douai, Arras restent à l'écart de la grande masse allemande qui s'enfonce vers le sud. Des uhlans en patrouille inquiètent les populations et servent de cible aux sentinelles. « Chaque groupe de uhlans, écrit le reporter Barzini, avance jusqu'à ce qu'il soit accueilli à coups de fusil. Il marche et marche, suivant un itinéraire déterminé, jusqu'à ce qu'il se heurte à l'ennemi. Son devoir est d'aller à la rencontre de la mort. Pour dix uhlans qui tombent morts, blessés ou prisonniers, il y en a toujours deux ou trois qui s'échappent et racontent ce qu'ils ont vu. » Vêtus de noir, avec leurs chapskas étranges et leurs longues lances aux couleurs (noir et blanc) de la Prusse, ils sont le symbole de l'invasion. Les uhlans jouent à cache-cache avec les hussards bleu de ciel et les gendarmes des prévôtés qui recherchent espions et déserteurs dans cet étrange no man's land. Il est arrivé à Barzini, malgré ses papiers en règle, d'être arrêté par un prévôt. Celui-ci lui déclare :

« Nous devons être très sévères, nous sommes entourés d'espions. Nous en avons fusillé encore hier matin, ici, trois, dont une femme. Je suis le bourreau, je préside le conseil de guerre et les choses ne traînent pas. » Condamnés à huit heures, enterrés à huit heures et demie. A peine le temps de former le peloton d'exécution.

« La cour martiale, note Barzini, n'est pas un tribunal, c'est une arme, elle abat, comme une mitrailleuse, tout ce qui lui semble ennemi ». On fusille les déserteurs, mais aussi les pillards. Barzini l'affirme : « On fusille aussi des prisonniers allemands sur lesquels on trouve des objets volés provenant des pillages ou du dépouillement des cadavres ». Le prévôt a 50 ans. Toutes les nuits, il organise des battues à cheval dans les bois pour trouver les Allemands isolés en patrouille ou les déserteurs. Barzini assiste à l'exécution de l'un d'entre eux : « Il est mortellement pâle, dit-il, mais calme. Ses petites moustaches blondes sont frisées avec soin. Il y a dans ce détail je ne sais quelle forfanterie. Il ne regarde personne; ses yeux clairs sont fixes, sans expression. Le peloton l'entoure et s'éloigne ». Autour de la prévôté, « il y a comme une convention de silence ». Les interrogatoires et les jugements sont brefs. « Des gens arrivent et partent entre des gendarmes ou entre des soldats... Ils ne disent rien, on ne sait ni leur provenance, ni leur destin... Certains ne vont pas loin. »

Près de là, le canon tonne; de Valenciennes, l'armée von Kluck a dépassé le 26 Cambrai et Crèvecœur. La retraite se poursuit. Lille est oubliée sur la droite. La place, déclassée depuis 1910, n'était pas en état de se défendre, elle était donc à la merci d'un raid. Cependant, elle entreposait un matériel de guerre considérable : plus de 400 canons, de la poudre, plus de 3 millions de cartouches, des vivres en abondance. Comment ne pas défendre une telle réserve? se dit le général Percin qui commandait la place depuis le 5 août. En fait, elle était constamment dégarnie, au profit de Maubeuge, par le grand quartier général. Messimy, le 12 août, donna ordre d'évacuer canons et munitions vers Vincennes et Versailles.

La retraite devait changer la situation. Le général d'Amade, le 19 août, est chargé d'organiser la défense de la région. Le 21, Messimy lui demande quelles dispositions il a prises pour arrêter la cavalerie ennemie. « Le gouvernement de la République, lui dit-il, ne veut pas que les coureurs ennemis puissent entrer dans une ville française. » Dès lors on organise des barrages, on rabat quelques troupes que l'on met à la disposition du général Herment, chargé de la défense. On limoge Percin, trop âgé, qui fait sur le préfet du Nord la plus fâcheuse impression. La 88° division territoriale est chargée de couvrir la place. Quant à Dunkerque, elle sera protégée par l'inondation de ses abords.

Coup de théâtre le 24 août dans l'après-midi : Lille ne doit plus être défendue. La veille, les notables de la région sont allés voir le président du Conseil. Le sénateur Debierre, les députés, les adjoints au maire de Lille ont exposé leurs inquiétudes. La cavalerie allemande menaçait Lille. Serait-elle vraiment défendue? Ne valait-il pas mieux s'abstenir « pour éviter les représailles sur la population civile »? Le maire de Lille, Delasalle, est absolument partisan de l'évacuation. « Sa faiblesse de caractère, disait de lui le préfet [1], l'exposait aux défaillances. » Viviani posa la question à Messimy : celui-ci répondit qu'il n'était pas question de revenir sur une décision qui avait fait de Lille une ville ouverte. Dans la soirée du 23, les Lillois, non informés du détail de la bataille, furent angoissés par les nouvelles – vraies et fausses – qui leur parvenaient. Roubaix et Tourcoing connurent une véritable panique. Le 24, la 88° division territoriale, qui venait de débarquer à Arras, avait été mise en déroute par l'artillerie devant Tournai. Sa retraite était une débandade. La garnison de Lille, obéissant aux ordres, se replia immédiatement sur Béthune et La Bassée. Déjà on évacuait les dépôts de Douai. Toute la région du Nord était abandonnée.

A Lille on avait prescrit d'évacuer le matériel et les munitions, mais trop tard. Le 24 août à 21 heures, le service des chemins de fer ne fonctionnait plus. Impossible d'enlever voire même de neutraliser l'artillerie! Les soldats partaient en abandonnant tout, et pourtant les Allemands, qui avaient pris Cambrai le 25, n'entraient pas dans Lille et n'inquiétaient pas la garnison qui faisait retraite jusqu'à la gare d'embarquement d'Hénin-Liétard. Herment, dans l'organisation de sa retraite, avait été « dépassé par les événements ». Il avait quitté Lille en hâte, dans l'improvisation. « Ce ne fut pas une retraite, mais une fuite qui atteignit profondément le moral de la population [2]. Le général Herment s'était abandonné à un courant de panique... et il [partit] semant, comme dans une déroute, du matériel. Ce désordre était d'autant plus inexplicable qu'il n'était pas talonné par l'ennemi. » Le préfet, qui gardait son sang-froid, fit évacuer tout le matériel possible sur Dunkerque, et même les jeunes gens mobilisables de la classe 1914. Les Allemands ne devaient

---

1. J.-J. Becker, *Les Français dans la Grande Guerre.*
2. Cité par J.-J. Becker, *op. cit.*

pénétrer dans la ville que le 2 septembre. Jusque-là, ils l'avaient négligée.

La panique des Lillois était naturellement accrue par l'afflux des réfugiés qui venaient de toute la région, et particulièrement de Belgique. Le récit des atrocités provoquait des départs irréfléchis, au point que, le 26, on rapporta à Joffre que des mesures devaient être prises d'urgence pour empêcher cet exode. Lanrezac se plaignait des difficultés apportées à la marche des troupes, et surtout de l'espionnage : « Il paraît certain – télégraphiait, le 25, le 2ᵉ bureau aux armées – que dans le flot de population qui fuit les villages belges devant les Allemands se trouvent de nombreux espions qui, soit à bicyclette, soit dans des roulottes, suivent nos troupes et nos convois en toute sécurité. Dans certaines de ces roulottes se trouvent des appareils puissants d'éclairage... La nuit, des signaux de différentes couleurs sont émis ». Et le 2ᵉ bureau concluait : « La population étrangère devra être arrêtée à la frontière et ne pénétrer en aucun cas en territoire français. La circulation sur les routes suivies par les colonnes devra être interdite aux civils d'une manière absolue ». L'armée croit avoir les moyens d'interdire certains itinéraires, de dissuader les paysans de partir. Les témoignages abondent sur les officiers qui rassurent, qui déconseillent le départ. Mais l'armée ne peut déjà plus fermer les frontières, et l'afflux belge, puis français, se poursuit. « Depuis cinq ou six jours, note le 28 août le cuirassier Tony de Vibraye au cours de cette retraite, nous poussons devant nous la population paysanne qui descend vers le sud, sur des chariots entourés de bestiaux. » Épuisés par la chaleur torride, les cuirassiers défont leurs cuirasses et les entassent sur une charrette confiée à un civil! Le désordre est général. L'armée est incapable de contenir la cohue. Tout au plus réagit-elle violemment par endroits, en faisant arrêter et fusiller les « espions ». Fusille-t-on, parmi eux, des civils belges? Le bruit en court avec assez d'insistance pour que le ministre de Belgique demande ³ « si exact que des Belges auraient été exécutés sommairement par troupes alliées en Belgique. Il insiste pour qu'on traduise toujours l'inculpé belge devant un conseil de guerre ». Il n'y a pas encore de « cours martiales » régulièrement investies. Mais elles ne vont pas tarder à se mettre en place. « Je fais étudier d'urgence, explique le gouvernement à Joffre le 3 septembre, acte portant rétablissement régime cours martiales. Mais sans attendre je vous autorise dès maintenant à prendre ou prescrire toutes mesures nécessaires dans l'intérêt de la discipline militaire et du maintien rigoureux de l'ordre public. Je couvre entièrement ces mesures. » Mais comment identifier espions et déserteurs dans la foule misérable qui obstrue les routes? Civils et militaires sont à la même

3. Archives de la guerre, E.-M.G., télégr. I. 11. 14.

enseigne : « Il y en a donc toujours, de ces égarés, de ces fuyards, note Genevoix le 26 août. Ces grands chariots à quatre roues que traîne un cheval maigre et galeux. Des paniers d'osier, des ballots, des cages à lapins s'y entassent pêle-mêle. Des femmes sont assises en haut, le dos étroit et minable, les mains jointes et pendantes, les yeux vagues. Derrière le chariot quelques vaches suivent, tirant du cou sur leur longe et meuglant. » Entre deux carrioles, « des chariots où les blessés s'entassent... des caissons de munitions qui tanguent » ou « des groupes de fantassins poussiéreux marchant sur les flancs, dans l'herbe rabougrie des bas-côtés ». Le spectacle est le même de la Somme à la Meuse. Les soldats avancent au hasard des étapes, ayant souvent perdu leurs unités. C'est « la marche errante des gens ayant perdu leur chemin... La route est une rivière de boue, dit Genevoix sur la Meuse, chaque pas soulève une gerbe d'eau jaune... » Marc Bloch, dans la retraite, porte « son fusil qui n'a jamais tiré ». Sur la route, dit-il, « nous voyons les gens quitter à la hâte leur village. Hommes, femmes, enfants, meubles (les plus hétéroclites souvent!), paquets de linge s'empilaient sur les voitures... Nous devions les voir souvent pendant la retraite, les pauvres évacués, encombrant de leurs voitures les routes et les places des villages, dépaysés, ahuris, bousculés par les gendarmes, gênants et pitoyables. A Baricourt où nous couchâmes le soir du 26 août dans une sorte d'écurie, ils couchaient, eux, en plein vent dans leurs charrettes, sous la pluie, et les femmes avaient des bébés dans les bras! » Pendant quatre jours, dans la canicule ou sous la pluie, Marc Bloch avait suivi son régiment, le 272ᵉ : « Les routes poussiéreuses où trop souvent s'égrenait la compagnie, la chaleur accablante, surtout à la traversée des bois dont les taillis, qui ne donnaient pas beaucoup d'ombre, arrêtaient les rares souffles d'air, les couchers trop tardifs, les réveils trop matinaux, l'incommodité des gîtes, la monotonie des jours, tout cela aurait été peu de chose si nous n'avions constamment tourné le dos à la frontière, reculant d'un mouvement continu sans nous battre. Que se passait-il? Nous n'en savions rien. Je souffrais atrocement de cette ignorance. »

Tous les témoignages concordent : il n'y a pas de discipline des routes; après Charleroi, c'est la cohue, les gendarmes sont débordés. Lanoux, citant Dorgelès, parle de la retraite du 39ᵉ de Rouen : « Une grande course à pied, sous le soleil qui incendiait les chaumes, une course ponctuée par le franchissement de l'Oise à Guise, de l'Aisne entre Berry-au-Bac et Soissons, de la Vesles à l'ouest de Reims... un travail de saute-ruisseau. » C'est « une marche forcée, de Charleroi à Montmirail, sans halte, sans soupe, sans but, les régiments mêlés, zouaves et biffins, chasseurs et génie, les blessés effarés et trébuchants, les traînards hâves que les gendarmes abattaient. Les sacs, les équipements jetés dans les fossés... le sommeil de pierre pris sur le talus ou sur la route, malgré les caissons qui passaient, broyant les pieds, les épiceries pillées, les basses-cours dévastées, le pain moisi qu'on se disputait, mitrailleurs sans mulets, dragons sans chevaux, Sénégalais sans chefs, les chemins encombrés de tapissières et de chars à bœufs où s'entassaient des gosses et des femmes en larmes, les arbis traînant des chèvres, les villages en flammes... » Même témoignage de Victor Boudon qui raconte la reculade du régiment de Péguy, lequel fait partie de la 55ᵉ division de réserve. Il est envoyé en renfort de l'Est jusqu'à la frontière du Nord, au début de la retraite. Il débarque le 28 à Tricot, dans l'Oise. Les soldats croient les Allemands à hauteur de Lille. Ils font 30 kilomètres dans la direction de Roye et se heurtent à la file ininterrompue des civils, « la plupart en habits des dimanches », qui croisent leur colonne. « Les Boches arrivent, crient-ils, ils sont à 40 kilomètres! » Péguy marche « avec une tristesse mêlée de rage », sans savoir où il va; « le pays est inconnu des officiers qui n'ont pas encore de cartes ». Ils savent qu'ils font partie de la nouvelle armée de Maunoury, rappelée en hâte de l'Est. Ils ont à peine le temps de rencontrer les Allemands qu'ils sont déjà en retraite, les gendarmes surveillant les arrières et « assurant un service d'ordre très rigoureux ». La route est interminable. Le « capitaine Guérin fait des efforts surhumains pour tenir, s'accrochant, pour marcher quand même, à la queue de son cheval ». Péguy, le ventre creux, fait le serre-file. Des « traînards, les pieds en sang, se suspendent aux voitures de réfugiés ». Le bataillon, pour éviter les routes encombrées, coupe à travers champs. Comme Dorgelès, Péguy affirme : « Ce qui est terrible, c'est le manque de nouvelles ». Il doit remonter le moral des siens en parlant du « plan arrêté » de l'état-major. Mais il en ignore tout. Aucun des hommes qui se traînent sous la canicule ne sait si cette retraite prendra fin un jour.

Les Allemands, cependant, attaquent sans relâche. Ayant donné son ordre de poursuite, le vieux général von Moltke est retourné dans son lointain état-major de Luxembourg, laissant à d'autres, plus jeunes, le soin d'assurer sa victoire. Les lances des uhlans ont des impatiences que les chefs ne songent plus à contenir. « *Vorwärts* », et « *nach Paris!* » deviennent les slogans des trois armées d'invasion. Pour ceux de la Garde prussienne, l'ordre de se porter en avant remonte au 17 août, il est venu du commandement suprême de l'armée allemande à Coblence (*Oberste Heeresleitung*). La Garde prussienne voulait faire honneur à son ancien colonel, von Bülow, qui commandait désormais la 2ᵉ armée, avec Ludendorff comme quartier-maître général. Récemment affaibli par une attaque d'apoplexie, il ne voulait certes pas mourir avant d'avoir vu les Prussiens entrer dans Paris. A 68 ans, il disposait de six corps d'armée pour réaliser son rêve.

Le général de l'infanterie, baron von Plettenberg, qui commandait la Garde, avait vu, à Charleroi, « les beaux gaillards du régiment *Augusta* s'en aller tranquillement au combat », précédés par le 2ᵉ régiment des uhlans de la Garde et suivis par les grenadiers du *Kaiser Franz Regiment*. Ils avancent en effet tranquilles : ils ont la voie ouverte par le feu terrifiant du bataillon des obusiers lourds et du 4ᵉ régiment d'artillerie de campagne. Dix salves, « alignées comme au cordeau », avaient eu raison de l'artillerie française. Pourtant, les nids de fusiliers embusqués dans les villages, les tirs de mitrailleuses, les 75 insaisissables, les contre-attaques violentes et efficaces, comme celle du 2ᵉ zouaves, avaient fait payer cher leur victoire aux grenadiers d'élite de la 2ᵉ armée. S'ils avaient finalement franchi la Sambre et donné satisfaction à Bülow, qui avait symboliquement dressé son observatoire à Fleurus, ils étaient impatients de se venger, sur les Français désormais en retraite, des pertes subies à la bataille de Charleroi.

Amputée de son corps de réserve désigné pour le front de l'Est, la Garde avait poursuivi, dès le 25 août, son mouvement « franchement vers le sud-ouest » qu'avait ordonné Ludendorff. Le 7ᵉ corps de réserve et la 13ᵉ division d'infanterie avaient été chargés de neutraliser la résistance de Maubeuge. Le reste de l'armée fonçait sur Paris. Le 26, elle était en territoire français, elle avait dépassé Avesnes. Sur sa droite, les troupes de l'armée von Kluck avaient bousculé les Anglais devant Mons, leur infligeant des pertes sévères, et, ce jour-là, elles avaient dépassé Cambrai. Quant à la 3ᵉ armée, se dirigeant plein sud, elle était au-delà de Rocroi. Entre elle et la 2ᵉ armée, il y avait un espace vide, de Guise à Hirson et Rocroi. La 3ᵉ armée avait reçu une demande d'aide de la 4ᵉ, du duc de Wurtemberg, accrochée vers Sedan. Manœuvrant dans la région difficile de la Meuse, très éprouvée par la traversée du fleuve à Dinant, l'armée von Hausen n'avait pas pu couper la retraite des Français à Charleroi : son chef n'avait pas eu l'énergie du vieux Blücher. Les Saxons s'empêtraient sur les routes sinueuses, s'impatientaient à la traversée des villages. On avait retiré à von Hausen son 11ᵉ corps d'armée pour l'envoyer en Russie. Il avait dû détacher une division de réserve devant Givet pour garder les ponts de la Meuse : avec des effectifs réduits, on lui demandait d'avancer sur un front très large, et de répondre aux appels au secours de ses deux puissants voisins, Bülow et le duc de Wurtemberg. Il avait dû forcer le long défilé de la grand-route de Rocroi, tenu par la division marocaine, et ses troupes étaient épuisées. S'il avait pu poursuivre son avance, c'est que les Français s'étaient retirés. Les corps d'armée s'étalaient en profondeur le long de la route de Rocroi à Signy. Le passage de la Meuse sur pont de bateaux, la marche dans le défilé avaient fatigué les hommes. Ils devaient se heurter au feu des coloniaux du général Humbert. Ils avaient mitraillé des tirailleurs aux tenues étranges et des zouaves à chéchias rouges. Les troupes du 9ᵉ corps d'armée du général Dubois s'étaient battues pendant trois jours pour empêcher la 3ᵉ armée allemande de déborder, sur sa gauche, la 4ᵉ armée française de Langle de Cary.

Le 28 au matin, tout danger étant écarté, l'armée de Langle poursuivait sa retraite, et von Hausen pouvait reprendre sa marche sur Signy-l'Abbaye. Ce jour-là, le général von Bülow décidait de livrer bataille sur l'Oise, sans être exactement renseigné sur les forces des Français, et de s'approcher de Saint-Quentin. Il avait reçu de bonnes nouvelles de la 1ʳᵉ armée qui, ayant dépassé Péronne, débordait pratiquement Saint-Quentin par l'ouest : la ville était de bonne prise!

Pourtant la Garde et le 5ᵉ corps d'armée s'étaient heurtés à une résistance imprévue du côté de Guise. Marcher sur La Fère, pour encercler Saint-Quentin, serait difficile. Mais les ordres étaient formels : « Il s'agit, en portant rapidement l'armée allemande sur Paris, de ne laisser aucun repos à l'armée française, d'empêcher la constitution de nouvelles formations et d'enlever au pays le plus de moyens de lutte possible ».

Les Allemands s'attendent à une contre-attaque française de grande ampleur. De fait, Lanrezac veut porter son armée sur Saint-Quentin, dégager les Anglais menacés d'encerclement, attaquer le flanc de la 1ʳᵉ armée allemande. Il dispose du 18ᵉ corps de Bordeaux, d'un groupe de divisions de réserve, du 1ᵉʳ corps de Franchet d'Espérey, des débris du 3ᵉ corps de Rouen et du 10ᵉ de Rennes. Il ne sait pas qu'à Saint-Quentin, l'armée anglaise en retraite arrive presque débandée. Le maire, qui entend le canon, affiche prématurément des consignes aux habitants, leur recommandant de livrer toutes leurs armes et munitions. C'est la panique. Des bourgeois s'enfuient sur la route en direction de Ham, les cheminots, les postiers ont disparu. La préfecture de l'Aisne a en vain recommandé d'arrêter l'exode des populations dans les villages. Les Anglais sont partis, les habitants sont sans protection, ils fuient.

Après 36 heures de combat, les Anglais n'en peuvent plus. French estime que 3 divisions sur 5 sont hors d'état de combattre. Il leur faut plusieurs jours, voire plusieurs semaines de repos. Les Français devront attaquer seuls. Lanrezac, qui a transporté son quartier général à Laon, donne ses ordres pour le 29. Il aura l'appui de la 6ᵉ armée de Maunoury dont les premiers éléments ont déjà débarqué. Malheureusement, les Allemands ont prévu cette attaque, ils sont prêts, ils se sont emparés préventivement des ponts de Guise. Le général von Bülow a fait seller son cheval pour marcher au canon. Il sait que l'ennemi « oppose une résistance opiniâtre au 10ᵉ corps d'armée et à la Garde », qui ont traversé l'Oise. Mais ces corps progressent et Bülow appelle la 3ᵉ armée à la rescousse. En vain.

Von Hausen refuse ; Bülow, comme Lanrezac, devra combattre seul. Jusqu'à 16 heures, on prend et on reprend des villages et des petits bois. Les Bordelais et les Bretons s'y épuisent. La Garde impériale perd la moitié de ses officiers. Les villages de crête sont incendiés. « Les grandes fermes de la plaine, écrit le Picard Marc Blancpain [4], et les meules brûlent sur l'horizon des champs de betteraves et des terres moissonnées; des centaines de chevaux errent, le cou dressé et bavant d'épouvante... » Les canons de Franchet d'Espérey tonnent vers 17 heures. Les pantalons rouges de Lille et d'Arras croisent la baïonnette contre les grenadiers de la Garde de Guillaume II. A 19 heures, les Allemands sont rejetés dans le fond de la vallée. Lanrezac est vainqueur. La nuit tombe sur la retraite de la Garde.

Que faire de cette victoire? A l'aube, le général reçoit de Vitry-le-François, avec beaucoup de retard, l'ordre de décrocher. De Guise, von Kluck, qui a réquisitionné la plus belle maison de la ville, a suivi la bataille à la jumelle. A Saint-Quentin, le 29 au soir, les soldats de von Bülow ont fait leur entrée. A Laon, le 31, le dernier train part pour Paris, bientôt les Allemands vont « arracher le drapeau de la grille du Palais de justice pour l'attacher à la selle du cheval d'un dragon [5] ». Les Allemands sont avertis (par le rapport du lieutenant aviateur Wulf) que les Français font retraite vers le sud. La ligne de l'Oise est libre.

La 2ᵉ armée allemande n'a perdu que 6 000 hommes, mais elle n'a fait que 2 000 prisonniers. Les Anglais ont échappé. Le maréchal French a décidé d'établir une nouvelle ligne de communication de Saint-Nazaire ou de Rochefort, ses nouvelles bases, vers le front. Il abandonne Le Havre et transfère provisoirement son quartier général à Compiègne. Les fantassins allemands ont ordre d'attaquer « sans sacs » pour « porter le coup de grâce à l'ennemi ». Ils sont désormais conscients d'être victorieux. Ils ne croient pas les Français capables de les empêcher d'entrer dans Paris.

Malgré la fatigue de leurs troupes, von Kluck et von Bülow organisent immédiatement la poursuite. Le 30, les unités avancées de la 1ʳᵉ armée ont atteint la Somme, qu'elles ont franchie entre Corbie et Amiens; elles ont fait leur conversion vers le sud-est, en direction de Compiègne, marchant ainsi sur Paris. De Laon, la 2ᵉ armée marche plein sud sur l'Aisne qu'elle franchit entre Soissons et Reims. Elle est ainsi en mesure d'encercler Compiègne. Comme le note von Bülow, « la marche en direction du sud-ouest était définitivement abandonnée et les 3ᵉ et 2ᵉ armées devaient marcher droit vers le sud ». Von Bülow commence à soupçonner que les

4. Marc Blancpain, *Quand Guillaume II gouvernait à la Somme aux Vosges.*
5. *Ibid.*

renforts français sont arrivés en masse des armées de l'Est, pour constituer enfin cette réserve que Joffre voulait lancer dans la bataille.

Le colonel Ragueneau, de l'état-major de Joffre, est venu lui-même à Châlons-sur-Marne, où siège la commission de réseau, pour étudier les mouvements en détail. Il sait que le général en chef a pris la décision, le 25 août, de constituer dans la région d'Amiens une armée supplémentaire, confiée à Maunoury, dont les éléments viennent de l'Est. Cette 6ᵉ armée doit être entièrement formée du 27 août au 2 septembre. Il faut « enlever » toute une division (la 14ᵉ, de Belfort) du 7ᵉ corps, cinq bataillons de tirailleurs marocains qui stationnent dans la région de Mourmelon, quatre bataillons de chasseurs alpins qui sont autour de Thaon et d'Épinal. Il faut aller chercher deux divisions de réserve d'infanterie (la 55ᵉ et la 56ᵉ) qui sont dans la région de Verdun, une autre, la 63ᵉ, formée à Clermont-Ferrand, dans la région du Thillot, au nord de Belfort. Enfin, les 61ᵉ et 62ᵉ divisions de réserve, formées à Vannes et à Angoulême, doivent être enlevées vers le nord. Immense programme de transport qui porte sur plus de 100 000 hommes...

Le matériel nécessaire est très rapidement réuni : 163 trains, dont les premiers partent le 30 août. Ce vaste mouvement, qui concerne l'armée Maunoury, est combiné avec une autre série de déplacements destinés à mettre en place un nouveau groupement, confié à Foch, pour faire la liaison entre la 4ᵉ armée de Langle de Cary et la 5ᵉ armée Lanrezac qui, dans la retraite, n'ont pu rester en contact. Le groupement, confié au général Foch, comprend neuf divisions d'infanterie et une division de cavalerie : la 42ᵉ doit être immédiatement transférée de la région de Verdun (où elle combattait dans la 3ᵉ armée) jusqu'au nord de Reims où Foch rassemble tous ses éléments. Il faut aussi transporter les parcs, les convois, les approvisionnements des troupes et mettre en ligne 128 trains supplémentaires entre le 27 août et le 2 septembre.

A la commission de réseau, le commandant Marchand règle tous les mouvements avec une stupéfiante précision. Sur un avis du G.Q.G. qui parvient à 21 heures, tous les ordres sont donnés une heure et demie plus tard avec l'indication du nombre des trains, des points d'embarquement et de débarquement. Le premier train part le lendemain à 17 heures. La moyenne de circulation est de 32 trains par 24 heures. Il faut prendre garde aux points de débarquement : l'avance rapide de l'ennemi peut obliger à modifier les itinéraires. La 6ᵉ armée se regroupe sur la Somme, autour de Montdidier. Ses éléments les plus nombreux viennent de l'Est. Le parcours est long, encombré de convois. Il faut aussi prévoir le transport à l'extrême-ouest du front d'une division de dragons de Dôle, stationnée à Luxeuil, et d'une division de dragons de Limoges à enlever près de

Nancy. Ces cavaliers – et leurs chevaux – doivent être débarqués dans la région d'Epernay.

La régulation fait admirablement son travail : dès le 27 août, les tirailleurs marocains de la brigade Ditte arrivent à Amiens. Les fantassins du 7ᵉ corps grimpent dès le 25 dans les wagons près de Belfort. Une partie de la 14ᵉ division est en place le 27 au soir. L'ensemble est à pied d'œuvre le lendemain. Par contre, le général Vautier, qui commande le 7ᵉ corps, devra attendre plus longtemps l'arrivée de la 63ᵉ division de réserve qui vient de Belfort : elle commence à embarquer le 27 août seulement. Il en est de même des 55ᵉ et 56ᵉ divisions, très fatiguées, qui viennent de Verdun. Elles sont assez éloignées de leurs points d'embarquement et ne grimpent dans les trains que le 28. Quant aux 61ᵉ et 62ᵉ divisions, elles avaient déjà été transportées en renfort de Paris à Arras; il suffisait de leur donner l'ordre de se replier sur la Somme – mouvement qui n'est pas sans risque : des cavaliers et des cyclistes allemands, armés de mitrailleuses et de canons de campagne, surprennent les têtes de colonnes de la 61ᵉ dans leur mouvement. Les pertes sont lourdes, la panique gagne l'unité, les troupes se sauvent sur la route de Bapaume. Elles sont pourtant reprises en main, comme les unités de territoriale mises à la disposition du général d'Amade : Joffre a demandé que l'on éloigne les officiers responsables de ces désordres. « Il faut, a-t-il écrit à d'Amade, faire disparaître les cadres qui ne seraient pas à la hauteur de leur mission. » Deux brigades de troupes fraîches sont, dès le 27, réunies sous le commandement de Maunoury. Celui-ci est soutenu par la cavalerie de Sordet et par les chasseurs du lieutenant-colonel Serret : ces troupes doivent protéger les débarquements de l'armée contre les raids des Allemands.

L'affaire de la 61ᵉ division a rendu le général prudent. Il n'a plus aucune nouvelle de cette unité, pas plus que de la 62ᵉ division. Le 28, cette dernière est surprise dans le brouillard à Moislains; le 263ᵉ régiment d'infanterie doit enterrer son drapeau.. On envoie en vain des estafettes pour les retrouver. Le général Ebener, qui doit en prendre le commandement, part lui-même en voiture pour Amiens et en cherche la trace. Maunoury est d'autant plus inquiet qu'il vient d'apprendre, en captant un radio de la 2ᵉ armée allemande, que celle-ci se propose d'attaquer immédiatement sur la Somme. Où vont débarquer les nouvelles troupes? Comment rallier les deux divisions perdues?

On les retrouve enfin, le 29, au nord d'Amiens. Le général Ebener doit les reconstituer, car elles sont épuisées et démoralisées. Maunoury ne peut pas compter davantage sur les cavaliers de Sordet. Les chevaux ne peuvent plus avancer. Il faut réunir à la hâte une division provisoire, celle de Cornulier-Lucinière. On lui donne des cyclistes, de l'artillerie à cheval et des mitrailleuses pour protéger la zone des débarquements. Les divisions 55 et 63 étaient en effet en cours de transport. Le 29, la 14ᵉ division, à peine débarquée d'Alsace, était violemment attaquée par des Poméraniens et devait faire retraite sans attendre le ralliement des autres unités. On avait dû enlever en chemin de fer les 61ᵉ et 62ᵉ divisions enfin reconstituées, en les dirigeant par Abbeville à l'arrière des lignes. A la hâte, on avait prévu des itinéraires de remplacement pour les convois à venir qui avaient ordre de ne plus déposer de troupes sur la Somme.

A partir du 31 août, la retraite opérée à pied vers le sud transformait déjà les renforts du 7ᵉ corps venu de l'Est en troupes exténuées. La brigade Ditte était hors de combat. Elle avait tellement donné, pour protéger la zone des débarquements, qu'il fallait de nouveau l'enlever en chemin de fer pour lui permettre de se reconstituer à l'arrière. Les deux divisions du groupe Ebener, pareillement éprouvées, étaient envoyées à Pontoise par wagons. Le 31 août, les Allemands avaient pénétré dans Amiens. Maunoury prévoyait déjà la retraite jusqu'à Senlis. Sur toute la ligne, l'armée française poursuivait son repli. Mais elle disposait désormais, sur l'aile gauche, d'une masse de divisions nouvelles, disponibles pour l'heure de la bataille.

La retraite se poursuivait dans un ordre approximatif, imposant aux hommes d'immenses fatigues. Lanrezac se repliait derrière l'Aisne, non sans avoir musclé son commandement. Le 28 août, il avait déjà nommé brigadier à titre temporaire le colonel Pétain. Deux jours plus tard, celui-ci commandait une division, la 6ᵉ, et Mangin la 5ᵉ. Il avait porté au 10ᵉ corps allemand et à la Garde des coups redoublés. Il savait que les Allemands avaient longtemps manqué de pain et de ravitaillement, que les chevaux des régiments de la Garde ne pouvaient plus avancer, faute de fers. Mais deux corps saxons avaient franchi l'Aisne à Rethel. Il n'y avait pas une minute à perdre : le 1ᵉʳ septembre, Lanrezac ordonnait une marche forcée, malgré l'état de fatigue des hommes, vers le sud. La marche se poursuivrait le lendemain, au même rythme, en direction de la Marne. Les Normands de Mangin et les Parisiens de Pétain n'en pouvaient plus. Les chefs signalaient à Lanrezac les « nombreux coups de chaleur » dont étaient victimes les soldats qui manquaient de sommeil. La marche vers le sud était sans cesse contrariée par la rencontre d'unités voisines et par les réfugiés. Les cavaliers allemands des corps von Richthofen et von der Marwitz menaçaient les colonnes. Enfin Lanzerac put s'établir sur la ligne Reims-Romilly qui lui avait été fixée par Joffre. Il avait le réconfort de trouver à sa droite le détachement d'armée commandé par Foch.

Celui-ci avait reçu son commandement le 29 août; il s'était hâté de mettre ses troupes en mouvement. Avec les solides divisions d'active de Nantes et de Tours et le renfort de deux divisions de réserve, ainsi que la 42ᵉ division enlevée à la 3ᵉ armée par chemin de fer, il pouvait combler le vide qui se creusait entre Reims et la Meuse, toujours tenue par les Français autour du pivot de Verdun.

La 3ᵉ armée avait en effet reculé pied à pied des bords de la Chiers à ceux de la Meuse, devant les troupes du Kronprinz impérial venue du Luxembourg, qui avaient du mal à franchir les défilés et à canonner les forêts profondes. A la fin du mois, le commandement de cette armée était entièrement réorganisé : Micheler avait remplacé, à la tête du 5ᵉ corps d'Orléans, le général Brochin, et Ruffey, le général d'armée, avait dû céder son poste à Sarrail. Verraux commandait le 6ᵉ corps. Ces nominations, faites sous le feu de l'ennemi, dynamisaient l'armée, assez bien dotée en artillerie lourde et chargée de la défense des Hauts de Meuse. Elle avait des unités déjà très éprouvées, comme le 5ᵉ corps d'Orléans ou le 4ᵉ du Mans, mais les quatre divisions de réserve de Paul Durand pouvaient encore combattre et le 6ᵉ corps, qu'avait commandé Sarrail, était solide, avec ses régiments de Reims, de Saint-Mihiel et de Commercy (commandé par un colonel de Mac-Mahon). Les ordres de Sarrail étaient « de tenir jusqu'au dernier homme ». Bien que Joffre eût dissous l'armée de Lorraine, enlevé des unités à la 3ᵉ armée, celle-ci avait rempli sa mission : les Allemands n'avaient pas pris pied sur la Meuse. Sarrail préparait une offensive quand il avait reçu l'ordre de se replier sur sa gauche, pour s'aligner sur le repli général de la 4ᵉ armée qui reculait sur la ligne Reims-Vouziers. De Langle s'était « dérobé avant le jour » pour pouvoir s'y organiser. Sarrail doit donc s'arrêter et s'aligner. Mais le 31 août au soir, non seulement il tient la rive gauche de la Meuse et le camp retranché de Verdun jusqu'à Doulcon, mais, de surcroît, il a sur la rive droite les trois divisions de réserve du général Durand. Verdun tiendra-t-il? Les Allemands n'ont pas encore lancé d'attaque en force. Par contre, ils ont pris Longwy, et l'on est sans nouvelles de Maubeuge.

Le général Fournier y est enfermé avec des forces importantes. Il dispose de 47 batteries d'artillerie, de six forts dont un seul est renforcé par des bétonnages, de six ouvrages de défense. Ses effectifs sont de 37 000 hommes environ et de 24 sections de mitrailleuses. Mais, sur les 21 bataillons d'infanterie, 3 seulement sont d'active, et 16 sont des territoriaux. Pour les batteries d'artillerie, bien peu sont modernes. Fournier va recevoir, il est vrai, le renfort de deux régiments d'infanterie coloniale et six batteries à pied. Il dispose, au moment du siège, de plus de 48 000 hommes et de 450 canons. De toutes les places fortes maintenues en activité, Maubeuge est la mieux dotée.

La population civile (12 000 personnes) a été évacuée presque entièrement. Le 27 août, la place est investie. Le 29, les obusiers lourds de l'armée allemande, qui portent à 14 kilomètres, sont en place, les canons français ne peuvent les faire taire : ils ne tirent qu'à 9 kilomètres. Le bombardement commence, comme à Namur, comme à Liège. Aucun moyen de repérer les pièces. Pas de ballon captif. Un seul avion, d'âge certain. Quand on l'essaie, il se fracasse à l'atterrissage. Fournier demande au moins un avion. On lui promet l'arrivée de l'aviateur Pégoud, un as des as, qui ne rejoindra pas. Des colonnes d'infanterie sortent pour détruire les obusiers. Elles sont décimées par les mitrailleuses. Les pertes sont énormes au 145ᵉ d'infanterie et au 31ᵉ colonial.

Par pigeon voyageur, le gouverneur avertit le G.Q.G. que sa situation devient critique. Les batteries, les unes après les autres, sont mises hors de combat. Les Allemands ont installé leurs canons de bombardement à 13 kilomètres. Pendant huit jours, nuit et jour, ils accablent Maubeuge. Un avion lance des sommations sur les glacis. Fournier ne répond pas. L'infanterie allemande attaque : la garnison se réfugie dans le seul ouvrage bétonné, le fort du Bourdiau. 25 % des soldats sont déjà hors de combat. Le chef d'état-major explique au gouverneur qu'une résistance prolongée serait « une véritable boucherie ». Il faut se rendre. C'est aussi l'avis du colonel artilleur qui n'a plus d'obus, et des colonels d'infanterie dont les hommes sont à bout. Néanmoins, Fournier décide de résister encore : il sait que la place de Maubeuge immobilise de nombreuses unités allemandes, 50 000 hommes au moins.

On brûle les drapeaux des régiments, on fait sauter les munitions inutilisables. La place résiste déjà depuis 11 jours. Le bombardement allemand se poursuit. L'infanterie lance son attaque. Enfin, le 7 septembre, sonne le « cessez-le-feu ». Fournier a accepté les conditions du général von Zwehl qui l'autorisait à garder son épée « pour reconnaître la bravoure de la défense ». Il devait, en 1919, être jugé et acquitté par le 2ᵉ conseil de guerre pour avoir rendu la place.

De ce piège, beaucoup de soldats avaient décidé de s'évader : 800 artilleurs et territoriaux du 145ᵉ réussirent à gagner Dunkerque. Certains, habillés en civil, se cachèrent dans les villages. Des petits groupes d'hommes parvinrent à se faufiler. Mais la plupart furent faits prisonniers. Les Allemands s'emparèrent des réserves de munitions non détruites et de 450 pièces d'artillerie. Ils pouvaient faire de la prise de Maubeuge un important article de propagande. Le monde entier devait l'apprendre. Pourtant, la résistance de la place avait immobilisé pendant deux semaines plusieurs dizaines de milliers d'hommes et rendu inutilisable la grande ligne de chemin de fer Paris-Cologne-Berlin, prise sous le feu des canons du fort du Bourdiau.

Autre résistance remarquable, celle du Grand-Couronné de

Nancy et de l'armée des Vosges. Le Grand-Couronné est tenu par les divisions de réserve du général Léon Durand, solides troupes recrutées dans la région de Châteauroux. La 2ᵉ armée de Castelnau dispose encore de toutes ses unités (les 15ᵉ et 16ᵉ corps méridionaux ont été renforcés par des divisions de réservistes venus de Grenoble et de Chambéry) et il agit en collaboration étroite avec trois corps de la 1ʳᵉ armée quand il gagne la bataille de la Mortagne, contre les Bavarois, à la fin du mois d'août. La Mortagne est une petite rivière, affluent de la Meurthe et parallèle à son cours. Après la bataille de Morhange, les Bavarois du Kronprinz Ruprecht croyaient ouvertes les portes de la Lorraine. Ils avaient dû déchanter. La contre-offensive de Castelnau les avait rejetés au nord de la Meurthe. Dubail, sur l'aile droite, avait enlevé Baccarat et résisté aux assauts bavarois dans la région de Saint-Dié qui avait été un moment occupée par l'ennemi. Castelnau avait pu croire à une percée : la retraite allemande était si rapide qu'il avait demandé aux soldats de « mettre sac à terre » s'il le fallait. « Vous êtes, leur disait-il, sur les arrières de l'ennemi. » Mais les hommes étaient fatigués, cavaliers et artilleurs pataugeaient dans les prairies impraticables. Le général de cavalerie Conneau ne pouvait dépasser la Mortagne.

La bataille avait mis en valeur le bien-fondé de la nouvelle tactique recommandée par Joffre, appliquée strictement par Fayolle et par Léon Durand : « L'artillerie sera employée en masse sans la moindre économie de force et de munitions. L'attaque devra être précédée et accompagnée par un feu des plus violents. » Les positions gagnées devaient être aussitôt organisées : les contre-attaques allemandes ne devaient pas franchir la Mortagne. Pourtant, les Français se virent contraints de renoncer à l'offensive : sur ordre du G.Q.G., ils devaient envoyer vers l'ouest de nombreuses unités en renfort. Les Allemands, à l'est, n'avaient pu franchir la trouée de Charmes ni percer à Saint-Dié et les cols des Vosges leur étaient interdits.

Désormais, les deux armées de l'Est s'enterraient sur leurs positions, avec des effectifs réduits, devant les forces bavaroises intactes qui risquaient de reprendre l'offensive. Castelnau s'inspirait de Vauban pour protéger Nancy, les vallées de la Meurthe et de la Mortagne, bien décidé à défendre efficacement, aux moindres pertes, la barrière du Grand-Couronné.

Joffre est en train d'organiser sa retraite quand il reçoit dans la journée du 30 août la première nouvelle positive du front russe. Divers renseignements lui signalent « d'importants mouvements de trains transportant les troupes allemandes de la Belgique vers la Prusse orientale ». Le 1ᵉʳ septembre, à Bar-sur-Aube où il a fait déplacer son grand quartier général, il demande des nouvelles de Russie; une dépêche venue de Paris lui indique que « marche foudroyante des Russes oblige Allemands à dégarnir leur position ligne Meuse ». Ce jour-là, les importants transports de troupes allemandes sont confirmés : « Ils ont été repérés au passage à Berlin ».

Jusqu'ici, Joffre ne disposait, pour toute information, que des dépêches vagues des ambassades. Il ne pouvait évaluer au juste les effets de l'offensive russe, vitale pour son propre front. Il avait pris la peine de faire lui-même jadis le voyage de Saint-Pétersbourg pour s'assurer de la rapidité et de l'efficacité de cette offensive. Il se rappelait avec amusement l'embarquement, en 1913, des 19 personnes de la mission française, à la gare du Nord, dans le Nord-Express. Personne ne parlait le russe, sauf un brigadier, Rebotier. Joffre avait demandé pour lui-même, aux manœuvres, « un cheval irlandais, fort, sage, pouvant être monté les rênes longues » et capable de supporter ses cent kilos. Il avait auprès de lui de Laguiche, l'attaché militaire à Pétersbourg, qui avait beaucoup insisté pour qu'on invitât Castelnau. Joffre avait refusé, mais avait choisi un jeune colonel de cavalerie qui montait bien les pur-sang, Maxime Weygand. A l'Hôtel de l'Europe, les Français avaient pris des chambres aux 2ᵉ et 3ᵉ étages, moins chères, mais les fenêtres donnaient sur la perspective Nevski et les officiers pouvaient voir arriver les rutilants équipages de leur homologues de l'armée russe.

Qu'avaient-ils appris pendant leur voyage? Que les chemins de fer russes étaient insuffisants? Ils le savaient déjà. Que le général Soukhomlinov se plaignait de ne plus gagner que 20 000 roubles au ministère de la Guerre alors qu'il en percevait le double comme gouverneur général à Kiev? Que les officiers russes avaient un train de vie fastueux mais qu'ils faisaient très peu d'exercice et vivaient loin de leurs troupes?... Joffre n'attachait pas trop d'importance à ces propos de popote. Mais il avait observé que les jeunes officiers issus depuis 15 ans de l'Académie de guerre avaient une mentalité différente, plus technicienne, plus allemande, et qu'ils étaient écartés des hauts postes par les créatures de cour. Il savait que l'instruction, dans tous les corps d'armée, était molle et lente : 60 jours de fêtes religieuses dans l'année, d'innombrables services de garde pour réceptions et revues, des actions politiques contre les révoltes urbaines; les troupes ne pouvaient guère s'entraîner que 15 à 20 jours par mois. L'artillerie avait fait des progrès, les officiers savaient utiliser le téléphone de campagne, mais les ordres de l'état-major arrivaient lentement. Les officiers, qui méprisaient la troupe, croyaient nécessaire de fixer non seulement la mission, mais l'exécution dans les plus infimes détails. Joffre est alors surtout frappé d'apprendre que peu d'officiers ont véritablement servi : sur 10 généraux nouvellement promus, 5 n'ont pas commandé de régiments, il y en a même un qui n'a pas commandé de bataillon. Et pourtant, cette armée d'illettrés aux vingt millions de chevaux vient, à l'évidence, de poser des problèmes sérieux au grand état-major allemand.

Les Russes avaient promis d'attaquer au 15ᵉ jour de leur mobilisation. Ils tinrent parole, alignant contre les Allemands de Prusse orientale les deux armées de Rennenkampf et de Samsonov, et, contre les Autrichiens, quatre armées en Galicie. Une armée supplémentaire était organisée avec Letchivski en Pologne. Deux autres étaient en réserve, l'une en Finlande, l'autre dans la région d'Odessa. Le quartier-maître général des armées russes Danilov était satisfait : il pourrait appliquer le plan de concentration A, qui prévoyait l'envoi de la majeure partie des forces allemandes à l'ouest, et non le plan G, qui devait faire obstacle à une invasion massive de la Russie par les Allemands, dont on n'avait pas exclu la possibilité. Danilov savait que Joffre attendait l'offensive russe avec la dernière impatience. Le ministère français de la Guerre accablait de demandes de renseignements l'attaché militaire Ignatiev et l'ambassadeur français à Pétersbourg, Paléologue, pressait le gouvernement du tsar de toutes ses forces.

Les Russes, obéissant à leurs promesses, passaient trop vite à l'attaque : au 15ᵉ jour de mobilisation, ils étaient loin d'être prêts. Ils avaient devant eux, au nord, trois corps d'armée allemands dont la mobilisation avait été achevée plus tôt, le 10 août. Ceux-ci avaient eu tout le temps de préparer leur artillerie et d'assurer leurs arrières. La 8ᵉ armée allemande de Prittwitz von Gafforon avait envoyé un corps d'armée renforcé vers le sud et fait face à la 1ʳᵉ armée de Rennenkampf avec le reste de ses forces, soit 102 bataillons, ce qui devait suffire pour arrêter les 94 bataillons russes, compte tenu de la supériorité allemande en artillerie.

Les Russes marchent à pied, sans relâche. Dans la hâte, on a oublié de faire suivre les approvisionnements. Les hommes, très rapidement, manquent de vivres. Dès qu'ils ont franchi, le 17 août, la frontière allemande, ils ne trouvent plus rien à manger. Pourtant, ils bousculent le 1ᵉʳ corps allemand et obligent le général François à faire retraite. Leur avance continue à raison de 17 kilomètres par jours. Le 20, les Allemands doivent accepter l'engagement. Les Russes, déjà épuisés par leurs marches et gênés par l'absence d'artillerie lourde, sont ce jour-là victorieux à Gumbinnen. Toutes les manœuvres des Allemands échouent. Les Russes de la 28ᵉ division d'infanterie perdent 60 % de leurs effectifs, mais résistent. Les artilleurs allemands, égarés par la retraite des leurs, les prennent sous le feu, croyant qu'ils sont russes. Toutes les attaques des régiments prussiens sont repoussées : un corps d'armée tout entier, le 17ᵉ, est mis en fuite. « Tous les moyens mis en œuvre pour arrêter les troupes échouèrent, dit le compte rendu du *Reichsarchiv.* Le général von Mackensen lui-même s'était porté à cheval pour

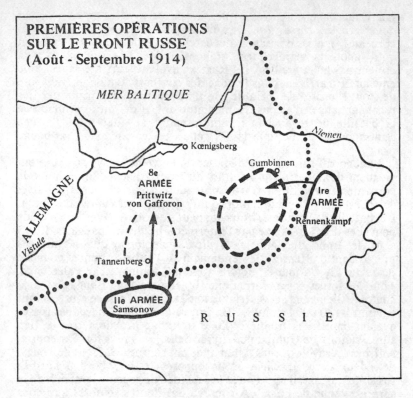

**PREMIÈRES OPÉRATIONS
SUR LE FRONT RUSSE
(Août - Septembre 1914)**

MER BALTIQUE

ALLEMAGNE

Vistule

Niemen

Kœnigsberg

Gumbinnen

8e
ARMÉE
Prittwitz
von Gafforon

Ire
ARMÉE
Rennenkampf

Tannenberg

IIe ARMÉE
Samsonov

R U S S I E

intervenir, mais il ne réussit pas à arrêter l'immense flot des fuyards. » Prittwitz ordonne la retraite générale. Ce jour-là, le Russe Rennenkampf est bien vainqueur. Aussitôt Berlin réagit : il ne peut laisser sous la botte des Russes le vieux pays des chevaliers teutoniques. La Prusse orientale doit être défendue à tout prix. Il est surprenant que les Russes aient réussi à mobiliser si vite dix divisions d'infanterie et une nombreuse cavalerie, il faut les repousser, quoi qu'il en coûte. Leur invasion qui risque de nuire au moral de la nation, est dure pour l'orgueil du Kaiser.

— Peut-être arriverez-vous encore à sauver la situation, à éviter le pire? a-t-il dit à Ludendorff qu'il décorait pour la prise de Liège.

Il l'envoie à Koenigsberg, avec Hindenburg, vieux général rappelé en activité. Prittwitz est écarté : c'est la première victime allemande de la valse des généraux.

Les Allemands ont tout leur temps et ne le savent pas. Comment pourraient-ils encore savoir que Jilinski, le général en chef de ces deux armées russes (qui a, dit Soljénitsyne, « la témérité du corbeau ⁶ »), n'ose envisager d'encercler les Allemands de Prusse, et qu'il ignore la marche des grandes unités. Les Allemands n'en croient pas leurs oreilles : les Russes envoient leurs messages radio en clair ! En arrivant dans la zone des combats, Ludendorff dispose de tout l'ordre de bataille de l'adversaire, confirmé par les reconnaissances d'avions. Immédiatement, il définit le principe de la bataille de revanche : il faut prendre au filet toute l'armée Samsonov, la 2ᵉ, puisque la 1ʳᵉ, celle de Rennenkampf, ne bouge pas.

Ludendorff sait qu'il va disposer de nouvelles troupes, celles qui viennent de l'ouest. Von Moltke, du front français, lui a donné le corps de réserve de la Garde prussienne, plus un corps d'active. Joffre est loin de se douter alors qu'il n'aura pas ces unités devant lui à la bataille de la Marne. Mais qui peut s'en douter ? Joffre n'a eu de nouvelles des Russes que par l'intermédiaire des ambassades. Le 13 août, le grand duc Nicolas a dit à Paléologue que ses armées prendraient l'offensive le lendemain à l'aube. Aucune nouvelle jusqu'au 22. Ce jour-là, Joffre apprend, toujours par Paléologue, « que les forces russes formaient 10 armées, dont 7 engagées déjà contre l'Allemagne et l'Autriche, soit 28 corps d'armée représentant environ 1 120 000 hommes... En Prusse orientale, les troupes russes avaient dépassé la frontière d'une trentaine de kilomètres ». Rien sur la victoire de Gumbinnen, livrée deux jours plus tôt. Par contre, Joffre croit savoir que les Allemands ont renforcé le front de l'ouest de « deux corps d'armée actifs opposés tout d'abord à l'armée russe ». Pourtant, il ne renonce pas à l'idée de secours inespéré, de la surprise venue de l'Est. « Au milieu des heures sombres que nous vivons, écrit-il le 24, ma pensée s'en allait fréquemment vers nos alliés russes : je comptais que leur action devait bientôt desserrer la pression que l'ennemi faisait peser sur nous. Et cela explique l'impatience avec laquelle j'attendais les nouvelles de ce front lointain ». Le 27 (une semaine plus tard), il sait enfin que les Russes ont obtenu « un succès ». Il s'agit du recul d'un « corps allemand ». Ce succès, Poincaré l'a appris par un télégramme des Affaires étrangères le 23. Jusqu'au 30 août, toutes les nouvelles venues de Russie confirment le succès des armées du tsar. L'attaché militaire de Laguiche lui affirme le 30 : « Le gros des armées est transporté vers l'ouest par voie rapide et prononce de plus en plus son offensive dans la direction de Berlin. » Ce jour-là se livrait la bataille de Tannenberg.

En Prusse, devant l'avance russe, la population avait commencé son exode. Les villages pris par les Russes étaient vides, ils avaient

6. A. Soljénitsyne, *Août quatorze.*

été évacués sur ordre militaire. Les réfugiés refluaient jusqu'à Berlin où ils faisaient la plus fâcheuse impression. Ludendorff avait pris les mesures d'urgence pour contre-attaquer pendant que Samsonov, à Meidenburg, portait des toasts à la prise de Berlin et que Rennenkampf recevait de Jilinski l'ordre de se porter sur Koenigsberg où il n'y avait pas d'armée allemande...

Ludendorff, à observer le désordre russe, pouvait croire que le jugement de la Providence (*Strafgericht*) pouvait s'accomplir. Il avait une chance de livrer une bataille d'anéantissement, sur les lieux mêmes où, jadis, les Slaves avaient écrasé les chevaliers teutoniques dans les forêts dont les sapins avaient cinq siècles d'âge...

L'armée russe avait des canons Krupp et Schneider et savait s'en servir. Elle n'était pas pour autant moderne. Les Russes étaient partis au combat derrière leurs icônes, comme au temps de la Guerre patriotique. Ces longues colonnes de grenadiers en marche auraient pu obéir aux ordres de Koutousov. Le général Samsonov, qui commandait la 2ᵉ armée, était un ancien hetman de l'armée du Don, un cavalier qui avait été gouverneur du Turkestan. A 55 ans, il savait commander une charge et haranguer les troupes, mais non pas lire une carte ni préparer une offensive. Au reste, son armée était dispersée « sur un territoire plus grand que la Belgique », dit Soljénitsyne. En campagne, elle a rapidement manqué de vivres, ne pouvant s'en procurer dans les villages prussiens où l'on avait brûlé, avant l'arrivée des Russes, jusqu'aux meules de foin. Samsonov lui-même était sans liaisons : les automobiles s'enlisaient dans le sable, les avions étaient sans essence et les fils du téléphone cassaient sitôt installés. Il fallait envoyer des agents de liaison à cheval, qui avaient besoin de 24 heures pour aller d'une armée à l'autre. Quant au sans-fil, il transmettait en clair ces précieux messages radio que les Allemands lisaient et classaient avec soin, sans avoir besoin de les déchiffrer.

Pourtant, cette armée d'un autre âge se battait bravement derrière ses étendards déployés qui représentaient saint Georges ou la Vierge Marie. Les soldats, quand ils s'adressaient aux officiers, leur donnaient des « hautes noblesses », ils avaient pour les étendards pétroviens un respect religieux. Soljénitsyne décrit l'étonnement de ces troupes quand elles découvrent, dans les villages allemands, une bicyclette, des puits bétonnés, l'éclairage électrique. Comment se reconnaître dans le dédale de ces villages? Les Allemands avaient pensé à détruire les poteaux indicateurs et les officiers russes ne disposaient pas de cartes. Après quatorze jours de marche, les fantassins de Samsonov ne savaient plus où ils en étaient.

Sans doute les officiers ont-ils des automobiles, mais « ils en maintiennent la vitesse au rythme des chevaux cosaques ». En face, les trains allemands parcourent la Prusse, se suivant l'un l'autre, s'arrêtant seulement vingt minutes pour permettre aux hommes de débarquer à proximité du champ de bataille. Pendant que la 1ʳᵉ armée russe marche sur Koenigsberg, Jilinski apprend enfin que les Allemands qui se repliaient devant elle d'est en ouest ont été en réalité embarqués en chemin de fer pour attaquer la 2ᵉ armée qui vient du sud. Il demande à Rennenkampf d'aider d'urgence Samsonov. Mais les deux armées sont à 10 kilomètres l'une de l'autre et elles ne disposent pas de chemins de fer... Quand Rennenkampf arrive à marche forcée, la 2ᵉ armée, le 28 août, est déjà battue.

Toute l'armée allemande commandée par Hindenburg a été envoyée en chemin de fer pour encercler complètement Samsonov. Les Allemands ont été en mesure d'attaquer, avec 13 divisions d'infanterie et 150 batteries, 10 divisions russes à 70 batteries. Ils ont ainsi disposé d'une écrasante supériorité de feu. Le général Samsonov ne supporte pas la défaite, il se suicide. A Tannenberg, les Allemands font 92 000 prisonniers et prennent 33 canons. Avant de mourir, Samsonov avait fait ses adieux à son armée meurtrie.

Reste Rennenkampf. Il a reçu des renforts venus du Turkestan et de Sibérie. Il sauve son armée, mais perd la bataille des lacs Mazures, commencée le 7 septembre. L'incapable Jilinski est remplacé par Rouzski, mais c'est en Russie que devra désormais combattre l'armée russe.

Elle n'a pas eu plus de succès en Galicie. Une belle charge de cavalerie, le 21 août, avait pourtant permis de lancer l'offensive vers Lvow. Deux divisions s'étaient ce jour-là affrontées au sabre et les Autrichiens avaient été taillés en pièces. Mais, vers le nord, le 23 août, ils avaient pris leur revanche en attaquant sur Lublin. Les Russes avaient dû se replier, ils avaient même envisagé d'évacuer la Pologne. Toute l'énergie du grand-duc Nicolas avait été nécessaire pour faire reprendre l'offensive qui devait ramener les Russes, le 3 septembre, aux portes de Lvow. Pourrait-il enfoncer définitivement l'armée autrichienne ?

S'il ignorait les succès de Galicie, Joffre pouvait par contre soupçonner la défaite de Tannenberg : pendant la nuit du 30 au 31, « nous apprîmes, écrit-il dans ses *Mémoires,* qu'à Belfort un radio allemand avait été intercepté, disant : " Le succès de la bataille de Tannenberg est encore plus complet qu'on le croyait tout d'abord : trois corps d'armée russes sont complètement anéantis ; 70 000 prisonniers... la 2ᵉ armée n'existe plus... " » Et Joffre d'ajouter : « Quelle créance fallait-il donner à ces nouvelles ? » Elles confirment pourtant le renseignement qu'il reçoit le lendemain et qui lui importe grandement : « Deux corps d'armée allemands venaient de quitter notre front pour se rendre en Prusse orientale. »

Le 1ᵉʳ septembre, la situation est très sérieuse sur le front ouest. Joffre prend des mesures pour défendre Paris. Mais l'avance allemande est telle qu'un corps de renfort, le 18ᵉ, ne peut être transporté, parce que Soissons vient de tomber. Le général en chef croit nécessaire d'en aviser aussitôt le ministre de la Guerre Millerand. Seul le pouvoir civil, explique-t-il, est en mesure d'obtenir de French qu'il reprenne le combat : celui-ci a constamment refusé d'engager ses troupes depuis le début de la retraite.

Une réunion est aussitôt organisée à l'ambassade d'Angleterre à Paris. Le président du Conseil Viviani y vient en personne. Il rencontre Kitchener, venu de Londres, et French. « J'aimerais à voir choisir, propose French, une ligne de défense sur la rivière Marne. » Il est prêt à contre-attaquer, à condition qu'il « ne coure pas le risque de voir [ses] flancs exposés à une attaque », à hauteur de Nanteuil-le-Haudouin, à l'ouest de l'Ourcq, où son armée s'est repliée.

Sans doute la ligne proposée par French paraît-elle à Joffre trop avancée. Il répond le lendemain que la présence de l'armée anglaise lors de la bataille de défense de Paris sera « un précieux réconfort ». A l'évidence, le 2 septembre, il pense que le temps de l'offensive n'est pas encore venu. Pourtant, il est rassuré par la proposition de French. Au moment décisif, il peut croire que l'aide anglaise ne fera pas défaut. Dans l'immédiat, il doit rassurer Gallieni, le gouverneur de Paris : « Le camp retranché, lui a dit ce dernier, est actuellement hors d'état de se défendre lui-même », il faut au plus vite lui envoyer des renforts : « nous sommes hors d'état de résister ». Paris est en effet défendu par quatre lignes concentriques de fortifications qui ne sont pas vraiment en état de défense : certains forts sont gagnés par la forêt, il faut faire abattre les arbres pour tirer. Dans les intervalles entre les points fortifiés, il est indispensable de construire des lignes de résistance bien pourvues d'artillerie et de mitrailleuses. Celles-ci font défaut, ainsi que la mélinite pour bourrer les obus. En outre, Joffre a retiré, au cours de la bataille, un certain nombre de divisions de réservistes qui constituaient la garnison, la 61ᵉ par exemple, qui ont été envoyées dans le Nord. Gallieni ne dispose que de 376 canons en état de tirer, tous de 120 et de 155 longs, mais il n'a pas d'artilleurs. C'est tout juste s'il a pu faire installer les premières « stations de tir contre aéronefs » équipées de projecteurs et de canons de 75. Un 37 sous coupole, fourni par Schneider, protège la tour Eiffel qui dispose, sur ses plates-formes, de mitrailleuses et de petits canons en batterie.

Pour les travaux, on doit engager des ouvriers italiens, car les territoriaux ont été mis à la disposition des agriculteurs pour leurs récoltes. Il faut raser les bois inutiles qui permettaient à l'infanterie allemande de s'infiltrer de nuit près des forts : le bois d'Attilly, par exemple, au sud d'Ozoir-la-Ferrière. Il faut aussi détruire les immeubles indûment construits dans les zones de défense. Gallieni réclame d'urgence de la main-d'œuvre. Il demande aussi des vivres : au 27 août, Paris n'a que 43 jours de pain, 12 jours de viande et 12 jours d'avoine. Il faut se préoccuper d'évacuer tous ceux qui veulent partir. Dès le 27 août, ce transfert de population est envisagé. Mais les trains sont pris pour l'armée, les autobus pour le ravitaillement du front en viande fraîche. Où trouver les véhicules? Il faut multiplier les réquisitions.

Dans l'immédiat, Gallieni fait barrer les routes et miner les ponts : il veut faire accélérer l'évacuation des civils. Le 27, il demande aux préfets de provoquer les « départs volontaires » et d'évacuer les malades et les nécessiteux. Quant aux blessés, il faut les détourner du camp retranché qui va avoir besoin de tous ses hôpitaux.

Dans la capitale, c'est la panique : les autobus ont disparu, ils sont remplacés par de mauvais chars à bancs. Les musées, les théâtres sont fermés. On attend une heure les tramways qui circulent encore. Les portes de Paris sont hérissées de fils de fer barbelés, de chevaux de frise, gardés par des territoriaux. Nul ne peut entrer ou sortir sans papiers. Depuis la mobilisation, il est très difficile de prendre le train, les rames sont utilisées par l'armée. Les grands restaurants sont fermés, les queues devant les épiceries sont interminables. Ceux qui restent font leurs provisions. Sur le Cours-la-Reine, des troupeaux de moutons ou de bovins. Ils paissent aussi au bois de Boulogne, sur les pelouses d'Auteuil et de Longchamp. Il y a plus de 10 000 moutons à Bagatelle. A partir de 10 heures, le soir, la ville est sans lumière. On redoute les raids d'aviation ou de zeppelins.

Les Parisiens sont sans nouvelles du front; ils n'ont que les fausses nouvelles des réfugiés. Ils apprennent ainsi que les Russes ont débarqué au Havre et que les Allemands ont fait brûler la forêt de Compiègne. Les récits des réfugiés ne sont pas rassurants : nombreux sont les volontaires pour le grand départ vers le sud. Les riches, à l'évidence, sont déjà partis. Ils ont payé 3 000 francs un taxi pour la Normandie, 1 000 francs pour Orléans... Il y a queue dans les gares : les pauvres devront attendre que des dispositions soient prises pour les transporter. On affiche le 4 septembre que les trains partiront le lendemain. En trois jours, l'exode est massif. Le 7 septembre, aux Champs-Élysées, plus une voiture, plus une bicyclette. Paris s'est dépeuplé.

Le gouvernement a lui-même quitté la capitale, à la demande expresse de Gallieni. Le 2 septembre à 11 heures du soir, la rame est partie pour Bordeaux. Plusieurs trains ont suivi, dont l'un transportait la précieuse réserve métallique de la Banque de France : plus de 1 400 tonnes d'or et 3 000 d'argent. Désormais, Paris est ville fermée : les « septembrisards » sont partis.

Les troupes dont dispose le général Gallieni sont insuffisantes. On lui offre des renforts, la 45ᵉ division qui vient de débarquer d'Algérie, des tirailleurs, des zouaves recrutés partout, à Oran, à Alger, à Tunis et même à Marseille ou à Paris. Elle est aussitôt embarquée pour Juvisy mais Drude, son général, fait remarquer que les troupes sont disparates et mal instruites. Gallieni rameute ce qu'il peut : des artilleurs de marine que lui fournissent les ports, des territoriaux sachant servir les pièces. Il groupe en une brigade, commandée par le contre-amiral Ronarc'h, les deux régiments de fusiliers marins qui faisaient la police dans les rues. Ils seront remplacés dans cette tâche par des spahis. Le 31 août dans l'après-midi, un « taube » a lâché sur la capitale un grand drapeau portant cette inscription : « Les Allemands seront à Paris dans trois jours. »

Où sont-ils au juste? Ce jour-là, ils viennent d'entrer dans Soissons, à cause de la retraite trop précipitée des Britanniques qui a obligé l'armée Lanrezac à reculer elle-même. Devant eux, dans les villes et les villages de l'Oise et de la Seine-et-Marne, c'est la panique. A Senlis, le « journal d'un bourgeois » raconte que les familles de notables, prises par la vague des mauvaises et des fausses nouvelles, ont décidé de prendre le train dès le 29, ou de partir en automobile. La « maladie de la peur » est devenue panique quand « on a vu que le dépôt des hussards quittait Senlis et s'embarquait pour Saumur ». L'installation proche d'un aérodrome anglais a encouragé les bourgeois à cacher « des choses précieuses dans les caves, les jardins, les souterrains », à faire disparaître l'argenterie et les objets d'art et à prendre, « sous les lazzis d'un régiment de zouaves », la route d'Orléans. La panique gagne les villages de Seine-et-Marne où la population n'a guère les moyens de s'enfuir. A Germigny, le 1ᵉʳ septembre, des réfugiés belges venus de Namur racontent toutes les horreurs de la guerre. Ils sont suivis par des charrettes de paysans venus de Crépy-en-Brie : pas de doute, les Allemands sont là, sur leurs talons. Les femmes pleurent, le tambour de ville passe : le départ des habitants se précipite, ils s'en vont là où ils peuvent, sans avoir le temps de faire des bagages. L'instituteur a fait enfouir au cimetière, dans des caisses de chêne, les archives de la commune. Tout le monde s'enfuit vers Trilport, distant de 4 kilomètres, dans l'espoir de trouver des trains. Mais ceux-ci sont pris d'assaut, personne ne peut embarquer. Restent les routes, envahies de vaches et de chevaux : 17 personnes seulement restent à Germigny, sur 230. Elles coucheront dans les bois, dans les champs. Les Allemands eux-mêmes leur ont déconseillé de rentrer; « le village est entre deux feux », a dit un officier.

A Montceau-les-Meaux, même exode après le passage des réfugiés du Nord et des paysans des environs en fuite. Les Anglais traversent le village, puis les uhlans qui sont sur leurs traces. Ni les uns ni les autres n'ont le temps de s'arrêter, c'est la poursuite. A Trilport, où l'on a reçu 1 200 émigrés belges, la receveuse des postes part la première, dans la nuit du 1ᵉʳ au 2 septembre. Arrivent les cavaliers anglais, avec leur général qui couche au château. Le tocsin sonne, le pays est évacué. Une trentaine d'habitants seulement décident de rester. Des uhlans, des dragons allemands surgissent et, bientôt, un général en voiture qui va loger au château... 40 000 Allemands traversent le village en une journée, cuisant eux-mêmes leur pain dans la boulangerie. « Dans deux semaines, disent les officiers, tout sera terminé ici. » A Meaux, c'est aussi la municipalité qui, par roulement de tambour, conseille à la population de partir. Des convois d'errants se forment sur les routes dès le 2 septembre. Les derniers trains sont partis avant l'arrivée des Anglais. Il reste 2 000 habitants sur 14 000. Il n'y a plus dans la ville ni gaz, ni électricité, ni même d'eau. Personne dans les rues, plus de policiers, plus d'employés de ville.

Au passage des armées allemandes, le vide. La plupart des habitants sont partis. Sur les routes, au franchissement des ponts, ils gênent les Allemands eux-mêmes qui leur font des reproches : « Pourquoi fuir? Mauvais Français, quitter son pays[7]! » Les Allemands, épuisés, n'ont pas la force de faire dégager les routes. Les uhlans, qui devraient s'en charger, sont partis depuis longtemps. Les lourdes colonnes avancent « en chantant, dans l'assoupissement de l'ivresse des vieux cantiques nationaux ou des chants traditionnels, lourds et graves... Les soldats du 4ᵉ corps de réserve croyaient Paris à leur portée et la fin de la guerre proche. Ils étaient prêts à tout supporter en attendant, faim, sommeil et mort... Là, ils se reposeraient dans des lits à dentelles, là, ils mangeraient à leur faim et s'abreuveraient de plaisirs » – et de reprendre en chœur *Mein guter Kamerad!* A leur arrivée, « les cavaliers fouillaient les villages, à la recherche de quelques rares habitants pour leur enjoindre de porter devant toutes les portes des seaux et des baquets pleins d'eau. Pour s'assurer que l'eau n'était pas empoisonnée, ils forçaient les villageois à la goûter. Bientôt la troupe arrivait et traversait les rues en bon ordre, puisant les quarts dans les baquets et les vidant d'un trait sans rompre les rangs[8] ».

Au 3 septembre, toute la partie nord-ouest de la Seine-et-Marne était envahie. Les Anglais se trouvaient le 1ᵉʳ à Meaux et à Dammartin. Ils avaient hâte de franchir la Marne entre Chelles et Meaux pour se mettre à l'abri du fleuve. Si les Anglais poursuivaient leur retraite, il fallait absolument que le général Maunoury,

7. Josèphe Roussel-Lépine, *Les Champs de l'Ourcq*, Presses du Village.
8. *Ibid.*

avec des éléments de sa 6ᵉ armée, tînt le front à leur place sur la ligne Lagny-Meaux-La Ferté-sous-Jouarre. A chaque moment de la bataille, le général en chef était dans l'incapacité de savoir ce que ferait French. Il avait fait envoyer en renfort le 4ᵉ corps de la 3ᵉ armée, commandé par Sarrail, mais les trains avaient d'importants retards. A défaut de Sarrail, il fallait dégarnir, à l'ouest de Paris, une partie de l'armée Maunoury pour la transporter d'urgence vers l'est. D'immenses colonnes d'Allemands marchaient toute la journée du 2, l'une au sud de Crépy-en-Valois, l'autre de Villers-Cotterêts. Elles appartenaient à l'armée von Kluck. D'autres colonnes, plus au nord, marchaient sur Chelles. Il fallait envoyer sur les traces des Anglais, qui poursuivaient le 3 leur retraite, les coloniaux de Ditte et les divisions du général de Lamaze. Non seulement les Anglais avaient franchi la Marne, mais ils étaient déjà au sud du Petit-Morin.

Paris s'attend à être attaqué d'une heure à l'autre. Sur les murs, Gallieni a fait placarder son affiche célèbre : « J'ai reçu le mandat de défendre Paris contre l'envahisseur. Ce mandat, je le remplirai jusqu'au bout. » Il demande en même temps à Joffre de l'informer minutieusement du déroulement des événements, pour pouvoir en avertir la population « qui a soif de renseignements et de nouvelles ». Il faut, pense Gallieni, dire la vérité aux Parisiens.

A sa disposition, le 7ᵉ corps et les trois divisions de réserve de Maunoury. La 45ᵉ division enfin armée, le 4ᵉ corps de l'Argonne, dont les soldats sont très fatigués, les divisions du général Ebener, récupérées des combats du Nord, enfin les territoriaux et les marins du camp retranché. Gallieni pense encore, le 3 septembre, que les forces allemandes convergent vers Paris. Joffre n'est plus tout à fait de cet avis, en raison des renseignements d'une importance capitale qu'il a trouvés sur sa table de travail le 3 septembre, et qui vont modifier le cours de l'histoire...

A Bar-sur-Aube, Joffre s'est rapproché du centre de la bataille. Depuis le 1ᵉʳ septembre, il couche dans le lit où a dormi le tsar Alexandre, en 1814, lors de la première grande invasion de la France. Des Russes, ce 3 septembre, Joffre obtient confirmation du désastre de Tannenberg. Il sait désormais qu'il est réduit à ses seules forces. Et on vient de lui faire observer que les deux premières armées allemandes ont brusquement changé de direction.

Sur le terrain, c'est très net : la conversion de la 1ʳᵉ armée est brutale, soudaine. Pour la division de cavalerie prussienne qui poursuit les Français, après avoir bousculé les Anglais, jusqu'à Gonesse, Paris est presque en vue : 17 kilomètres! Les hussards à tête de mort qui ont pris Verbery, Senlis et Chantilly galopent au pillage, ivres de joie. « Changement de direction! » L'ordre est bref, sans réplique. La 4ᵉ division de cavalerie, avec ses dragons, ses hussards et ses uhlans, quitte la route du Bourget et oblique vers Meaux. Les officiers vont pouvoir banqueter dans les châteaux de Seine-et-Marne, et les cavaliers faire ripaille dans les grasses fermes de la plaine de l'Ourcq. Ceux-là n'ont pas à se presser, ils couvrent le flanc gauche de l'armée. Mais les autres, à marche forcée, doivent franchir la Marne entre La Ferté-sous-Jouarre et Château-Thierry et marcher dans la direction de Montmirail et de la haute Seine. Plein sud-est.

La 2ᵉ armée de von Bülow exécute le même mouvement. Il est clair, désormais, qu'en fonçant sur Château-Thierry, la 1ʳᵉ armée allemande, soutenue par la 2ᵉ, veut envelopper, en le prenant de vitesse, le groupe du général Lanrezac. Mais celui-ci a franchi les ponts le premier, il s'est mis en sécurité au sud du fleuve, les Allemands sont arrivés trop tard. Pourtant, ils poursuivent, franchissent la Marne à leur tour, continuent leur manœuvre d'encerclement. Moltke n'a pas renoncé à « saisir la masse des armées françaises ». Négligeant Paris, il veut encercler trois armées d'un seul coup de filet, réussir la bataille d'anéantissement que Hindenburg et Ludendorff ont magnifiquement remportée à Tannenberg.

L'ordre allemand, qui fait suite à une initiative des généraux, est du 30 août : « Les mouvements amorcés par les 1ʳᵉ et 2ᵉ armées sont conformes aux intentions de la Direction suprême. Coopérer avec la 3ᵉ armée, aile gauche de la 2ᵉ armée, approximativement en direction de Reims. » De ce fait, la marche vers le sud-ouest – vers Paris – est abandonnée. On va désormais vers le sud-est, un ordre du 3 septembre le confirme : « L'intention de la Direction suprême est de couper les Français de Paris en les refoulant dans la direction du sud-est. La 1ʳᵉ armée suivra la 2ᵉ en échelon et assurera la protection du flanc droit des armées. »

Mais, au moment où la 2ᵉ armée combat dans la région de Fère-en-Tardenois, la 1ʳᵉ armée est plus avancée, elle a gagné à marches forcées Château-Thierry pour tenter d'envelopper Lanrezac. Comme le fait remarquer von Bülow, « l'échelonnement en arrière de la 1ʳᵉ armée prescrit par la Direction suprême pour assurer la protection du flanc droit des armées était devenu un échelonnement en avant ». Les troupes de la 1ʳᵉ armée, qui marchaient depuis 15 jours à raison de 40 km par jour, étaient dangereusement étirées, offertes à une attaque de flanc. Sur la carte, Joffre s'en rendait parfaitement compte. Il ne pouvait se douter que von Kluck, en avançant aussi vite, avait désobéi aux ordres et pris une initiative risquée. Mais le commandant allemand avait la conviction que l'armée française était à genoux et qu'il fallait se hâter pour la distribution des palmes. Il ne voulait pas être en retrait sur von Bülow. Les Français fuyaient devant ses unités. Von Richthofen, à la tête d'un corps de cavalerie, avait raconté qu'un bataillon de zouaves de la 6ᵉ armée s'était dispersé au premier canon « en jetant armes et bagages ». Les Allemands trouvaient devant eux « de grosses quantités d'équipement et de munitions abandonnées le long des routes de retraite et sur les emplacements de batteries évacués ». Les deux généraux prussiens, grisés, se conduisaient désormais comme des rivaux mal dominés par Moltke, de plus en plus malade dans son quartier général de Luxembourg.

Joffre, par contre, maîtrisait parfaitement son haut commandement. Gallieni, son ancien chef à Madagascar, avait toute sa confiance, il aimait sa lucidité et son sang-froid. A la tête des armées et des corps d'armée, il n'avait maintenu que les chefs irréprochables, ceux qui n'avaient pas faibli aux premières batailles. Il avait même écarté Lanrezac, le vainqueur du combat de Guise, parce que les rapports entretenus par le chef de la 5ᵉ armée avec le maréchal French étaient trop mauvais. Joffre ne pouvait se permettre de conserver à son commandement ce chef « merveilleux de lucidité » mais « effondré moralement », au moment où il assignait au corps expéditionnaire un rôle décisif dans la prochaine bataille : Lanrezac était sacrifié. Il devait envoyer aussi Ruffey, autre général d'armée « très énervé et qui se répandait en propos amers contre la plupart de ses subordonnés », remplacé par l'énergique Sarrail. La 5ᵉ armée était désormais commandée par un homme aux nerfs d'acier, Franchet d'Espérey.

Neuf généraux de corps d'armée, 33 divisionnaires sur 72 étaient mutés dans l'infanterie, ainsi que la moitié des chefs de divisions de cavalerie. Joffre avait opéré ces mutations à chaud. Il avait besoin d'hommes énergiques, et pas forcément jeunes. Pétain et Fayolle avaient été rapidement promus. Foch devenait presque général d'armée. Maunoury et Gallieni n'étaient certes pas des débutants. En 1911, Gallieni aurait pu être désigné au poste de Joffre. Il avait refusé en raison de son âge. Jeunes ou vieux, les chefs d'unités avant la Marne étaient entièrement dominés par Joffre qui leur faisait confiance, les ayant pour la plupart éprouvés dans les batailles antérieures.

Restait la troupe : elle n'en pouvait plus de faire retraite. La reprise en main était, dans certaines unités, impossible. On ne pouvait plus rien demander aux vieux territoriaux du général d'Amade. Partis 100 000, les Anglais se retrouvaient 20 000 en état de faire front. Les corps de cavalerie (Sordet, Conneau) s'étaient épuisés en marches et contre-marches. Ils avaient affronté en de nombreux combats les dragons de Richthofen, le futur aviateur, et les uhlans de von der Marwitz. Dans l'armée Maunoury, les deux divisions commandées par Lamaze étaient « au bord de l'épuisement ». Maunoury doit prévenir les hommes que « des unités seront disposées en arrière de la ligne des combats, avec mission de s'opposer, au besoin en faisant usage de leurs armes, à tout mouvement de retraite dont l'exécution n'aurait pas été ordonnée ». Le maréchal French, de Lagny, signale le 2 décembre que de toutes les routes de retraite de son armée sont encombrées de fugitifs, il demande « donner ordres gendarmes les faire évacuer, les rejetant est ou ouest ». Du Raincy où il a son quartier-général, Maunoury précise que « tous les hommes sans exception devront être prévenus par les capitaines et commandants en personne, et sous la pleine responsabilité de ces derniers, que des sections ou compagnies seront toujours disposées par le commandement en arrière de la ligne de combat... Ces sections ou compagnies arrêteront tous les isolés qui reflueraient vers l'arrière et les renverront d'autorité à leurs postes de combat ».

A la veille de la bataille, il faut encore durcir les ordres : le 4ᵉ corps, qui vient en renfort de l'Argonne, est épuisé par un trop long voyage en chemin de fer. Les réservistes qui l'ont rejoint ne sont pas entraînés au combat et sont découragés par l'extrême fatigue des « anciens ». Les troupes, qui ont perdu beaucoup d'officiers au combat, sont, dit Lartigue qui les commande, « peu maniables ». On a trop demandé aux fantassins du Mans, de Laval ou de Mayenne. Il leur faut au moins 48 heures de repos. La 5ᵉ armée, qui a supporté, pendant la retraite, le gros de la bataille, est, comme son chef Lanrezac, à bout de nerfs. Il faut envisager, pour exécuter les manœuvres les plus urgentes, de transporter les troupes par automobiles. Le 3 septembre, Joffre envoie 300 camions à Lanrezac pour enlever 6 000 hommes. Ils avaient fait 150 kilomètres en trois jours ! Les soldats de la 53ᵉ division, qui ont combattu devant Château-Thierry, n'ont plus d'officiers ni même de sous-officiers, ils sont « à l'extrême limite de leurs forces ». C'est Franchet d'Esperey, le nouveau chef de la 5ᵉ armée, qui demande à Joffre un délai d'au moins 24 heures pour refaire ses troupes avant l'offensive. Encore ne peut-il pas compter – il le dit – sur ses divisions de réserve. Pour préparer ses hommes au combat, il diffuse un ordre très dur : « Un service d'ordre très rigoureux, dit-il, confié à la prévôté, sera organisé sur les routes et les ponts... les faiblesses seront punies immédiatement par les rigueurs de la loi martiale. » Au 12ᵉ corps, les soldats accablés de chaleur et de fatigue ont dû être transportés, à la demande du général Roques, par chemin de fer. Ils étaient hors d'état de faire une nouvelle marche de 50 kilomètres dans la nuit du 4 au 5 septembre pour gagner leurs emplacements de combat. Depuis le début de la campagne, sur 1 600 000 combattants, plus de 200 000 étaient déjà perdus. Joffre ne pouvait plus tolérer la moindre défaillance. Il prit lui-même l'initiative de renforcer la discipline, mobilisant des officiers de cavalerie pour surveiller les trains, renforçant les brigades de prévôté pour surveiller les arrières. Il rappelait, le 1ᵉʳ septembre, que la procédure exceptionnelle des conseils de guerre permettait de frapper sur-le-champ les hommes coupables de défaillance. Dans son ordre du 2 septembre, il annonçait son intention de « passer par les armes » les fuyards. Il devait répéter cet ordre le 7, en pleine bataille : « Des hommes sont retrouvés aux bivouacs ou à l'arrière, sans sac et sans fusil. Il est indubitable que la plupart de ces hommes ont abandonné leur poste... il y a donc lieu, dans chaque cas particulier, d'examiner s'il convient de les faire passer en conseil de guerre pour abandon de poste. Nous devons être impitoyables pour les fuyards. » Le 4 septembre, il a fait avertir les chefs d'unités que le gouvernement allait rétablir les cours martiales : « Vous autorise en attendant, ajoute-t-il, prendre toute mesure que jugerez nécessaire pour maintien ordre et discipline », en utilisant le droit reconnu le 3 août au commandement de faire exécuter des sentences de mort sous la seule réserve de rendre compte. Les cours martiales sont en effet rétablies par décret du 6 septembre. On les nomme pudiquement « conseils de guerre spéciaux ». Ils sont constitués « à titre provisoire et pendant toute la durée de la guerre... pour juger le flagrant délit... aux quartiers généraux des armées et des corps d'armée, dans les divisions, brigades, régiments ou unités formant corps de la force d'un bataillon au moins ». Ils sont composés de trois juges désignés, d'un officier chargé de l'accusation et d'un greffier. Pas de défenseurs, pas de recours en révision, ni de pourvoi en cassation. La procédure sommaire est mise en place. Dans l'ordre du jour qu'il lance le 6 septembre, Joffre affirme avec force : « Une troupe qui ne peut plus avancer devra, coûte que coûte, garder le terrain conquis et se faire tuer sur place plutôt que de reculer. Dans les circonstances actuelles, aucune défaillance ne peut être tolérée. »

La décision d'attaquer est soigneusement mûrie par Joffre. Il n'y a pas d'improvisation dans la préparation de la bataille. Depuis qu'il a constitué, à la gauche du front, la 6ᵉ armée, il médite de la faire intervenir au bon moment sur le flanc droit de l'armée allemande. Il pense depuis le 3 septembre que ce moment est venu.

La concordance des observations de cavalerie et d'aviation ne laissait aucun doute sur les intentions du commandement allemand. Le mouvement d'enveloppement était parfaitement clair sur le terrain. Les routes au nord de Paris étaient désormais vides d'ennemis. Dans la nuit du 3 au 4 septembre, Joffre avait écrit à Gallieni pour lui demander de préparer ses troupes d'active à intervenir dans la direction de Meaux. Gallieni, de son côté, avait prévenu le général Maunoury. Pourtant, sur la date et le lieu exact de la manœuvre, Joffre avait des doutes.

Il n'était pas entièrement sûr de la bonne volonté du commandement anglais. Gallieni et Maunoury avaient conféré avec l'état-

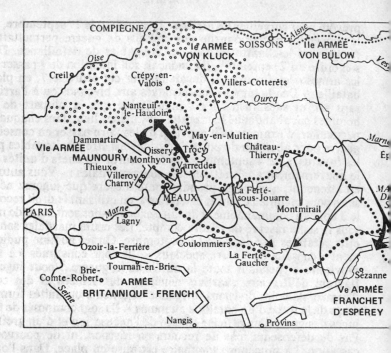

COMPIÈGNE
SOISSONS
Aisne
Vesle

Oise

Ier ARMÉE VON KLUCK
IIe ARMÉE VON BÜLOW

Creil

Crépy-en-Valois
Villers-Cotterêts
Ourcq

Nanteuil-le-Haudoin
Acy
May-en-Multien
Marne

Dammartin
Oissery
Troçy
Château-Thierry
Ép

VIe ARMÉE MAUNOURY
Monthyon
Varreddes

Thieux
Villeroy
Charny

MEAUX
La Ferté-sous-Jouarre
MA Dr S

PARIS
Marne
Lagny
Montmirail

Ozoir-la-Ferrière
Coulommiers
La Ferté Gaucher

Brie-Comte-Robert
Tournan-en-Brie
ARMÉE BRITANNIQUE - FRENCH
Sézanne

Seine
Ve ARMÉE FRANCHET D'ESPÉREY

Nangis
Provins

major de French à Melun pour régler en commun la marche des armées. French, absent de la réunion, ne l'avait pas entièrement approuvée. Le 4 septembre à 22 heures, Joffre avertissait les chefs de corps concernés de son intention d'attaquer le 6. Il n'avait toujours pas de réponse de French et avait appris que le mouvement de retraite de l'armée anglaise devait s'effectuer sur la ligne Ozoir-la-Ferrière - Tournan-en-Brie, dans la nuit du 4 au 5. Les Anglais seraient ainsi éloignés de la base de départ qui leur avait été désignée pour l'offensive. Le 5 septembre au matin, Joffre interroge le ministre de la Guerre : « Un point d'interrogation se pose, lui explique-t-il, au sujet de l'action de l'armée anglaise... », et il lui demande d'agir « par la voie diplomatique ». De son côté, French fait savoir à Maunoury « qu'il a l'intention de se mettre en marche quand la 6e armée commencera à déboucher de l'Ourcq ». Il ne veut à aucun prix reprendre l'offensive sans être assuré d'être entièrement couvert sur sa gauche. Par prudence, il a disposé ses unités « un peu en arrière des positions assignées ». French s'engage enfin « à marcher et à frapper fort » dans l'après-midi du 5, quelques heures avant la bataille, quand Joffre se dérange personnellement à Melun pour le « remercier » de la décision qu'il a prise.

La deuxième inconnue de Joffre, c'est le lieu et le moment exact

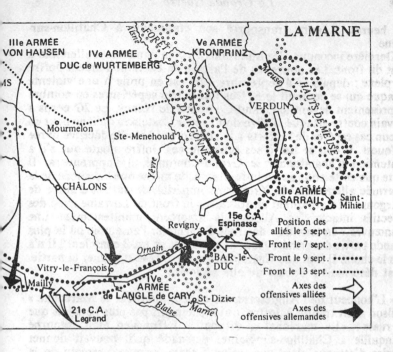

LA MARINE

IIIe ARMÉE VON HAUSEN
IVe ARMÉE DUC de WURTEMBERG
Ve ARMÉE KRONPRINZ
FORÊT
Aisne
Meuse
HAUTS DE MEUSE
VERDUN
Mourmelon
Ste-Menehould
D'ARGONNE
Yèvre
CHÂLONS
IIIe ARMÉE SARRAIL
Saint-Mihiel
15e C.A. Espinasse
Revigny
Ornain
BAR-le-DUC
Vitry-le-François
Mailly
IVe ARMÉE de LANGLE de CARY
St-Dizier
Blaise
Marne
21e C.A. Legrand

Position des alliés le 5 sept. ▭
Front le 7 sept. ●●●●●●
Front le 9 sept. ●●●●●●●
Front le 13 sept. ●●●●●●●●
Axes des offensives alliées ⇨
Axes des offensives allemandes ⬤▶

de l'attaque des troupes de Maunoury. Gallieni a fait proposer comme date de départ le 5 septembre. Le général Clergerie l'a informé du glissement général de l'armée allemande vers le sud-est, mouvement désormais irréversible. Gallieni estime donc le moment venu d'attaquer, sans plus attendre. Il demande s'il doit utiliser la rive nord ou la rive sud de la Marne. Joffre suggère la rive sud, en-dessous de Lagny. Clergerie objecte que le mouvement par le sud retarde l'attaque de 24 heures. Cet officier qui commande l'état-major de Gallieni est impatient de lancer l'offensive. « Ce retard d'un jour procure un gain de force », lui répond le colonel Pont, du G.Q.G.

Joffre s'est en effet rallié au point de vue de Franchet d'Esperey, le nouveau chef de la 5ᵉ armée. C'est lui qui indique la date du 6 comme impérative pour la bataille. Il en suggère le dispositif : Maunoury sur l'Ourcq, offensive anglaise sur Montmirail, conjointement avec la 5ᵉ armée. Foch à l'aile droite, dans les marais de Saint-Gond. Joffre approuve et envoie son ordre de bataille, le 4 septembre, par télégrammes chiffrés aux chefs de corps, entre 23 heures et minuit. La confirmation est apportée aux postes de commandement par des officiers en automobile. French reçoit cet ordre, ainsi que Gallieni. Joffre prévient tous ses adjoints que le 5, à

173

18 heures, il aura transporté son état-major à Châtillon-sur-Seine.

Dernière inconnue : les intentions du commandement allemand à l'est du front. Les nouvelles de l'armée de Lorraine rendent Joffre perplexe : depuis le 4 septembre, elle est en proie à une violente attaque qui se poursuit le 5. Des forces très supérieures en nombre se présentent devant le Grand-Couronné de Nancy. Le 20ᵉ corps a en vain contre-attaqué. Joffre doit avertir Castelnau qu'il ne peut en aucun cas espérer de renforts à la veille d'une bataille décisive livrée à l'ouest. Il doit se fier à ses seules forces. Joffre ajoute que s'il a l'intention d'abandonner le Grand-Couronné, il l'approuvera. Il reste que cette attaque est inquiétante, de même que l'avancée de la 5ᵉ armée allemande, du Kronprinz impérial, de part et d'autre de l'Argonne. En attaquant en force sur le front de Lorraine avec des effectifs intacts, les Allemands amorcent manifestement une manœuvre « en tenaille » destinée à encercler l'ensemble ou la plus grande partie des armées françaises. Joffre en est-il conscient ? Il n'a pas le choix. Il faut que Castelnau tienne. S'il veut gagner la partie, c'est désormais à l'ouest qu'elle se joue.

« L'honneur de l'Angleterre est en jeu, monsieur le Maréchal. » Wilson avait traduit à Joffre, qui n'entendait pas plus l'anglais que le russe : « Le maréchal a dit oui. » Joffre s'en était retourné tranquille à Châtillon-sur-Seine, persuadé qu'il pouvait donner l'ordre d'attaque alors que, selon Spears, principal témoin de la scène, French avait seulement dit : « *I will do my possible.* » Il est vrai que le maréchal avait reçu de Kitchener la promesse de renforts. Il avait, le 5, lu un télégramme de Londres qui était la réponse directe et rapide à l'opération diplomatique réclamée par Joffre : « Nous avons la confiance la plus absolue en vous pour que vous employiez vos troupes de la meilleure manière possible pour contribuer au succès du mouvement du général Joffre. »

Le 6 à l'aube, ils sont partis. Le front s'est retourné. On pouvait croire les hommes, exténués, incapables de reprendre l'offensive. Ils ont été soulagés de n'avoir plus à reculer. De l'Ourcq aux marais de Saint-Gond, ils formaient, avec les Anglais, 30 divisions, contre 20 seulement à leurs adversaires. Grâce aux chemins de fer du père Joffre, le front s'était rééquilibré en leur faveur. « L'orage menace vers Paris », disait von Kluck. Il n'avait laissé sur l'Ourcq que le 4ᵉ corps de réserve pour protéger ses flancs. Dès le 5, 24 heures auparavant, l'armée Maunoury s'était mise en marche pour prendre position sur les hauteurs à l'ouest de l'Ourcq. Elle avait ainsi commencé la bataille de la Marne.

Les deux armées allemandes se chevauchaient. Un corps d'armée de la 1ʳᵉ, le 9ᵉ, s'était glissé devant le 7ᵉ corps, de la 2ᵉ armée, le réduisant à l'immobilité et à l'incapacité d'intervenir le 6 septembre. En maintenant son mouvement vers la Seine, contrairement aux ordres venus de Luxembourg, l'armée von Kluck s'offrait aux coups. Le 4ᵉ corps avait devant lui, ce matin-là, toute l'armée Maunoury pendant que les deux autres corps (3ᵉ et 9ᵉ) devaient affronter les Anglais et la gauche du 5ᵉ corps de Franchet d'Espérey. Plus loin vers l'est, près de Sézanne, la 2ᵉ armée de von Bülow devait faire face aux attaques du gros de la 5ᵉ armée, renforcée par la 9ᵉ de Foch dont les Allemands ignoraient encore l'existence.

Dès le 5, venues de l'ouest, les troupes de Maunoury (60 000 hommes contre les 20 000 soldats fatigués de von Gronau, des réservistes qui marchent depuis la Belgique) se sont lancées à l'assaut des collines de Goële qui dominent la sinueuse rive droite de la Marne. Ils foncent sur le plateau de Puisieux et d'Etrepilly pour bousculer les Allemands sur l'Ourcq. Au sud, les chasseurs à pied de Drude, parmi lesquels combat Alphonse Juin, puis les coloniaux de Ditte, des Marocains qui font merveille comme troupes de rupture. Puis les deux divisions de réserve du général de Lamaze qui a son état-major au château de Thieux. Plus au nord, d'Oissery à Chevreville, les deux divisions de corps d'armée du général Vautier, retirées d'Alsace, la 14ᵉ et la 63ᵉ. Les tabors marocains attaquent les premiers par Villeroy et Charny. Les fantassins de la 55ᵉ suivent et font, du côté de Chauconin, « une terrible course dans les avoines » derrière les Allemands en retraite. Au 276ᵉ d'infanterie, qui donne l'assaut, le lieutenant Péguy tombe, frappé d'une balle dans la tête.

Le 5 septembre, les unités d'assaut ne réussissent pas leur progression vers l'Ourcq. Malgré les consignes maintes fois répétées du général en chef, elles attaquent encore en vagues d'assaut, sans préparation d'artillerie sérieuse. Les « chasseurs couleur de sable, enturbannés [9] » du général Ditte se font massacrer quand ils attaquent, derrière leurs officiers gantés sabre au clair, les bois du Télégraphe. Après trois heures et demie de combats sanglants, ils doivent se replier vers Charny. Ils ont perdu 19 officiers et 1 150 hommes. Autour de Péguy, 100 soldats et officiers tombent avant d'avoir pu commencer leur charge. Le feu allemand est meurtrier et la grande plaine au pied de la colline de Monthyon est bientôt couverte de « pantalons rouges ». Seule la 56ᵉ division atteint ses objectifs, en raison du recul des Allemands : ils font retraite derrière la Thérouanne, de crainte d'être tournés.

L'attaque reprend le 6 septembre, cette fois sur l'ensemble du front. La mission de la 6ᵉ armée est toujours de rejeter les Allemands sur l'Ourcq, pour pousser ensuite jusqu'à Château-Thierry. De Meaux à Verdun, tout le front français s'ébranle, les

9. Christian de Bartillat, *Un champ de bataille et de blé.*

canons tonnent par milliers. Mais von Kluck, à l'extrême ouest du front, a senti l'événement. Dans la nuit, il a donné l'ordre à une unité de son armée de rebrousser chemin. Les fantassins de von Gronau ont compris la leçon et n'ont pas attendu les renforts promis pour s'enterrer. Pendant toute la nuit du 5 au 6, les pionniers ont travaillé, remué la terre, déployé les barbelés. Quand le jour se lève, le 4ᵉ corps allemand a transformé ses positions en forteresses, bien appuyées aux villages fortifiés de Vareddes, de Gué-à-Tresmes, où sont embusqués les canons lourds, de May-en-Multien, de Vincy, de Trocy, d'Etrepilly et d'Acy. L'accès aux vallées qui ouvrent le cours de l'Ourcq est interdit. Les grosses fermes du plateau sont renforcées. Sur 20 kilomètres, les Allemands attendent de pied ferme.

Les chasseurs d'Afrique et les zouaves de Drude, qui n'ont pas encore donné, prennent position pour l'attaque. Ils meurent par milliers avec les Marocains de Ditte qui repartent à l'assaut, du côté de Chambry et de Vareddes dont les Allemands ont fusillé le curé. Les divisions de Lamaze, très éprouvées la veille, sont arrêtées par un formidable tir d'artillerie et par les tranchées allemandes. Plus au nord, les troupes du général Vautier (7ᵉ corps) et la 14ᵉ division de Villaret échouent devant les tirs fournis de 77 et les mitrailleuses. Le 6 au soir, l'armée Maunoury doit se rabattre autour de Meaux, elle a échoué.

Les troupes de renfort du général von Linsingen, un corps d'active de l'armée von Kluck, se hâtent, malgré leur fatigue, vers Vareddes et Vincy. Elles encadrent le corps de réserve et, le lendemain, soutiendront sa contre-attaque. Le 4ᵉ corps d'active de von Kluck rebrousse aussi chemin pour remonter, loin vers le nord, par La Ferté-sous-Jouarre. En 24 heures, ces hommes exténués ont accompli le mouvement qui devait permettre d'envelopper l'armée Maunoury, enfin identifiée, et de la déborder par son aile gauche. A la fin de la meurtrière journée du 6 septembre, le bilan de Joffre est maigre : l'Ourcq n'est pas atteint; au sud, les Britanniques n'ont progressé qu'à l'ouest de Coulommiers; la 5ᵉ armée a été la plus heureuse, elle a remonté de plusieurs kilomètres, mais sans pouvoir emporter la décision; au nord des marais de Saint-Gond, Foch ne peut que résister avec énergie, il n'a pas l'initiative. Il regarde avec inquiétude, sur sa droite, des forces allemandes nombreuses s'engouffrer dans le camp de Mailly. Il craint d'être coupé de la 4ᵉ armée de Langle de Cary. Les nouvelles de l'Est sont mauvaises : l'offensive allemande en Argonne progresse dans la région de Revigny, menaçant ainsi la liaison entre l'armée de Langle et celle de Sarrail. En toute hâte, Joffre doit envoyer le 21ᵉ corps en renfort du côté de Mailly, et le 15ᵉ corps vers Revigny. Une seule bonne nouvelle : Castelnau tient bon devant Nancy. Quand le soir tombe, Joffre ne voit pas d'autre possibilité que de poursuivre l'offensive dans les directions indiquées. Il n'y a pas de brèche dans le dispositif allemand. Si l'ennemi, moins nombreux, résiste, c'est, une fois de plus, qu'il est très supérieur dans sa méthode de combat.

Les événements du lendemain 7 septembre confirment cette impression. Sur l'Ourcq, les Allemands se sont constamment renforcés, enterrés, étayés de points forts bien garnis d'artillerie et de mitrailleuses. De nouveau les assauts de la 6ᵉ armée, héroïques, viennent se briser contre un mur de feu. Gallieni cherche en vain à déborder à son tour l'avance allemande vers le nord, en envoyant d'urgence une division de réserve, la 61ᵉ, et le corps de cavalerie Sordet. Ces troupes sont trop fatiguées pour obtenir la décision. Sur le plateau, c'est le corps à corps, l'assaut à la baïonnette dans les villages. Les zouaves chargent en vain à Etrepilly, sous le commandement du colonel Dubujadoux qui meurt en brave, au son du clairon, après être entré dans le village. Ni à Etrepilly, ni devant Poligny les Français ne peuvent se maintenir. Von Kluck a maintenant cinq corps d'armée au nord de la Marne, il est en mesure de tenir tête. Cette fois, il est décidé à rejeter l'armée Maunoury, déjà très éprouvée, sur Paris. Il va faire enfin son entrée dans la capitale...

Ce qu'il prend vers le nord, il le perd vers le sud de la Marne où les Britanniques progressent. Dès la matinée du 7, les observateurs d'aviation affirment que les Allemands se dérobent, repassent le fleuve, ne laissant devant eux qu'un rideau de cavalerie. Un mouvement se dessine, il faut en profiter.

Joffre est d'autant plus décidé à poursuivre qu'il a des nouvelles rassurantes de l'Est : Sarrail et de Langle de Cary tiennent bon. Dans les marais de Saint-Gond, Foch maintient sa position. Castelnau ne donne plus d'inquiétudes. Il faut attaquer impétueusement la brèche qui risque de s'approfondir entre l'armée von Kluck, qui se replie vers le nord, et l'armée von Bülow. Mais, d'abord, Maunoury doit tenir. Il ne s'agit plus de lui recommander l'offensive. Il a maintenant devant lui des troupes trop nombreuses. Le problème de Joffre est de le renforcer; il est surtout de décider les Anglais à remonter massivement sur la Marne.

Pour aider Maunoury, Gallieni a pris l'initiative de mobiliser les taxis de Paris qui vont conduire à Nanteuil la 7ᵉ division du 4ᵉ corps, fraîchement débarquée du chemin de fer, en provenance de Verdun. Les taxis bougonnent mais partent, transportant en deux voyages 4 000 hommes avec leurs 500 voitures Renault. Cette intervention des célèbres « taxis » est symbolique : la plupart des troupes de renfort étaient arrivées en trains ou en camions. Le 8 à l'aube, une division toute fraîche est ainsi en position d'attaque.

Ce jour-là, l'armée Maunoury se terre et subit de violents bombardements. Des combats confus ensanglantent le plateau.

Dans certaines unités, on doit réprimer des mouvements de panique, notamment du côté de Chambry. La seule action remarquable est celle d'une unité de cavalerie de la division Cornulier-Lucinière, qui lance ses dragons dans la direction de Crépy-en-Valois. Ils détruisent au sol un avion allemand et capturent des officiers d'état-major. Le général von Kluck a-t-il lui-même été menacé par ce raid singulier? L'armée Maunoury n'est pas la seule à subir de furieux assauts. A l'est, Foch doit reculer dans les marais de Saint-Gond. Plus à l'est Sarrail pourtant résiste et se refuse à abandonner Verdun. Le seul élément de rupture est l'armée britannique : Joffre fait tous ses efforts pour la dynamiser. Elle franchit le Petit-Morin, atteint La Ferté-sous-Jouarre, appuyée par les éléments de la 5ᵉ armée qui attaquent Montmirail. Il faut s'engouffrer dans la brèche ouverte et infliger à Moltke une défaite définitive.

Le 9 septembre, c'est contre Foch et contre Maunoury que l'ennemi renouvelle ses attaques. En toute hâte, Joffre a fait enlever une division à Franchet d'Espérey, une autre à Dubail, pour les acheminer par rail au secours de Maunoury, lequel est assuré de ce renfort pour le 10 au soir. On lui a recommandé d'éviter toute imprudence, de s'enterrer et de résister de son mieux. Au prix de lourdes pertes, il réussit à s'accrocher au terrain, cependant que les Anglais franchissent enfin la Marne et menacent de prendre à revers les corps d'armée de von Kluck sur l'Ourcq. Foch, qui a reçu des renforts de cavalerie, attaque furieusement au nord des marais. Les Français ne se rendent pas compte, dans la journée du 10, que la retraite allemande est déjà décidée.

Le recul des corps d'armée de von Kluck au nord de la Marne avait mis von Bülow dans une position difficile. Son armée pouvait être enveloppée par la 5ᵉ armée française devenue disponible. Le 9, vers 13 heures, le corps d'armée de la Garde et les trois divisions du général von Kirchbach commençaient leur retraite. Ils passaient la Marne sans aucune difficulté, avec tous leurs parcs et convois. « L'ennemi, dit Bülow, ne suivit pas nos troupes et ne reprit le combat perdu qu'au cours de la journée du 10 septembre. » Ce mouvement de retraite avait été ordonné par la Direction suprême des armées allemandes. A 230 kilomètres du front, dans son quartier général de Luxembourg où il était tenu au courant des événements avec des retards qui pouvaient aller jusqu'à 24 heures, von Moltke, malade, fatigué, avait appris le 8 septembre que les Anglais et la 5ᵉ armée risquaient de percer sur le Petit-Morin. Il avait aussitôt décidé d'envoyer aux armées un jeune colonel prussien d'état-major, Hentsch, avec pleins pouvoirs pour ordonner, s'il en était besoin, le repli. Hentsch avait quitté Luxembourg en automobile le jour-même. Passant par Châlons, il avait rencontré von Bülow à Montmort. Des bruits de panique s'amplifiaient. Le jeune colonel avait donné l'ordre de retraite, au nom de Moltke, à von Bülow, ainsi qu'à von Kluck, furieux de voir la victoire lui échapper.

Le colonel Hentsch est-il responsable de la défaite? « Cette thèse est contredite par le témoignage même des généraux allemands », constate Pierre Renouvin. Von Kühl, chef d'état-major de von Kluck, a écrit que son supérieur « avait exécuté l'ordre de battre en retraite immédiatement, parce qu'il ne lui restait pas autre chose à faire ». Von Kluck lui-même a reconnu qu'il aurait été de toute façon obligé de rompre le combat. Il ne pouvait éviter d'être pris à revers par les Anglais et les Français de la 5ᵉ armée. Le 9, à 13 heures, la 2ᵉ armée donne l'ordre de repli à ses troupes. La retraite de l'armée von Kluck est décidée peu après. Les Français, surpris, ne songent pas d'emblée à poursuivre, les Allemands peuvent se retirer en ordre sur la ligne préparée de l'Aisne : ce n'est pas une bataille d'anéantissement, mais, comme le dit Joffre, « c'est une victoire incontestable ».

Comment poursuivre, alors que les obus manquent, que les chevaux n'ont plus de fers, que les hommes sont épuisés? L'été des généraux s'achevait sur une victoire à la fois décisive et indécise, laissant face à face deux armées épuisées que l'on croyait incapables de s'affronter encore : c'était une erreur. Elles allaient s'enterrer pour survivre.

Deuxième partie

L'hiver
des hommes

Après l'été des généraux commence le long hiver des hommes qui dure trois ans, jusqu'au printemps de 1917. Les armées enfouies dans le sable des Flandres, la craie de Champagne ou la glaise de l'Argonne perdent peu à peu espoir de terminer la guerre, sinon par l'épuisement total de l'adversaire. Dans la boue, sous la neige, il faut attendre, tenir. Les arbres n'ont plus de feuilles, elles sont hachées menu par la mitraille. Les prés n'ont plus d'herbe : elle ne peut survivre au gaz moutarde et aux cratères imprégnés de vapeurs chimiques. Les buissons exfoliés ne portent plus de fleurs au printemps, les hommes survivent dans un désert artificiel, un ruban de terre redevenue croûte ou gangue, sentant la mort et les poisons. Une violette, une aubépine échappées au désastre émeuvent aux larmes ceux qui ont perdu conscience des saisons. La tendresse s'exprime comme elle peut, au hasard des rencontres : le vieux cheval gris de Genevoix, les « jeunes corbeaux » recueillis par le brancardier André Kahn. Un chien perdu, un cheval qui pleure, une alouette asphyxiée prennent soudain une importance vitale pour les isolés des tranchées, coupés du monde, enterrés vifs dans l'une des plus longues épreuves de l'histoire.

Après la Marne, frontière occidentale du rêve allemand déçu, ligne magique de l'espoir français retrouvé, le fatalisme de la guerre d'usure reprend ses droits à l'ouest, et bientôt aussi à l'est. On lance encore des offensives, désormais beaucoup plus heureuses à l'est pour les Allemands. Même en Russie, pourtant, la guerre se stabilise. Dans le champ de tir des mitrailleuses de Ludendorff et des redoutables canons Skoda des Autrichiens, les cosaques du Don tombent par milliers. Elle est finie, la guerre des cavaliers, des chevaliers-gardes de Nicolas et des hussards de Vienne. Dans la steppe de Russie, les hommes creusent aussi la terre noire pour construire des tranchées. A quoi bon les cavaliers, puisqu'on ne recherche plus la décision par le mouvement ? Les dragons sont mis à pied, les cuirassiers perdent leurs cuirasses. Il n'y aura pas de Reichshoffen. Un régiment parisien de cette arme noble parcourt pendant des mois tous les points du front, en arrière de toutes les offensives, prêt à « exploiter la percée ». Il n'y a pas de percée. Le seul emploi de ces brillants cavaliers consiste en fin de compte à prêter main-forte à la prévôté contre les mutins, ou à surveiller les forçats utilisés aux travaux de fortifications du camp retranché de Paris. Tous les autres régiments sont « aux tranchées ».

On donnera aux Français des calottes de fer pour mettre dans leurs casquettes, puis des casques, et surtout des masques à gaz. Les atrocités scientifiques commencent leur carrière. On ne souhaite plus « prendre au filet » l'adversaire, suivant la bonne stratégie des académies militaires et les vieux usages des armées du XIXe siècle. Il faut éliminer l'ennemi comme on se débarrasse des animaux nuisibles : on l'enfume, on l'asphyxie, on le brûle, on le mine, on le noie.

Pendant trois longs hivers, la tactique seule, et non la stratégie, est l'objet de tous les soins des états-majors : il faut inventer une autre guerre, puisque celle des généraux a fait faillite après la Marne. On s'obstine encore, de part et d'autre, à retrouver par des « offensives » les lois du mouvement. En pure perte. Les seuls progrès sont d'armement, de tactique, de ruse, de camouflage. On camoufle même les chevaux en peignant leur pelage aux couleurs de la nature, en vert, en gris, en bleu. Statique, la guerre devient calculatrice et, paradoxalement, de plus en plus meurtrière à mesure que s'affinent les méthodes pour tuer, toujours en avance sur les recettes d'autodéfense. La seule issue stratégique de la guerre est dans la recherche des nouveaux fronts, donc de nouveaux alliés, dans l'extension indéfinie de la « carte de guerre ». Il n'est pas difficile de persuader les peuples des Balkans, naturellement belliqueux, de se joindre au grand concert. De Belgrade – en guerre dès le premier jour – jusqu'à Constantinople, de Rome jusqu'au Caire, la Méditerranée orientale entre dans la bataille. Pourtant, aux Dardanelles comme dans la vallée du Vardar, en Grèce comme sur l'Adige, les hommes s'enterrent dans la rocaille alpine ou carpathique, dans les sables de Gallipoli : ils ont le même souci d'échapper au feu. On pourrait poursuivre jusqu'en Chine la ligne des tranchées, pourvu que l' « effort de guerre » fournisse le front en munitions et en combattants, ceux-ci tiendraient jusqu'à l'épuisement, sans pouvoir jamais imposer la décision. La fatalité de la guerre sans fin succède au mythe de la guerre courte.

Et l'arrière? Est-il concevable que tant de pays bandés dans l'effort, bientôt exténués, puis exsangues, ne recherchent d'autre issue que l'anéantissement de leurs adversaires? Les généraux valsent, et aussi les politiques. Les « buts de guerre » se précisent, se martèlent, comme des « offres de paix » toujours recommencées.

Les deux blocs meurtriers qui épuisent l'Europe de leur querelle ne se contentent pas de sacrifier les classes jeunes, productives et reproductives, ils anéantissent par l'immensité des ressources qu'ils dévorent le capital des pays riches qui s'engloutit dans les emprunts. L'or fond dans les caves de la Banque de France et de la Banque d'Angleterre. Les Allemands actionnent la planche à billets, les Russes ne peuvent plus faire respecter l'autorité du tsar. La guerre bouscule les hiérarchies, remet en question à la fois les dominations et les équilibres. Que font les gouvernements?

Ils n'ont plus d'oreilles pour les plaintes des parlementaires, des corps intermédiaires, des classes sacrifiées. Ils suivent obstinément leur voie nationale et réaffirment avec force, en les scandant, les maîtres thèmes de leur combat. L'Europe des « traités secrets » et des « buts de guerre » n'a pas dit son dernier mot. Si la guerre a changé de visage, la politique aussi a durci simultanément ses traits, accentué ses effets, stimulant ainsi l'effort des combattants, justifiant tous les sacrifices. Si l'hiver des hommes est interminable, c'est qu'ils ont, de part et d'autre, perdu l'espoir d'un retour du printemps.

5

Les tranchées de France

Du 10 septembre au 31 décembre 1914, de la bataille de la Marne à la stabilisation du front, la guerre change insensiblement de nature. Les Allemands ont dû renoncer au plan Schlieffen. Ils n'ont pas obtenu la décision sur le front ouest. Vers l'est vont se porter leurs efforts. Moltke, le vaincu de la Marne, est remplacé le 14 septembre par Erich von Falkenhayn, qui est chargé de « tenir » à l'ouest. Le front, à cette date, est déjà stabilisé de Soissons jusqu'aux Vosges ; mais il n'y a guère de combattants à l'ouest de Soissons jusqu'à la mer.

Un million d'alliés et un million d'Allemands vont se précipiter sur cette ligne en quelques semaines au cours de la coûteuse poursuite connue sous le nom de « course à la mer », du 14 septembre au 17 novembre 1914. Les batailles se succèdent sur la Somme (23 au 26 septembre), en Artois (2 au 9 octobre), dans les Flandres (du 12 octobre à la mi-novembre). Le 28 novembre, Joffre a installé son état-major à Chantilly. Il a pris Foch comme adjoint et averti le gouvernement qui, de Bordeaux, est rentré à Paris le 4 décembre : si l'on veut poursuivre les combats et l'emporter sur l'adversaire, il faut organiser le pays en économie de guerre. Une autre bataille commence, celle des fournitures de canons et d'obus : elle devait être livrée par l'arrière.

Après la Marne, il y a pourtant encore quelques beaux jours pour la guerre de mouvement. Aucune des deux armées n'occupe sérieusement les pays à l'ouest de l'Oise. Jusqu'à la mer, c'est le vide. Très rapidement la préoccupation des états-majors est de combler ce vide, soit pour attaquer l'ennemi en le tournant, soit pour éviter d'être soi-même « débordé ». Le glissement des armées vers l'ouest, par chemin de fer, commence dès le 15 septembre.

Dans l'immédiat, Joffre veut exploiter son succès de la Marne, poursuivre et peut-être de nouveau percer l'ennemi en retraite qui s'est installé en toute tranquillité sur les bords de l'Aisne : « La rupture du combat, note Bülow, s'est effectuée sans la moindre difficulté ». L'artillerie tonnait, un rideau d'infanterie dissimulait la marche des troupes que les avions ne pouvaient pas repérer car, dans la nuit du 9 au 10 septembre, le temps s'était mis à la pluie. Le vent, très fort, soufflant de l'ouest, gênait les fragiles appareils en bois aux ailes entoilées. C'est seulement le 10 que les colonnes françaises s'étaient ébranlées pour la poursuite. Le 12, les troupes de Kluck et de Bülow s'étaient retranchées de Soissons à Berry-au-Bac. Elles attendaient.

Mesurant cette résistance, peu désireux de l'éprouver, Joffre avait aussitôt donné des ordres à Maunoury pour qu'il s'abstînt de se laisser « happer par la bataille », pour qu'il se bornât à prendre position devant les Allemands, en face d'eux, pour qu'il cherchât la décision ailleurs, dans ce mouvement tournant de grande ampleur qu'il fallait effectuer au plus vite à l'aile droite de l'armée adverse.

Pour le convaincre et l'encourager, Joffre lui donne un corps supplémentaire, le 13ᵉ, qui vient de Lorraine. Maunoury tente l'attaque. Il s'aperçoit très vite qu'il n'a pas seulement devant lui les unité de von Kluck, mais aussi un corps de renfort qui vient d'Anvers (9ᵉ corps). Le 7ᵉ corps de réserve va probablement intervenir, il a été libéré par la chute de Maubeuge, et Dieu sait si les Allemands n'ont pas commencé le transfert de leurs troupes de Lorraine : le front est devenu subitement calme à l'est... Leurs armées de la Marne sont épuisées et affamées, ni débandées, ni décimées. Leurs pertes sont probablement inférieures à celles des Français. Pendant tout le mois de septembre, Joffre ne comptera que 18 000 tués, mais 110 000 blessés et 82 000 disparus. Les Français surtout ont besoin de se reconstituer. Ils ont un déficit de plus de 200 000 combattants. Les unités manquent d'officiers et de sous-officiers. L'artillerie a follement dépensé ses réserves en obus explosifs, seuls efficaces contre les fortifications. Les obus à balles ne valent rien. Les 75 n'ont plus que 695 coups par pièce. Il leur en faudrait plus du double et le pays ne peut fournir, aux 3 000 tubes en pleine action, que 20 000 obus par jour. Il faut les rationner.

Avec une artillerie limitée, il faut souhaiter que la guerre de mouvement dure : on ne peut envisager, sans le soutien massif des canons, l'assaut des positions retranchées. Or, très vite, les Allemands creusent et s'enterrent. Des forêts de l'Oise aux puissants promontoires, des lignes hautes du Chemin-des-Dames jusqu'aux monts de Champagne et à l'Argonne, ils ont l'initiative des travaux de siège. Derrière leurs lignes reconstituées, sous le ciel bas et pluvieux qui rend l'aviation inefficace, le commandement français ignore combien d'unités attendent les assauts. Si les Allemands manquent eux aussi d'obus, ils ne manquent certainement pas de balles de mitrailleuse.

Le 13e corps, de Clermont-Ferrand, a débarqué à Creil, un peu loin du front, mais il est en mesure d'attaquer à l'ouest de l'armée Maunoury, aidé par la cavalerie du général Bridoux. Il faut se hâter. On dit à Joffre que 40 000 Allemands sont signalés par le 2e bureau, débarquant dans les gares de Valenciennes et de Denain. Il donne aussitôt des ordres pour faire venir par chemin de fer de nouvelles unités vers l'ouest : Maunoury aura le 4e et le 7e corps d'armée. On prélèvera le 14e corps dans la région d'Épinal. On enverra vers la Picardie les cavaliers du général Conneau et le 45e régiment d'infanterie – le seul à être entièrement transporté par automobiles. Voilà une force de quatre corps d'infanterie et de deux corps de cavalerie rendue disponible pour attaquer au nord-ouest de l'Oise. Mais Joffre pense que cet effort est encore insuffisant. C'est Castelnau lui-même qui va changer de commandement et assurer, au lieu de Maunoury jugé trop statique, la manœuvre de débordement. Il s'installera en Picardie avec son 20e corps d'armée. Les responsables des chemins de fer sont priés de faire vite : les Allemands ont fait venir une armée entière en Picardie, et leur 21e corps débarque de Lorraine dans la région de Cambrai. Que fait donc Maunoury ?

Il s'attarde. Au nord de l'Aisne, qu'il a franchie non sans difficultés, son aile droite (les *tabors* de Ditte, les « pieds-noirs » de la 45e division) est en avant de Soissons. Depuis l'Ourcq, ces hommes habitués au climat ensoleillé marchent sous la pluie. Ils ont subi de lourdes pertes et les tirailleurs n'ont plus leurs officiers, morts au combat. Les spahis tremblent de froid dans les bois humides. Ils découvrent l'ennemi sur des plateaux aux pentes rudes, bien retranché, décidé à résister sur des positions inexpugnables. Les Marocains ne peuvent s'emparer de ces tranchées profondes. Maunoury redoute que les Allemands ne lancent une contre-attaque sur l'Aisne. Il prescrit de construire de toute urgence, sur la rive sud, une ligne continue de fortifications : « Les travaux, dit-il (tranchées, positions d'artillerie reconnues à l'avance), devront être déterminés de jour, pour être exécutés cette nuit et soigneusement dissimulés. » C'est l'imitation, point par point, de la méthode allemande. La surprise des Marocains, à l'assaut du plateau, venait du secret des préparatifs adverses : les attaquants ne connaissaient pas l'importance des troupes de défense. Les généraux réinventent ainsi la guerre de siège. Maunoury avait pour instruction d'activer le mouvement de son armée : il n'a d'autre solution que de l'enterrer...

Au nord des grandes forêts de Compiègne et de Laigle, la

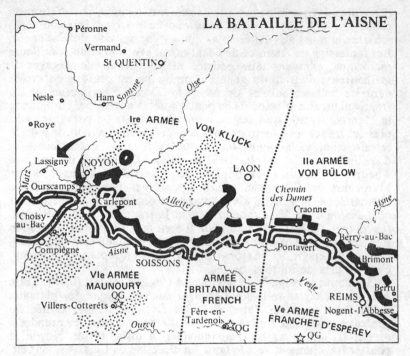

LA BATAILLE DE L'AISNE

position clé est celle de Noyon, qui commande cinq ou six routes. Les Allemands y ont massé des forces importantes qui interdisent à Maunoury toute initiative. De là, ils peuvent en effet attaquer sur l'Aisne et pousser sur l'Oise. S'ils sont assez nombreux, ils peuvent couper en deux l'armée Maunoury, en isolant les unités qui se trouvent déjà sur la rive droite de l'Oise. Ils tiennent les bois de Carlepont et d'Ourscamp qui rendent difficile l'accès de Noyon. Recommander l'offensive dans cette région que les canons peuvent difficilement battre, c'est aller droit à l'échec. Pourtant, la mission du 13e corps du général Alix est bien de marcher sur Noyon.

Les Stéphanois et les Clermontois s'y efforcent en vain. Ils tombent sur des lignes fortement enterrées, bien pourvues en mitrailleuses, avec un bon soutien d'artillerie. Les pertes sont sévères, surtout au 139e régiment d'Aurillac. « Ce régiment m'est signalé comme incapable de combattre, avant d'être réorganisé », dit Alix à Maunoury. Il se plaint de manquer de canons : comment ouvrir la route de Noyon avec 76 pièces ?

« Suspendez votre mouvement », téléphone-t-il à Delétoille qui commande la 25e division. La cavalerie ne peut pas dégager les gens d'Aurillac. Impossible pour elle de combattre « dans un terrain aussi coupé ». Il faut faire retraite. Tous les efforts doivent être consacrés à barrer la route aux Allemands qui sortent des bois de Carlepont. Les fantassins de Riom et de Montluçon, avec l'aide des tirailleurs marocains, enrayent leur poussée et permettent de dégager la malheureuse division du général Comby qui est presque encerclée dans les collines boisées de Mont-de-Choisy. Sur l'ensemble du front, aucun assaut français ne peut réussir. Vautier, qui commande le 7ᵉ corps, signale que ses divisions « n'ont pas pu parvenir assez près des tranchées ennemies pour pouvoir donner l'assaut de jour, le terrain étant violemment battu par les feux de mitrailleuses et d'artillerie prenant d'écharpe ». Il propose d'attaquer de nuit, « à 4 heures du matin », et déplore des « pertes sérieuses ». Si les Marocains de Ditte ont réussi à « enlever quelques tranchées allemandes », le général de Lamaze « a constaté personnellement que, dès qu'un isolé se montre devant la tranchée, il déclenche un feu violent général ». Il estime qu'il a en face de lui une « position très forte contre laquelle il mène une véritable guerre de siège ». Si, devant Carlepont, les Marocains parviennent à repousser l'ennemi, c'est au prix de lourdes pertes.

Une nouvelle brigade de Marocains vient en renfort (la 4ᵉ). Cette fois, Maunoury se refuse à l'engager contre la ligne des plateaux boisés, elle agira sur l'aile, avec les divisions d'Alix. L'idée du général est de déborder les positions allemandes pour les prendre à revers. Il faut, pour cela, abandonner la direction de Noyon et pousser franchement vers le nord, en direction de Lassigny. En fait, ce sont les Allemands qui prennent l'offensive, attaquent dans les vallées de l'Oise et du Matz. Ils contre-attaquent sur tout le front, chassant de Saint-Quentin les cavaliers français qui avaient réussi à prendre pied dans les faubourgs : le général Bridoux est tué dans cette action à la tête des dragons de Reims et des chasseurs de Châlons. Le 9ᵉ corps d'armée allemand, à l'évidence, est renforcé de troupes nombreuses de *Landwehr* et d'*Erzatz*. Les Français, à leur tour, doivent s'enterrer pour tenir.

Les spahis de Martin de Bouillon passent l'Oise avec les Parisiens du 4ᵉ corps d'armée. Ils suivent le corps d'Alix, enfin prêt à contourner les positions allemandes pour marcher vers le nord. Joffre a dû détacher de son état-major le colonel Serret, ancien attaché militaire à Berlin, pour expliquer la manœuvre à Maunoury. Le 4ᵉ corps se porte à l'ouest du dispositif, il est en position d'attaque quand Castelnau arrive de Lorraine, prêt à prendre le commandement de l'aile ouest du front, « avec une liberté que ne pouvait avoir le général Maunoury ». Mais il devra attendre, pour attaquer, le glissement de nouvelles troupes venues de l'Est. Devant Soissons, au Chemin-des-Dames, les Français à leur tour s'enterrent, car les Allemands, ayant résisté à leurs assauts, contre-attaquent. Maunoury, dont la mission était à l'origine d'organiser le grand mouvement stratégique de l'armée, a été contraint de demander à ses troupes « de se cramponner au terrain, de fortifier immédiatement et de défendre coûte que coûte les positions occupées de façon à interdire à l'ennemi la progression vers l'Aisne en attendant la reprise de l'offensive ».

De Craonne à Reims, les Français, dès le 15 septembre, ont été réduits à la passivité. Ils ont devant eux la formidable artillerie, les obusiers lourds de l'armée von Bülow, les régiments de la Garde, les corps d'active repliés de la Marne (10ᵉ, 12ᵉ et 15ᵉ corps). Toute la ligne du front est soumise à d'incessants bombardements, en particulier la ville de Reims.

Déjà les Allemands avaient bombardé Reims au moment de la retraite française. Le corps de la Garde avait reçu l'ordre de von Bülow de sommer la place de se rendre ou de la prendre sous le feu de ses obusiers lourds. Le général avait souhaité que l'on épargnât la cathédrale. Elle devait en fait être écrasée par les obus. De nouveau, dans sa retraite, von Bülow avait demandé de soumettre la place « à un bombardement systématique » par les mêmes obusiers lourds de la Garde. La ville, prise dans la ligne du front, devait vivre sous les obus pendant plusieurs années. Le 22, la cathédrale était de nouveau touchée, il y avait 500 morts dans la population civile. Le 25, un obus tombait sur un hôpital; le 25, un général de division, Battesti, était tué dans les faubourgs. Le 27, la cathédrale était incendiée. Pourtant, 50 000 habitants restaient encore sur place, vivant dans les caves, sur les 115 000 que comptait auparavant la ville.

Cette redoutable puissance de feu de l'artillerie allemande gênait considérablement l'état-major de la 5ᵉ armée qui avait remplacé, dans la ville, celui de von Bülow. Les Saxons s'étaient retirés, mais les cavaliers français avaient fait 1 500 prisonniers qui leur avaient appris que le corps de la Garde, amputé de près de la moitié de ses effectifs, gardait néanmoins toute sa puissance de feu. Les Français de Franchet d'Esperey devaient en faire la douloureuse expérience. Ils étaient pourtant l'élite de l'armée avec le premier corps d'active commandé par Deligny, le 3ᵉ corps de Hache, avec Pétain et Mangin, le 10ᵉ corps de Rennes, commandé par Defforges, et le 18ᵉ de Bordeaux qui allait, sous les ordres de Maud'huy, s'illustrer dans la défense de l'Aisne. Mais, devant les obusiers lourds de von Bülow, ces généraux étaient sans moyens. Ils ne disposaient pas d'assez de pièces de 120, ils en réclamaient en pure perte. Ils n'avaient pas la possibilité de « contre-battre » les tirs allemands. Leurs offensives étaient d'avance condamnées.

Les Allemands, bien renseignés, avaient attaqué le secteur le plus faible de l'armée, celui qui était tenu, vers Berry-au-Bac, par les divisions de réserve du général Valbrègue. Ils avaient repris la ville et poussaient sur les rives de l'Aisne. Ils avaient également reconquis Craonne, malgré la belle résistance des Bordelais du 144°. Au sud-est, la contre-attaque de Pétain sur les hauteurs boisées de Brimont ne donnait, faute de canons en nombre suffisant, que de maigres résultats. C'est à peine si le 36° de Caen avait pu enlever le château. Mangin lui-même avait reculé. Maud'huy expliquait à d'Esperey qu'il n'avait pu envisager une attaque, devant le feu roulant des obusiers. Pourtant, les régiments de réserve de la division de Reims contre-attaquaient, reprenaient Berry-au-Bac, occupée par deux bataillons de la Garde, et débusquaient les Allemands cachés dans les caves. Le général de Maud'huy réussissait à contenir une puissante poussée ennemie sur Pontavert. Jamais son infanterie n'avait subi un aussi formidable bombardement d'artillerie lourde. Il avait eu beaucoup de peine à tenir la ligne du Chemin des Dames. Franchet d'Esperey en avait tiré ses conclusions, les mêmes que celles de Maunoury : « Il faut absolument constituer, face à l'est, un barrage infranchissable. » Il fallait tenir sur l'Aisne et sur « les falaises à l'ouest de Reims ». Sur toute la ligne, les fantassins construisaient en hâte des retranchements. Franchet d'Esperey avait précisé qu'on devait creuser « des tranchées étagées » et construire des abattis, des épaulements de batteries... Des blindages devaient être mis en place au-dessus des tireurs, les tranchées devaient être reliées par des chemins couverts, protégées par des « fils de fer trouvés dans les villages ». Des points d'appui de 2° ligne étaient à prévoir pour une « défensive extrêmement sérieuse ». Cette note du 19 septembre, envoyée par le général d'armée aux chefs de corps, marquait le début d'une nouvelle époque : celle de la guerre de siège.

Foch arrivait aux mêmes déductions. Le héros militant de l'offensive, qui avait fait merveille dans les marais de Saint-Gond, était bloqué comme ses collègues par la terrible ligne de feu allemande. Du redoutable bastion allemand de Berru et de Nogent-l'Abbesse, sur la rive gauche de l'Aisne, jusqu'à la vallée de la Suippes, le front étroit tenu par Foch ne comptait pas devant lui de nombreuses forces allemandes, mais celles-ci étaient soigneusement embusquées le long de la voie romaine de Champagne qui court de Reims à Vienne-la-Ville. Il n'y avait aucun moyen de les déloger, car elles disposaient d'obusiers lourds et de grosses pièces, et elles avaient eu le temps d'organiser, sur au moins deux lignes, des positions de résistance. Aussi la 3ᵉ armée allemande (dont le chef, von Hausen, venait d'être éliminé) attendait-elle calmement les assauts de Foch, cependant que la 4ᵉ armée allemande faisait face avec le même optimisme aux divisions de Langle de Cary. De Suippes à l'Argonne, Langle, pas plus que Foch, ne devait réussir à percer le front allemand.

Foch pourtant essaie. Il y a les meilleures troupes, les Bretons d'Eydoux, les Tourangeaux du 9ᵉ corps, les Vosgiens de Maistre. Comment ne pas réussir, avec de tels soldats ? Pourtant, les chefs d'unités le préviennent : même si l'on devait avoir en renfort des canons lourds, on ne pourrait les mettre en batterie, faute d'attelages. Les chevaux sont fourbus. Ils sont morts par milliers, on ne les a pas remplacés. Les coffres à obus sont vides, les magasins de vivres manquent. Il est difficile d'attaquer.

Foch s'obstine. Il lance une attaque sur Souain. Il veut s'assurer que, derrière ses fortifications, l'armée allemande n'est pas en retraite. Il tombe sur une infanterie très bien organisée, soutenue par de puissants barrages d'artillerie. Ses troupes ne peuvent arriver jusqu'à la ligne des tranchées. Tout déplacement est impossible. Foch finit par en convenir : il faut à son tour se retrancher. Eydoux le dit à ses Bretons : « Il s'agit de s'accrocher au terrain. Le général Foch recommande sur tous les tons de remuer la terre. Il entend que pas un pouce de terrain ne soit cédé, que des tranchées-abris profondes soient faites pour la première ligne et les renforts, *qu'on les dérobe aux yeux de l'ennemi* » : voilà Foch lui-même devenu terrassier !

Il faut imiter les défenses allemandes, profondes, efficaces, bien protégées par des réseaux de fil de fer. Quand les Allemands se retirent, abandonnent leur première position, c'est qu'ils en ont préparé, non loin derrière, une seconde. Les Marocains de la division Humbert en font la découverte le 19 septembre. De Langle de Cary, comme Foch, décide de s'enterrer. Pour ses chefs de corps, il théorise : « La bataille actuellement engagée, sur tout le front des armées adverses, leur dit-il le 19 septembre, paraît pouvoir se prolonger quelques jours, avant qu'une solution décisive soit obtenue. » Le général est optimiste. La situation en question allait durer... trois ans ! Il prescrit aux corps d'armée de s'organiser sur deux lignes successives, l'une pour battre le terrain adverse de ses « feux croisés », l'autre pour mettre les réserves à l'abri. « Il importe, dit-il à ses chefs de corps, de ne pas user l'infanterie en lançant à l'attaque des effectifs importants. » Si Foch s'enterre, de Langle de Cary vient d'inventer la « guerre d'usure ».

De l'Oise à l'Argonne et au-delà, les lignes sont « stabilisées ». Ces tranchées que l'on creuse, du côté français, n'ont pas la perfection technique des lignes allemandes. Celles-ci assurent même aux troupes de garde un certain confort : l'eau courante, parfois le chauffage central. C'est par une expérience continue que les fantassins des Vosges, de Champagne ou de Woëvre améliorent peu à peu leurs positions. Marc Bloch a bien décrit ce progrès, en quelque sorte spontané, du « biffin » dans l'art de la guerre de siège.

Au départ, des trous de tirailleurs, « isolés les uns des autres, si étroits que chacun d'eux ne pouvait donner asile qu'à deux hommes, d'une si faible profondeur que pour y être à l'abri, il fallait se tenir presque couché ». Mais le 272ᵉ régiment a subi beaucoup de pertes à la Marne. Il n'y a plus ni colonel ni commandant, ni même de capitaine à la 18ᵉ compagnie. Les lieutenants remplacent les capitaines, et c'est un capitaine qui commande le régiment. Il a marché bravement à travers la Champagne, tuant, en chemin, volailles et moutons pour survivre. Le 16 septembre, quand les Allemands arrêtent leur retraite, le régiment est dans les environs de Sainte-Menehould. Il prend position dans un bois, sur le cours supérieur de l'Aisne. Il creuse, dans un sol argileux, ses premières tranchées. La pluie est incessante et les tranchées deviennent ruisseaux. Il faut construire des abris de branches d'arbre pour éviter la pluie. Les soldats sont « habillés encore comme au départ, dépourvus de tricots, de couvertures, d'imperméables ». Plus tard, ils creusent des tranchées plus élaborées, à hauteur d'homme, avec une seconde ligne de repli, « sous la surveillance des gradés du génie ». Ils s'indignent de trouver au bois de la Gruerie des positions creusées trop vite par ceux du 128ᵉ d'Amiens. Ils se mettent aussitôt à couper des branches pour confectionner des abris, à scier des arbres pour étayer les positions. Ils ne veulent pas se contenter de ces « étroits sillons à fleur du sol, tout droits, sans pare-éclats, d'une si faible profondeur qu'aux meilleurs endroits il fallait rester accroupi pour se trouver à l'abri. Ils creusent des boyaux de communication, ils placent, devant, les lignes de fil de fer « sans piquants » qu'on leur distribue. Ils attachent des boîtes de conserve vides aux fils de fer pour ne pas être surpris par l'ennemi. Au guet dans sa tranchée, Marc Bloch écoute « le tap-tap des gouttes de pluie sur le feuillage, si semblable au rythme des pas lointains ». Il pense au Fenimore Cooper de sa jeunesse, à la vie des trappeurs. Il regarde le « talus jaunâtre » des Allemands, juste en face, à quelques mètres. Pour lui commence l'ère de la boue.

Trois mois plus tard, sur des positions qui n'ont pas bougé d'un pouce depuis le 15 septembre, le lieutenant de Gaulle, retour de convalescence, fait à son tour la connaissance des tranchées. Il les trouve sales, négligées, improvisées. Du côté de Pontavert, l'armée de Langle a pourtant construit des lignes sérieuses en profondeur. De Gaulle veut améliorer celles de son secteur, afin d'y vivre mieux, mais aussi pour des raisons de sécurité. Puisque la guerre a pris ce nouveau caractère, il faut en étudier soigneusement les règles. Avec minutie, il calcule les proportions, les angles de tir, les principes de communication dans les boyaux. Puis il commande les matériaux et donne des ordres : « Élargir la tranchée de tir de façon à lui donner un mètre de large au fond, faire du talus nord un talus à terre coulante... » Il faut établir des liaisons commodes entre la « place d'armes », la « tranchée de circulation », la « tranchée de tir »; pour les mitrailleuses, il faut construire, comme les Allemands, de vrais fortins. Les munitions et les explosifs doivent être en sécurité. De Gaulle a conscience que ces travaux exigent beaucoup des hommes : « Ils sont pénibles et difficiles, mais, pour mériter le succès contre un ennemi adroit, tenace et courageux, il faut se montrer plus adroit, plus tenace et plus courageux que lui. »

Très vite, les tranchées deviennent ce « réseau de lignes forti-fiées » dont parle l'ancien combattant Jacques Meyer [1], plus ou moins bien construit selon la nature du terrain et « l'activité ou la paresse » des hommes. Mais les leçons de l'expérience imposent peu à peu à tous les mêmes règles de sécurité. Car les tranchées ne sont pas seulement le lieu où l'on attend, à l'abri des obus, la reprise de la « guerre de mouvement », elles deviennent insensiblement la guerre elle-même, il n'y a plus désormais d'autre mouvement que d'une tranchée à l'autre, d'une position à l'autre. Comme le note avec étonnement le jeune lieutenant de Gaulle quand il revient de l'hôpital, « les hommes ont complètement perdu l'habitude de marcher sac au dos ».

A l'ouest et au nord de l'Oise, en septembre 1914, ils marchent encore, ils courent vers la mer. Les Allemands sont partis les premiers. La manœuvre de Joffre est dominée par leur initiative. Le chef de la section des opérations de Moltke affirme que la décision a été prise, avant la bataille de la Marne, d'expédier l'état-major de la 7ᵉ armée de von Heeringen vers l'ouest, avec la 7ᵉ division de cavalerie, le 15ᵉ corps et un corps de la 6ᵉ armée.

Les soldats sont embarqués par chemin de fer vers l'Allemagne, puis dirigés sur la Belgique, par un long détour rendu nécessaire par les destructions du réseau français. Le voyage des fantassins du 9ᵉ corps de réserve, jusqu'ici stationnés dans le Schleswig où l'on redoutait, au début de la guerre, un débarquement britannique, est plus long encore. Pourtant, il était arrivé en Belgique avant la bataille de la Marne et se trouvait donc à pied d'œuvre. Quand Moltke, malade, avait cédé son commandement à Falkenhayn, l'ancien ministre prussien de la Guerre n'avait eu qu'à ordonner la descente en chemin de fer des divisions de Belgique vers le Nord de la France. Il est vrai que leur transport était malaisé, les Allemands ne disposant dans cette région que d'une seule ligne, entre Cambrai et Valenciennes, à la fois pour acheminer leurs troupes et pour ravitailler leurs armées.

Ils utilisent le chemin de fer autant qu'ils le peuvent. Le 9ᵉ corps de réserve entre tout de suite en ligne contre la 6ᵉ armée de Maunoury, puis contre celle de Castelnau. C'est lui qui défend,

---

1 Jacques Meyer, *La Vie quotidienne des soldats pendant la Grande Guerre.*

contre les fantassins d'Alix, le centre routier de Noyon, aidé par les deux divisions de cavalerie, bien pourvues en canons, de von der Marwitz. De Cambrai, les Allemands débarqués se portent sur Caudry et Saint-Quentin. Plusieurs divisions de cavalerie masquent et protègent leurs mouvements. Le 22 septembre seulement, Castelnau se rend compte qu'il a devant lui une nouvelle armée allemande, la 7ᵉ, commandée par von Heeringen. Outre le 9ᵉ corps de réserve, que les Français connaissent déjà bien, elle comprend les deux premiers corps bavarois et le 15ᵉ corps. Von Heeringen a installé son quartier général à Saint-Quentin. Les habitants l'ont reconnu, bien qu'il se montre peu en ville : il est « d'une haute stature, il marche très droit, droit comme un piquet ». Grâce à l'organisation de l'étape, les débarquements par chemin de fer peuvent être poussés jusqu'à Saint-Quentin à partir du 22 septembre. Ils sont lents mais réguliers. Plus haut, à Cambrai, le 21ᵉ corps débarque. C'est lui, et non le 15ᵉ, qui sera dans l'immédiat opposé avec les Bavarois à l'armée de Castelnau.

Déjà deux divisions sont à pied d'œuvre : ceux de la 31ᵉ viennent de Sarrebruck et de Westphalie. Les Lorrains et les Alsaciens sont nombreux, aux côtés des mineurs de la Ruhr, dans la 42ᵉ. Un déserteur lorrain de cette division renseigne les Français. Il devait faire route par l'ouest de Saint-Quentin sur Vermand et Nesles : aucun doute, les Allemands veulent déborder l'aile droite française. Le lieutenant de Bernis vient tout juste de descendre d'avion pour le confirmer au Q.G. du général de Castelnau. Il a vu sur la route une longue colonne de 3 kilomètres environ, ce sont les Alsaciens, les Lorrains et les Westphaliens du 21ᵉ corps... Ils sont suivis par les chevau-légers du 8ᵉ bavarois, avant-garde de la lourde infanterie où marchent les régiments des deux corps d'armée... Bientôt la 4ᵉ division bavaroise tout entière se manifeste au nord de Péronne : les Allemands descendent vers le sud aussi rapidement qu'il leur est possible. Ils ont avec eux de l'artillerie lourde en abondance.

Il faut agir, et vite. Joffre, toujours sensible aux problèmes de transport, a depuis longtemps l'idée d'intervenir contre l'unique voie ferrée qui permet aux Allemands des mouvements de troupes dans le Nord de la France. Il a même demandé l'aide de l'armée belge, puisque tous les renforts transitent par la Belgique. Comme l'a établi le général Temmerman, les Belges, de leur côté, avaient organisé à partir d'Anvers le sabotage des voies ferrées. Le 19 septembre, ils avaient créé sept détachements de 100 cyclistes volontaires qui, dès le 21, s'étaient mis à détruire « ponceaux, tunnels, remblais, aiguillages, branchements, installations télégraphiques et téléphoniques ». Les Allemands s'étaient vengés par des représailles contre les civils. Un de ces détachements avait fait sauter l'un des ponts du canal Mons-Condé. Il avait ensuite opéré des sabotages sur la ligne de chemin de fer au sud d'Ath, avant de se replier sur Tournai. La ligne Tournai-Ath avait également été sabotée, ainsi que les autres lignes convergeant vers Tournai. Sur de nombreux points stratégiques du réseau, les ponts, les aiguillages étaient dynamités par des cyclistes opérant dans le silence de la nuit.

Mais les Allemands réparaient les lignes ou les faisaient réparer par des travailleurs réquisitionnés sur place, quand ils n'y employaient pas des prisonniers de guerre. La ligne à double voie Valenciennes-Cambrai était rétablie. Les trains de Liège pouvaient arriver directement au front, mais le délai était long : trois ou quatre jours pour un corps d'armée. Ils eurent l'idée d'utiliser une autre ligne, toujours à partir de Liège, passant par Namur, Charleroi, Maubeuge, Le Cateau, Saint-Quentin. La chute de Maubeuge avait rendu ce parcours disponible. Ils étaient également obligés de faire transiter par la Belgique les troupes venues de Lorraine. C'était donc bien sur le tronçon Valenciennes-Saint-Quentin qu'il fallait agir. Joffre avait demandé au général Brugère (qui avait remplacé d'Amade à la tête des divisions territoriales) de se porter sur Arras et Bapaume et de gêner les transports allemands. Il lui avait envoyé en renfort des troupes plus aptes aux « coups de main » que les territoriaux : des cavaliers, des spahis auxiliaires commandés par le colonel du Jonchay, des zouaves. Il avait ordonné au général Plantey de constituer à Dunkerque une « colonne mobile » pour attaquer la voie du chemin de fer entre Cambrai et Valenciennes. Il avait même demandé à plusieurs reprises un débarquement anglais à Dunkerque pour une opération du même type.

Mais Joffre sait qu'il doit d'abord compter sur lui-même. L'ancien polytechnicien, l'ancien officier du génie réanime les services du chemin de fer : il demande qu'on fasse le point sur l'état des transports d'est en ouest. Il doit rapidement compenser son retard sur les Allemands. Il lui est répondu que les destructions opérées pendant la bataille de la Marne autour de Meaux vont gêner le trafic; que l'on ne peut utiliser, pour porter les renforts venus de l'est vers le nord, que la ligne du Bourget à Creil-Amiens. De l'est, par contre, deux voies commodes s'offrent au trafic : celle de Nancy et Toul vers Pantin, par Joinville, et surtout celle de Chaumont-Troyes-Le Bourget. Les transports qui intéressent la 2ᵉ armée viennent de Toul et de Nancy : les trains vont se succéder sans arrêt du 7 au 24 septembre, soit 443 trains pour huit « courants » à raison de 24 trains par 24 heures.

Joffre renouvelle l'opération qui lui a bien réussi pour la Marne. Il va déplacer un grand nombre d'unités : un corps d'armée entier, le 14ᵉ, vient des Vosges et débarque dans la région de Beauvais à partir du 19 septembre. Le 20ᵉ corps, jadis commandé par Foch, débarque de Lorraine à partir du 20. Il fait monter à Roye, tout près du front, un corps supplémentaire, le 11ᵉ, qui était en réserve dans la région de Compiègne. Des unités de cavalerie sont également rassemblées et convoyées par train. C'est de nouveau au chemin de fer que Joffre a demandé l'effort nécessaire pour sortir l'armée aventurée en Picardie d'une position délicate.

Car les Allemands ont mis en difficulté l'armée de Castelnau. Dans l'immense plaine « au relief calme, aux ondulations uniformes », on ne peut accrocher la défense qu'à de rares lignes de rivières (la Somme, l'Avre, le cours supérieur de l'Escaut) ou aux villes mêmes, anciennes forteresses qui ont connu d'autres invasions : Péronne, Corbie, Ham, Roye, Albert, Lens, Arras.

Pour arriver jusqu'en Picardie, Castelnau ne réussit pas à faire décrocher le 13e corps, fixé par les Allemands du 9e de réserve dans la région de Lassigny-Noyon. Les troupes de Boelle, de Balfourier, de Baret étaient surprises en pleine marche vers le nord de la Somme, à partir du 24 septembre, par une puissante attaque des 31e et 42e divisions allemandes sur leur flanc droit. Le général de Castelnau, sur l'ordre de Joffre, s'était hâté de pousser ses troupes vers le nord. Il n'avait pas même attendu l'arrivée de son aviation ni la remise en état de sa cavalerie. Il avait avancé « à l'aveuglette », ignorant tout des forces de l'adversaire. Il savait pourtant que les cavaliers allemands éclairaient un corps d'armée du côté de Roye. Le train blindé envoyé par Gallieni le 20 septembre (une locomotive protégée de plaques d'acier, deux wagons plates-formes, trois wagons couverts et quinze wagons à charbon ; à bord, 200 fusilliers marins) avait rencontré des uhlans et cinq batteries d'artillerie à cheval qui les avaient bombardés. Il savait que quatre corps de cavalerie allemande au moins sillonnaient la région Saint-Quentin-Roye. Il n'en avait pas moins maintenu l'ordre général de marche sur Péronne, Roye, Corbie, Albert. Il s'en était d'abord réjoui : la cavalerie allemande reculait devant la sienne et les colonnes du 4e corps (les fantassins du Mans) avaient dépassé Roye sans problème. Il devait être rejoint, vers Corbie, par les 14e et 20e corps. Empêtré dans Lassigny, le 13e corps ne pouvait pas suivre. Les Marocains y perdirent la moitié de leur brigade. Castelnau avait alors dépêché sur Péronne, pour s'emparer des ponts de la Somme et les garder solidement, une brigade en automobiles et le corps de cavalerie Conneau, avec les territoriaux du général Vigy.

Ces troupes n'avaient pu se maintenir à Péronne. L'attaque allemande brusquée sur Roye les menaçait d'encerclement. La retraite s'imposait au plus vite. Castelnau, qui avait enfin reçu son aviation, n'ignorait plus rien des forces de l'ennemi. L'affaire était sérieuse : deux corps de la 6e armée allemande attaquaient. Les Français du 4e corps se tournent précipitamment face à l'est et les corps voisins doivent les secourir en « marche de guerre ». Les Français reculent, surpris par la violence des assauts. Il faut leur envoyer des renforts, et surtout poursuivre le mouvement vers le nord de la Somme, ne pas se laisser accrocher. Joffre est formel : l'ennemi doit être « débordé ». Trois corps de cavalerie ont franchi la rivière, avec un groupe d'infanterie commandé par Balfourier.

Le gros des troupes ne peut suivre, car il doit livrer bataille sur son flanc droit où apparaissent, derrière les deux divisions du 21ᵉ corps, des Bavarois. La 2ᵉ armée de Castelnau est en passe d'être elle-même « débordée », elle est partout sur la défensive. La manœuvre de Joffre vient d'échouer.

Il prescrit des mesures énergiques : pendant que Castelnau établit un véritable front, avec plusieurs lignes de tranchées, grâce aux fantassins des 13ᵉ, 4ᵉ et 14ᵉ corps, de l'Oise à la Somme, face aux trois corps allemands de la 6ᵉ armée, il demande le 30 septembre au général de Maud'huy, dont il connaît le courage et l'esprit d'entreprise, de commander une « subdivision d'armée » qui doit, dans son esprit, rechercher le « débordement » beaucoup plus au nord : la bataille d'Arras va s'engager. Mais, une fois de plus, les Allemands ont l'initiative. On s'aperçoit vite que le 14ᵉ corps allemand de réserve a pris position à hauteur de Bapaume, au nord de l'armée bavaroise. Sur la route de Cambrai à Bapaume, les aviateurs ont repéré un long convoi de plus de 300 camions : il s'agit du 4ᵉ corps prussien que le général Falkenhayn a enlevé au front de la 1ʳᵉ armée. Avec leurs nombreuses divisions de cavalerie et les solides unités bavaroises, les Allemands sont en mesure de dominer la situation.

Joffre, une fois encore, mobilise les chemins de fer, transporte à la hâte des unités fatiguées, des chevaux fourbus. Les Bretons d'Eydoux, qui ont été envoyés en renfort dès le 27 en camions, pour gagner du temps, dans la région d'Albert, ne peuvent repousser les fantassins du 14ᵉ corps. Ces Allemands avaient pourtant subi de lourdes pertes dans les Vosges. Beaucoup de compagnies avaient perdu leurs officiers, elles étaient commandées par les *Feldwebel* et des *Vizefeldwebel*. Au 169ᵉ régiment, on n'avait pu former que deux bataillons. Mais le haut commandement avait envoyé dans les Vosges des hommes de la *Landwehr* et même du *Landsturm* qui avaient, pour certains, plus de 40 ans, et il avait « enlevé » les régiments d'active pour un long voyage en chemin de fer à travers la Belgique. Reconstitué, le 14ᵉ corps avait aussitôt été dirigé sur le front nord, par Saint-Quentin. Il s'était enterré pour résister aux assauts du général Eydoux. Fourbue, épuisée par une longue marche, la 22ᵉ division de Vannes n'avait pu attaquer avant que l'ennemi n'ait pris ses dispositions défensives. Comment l'aurait-elle pu, alors que les régiments de Nantes et d'Ancenis n'avaient plus de munitions ?

Les renforts de Joffre permettaient d'étoffer le nouveau front : d'autres Bretons arrivaient à la rescousse, ceux du 10ᵉ corps de

Rennes; éclairés par les hussards de Dinan, après une marche de 12 kilomètres à pied, ils prenaient position au nord-ouest d'Albret. Comme les Allemands du 14ᵉ corps, les fantassins du général Defforges avaient beaucoup souffert et subi de fortes pertes. C'est pourtant sur ces deux corps bretons que compte Joffre pour réussir enfin sa manœuvre de débordement.

Castelnau insiste en son nom pour que les troupes d'Eydoux, en particulier, ne fassent pas à nouveau preuve de « manque d'énergie ». Le général en chef a pris soin de régler lui-même le voyage en chemin de fer des divisions Fayolle et Barbot, qui doivent débarquer beaucoup plus au nord, à Lens et à Béthune. La 70ᵉ division vient de Lorraine. Fayolle y déplore plus de 5 000 tués depuis le début de la guerre, soit 1/6ᵉ de ses effectifs, dont 127 officiers. Embarquée le 28 septembre, elle est le 1ᵉʳ octobre dans la région de Lens.

Avec Barbot, qui commande la 77ᵉ, Fayolle doit aussitôt intervenir pour dégager Douai, défendue par les territoriaux de Plantey et furieusement canonnée par les Allemands. Les habitants s'enfuient dans un exode désordonné. Les Bavarois y font leur entrée : Fayolle les retrouve sans plaisir, car eux aussi viennent de Lorraine. Il doit se replier avec de lourdes pertes.

Les Français commencent à soupçonner que le mouvement de débordement est impossible. A l'est d'Albert, les Bretons, renforcés par le 20ᵉ corps, n'avancent pas. « Si la 21ᵉ division n'attaque pas, s'indigne Castelnau, il n'y a aucune progression possible. » Mais les Nantais sont soumis à un feu d'artillerie violent. Loin d'être en position d'attaquer, ils doivent se défendre pied à pied. Dans son poste de commandement établi en pleine campagne à 3 kilomètres des lignes, le général de Maud'huy apprend la chute de Douai, la retraite des unités de Plantey, des goumiers du colonel du Jonchay et des automitrailleuses anglaises du *Royal Navy Flying Corps*, qui ont regagné le Nord. La division Barbot est enfoncée par une attaque de nuit du 4ᵉ corps allemand qui vient des bords de l'Aisne. Elle a dû se retrancher devant Arras pour résister. Les Prussiens la talonnent et la canonnent. Il faut à Barbot toute son énergie pour soutenir le choc. « Les choses n'ont pas marché aujourd'hui comme je le désirais », écrit Maud'huy, le 2, au général Joffre. Il est « débordé par Lens », il vient d'apprendre l'arrivée sur le front du 1ᵉʳ corps bavarois, qui a bousculé Fayolle. Tout ce que peut faire Maud'huy, c'est de s'accrocher au plateau d'Arras contre les attaques furieuses du 4ᵉ corps prussien et du 1ᵉʳ corps bavarois, ainsi que des cavaliers de Marwitz et de Richthofen. Il demande des renforts : Castelnau lui promet la 45ᵉ division d'Alger et tout le 21ᵉ corps, qui doit débarquer à Lille. Un nouvel échelon vient d'être gravi dans l'escalade : c'est par Lille, désormais, que l'obstiné général Joffre veut réussir son « débordement ».

De Noyon à Lens (soit 100 kilomètres), le front est déjà stabilisé sur au moins 65 kilomètres entre Noyon et Albert. Allemands et Français ont, de part et d'autre, creusé des tranchées et se font face. C'est au nord de la ville d'Albert, et surtout autour d'Arras, que la bataille fait rage. Les Français ne veulent à aucun prix perdre Arras.

A tout prix l'empereur Guillaume veut la prendre. Il vient en personne sur le front, avec, à ses côtés, le prince de Bavière. Blancpain raconte sa visite à l'état-major de Saint-Quentin : « Les adultes [ce jour-là] reçurent l'ordre de se tenir chez eux et toute circulation fut interdite dès la veille au soir sur la promenade des Champs-Élysées... L'empereur apparut en petite tenue et quasiment sans escorte... Un repas lui fut servi dans la plus belle des maisons, copie d'une " folie " du XVIIIᵉ siècle, et il reprit la route avant la fin de l'après-midi. Pas de revue de troupes, pas de musique militaire. » A Marwitz, à Richthofen, aux généraux de cavalerie bavarois, il ordonne de « passer sur les derrières de l'adversaire » et les dragons, les cuirassiers de Prusse, les uhlans, les chevau-légers de Bavière l'acclament longuement.

De nouveaux renforts ont été transportés par Joffre pour soutenir, dans le Nord, les territoriaux défaillants que l'on traite à l'état-major de « figurants » et qui se battront pourtant vaillamment. Mais ces groupes du général Brugère, lui-même très âgé, ne disposent d'aucune artillerie, ils ne peuvent agir qu'en couverture et on leur fait tenir de larges secteurs du front! La 2ᵉ armée reçoit en réserve deux divisions et le 21ᵉ corps du général Maistre est enlevé à la 9ᵉ armée. Joffre veut l'acheminer directement sur Lille. Il demande à Castelnau de tenir « à tout prix » cette ville que l'on avait déclarée ouverte en août. « Ne renoncez à Lille, lui écrit-il, qu'à la dernière extrémité. » Manifestement, il organise une troisième manœuvre d'enveloppement. Lui-même se rend à midi, « ayant déjeuné », au Q.G. de Breteuil où l'attend Castelnau. Le Kaiser d'un côté, le généralissime de l'autre, l'heure est d'importance...

Pour faire bonne mesure, Joffre a fait venir près d'Arras la division de zouaves et de tirailleurs commandée par Drude (45ᵉ). Il est temps : le 4 octobre à l'aube, les Allemands bousculent Fayolle et Barbot, des régiments de la Garde dispersent les territoriaux « dont les lignes en tirailleurs sont vues battant en retraite ». Vimy, la colline célèbre, est enlevée par une attaque de nuit. Les Bavarois déciment les régiments de réserve, qui ont un tiers de pertes. « Le ciel s'assombrit – dit le général Anthoine, chef d'état-major de la 2ᵉ armée –, les territoriaux ont le pied léger. » Il demande que Joffre envoie un agent de liaison au Q.G. Castelnau doit y prendre des décisions graves.

C'est Joffre qui décide de coiffer Castelnau. Il ne « peut admettre un recul »; il nomme Foch « adjoint au commandant en chef » pour diriger à la fois l'armée Castelnau, l'armée Maud'huy et le groupe des divisions territoriales du général Brugère. Il lui dit en pleine nuit, à son Q.G. de Romilly, qu'il a pleins pouvoirs pour redresser la situation. Voilà le professeur à l'École de guerre, ancien chef de corps à Nancy, adjoint du commandant en chef...

Les décisions de Foch tombent dru comme grêle : la 13ᵉ division venue de Chaumont, avec son général, Baquet, doit se faire tuer dans Lille. Les dragons de Conneau doivent arrêter les cavaliers de la Garde prussienne. A tous ceux qui défendent Arras, Foch a fait savoir qu'il y avait « interdiction formelle à lâcher aucun point ». Maud'huy fait attaquer la 43ᵉ division d'Épinal et de Saint-Dié, pendant qu'une nuée de cavaliers français fait reculer le corps de Marwitz. « Devant les masses de cavalerie française, dit celui-ci à l'empereur, je renonce à percer. » « De l'activité, de l'activité, de l'activité! » répète Foch à la 31ᵉ division de Chaumont. Les fantassins sont exténués, mais la ligne du front se stabilise définitivement devant Arras. Les divisions Fayolle et Drude ont fait le nécessaire. Les hussards de Dinan et les chasseurs d'Afrique ont combattu à pied aux côtés des « biffins ». Arras est sauvée, Lens n'est pas reprise : la ligne du front passe entre les deux. C'est au nord, loin au nord qu'il faut encore chercher la décision. Joffre et le Kaiser sont également déçus.

Cette fois, le général en chef demande le concours des alliés anglais et belges. les Belges sont toujours autour d'Anvers. Les Anglais sont sur l'Aisne. Il faut les enlever pour qu'ils combattent à l'ouest, près de la mer. French en est d'accord, c'est la solution logistique la plus rationnelle. Mais il ne peut, d'un coup, ôter ses deux corps d'armée. Ses troupes ont débarqué à Boulogne, au Havre, à Rouen le 20 août, elles ont participé à la bataille des frontières, à la retraite, à la Marne. Maintenant elles sont engagées sur l'Aisne dans les tranchées. Les *tommies* sont fatigués, comment les faire participer de nouveau à la guerre de mouvement?

A French, Kitchener avait recommandé la plus grande prudence. Il en avait fait preuve pendant la retraite, exigeant pour ses troupes le repos nécessaire après les épreuves qu'elles avaient subies, notamment à Mons et au Cateau. « Vous êtes dans un pays ami, avait déclaré Kitchener aux soldats du corps expéditionnaire. Soyez toujours courtois, sérieux, bons. Respectez la propriété, considérez le pillage comme une action honteuse. Vous serez bien accueillis et l'on aura confiance en vous. » De fait, on trouve les Anglais propres et bien élevés. Rouen, ville anglaise, est une cité enviée. L'accueil est excellent pour ces soldats bien habillés, aux poches pleines de guinées, qui aiment le confort et la bonne chère. Kitchener s'inquiète seulement pour leur santé : « Vous serez sujets à deux tentations, leur dit-il, le vin et les femmes. »

Ces volontaires ou ces mercenaires font la guerre à leur manière.

On ne peut les traiter comme des mobilisés. Kitchener regrette qu'en France, il n'y ait pas assez de main-d'œuvre civile pour construire les retranchements et les cantonnements de sa troupe. Le responsable des chemins de fer s'indigne « que les Anglais refusent d'être embarqués à quarante dans un wagon à bestiaux comme les Français... ». Le responsable des étapes trouve bien lente la marche des unités britanniques. Il est vrai que les Anglais prennent le temps de manger, de se laver, de soigner leurs chevaux.

Dures pendant la retraite (French supportait mal le caractère de Lanrezac), les relations entre états-majors se sont améliorées après la Marne. French avait le sentiment que le commandement français « ne l'avait pas traité généreusement ». Les Anglais étaient maintenant décidés à coopérer. French recevrait la 6ᵉ division en renfort. Déjà la 7ᵉ division et la 3ᵉ de cavalerie débarquaient à Ostende et Zeebruge. On annonçait un corps d'armée de l'Inde et deux divisions supplémentaires. French fit savoir à Joffre qu'il n'avait aucune objection au plan d'attaque du général Foch.

Dans le Nord, les cavaliers d'Allenby avaient pris leur place aux côtés des dragons de Conneau et des cuirassiers de Mitry, qui faisaient à pied le coup de feu contre les uhlans. La bataille engagée sur les bords de la Lys, de Lille à Saint-Omer et à Dunkerque, est un vaste engagement de cavalerie. Mais les cavaliers combattent de moins en moins à cheval. Ils sont accompagnés de cyclistes, de batteries de mitrailleuses, et même d'automitrailleuses, de canons attelés. Il y a eu encore quelques beaux engagements, comme celui du 7ᵉ hussards à Rethel, le 30 août, chargeant, sous les ordres de Desazars de Montgailhard, les canons et les mitrailleuses. Mais les pertes sont trop lourdes et l'on arrête ces combats d'un autre âge. Les cavaliers allemands sont des éclaireurs, des saboteurs de ponts et de voies ferrées plutôt que des « chargeurs ». Les cavaliers français accomplissent des missions du même ordre. On leur demande en plus de combattre à pied et à la carabine : sur les 600 hommes que compte un régiment, 120 à 130 ont l'équipement nécessaire pour combattre à pied. Leurs chevaux normands, angevins ou tarbais ont beaucoup souffert pendant la retraite. Ils ont été fréquemment changés et les cavaliers d'octobre montent les chevaux les plus disparates. Ils ont conservé la lance, mais abandonné la cuirasse. Les cuirassiers allemands l'avaient laissée dans les dépôts dès le début de la guerre. Les Français en ont beaucoup souffert sous le soleil d'août. Ils se battent de plus en plus à la carabine (sans baïonnette), arme beaucoup moins précise et rapide que le Lebel ou le Mauser. Deux régiments de cavalerie équivalent, pour la puissance de feu, à un seul bataillon d'infanterie. Heureusement, les cavaliers disposent de mitrailleuses montées sur des « voiturettes à deux roues, tractées par quatre chevaux ». Il n'y a, en France, qu'un groupe d'artillerie par division de cavalerie! Au contact de l'ennemi, les cavaliers doivent organiser la résistance des villages, et même, comme des fantassins, creuser des tranchées. On a vu des dragons enterrés repousser les Allemands avec leurs lances. Les chasseurs cyclistes, paradoxalement, sont utilisés pour éclairer les cavaliers à pied!

Le Nord était défendu par les territoriaux et par les unités de cavalerie : quatre divisions entre Lille et Béthune, trois au nord d'Arras. Les assaillants allemands étaient aussi des cavaliers formant trois corps d'armée. l'infanterie suivait, assez loin derrière. Foch comptait sur celle des Anglais pour tourner l'armée allemande en éliminant sa cavalerie.

De Lille à Courtrai, une offensive commune pouvait bousculer les assaillants, épuisés par leur longue remontée vers le Nord. Les fantassins de French et ceux de Maud'huy occuperaient le terrain dégagé par les cavaliers. Mais les Anglais étaient en retard et ne voulaient pas s'engager à l'aventure. Les dragons de Conneau, vivement pressés, devaient reculer de 10 kilomètres le 10 octobre, entraînant le repli de toute la gauche de la ligne française. Foch attendait Allenby, qui faisait avancer ses chevaux avec une sage lenteur. Les sept divisions de cavalerie française parvenaient le 11 à contenir les Allemands, mais non à progresser vers l'est. La cavalerie de Conneau avait en fait permis aux Anglais de prendre leurs positions sans être attaqués dans leur marche. Elle n'avait pu réussir le mouvement tournant dont rêvait Joffre. Le 12 seulement, Allenby engagea ses cavaliers aux côtés de Conneau : ce jour-là, ils bousculèrent le 4e corps allemand aventuré vers Hazebrouck. Mais on avait appris le 9 octobre la chute d'Anvers, et, par pigeon voyageur, le 12, la chute de Lille : les conditions du combat allaient changer.

Lille était tombée dans de curieuses circonstances. Évacuée le 9 au soir, elle avait été réoccupée par un détachement de territoriaux et par un régiment de cavalerie sur l'ordre formel de Foch. Le commandant de Pardieu, qui était à la tête des territoriaux, a raconté qu' « il disposait de deux bataillons, d'un régiment de spahis et de chasseurs » et qu'il avait reçu l'ordre de décrocher quand les cavaliers allemands avaient fait leur apparition au nord de la ville. La retraite, très lente, avait eu lieu dans l'après-midi du 9; sans être contrariée par les uhlans, elle était gênée « par la foule des civils mobilisables qui encombraient la route ». Un général commandant une division de cavalerie avait donné l'ordre au détachement de s'arrêter à Fromelles. Mais le lendemain à 4 heures du matin, une autre directive portait de nouveau le détachement sur Lille. Les hommes fatigués qui, la veille, avaient à peine mangé, devaient « y tenir le plus longtemps possible en attendant l'arrivée des troupes de la 10ᵉ armée ». Le détachement serait encadré, pour ce faire, par le 20ᵉ chasseurs à cheval.

Il pénétra dans Lille au prix de grandes difficultés et sans son arrière-garde, attaquée et décimée par les uhlans. Deux compagnies marchèrent aussitôt sur la mairie pour libérer le maire prisonnier des Allemands. Ceux-ci réussirent à quitter la ville à la tombée du jour. Ils bombardèrent alors Lille avec 144 batteries de campagne, tirant 15 000 obus, détruisant 980 maisons, occasionnant quelques incendies. Le bombardement se poursuivit le lendemain 11 octobre. Les habitants, terrés dans les caves, reprochaient au commandement militaire de les sacrifier sans raison, puisqu'ils étaient encerclés, défendus seulement par 2 500 hommes et 3 canons de campagne pour 13 kilomètres de remparts, et qu'aucune patrouille de cavalerie n'avait pu sortir. Les portes Louis XIV, de Douai et de Valenciennes étaient en vain renforcées et protégées par les canons : qui empêcherait les Allemands d'entrer?

Le bombardement se poursuivit avec des pièces plus lourdes dans la nuit du 11 au 12 et pendant toute la journée du 12. Des maisons s'effondraient. On ne pouvait plus juguler les incendies. Lille connaîtrait-elle le sort de Louvain? Un lieutenant aviateur atterrit place de la Citadelle, porteur d'un message : la ville serait libérée par une division de cavalerie le soir-même. Mais, à 17 heures, les secours n'étaient pas venus, les Allemands avaient forcé deux portes et les défenseurs n'avaient plus de cartouches. Il ne leur restait plus qu'à capituler. Une division entière avait maîtrisé sans peine 2 500 territoriaux qui rendirent leurs armes au prince de Bavière en personne. Un certain nombre, comme le lieutenant Fromont, s'évadèrent en tenue civile, traversant les lignes allemandes. Fromont gagna la frontière hollandaise, traversant la Belgique occupée; de là, il s'embarqua et rejoignit Boulogne. Quant au commandant de Pardieu, il fut accusé par le général Maud'huy d'avoir rendu la ville sans combat, et proposé pour le conseil de guerre. « Lille attaquée sur son front sud par une troupe évaluée à une brigade et six batteries a été prise par l'ennemi », télégraphia laconiquement, au jour de la capitulation, Foch à l'état-major.

Le 14, Anglais et Français lancèrent une offensive qui ne devait pas permettre de reprendre Lille. Foch en accusa « le peu de mordant des troupes » et préconisa une opération de rupture du front allemand au sud-est d'Arras, vers Cambrai. Il fallait aussi organiser Dunkerque et Ypres, pour soutenir les Belges, car on était sans nouvelles de leur armée. La bataille des Flandres allait commencer. La course à la mer était terminée. Un million d'hommes, dans chaque camp, avait été transporté d'est en ouest. Pas seulement par chemin de fer : les camions et autobus français du commandant Gérard et du capitaine Doumenc avaient acheminé 350 000 hommes sur des parcours variant entre 20 et 120 kilomètres.

Pour que la bataille fût définitivement réglée, il fallait organiser le front nord par un grand effort de coopération et de clarification entre alliés. Joffre et Foch devaient s'y employer.

Les Belges ont beaucoup souffert. Depuis l'offensive allemande d'août, ils se sont repliés sur Anvers et Namur. Les défenseurs de Namur (4ᵉ division belge) ont gagné la France, puis ont été dirigés sur Ostende pour participer aussi à la défense d'Anvers. De cette place bien protégée, ils ont multiplié les sorties, poussant une pointe sur Louvain, coupant la voie ferrée Louvain-Tirlemont, menaçant Bruxelles. Les Allemands durent constituer une véritable armée de siège, évaluée à 40 000 hommes, avec un matériel spécial d'artillerie. Bientôt les obusiers de 420 attaquèrent les coupoles et les cuirasses des forts. Les canons de Waelhem et de Wavre-Sainte-Catherine étaient incapables de répliquer efficacement.

Le siège en règle avait commencé le 30 septembre. Dès le lendemain, le gouvernement appelle au secours ses alliés, demandant « aide et protection ». Les Anglais ont déjà débarqué une brigade de fusiliers marins. Que vont faire les Français?

Joffre se refuse à enfermer dans Anvers des troupes de renfort. Il est prêt, par contre, à faciliter la sortie de l'armée belge en avançant sa cavalerie. Envoyer une division de territoriaux à Ostende, c'est, dit-il au ministre de la Guerre, « une illusion ». Les Anglais, pourtant, sont prêts à dégager Anvers avec leur 7ᵉ division d'infanterie et une division de cavalerie, si les Français envoient des troupes d'active. Joffre est contraint de mettre en route la 87ᵉ division territoriale du Havre et la brigade de fusiliers marins de l'amiral Ronarc'h. Le général Pau, rescapé des batailles d'Alsace, est envoyé à Anvers en mission auprès du roi des Belges qui assure lui-même le commandement de son armée. Ni Joffre ni French ne croient au succès de l'opération. 30 000 Anglais et 23 000 Français vont être, pensent-ils, immobilisés en pure perte. Le général anglais Henry Rawlinson a pris le commandement de ces forces qui ne relèvent que du *War Office*.

Les Anglais promettent d'autres renforts. Le ministre de la Guerre français câble à Joffre, le 4 octobre, que Churchill lui-même va débarquer à Anvers pour visiter les défenses. Ils envoient sur place 75 pièces d'artillerie. Le 5, Kitchener demande que les fusiliers marins français, embarqués par chemin de fer, soient poussés jusqu'à Anvers. Ils sont partis le 7 octobre : quatre convois de Villetaneuse, trois de Saint-Denis, un millier dans chaque train. Par Pontoise et Creil, ils montent vers le nord, doublés par des trains bourrés d'Anglais en « gros drap moutarde »[2]. On avertit l'amiral,

2. Jean Mabire, *La Bataille de l'Yser*.

en cours de route, qu'il continue sur Anvers. A Adinkerke, le train croise des recrues de l'armée belge qui « partent à l'instruction en Normandie qui va devenir, dans toutes ses villes de garnison, une nouvelle province du royaume de Belgique... » Par Dixmude, le train arrive à Gand. Il est arrêté par « un major de guides en dolman vert à brandebourgs ». Les voies sont coupées, les Allemands sont déjà là... il faut s'arrêter à Gand au milieu des troupes en retraite. Il n'est plus question de gagner Anvers : la place vient de tomber.

Les 200 canons allemands ont eu raison de sa résistance. La ligne principale des forts a été percée, le roi a décidé de transférer l'armée sur la rive gauche de l'Escaut. Le 8, l'armée belge fait retraite en direction de Bruges et d'Ostende. Il faut l'aider, elle est poursuivie par l'ennemi. Les Anglais et les marins de Ronarc'h barrent la route aux Allemands à Melle avec des automitrailleuses belges et des rescapés du siège. Les marins s'abritent derrière des talus, creusent les premières tranchées. Ils combattent comme ils peuvent au milieu du flot de réfugiés venus d'Anvers et des soldats débandés. Ils aperçoivent les « lignes de fantassins gris » dont le casque à pointe est recouvert « d'une housse de camouflage de toile gris-vert ». Ils reconnaissent les Belges à leurs capotes noires et les intègrent à leurs lignes de défense. Mais ils doivent bientôt décrocher, faute de cartouches. Heureusement, les Allemands ne sont pas en état de poursuivre. Ils attendent le ralliement des gros bataillons reformés à la suite de la chute d'Anvers.

Joffre en profite pour proposer immédiatement la réorganisation du commandement : French doit commander à tous les Anglais, y compris à Rawlinson, et Foch à tous les Français. Quant aux Belges, ils obéissent à leur roi, conseillé par le général Pau. Cette disposition s'avère insuffisante : « Je n'ai pas réussi, dit Pau à Joffre, à faire diriger l'armée belge selon votre désir. La préoccupation d'éviter le contact ennemi, aussi complètement que possible, a dominé. » Le roi souhaite que son armée se repose dans la région de Calais-Saint-Omer. Le gouvernement belge veut s'installer au Havre. Pour Joffre, cette solution est désastreuse : il a besoin des soldats belges dans la région d'Ypres, pour y renforcer la défense, et il faut qu'ils obéissent à Foch. Or les soldats du roi sont déjà en route vers Ostende et Calais... Joffre arrête tous les trains : « Il faut suspendre, dit-il, tout mouvement par voie ferrée qui ne serait pas concerté au préalable avec commission du réseau du Nord à Paris et risquerait de compromettre gravement les transports actuellement en cours. » Les trains ne devront pas dépasser Dunkerque et l'on débarquera les troupes belges. « Il ne semble pas possible, ajoute-t-il, que l'armée belge abandonne son propre territoire et ne coopère pas à sa défense. »

Mais déjà le roi a pris la décision de maintenir son armée sur le territoire national, dans la région de Nieuport, Furnes, Dixmude, avec pour base Dunkerque. Dans la nuit du 11 au 12, il fait savoir que « profondément pénétré de la nécessité de l'unité d'action des forces alliées, il serait heureux que le généralissime agisse vis-à-vis de l'armée belge comme il agit avec l'armée anglaise, et en conséquence communique directement avec son chef ». On lui envoie en mission le colonel Brécard. L'unité du commandement est désormais assurée. Le 14 octobre, les 50 000 soldats belges sont mis en place. Ils vont bientôt tenir, sous le commandement royal, la ligne Nieuport-Dixmude au sud de l'Yser. Les fusiliers marins français font partie de leur dispositif.

Cette ligne, il faut la conserver à tout prix : c'est la pierre d'angle d'un front qui se stabilise désormais de la mer aux Vosges. Von Beseler, qui commande le 3ᵉ corps de réserve allemand, est bien décidé à la faire sauter. « On ne se repliera sous aucun prétexte », dit le roi à ses Belges, et la brigade Ronarc'h reçoit l'ordre de « tenir à outrance les débouchés est de Dixmude ». Aussitôt les marins creusent des tranchées, camouflent les mitrailleuses et les quelques canons de campagne que les Belges leur ont attribués. Ronarc'h sait qu'il ne doit pas compter sur beaucoup de renforts français. Foch est surtout préoccupé, dans l'immédiat, de renforcer, plus au sud, la place d'Ypres, vitale pour la défense, en raison de ses voies de communication. Le général Bidon vient de Dunkerque avec deux divisions de territoriaux. Ils y organisent les retranchements. Les corps de cavalerie disponibles y accourent, avec les autocanons et les automitrailleuses du colonel du Jonchay. Quatre divisions y sont bientôt rassemblées. Dunkerque aussi est protégé par des bataillons supplémentaires. Pour défendre Nieuport, Foch demande le concours de la flotte : quatre torpilleurs partent aussitôt de Brest. Enfin, Joffre promet d'envoyer au nord la 42ᵉ division du général Grossetti, unité d'élite formée à Verdun avec les recrues de la région. Au sud d'Ypres, vers Armentières et La Basse, le front sera tenu par les Britanniques qui feront leur liaison avec la 10ᵉ armée de Maud'huy qui défend toujours Arras. Tel est, vers le 15 octobre, le dispositif d'ensemble.

Joffre voit se renforcer constamment les effectifs allemands : le 3ᵉ corps de réserve et les divisions d'*Erzatz* libérées d'Anvers n'avaient pas beaucoup de route à parcourir pour se trouver à pied d'œuvre devant l'Yser. Mais certains régiments, très éprouvés, avaient dû rester au repos à Gand. Falkenhayn, qui manquait de troupes, fit rassembler de nouveaux corps d'armée à Metz et en Belgique. Il disposait de jeunes gens nouvellement instruits, souvent engagés volontaires, qui ne connaissaient pas encore le feu. Il est vrai qu'on leur enseignait déjà le maniement d'armes nouvelles, comme les redoutables mortiers de tranchées appelés *Minenwerfer*. Les officiers manquant pour la formation, il fallait, en campagne, procéder à des nominations hâtives, souvent improvisées, pour encadrer les compagnies décimées.

Avec des troupes fatiguées et de nouvelles unités mal formées, les Allemands constituaient au nord une 4ᵉ armée placée sous les ordres du duc de Wurtemberg dont le 3ᵉ corps d'armée était le premier élément. Il devait recevoir rapidement en renforts une division de fusiliers marins, quatre corps de réserve et même deux brigades de la Garde. A l'évidence, les Allemands étaient prêts à de grands sacrifices pour percer la ligne Ypres-Dixmude vers Dunkerque et Calais.

Les Anglais renforçaient leur propre armée : le 1ᵉʳ corps, venu de l'Aisne, était transporté le 19, et le 20 arrivait sur le front la division indienne de Lahore qui avait traversé la France dans un grand concours de curiosité populaire ; elle avait, en particulier, bivouaqué dans la région d'Orléans. A Olivet, à Cercottes, à La Motte-Sanguin, les familles avaient rendu visite aux « barbus enturbannés » qui portaient le pagne... Joffre n'était pas en reste : il avait dirigé sur le nord, à la même date, le 9ᵉ corps d'armée, la 31ᵉ division d'infanterie et un bataillon de Sénégalais. D'Urbal, qui commandait le 33ᵉ corps de la 10ᵉ armée, était nommé à la tête d'un « détachement des forces françaises de Belgique ». Il cédait son commandement de la 10ᵉ armée au général Pétain, qui recevait une nouvelle promotion. Ainsi le détachement d'Urbal et les Belges étaient devant Gand, les Britanniques et le 9ᵉ corps français derrière Ypres. Joffre en personne se rendit au front pour s'assurer de la solidité de son dispositif en conférant avec le roi des Belges et le général Foch.

Il faut d'abord tenir sous Dixmude : les fusiliers marins s'y emploient. Ils ont autour d'eux des goumiers en burnous rouge et blanc, les guides verts et les hussards bleus de l'armée belge, qui tombent sous le feu des mitrailleuses Maxim. Les marins doivent abandonner Dixmude, qui brûle, et se replier à l'ouest de l'Yser. Les Belges du colonel Jacques n'ont pas pu tenir dans les ruines de la ville, accablés par le tir des pièces lourdes. Quand les Allemands attaquent en rangs serrés (des adolescents volontaires et des vieux de la *Landwehr*), la ville a déjà été évacuée. Les marins construisent des tranchées qui ne peuvent pas avoir plus d'un mètre de profondeur : la nappe d'eau est très proche. Ils attendent, dans la boue, l'attaque allemande. L'amiral Ronarc'h « dort comme ses matelots sur une litière de paille ». Les Allemands ont amené des pièces lourdes de 280 et bombardent les lignes, mal défendues par l'artillerie. « Le passage de Dixmude doit être tenu par vous tant qu'il restera un fusilier marin vivant », a dit le général d'Urbal. Ronarc'h, projeté en l'air par le souffle d'un obus, reste dix minutes inanimé. Les mitrailleuses s'enrayent en fusillant à bout portant les fantassins du major von Oidtmann. Les tubes sont pleins de boue, portés au rouge par la cadence du tir, tordus par les chocs des éclats d'obus. Enfin, des renforts arrivent quand les compagnies sont décimées. Des chasseurs d'Afrique, des hussards, mais surtout les chasseurs à pied et les tirailleurs sénégalais commandés par Grossetti. Blessé trois fois, le colonel Jacques doit quitter le secteur avec les rares survivants des deux régiments d'infanterie belge. Le roi Albert le fera « baron Jacques de Dixmude ». Dans la boue du Nord, les Sénégalais du commandant Frèrejean tremblent de froid. Ils sont épuisés par les engagements antérieurs, mais ils doivent tenir « coûte que coûte » : en quinze jours, il reste 400 hommes à Frèrejean et seulement 11 à son collègue Brochot – 411 survivants sur 2 000. On se fusille à bout portant, jour et nuit.

Dixmude est abandonné, mais non l'Yser. Les Français et les Belges parviennent à s'y maintenir. De 26 au 27 octobre, la décision est prise d'ouvrir les écluses de Nieuport. L'inondation met fin à la bataille. Les Allemands n'insistent plus. L'interrogatoire des prisonniers révèle que les jeunes recrues, non instruites, sont, du côté allemand, désespérées par l'âpreté de la lutte : les pertes sont très lourdes de part et d'autre.

Pourtant les Allemands ne renoncent pas. Ils font venir de nouvelles troupes du 13ᵉ corps d'armée, du 15ᵉ, des divisions de réserve bavaroises. La 43ᵉ division de réserve, formée à Berlin avec les dépôts de la Garde, est engagée dans la bataille. La 48ᵉ est formée hâtivement en Hesse, la 26ᵉ en Wurtemberg. Le 1ᵉʳ novembre, le Kaiser arrive à 6 heures du matin dans le château du Coquinage, près de Linselles. Il est au poste de commandement de la 6ᵉ armée, à l'ouest de Tourcoing. Il a l'intention de se rendre au Q.G. de la 4ᵉ armée à Thielt. Les services secrets français ont repéré son horaire. Des ordres ont été donnés aux escadrilles de Saint-Pol et de Dunkerque pour tâcher de bombarder son escorte.

Le Kaiser veut emporter la décision sur Ypres. Le « saillant » doit disparaître. Prussiens et Bavarois se lancent à l'assaut, emportent quelques positions. Foch doit faire donner à la rescousse des unités du 20ᵉ corps. Sur l'ensemble du front nord, les Français ont engagé 30 divisions d'infanterie et 10 divisions de cavalerie, alors que sur les 700 kilomètres du front « stabilisé », ils n'ont que 80 divisions d'infanterie et 2 de cavalerie. Une seule voie ferrée commode (deux, si l'on compte la ligne dangereuse Paris-Amiens-Béthune) a fourni en peu de temps tous ces renforts. Les Allemands ont de leur côté transporté deux armées entières (la 4ᵉ, du duc de Wurtemberg, et la 6ᵉ, du Kronprinz de Bavière) et un détachement d'armée d'au moins quatre corps, confié à von Fabeck : au moins 500 000 hommes de part et d'autre.

Les Belges, les Sénégalais, les fusiliers marins ont eu des pertes énormes. La brigade belge Meiser a subi les attaques de tranchées pendant soixante-douze heures consécutives : certaines nuits, il y avait jusqu'à 15 assauts. « Je ne pense pas pouvoir tenir plus de

24 heures sur le front de Dixmude », disait Ronarc'h le 25 octobre.
Les inondations ont sauvé la situation, sur l'Yser. Près d'Ypres, de
sanglants combats se déroulaient encore à partir du 27. Le 30, les
Allemands lançaient une nouvelle offensive, et de nouveau le
2 novembre. La seule bataille de l'Yser avait coûté aux Allemands
30 000 hommes, dont 10 000 morts. Les Belges n'étaient plus que
20 000 combattants, et l'on se battait encore! Le 6, les Allemands
reprenaient leurs offensives au nord et au sud d'Ypres. La bataille
ne devait s'éteindre qu'à partir du 12. Mais, avec la « stabilisation »
du front, s'évanouissait le dernier espoir d'en finir au plus vite avec
la guerre. Désormais, de la mer à la Suisse, une ligne continue de
tranchées séparait les deux adversaires.

Ces tranchées de France devenaient ainsi le séjour forcé de
millions d'hommes. Joffre, comme Falkenhayn, n'avait plus les
moyens d'envisager d'autres opérations que des coups de main, des
offensives réduites à un point du front, en Argonne, en Champagne,
en Artois. On se battait désormais pour rectifier une position
devant « le Four de Paris », pour aménager les abords du massif de
Berru, en Champagne, pour Saint-Mihiel sous Verdun, au « Choléra » ou sur le plateau de Craonne.
Pour l'attaque des mamelons, convoités par les observateurs de
l'artillerie, ou la prise en force des tranchées dont le feu de
mitrailleuses menace une ligne de ravitaillement, des troupes
spéciales d'attaque doivent être maintenues en réserve sur des
secondes lignes bien aménagées. Joffre multiplie les directives pour
qu'on se préoccupe du repos et de la disponibilité des soldats. Mais il
faut maintenir les troupes d'assaut sur le qui-vive. Les Allemands
ont la même préoccupation. Du côté français, les unités de
chasseurs à pied sont systématiquement retirées des premières
lignes, souvent confiées à la garde des territoriaux, et entraînés pour
les nouvelles formes d'assaut. Dans son secteur, Mangin demande
des Sénégalais pour sa division. Il a, dit le général Humbert, « un
ascendant considérable sur les troupes noires et se charge de
déblayer avec elles le front de sa division ». Humbert prête donc
bien volontiers un bataillon de Sénégalais à Mangin. Ce dernier fait
à son chef, le général de corps d'armée Hache, ses « observations sur
l'emploi des troupes sénégalaises dans la guerre actuelle ». Il estime
qu'elles sont en trop petit nombre dans les tranchées françaises.
« Nous aurions pu, dit-il, recruter 28 bataillons, il n'y en a que 7 ou
8. » Mais il s'agit de troupes fraîches, précieuses, car, à la division
qu'il commande, les pertes, depuis le début de la campagne, « ont
dépassé la totalité de son effectif initial, qui s'est renouvelé presque
complètement. » Il ne reste plus que trois ou quatre officiers de
l'armée d'active par régiment. Les Sénégalais sont gens « endu-
rants » et qui n'ont pas été éprouvés par la retraite. Il faut les

conserver pour les offensives, et les grouper au moins par brigades. On peut prévoir leur action « pour les coups de main exécutés la nuit. La crainte qu'ils inspirent dès maintenant à l'adversaire s'en accroîtrait ». Il faut que les troupes sénégalaises soient commandées « par des chefs connus d'elles ». Arrivées à l'automne, « il faudra les prémunir contre le froid par des tricots, caleçons et chaussettes de laine ». Mangin ajoute qu'« il est nécessaire de prévoir un certain déchet et calculer les relèves en conséquence ».

Mangin ne « touchera » pas tout de suite ses Sénégalais, qui sont à l'entraînement dans les camps du midi. D'Esperey est sceptique : « Je crains fort, dit-il, les effets de l'hiver, malgré tous les tricots et tous les lainages ». Mais tous les chefs de corps sont avides de récupérer des troupes d'assaut bien entraînées, et en particulier des officiers. Ceux-ci manquent cruellement dans les régiments.

Joffre se préoccupe de reconstituer le commandement. Maunoury a attiré son attention dès le 25 septembre sur ce problème essentiel : « Si mes attaques ne peuvent plus arriver à progresser sensiblement, lui dit-il, cela tient pour la grande part à l'insuffisance, pour ne pas dire à l'inexistence des cadres dans les compagnies d'infanterie. Les hommes tiennent à peu près, mais dès que la résistance de l'ennemi devient un peu sérieuse, n'ayant personne pour les pousser en avant, ils s'arrêtent. » Dans l'armée allemande, même crise : les compagnies sont très faiblement encadrées; dans les bataillons, commandés par des majors, on compte deux nouveaux lieutenants sur quatre. Parfois ils viennent des dépôts et n'ont pas commandé au front. Mais, souvent, ils ont été promus sur place et n'ont pas une vraie formation d'officiers. Les *Feldwebel* manquent, ils se sont fait tuer dans les attaques.

Joffre et Falkenhayn se préoccupent d'instruire rapidement de nouveaux cadres en créant des centres de formation accélérée. Ceux de l'intérieur doivent instruire 2 000 officiers de réserve. Le retour au front des officiers blessés est accéléré. Les sous-officiers de la réserve ou de la territoriale sont nommés, à partir du 15 novembre, sous-lieutenants d'infanterie. On fait razzia sur les grandes écoles : 870 élèves de Saint-Cyr sont envoyés au front le 15 décembre, mais aussi 50 normaliens et une promotion des élèves de l'école des Eaux et Forêts. On se préoccupe de créer dans toutes les armées des pelotons d'élèves sous-officiers. Le cas des saint-cyriens est significatif : les admissibles au concours de 1914 se sont engagés dans les régiments et sont devenus caporaux et sergents. Les survivants n'ont été nommés sous-lieutenants qu'au 15 décembre 1914. Mais certains étaient déjà morts, comme le deuxième classe Jauffret, tué en août au 46e R.I., ou le sergent Gay, mort au 40e.

Il faut aussi renforcer rapidement les unités d'infanterie décimées par les batailles. Mais peut-on envoyer sans instruction des jeunes recrues aux tranchées? Les Allemands leur donnent une formation accélérée. Depuis le 19 octobre, les renforts des dépôts sont arrivés aux armées. On sait par exemple que les compagnies des régiments de la Garde, tombé à 80 hommes, sont reportées, certaines à 150, d'autres à 230 fantassins. Ceux-là sont bien instruits, ils ont été constamment entraînés dans les camps militaires. Mais d'autres ont été équipés et formés trop vite : ceux des 22ᵉ et 24ᵉ corps, par exemple, regroupés à Metz et en Belgique, qui n'ont certes pas la tenue au feu des grenadiers du *Kaiser Alexander Regiment* n° 1! Ils ont été formés, comme les héros du roman de Remarque, en dix semaines au maximum, dressés par les *Feldwebel* des dépôts et envoyés d'abord dans les secteurs calmes, à raison de quatre par escouade. Découvrant le feu, ils sont pris de peur panique, et les anciens doivent les encadrer.

Joffre a le souci d'intégrer solidement ces nouvelles recrues aux unités en leur faisant connaître progressivement les conditions de la guerre. « Le séjour dans les tranchées, dit-il, deviendra plus sévère avec la mauvaise saison. Il risque de ruiner rapidement la santé des jeunes soldats encore peu entraînés et certainement moins résistants que des hommes faits. » Il faut relever rapidement ces jeunes gens, quand ils sont en première ligne : tous les 8 jours au maximum, tous les 4 jours si possible. Ils ne doivent être envoyés au front qu'en fonction des besoins, « en commençant par les plus robustes et les plus avancés dans l'instruction ». Ils doivent être mêlés dans les dépôts aux blessés guéris, aux anciens. Au front, ils seront versés « dans les corps actifs ». Franchet d'Esperey répercute ces instructions sur ses corps d'armée. Il faut, dit-il, que les recrues présentent « de réelles garanties de vigueur physique. Gonfler une unité n'en augmente pas toujours la valeur guerrière ». Maunoury est encore plus méfiant : « Le nombre des jeunes soldats à incorporer sera très minime », écrit-il de Villers-Cotterêts le 10 novembre. Il va compléter leur instruction dans les réserves de division et ils ne seront versés dans les compagnies du front que « par petites fractions ». Sur la Vesle, Dorgelès voit arriver ces recrues, à partir du 15 novembre, dans la campagne blanche de neige. « Les bleus de la classe 14, écrit-il [3], arrivaient par petits paquets, équipés comme des princes. Ils battaient de la gueule à qui mieux mieux :
– Les Boches, où qu'ils sont? Quand c'est-i qu'on va s'battre?
Ils ne dirent plus rien à leur montée en ligne quand ils virent, au-delà des barbelés, les silhouettes furtives des Allemands, aussitôt escamotées, et dans le no man's land, au pied des buissons brillants de neige, les cadavres des aînés en pantalons couleur groseille. »

---

3. R. Dorgelès, *Les Croix de bois.*

Car les fronts sont équipés, installés, fixés pour longtemps dans leurs lignes sinueuses, dès le 15 novembre 1914. Les Allemands ont eu tout le temps de parfaire leur organisation. Ainsi ils ont changé, sur les uniformes, les pattes portant les numéros des régiments, afin de tromper les renseignements français. Pour reconnaître les unités, il faut désormais saisir, sur les morts, les papiers ou les plaques d'identité.

La connaissance des dispositifs ennemis est en effet essentielle. Elle est forcément incomplète, car les unités changent assez souvent d'affectation, même après la bataille des Flandres. On connaît en gros, du côté français, le dispositif des 4ᵉ et 6ᵉ armées allemandes, du duc de Wurtemberg et du Kronprinz de Bavière. Celles-là sont au nord, elles s'enterrent dans les sables de Flandre. Les deux armées Kluck et Bülow sont toujours en position, avec des effectifs amoindris, au nord de l'Aisne, aux côtés de la 7ᵉ armée de Josias von Heeringen. Les armées qui s'enterrent vers l'est sont la 3ᵉ de von Einem, dont le quartier général est à Rethel, et la 5ᵉ du Kronprinz impérial qui loge à Stenay. Plus à l'est encore, vers la Lorraine et l'Alsace, les fronts très dégarnis sont tenus par le détachement d'armée von Strantz, installé à Chambley. Falkenhayn, pour toute réserve, n'a vers le 15 novembre que trente ou quarante régiments de *Landwehr* ou d'*Ersatz*.

Ces régiments ont une valeur certaine. La *Landwehr* est groupée en brigades mixtes de deux régiments d'infanterie et d'un escadron de cavalerie. Les uhlans éclairent, les pionniers creusent les tranchées et les sapes, les artilleurs (deux batteries) prennent position en même temps que l'infanterie. La valeur des unités d'*Ersatz* est encore supérieure, car les hommes sont plus jeunes. Les soldats de ces unités étaient en surnombre au jour de la mobilisation. Ils avaient été instruits comme les autres, regroupés en compagnies, en bataillons, en brigades et en divisions. *Ersatz* et *Landwehr* pouvaient intervenir rapidement sur n'importe quel point menacé du front : au 15 novembre, les Allemands avaient organisé leurs liaisons d'arrières, utilisant les voies françaises et belges qu'ils faisaient garder soigneusement. Ils avaient même, dans certains secteurs, construit des lignes nouvelles (celle de Chambley à Vigneulles, par exemple). Les zones fortifiées étaient bien pourvues en chemins de fer à voies étroites, les Decauville, qui transportaient munitions et matériels.

Les positions allemandes et françaises s'étaient constamment améliorées et le commandement, de part et d'autre, veillait à ce qu'elles constituent ce que Joffre appelait des « ensembles inviolables ». « Les organisations défensives ont été sans cesse perfectionnées depuis trois semaines », écrit le 9 octobre de Langle de Cary, à la 4ᵉ armée. Les travaux sont coordonnés par le colonel Ley, du génie. On construit une deuxième ligne de défense, à l'imitation des

Allemands, à 3 kilomètres de la première. **Les tranchées** sont profondes, « précédées d'abattis et surtout de **réseaux de fil** de fer ». Enterrez-vous, conseille Foch aux Belges le 15 octobre. « Se défendre, c'est se mettre dans des trous... Pour 1 000 hommes, il faut mille mètres de tranchée, tous les fusils doivent être abrités et pouvoir entrer en ligne à la fois... Les obus allemands sont sans prise sur les lignes minces constituées par les tranchées. » Gérard, à la 2ᵉ armée, tient le même langage aux chefs d'unités : « Sur les lignes avancées, dit-il, il ne sera conservé en permanence que le minimum de troupes, qui devra pouvoir être renforcé rapidement par des réserves maintenues à proximité... On devra installer [dans les centres de résistance] des abris capables de résister à un bombardement prolongé, pratiquer des créneaux qui permettent aux hommes de tirer en ayant la tête protégée. Cette mesure aura pour effet d'améliorer sensiblement le tir de notre infanterie qui, aux dires des prisonniers allemands, est toujours trop haut quand il part de nos tranchées. »

Comment se protéger mieux encore? En s'inspirant encore plus des Allemands. « Organisations défensives exécutées par l'ennemi – télégraphiait Joffre à Gallieni le 27 septembre – présentent caractère de solidité et perfection dépassant tout ce qui a pu être imaginé avant début guerre. » Et Joffre suggère à Gallieni d'envoyer sur les points abandonnés par l'ennemi (dans les Vosges, surtout) des officiers du génie du camp retranché, « pour tirer tous enseignements utiles ». Il expédie aux armées une note sur la fortification de campagne allemande, afin que les généraux français s'en inspirent. Ainsi les Allemands, ayant eu l'initiative de la guerre de mouvement, ont la maîtrise absolue de cette guerre de siège qu'on n'avait pas prévu d'enseigner à l'École de guerre...

Pour creuser, il faut des pelles. L'armée française n'en était pas dépourvue, mais les « pantalons rouges », dans leur retraite, avaient eu facilement tendance à s'en débarrasser. On n'en trouvait plus assez dans les dépôts. **La première commande** massive de l'armée française à l'étranger fut **de 88 000 pelles** et pioches demandées à l'Angleterre et de 50 000 **bêches à l'Amérique**. Il fallait du matériel pour placer les 100 tonnes de « **ronces** », les 200 tonnes de fil de fer et les 4 000 « éléments Brun » que chaque armée allait recevoir d'extrême urgence : des centaines de wagons avaient été mobilisés pour livrer rapidement tous ces éléments.

D'autres protections furent imaginées : les « boucliers de parapet » à l'épreuve des balles, et même les boucliers offensifs, véritables cuirasses que devaient revêtir les hommes chargés de cisailler ou de dynamiter les réseaux de barbelés avant les attaques. Les inventeurs conçurent plusieurs modèles de ces lourdes cuirasses qui étaient vulnérables à une distance inférieure à 50 mètres, et transformaient le soldat en cible lourde. D'habiles commerçants profitent alors de la crédulité des familles, au point que le ministre de la Guerre est obligé d'intervenir. Il rappelle le danger « que présentent les cuirasses individuelles et autres appareils de protection des militaires, inventés et mis en vente en France depuis le début des hostilités par certains commerçants ». Ces cuirasses, dit le ministre, sont inefficaces et dangereuses. Mais il apprend que « non seulement des particuliers, mais des militaires et même des commandants de dépôts avaient commandé les appareils de protection en question... ». Certaines autorités militaires ont ainsi passé des commandes... Le ministre, indigné, l'interdit. Mais il encourage le bouclier-brouette du capitaine Bénazet, qui permet de ramper jusqu'aux lignes ennemies, et il recommande les engins offensifs, les chariots porteurs de bombes, les canons porte-amarres qui lancent des grappins dans les lignes de barbelés pour les retirer ensuite et ouvrir de larges voies dans les défenses. Aucune de ces techniques n'est efficace. On tente en vain de faire avancer jusqu'aux réseaux de ronces des tracteurs agricoles ou des rouleaux compresseurs blindés. Ils ne peuvent pas frayer leur chemin sur les terrains boueux déjà remplis d'entonnoirs. Le seul moyen efficace pour se débarrasser des barbelés, c'est le tir groupé des obus de 75.

Les Allemands viennent d'inventer l'artillerie de tranchée. Les Français doivent rapidement les imiter s'ils ne veulent pas se trouver en position d'infériorité, car les *Minenwerfer* sont très efficaces : dans les tranchées de l'Argonne, ils sont déjà responsables de plus de 13 000 morts. Ils font dans les lignes adverses des trous de 8 à 10 mètres! « Hier notamment – écrit le général de la 3ᵉ armée, le 3 novembre –, par l'effet d'une seule bombe, 12 hommes ont été ensevelis sous les décombres. Deux seulement ont pu être retirés vivants. » Ces mortiers tirent à faible distance et rendent intenables les tranchées et les boyaux. Il faut agir très vite. Une fois de plus, on décide d'imiter les Allemands, on met en chantier un engin comparable en distribuant aux corps d'armée une centaine de petits mortiers lisses immédiatement disponibles, ainsi que des grenades. L'engin est mis au point par le commandant du génie Duchêne, à l'École de pyrotechnie de Bourges. C'est un canon de 58 qui donne de très bons résultats. Mais il faut attendre plusieurs mois avant que les artilleurs descendent aux tranchées, porteurs du nouveau matériel vite baptisé crapouillot. Jusque-là, les fantassins se défendent avec les moyens du bord...

Pour attaquer ou pour résister, ils ne peuvent compter vraiment que sur les mitrailleuses, désormais bien protégées dans les lignes, et surtout sur l'artillerie. Aussi les soldats réclament-ils avec impatience, puis avec indignation, la mise en ligne de pièces lourdes françaises capables de contre-battre les canons allemands dont le feu est imparable. Le général Hache parle de « l'impression unanime des troupes et de leurs chefs » que les Français sont dominés par l'artillerie lourde ennemie. Cette impression... « se transforme en un sentiment d'impuissance, qui se transformerait en découragement, si nous ne nous mettons pas en mesure de riposter efficacement ».

Les Français ne peuvent riposter. Ils n'ont que 26 batteries de 155 à tir rapide, 20 de 120 long et 15 de 120 court. Il faut attendre septembre pour que les trois premières batteries de 105 arrivent sur les lignes. Baret, qui commande le 14ᵉ corps d'armée, explique à Joffre que la moitié des pertes de son unité proviennent des obus des pièces lourdes. Toutes les unités réclament ce type de matériel. Chez les Allemands, les attaques sont immédiatement accompagnées de tirs d'obusiers lourds. Il est scandaleux et déprimant que les Français ne puissent en disposer, comme les Anglais de leur « *long tom* ».

Il y a des pièces lourdes en France, mais elles sont d'un modèle ancien, montées sur plates-formes, dans les ports, les forteresses. Il faut les rendre mobiles et les acheminer jusqu'au front. Joffre dresse un programme d'extrême urgence : on enlève partout les 155 longs et les mortiers lourds de 220 sur plates-formes, on constitue des groupes de batteries de 90 et de 95. On pense même pouvoir déplacer les lourdes pièces de marine de 270, les gros calibres de Schneider et de Saint-Chamond, en les montant sur des châssis de locomotives. Des unités spéciales sont constituées, qui organisent les convois. Les grosses pièces traversent la France et sont acheminées sur plates-formes le plus près possible de leurs zones d'opérations. Il faut ensuite prévoir de lourds attelages à gros traits, avec harnais renforcés, pour les monter sur leurs emplacements de tir. On prévoit de les ravitailler en obus par convois de camions.

Tout ce que peut faire Joffre, c'est de répondre à une infériorité momentanée par de la récupération de matériel. Il n'est pas question, en effet, de lancer des fabrications de canons lourds, car, en novembre 1914, l'industrie française ne peut se le permettre : elle a déjà beaucoup de mal à fournir en obus les canons de 75. Sur toutes les lignes, il a fallu limiter le tir des pièces, recommander les attaques de nuit, qui ne rendent pas nécessaire une longue préparation d'artillerie, multiplier les tirs avec les obus les moins performants, pour se débarrasser des stocks. L'artillerie est en crise.

Sans canons, les fantassins ne peuvent ni attaquer, ni se défendre. Heureusement, les Allemands sont aussi en train d'organiser leur production de guerre. Ni d'un côté ni de l'autre, on n'avait prévu la guerre longue. Lancer la production du matériel exigé par les nouvelles formes de combat est une œuvre de longue haleine, qui ne peut porter immédiatement ses fruits. On avait prévu, avant la guerre, de fabriquer davantage d'obus à balles pour les 75 que d'obus explosifs. En novembre, plus un général ne commande d'obus à balles. La moitié au moins de la production se trouve inutilisable. La direction de l'artillerie avait dû recommander, dès les premières semaines de la guerre, de passer des marchés avec l'industrie privée pour assurer la production en nombre suffisant d'obus explosifs. Les manufactures de Tarbes, Rennes et Lyon ne pouvaient suffire, ni l'École de pyrotechnie. Le 20 septembre, après la Marne, Joffre avait averti le gouvernement que la consommation de l'artillerie laissait prévoir un très rapide épuisement des stocks, cinq semaines au maximum. Il fallait au moins 50 000 obus par jour, soit 12 coups par pièce. Impossible d'assurer cette fabrication en France sans engager le pays dans une économie de guerre. Ainsi l'exige aussi, en Angleterre et en Allemagne, le peuple des tranchées.

Car la guerre ne ménage pas le fantassin, mais elle exige tout de l'artilleur. Vers lui monte l'appel angoissé des « fusées rouges » au moment des attaques ennemies. S'il ne répond pas à temps et à bon escient, la position est intenable. Si elle est enlevée, on saura lui en faire reproche. Inversement, s'il tire trop près des lignes pour aider les fantassins, on saura lui en faire grief. L'artilleur est l'homme indispensable, aucune attaque ne peut réussir sans lui, aucune défense n'est possible s'il n'écrase pas les lignes des assaillants. Pas d'obus, plus de guerre. Les généraux sont unanimes : on ne lance pas l'infanterie sans canons.

L'artilleur est « un malin » : « confortable », ce semi-embusqué est détesté des fantassins, car « il a des cagnas magnifiques à l'épreuve de tous les obus » (lieutenant de Gaulle) et « il ne porte rien sur le dos ». Une batterie d'artillerie exige peu d'hommes, mais, pour ses quatre pièces, 70 à 80 chevaux! La masse des chevaux nécessaires aux déplacements d'artillerie est colossale. Rares sont encore les canons autotractés. Pour changer de position toutes les batteries de l'armée française, il faut à l'artillerie des centaines de milliers de chevaux, donc des millions de quintaux d'avoine. L'artillerie exige autant de l'industrie que de l'agriculture et de l'élevage.

Des artilleurs dépendent alors en grande partie les aviateurs et aérostiers, essentiels au renseignement des batteries. Les tirs sont aveugles s'ils ne sont pas éclairés par les observateurs aériens qui communiquent leurs informations à terre par radio. Les poseurs de téléphone relient les batteries aux lignes du front. Les observateurs opèrent dans les arbres (vrais ou faux) et font des lignes des croquis qui sont de véritables dessins d'artiste où ils notent avec précision l'emplacement des batteries. Faute de collines ou de forêts, ils installent souvent leurs observatoires dans le clocher des églises, ce qui vaut à celles-ci de sauvages destructions : encore une raison de haïr les artilleurs! On a pour eux tous les soins. Jacques Meyer raconte que l'on demande à un véritable peintre, Guirand de Scevola, téléphoniste aux armées, de réaliser son idée de camouflage des batteries de 155 avec des toiles peintes dans le style cubiste. La première section de camouflage est créée à l'armée Castelnau. On y engage tous les peintres célèbres : Forain, Dunoyer de Segonzac, André Laurens, mais aussi Landowski et Braque... Heureux artilleurs! On pousse la sollicitude jusqu'à leur fournir les premiers casques, eux qui viennent en première ligne, dit de Gaulle, « quand il fait beau et que tout est calme ». On équipe aussi les observateurs et les travailleurs des armées, pas les fantassins; à ceux-ci on donne seulement une calotte d'acier pour mettre dans leur képi. Les guetteurs ont bien des « pots en tête », mais ils pèsent plus de 5 kg! A la guerre nouvelle, les artilleurs sont les rois. Tout dépend d'eux, tout leur est dû.

Noël 1914 : deux armées épuisées se font face dans les tranchées de France. L'artillerie compte ses coups et ne peut se déplacer faute de chevaux : les lourdes bêtes de trait qui provenaient de la réquisition, sellées et harnachées jour et nuit, buvant et mangeant une fois par jour, accumulant les longues étapes, sont bien souvent mortes d'épuisement et n'ont pas été remplacées. Le 17 septembre, les dépôts sont vides et la réquisition ne peut plus rien donner. Ce jour-là, on refuse cent chevaux à un directeur d'étapes de l'arrière immédiat du front.

Depuis le 22 septembre, les consignes de l'état-major ont été diffusées : il faut absolument économiser les munitions. Si l'armée, faute de chevaux, ne peut plus se déplacer, elle ne peut plus, faute d'obus, continuer à combattre. Maunoury, le 19 septembre, le dit à Joffre : « Il est indispensable de nous envoyer de nouveaux lots de munitions sous peine de voir cesser le feu demain. » Joffre répond qu'il faut « proscrire la canonnade sans but défini. » On la « proscrit » au point que le feu, entre les lignes, connaît de longues périodes d'accalmie. De Gaulle s'indigne qu'on empêche les soldats de tirer. Joffre demande qu'on prenne des mesures sévères pour que tout document qui porte indication de la faiblesse en munitions ne tombe pas entre les mains de l'ennemi. La « stabilisation » est partout la règle, pour cette raison aussi.

Du reste, il faut d'abord ménager les effectifs, économiser les hommes car le front est immense. Les « offensives » sont rares, à objectifs limités. Quelques actions de l'armée Castelnau, sans résultats notables. Dans l'Argonne, où les Allemands lancent des attaques en novembre, on réunit plusieurs unités de travailleurs du génie pour renforcer les retranchements. L'armée ne manque pas encore d'effectifs – l'arrivée de la jeune classe a dépassé les prévisions –; mais elle a besoin de se réorganiser pour durer. Les états-majors ne font que des « plans d'offensives », ils n'ont pas les moyens de passer à l'action.

Tous les efforts de Joffre concourent à rassembler, à l'arrière des lignes, des unités constituant des réserves pour les attaques futures. Depuis le 10 novembre, les Allemands dégarnissent leurs lignes à l'ouest : les trains embarquent les unités pour le front de Russie. Le tsar demande du secours et, le 17 décembre, Joffre lance un appel aux troupes, comme un coup de clairon : « L'heure de l'attaque a sonné », dit-il. Il sait bien, cependant, qu'il ne peut monter de véritables offensives. Toutes les actions engagées par les fantassins du premier Noël de la guerre sont sans lendemain. Dans l'argile de l'Artois, le 24 décembre, les troupes du 33ᵉ corps de Pétain ne peuvent pas avancer, le brouillard est trop dense. Une pluie diluvienne, les jours précédents, a noyé les lignes. Foch lui-même a renoncé, la 10ᵉ armée reste clouée au sol. En Champagne, mêmes obstacles : les chemins sont impraticables, les convois d'artillerie s'y enlisent. Pourtant, de Langle de Cary s'obstine à rechercher une percée du côté de Perthes-les-Hurlus. Dans la nuit du 24 au 25 décembre, les Toulousains de la 34ᵉ division doivent repousser les lignes gris-vert des Allemands et essuyer le feu des grenadiers qui rampent en tête. Les gains de l'offensive sont insignifiants. La prise d'éléments de tranchées allemandes a été très coûteuse. Même déception dans le Nord où, pendant toute la journée de Noël, les cavaliers du général de Mitry, réveillés le matin à 4 heures, ont lancé une opération dans les dunes. On se bat aussi dans l'Argonne et dans les Vosges en ce jour de Noël. Dans la nuit les Allemands attaquent trois fois au sud du col du Bonhomme : 60 morts français, 500 Allemands. Du côté de Reims, pour prévenir un assaut allemand (on avait appris qu'ils avaient ordre d'attaquer avant le 25), les Marocains du général Blondlat s'élancent et se font ramener. A la 5ᵉ armée, les « biffins » grognent : ils tiennent les lignes à 7 contre 10 et Franchet d'Esperey ne peut les relever assez souvent. La division marocaine en particulier est épuisée par d'incessants combats, les pertes y sont lourdes. Chez Maunoury, on a décidé de faire attaquer le 35ᵉ corps. Les réservistes du général Ebener combattent dans un cimetière près de Tracy-le-Val. Au matin du 25 décembre, ils sont lancés à l'assaut des tranchées de Nampcel. Sous les bombes à fumée noire et les grenades, 1 600 hommes sont perdus.

Les Allemands ont une technique de combat qui ménage les hommes en les faisant rapidement permuter dans les assauts. Les bataillons pris dans divers régiments se succèdent. Après l'engagement, ils sont rapidement envoyés au repos. Dans certains secteurs de l'armée française, cette rotation n'existe pas encore. Les hommes s'en plaignent.

A l'état-major, on a pris l'habitude d'envisager la guerre sous l'angle d'une statistique des pertes. Les hommes ne se leurrent pas sur l'accalmie relative des combats de décembre. Les multiples engagements de tranchées sont en fait très coûteux. Dans la région de Soissons, il a fallu reculer au sud de l'Aisne sous la pression allemande. Les lignes ne sont pas tout à fait « inviolables », comme le souhaitait Joffre, et la prise ou la reprise des positions essentielles pour les tirs ou les observations d'artillerie implique des assauts dont le troupier ne perçoit pas toujours la nécessité et dont il estime les avantages mineurs par comparaison avec les pertes subies.

L'infanterie a trop souffert : les renforts énormes envoyés depuis le début de la guerre ont été absorbés par les unités : plus d'un million d'hommes dans l'armée française – ce qui signifie que 200 000 fantassins supplémentaires ont été envoyés dans les lignes chaque mois, jusqu'en novembre, à seule fin de compenser les pertes des unités. Si les armées n'ont reçu en décembre que 120 000 hommes de renfort, c'est en raison des intempéries et du manque de munitions. Le 1ᵉʳ bureau de l'état-major diffusa le 21 février une note sur l'utilisation des réserves des dépôts : « Les ressources paraîtraient suffire pour alimenter [l'infanterie] pendant près de 5 mois, à raison de 120 000 hommes par mois. Mais il faut observer que depuis le début de la guerre jusqu'au 26 novembre (4 mois), les pertes ont été beaucoup plus considérables : 911 000 hommes de renfort envoyés à l'infanterie, soit plus de 200 000 par mois pendant cette période. Il est donc prudent de se baser sur un chiffre de pertes de 150 000 hommes en moyenne par mois. » Quant à l'armée allemande, le maréchal French estime ses pertes – trop largement sans doute – à deux millions pour les deux fronts pendant la même période.

Ces pertes élevées ont forcément des conséquences sur le moral. Les Allemands ont dû organiser une rotation rapide des unités combattantes. Joffre recommande aux chefs de corps de lutter « contre la lassitude amenée dans quelques secteurs par un long séjour dans les tranchées et le caractère déprimant de certaines attaques ». Il exige des relèves fréquentes, et la mise au repos complet de certaines unités particulièrement éprouvées, celles qui ont attaqué en pure perte sur l'Aisne, celles qui ont les pieds gelés dans les terrains les plus humides. Il faut relever « les hommes qui ont eu les pieds dans l'eau pendant plus de quatre jours ». Joffre donne lui-même la recommandation de faire « déchausser les hommes chaque jour pendant quelques instants », et de veiller à ce qu'ils aient des « chaussures larges ». « Les jambières, écrit-il, ne devront pas être trop serrées. Elles ne doivent pas l'être sur la peau ou sur la chaussette, mais par l'intermédiaire du pantalon. » Surveillez la correspondance de vos hommes, dit-il aux officiers, soyez sans cesse près d'eux.

Foch fait casser des sous-officiers et même des officiers dans des unités territoriales qu'il a placées en première ligne. « Certaines défaillances se sont manifestées », écrit-il à Joffre. Certains corps de réserve ont également connu le découragement. Joffre s'adresse à ces unités en leur demandant de « rivaliser de valeur avec les corps actifs ». Il faut à tout prix empêcher les hommes surmenés, épuisés, de se rendre dès les premiers engagements. Il a écrit au ministre de la Guerre, le 28 novembre, pour lui signaler l'ordre général très dur qu'il vient d'envoyer aux troupes : « Des incidents récents, lui dit-il, ont permis de constater que certains militaires et parfois même certaines unités s'étaient rendus à l'ennemi soit volontairement, soit, en tout cas, avant d'avoir épuisé tous les moyens de défense en leur pouvoir. » En dehors des conseils de guerre réservés aux fautes graves, Joffre veut mettre les officiers coupables à la réforme, à la retraite d'office avec mention spéciale au feuillet du personnel et radiation des contrôles de la Légion d'honneur : « Tout militaire, dit-il, qui se rend ou tombe entre les mains de l'ennemi avant d'avoir épuisé tous les moyens de défense est un lâche... Tout militaire non blessé fait prisonnier sera, à son retour de captivité, l'objet d'une enquête à l'effet de savoir s'il y a lieu de prendre envers lui des sanctions disciplinaires ou de le traduire devant un conseil de guerre. » Ainsi espère-t-on éviter, dans les unités, les désertions nombreuses et les abandons de tranchée qui se constatent des deux côtés des lignes.

Épuisés par les attaques partielles, mais plus encore par les longues heures de veille et de guet dans la boue et la neige, les soldats commencent à se demander si cette guerre aura jamais une fin. Les hommes croyaient fêter Noël chez eux. Dans certaines unités, ils savent qu'ils attaqueront au matin du 25. Pour la grande majorité, ce Noël est lugubre. Ils pensent à leur foyer, à leur village, et dans bien des cas ils se sentent proches de ceux qu'ils combattent. Modris Eksteins [4] a le sentiment que les « fraternisations » sont surtout fréquentes dans les débuts de la guerre des tranchées. Elles deviennent plus rares en 1916 et « négligeables en 1917 et 1918 ». Les anecdotes sur les rencontres de soldats entre les lignes – échanges de tabac et de cigarettes, de friandises et d'alcool pour Noël, et même parties de cartes et de ballon sur le front anglais – sont très nombreuses et significatives. Eksteins établit que ces fraternisations sont préoccupantes pour le commandement, particulièrement au moment de Noël. Si l'on en trouve moins souvent le récit dans les journaux de route ou les carnets de guerre des Français que dans ceux des Anglais ou des Allemands, « ce silence relatif des poilus est, dit-il, une chose intéressante et significative ».

4. Modris Eksteins, professeur et chercheur canadien, a bien voulu faire bénéficier l'auteur de ses précieuses remarques sur la question des fraternisations.

Ils sont en effet « plus réticents à parler et à écrire de ces choses. Mais les lettres des Anglais et des Allemands sont pleines d'anecdotes qui indiquent que les Français ont participé à ces incidents ».

Les soldats commencent à se sentir du même bord, contre l'arrière qui les oublie. Dorgelès entend, en face, les Allemands chanter dans les tranchées. Avec ses camarades, « il plante [entre les tranchées] un drapeau français avec des journaux attachés à la hampe. Parfois une lettre. Un Allemand sans arme vient chercher le courrier. Le lendemain, il donne la réponse, qu'un Français va chercher ». Sur le front de l'Aisne, pendant la nuit de Noël, des fusillades, des canonnades. Mais les hommes s'interpellent, « de gourbi à gourbi ». Les gens du Nord « font l'ducasse ». Dorgelès se met à table à onze heures : « huîtres, dinde, camembert ». A minuit, les hommes chantent « l'heure solennelle ». Ils entendent, de l'autre côté, *O Tannenbaum* et *Stille Nacht*. « La même foi, dit-il, se manifestait dans les deux camps :

– Ben quoi, dit des Allemands Riffard [un homme du Nord qui vient de chanter *le Petit Quinquin*], ils font la guerre comme nous !

– Il y a du vrai, répond Roland. Mais je pense qu'ils font la guerre chez nous et qu'on n'est pas chez eux. Je ne reprendrai la conversation que lorsqu'ils seront retournés dans leur Vaterland ! »

Il pleuvait, cette nuit-là, sur les lignes « où les rois mages portaient des *Minenwerfer* ». Les camarades de Dorgelès avaient échangé des cigarettes et « bientôt trinqué avec les Boches ». « Cinq cents hommes, dit-il, Français et Boches, entre les deux tranchées, se tapant sur le ventre. Il en rentra d'ivres morts à 5 heures du matin. » Le lendemain, les hommes, inquiets, redoutant les sanctions, n'avaient rien dit. Le commandant avait « minimisé l'incident ». On n'avait guère sanctionné qu'un capitaine et un adjudant...

Dans les Flandres, du côté de Pilken, André Kahn, brancardier, est tranquille. Il vient d'être cité à l'ordre du régiment pour avoir, deux jours auparavant, secouru son officier, le commandant de Hauteclocque, entre les lignes : « Triste nuit, dit-il de cette nuit de Noël. De la charcuterie, des boissons, une tablette de chocolat offerte par les enfants de France. » A 9 heures, il s'est endormi dans la paille en entendant sonner les cloches de l'église de Bixrschoote. « Le papa Noël, dit-il, nous avait apporté quelque chose, le froid, la gelée... Ah ! je préfère cela à cette boue infecte où l'on s'enlise. » Pour résister, il a reçu, dans un colis, de la mirabelle.

Dans la Woëvre boueuse, Genevoix a acheté chez la bouchère du tabac d'Orient, et des huîtres portugaises chez le tailleur. Au repos ce jour-là, il est allé à la messe de minuit. Il sait que le lendemain,

son unité attaque à 8 heures. Il entend ses camarades chanter « d'un
chœur de voix graves, d'une lamentation qui ne finira plus », les
paroles d'un hymne à Jeanne d'Arc : « *Ils étaient forts, jeunes et
beaux / Pleins de vie et d'espoirs nouveaux / Ils sont partis en
chantant !* », et puis le chœur des voix profondes : «*Ayez pitié de nos
soldats / tombés dans les derniers combats...* »

     Au bois des Chevaliers, à Ambly-sur-Meuse, le lieutenant
Anatole Castex, du 288ᵉ d'infanterie (le régiment d'Alain-Fournier),
fête Noël dans la neige. Il n'a pas reçu le colis de magret d'oie qu'on
lui a envoyé du Gers. Il n'y a pas d'église de village à proximité :
« Le sous-lieutenant disait la messe à trois heures du matin dans ma
guitoune, écrit-il. Une petite table servait d'autel. » Au-dehors
sifflent les balles. Un rêve s'efface dans le froid des tranchées : celui
d'un retour au pays pour Noël, la paix signée.

6

La guerre de l'arrière

En 1915 et 1916, les populations civiles sont de plus en plus associées à l'effort de guerre : elles doivent travailler dans les industries brutalement reconverties, qui tournent des obus, fabriquent de la poudre et des canons. Femmes et enfants sont à l'usine, ainsi que les populations d'outre-mer dans les pays de l'Ouest, les déportés et prisonniers dans les empires centraux.

Car la guerre a déplacé par centaines de milliers les hommes et les femmes dans les régions envahies. Leur entretien est à la charge de l'Etat. Outre les réfugiés de ses propres départements, la France accueille les Belges, bientôt les Serbes et les Arméniens. Comment doit-elle traiter les Alsaciens et Lorrains prisonniers qui servaient dans l'armée allemande? Comment les Russes doivent-ils considérer les Serbes et les Tchèques de l'armée autrichienne? La question des nationalités se pose dès le lendemain des premières batailles.

Mais aussi celle des rapports des gouvernements et des pouvoirs. Faute de donner toujours un sens précis à la guerre, ceux-ci renforcent leurs moyens de pression sur les civils accablés de charges, de restrictions, de migrations forcées. Même les démocraties de l'Ouest instaurent le contrôle strict de l'économie et des échanges, la surveillance des individus et des groupes, et mettent en veilleuse les libertés, instaurant une impitoyable censure. Le seul gouvernement qui ne puisse renforcer ses pouvoirs, qui accuse au contraire une faiblesse croissante, est celui du tsar. Partout ailleurs, l'Etat – et, en Allemagne, l'état-major – prend la situation en main. Aucun citoyen de l'Europe belligérante n'a la moindre chance d'échapper à la guerre.

Au moment où la lassitude et l'incertitude commencent à gagner les anciens combattants d'août 1914, aucun gouvernement en guerre ne se pose la moindre question sur la légitimité de ce conflit qui a déjà fait des centaines de milliers de victimes. Convoquées en réunion extraordinaire pour la première fois depuis le début des hostilités le 22 décembre 1914, les Chambres françaises entendent des discours patriotiques sur des bancs où trois sièges sont marqués d'un crêpe : ceux des députés morts au champ d'honneur. Le seul souci de l'Angleterre est de nourrir la guerre en envoyant de plus en plus de « tommies » sur le front. Quant à l'Allemagne, elle se préoccupe la première de rédiger ses « buts de guerre ».

Seules des minorités s'expriment contre la prolongation du conflit; elles ne sont pas entendues. Une ligue socialiste et radicale d'action pacifiste s'est constituée en Angleterre sous le nom de *Union of Democratic Control*, en novembre 1914, très proche de cet *Independant Labour Party* qui, avec Mac Donald, a publié un manifeste contre l'entrée en guerre. Mais la majorité du *Labour* soutient l'effort national et s'apprête à entrer, au printemps, dans le cabinet Asquith. En Allemagne, une minorité agissante se dégage derrière Karl Liebknecht pour refuser, en décembre 1914, de voter les crédits de guerre. Avec Clara Zetkin, Rosa Luxembourg, Karski et l'historien Mehring, ils fondent une revue pacifiste, *Die Internationale*; en mars, ils entraînent un groupe de socialistes qui s'abstiennent lors du vote du budget. Mais ils n'ont pas encore réussi à réunir un congrès international : en février 1915, ceux de l'Entente se réunissent à part à Londres, et, en avril, ceux des puissances centrales à Vienne. En France, des minoritaires militent contre la poursuite des opérations : la Fédération des métaux de Merrheim et Monatte, les cercles syndicaux de *Vie ouvrière* et les réfugiés russes de Paris, fondateurs de la revue *Nase Slovos*, où vient d'entrer Trotski. Mais les socialistes soutiennent toujours la politique de l'Union sacrée et les réfugiés russes eux-mêmes sont divisés : ils sont 24 000 à Paris au début de 1915. Ils ont tenu, début août, une assemblée générale des *bolcheviks*, et, sur 94 présents, 11 se sont déclarés pour une participation à la guerre au nom de la lutte contre l'impérialisme allemand. Pourtant, les « minoritaires » ne sont encore qu'une poignée du parti socialiste français, derrière Jean Longuet qui reçoit à sa table les bolcheviks russes du quartier de la porte d'Orléans, et derrière la fédération de la Haute-Vienne. Encore ne songent-ils nullement à remettre en question l'unité du parti.

La seule voix internationale qui s'élève en décembre 1914 contre la guerre est celle du pape. Le cardinal della Chiesa n'est pas élu depuis longtemps : il succède le 3 septembre à Pie X, que l'on disait « très ému des nouvelles de la guerre » et qui est mort d'épuisement. Benoit XV a demandé que l'on respecte au front la trêve de Noël.

Le discours de paix du nouveau pape est fort mal reçu en Allemagne, où le Centre soutient à fond la politique de guerre, et en France où les catholiques les plus libéraux sont aussi ceux qui se réjouissent le plus d'avoir été intégrés à la communauté politique de l'Union sacrée. Il ne fait que susciter l'« infâme rumeur » des anticléricaux, qui rend les prêtres responsables de la guerre. « Le nouveau pape s'est empressé d'envoyer des milliards aux Prussiens », entend dire autour de lui l'abbé Poulin à Lons-le-Saulnier.

Le pape, en France, n'est pas suivi. Les premiers combats se sont accompagnés d'un retour massif vers les autels. Les 25 000 prêtres mobilisés sont pleins d'ardeur patriotique, comme le père Teilhard de Chardin, jeune jésuite devenu brancardier au 4ᵉ zouaves. Un certain nombre portent les armes, deviennent officiers. Très peu d'évêques protestent contre l'obligation du service armé. Pour la plupart des curés en chaire, la France catholique fait la guerre du droit contre l'Allemagne luthérienne et se sauve, se lave de ses péchés dans ce combat. Très rares sont les catholiques français qui approuvent le pape quand il demande à tous les peuples d'Europe de prier pour la paix le 7 février 1915. Comme l'explique J.-M. Mayeur [1], « accueillir favorablement les propositions de Benoit XV eût été passer pour de mauvais Français, s'exclure de la majorité parlementaire et du consensus national ». La voix du pape ne rencontre que préventions ou hostilité.

La veille de Noël 1914, l'autorité militaire réagit très brutalement à l'attitude conciliatrice du pape. Des catholiques y ont répondu en Alsace. « Il est très regrettable, télégraphie Joffre à Bordeaux, que la censure ait laissé passer articles sur fêtes Noël à Thann, ce qui pourra attirer des obus allemands sur la ville. Cette manifestation à Thann à l'occasion de Noël n'a jamais été autorisée. » De fait, l'armistice proposé par le pape a été repoussé. Les Allemands ont une batterie lourde à Cernay, qui peut bombarder Thann. Il n'est pas question que des officiers de l'armée abandonnent les tranchées pour se rendre à une manifestation patriotique qui pourrait apparaître comme une cessation des combats.

Même réaction de l'autorité en janvier, après le message du pape. Le président du Conseil donne l'ordre aux préfets de faire supprimer par la censure, dans les journaux locaux, « tout passage, mandement, lettre du Pape ou autres qui demandent la paix ». Il faut arrêter particulièrement *la Semaine religieuse* et « censurer sévèrement » tous les autres journaux. La voix du pape a bien peu de chances d'être entendue en France.

D'autres voix, pleinement autorisées, établissent et définissent les droits des belligérants et les buts de leur combat. C'est l'Allemagne

---

1. J.-M. Mayeur, *Le catholicisme français et la Première Guerre mondiale.*

qui prend l'initiative, en pleine bataille de la Marne, de rédiger un
« programme de paix » sous la signature du chancelier Bethmann-
Hollweg. Inspiré par les responsables des grands milieux d'affaires
(comme Rathenau, industriel, ou Arthur von Gwinner, directeur de
la *Deutsche Bank*), le chancelier estime que la victoire doit
permettre à son pays d'établir sa domination économique sur une
grande partie de l'Europe : la *Mitteleuropa* doit réunir à l'Allemagne, la France, la Belgique, le Danemark et la Hollande à l'ouest,
l'Autriche-Hongrie et la Pologne à l'est. On peut même envisager
d'y rattacher l'Italie et l'ensemble des pays scandinaves.

La France doit abandonner son minerai de fer, puisque l'Allemagne en manque. Les bassins de Briey et de Longwy lui
reviennent ; par la cession de Belfort et le démantèlement de ses
places fortes, elle doit renoncer pour toujours à une guerre contre
l'Allemagne. Une lourde indemnité de guerre paiera le vainqueur.
Comme la France, la Belgique va devenir un « état vassal »,
acceptant les garnisons allemandes et cédant Liège, Verviers,
Anvers peut-être, ainsi que le Congo belge. Le Luxembourg sera
annexé. Vers l'est, le gouvernement met au point un « plan de
subversion » contrôlé par le secrétaire d'Etat Zimmermann. Max
von Oppenheim, directeur du Bureau des Affaires musulmanes,
doit préparer le soulèvement de tous les pays islamiques de Russie et
du Moyen-Orient, mais aussi d'Afrique du Nord, aidé par le
spécialiste des questions arabes, Ernst Jackh. On doit essayer par
tous les moyens, pense Paul Rohrbach, qui s'intéresse particulièrement à l'Ukraine, de soulever tous les peuples opprimés de Russie,
au besoin en s'alliant avec les révolutionnaires : des contacts sont
pris par Parvus Halphand avec les *mencheviks* et l'ambassadeur à
Copenhague, Ulrich von Brockdorf-Rantzau, doit saisir les socialistes neutres et occidentaux.

Ce mémoire de Bethmann-Hollweg n'est pas discuté au Parlement, il doit rester secret puisque officiellement, l'Allemagne est
anti-annexionniste. Il est plus modéré que celui des pangermanistes
qui voulaient annexer la Belgique, de vastes territoires slaves à
l'est... et même en France, Toulon ! Il est plus proche des vues
bourgeoises des nationaux-libéraux qui publient pendant l'été une
pétition signée par 641 personnalités allemandes, recommandant un
nombre très limité d'annexions. Il est combattu par tous ceux qui
estiment dangereuse la conception de la *Mitteleuropa* développée
par Friedrich Naumann dans un ouvrage célèbre en Allemagne. Les
Autrichiens sont très hostiles à l'union douanière dont ils feraient les
frais. Ils ne veulent pas s'unir à la *Schwerindustrie*. Enfin, les
partisans d'une expansion allemande outre-mer voient d'un mauvais
œil un projet trop étroit de retrait en Europe de la puissance du
Reich.

Si les annexionnistes l'emportent, c'est qu'ils ont derrière eux les responsables de la *Schwerindustrie*, Krupp, Thyssen, Stinnes, les maîtres de l'industrie lourde de la Ruhr, Rathenau, patron de la puissante A.E.G., Stresemann, chef du groupe parlementaire des nationaux-libéraux et défenseur des intérêts de l'association des industriels saxons. Ceux-là veulent s'emparer du port d'Anvers, des zones industrielles de Belgique et du nord-est de la France. C'est, curieusement, le chef du parti catholique du Centre, Erzberger, qui demande à Bethmann-Hollweg, le 2 septembre, d'annexer l'ensemble de l'industrie lourde française. Il est le porte-parole du groupe Thyssen, un des plus puissants des charbonnages.

La défaite de la Marne change-t-elle les plans des annexionnistes ? Nullement : c'est la commission de l'industrie lourde qui multiplie les recommandations contre toute paix de compromis. Le 20 mai 1915, les six grandes associations industrielles et agricoles d'Allemagne vont signer un « manifeste » qui expose, cette fois très publiquement, les ambitions annexionnistes allemandes, en particulier celles qui concernent la Belgique et la France. Elles ajoutent des revendications quasi coloniales pour fonder de grands domaines allemands sur les terres slaves confisquées à l'est. Les annexionnistes n'ont pas mauvaise conscience : ils sont soutenus par 352 professeurs d'université, par des centaines de journalistes, d'intellectuels, d'écrivains qui affirment aussi dans un manifeste le droit de l'Allemagne à agrandir son territoire : n'est-elle pas, disent-ils, le « pilote de l'Europe » ?

Les Allemands ont-ils alors l'intention de mener la guerre jusqu'au bout, de triompher de tous leurs ennemis ? On peut en douter : un document des archives de l'Office allemand des Affaires étrangères montre l'hésitation des dirigeants allemands à la fin de l'année 1914. Le général en chef Falkenhayn, le 19 novembre, fait un rapport analysé plus tard dans une lettre de Bethmann-Hollweg au secrétaire d'État Zimmermann : Falkenhayn y recommandait la conclusion d'une paix séparée avec la France ou avec la Russie. Ses préférences vont à la Russie, celles de Zimmermann à la France [2]. Effectivement, en décembre 1914, les Allemands recherchent le contact avec les Russes. Falkenhayn, estimant que l'Allemagne ne peut pas combattre sur deux fronts à la fois, va jusqu'à proposer au chancelier de traiter s'il le faut avec la France, même au prix de « lourdes concessions ». L'ancien ministre russe, le comte de Witte, est contacté par un intermédiaire de Bethmann-Hollweg, le banquier allemand Robert Mendelssohn. Witte passe pour être un profond partisan de la paix, mais il meurt trop tôt pour avoir pu convaincre le tsar. Celui-ci refuse d'ailleurs sèchement toute négociation. Il refuse également les invites du général en chef autrichien Hötzendorf. Toutes les tentatives en direction de

---

2. Georges Soutou, *La France et les Marches de l'Est*, 1914-1919.

Saint-Pétersbourg échoueront : le tsar reste obstinément fidèle à la déclaration franco-anglo-russe publiée à Londres le 5 septembre, aux termes de laquelle les trois alliés s'interdisent de signer une paix ou un armistice séparé.

Avec la France, les Allemands savent qu'ils ne peuvent aborder une négociation de front. Ils connaissent la rigidité de Poincaré et la solidité politique de l'Union sacrée au début de 1915. Une approche de la paix suppose au préalable l'organisation d'un « milieu » politique et journalistique favorable à la recherche d'une solution : œuvre de longue haleine pour les agents du ministère des Affaires étrangères...

Les Français ont été amenés à préciser leurs vues sur la paix par l'impatience des Russes, ainsi que l'établit Georges Soutou [3]. Dès le 17 septembre, après la victoire de la Marne, « les Russes demandent ce que Joffre compte faire au cas où, comme l'envisageait le grand-duc Nicolas, les Allemands auraient reculé jusqu'au Rhin et s'y seraient maintenus sur la défensive pour envoyer le gros de leurs forces sur le front oriental ». La France ne va-t-elle pas se retirer de la guerre, l'Alsace-Lorraine une fois reconquise? Le Conseil des ministres français, réuni le 20 septembre, discute de la proposition du ministre russe Sazonov « d'établir en Europe un état qui garantisse pour de longues années la paix du monde ». Le « gouvernement de la République » répond aux Russes qu'il est « aussi résolu que la Russie à en finir avec l'hégémonie du militarisme prussien ». Comme le remarque judicieusement Soutou, la formule n'est pas « vague et creuse » : reprise à la Chambre des députés, elle indique « que la paix serait une paix de victoire et non pas une paix négociée ». C'est fermer la porte à toute amorce de « négociations secrètes » avec l'Allemagne.

Les Russes reviennent à la charge, car ils savent que les Français sont plus ouverts que les Anglais à une discussion annexionniste. Le libéral Asquith se garde bien de faire la moindre déclaration sur les buts de guerre. Les Russes, le 13 septembre, exposent aux Français un programme d'annexions, et se déclarent disposés à reconnaître non seulement la récupération de l'Alsace-Lorraine par la France, mais l'acquisition « à son gré », d'une partie de la Prusse rhénane et du Palatinat. En novembre, ils précisent qu'ils veulent un débouché sur la Méditerranée, qu'il faut « retirer la dignité impériale aux Hohenzollern » et rendre indépendant le royaume de Hanovre. Que répondre? Le front, à cette date, est stabilisé. Poincaré estime, le 15 novembre, que les Russes « sont trop disposés à vendre la peau de l'ours ». Il indique à l'ambassadeur américain Sharp, le 4 décembre, que la paix « devra être garantie par la réparation intégrale des droits violés et prémunie contre les attentats futurs ». Soutou

3. *Ibid.*

conclut : « Il est évident qu'un tel programme correspond bien à la recherche d'une victoire décisive et qu'il ne se conçoit que dans la perspective de modifications considérables dans le statut de l'Allemagne ».

Les milieux d'affaires soutiennent-ils, en France comme en Allemagne, les politiques partisans d'une paix de victoire ? Les réactions sont ici beaucoup moins nettes : on discute âprement, dès le début de l'année 1915, du problème de la rive gauche du Rhin et de la Sarre. Une commission est constituée au printemps par le Comité des Forges pour étudier les aspects économiques de la paix. Pour Robert Pinot, secrétaire du Comité, l'annexion de la Sarre est une affaire d'« intérêt général », mais elle n'est pas, pour la sidérurgie française, une bonne affaire, elle offre seulement « un supplément intéressant de charbon »; « mais cet avantage est plus que compensé pour la métallurgie par la charge considérable de deux millions de tonnes d'acier qui devront être écoulées sur les marchés d'exportation à des prix peu avantageux ». Voilà un patronat fort réservé, peu enthousiasmé par des annexions. L'exigence fondamentale de la France – le retour de l'Alsace et de la Lorraine – crée plus de difficultés que de satisfactions au puissant Comité des Forges...

La position française ne se prête pas à la négociation, car elle est fondamentalement politique avant d'être industrielle et commerciale. Les Français peuvent résumer leurs buts de guerre en un article unique : restitution des provinces perdues. Poincaré ajoute : affirmation de solides garanties politiques et militaires, par rectification de la frontière et démantèlement de la forteresse prussienne. En mars 1915, les deux points de vue ne peuvent se rapprocher d'aucune manière : les Allemands ne sont pas plus disposés à lâcher le *Reichsland* que les Français à renoncer à ce qu'ils considèrent comme la raison fondamentale de leur combat. Autant ils n'étaient pas prêts à « faire la guerre pour l'Alsace-Lorraine », autant ils ne veulent plus désormais renoncer à la poursuivre sans avoir obtenu la restitution des « provinces perdues ». Les timides sondages opérés au début de l'année 1915 donnent aux gouvernements l'occasion d'affirmer leurs intentions : dans aucune capitale européenne ne se manifeste le moindre désir d'envisager la paix sans victoire. Les seules ouvertures sont suggérées par les militaires allemands et autrichiens qui ne veulent traiter avec la Russie que pour mieux vaincre à l'ouest.

Le silence des Anglais n'est pas signe de libéralisme. Ils estiment dangereux, pour la paix future, de prendre position sur le problème des buts de guerre et de soutenir des points de vue qui risquent d'obérer l'avenir. Le déchaînement des ambitions russes (jusqu'à demander en mars l'annexion de Constantinople), l'éveil possible de convoitises chez les Français les laissent froids. Ils sont décidés, le moment venu, à imposer leur point de vue – qui n'a pas changé – de l'équilibre européen. Cela ne signifie pas qu'ils soient ouverts à des propositions de négociations. Ils savent que l'Allemagne est bien décidée à ne rien lâcher sur la Belgique. S'ils sont entrés en guerre, c'est précisément pour imposer l'indépendance de cette petite nation. A aucun prix ils ne veulent de la flotte allemande dans le port d'Anvers.

Les soldats qui grelottent dans les tranchées pendant le rude hiver de 1914-15 peuvent-ils se douter que leurs gouvernements n'envisagent la paix à aucun prix, même sans assurance de pouvoir gagner la guerre? Convaincus cependant de la nécessité d'aller jusqu'au bout dans leur effort, les dirigeants de tous les pays vont se donner les moyens de nourrir, de gérer cette guerre, et de l'imposer à tous.

La France, l'Allemagne, puis l'Angleterre deviennent de gigantesques fabriques de balles et d'obus. Avec les établissements Krupp, l'Allemagne disposait d'un arsenal formidable, prêt depuis longtemps aux cadences de production les plus fortes. Elle a pourtant dû l'étendre très vite pour éviter la pénurie de munitions. L'appel d'offres a suscité des vocations, des conversions. A Düsseldorf, la firme *Krieger Stahlwerk A.G.*, qui possédait une aciérie Martin, s'est mise à tourner des obus de tous calibres, jusqu'à des mastodontes de 420. Krupp à Essen emploie 90 000 ouvriers exclusivement aux fabrications de guerre. A Rheinhausen, le même n'en compte pas moins de 25 000. Et 10 000 travaillent à la *Rheinische Metallwaren Fabrik*. On fore et on tourne aussi les obus à Aix-la-Chapelle, dans la firme *Saub Aachen Forst*. A côté de ces usines immenses, de tout petits établissements de 50 ouvriers, quelquefois moins.

Pour ses armements, l'Allemagne ne manque pas d'énergie disponible : ses ressources en charbon sont inépuisables. Le fer lui viendra toujours en abondance de Suède, malgré le blocus des Alliés. Mais le cuivre, le plomb, le zinc, l'antimoine? Et, surtout l'acide nitrique, l'acide sulfurique nécessaires pour les explosifs? Les stocks étaient importants en août 1914 et devaient largement suffire pour une guerre courte. L'hiver venu, il faut les réévaluer. L'Allemagne ne peut plus importer de nitrates du Chili, elle doit se contenter des norvégiens. Les chimistes ont dû imaginer un procédé de transformation de l'ammoniac en acide nitrique. La première usine fonctionne dans la région de Mannheim-Ludwigshafen en utilisant ce procédé dès le mois de juillet 1914. Avec les stocks de Hambourg et ceux qui ont été saisis en Belgique, les fonderies d'Allemagne n'ont pas de difficulté à produire jusqu'en janvier 1915. A cette date, les Norvégiens informent qu'ils vendent désormais leur production aux Alliés. Il n'y a plus de stocks de salpêtre. De toute urgence, en mars 1915, on décide la construction de nouvelles usines.

L'acide sulfurique était extrait des pyrites importés d'Espagne. Les importations cessent, mais les fabrications allemandes se poursuivent à un rythme tout juste suffisant. La situation est plus préoccupante encore pour le cuivre : les stocks en 1914, à Hambourg et à Rotterdam, étaient à la fin juillet de 7 400 tonnes. 10 000 tonnes trouvées dans le port d'Anvers ont été saisies. Les usines avaient leurs propres stocks et l'Allemagne pouvait jusqu'alors compter sur une production nationale de 36 000 tonnes. Mais, de 73 400 tonnes annuelles, la consommation prévisible était montée à 100 000 tonnes : il fallait importer en contrebande du cuivre en provenance des Etats-Unis, livré en Hollande ou en Suède. Les Allemands en utilisaient plus de 5 000 tonnes par mois, rien que pour la fabrication de leurs munitions. On comprend pourquoi des ordres furent rapidement donnés aux soldats de récupérer les douilles dans les tranchées.

La situation était meilleure pour le nickel, beaucoup moins nécessaire aux usines : 45 kilos suffisaient pour produire un million de cartouches, mais il était aussi utilisé dans les aciers spéciaux pour les canons et les blindages. Avec 4 800 tonnes annuelles, on pouvait fabriquer des canons en quantité. L'étain était importé sans difficulté des Indes néerlandaises. Avec sa production annuelle de 142 000 tonnes de plomb (dont 90 000 provenant de ses mines), l'Allemagne ne manquait pas de balles de fusils et de mitrailleuses ni d'obus *Schrapnell* (qui contenaient chacun 33 balles de 10 grammes). L'effort était énorme : il ne fallait pas moins de 40 millions de balles d'infanterie par jour!

Grâce à la Lorraine, l'Allemagne a de l'acier, mais elle doit par contre se procurer à grands frais les métaux d'alliage : manganèse, antimoine, tungstène, chrome... aluminium surtout, que seule la France produit en Europe en quantités suffisantes. Les Allemands ont monté en Suisse une usine d'aluminium qui manque de matières premières. Ils ont pourtant besoin de ce métal pour leurs zeppelins et pour les fusées d'obus. La contrebande doit assurer à tout prix la fourniture.

La perspective d'une guerre longue gêne donc aussi l'industrie allemande, quelles que soient ses immenses ressources. Elle doit produire 500 000 obus par jour, aligner chaque mois 350 canons nouveaux. Elle dispose de 38 millions de tonnes de fer qu'elle produit pour 76 % en Lorraine annexée, en Lorraine française, en Luxembourg. Elle importe le reste de Suède et produit moins qu'avant la guerre. Le bassin de Briey ne rendrait que 50 % de sa capacité. Mais 3 millions de tonnes d'acier Martin, sur une production de 7 millions, suffisent pour fabriquer les munitions : les Allemands pourraient, du seul point de vue de l'acier, produire le double. La rafle de machines-outils opérée au début de la guerre chez les neutres, complétée par les saisies en Belgique et en France, permet de faire face à la situation : Krupp installe une succursale près de Munich avec des machines démontées chez Cockrill, en Belgique.

Les Allemands saisissent aussi très facilement les mines et usines de Lorraine française. Depuis plus de trente ans, les de Wendel avaient appris à traiter le minerai de fer du bassin de Briey, appelé « minette », par le procédé Thomas-Gilchrist. Au début de la guerre, les dirigeants français acceptent sans objection le recul de 10 kilomètres ordonné par Viviani pour éviter les incidents de frontière. La région de Briey n'est donc pas défendue. Nul ne voit d'intérêt à la défendre. Le directeur des Mines, Paul Weiss, rappelle [3] que « le programme de fabrications pour le temps de guerre prévu par l'état-major était limité », et que « la production de la région de l'Est était inutile pour la réaliser : les usines de l'intérieur devaient suffire ». Car « l'idée de l'état-major était que le stock était suffisant pour faire la guerre ». Et de Wendel lui-même d'affirmer : « Notre idée à tous était que notre métallurgie de guerre était dans le Centre. En effet, c'était là seulement qu'on faisait les aciers de qualité très spéciale que nécessitent les canons et les obus, et comme nos fontes de l'Est, étant très phosphoreuses, n'avaient jamais été employées dans ces fabrications, je ne crois pas qu'il soit venu à personne l'idée que le manque des hauts fourneaux de l'Est allait représenter pour la France une difficulté réelle. » Pas de défenses, pas de canons devant Briey : usines et mines sont abandonnées « sans coup férir », écrit Jeanneney. Il s'agit, en abandonnant la bande des frontières, de ne pas donner d'armes à la propagande allemande. La France est pacifique. La preuve ? Elle donne son fer sans combattre.

« La région minière de Briey, devait préciser Joffre, est à cheval sur notre frontière de 1871, au contact même de la place de Metz, et sous le canon de ses forces. » Une fois Briey abandonné, il est impossible de le reprendre sans reconquérir Metz, en avançant « dans la gueule du loup ». Mais pourquoi ne pas avoir détruit les installations ? « Qu'est-ce qu'on n'aurait pas dit, répond Joffre, si la bataille du 23 août [l'offensive prévue par le plan n° 17] avait réussi ! On aurait anéanti le potentiel industriel d'une région reconquise, en pure perte ! » Ainsi les Allemands purent-ils profiter des mines et des installations de Lorraine française et continuer la production dans des proportions qui ne sont pas clairement établies. Jeanneney signale avec raison le gonflement intéressé des statistiques allemandes : « Les sidérurgistes allemands qu'exaspérait l'idée qu'on ait laissé Briey aux Français en 71, dans l'ignorance de sa valeur, ont

---

3. Cité par J.N. Jeanneney, *François de Wendel en République*, p. 77.

travaillé à en faire, quarante-cinq ans plus tard, un but de guerre primordial. » Il cite les témoignages des députés de Wendel et Lebrun minimisant au contraire l'importance des ressources tirées de Briey par les Allemands. Il est clair en tout cas que rien ne les a empêchés (ni offensive française, ni bombardement sérieux) de tirer le maximum de Briey; s'ils ne l'ont pas davantage exploité, c'est qu'ils n'en avaient pas besoin.

Les Français, en revanche, ont gravement manqué d'approvisionnements en fer et en acier, ils ont dû en importer des quantités massives d'outre-mer. Les manufactures de l'Etat n'avaient pas, au début de cette guerre que tout le monde croyait courte, stocké de grandes quantités de munitions. Il avait été nécessaire de passer très vite d'importantes commandes à l'industrie privée : 340 000 obus à balles étaient mis en fabrication début août, « chez les industriels présentant les garanties nécessaires ». Joffre, au début de septembre, réclamait 50 000 obus par jour... Comment trouver l'acier indispensable? La France n'a plus les moyens d'en assurer la production. Elle doit importer d'urgence, dès octobre, 290 tonnes d'acier à obus par jour en provenance d'Angleterre. L'ingénieur en chef de la maison Renault, consulté par le général directeur de l'artillerie, a affirmé que la pénurie de métal pouvait être fatale. Le ministre Millerand est à ce point impressionné qu'il commande aussitôt des munitions à Kitchener : celui-ci demande trois mois de délai pour pouvoir fournir 30 000 coups par jour.

En France, Millerand réunit périodiquement les représentants des grandes industries, Renault, le Creusot, Saint-Chamond, la Marine, le P.L.M. Paris-Orléans et le groupe de Belfort. Ceux-ci demandent immédiatement le rappel des armées du personnel spécialisé. Ils s'engagent à fournir, grâce à des accords passés avec des sous-traitants, 40 000 coups par jour vers le 1ᵉʳ décembre. On est loin du compte : les ouvriers arrivent lentement, l'acier fait défaut, mais aussi les explosifs. La fabrication des gaines et des fusées, particulièrement délicate, a donné des résultats décevants. Millerand envoie le député socialiste Thomas parcourir la France pour tâcher de trouver de nouveaux fabricants. Thomas découvre avec stupéfaction que le gros obstacle à la mise en route de la production est l'absence totale de coordination entre les responsables, ingénieurs des forges, inspecteurs du travail, industriels. Pourtant les régions françaises sont riches de possibilités. A Marseille, dit-il, « il existe 250 tours dont très peu sont jusqu'à ce jour utilisés. Les uns dans les ateliers de construction mécanique par groupes de 5 à 20, les autres par petits groupes ou par unités dans les ateliers d'industries diverses, huileries, vermicelleries, garages ». Thomas suggère de regrouper tous ces tours (tant pis pour les vermicelliers!) et d'importer des gaines et des fusées d'Italie, en les commandant aux fabricants d'automobiles de Turin. La main-d'œuvre, explique-t-il, est mobilisée avec des retards qui tiennent à l'absurdité des responsables militaires : « Au moment où je me trouvais chez le général commandant le dépôt de Nîmes, j'ai été, je dois le dire, stupéfait d'apprendre que le commandant Ricard, accompagné d'un ingénieur de Saint-Chamond, venait, porteur d'un ordre du général Gaudin, prélever la totalité des ouvriers spécialistes disponibles à Nîmes pour les diriger immédiatement sur Saint-Chamond. Or, parmi ces ouvriers se trouvent des hommes appartenant à des ateliers de Marseille. Perte de temps dans le transport, moindre rendement en raison du temps d'adaptation... impossibilité de faire travailler la totalité des machines-outils du groupe des Bouches-du-Rhône... » Thomas signale, une à une, toutes les anomalies. Il recommande de mettre à la disposition d'un industriel d'Aix, qui fabrique déjà des obus de 75, les « 23 tours que le directeur des Arts et Métiers désire utiliser dans son école ».

A Châtellerault, manufacture d'Etat, Thomas commence par expliquer les raisons des insuffisances de la production : « Point n'est besoin de revenir, dit-il, sur les difficultés que la manufacture a connues depuis le début de la guerre : ateliers démontés en raison des inondations trop fréquentes, personnel mobilisé, obligation de recruter un personnel nouveau dans une région peu ouvrière et dans laquelle même les sentiments patriotiques ne semblent pas très affirmés. » Les habitants de la ville « exploitent sans scrupule les ouvriers venus du Nord ». Les locaux de la manufacture sont déserts, les tours inactifs. On fabrique à peine 170 mousquetons par jour. Pourquoi ne pas faire venir en abondance des ouvriers réfugiés des Ardennes? On ne peut monter de fusils, on peut tout juste réparer les fusils endommagés qui viennent par wagons de Rennes.

L'impression est beaucoup plus favorable à Montluçon; Châtillon-Commentry y fabrique de l'acier en abondance : 550 tonnes d'acier à obus. Thomas estime que le groupe pourrait fournir jusqu'à 3 000 obus de 75 à condition de programmer soigneusement les finitions. On peut aussi construire à Montluçon 40 tubes de canon simple et des tourelles à deux tubes que l'on a expérimentées. Thomas visite le « grand parc automobile de l'armée » qui se trouve toujours dans la ville. Il suggère de pousser la fabrication des tracteurs pour les canons lourds de 120, en association avec la firme Fiat, liée à Châtillon-Commentry. Il est déçu par sa visite des établissements Schneider au Creusot qui laissent, dit-il, « l'impression d'une activité réelle, mais restreinte ». On ne peut laminer plus de 1 700 tonnes d'acier à obus par semaine. Les responsables des hauts fourneaux demandent qu'on leur envoie les déchets des ateliers de tours et les armes endommagées qui ne sont pas réparables. Le retard de production est certes dû à l'insuffisance de main-d'œuvre, mais aussi, dit Thomas, à un « certain manque de prévisions peut-être de notre part ». Il faut en effet planifier les production longtemps à l'avance.

Albert Thomas a tenu à visiter aussi les mines du Nord, si proches du front, et dont certaines sont aux mains des Allemands. Fin décembre, il est à Isbergues, dans les aciéries. Il constate que deux fours Martin y fournissent 40 tonnes d'acier laminé par jour. On peut y doubler la production « si les Allemands s'éloignent un peu ». Les fours fonctionnent depuis le début du mois, les laminoirs tournent depuis le 17. On n'a pu trouver que 300 ouvriers sur les 2 500 qu'employait l'usine avant la guerre. « Cette usine considérable, note Thomas, n'est ainsi remise en activité que pour un travail qui n'utilise à peu près qu'un dixième de ses moyens. » Dans les mines du Pas-de-Calais, il découvre un stock considérable à Bruay. Mais aucun moyen d'évacuation... Les mines manquent d'hommes et de trains. Pourquoi ne pas leur envoyer des territoriaux et des mineurs réservistes? Dès que l'ennemi se sera écarté de Bully-Crenay, on pourra remettre en service les fours à coke. Mais « il serait tout à fait imprudent de les rouvrir avant, les fumées et les flammes exciteraient les Allemands à bombarder ». Par contre, on peut rouvrir ceux de Nœux-les-Mines.

Dans toute la France, les ateliers, petits et grands, se mettent à travailler pour la guerre : de la Bretagne au Midi, on tourne des obus, ou fabrique de la poudre. Dans la seule ville de Montauban, on compte six centres de fabrication : l'annexe de l'artillerie et la gare des tramways départementaux, mais aussi l'atelier Massoc, qui usine des grenades, ou l'atelier du menuisier Rouché, qui assemble des caisses pour munitions. Autour de Paris, d'innombrables ateliers se sont ouverts, des entreprises installées se sont converties. Tompson Houston, à Neuilly-Plaisance, fabrique déjà 450 obus par jour. Les établissements Loucheur, spécialisés dans l'éclairage électrique, ont un marché de 5 000 obus sur Paris et de 10 000 sur Lyon. La région de la Loire est aussi particulièrement sollicitée. Les ateliers du P.L.M. à Oullins-Saint-Étienne fabriquent tous les jours 50 bombes Dumézil. Dans la vieille aciérie sale et encombrée de Firminy, six presses de 150 à 450 tonnes usinent les gros obus de 155 et débitent 5 300 obus de 75 par jour. Même les Alpes sont sollicitées : à Cheddes, au pied du mont Blanc, à Ugines, à Cluses, on tourne des obus, on fabrique des explosifs : 25 tonnes de perchlorate d'ammoniac par jour à Cheddes. Il a fallu multiplier sur tout le territoire les poudreries et usines d'explosifs, devant la carence et l'imprévision des établissements militaires. Le général Baquet, qui commandait l'artillerie, exige une production décuplée. La poudre française était à base de coton-poudre largement importé des Etats-Unis, d'Egypte et d'Inde. Cette « poudre B » était propre, facile à utiliser, mais difficile à fabriquer. Il fallait dissoudre le coton dans un mélange d'éther et d'alcool et fabriquer chaque jour

135 tonnes de cette poudre dûment séchée. Pour en fabriquer une tonne, on manipulait 10 tonnes de coton, de nitrates, de pyrites, de charbon, sans compter l'alcool. Des établissements nouveaux furent construits de toute urgence, à Bergerac dans la Dordogne, à Toulouse, à Angoulême, au Moulin-Blanc près de Brest. On avait réquisitionné, pour cette fabrication, tout l'alcool disponible en France : il fallait assurer au moins 4 000 hectolitres par jour ! On fit venir du Pérou de grandes quantités d'acide nitrique. On transforma les usines de poupées en celluloïd en poudreries. Enfin, on importa des Etats-Unis des milliers de tonnes de poudre.

Ces achats se faisaient dans le désordre, en fonction des besoins exprimés par l'armée. Fébrilement, les officiers parcouraient les provinces, tâchant de faire coïncider les outillages et la main-d'œuvre. La plupart des fabriques de guerre ne purent fournir l'armée qu'après de longs délais, ce qui explique les impatiences de Joffre et de son ministre, le bouillant Millerand.

Le désordre et l'improvisation se retrouvent à tous les niveaux de l'effort industriel. Millerand doit convoquer tous les huit jours les responsables des grands secteurs, pour les obliger à coordonner leurs production et à prendre des engagements fermes. Le secrétaire du Comité des Forges, Robert Pinot, joue un rôle croissant dans les rapports entre le gouvernement et les grandes affaires. Les ministères, comme le note A. François-Poncet [4] « s'adressent à lui et l'appellent à leur aide. Les Travaux publics le prient de centraliser et de répartir les commandes des consommateurs de métal qui ne savent plus où se fournir, entre les forges ou aciéries qui ne sont pas arrêtées ». C'est ainsi à Pinot, secrétaire d'un organisme privé, que l'Etat doit faire appel ! Il apparaît déjà comme « l'auxiliaire indispensable ». C'est lui qui intervient pour obtenir les réquisitions de transports dont les industriels ont besoin. Il est « le collaborateur officiel du ministre de la Guerre ». Il sait que l'occupation allemande prive la France de 64 % de sa fonte et de 62 % de sa production d'acier. 85 hauts fourneaux sur 170, 48 fours Martin sur 164 et 53 convertisseurs sur 100 sont aux mains des Allemands. Il faut répartir les pièces détachées selon une diversification de la production, les rassembler ensuite, se procurer à l'étranger les matières premières nécessaires. Pinot crée à Londres, en 1915, un bureau confié à Humbert de Wendel. Il demande aux Anglais d'allumer cinq hauts fourneaux pour les besoins de la France. Il faut transporter l'acier et la fonte, puis acheminer les produits issus des laminoirs vers les centres de transformation. Pinot coordonne bien la production, mais se heurte au problème des transports.

En France comme en Allemagne, le transport par chemins de fer

4. A. François-Poncet, *La Vie et l'œuvre de Robert Pinot.*

est le nerf de la guerre industrielle. Or le réseau français est saturé, en partie occupé, souvent inutilisable en raison des combats. Quand le front se stabilise à la fin de 1914, le réseau du Nord est réduit de moitié, il n'a que des lignes à profil accidenté, les grandes lignes ne sont pas disponibles : l'armée les occupe en exclusivité. Le trafic des marchandises, comme l'établit François Caron [5], « évalué en tonnes-kilomètres, représenta en 1914 71 %, en 1915 82 % et en 1916 100 % du trafic de 1913 ». Mais les transports militaires doublent de 1915 à 1916, ils sont irréguliers, imprévisibles, et dépendent du général en chef. Les transports commerciaux ne représentent en tonnes kilométriques que 57 % des transports de 1913. Il ne faut pas s'étonner si le coke et le charbon restent sur le carreau des mines... Fatigue du matériel, insuffisance du personnel, le réseau français est en déclin. Il devra bientôt importer des locomotives anglaises et américaines. Les difficultés de l'industrie des armements proviennent en partie de ces insuffisances du réseau ferroviaire.

En Allemagne, sur 64 000 kilomètres de lignes, le matériel aussi est fatigué. Les chemins de fer allemands doivent exploiter 5 000 kilomètres de plus en Belgique, 2 000 en France, absolument essentiels pour les opérations militaires. Les voies qui ne leur sont pas utiles en Belgique sont démontées et remontées en Allemagne. Celles qui relient les régions industrielles travaillant pour la guerre ont été agrandies, par exemple la ligne Duisbourg-Düsseldorf-Cologne. 100 000 ouvriers et employés ont été mobilisés : on fonctionne avec des effectifs réduits pour faire face à un trafic accru. On fait remorquer les express – dont on réduit le nombre – par de petites locomotives jadis réservées aux manœuvres. La substitution de l'acier au cuivre dans la construction des locomotives réduit leur rendement : elles consomment plus de charbon, renouvellent plus souvent leur provision d'eau et avancent à 20 km/h. Les 31 000 locomotives du parc allemand ne sont plus guère entretenues, manquent de lubrifiants, ne sont jamais vérifiées. Quand on les donne à réparer dans les ateliers belges de la région de Charleroi, elles restent des mois dans les rotondes. Si on les confie aux ateliers suisses, les frais sont élevés. C'est pourtant aux Suisses qu'il faut demander de quoi renouveler les 700 000 wagons qui se détériorent rapidement : ils louent leur matériel fort cher et ne peuvent en fournir de grandes quantités. Force est de réduire les trains de voyageurs, d'augmenter les tarifs, de supprimer les express. Il faut bien réserver les voies aux transports de l'armée et des denrées de première nécessité : pommes de terre, betteraves, charbon, viande fraîche.

L'Allemagne doit, en plus de ses charges, prêter des wagons à

5. François Caron, *Histoire de l'exploitation d'un grand réseau*, Thèse d'Etat.

l'Autriche, des convois au Danemark. Elle ne peut faire face à l'augmentation du trafic ; pourtant, elle doit nourrir son armée et sa population. Les importations par Rotterdam se font par bateaux sur le Rhin, mais les liaisons ferroviaires sont indispensables pour acheminer les vivres jusqu'au front. De Cologne à Strasbourg, les importations hollandaises doivent être réexpédiées par le rail. Une caricature représente le lion hollandais, avec dans ses pattes, un tuyau. Il s'approvisionne au robinet anglais, et abreuve un soldat prussien. L'Allemagne a quadruplé ses importations de beurre, d'œufs, de fromage, de fécule de pomme de terre, elle importe par le rail 15 fois plus de viande fraîche. De la gare de Rotterdam, chaque semaine, partent vers Dortmund et Cologne 13 tonnes d'œufs et 121 tonnes de légumes. La Hollande a désormais un troupeau de 4 millions de têtes dont les 2/3 sont propriété allemande. Par Rotterdam sont aussi déchargés le tabac, le thé, le coton, l'huile importés des Etats-Unis et réexpédiés vers Friedrichshafen et Cologne. La Hollande exportait vers l'Allemagne 2 000 tonnes de margarine en 1914, 20 000 en 1915. Le trafic avec la Suisse n'est pas moins développé : l'Allemagne importe, via Zurich, d'énormes quantités de textiles, de vins et d'alcools. Elle y achète aussi beaucoup de viande fraîche, comme au Danemark ; les armées en sont grandes consommatrices. En France, d'immenses troupeaux de bœufs et de moutons campaient dans Paris ; et au moment de la bataille de la Marne, l'on avait mobilisé les autobus parisiens pour convoyer au front les « viandes fraîches ». Les Allemands n'ont d'autre recours que leurs chemins de fer.

En mars 1916, le gouvernement allemand établira le monopole de la viande pour faire face à une situation de pénurie. La Bavière, le Wurtemberg, le pays de Bade ne voulaient plus exporter leurs viandes, les réservant à leur clientèle régionale. Une carte de viande fut instaurée pour les civils, ouvrant droit à 150 grammes par jour et par habitant. Des réquisitions étaient opérées pour les besoins de l'armée et de la marine. Les bêtes désignées étaient aussitôt transportées par chemin de fer jusqu'aux zones d'abattage à proximité du front ou dans les ports.

Les chemins de fer devaient aussi faire face aux nécessaires transports de céréales, blé et avoine notamment. Les armées de 1914 consommaient beaucoup de pain et, même si le pain noir allemand était de médiocre qualité, il devait être acheminé en quantités considérables. En France, la récolte de 1914 ayant été inférieure aux besoins nationaux, des commandes avaient été passées à l'étranger. Le 20 décembre partaient de Buenos Aires 300 000 quintaux d'avoine. On acheta aussi, ce mois-là, de l'avoine à New York. Il fallait à tout prix nourrir les 600 000 chevaux de l'armée. Quant aux hommes, ils disposeraient du blé acheté en Méditerranée orientale, en Grèce, en Égypte, en Turquie, par la société Louis Dreyfus. Les achats étaient conclus de gré à gré par les services de la guerre auprès des exportateurs anglais et américains. Le ministère informait les consulats. Le 6 avril 1915, il demandait au consul à New York de s'assurer auprès de la maison Mayer et Carpenter de l'exécution d'un contrat portant sur 75 000 tonnes d'avoine, 45 000 tonnes de blé et 30 000 tonnes de farine... La banque Morgan devait régler la commande. Le blé était acheté 10 dollars la tonne, il coûtait moins cher que l'avoine : 11 dollars et 90 cents. Les paiements étaient réglés à 60 % à l'embarquement, à 40 % à l'arrivée à Saint-Nazaire. La ligne Paris-Saint-Nazaire allait être surchargée...

Tout était transporté par chemin de fer : l'armée, depuis septembre 1914, multipliait les achats à l'étranger et les marchandises s'entassaient dans les ports sans que les rames pussent les dégager très vite. En décembre, l'armée avait commandé 500 000 paires de chaussures à New York. En Argentine, on achetait de la viande, du sucre, le cuir tanné et lisse pour les baudriers et les ceintures. On se procurait des couvertures en Italie, des kilomètres de textiles. A la fin de 1914, on avait commandé à Londres pour 4 millions de mètres de drap bleu clair. La France n'avait pas de stock pour couper les nouveaux uniformes de ses soldats. Un ordre d'achat du même genre était passé à Barcelone, le 1ᵉʳ septembre 1915, pour 400 000 mètres par l'intermédiaire du sous-intendant Baratin, chef de la mission française en Espagne. Afin d'accroître les moyens de transport, on commandait en vrac des camions aux Etats-Unis, à la maison Fiat en Italie, et des wagons au Canada. Mais les achats les plus importants portaient sur les chevaux. L'énormité des pertes au front, la difficulté de renouveler les attelages par la réquisition, obligeaient à se tourner vers l'étranger.

L'Allemagne, comme la France, importait massivement des chevaux : les Français directement, les Allemands par l'intermédiaire des neutres. Les grands fournisseurs étaient les pays d'Amérique, Etats-Unis et Argentine. On estime alors à 20 000 le nombre de chevaux nécessaires tous les mois à l'armée française. L'Argentine seule en fournit 5 000, les Etats-Unis 5 000, les autres doivent être trouvés en France. Il faut également fournir l'armée belge, qui a besoin de 40 000 montures.

Les commandes de chevaux sont passées directement aux importateurs américains qui doivent réunir dans le minimum de temps une grande quantité d'animaux. La direction de la cavalerie télégraphie à New York pour qu'on surveille le départ des bateaux, car les déceptions ne sont pas rares. Le jour de Noël 1914 arrive à La Pallice le vapeur *Ouessant* avec 1 400 chevaux à bord : 49 ont péri pendant la traversée. A la Rochelle, trois mois plus tard, on signale des cas de morve dans le troupeau de chevaux américains débarqués. En juillet, sur un autre vapeur, les chevaux morts sont nombreux. Les acheteurs ont laissé embarquer à New York des juments pleines qui ont avorté et sont mortes en route. Naturellement, la direction de la cavalerie du ministère de la Guerre proteste, tempête, alerte le consul : à l'arrivée du vapeur *Welsch Prince*, le 26 décembre, 85 chevaux étaient morts de pneumonie, 100 étaient gourmeux. La cause? On n'avait pris aucune précaution, pas même pour nourrir les chevaux pendant le voyage. Les lads italiens qui s'en occupaient avaient refusé, une fois à bord, de travailler : ils ne disposaient que de 10 tonnes de foin pour nourrir plus de 1 000 chevaux... « Contractants doivent faire nécessaire pour livrer chevaux en bon état et non des cadavres », télégraphiait la Guerre. Il faut se méfier de tout, des chevaux vivants et du bétail abattu. Caillaux, en mission officielle à Montevideo, envoie un rapport sur les expéditeurs de viande indélicats : « J'apprends de source sûre que parmi le bétail abattu dans les frigo de Montevideo et expédié en Europe et en France, des aninaux malades figurent dans une forte proportion. »

Des consignes sévères sont données pour surveiller les embarquements, des vétérinaires sont expédiés en Amérique. Beaucoup de ces chevaux américains, dont l'Europe a le plus urgent besoin, sont des bêtes irréprochables. Le cuirassier Gillois, colonel au 2ᵉ régiment, en est fort satisfait. Tony, comte de Vibraye, monte une jument américaine appelée Virginie. « Elle provient, dit-il, des achats effectués en Amérique par notre service des remontes et je songe en l'essayant à notre aimable voisin de campagne à Bazoches-du-Morvan, Monsieur Roger de la Brosse, qui a été envoyé en mission de l'autre côté de l'Atlantique, précisément pour cette besogne ». Si les cuirassiers sont bien servis, il n'en est pas toujours de même des artilleurs : au 26ᵉ régiment, Ephraïm Grenadou n'est pas content; il doit dresser « des centaines de chevaux, des chevaux de la réquisition, mais surtout des américains, des chevaux sauvages ». Aurait-on livré des « mustangs »? Grenadou essaie d'atteler six « sauvages » à un caisson. Il verse, les chevaux ne supportent pas l'attelage, ni le bruit des roues sur le pavé : « les harnais les chatouillaient ».

Les animaux ont trop souffert de la traversée. Grenadou est parti en convoi pour les chercher à Saint-Nazaire. Sur les quais, on les déchargeait avec des grues et des sous-ventrières. « Ils avaient eu chaud au fond des cales, ils étaient menés à des baraques à moitié à la belle étoile en plein hiver. C'est incroyable comme ils crevaient. » Les survivants, envoyés au front, vont souffrir mille morts. Grenadou, comme tous les paysans, aime les chevaux. Il voit les siens « crever de faim et manger leur crottin ». Dans la neige, par – 20°, « il fallait leur visser des crampons aux fers ». Il n'y a plus que quatre chevaux par canon et les officiers vont à pied. Son propre cheval, Siméon, est tué. « On n'a même pas le temps de s'occuper des bonshommes qui sont foutus, dit Grenadou, alors vous pensez bien que les chevaux... » Il est vrai qu'aux armées, on n'a pas trop d'égards pour eux. Dans Remarque, ils meurent entre les lignes en hurlant la nuit. Les paysans de Souabe ou de Bavière ne supportent pas plus que les Français la souffrance de ces bêtes. Certains prennent des risques pour les achever.

Les hommes sont-ils mieux traités ? Les Allemands ont la chance d'avoir un casque. Ils s'aperçoivent vite que leur casque à pointe est insuffisant, ils vont le remplacer par un modèle plus couvrant, protégeant bien la tête. Français et Russes combattent en casquette ou en képi. Des mois passent avant que le commandement français ne se décide à pourvoir ses fantassins d'un casque. Joffre a demandé au général d'Urbal, commandant la 8e armée, de faire un rapport : il est accablant. « Le plus grand nombre d'hommes blessés, écrit le général le 12 février, 8 à 9 sur 10, sont atteints à la tête ; 6 à 8 fois, la balle n'a pas atteint la boîte crânienne. Dans la plupart des cas, une coiffure métallique même légère aurait pu éviter la blessure et la mort. » Les premiers casques n'arrivent aux fantassins qu'en septembre 1915. Les « bourguignottes » ont été inventées par l'intendant Adrian. Pourquoi si tard ? Duroselle rappelle le dialogue de Joffre et de Pénelon, officier du cabinet de Poincaré, en novembre 1914[6] : « Mon ami, dit le général à Pénelon qui lui parle d'un projet de casque, nous n'aurons pas besoin de les fabriquer, nous tordrons les Boches avant deux mois ».

L'imprévoyance coûte cher : on n'improvise pas sans tâtonnements, sans erreurs, sans bavures, une guerre de longue durée quand tout était prévu pour une guerre courte. En Allemagne comme en Angleterre ou en France, les finances s'en ressentent. Chaque pays doit imaginer des solutions pour payer son effort de guerre. Il est ainsi conduit aux pires expédients.

L'Allemagne n'avait pas, en 1914, de réserves de capitaux publics abondantes, et les placements allemands à l'étranger n'étaient pas très importants. Dès le 31 juillet 1914, la *Reichsbank*, prévoyant les mesures de contrainte que le gouvernement prendrait nécessairement à l'égard des capitalistes, avait suspendu la convertibilité de ses billets en or : ainsi espérait-elle empêcher la sortie du précieux métal. Mais comment payer aux Suisses et aux Hollandais les importations vitales pour l'Allemagne ? La *Reichsbank* a donné l'exemple de la fuite des capitaux en payant, comme ses vendeurs l'exigent, ses achats en or. Les saisies en Belgique et en France occupées ont permis de remonter le niveau du stock, mais la hausse

6. J.-B. Duroselle : *La France et les Français, 1914-1920.*

des prix compromet la monnaie. Les Allemands doivent acheter à l'extérieur les matières premières indispensables, la nourriture, les chevaux. On les voit même se précipiter en Amérique pour acquérir d'énormes quantités d'acier à obus – dont ils ne manquent pas : c'est pour empêcher les Alliés de l'acheter. Tous ces achats se font en or ou par emprunts. L'Etat allemand s'endette, d'abord parce qu'il draine l'épargne allemande, mais surtout parce qu'il doit se procurer des fonds à l'étranger. La guerre coûtera 60 milliards de marks à l'Allemagne. Les bons du Trésor et les bons à long terme souscrits par les Allemands permettront de couvrir 60 % de cette somme (qui laissera à l'Etat allemand une lourde dette après la guerre). Mais 40 % seront financés par des émissions supplémentaires de billets de banque – c'est-à-dire par l'inflation.

Le gouvernement allemand avait réussi à persuader les civils que les « emprunts perpétuels » (non remboursables par l'Etat en capital) devaient assurer la victoire. Quelle que fût la charge des intérêts, ils permettraient de financer en partie le déficit : ces emprunts patriotiques, lancés dès 1914, devaient se renouveler à raison de deux par an. C'est à des solutions du même genre que la France dut avoir recours : même si elle n'était pas, comme l'Allemagne ou l'Autriche-Hongrie, dans une situation de « forteresse assiégée », la reconversion nécessaire de l'industrie à la guerre, la fourniture indispensable des armes et des munitions, l'obligeaient à prendre rapidement des mesures de mobilisation financière : le gaspillage, l'exagération, des coûts, la nécessité de produire très vite et dans l'improvisation l'astreignaient à un effort sans précédent. Avec une production d'acier inférieure des 3/4 à celle de 1913, elle avait réussi à produire jusqu'à 150 000 obus par jour en 1916, alors qu'elle n'était outillée en 1914 que pour en tourner 13 000. Elle importait avant la guerre l'essentiel de ses produits chimiques d'Allemagne; avec ses seules ressources, elle avait lancé une formidable production de poudre, croissant de 43 tonnes par jour en janvier 1915 à 351 en janvier 1916. Non seulement elle avait réussi à alimenter le front, mais elle avait fourni en armes et en munitions les alliés belges, serbes et surtout russes : ceux-ci ne produisaient au début de 1915 que 13 000 obus par jour, et ils en consommaient 45 000. On leur en enverrait d'abord 3 000, puis 10 000 par jour. Il faudrait aussi leur fournir les canons de 75 et les mitrailleuses Hotchkiss nouveau modèle. Où trouver l'argent pour financer un tel programme ?

L'impôt ? Le ministre des Finances Ribot, en 1914, avait de la délicatesse. Contrairement à son collègue britannique, il ne pensait pas que l'impôt direct dût financer la guerre au moment où les citoyens payaient si largement l'impôt du sang. L'impôt sur le revenu, voté tardivement en France en juillet 1914, fut retardé dans son application jusqu'au 1er janvier 1916 et ne rapporta qu'un milliard. Une « contribution extraordinaire sur les bénéfices exceptionnels », instaurée en 1916, ne fut levée qu'avec des ménagements. Les « nouveaux riches », les « profiteurs » ne payèrent qu'un milliard et demi. On demanda plus aux indirects, qui touchaient tout le monde : mais les taxes firent monter les prix. On ne pouvait les accroître indéfiniment.

Restait l'emprunt. Il fut, en France, le nerf de la guerre. Pays de rentiers possesseurs d'un coquet capital de 43 milliards et demi à l'étranger, la France croyait pouvoir financer la guerre sans difficulté par le revenu de ces placements. En fait, ils devinrent de plus en plus décevants : la Russie avait des difficultés croissantes, la Turquie devenait ennemie. Les créances sur les pays riches et alliés étaient les moins nombreuses. Mais les Français étaient aussi boursicoteurs que thésauriseurs : ils brûlaient d'investir à nouveau leurs économies. On leur en fournit maintes occasions.

Usant avec une relative modération des avances de la Banque de France à l'Etat, Ribot, qui avait à couvrir les folles dépenses de tous les départements ministériels concernés par la guerre, chercha des ressources dans les emprunts. Il fallait faire vite : les intendants militaires achetaient par quantités énormes sans aucun souci du juste prix, faisant monter les cours à l'étranger. Les industriels français sollicitaient des avances ou la participation de l'Etat dans les commandes. Il fallait leur donner satisfaction si l'on voulait obtenir rapidement les quantités d'obus réclamées par Joffre. Le 15 juillet, les industriels obtenaient légalement des avances, même pour l'achat de leur outillage. Cette disposition devait coûter à Ribot la bagatelle de 10 milliards. Quant aux achats à l'étranger, ils provoquaient un déficit de la balance commerciale de 1 milliard 600 millions en 1914, plus de 7 milliards en 1915 et... 14 milliards 400 millions en 1916! Un gouffre!

Les Français devaient payer : le ministre Ribot répugnait à utiliser la planche à billets, génératrice d'inflation. Il avait seulement triplé le volume de la monnaie en circulation, ce qui paraissait alors raisonnable. Il comptait sur les réserves des Français pour financer son déficit. « Je donne ma vie, versez votre or », disait une affiche représentant un combattant. Les Français, à la suite de cette « campagne de l'or », versèrent la somme considérable de 2 milliards 400 millions. Il achetèrent massivement les « bons de la Défense nationale », rapportant un intérêt de 5 % payable d'avance. L'épargne française, estimée à 8 milliards par an, s'engouffra dans les emprunts : 22 milliards dans les seuls « bons de la Défense nationale ». Les bourgeois se donnaient bonne conscience en empochant des intérêts qui ne leur paraissaient pas négligeables, même si les bons n'étaient pas remboursables en monnaie basée sur l'or. Ils pensaient qu'après la guerre, la convertibilité reviendrait avec le franc Germinal qui n'avait pas, officiellement, subi la moindre agression.

Il y eut deux grands emprunts Ribot qui vinrent ajouter leur moisson aux sommes déjà souscrites. La France aurait ainsi réussi à couvrir largement sa guerre – au détriment de son épargne – si elle n'avait été largement débitrice à l'étranger. Elle y était contrainte par ses achats à l'extérieur, et par les frais de transport qu'ils rendaient nécessaires : la flotte française, en 1916, ne pouvait assurer qu'un quart des importations. Un autre quart était payé aux neutres et la moitié aux Anglais qui avaient mis 600 navires à la disposition de leurs alliés. Pas gratuitement : le coût des frets avait quintuplé à la fin de 1915. Comment payer ? L'Angleterre était riche, elle pouvait consentir des prêts : 7 milliards 800 millions furent accordés aux Français de 1914 à fin 1916. La France avait dû donner de l'or en gage. Elle avait dû emprunter aussi aux Etats-Unis : 694 millions de dollars, plus faiblement à l'Espagne et au Japon. Wilson avait refusé tout crédit public aux belligérants, mais il avait admis les prêts aux nationaux, qui leur permettaient de financer leurs achats. Comment s'opposer au formidable enrichissement qui profitait aussi bien aux industriels qu'aux fermiers du Middle West et aux éleveurs de chevaux ? La banque Morgan avait pu ouvrir ses guichets aux acheteurs de l'armée française au moment où le crédit britannique commençait à s'essouffler.

Car l'Angleterre finança toute la guerre, pendant de longs mois, avec ses seules disponibilités. Elle avait prêté aux Français, aux Belges, elle avait elle-même investi des sommes énormes dans la production des armes, des munitions, des navires. Elle entretenait une flotte de commerce de 4 000 navires et les assurances augmentaient leurs tarifs en fonction des risques. Comme la France, elle avait avancé à la Russie près du tiers de ses dépenses. On calculait dans les bureaux de la City que la participation financière des Anglais à la guerre était de l'ordre de 42 % en novembre 1915. Celle de la France n'était que de 22 %... Aussi l'Angleterre elle-même avait-elle dû emprunter aux Etats-Unis. Refusant la proposition française d'un emprunt collectif des Alliés (tout en acceptant, par contre, la création d'une masse commune des encaisses or des Banques de France, d'Angleterre et de Russie), elle avait d'abord négocié un emprunt franco-britannique auprès des banques américaines, puis un emprunt uniquement anglais. En 1916, Anglais comme Français ressentaient l'essoufflement du crédit américain privé. Ils avaient épuisé leurs disponibilités à l'extérieur, et déjà beaucoup drainé leurs propres capitaux intérieurs. La guerre leur coûtait de plus en plus cher, et d'abord parce qu'elle les empêchait de vendre, donc de reconstituer leur capital.

Les Anglais étaient les plus touchés : l'Allemagne, avant la guerre, était leur plus gros client. Même si certaines exportations continuaient à parvenir dans ce pays par l'intermédiaire des neutres (en particulier le coton américain), ses liaisons devaient progressivement se tarir avec l'affirmation du blocus. L'Etat, en 1916, avait déjà réquisitionné plus du tiers de l'immense flotte marchande qui, à cette date, avait perdu 10 % de son tonnage à cause des torpillages et des mines. Les propriétaires des puissantes sociétés de navigation n'étaient plus que les gestionnaires de leurs compagnies. L'Etat prenait en charge les frets, imposait les itinéraires, souvent très allongés pour raisons de sécurité – et limitait par là les profits. Les Anglais avaient confisqué dans leurs ports un certain nombre de navires allemands, mais sans compenser leurs pertes.

Le déficit des échanges devait progressivement augmenter, car l'Angleterre devait, tout comme la France, importer les matières premières et l'alimentation nécessaires. Quand la balance fut en déséquilibre grave, il fallut prendre des mesures financières : prêtant des sommes énormes aux Russes et surtout au Français, les Anglais durent eux-mêmes emprunter aux neutres et aux dominions : 1 365 millions de livres furent ainsi réunies, alors que 1 741 millions avaient pris le chemin de la France et de la Russie. Le gouvernement dut obliger les investisseurs à lui céder leurs avoirs à l'étranger, et quadrupla les impôts. Il dut lui aussi recourir largement à l'emprunt. La tendance à l'inflation ne put être combattue qu'avec des moyens autoritaires : contrôle des changes et des placements à l'étranger, dépôts d'or privé dans les banques. Du moins put-on limiter l'émission de nouveaux billets et la détérioration de la livre par rapport au dollar. Mais la crédibilité de la monnaie anglaise suscitait des inquiétudes pour l'après-guerre.

L'Angleterre était surtout entrée dans la voie dangereuse du contrôle de l'Etat sur l'économie. Patrie du libéralisme, il lui répugnait d'en venir aux mesures de contrainte, inévitables en raison des charges énormes de la guerre. Le *Stock Exchange* avait été rouvert en janvier 1915 (après cinq mois de fermeture), mais il travaillait sous le contrôle étroit des bureaux du ministère. Le chancelier de l'Echiquier Mac Kenna avait dû, en septembre 1915, établir des droits de douane sur l'entrée des produits de luxe, ce qui semblait une intolérable entorse au principe du libre-échange. Le ministre du Commerce avait créé au début de la guerre un comité d'Etat pour coordonner les compagnies de chemin de fer : nouvelle entorse au principe de la libre entreprise.

Toute l'industrie de guerre anglaise s'était constituée sous contrôle de l'Etat à partir de 1915. Une bureaucratie développée animait et surveillait les activités des usines d'armes et de munitions, des entreprises chimiques et même des mines, sans oublier les usines d'automobiles et d'aviation, les raffineries de pétrole. 20 000 établissements passaient ainsi sous contrôle; les industriels se consolaient avec l'assurance qu'on leur garantirait le même profit qu'avant la guerre.

L'industrie n'était pas seule touchée : l'Etat se réservait d'intervenir aussi dans la production agricole. Déjà les fermiers s'étaient reconvertis, plantant des pommes de terre et semant des céréales. A partir de 1915, on leur suggéra – avant de les leur imposer – des normes de production, tout en leur promettant des prix garantis. Des comités gouvernementaux se chargeaient de la répartition du ravitaillement, usant de méthodes de plus en plus autoritaires. Le gouvernement n'hésitait pas à s'engager dans une politique interalliée des approvisionnement destinée à éviter le gaspillage, à économiser le fret, à peser sur les cours mondiaux en évitant aux acheteurs nationaux les effets de la concurrence. Dès le 15 août 1914 existait une « Commission internationale du ravitaillement » s'occupant des achats pour les armées. Elle n'avait qu'un rôle consultatif. Le *Joint Committee* de 1915, chargé de planifier les achats de céréales, n'avait pas non plus pouvoir de contrainte. Mais des accords signés à la fin de 1916 créèrent le *Wheat Committee* qui avait le pouvoir réel de fixer les besoins en blé des Alliés, d'acheter en commun à l'étranger, de répartir en fonction des besoins. Non seulement l'économie de guerre anglaise avait fait sa part au dirigisme, mais elle accédait à la supranationalité des décisions économiques.

L'Allemagne l'avait précédée dans la voie de l'étatisme : l'industrie ou le commerce privés étaient incapables de faire face à la diversité et à l'ampleur des problèmes. Le blocus obligeait l'Etat à coordonner les activités secteur par secteur. Dans le sucre, par exemple, la situation était critique dès 1915, contrairement à toutes les prévisions : avec les champs de betterave de Prusse et le renfort de sucre autrichien, on pouvait espérer un excédent. En 1914-1915, en raison des différents usages faits de la betterave, l'Allemagne consommait 5 millions de quintaux de plus que l'année précédente. On utilisait la mélasse pour nourrir les bestiaux, mais aussi dans l'industrie chimique. En avril 1915, le prix du sucre était monté en flèche, provoquant un panique dans les magasins. L'Etat dut intervenir, empêcher qu'on nourrisse les animaux avec du sucre, interdire l'emploi du sucre dans la fabrication des savons (sauf autorisation spéciale du chancelier d'Empire). La création d'un Office de guerre pour l'alimentation devait permettre la recherche de nourritures de substitution et une meilleure répartition des stocks existants. C'est ainsi qu'on décida de faire entrer pour 30 % les pommes de terre dans la fabrication du pain, on restreignit la consommation de bière, réservée aux militaires et aux travailleurs de force. Le chou-rave utilisé pour l'alimentation des vaches laitières fut désormais servi aux tables les plus bourgeoises. On alimentait les vaches à la paille et au foin.

La recherche d' « *ersatz* » (succédanés) était encore beaucoup plus poussée dans le domaine industriel. Avec ses 95 000 automobiles, l'Allemagne importait avant la guerre 14 000 tonnes de caoutchouc. Le blocus interdisait d'en acheter. En 1915, les chimistes en étaient à rechercher des procédés pour régénérer le caoutchouc, ils ne savaient pas encore en réaliser la synthèse. Par contre, ils produisaient du camphre, de la thérébentine, de l'huile de goudron de houille. L'intervention de l'Etat était indispensable pour obtenir le contingentement de produits employés jusque-là dans les fabrications, afin de les réserver aux ateliers de guerre.

L'Etat s'employait aussi à ouvrir les frontières, malgré le blocus, aux produits de première nécessité. Il n'y parvenait pas si mal. La Suisse et la Hollande étaient des interlocuteurs privilégiés dont il fallait constamment négocier la participation à l'alimentation des empires centraux assiégés. Le port de Marseille, celui de Gênes avaient vu leur trafic avec la Suisse s'accroître dans de notables proportions : 154 000 tonnes pour Marseille en 1914, 397 000 en 1915. La complicité des réexportateurs suisses était évidente. Un « Comité de dérogation aux prohibitions de sortie » avait été mis en place en France pour surveiller ce trafic suspect avec les neutres. Plusieurs millions de tonnes sortaient ainsi des ports français à destination de la Scandinavie, de la Hollande, de la Suisse. Le 17 août 1915, on avait saisi sur un vapeur danois plus de 110 tonnes de graisse végétale alimentaire embarquée à Marseille; le 9 novembre, à Bordeaux, 150 tonnes d'huile d'arachide destinées à la Norvège. Les Norvégiens manquaient-ils à ce point d'huile? Le Quai d'Orsay multipliait en vain les représentations. Les agents allemands étaient bien protégés. On ne pouvait rien contre les prétendus Suisses qui organisaient les convois : le « major » Grimm à Gênes, un certain Hübscher à Marseille, tous étaient en règle...

Les consuls allemands s'employaient partout à contrebattre les mesures de blocus. De larges ouvertures subsistaient, celles d'Orient par exemple : malgré la crise des transports, jamais l'Autriche ni l'Allemagne n'ont manqué de tabac et de coton turcs, de café, de blé roumain (sauf pendant une courte période). Les portes de la Baltique étaient fermées par l'Allemagne aux Alliés. Elle avait donc les moyens de bénéficier pleinement des services des neutres scandinaves que la diplomatie allemande s'employait à soustraire aux pressions des Alliés.

Ceux-ci avaient mis au point une procédure renforcée du blocus. Les mesures de la Déclaration de Londres du 26 février 1909 n'étaient pas assez efficaces. Sans doute avait-on interdit de manière absolue la « contrebande » des armes et des munitions aux neutres. On avait aussi allongé la liste « conditionnelle » des 14 articles (vivres, fourrages, lubrifiants, combustibles) qui pouvaient faire l'objet de saisies s'il était prouvé qu'ils étaient destinés à la guerre. Mais comment s'emparer en mer de lourdes cargaisons, même si l'on avait la preuve qu'elles devaient être débarquées dans des ports ennemis? On ne pouvait couler les navires des neutres, et l'on n'avait pas les moyens de transborder les marchandises. Par ailleurs, les capitaines se refusaient avec indignation à se laisser conduire dans les ports alliés. Ils y furent cependant contraints, sous prétexte qu'ils risquaient, sans pilotage, de sauter sur les mines... Les Anglais purent ainsi visiter et saisir plus de 2 000 navires neutres pendant les six premiers mois de 1915. Ils trouvaient intolérable que le commerce américain avec le Danemark se fût multiplié par 13 en un an. En août 1915, ils allèrent jusqu'à prohiber le coton américain que l'on employait dans les fabrications de poudres. Tollé aux États-Unis! En juin 1915 la France avait fait adopter le système du contingentement qui assignait aux neutres une limite à leur trafic, calculée suivant leurs besoins normaux. Malgré toute la vigilance des comités de surveillance spécialement créés, les failles, les fuites, les truquages organisés par les consuls allemands étaient innombrables, avec parfois la complicité d'exportateurs anglais et même français.

Allemands, Autrichiens, Hongrois devaient compter d'abord, pour nourrir leurs peuples en guerre, sur leurs propres ressources, ce qui incita les gouvernements à organiser des économies d'exception, beaucoup plus « dirigées » que celles des pays occidentaux. En Allemagne où la crise de la main-d'œuvre avait fait chuter brusquement la production de houille (10 millions de tonnes de moins dans la Ruhr en 1915), des mesures s'imposaient. Par la loi impériale du 4 août 1914, le *Bundesrat* avait les moyens de « parer aux dommages économiques », y compris par la taxation des prix. En 1915, l'État rendit obligatoire la constitution de syndicats de producteurs. Une Commission des charbons fut créée en 1916 à Berlin au ministère de la Guerre. Les pouvoirs publics devenaient, selon l'expression de Maurice Baumont, « les protecteurs et presque les associés du syndicat rhéno-westphalien » qui jouait parfaitement le jeu de la coordination de la production. La réglementation sévère, le rationnement rigoureux étaient les corollaires de cette reprise en main de la production, permettant de maintenir les prix à des niveaux acceptables. L'organisation contribua à éviter la pénurie : L'Allemagne en guerre put suffire à ses besoins et même exporter chez les neutres le charbon exploité en Belgique.

L'exemple du charbon fut suivi dans toutes les branches de l'industrie. Walther Rathenau avait créé dès le 15 août 1914 un Office des matières premières pour la guerre. Des sociétés « de guerre » étaient mises en place dans les métaux, les industries textiles et chimiques ; elles exerçaient un contrôle sur les prix et les fabrications, répartissaient les matières premières que l'on avait de plus en plus de mal à importer. Des « offices » étaient parallèlement mis en place pour répartir, réquisitionner et taxer les denrées agricoles. Les céréales, les pommes de terre, la betterave faisaient l'objet de réglementations particulières. En 1916, un Office pour le ravitaillement de guerre se superposait à tous les organismes existants afin d'obliger les régions les plus riches à exporter vers les plus pauvres.

L'intervention de l'État n'était pas moins sensible, dans tous les domaines, en Autriche et en Hongrie. Les mesures les plus spectaculaires étaient prises dans l'industrie où les ressources en matières premières et en énergie étaient bien moindres. L'Autriche devait consacrer tout son charbon aux fabrications de guerre. La population en manquait cruellement. Pendant l'hiver 1915-1916, le prix du sac de charbon tripla, les pauvres ne pouvaient plus se chauffer. Les magasins de Vienne éteignaient leurs vitrines dès 19 heures pour économiser le gaz. La crise était encore plus aiguë en Hongrie où la population de Budapest se disputait, en faisant la queue, les sacs de charbon vendus à prix d'or. On récupérait partout les vieux métaux, les ferrailles, les rails usagés, les poutrelles, pour faire des obus. On interdisait l'emploi du cuivre dans la fabrication des casseroles, mais aussi dans l'industrie électrique, le bâtiment, la construction de machines. On ôtait les toitures de cuivre dans Vienne même et au château du prince de Schwarzenberg. Au grand scandale des fidèles, on saisissait les cloches de la cathédrale de Salzbourg. Plus de pièces de nickel en circulation. Dans la rue, les gosses récupéraient les capsules de plomb des bouteilles de bière.

La situation était tragique dans le textile où la laine et le coton disponibles étaient réservés aux fabrications de l'armée. Un Office impérial du vêtement avait une section spéciale chargée de fournir des manteaux misérables aux pauvres de Vienne. 10 000 métiers à coton tournaient encore, sur les 130 000 en activité avant la guerre. Les femmes portaient au Prater des chaussures à semelles de bois articulées, dites « chaussures normales de guerre ». Les jarretières étaient introuvables. Seules circulaient dans la rue les automobiles de la maison impériale, des officiers ou des fonctionnaires. Budapest, pas plus que Vienne, n'avait de taxis-autos. On était revenu au temps des fiacres.

L'Autriche et la Hongrie n'auraient pas du connaître la disette, elles avaient des agricultures riches. Mais les classes mobilisées étaient nombreuses, les engrais absents. En 1916, le gouvernement de Vienne avait créé un Office de guerre du commerce du blé, avec tous pouvoirs d'embargo, de réquisition, de taxation. Des prix maxima étaient fixés en 1916. A cette date, on rationnait la farine dans Vienne, on interdisait la fourniture de pain aux restaurants. Des cartes de pain étaient distribuées à la population des villes. Ces mesures restrictives étaient également prises en Hongrie où la situation était pourtant moins grave. Vienne avait dû lutter en 1916 contre une véritable « famine de pommes de terre » et Budapest jeter l'embargo sur la récolte des pois, des lentilles et des haricots. Les arrivages de viande au marché Saint-Marc de Vienne avaient considérablement baissé. On avait interdit l'abattage des vaches laitières et limité à un seul plat de viande (mesure draconienne pour l'époque) les menus des restaurants. Une flambée des prix des légumes verts, choux et épinards, avait incité les Viennois à manger, comme les Berlinois, des choux-raves. Ils ne pouvaient plus acheter de yogourt ni de glaces. Les pâtisseries de Vienne étaient devenues sinistres. Naturellement, pas de beurre et peu d'huile, sauf pour les riches qui les payaient très cher. Même la bière était contingentée. On ne pouvait boire du café qu'à certaines heures. Encore était-il difficile de le sucrer car l'Autriche, largement exportatrice de sucre avant la guerre, connaissait, même dans ce domaine, le rationnement.

Ainsi, en Europe centrale, les dispositions prises renforçaient le pouvoir économique des administrations beaucoup plus que dans les démocraties de l'Ouest. Le poids de l'État pesait lourd dans la vie quotidienne. Les fonctionnaires taxaient, réquisitionnaient, n'hésitaient pas, en Autriche, à faire appel à la délation pour dénoncer les paysans dissimulateurs de récoltes. Ils frappaient d'amendes les consommateurs indisciplinés, obligeaient les producteurs à tenir compte en priorité des plans de l'État. Mais nulle part la lourdeur de la machine administrative n'était plus pesante qu'en Russie.

Car la Russie, aussi bien que l'Allemagne et l'Autriche, souffrait cruellement du blocus de guerre. Si les Anglais bloquaient la mer du Nord, les Allemands étaient les maîtres de la Baltique, les Turcs de la mer Noire : une seule route pour ravitailler les sujets du tsar, celle du Grand Nord, par Arkangelsk. Mais elle n'était libre de glaces qu'à partir du 15 mai. Il n'y avait que 17 brise-glace dans le port pour faire entrer les transports les plus urgents. Les Russes ne pouvaient recevoir les fournitures militaires venues de France et d'Angleterre que par cette voie. Il était évidemment exclu qu'ils pussent l'utiliser à des fins autres que militaires.

D'importants contrats de matériel et d'armement avaient été conclus aussi bien aux États-Unis que dans les pays européens. Les Russes avaient aussi besoin de certains produits indispensables pour la fabrication des munitions, comme le nitrate d'ammoniac qu'ils se procuraient en Norvège. L'armée devait recevoir 50 000 obus par jour et une grande quantité de fusils : elle en avait commandé

500 000 au Japon, avec les cartouches correspondantes. L'industrie russe n'était pas en mesure de satisfaire la demande d'armes et de munitions. L'état-major français avait dû envoyer des spécialistes, en accord avec la firme Schneider du Creusot, pour installer des usines de montage de 75 et d'obus.

La plus importante usine d'armements était débordée, bien qu'elle fît travailler des équipes jour et nuit et qu'elle eût agrandi ses installations. Les usines Putilov sortaient de 120 à 175 canons de campagne par mois. A Petrograd (ainsi avait-on rebaptisé Saint-Pétersbourg dont le nom avait une consonnance par trop germanique!), l'usine de fusées employait 13 000 ouvriers, dont 3 000 femmes, et permettait d'assembler les obus tournés sous la direction de la mission française du colonel Pyot. Les explosifs se fabriquaient dans la banlieue de la capitale, à Okhta. On y fabriquait aussi annuellement 800 millions de capsules pour cartouches, mais il en fallait 2 milliards et demi! La poudre provenait de l'azotate d'ammoniac importé de Norvège sous le nom d' « engrais ». Il était urgent de fabriquer ces armes et ces munitions : 1 800 000 hommes attendaient dans les dépôts, avec un fusil pour 5 pour leurs séances d'instruction. Mais comment harmoniser le ravitaillement en balles et la réparation des armes alors que les Russes avaient en mains, outre leurs armes nationales, des fusils anglais, français, américains et japonais? L'usine de Toula, la plus importante, ne pouvait fournir que 75 000 fusils par mois.

Après la retraite de 1915, toutes les entreprises de Russie durent travailler pour la guerre. Les bourgeois de Moscou et de Petrograd s'indignaient que l'armée russe n'eût pas à sa disposition tous les moyens nécessaires. Ils militaient pour la mobilisation des énergies et pour l'abandon du système bureaucratique, nuisible à la production. L'administration avait largement montré son impuissance. Elle n'avait su ni équiper l'armée, ni la ravitailler, ni assurer les soins élémentaires aux blessés. Au regard du front allemand, la guerre, du côté des Russes, paraissait une monstrueuse improvisation. L'arrière n'était nullement sensibilisé aux efforts nécessaires. Les assemblées de districts ou *zemstvos* avaient dû se charger des tâches que l'administration était incapable d'assumer. Les municipalités avaient aussi fait leur devoir : elles avaient assisté de leur mieux l'armée. Les services sanitaires, l'entretien des routes, la fourniture des ambulances étaient leur fait. L'autocratie et ses innombrables serviteurs n'avaient rien pu faire pour soulager les malheurs de l'armée. Combien de grands soldats blonds des régiments de la Garde étaient morts au bord des pistes, faute de soins? Les élus des zemstvos avaient spontanément pris en charge l'assistance médicale. Ces initiatives ne faisaient pas plaisir aux ministres et aux conseillers de la Cour, mais le moyen de les décourager alors que toute la machine d'État s'avérait inefficace?

Menés par les bourgeois ou par des paysans évolués – ceux qui, dans Soljénitsyne [6], commandaient avant guerre de beaux tracteurs en Allemagne–, les conseils municipaux et les conseils de zemstvos font œuvre utile et efficace. Ils réunissent l'argent, frappent, s'il est besoin, aux portes officielles, organisent des collectes, assurent l'évacuation et le rapatriement des blessés. 150 000 lits sont installés dans les villages, beaucoup plus sans doute dans les villes, et dans les hôpitaux de fortune où travaillent infirmières bénévoles et médecins improvisés. Des postes de ravitaillement sont disposés aux étapes ou à l'arrière des fronts pour accueillir les soldats fatigués ; des vêtements chauds, des médicaments sont prévus, et même des trains avec des wagons pour les bains et douches. Dans la zone du front, les comités se préoccupent de l'évacuation des réfugiés, puisque c'est désormais aux Russes de reculer en abandonnant à l'ennemi leurs villages.

Les bourgeois des zemstvos et des conseils de villes trouvent insupportable la situation des fournitures aux armées. Ils exigent des mesures d'ordre, un sursaut national. Ils sont fort sensibles aux discours tenus par les députés de la Douma et les représentants de l'industrie russe au « congrès des industriels russes » de Pétrograd. Faut-il continuer la guerre, a demandé le député Manserev, alors que le « fonctionnaire ne fait rien, qu'il ne pense qu'à s'épargner tout travail, à fuir toute responsabilité ? » Il faut un régime fort et décidé, afin d'améliorer la situation des armées. Elles manquent de tout, dit le président de la Chambre de commerce de Moscou, Radouchinski, aussi bien de munitions que d'équipements. L'industrie doit suppléer aux carences de l'administration : à la porte, les ministres incapables! On suggère une pétition à l'empereur pour qu'il change ses ministres, en particulier le triste Kokovstov, vieillard sans énergie. « Désormais, dit Rodzianko, président de la Douma, tous les citoyens russes ne doivent avoir qu'un mot d'ordre : tous et tout pour l'armée! La bureaucratie plus ou moins archaïque ne peut suffire à la tâche. Il faut que le pays intervienne de toute sa force vitale. »

Et les délégués décident d'organiser dans toutes les régions industrielles des comités chargés de dresser la liste des entreprises qui peuvent fabriquer des munitions, d'élaborer des plans de travail, de coordonner la production des différentes usines et de se tenir sans cesse en liaison avec l'armée, les délégués des chemins de fer et des compagnies de navigation.

L'opposition gronde et grandit au congrès de l'Union des villes en mars 1916 : « Le gouvernement, dit le délégué Astov, est tombé entre les mains de bouffons, d'aigrefins, de traîtres! Nous ne pouvons plus lui dire : revenez à vous! mais : partez! » Au congrès

6. A. Soljénitsyne, *Août quatorze*.

des *zemstvos*, la même année, le prince Lvov déclare « la patrie en danger ». Dans tout le pays se multiplient les congrès : des chemins de fer, des « *koustaris* » (artisans des villages autour de Moscou), des petits industriels, des écoles techniques, des ouvriers réfugiés des régions envahies... Un comité central des industriels se constitue, avec pour président Avdakov et les maires de Petrograd et de Moscou, le comte Tolstoï et Tchelnokov, les députés les plus en vue de la Douma. Il forme en son sein des sections spécialisées pour les machines, les avions, les transports, les combustibles, les obus, les explosifs, pour tout ce qui intéresse la guerre et la production. Il organise des comités locaux, avec des délégués dans toutes les régions industrielles. Il traque les usines mal utilisées, les fabriques abandonnées. A Tambov, la commission spéciale crée immédiatement des ateliers. A Voronej, elle organise une quête qui rapporte 12 000 roubles, pour fabriquer des grenades. A Perm, les représentants des usines de l'Oural décident de mobiliser toute leur région. A Samara, on dégage un crédit de 100 000 roubles pour le comité « militaro-industriel ». Un autre se crée à Tiflis, dans le Caucase; celui de Tagamgrog reçoit une importante commande de l'État pour ses usines. Les sociétés savantes et les écoles se mobilisent. La Société impériale technique constitue un comité pour se mettre à la disposition des entreprises. L'Institut technologique de Kharkov assure la formation des ouvriers de plusieurs provinces. La Haute École technique de Moscou ne travaille plus que pour les armements. Le comité de la Bourse de Moscou réunit par souscription 10 millions de roubles pour construire deux usines de munitions. On dénonce dans la presse le scandale des grandes usines qui ne travaillent pas encore pour la guerre. On s'indigne de l'incurie administrative qui, après avoir confisqué les firmes allemandes, n'a rien prévu pour les utiliser : ce que réclame la bourgeoisie marchande et industrielle, ce n'est plus un régime de liberté qui mette fin à l'autocratie, c'est une véritable dictature de guerre technocratique.

Logiquement, en effet, l'instauration des régimes de guerre renforce le pouvoir politique en amoindrissant le contrôle démocratique, pour plus d'efficacité. Mais, en Russie, rien ne se passe comme ailleurs. Le progrès ne peut résulter que d'un affaiblissement de l'autocratie, devenue tyrannie frileuse. Le tsar a reconnu dès 1915 la nécessité de créer un pouvoir militaire fort, indépendant des pressions de la cour et des impatiences de la *Douma*. Il a renvoyé l'incapable Soukhomlinov, remplacé par un technicien, créateur de l'artillerie moderne en Russie, Polivanov. Celui-ci a confié à Paléologue qu'il lui avait paru urgent « de créer la Direction suprême de la guerre. A cet égard, a-t-il ajouté, j'ai obtenu de l'empereur des pouvoirs dictatoriaux et j'ai commencé à en user ». Il prétend vouloir associer la Douma à son œuvre, car elle « représente la volonté du pays ». Est-ce la condition du redressement ?

Le régime est fort pour les faibles, et faible pour les forts. Le tsar, qui avait promis en août « la reconstitution de la nation polonaise » sous son sceptre, laisse son ministre de l'Intérieur préciser en décembre que ce discours s'adresse aux Polonais non-russes, à ceux que le tsar compte bien arracher aux Allemands et aux Autrichiens. « Nous sentons que les Russes cherchent déjà à éluder leurs promesses », note le comte Potocki. Jamais la « russification » n'a été aussi brutale dans les pays dominés par le tsarisme. Au lieu de trains de munitions, on envoie des « trains de popes » au grand-duc Nicolas quand celui-ci entre avec ses troupes dans les villages ruthènes (c'est-à-dire ukrainiens de religion uniate) de Galicie orientale. Le tsar veut à tout prix convertir les gens à la religion orthodoxe. En Finlande, les libertés locales sont restreintes, les écoles surveillées. Les juifs sont une fois de plus l'objet des brimades : on les déporte massivement des zones d'opérations.

L'opposition libérale en Russie n'est pas systématiquement écartée, mais le tsar, s'il fait mine de la respecter en 1915, ne l'associe pas aux affaires : il a le droit constitutionnel de légiférer par décrets et ne manque pas de recourir à cette procédure. Il réunit la Douma le moins possible : le président de l'assemblée n'a-t-il pas eu l'audace de lui dire, en février 1916, qu'il fallait chasser « Grégori » de la Cour ?

Grégori, c'est Raspoutine, le moine inspiré qui a su se concilier la confiance de la famille impériale, en soignant le tsarévitch malade. Personnage corrompu et cynique, il fait les nominations aux plus hauts emplois et contribue à empoisonner l'atmosphère de la cour. La presse fait silence sur ce scandale, mais on en parle constamment dans les cercles de la bourgeoisie libérale. En vain le président de la *Douma* dénonce-t-il « l'apathie du pouvoir ». Quand le tsar renvoie son président du Conseil Goremykine, c'est pour le remplacer par Stürmer, le candidat de Raspoutine. Sazonov, qui n'est pas d'accord avec la politique polonaise du tsar, abandonne les Affaires étrangères : un portefeuille de plus pour Stürmer, germanophile notoire, très surveillé par Paléologue et lord Buchanan. Comment la bourgeoisie russe, patriote et guerrière, aurait-elle confiance en un tel homme ? D'autant que le nouveau ministre de l'Intérieur, l'industriel Protopopov, est l'ami du banquier allemand Warburg qui intrigue pour obtenir du tsar une paix séparée. A la Douma, on crie « à bas les traîtres ! » lorsque paraît Stürmer au début de la session.

Ce régime discrédité n'est pas capable de dominer l'économie en crise. La bureaucratie mène une lutte sournoise contre les comités et assemblées patriotiques qui souhaitent prendre directement en charge la gestion de la guerre. « Il faudrait un dictateur », soupire le chef d'état-major Alexeïev. Le désordre de l'immense empire va croissant. Dans 46 gouvernements, les produits manufacturés ne se trouvent plus sur aucun marché. La reconversion des entreprises a permis de fabriquer des armes et des munitions, mais au détriment des biens de consommation. On ne trouve plus une paire de chaussures, un coupon de tissu, un tracteur, une pompe à moteur, une batterie de casseroles. Les prix montent en flèche. Faute de transports et de main-d'œuvre, les denrées les plus indispensables viennent à manquer dans les villes. Il faut organiser des expéditions vexatoires pour se procurer du blé. Sans les zemsvtos et les conseils urbains, la Russie serait en pleine anarchie.

L'évolution est exactement inverse dans les monarchies d'Europe centrale où le pouvoir élimine ou réduit toute contestation. En Russie, les libéraux demandaient au tsar de régner, d'être efficace, d'établir une dictature des capacités. En Allemagne et en Autriche-Hongrie, le pouvoir rassemble ses forces et ses moyens de contrainte pour grouper autour de lui, dans un style autoritaire, tous les moyens politiques nécessaires à la poursuite de la guerre.

Le comte Stürgkh, président du Conseil en Autriche, appliquait strictement les méthodes de l'oppression administrative dont l'empire avait, depuis Metternich, une longue expérience. Les décisions se prenaient dans les bureaux feutrés du pouvoir et n'étaient pas commentées dans la presse. Conrad von Hötzendorf et le grand état-major étaient les véritables maîtres. L'administration civile leur était soumise. Les officiers allemands qui entouraient Conrad n'avaient guère de sympathie pour les Slaves. Ils ne se gênaient pas pour mettre l'opposition sous surveillance, même à Prague, et tenir les Serbes, Croates, Slovènes et Polonais pour des étrangers dont il fallait se défier. Les universités, les écoles, les établissements publics sont contrôlés, les réunions interdites, les journaux muselés. Dans ces conditions, l'opposition accueille avec curiosité, puis avec sympathie les propositions des puissances extérieures, voire des pays ennemis. En Bosnie-Herzégovine, les agitateurs constituent des sociétés secrètes de résistance qui commencent à préparer l'avenir, en liaison avec des groupes serbes. L'exil en Hollande du tchèque Masaryk inquiète le gouvernement Stürgkh. Il est populaire à Prague et sera bien reçu dans toute l'Europe. Capable d'animer un mouvement d'indépendance, Masaryk est bientôt signalé à Rome, puis à Berne, il prend des contacts avec les Alliés : lui aussi prépare l'avenir. Les généraux autrichiens n'en surveillent qu'avec plus de rigueur les soldats tchèques ou slaves, nombreux dans les unités et dont beaucoup ont déserté durant l'hiver 1914-15.

Il est vrai que les promesses faites par Paris et Londres aux Italiens pour les entraîner dans la guerre éloignent de l'Ouest les

Yougoslaves qui n'osent plus protester contre leur état de sujétion. L'ordre n'est pas troublé à Vienne ni dans les provinces. Le gouvernement peut se permettre d'arrêter à Prague le chef libéral Kramarsch, sans susciter aucune émotion apparente. La dictature militaire et administrative, renforcée par la guerre, tient les pays. L'empereur ne prend pas la peine, à Vienne, de convoquer le Parlement. Les populations de diverses origines qui constituent la double monarchie sont résignées à subir la guerre sous l'étendard anachronique des Habsbourg.

Les Hohenzollern s'identifient de plus en plus avec cette guerre. Guillaume II multiplie ses visites au front. Le Kronprinz, ses parents, ses frères, ses cousins de Bavière ou de Wurtemberg poursuivent leur guerre de princes sans se douter que la négligeable opposition qui s'était manifestée dès le mois d'août risque un jour de se transformer en volonté de rejet du régime dynastique et monarchique.

L'empereur croyait nécessaire de conforter le pouvoir exécutif tout en lui conseillant en toutes circonstances de se mettre à la disposition de l'état-major. Le chancelier Theobald von Bethmann Hollweg était un ami d'enfance : sa famille comptait à la fois des banquiers de Francfort et des junkers prussiens, l'ancienne et la nouvelle Allemagne, des conservateurs et des libéraux-nationaux. Il disposait, au Reichstag, d'une majorité de droite. Les socialistes ne pouvaient s'allier aux libéraux « progressistes » pour menacer son pouvoir. D'ailleurs, le régime spécial du temps de guerre donnait aux souverains des différents États des pouvoirs étendus. Le roi avait le droit d'y légiférer par ordonnances sur tous les sujets intéressant la sécurité. Le Reichstag avait lui-même abandonné ses pouvoirs législatifs en les déléguant au *Bundesrat* pour toutes les questions d'ordre économique. Même si le *Reichstag* émettait un vote de défiance, il n'avait pas le pouvoir constitutionnel de renverser le gouvernement du chancelier qui ne dépendait que de l'empereur.

Le geste de Liebknecht, refusant en 1915 de participer au vote des crédits militaires, était d'un isolé, même si les « minoritaires » faisaient déjà entendre leurs voix dans les réunions socialistes de Hambourg, de Brême et de Leipzig. Pourtant, les socialistes de toutes tendances, pendant l'été de 1915, n'avaient pu manquer de se démarquer de tout programme annexionniste, tempétueusement affirmé par les « grandes associations allemandes » et par la « pétition des professeurs, diplomates et hauts fonctionnaires ». Ils avaient clairement dit qu'ils étaient hostiles à l'annexion de la Belgique. Bethmann Hollweg n'eut pas grand mal à les rassurer : même s'il avait pris à son compte le programme des industriels, il n'avait pas fait de déclaration publique à ce sujet. Au reste, il a de quoi séduire Scheidemann, le leader des socialistes majoritaires qui continuent à voter régulièrement les crédits de guerre : il lui promet une réforme démocratique du très inégalitaire régime électoral prussien; ainsi, dit-il devant les ministres de Prusse, les sociaux-démocrates resteront-ils « attachés au mât ».

Les minoritaires regimbent, car le chancelier fait le 9 décembre 1915 une déclaration au Reichstag en faveur d'une paix de victoire : « La paix future, dit-il, devra comporter pour l'Empire allemand de larges garanties. » Liebknecht et ses amis ne sont plus d'accord : ils admettaient, contre la Russie détestée, une guerre défensive, ils ne sont pas pour une paix « sur le tambour ». Depuis le 24 mars 1916, la scission du parti socialiste est irrémédiable. La gauche du *Spartakusbund* défile derrière le drapeau rouge dans les rues de Berlin, le 1ᵉʳ mai, en criant « A bas la guerre! » Liebknecht est condamné à quatre ans de prison. A Vienne, quelques mois plus tard, un jeune socialiste, Adler, secrétaire du parti, tue le comte Stürgkh à sa table de restaurant. L'émotion est grande dans les pays de l'Entente. A Berlin, on commence à jaser sur la « faiblesse » de Bethmann-Hollweg. Le drapeau rouge a fait peur. Les nouveaux chefs de l'état-major, Hindenburg et Ludendorff, ne plaisantent pas avec la cohésion nationale. Ils sont pour une répression sans nuance. Dans leur idée de guerre totale, il n'y a plus place pour les habiletés et la souplesse. Ils imposent à Bethmann-Hollweg la poursuite et le durcissement de la guerre sous-marine. Le chancelier proteste : mais c'est le *Reichstag* qui lui donne tort. Ce n'est pas autour de son gouvernement que l'Allemagne guerrière est soudée, mais bien derrière son état-major.

Ainsi tous les gouvernements d'Europe sont placés sous un régime de tutelle de plus en plus contraignant. Même la Suisse met sa constitution en veilleuse : les assemblées législatives, le 3 août, ont donné au Conseil fédéral un « pouvoir illimité » pour prendre « toutes les mesures nécessaires à la sécurité du territoire et au maintien de l'activité économique ». La malheureuse Belgique envahie, bombardée, occupée, qui a déjà perdu 5 000 victimes civiles, a gardé un gouvernement : le roi, qui commande l'armée, réside à La Panne. Son cabinet est en France, à Sainte-Adresse, près du Havre. Les Chambres ne siègent plus. Le gouvernement français, replié sur Bordeaux, a légiféré par décrets en l'absence du Parlement. Pourtant, au début de 1915, celui-ci siège de nouveau en session normale, et la vie politique reprend, tout en étant étroitement dominée par la guerre : le secret militaire et la censure évitent les débats publics et les mises en cause fracassantes. Cependant, les déceptions des hivers de guerre provoquent des mutations spectaculaires et même des crises gouvernementales : Clemenceau attaque vivement le ministre de la Guerre Millerand à la commission sénatoriale de l'armée; il l'accuse d'avoir toléré les insuffisances en matériel et en munitions, il exige des missions parlementaires de contrôle aux armées, contre Joffre qui ne veut pas « se laisser envahir par les civils ». Millerand doit accepter de nommer sous son autorité quatre secrétaires d'État, dont Albert Thomas aux armements, qui limitent ses attributions. Après Millerand, Delcassé : il est rendu responsable des mécomptes diplomatiques de la France qui n'a pas su rallier à sa cause certaines nations balkaniques. Delcassé et Viviani se retirent : le gouvernement est par terre, en pleine guerre.

Aussitôt Briand vient au pouvoir, avec le populaire Gallieni à la Guerre. Voilà qui calmera les adversaires de Joffre : on sait que les deux généraux ne s'entendent plus. De fait, en pleine tribune, Gallieni accuse Joffre d'outrepasser ses pouvoirs. Va-t-on se défaire du vainqueur de la Marne? C'est Gallieni qui s'en va, remplacé par un radical-socialiste ami du généralissime, Roques. Plus tard, après les effets douloureux de l'offensive allemande sur Verdun, le gouvernement doit accepter que la Chambre se réunisse en « comités secrets » pour entendre des révélations à huis clos sur la conduite de la guerre par l'état-major. Cette décision marque une étape : désormais, celle-ci ne relèvera plus de l'autorité exclusive des militaires qui devront, qu'ils le veuillent ou non, y associer les parlementaires, les civils. Le président du Conseil Briand lance aux députés un avertissement : « Je vous le dis très haut, quel que soit le ministère qui siègera sur ces bancs, s'il n'a pas des pouvoirs de décision et d'exécution qui lui permettent d'agir avec promptitude, il sera dans les plus mauvaises conditions pour assurer la défense nationale. » Deux ans de pouvoir quasi absolu accordés à l'état-major ont provoqué une vive réaction du Parlement qui, pendant dix séances du comité secret, a critiqué avec la plus grande énergie la conduite de la guerre. Mais, puisque le pouvoir ne peut se concentrer autour de l'état-major , il faut à l'évidence qu'il soit saisi par une autre main : on attend l'homme providentiel qui saura s'imposer au Parlement et permettre au généralissime de continuer sa guerre. Tel est le sens de l'avertissement de Briand : une mise en garde au régime parlementaire dans des circonstances d'exception.

On déplore suffisamment, dans les journaux anglais, l'absence d'un grand état-major arbitrant entre l'ensemble des généraux en opérations pour que la question des rapports du régime et de ses militaires ne se pose pas dans les mêmes termes : pourtant Kitchener, le ministre de la Guerre, jouit d'un prestige certain dans l'opinion et d'une grande autorité, ce qui l'incite à poursuivre sa politique de guerre sans y faire participer ses collègues du Cabinet, pas plus que les députés aux Communes. On lui impute sans déplaisir les échecs de 1915, une campagne soutenue par French est entreprise dans le *Times* pour protester contre l'insuffisance des armements. Le colonel Repington, auteur des articles, met en danger le Cabinet au moment où le premier lord de l'Amirauté, Winston Churchill, est en conflit ouvert avec l'amiral Fisher qui ne partage pas ses vues sur les Dardanelles. Asquith doit changer de ministres. Le 18 mai 1915, il associe douze libéraux, huit conservateurs et un travailliste. S'il écarte Churchill, il maintient Kitchener qui se noie quelques mois plus tard lors du naufrage du croiseur *Hampshire*. Mais bientôt Lloyd George, le ministre libéral de la Guerre, et le conservateur Bonar Law s'impatientent. Les pertes sur la Somme sont lourdes, la politique de guerre est molle. Les vieux conservateurs se découragent. En Angleterre aussi, les partisans de la guerre à outrance utilisent les armes du régime parlementaire pour se débarrasser d'un gouvernement qu'ils n'estiment pas à la hauteur des circonstances. Comme en France, on attend l'homme providentiel qui saura imposer à la tradition libérale un régime de force, même s'il respecte les formes.

Faire accepter la poursuite de la guerre à une opinion publique lasse des longs hivers d'attente indécise et angoissée, telle est l'obsession des gouvernements. Même en Russie, après les premières défaites, le tsar se préoccupe d'associer – sans rien lui accorder – l'opposition libérale à l'effort de guerre. Il laisse se poursuivre, en tentant de le récupérer, le mouvement des *zemstvos* et des conseils de villes. Il ne libéralise pas le régime, mais au contraire le durcit sans que l'opinion en soit informée, car la presse est aux ordres du pouvoir : elle ne peut diffuser aucune information sur la Pologne, ni même sur l'Ukraine, qui ne soit absolument conforme au point de vue officiel. Il en va de même en Autriche : le rassemblement des énergies nationales passe par la mise sous surveillance des étrangers, des allogènes, des peuples soumis, Slaves, Tchèques, Polonais, Ruthènes.

L'Allemagne n'échappe pas à la règle. Après Tannenberg, elle avance vers l'est en territoire balte, puis polonais : elle poursuit, avec plus de brutalité, la politique qui a fait ses preuves en Belgique, terrorisant les populations civiles, s'appropriant tous les moyens de transport et de production. Sur son propre territoire, elle durcit considérablement son attitude à l'égard des peuples soumis, comme les Alsaciens-Lorrains. Le peu d'entrain des recrues sur le front de l'Ouest a incité les chefs d'unités à les utiliser en Russie, afin qu'elles ne soient pas tentées de déserter. De plus en plus, les Prussiens se sentent à Metz et à Strasbourg en pays étranger. Ils traitent en ennemis les habitants du *Reichsland*. Installé dans la région de Metz, le groupe d'armée Falkenhayn fait la loi. Les tribunaux militaires jugent « une foule de prévenus » (Roth) suspects d'espionnage ou de mauvais esprit. La presse étrangère est interdite, les journaux doivent « mettre l'accent sur les victoires militaires allemandes ». Les habitants qui manifestent leur sympathie à l'ennemi, par exemple en aidant les prisonniers français, nombreux dans la région, sont immédiatement jugés et condamnés pour « activités anti-allemandes » voire même pour « sentiments anti-allemands » Les tribunaux de Metz, de Sarrebruck et de Strasbourg ne désemplissent pas. Comme en Pologne, les Allemands veulent imposer leur langue et tous ceux qui sont surpris à parler français sont déférés devant les juges. Les officiers de passage qui vont entendre la messe dans les églises sont scandalisés quand ils entendent les curés prêcher en français. On interdit l'usage des catéchismes ou des livres de prières qui ne sont pas rédigés en allemand. Depuis l'automne de 1914, on parle ouvertement du démembrement du *Reichsland,* de l'incorporation de l'Alsace à la Bavière et de la Lorraine à la Prusse. Falkenhayn est partisan de cette solution radicale qui enlève tout espoir aux autonomistes. Seuls les socialistes poursuivent, avec Haase, la campagne pour l'autonomie. Bernstein et Kautsky sont les premiers défenseurs de la *Selbstbestimmung* (autodétermination). Rares sont ceux qui approuvent le maire de Metz Roger Forêt qui envoie au bourgmestre de Koenigsberg, après les victoires allemandes, un télégramme qui lui fut ensuite beaucoup reproché : « A la gardienne d'airain des marches de l'Est, Koenigsberg, sa camarade de combat des marches de l'Ouest, la ville de Metz... envoie ses saluts de fidèle patriotisme. Un Empire! Un Empereur! Une gloire! »

Si les habitants du *Reichsland* sont traités en suspects, ceux des régions occupées sont constamment soupçonnés de se livrer à des activités anti-allemandes et traités en ennemis. Les Belges sont suspectés d'espionnage et de sabotage. Il est vrai qu'ils sont nombreux à renseigner l'armée anglaise et à saboter les installations ferroviaires. Louise Bettigui est, par exemple, une espionne belge; Marthe Mac Kenna est une jeune fille qui se fait engager comme infirmière dans l'armée allemande : elle espionne bientôt la garnison de Roulers, transmet pendant la bataille de l'Yser des indications aux services secrets britanniques sur les passages de troupes, les renforts, l'état des munitions et des armes, les emplacements de l'artillerie et des camps militaires. Les informations passent en Hollande par des « coureurs volontaires organisés en relais ». La jeune Martha note l'arrivée en gare des trains de munitions, les quantités véhiculées par le vieux tramway à vapeur de Roulers transformé en transporteur d'obus. Décorée par les Allemands de la Croix de fer pour services rendus aux blessés, elle reçut... toutes les décorations alliées et faillit être fusillée par le contre-espionnage.

De plus en plus, les Allemands ont le sentiment d'occuper un pays unanimement hostile. La résistance s'organise autour des édiles qui suivent l'exemple d'Adolphe Max, bourgmestre de Bruxelles déporté en Allemagne en septembre 1914, et du recteur de l'université de Gand, Henri Pirenne, lui aussi déporté en 1916. Le clergé est un autre pôle de résistance. En Lorraine annexée, l'évêque de Metz avait été le seul à protester contre le nouveau régime militaire. A Malines, le cardinal Mercier est l'âme de la contestation permanente, alimentée par la presse clandestine : *la Libre Belgique* commence à paraître en février 1915.

Les rigueurs de l'occupation ne sont pas moindres dans les départements français envahis où l'administration militaire allemande soupçonne également la population de renseigner l'ennemi et de saboter les liaisons de l'armée. Pendant la campagne de l'Yser et des Flandres, ces soupçons correspondent à une réalité. Il est vrai que, sur l'ordre de Joffre, les Alliés lancent des raids de saboteurs expédiés par avion, qui trouvent ensuite refuge dans les villages. L'aviateur Jules Vedrines est un spécialiste de ce genre de missions : il dépose les volontaires à l'arrière des lignes allemandes. La garde des voies devient nerveuse, les réactions de l'occupant se font violentes. Le moindre incident devient prétexte à répression : à Lille, le fils d'un industriel tire sur des soldats dans la rue ; les représailles sont immédiates : quatre habitants sont fusillés. Quand le « bourgeois de Senlis » revient fin septembre dans sa bonne ville, on lui raconte que les Allemands ont fusillé le maire et six ouvriers pris au hasard, rendus responsables de coups de feu tirés dans les rues. Ce système des otages est maintenu pendant toute la durée de l'occupation, chaque fois qu'une menace pèse sur l'armée allemande ou plus simplement quand la population protège des soldats français ou anglais perdus derrière les lignes.

Ils sont nombreux dans la région de Saint-Quentin : ceux qui figurent comme « disparus » sur les états régimentaires cherchent à gagner par la Belgique la frontière de Hollande, quand ils ne vivent pas cachés dans leurs propres villages, territoriaux démobilisés et sans papiers. A Douai, les Allemands ont récupéré 2 000 de ces « disparus ». Ils se montrent intraitables chaque fois qu'ils ont la preuve qu'on a aidé des fugitifs : ils fusillent un garde-chasse accusé d'avoir caché des Anglais, prennent les maires en otages. La femme d'un meunier coupable du même forfait est condamnée à 5 ans de « maison de correction » et sa fille à un an de prison ; le moulin est brûlé. Deux soldats anglais cachés dans une maison de Saint-Quentin, Hands, du *King's Arvon Regiment,* et Hughes, du *Royal Irish Rifle* [7], sont fusillés comme partisans. La population, écrit Blancpain, « couvrit leurs tombes de fleurs et les entretint jusqu'au jour de l'évacuation ». A Laon, le capitaine Faudrey, du 205ᵉ R.I., est fusillé le 27 novembre 1915 : il avait perdu son unité pendant la retraite et se cachait chez l'habitant.

Les vrais saboteurs sont quelquefois pris : un sergent transporté

7. Marc Blancpain, *op. cit.*

en avion derrière les lignes par Védrines transmettait des renseignements par pigeon voyageur : il est déporté dans une compagnie disciplinaire. Un caporal « déposé » près de Rumigny est fusillé dans les fossés de la citadelle de Laon. Un saboteur « déposé » lui aussi par avion réussit à s'enfuir en Belgique, mais il est pris près de Liège et déporté en Allemagne. La *Kommandantur* de Saint-Quentin organise, en juillet 1916, un procès de 43 espions dont 9 sont condamnés à mort : des ouvriers de la ville! On soupçonnait d'espionnage les possesseurs de pigeons, les détenteurs d'armes de chasse, naturellement les heureux propriétaires de postes de T.S.F. Dans le meilleur des cas, les suspects sont envoyés en Allemagne comme prisonniers civils.

Il est vrai que, des régions envahies, les renseignements affluent constamment aux services français et anglais. Le commissaire d'Annemasse les transmet avec une grande minutie au 2e bureau, de même que les consuls et attachés militaires de Hollande. Ainsi, le 10 mai 1915, le 2e bureau est informé de l'existence d'un dépôt de dynamite dans une baraque de planches, près d'un moulin à vent, à 3 kilomètres de Saint-Quentin, et que deux mitrailleuses antiaériennes sont en position près de la gare, sur le toit plat de la banque Sourmais et Cie... Les emplacements des camps allemands, des batteries, des champs d'aviation sont notés. D'incroyables précisions sont transmises sur le réarmement de la place de Lille : les batteries dissimulées « par bosquets artificiels », les passages à niveau minés, les tranchées recouvertes de planches « supportant de la terre et du gazon ». Les Alliés sont informés du moindre détail par les professionnels, mais aussi par des bénévoles du renseignement et par les évacués des régions envahies qui ont transité par la Suisse.

Les Allemands ne sont pas les seuls à se montrer soupçonneux. Les Français aussi se méfient : à Roisel, petite ville située à 12 kilomètres à l'est de Péronne, cavaliers français et allemands se succèdent. Parmi les dragons français, des officiers spécialisés dans le contre-espionnage rassemblent, dit la chronique de la ville, « les personnes qui avaient été peu ou prou en contact avec les Allemands ». Elles sont interrogées sans relâche, incarcérées. « X. est arrêté. Il passe en conseil de guerre, il est convaincu d'intelligences avec l'ennemi et condamné à mort. Il est fusillé dans une prairie vers 2 heures de l'après-midi. A 4 heures, M. l'abbé Charlier se rend au lieu de l'exécution avec quelques personnes et un cercueil, met son corps en bière et l'enterre décemment. »

Les Français surveillent avec attention le comportement des responsables administratifs et municipaux dans les régions envahies. Quand celles-ci sont libérées, il y a des règlements de compte : c'est Joffre qui, parfois, demande des têtes : « M'est rendu compte –

télégraphie-t-il à Bordeaux le 14 septembre 1914 – que le maire et tous les conseillers municipaux de Vitry-le-François ont abandonné la ville et la population plus de 48 heures avant l'arrivée de l'ennemi. Vous demande de provoquer urgence dissolution du conseil municipal. » Il suggère ensuite la nomination d'autres personnalités d'une ville qu'il connaît bien, puisqu'il y avait installé son Q.G. Les « collaborateurs » des grandes villes occupées étaient signalés par les renseignements. On connaissait tel notable de Douai qui avait « reçu à sa table » le roi de Bavière ou le Kronprinz en mars 1915, puis en janvier et en mai 1916. On indiquait les églises qui acceptaient de recevoir les musiques régimentaires allemandes pour des concerts, celles qui célébraient des messes en l'honneur de l'empereur Guillaume. En octobre 1914, le colonel « breveté » de la Motte-Rouge, commandant les dépôts d'infanterie de Soissons et de Compiègne, avait été chargé d'une enquête sur le comportement des édiles et fonctionnaires de Château-Thierry. Le conseil municipal, note le colonel, avait disparu au moment de l'arrivée des Allemands. Pourtant, son attitude a été « digne d'éloges » pendant l'occupation. Le colonel signale que « des pillards civils se sont joints à l'ennemi pour commettre leurs méfaits, certains d'entre eux ont été arrêtés ». Une autre enquête est faite à Creil : là encore, la municipalité avait disparu avant l'entrée des troupes allemandes. Le colonel de la Motte-Rouge estime nécessaire de faire garder une société d'aniline installée dans la ville par les Allemands avant la guerre, où travaillait comme comptable le maire de Creil. Un capitaine de l'armée logeait chez lui, qui se disait ingénieur chimiste. Voilà le maire désigné comme suspect.

Toute la France recherche les espions : les enfants, les femmes, les gardes champêtres et les cantonniers, tous sont saisis d'*espionnite*. En Seine-et-Marne, on persécute un commerçant du nom de Reiss, allemand naturalisé. Un télégramme à la Guerre signale le cas d'un « nommé Malamaire », dont la femme est allemande. Les lettres anonymes encombrent les préfectures, mais les policiers ne négligent aucune piste : un « bon Français » signale au préfet de Niort « un monsieur Louis Bouyer, ancien voyageur des maisons allemandes en France, d'une mentalité antipatriote, ses conversations critiquent les généraux... » Il se vante « d'avoir beaucoup d'or et de le garder... » il « vend des gants sans payer patente et va de temps à autre à Monte-Carlo... Ce personnage, conclut le dénonciateur, serait à surveiller ».

Dijon, à proximité de la Suisse, est une des plaques tournantes de l'espionnage, aussi la police est-elle sur les dents : elle contrôle toutes les informations données par lettres anonymes. Un « groupe de Dijonnais qui veulent voir la France victorieuse » demande qu'un certain « capitaine Stauth, qui doit être en rapport avec de faux agents allemands, qui n'est pas français et dont la femme est allemande, soit envoyé en Turquie ». Tous les Dijonnais qui entretiennent une correspondance avec la Suisse sont *suspects du point de vue national* (c'est la mention qui est portée sur leurs fiches). Un fils d'Alsacien nommé Ederlin est surveillé parce qu'il recevait chez lui, avant la guerre, des marchands de chevaux allemands. Un caporal, ancien prisonnier évadé, est suspect parce qu'il envoie des cartes postales, par la Hollande, à son amie allemande. De vrais espions sont arrêtés : l'Italienne Olga Berardi, par exemple, qui, à 21 ans, « reconnaît avoir touché 500 francs du S.R. allemand pour venir en France chercher des renseignements. Son complice est un déserteur de la Légion qui photographie les camps d'aviation avec un appareil américain ». Les nourrices ou domestiques bourguignonnes rapatriées d'Allemagne font l'objet d'enquêtes serrées. Une certaine Adèle Milliot, gouvernante à Hambourg, continue d'écrire en Allemagne par la Suisse. Elle a été employée chez les plus hautes familles aristocratiques. La lecture de ses lettres est décevante. « Continuez! » dit le préfet au général qui dirige la censure postale.

Les étrangers sont l'objet d'une attention particulière. S'ils ne font pas toujours des suspects, ils sont souvent des mal aimés, en tout cas des maltraités. Les Alsaciens tout particulièrement. La police dijonnaise met systématiquement sur fiche les réfugiés des provinces annexées. Un camelot, Jean Rigenbach, titulaire de la carte tricolore de l'abbé Wetterlé (qui signalait aux autorités françaises le caractère irréprochable des Alsaciens et Lorrains dûment filtrés et interrogés dans des camps spéciaux) est surveillé parce qu'il écrit à un coiffeur de Bâle. L'abbé Collin-Lazare fait aussi l'objet d'une enquête : ce professeur d'allemand au collège Saint-François-de-Sales à Dijon est victime d'un recoupement : on a saisi sur un prisonnier allemand une carte postale envoyée par un certain Holberg, de Fribourg; Holberg y parle de l'abbé Collin; il affirme qu'il l'a connu comme ancien élève de la faculté de Fribourg. Cela suffit à rendre l'abbé suspect. Un charcutier, Georges Armbruster, est surveillé parce qu'il est le fils d'un fusillé pour trahison de 1870. « Vu son aisance actuelle, est-il inscrit sur sa fiche, la population l'accuse de se livrer à l'espionnage. »

Ces Alsaciens-Lorrains sont mal vus. Le général commandant la place de Dijon refuse de recevoir 33 personnes libérées d'un « camp de concentration » où elles avaient été internées près de Nice. Une commission spéciale les avait déclarés « bons Français ». Mais le général les repousse : « Il faut diriger ces hommes, écrit-il, sur une ville qui ne soit pas une plate-forme, Saint-Étienne, par exemple, où ils pourraient travailler. »

Il faut en effet leur offrir du travail pour qu'ils puissent sortir des camps. Un propriétaire de Gevray-Chambertin donne l'exemple : il accueille chez lui deux Alsaciens qui viennent d'Avignon. Mais il n'est pas suivi : les propositions sont rares. Craint-on des difficultés avec le voisinage, avec la police ? Les internés de l'île du Frioul, en face de Marseille, sont exaspérés. Le ministre de la Guerre reçoit le 17 novembre 1914 un télégramme l'avertissant de leur « mécontentement très vif » : lorsque les armées françaises ont pénétré en Alsace, expliquent-ils, les autorités militaires ont convoqué par voie d'affiches les hommes de 17 à 45 ans ». On leur a dit qu'en France, ils auraient du travail. « Nous estimons qu'on nous a trompés, car il n'avait jamais été question de nous envoyer dans un camp de concentration. » En octobre, Joffre écrit au ministre : « Le général commandant la 1ʳᵉ armée signale inconvénients du renvoi dans régions frontières des Alsaciens réfugiés à Besançon dont beaucoup sont dénués de ressources ou suspects. » Joffre demande qu'on les éloigne des Vosges, qu'ils soient répartis dans l'intérieur.

On les retrouve en Tarn-et-Garonne, dans le « dépôt » de la Bastille-Saint-Pierre. Quand ils arrivent avec leur sacs tyroliens cachés sous leur pèlerines les indigènes les prennent pour des « Boches ». Les familles ont été interrogées par une commission spéciale. Celles dont les sentiments sont « pro-allemands » ont été maintenues au camp sous surveillance : il s'agit, pense-t-on, d'émigrés allemands. Les autres demandent à rester au camp. Un petit nombre veut loger chez l'habitant. Ils acceptent de travailler, mais pas au rabais : ils demandent au moins quatre francs par jour. Le préfet insiste pour que les habitants les logent et leur fournissent de l'emploi. Certains sont même utilisés dans les fabriques d'armements, alors qu'ils ne cachent pas leurs sentiments pro-allemands : il est vrai qu'ils ont souvent servi dans l'armée ennemie et que leurs frères, leurs parents y font encore la guerre. Une certaine Augustine Winterberger, domestique à Nancy, ne veut pas sortir du camp : ses frères et son fiancé se battent sous l'uniforme allemand.

Ceux qui sont « français de cœur » sont naturellement bien accueillis par la population autour des centres de Réalville, Cayrac, Saint-Antonin, Sept-Fonds, Caussade et Nègrepelisse. D'autant mieux que l'administration verse aux logeurs une allocation quotidienne de 1 F pour les femmes et 1, 25 F pour les hommes. La plupart trouvent du travail et ceux qui avaient exprimé des sentiments pro-allemands finissent par demander leur hébergement chez l'habitant.

Ceux qui exigent de rester dans les camps sont aussi des Alsaciens désireux avant tout de rentrer en Alsace. C'était le cas des premiers réfugiés des Vosges, qui avaient déçu les Français parce qu'ils demandaient à regagner leurs villages, même réoccupés par les Allemands : ils se disaient « Alsaciens avant tout ». Certains d'ailleurs, au lieu d'être évacués vers la France, avaient été refoulés vers l'Allemagne sur ordre des généraux allemands. Ceux-là étaient originaires de la Haute-Alsace française ; ils devaient être recueillis (une centaine) en Bade, de l'autre côté du Rhin. Sans doute brûlaient-il aussi de retrouver leurs villages. Les Allemands, dans leur propagande, accusaient les Français d'avoir enlevé de force des femmes alsaciennes à Saale, de les avoir « enfermées dans des caves » à Saint-Dié, et « de leur avoir infligé toutes sortes de mauvais traitements ». Ces nouvelles, disait le rapport du S.R., « sont répandues partout dans la population alsacienne ». Les Français, de leur côté, utilisaient tous les témoignages montrant les prêtres alsaciens persécutés par les Allemands. Les réfugiés alsaciens et lorrains devenaient ainsi l'enjeu d'une guerre psychologique. Ceux qui étaient internés sur l'île de Tatihou, dans la Manche, subissaient une véritable captivité dans des conditions d'inconfort et d'insalubrité déplorables.

Sans doute de très nombreuses familles alsaciennes ont-elles été bien accueillies dans la population, hébergées, nourries, aidées. Les Alsaciens se sont employés dans les usines et dans les champs. La « carte tricolore », qui leur donnait en somme la nationalité alsacienne (on ne pouvait naturaliser français que ceux qui s'engageaient dans l'armée), leur permettait d'obtenir une identité, un statut, des droits de réfugiés. Ils étaient soutenus et encouragés dans leur intégration aux provinces françaises par les associations d'Alsaciens et de Lorrains qui se préoccupaient de trouver des écoles pour leurs enfants. Sans doute beaucoup d'entre eux craignaient-ils que les Allemands n'exercent des représailles sur leurs parents mobilisés, s'ils choisissaient le statut offert par le gouvernement français. La grande majorité d'entre eux voulait regagner au plus tôt l'Alsace, quel que fût son futur statut. Leur communauté était de nouveau déchirée, comme en 1871. La lourdeur et les improvisations du système d'assistance mis en place ne les avait pas efficacement aidés lors du premier accueil. Mais la crainte des espions et la psychose de la délation étaient telles qu'on préférait assurer la sécurité de la population française avant de penser aux avantages que les Allemands ne manqueraient sans doute pas de tirer du mauvais traitement réservé aux réfugiés alsaciens et lorrains en France.

L'air du temps n'était pas favorable aux étrangers, et pourtant les Français, bien avant la guerre, s'étaient familiarisés avec leur présence dans les usines, les villes, les campagnes, et pas seulement dans les résidences de la Côte d'Azur, puisqu'ils étaient plus d'un million à y travailler en 1913. Le Belges, dans le Nord et le Pas-de-Calais, constituaient le tiers de la population de certaines villes minières ou manufacturières. Le long des voies navigables, dans les fabriques textiles de la région parisienne et de Normandie, nombre d'entre eux s'étaient installés : ils étaient à peine moins nombreux que les Italiens (419 000), présents certes à Marseille et dans le Sud-Est, où ils travaillaient dans le bâtiment, mais aussi comme mineurs dans les régions du Nord et de L'Est : à Briey, le Comité des Forges en avait fait venir 45 000, sur une population totale de 125 000 habitants pour l'ensemble du bassin. Moins bien payés que les Français, ils y étaient aussi mal vus que les 20 000 mineurs attirés dans le Nord et en Lorraine par le Comité polonais d'émigration. Les 100 000 Espagnols s'intégraient facilement, par petits groupes, dans les sociétés rurales des Pyrénées-Orientales ou du Languedoc. Ils travaillaient à la terre ou dans les entreprises de fruits et légumes. Les Anglais étaient plus de 36 000 dans les régions portuaires, occupant des emplois techniques ou commerciaux ; les Suisses étaient 72 000 dans l'industrie horlogère, dans les usines électrochimiques des Alpes, mais surtout dans l'hôtellerie.

La police avait dû raccompagner à la frontière les 100 000 Allemands et les 17 000 Autrichiens et Hongrois qui fournissaient tant de personnel aux hôtels, tant de gouvernantes aux familles bourgeoises. Mais ils avaient été très vite remplacés par les réfugiés belges.

Ceux-ci étaient soigneusement identifiés, et certains fichés par les services de police : on craignait en effet qu'il n'y eût parmi eux des espions. A Dijon, par exemple, un capitaine français d'origine belge, marié à une femme belge, fils d'un sucrier de la région de Sedan, est suspect parce qu'il a vendu sa sucrerie, juste avant la guerre, à la firme Mercedes qui entrepose dans les locaux « des caisses venues d'Allemagne ». Un autre Belge, ferrailleur né à Bruges, ouvrier d'usine à Montbard, est condamné à dix jours de prison ferme pour avoir outragé et frappé des gendarmes.

Pourtant, l'accueil de la population est bon : en Bretagne, où l'on recherche activement les espions, les Belges arrivés en septembre dans le canton de Douarnerez disposent tout de suite de logements gratuits chez les particuliers. L'instituteur leur organise des repas dans les auberges. « Ces malheureux ont droit à nos égards » et ne doivent pas se sentir traités en étrangers, disent les Bretons.

L'accueil est aussi bon dans le Tarn-et-Garonne. Les autorités facilitent les rapports avec la population. La Commission de contrôle des réfugiés constate que « dans certains villages, la présence de ces malheureux (Belges) a apporté aux cultivateurs un supplément de main-d'œuvre très appréciable ». Presque toutes les municipalités se sont montrées généreuses : un peintre en bâtiment est adopté à Réalville, il ne retournera pas en Belgique. Comme dans tous les départements d'accueil, les mariages mixtes ne sont pas rares. Par contre, le maire de Cayrac « n'est pas content de ses hôtes ». La présence d'hommes jeunes, remuants, pas encore mobilisés par l'armée belge, fait jaser dans les villages où l'on craint qu'ils ne s'intéressent de trop près aux femmes de militaires. Le maire les accuse d'ivrognerie et de maraude. Celui de Saint-Antonin se réjouit de voir les jeunes incorporés par le conseil de révision belge : ils étaient, dit-il, « mécontents, ivrognes et paresseux ». A Septfonds, les Flamands, pour des raisons linguistiques, sont mal vus : « Leur obstination curieuse à ne pas vouloir apprendre le français les empêche, explique le maire, de s'entendre avec les habitants. Cela est d'autant plus étrange qu'ils sont heureux d'envoyer leurs enfants à l'école. » Ils cohabitent avec les ouvriers des fabriques de chapeaux de paille, nombreuses dans la région. Les Belges, à Caussade, sont employés dans les fermes. « Il nous a semblé, conclut le rapport de la Commission, que les municipalités n'exerçaient pas sur ces réfugiés une surveillance bien étroite. » Est-ce un reproche?

En Normandie, la surveillance est très stricte, car les étrangers sont fort nombreux : Rouen est devenue ville anglaise, le gouvernement belge est installé à Sainte-Adresse, au-dessus du Havre. Les Belges se sont concentrés en Seine inférieure, y reconstituant une petite Belgique. Les cultivateurs flamands ont été bien accueillis dans les fermes à blé et à céréales. Ils connaissaient bien la culture du lin et des betteraves, leur savoir-faire était recherché dans une région où tous les hommes valides avaient été mobilisés. Seuls les mineurs avaient dû chercher des emplois plus loin, dans les mines de la Loire ou de Saône-et-Loire : tous les autres avaient trouvé facilement à travailler en Seine-Inférieure, dans le textile que les hommes et femmes de Gand ou de Bruges connaissaient bien, dans les activités portuaires que les mariniers de Namur ou les dockers d'Anvers avaient déjà pratiquées. Les ingénieurs, les techniciens étaient particulièrement recherchés. L'intégration des ouvriers spécialisés dans les usines de guerre était facile. Les Belges avaient même installé des entreprises, acheté des commerces. Jean Vidalenc [8] signale même le cas « d'une maison de prostitution arrivée à Rouen au complet et installée dans les trois semaines ».

La facile intégration des Belges en Normandie ou des Italiens à Marseille n'éludait pas les problèmes de surveillance : la Commission des réfugiés était partout vigilante, et les municipalités inquiètes des réactions de leurs populations. Les Belges étaient aussi nombreux à Marseille où ils s'étaient bien adaptés. La ville, qui comptait 120 000 Italiens et 14 000 Espagnols, devait aussi accueillir des Alsaciens-Lorrains (d'abord parqués dans l'île du Frioul), des Serbes, des Arméniens, des Syriens et des Levantins. Le maintien de l'ordre et l'identification des réfugiés était une tâche redoutable pour les administrations municipales, aussi les maires avaient-ils tendance à repousser toutes charges nouvelles : quand Joffre

8. Jean Vidalenc, *La Main-d'œuvre étrangère en France et la première Guerre mondiale : 1901-1926.*

suggère de faire caserner à Dijon le régiment étranger de garibaldiens qui s'est fait décimer dans l'Argonne, le maire repousse cette suggestion. Pourtant Barrère, l'ambassadeur à Rome, avait souligné l'urgence de mettre cette troupe au repos : « Le général Garibaldi, écrivait-il, verrait avantage à ce que la troupe garibaldienne fût mise pour quelque temps en réserve. Il craint que les lettres envoyées en Italie par les combattants au sujet du caractère spécial de cette guerre de tranchées ne soient de nature à impressionner l'opinion publique. » Mais le maire de Dijon craint des troubles : on envoie les garibaldiens en Avignon. Là le maire demande le secours du général commandant la région : les Italiens refusent de faire l'exercice et de soigner leurs chevaux, ils « se promènent dans la ville en chemise rouge, cherchant querelle ». Des magasins sont pillés, le soir on entend des coups de revolver. Si l'on ne sait que faire des garibaldiens, on pose en tous cas au ministère la question de savoir s'il ne conviendrait pas de faire passer par Nice, et non par Modane, les corps des officiers du régiment (Duranti et Constantin Garibaldi) qui viennent d'être tués : « A Nice, la famille Garibaldi a de nombreux partisans et le passage des corps donnerait certainement lieu à des manifestations qui peuvent avoir intérêt au point de vue politique. »

Ainsi l'administration réagit à l'égard des étrangers comme la population elle-même : elle souhaite utiliser leur concours, dont, bien souvent, elle ne peut se passer; mais elle se plaint d'être débordée et envahie.

Ce sentiment est encore plus vif quand les autorités doivent faire massivement appel à la main-d'œuvre « coloniale ». Leur premier souci est de légaliser et régulariser un mouvement d'émigration sauvage qui est entre les mains de « marchands d'hommes ». Les « Kabyles » étaient peu nombreux en France avant 1914 : 13 000 travaillaient dans les usines comme manœuvres, ou dans les mines du Nord et de Belgique. Ceux-là étaient restés sur place et travaillaient désormais pour les Allemands. Le préfet du Nord avait réussi à en expédier 2 500 dans le camp retranché de Paris. Ils avaient été parqués dans des baraquements du bois de Boulogne. On craignait de les renvoyer en Algérie, car ils pouvaient parler de la retraite et des horreurs de la guerre. Mais on n'avait pas encore d'emplois pour eux en septembre 1914. Le préfet de police, qui voulait s'en débarrasser, les fit en partie rapatrier.

Ils revinrent très vite : 20 000 en 1915 et déjà 42 000 fin 1916, d'après Meynier [9]. Appelés d'abord par le préfet d'Eure-et-Loir pour faire les moissons en Beauce, ils travaillent pour 5 francs par jour aux côtés des Tunisiens. On les a ensuite utilisés pour

9. Gilbert Meynier, *L'Algérie révélée*.

construire, à l'arrière du front, les « secondes lignes », et surtout dans les usines d'armement où ils s'adaptent très bien. L'action des autorités s'exerce à partir de 1916 par le biais du service de l'Organisation des travailleurs coloniaux. Ce recrutement est critiqué à la fois par les colons d'Algérie, qui offrent sur place des salaires supérieurs pour retenir la main-d'œuvre agricole, et par les syndicats français qui protestent contre les « contrats de servage » et les bas salaires. Albert Thomas a dû se démener en faveur de l'égalité du travail pour répondre aux inquiétudes de la population qui estimait ces travailleurs sanitairement dangereux. Malgré les précautions prises par Thomas, et les assurances données, l'administration a dû développer en Algérie les « réquisitions » et s'assurer ainsi le nombre de « volontaires » jugés indispensables aux usines françaises.

Naturellement, cette main-d'œuvre est strictement soumise à la surveillance d'un Bureau des affaires indigènes présent dans les baraquements civils et les cantonnements militaires. Les Kabyles et les Tunisiens reçoivent des cartes d'identité jaunes ou vertes selon qu'ils travaillent à l'usine ou dans les champs. Des agents spécialisés, chaque matin, font l'appel dans les baraques, recherchant les déserteurs, sanctionnant ceux qui ont usé d'alcool ou de kif. A Vénissieux, à Montluçon, à la pyrotechnie de Bourges, les indigènes sont encadrés, embrigadés. On achète des chèvres par millions pour les nourrir, on leur construit des mosquées en planches. Mais ils sont entassés dans des baraquements vétustes et les médecins sont impuissants à les protéger contre la tuberculose, la rougeole, la broncho-pneumonie, sans parler des épidémies de typhoïde et naturellement de la syphilis qui les accable autant que les autres hôtes de la France, militaires ou civils.

Un quart d'entre eux travaillent dans les régions industrielles de Paris, de Lyon et de Saint-Etienne. Ils sont parqués dans certains quartiers, la Porte d'Aix à Marseille, la Guillotière à Lyon, le 20ᵉ arrondissement à Paris. La population redoute ces « sidis » des quartiers réservés. Ils inquiètent encore plus dans les petites villes de province, alors qu'ils sont au contraire très bien accueillis dans les campagnes du Midi. Les 400 Nord-Africains qui travaillent à l'usine de Pont-de-Buis près de Brest empêchent la police de dormir : la population les accuse de « suivre les femmes, le dimanche, sur la route de Loperec ». Pas de viols ni de violences, mais la peur s'installe. On leur reproche de cracher dans les cinémas et de fumer dans la poudrerie. Avec cinq gendarmes, l'usine se plaint de ne pouvoir assurer la sécurité : les Kabyles constituent 10 % des effectifs, ils sont mal vus des travailleurs français qui détestent ces briseurs de grève. Que feront les gendarmes en cas de rixe ?

A Marseille, des camps spéciaux accueillent non seulement les

Maghrébins, mais les 50 000 Indochinois et les 5 000 Malgaches que l'administration a attirés en France. On a même chargé des bateaux avec des Canaques de Nouvelle-Calédonie. Ces hommes travaillent en priorité aux industries de guerre, mais aussi aux grands travaux du port (on construit alors le bassin de la Madrague et le bassin Mirabeau), aux terre-pleins de Mourepiane et au tunnel du Rove. Une armée de manœuvres est alors indispensable. L'administration doit se préoccuper non seulement de nourrir et de loger ces masses de travailleurs, mais de les isoler des populations hostiles et d'éviter les incidents, les accidents, éventuellement les sabotages. On accuse en effet les Allemands de développer chez les Mulsumans une propagande antifrançaise. En important massivement cette main-d'œuvre dans des secteurs industriels clés, le gouvernement décourage les mouvements de grève et tient en respect les syndicats.

La surveillance des syndiqués et des réfugiés français était en effet fort active. Les gens du Nord et de l'Est étaient soumis comme les étrangers au statut de « réfugiés », ils étaient recensés, recevaient des cartes spéciales, une allocation quotidienne. Ils avaient été répartis entre tous les départements : le Tarn-et-Garonne en avait reçu 1580 venus du Nord, du Pas-de-Calais, des Ardennes, de la Marne, de la Somme et de l'Aisne, de Meurthe-et-Moselle, de tous les champs de bataille. On leur distribuait des sauf-conduits et ils devaient avertir les autorités quand ils changeaient de résidence. La Seine-et-Marne avait accueilli 75 000 réfugiés, soit au moment de la retraite, soit en 1915, quand les Allemands avaient évacué les habitants des régions occupées qui en faisaient la demande. Un contrôle avait été organisé pour leur fournir les ressources nécessaires qui, bien souvent, dépassaient les possibilités communales. On s'efforçait de répartir les réfugiés en fonction des capacités d'accueil des départements : ceux de Meurthe-et-Moselle avaient d'abord été accueillis par les départements voisins, mais la nécessité de trouver du travail les avait incités à se diriger sur la région parisienne, la Bourgogne et Lyon. Les paysans du pays de Toul étaient allés travailler dans le Loiret, l'Yonne, la Seine-et-Marne et les Deux-Sèvres. A partir de 1916, l'administration dut prendre des mesures restrictives pour éviter la saturation : Troyes avait reçu 6 000 réfugiés, elle ne pouvait en accueillir davantage. Il fallait « fermer » certaines zones, interdire certaines villes. Par le biais des allocations et des transports gratuits, l'État avait les moyens de contrôler l'essentiel du flux des réfugiés. On pouvait leur interdire un déplacement de plus de 10 kilomètres autour de leur lieu d'accueil. Ainsi les 885 549 réfugiés secourus par l'État en octobre 1915 avaient-ils obligé l'administration à créer des services spéciaux, avec un personnel ad hoc, aussi bien pour l'assistance que pour la surveillance. Les formulaires d'enquête des municipalités portaient en effet sur la « moralité, le civisme, l'ardeur au travail », ainsi que sur le patriotisme. Les réfugiés deviennent vite « suspects pour la défense nationale ». Ils sont alors fichés par la police et systématiquement surveillés, comme des étrangers. Les « indésirables » sont évacués : ainsi les prostituées de Toul se retrouvent à Marseille. On impose généralement la résidence dans un bourg ou une petite ville qui disposent d'une brigade de gendarmerie. Ceux qui sont en état de travailler « sont mis en rapport autoritairement avec le bureau départemental du placement ». Les indésirables « sont dirigés en groupes vers les villes choisies par la préfecture » et quelquefois « regroupés en wagons ou en trains spéciaux, sous bonne garde ». Les réfugiés, une fois sélectionnés, subissent « un conditionnement de nature patriotique ou nationaliste ». Les hommes politiques, les journalistes multiplient enquêtes et visites dans les centres : ces populations déracinées doivent être prises en main. Les notables des comités d'assistance s'en chargent. Maires, instituteurs, ecclésiastiques, dames patronesses, élus locaux, tous se dépensent dans les fêtes de charité, les souscriptions, les offres d'emploi [10].

L'effort d'assistance portait sur une masse importante de population : on avait du mal à répartir les réfugiés dans les 77 départements non occupés par l'ennemi, car ils arrivaient par vagues successives; aux émigrants d'août et de septembre avaient succédé les arrivants des régions occupées, par Annemasse et la Suisse : 500 000 personnes au total, dont 130 000 dès la fin de 1916. Une partie de la population des régions envahies avait au demeurant été refoulée par les Allemands vers la Belgique et la Hollande (135 000). A la fin de la guerre, la population des dix départements concernés était passée de 4 700 000 à 2 millions de personnes, Arras et Béthune ne comptaient plus que 4 500 habitants au lieu de 58 000. L'administration devait se charger d'héberger, d'employer ou de secourir tous les exilés. Elle avait aussi pour mission de les orienter vers le marché du travail.

Mais les réfugiés étaient majoritairement des femmes, des vieillards, des enfants. Les hommes avaient été mobilisés. Le 4 juin 1915, la loi Dalbiez avait permis, selon le mot de Millerand, de « remplacer dans les usines les ouvriers médiocres et non qualifiés et d'envoyer aux usines qui en manquent le personnel dont elles avaient besoin ». 350 000 ouvriers avaient été retirés de l'armée pour servir dans les fabriques d'armes et d'armements. 150 000 avaient été affectés aux mines et à la métallurgie. Ces militaires mobilisés dans leur emploi, ou affectés spéciaux, avaient un régime

10. Bruno Leuret, *Les Réfugiés de Meurthe-et-Moselle pendant la Première Guerre mondiale*, Mémoire de maîtrise, Nancy, 1977.

particulier, portaient brassard et carte d'identité de la Défense nationale et pouvaient être rappelés au front au moindre signal du commandement. Ils étaient plus nombreux que les ouvriers civils (425 000), mais les femmes avaient pris, avec les jeunes de moins de 18 ans, le chemin de l'usine (653 000). La résorption du chômage, les salaires plus élevés, la politique conciliatrice du ministre Thomas, l'absence de toute provocation policière, imposée par le ministre de l'Intérieur Malvy, avaient limité au minimum les conflits sociaux pendant les premières années de la guerre : aucune grève en 1914, 98 en 1915, 314 en 1916. Les ouvriers d'armement touchaient au minimum 5 francs par jour en 1916, avec une indemnité de vie chère et de chargés de famille.

On avait oublié les 1 900 000 chômeurs d'août 1914. Les affectés spéciaux passaient pour des privilégiés au yeux des permissionnaires retour du front. Pourtant, on avait grand besoin, dans la métallurgie, pour fabriquer les obus, d'ajusteurs et de fraiseurs. Ils avaient le droit de se syndiquer, mais non de faire grève. Quelle que fussent les bonnes dispositions du gouvernement à leur égard, celui-ci ne manquait pas de les surveiller de près.

Dès le mois de septembre, en effet, Merrheim et ses amis avaient protesté contre la nomination de Jouhaux comme « délégué à la nation ». Jouhaux lui-même était inquiet de cette « collaboration de classe ». Une certaine opposition à la guerre et à la collaboration entre ouvriers et ministère se manifestait dans les syndicats. L'Intérieur avait aussi lieu de craindre les débuts de la propagande pacifiste. Plus que jamais les leaders étaient surveillés, fichés, éventuellement menacés. Il est vrai qu'en France, jusqu'à la fin de 1916, le mouvement ouvrier, étroitement tenu en main et assez satisfait de l'amélioration des salaires, n'avait pas posé de problèmes graves aux gouvernements. Il avait fourni à l'industrie des armements la main-d'œuvre docile et abondante qui avait permis de respecter les contrats exigés par le haut commandement : l'armée ne manquerait ni d'obus ni de canons.

L'Allemagne avait procédé de son côté à la mobilisation de la main-d'œuvre disponible. L'approvisionnement en armes et en munitions avait été assuré sans difficulté jusqu'en 1916, mais pendant l'été les Allemands avaient dû renvoyer 740 000 ouvriers dans les usines, au détriment des unités combattantes, pour que la production s'accrût et permît d'équiper les divisions nouvelles. Les très mauvaises récoltes de l'été 1916 avaient suscité des angoisses pour l'hiver. La consommation de pain était limitée à 200 grammes par jour, les réserves de pommes de terre étaient épuisées. Dès le printemps, après le rude hiver 1915-1916, des troubles avaient été signalés dans les villes, des manifestations contre la vie chère, la faim, et même contre les organisations syndicales et pacifistes. Les manifestants arborant le drapeau rouge étaient aussitôt arrêtés. Les grévistes de la Sarre, en mai 1916, ceux des usines de munitions avaient été maltraités. La création de l'Office du ravitaillement de guerre par Delbrück, ministre de l'Intérieur, le 22 mai 1916, était une réponse à ces désordres : la population y voyait un moyen de lutter contre l'arbitraire dans la répartition des denrées alimentaires, et elle devait bien accueillir cette initiative.

Les femmes et les enfants de moins de 18 ans concouraient à l'effort de guerre en travaillant de plus en plus nombreux dans les usines. Les Allemands ne pouvaient pas importer de la main-d'œuvre coloniale : ils décidèrent donc de recruter, de gré ou de force, les populations civiles des régions occupées. Les mineurs polonais étaient déjà nombreux dans la Ruhr. Leurs effectifs furent renforcés. Par contre, les Italiens de la Sarre et du bassin de Metz étaient rentrés chez eux. Il fallut engager des Belges à prix d'or, malgré l'avis des militaires qui les considéraient comme suspects d'activités anti-allemandes. On utilisa aussi les déportés civils dans les usines d'armement : ces travailleurs forcés furent nombreux chez les Belges et les Russes des régions envahies. On a le témoignage d'un jeune Belge de 17 ans et demi, ancien élève du conservatoire de Bruxelles (classe de violon) qui fut contraint de travailler à Düsseldorf dans une usine d'obus *(Krieges Stahlwerk)*. Les trois quarts des ouvriers y étaient des hommes. Les femmes (fin 1916) étaient presque exclusivement polonaises et russes. Seuls les cadres étaient allemands, de même que les contremaîtres et les « premiers ouvriers ». Les ouvriers étaient uniquement des Belges et des Polonais déportés des régions de Lodz et de Varsovie. La moitié des Belges seulement étaient des déportés; les autres étaient venus de leur plein gré, attirés par les hauts salaires. Sur 1 200 ouvriers, 200 environ étaient des Allemands retirés du front. Ceux-là pouvant manger chez eux, les autres à l'usine. Les femmes étaient utilisées à des travaux pénibles, elles ouvraient les portes des fours Martin... Elles ne gagnaient que 5 marks par jour, alors que les déportés belges en recevaient 9 et les « premiers ouvriers » allemands 15. On payait aussi les hommes astreints au service obligatoire, qui étaient nourris comme les ouvriers libres. Ainsi souhaitait-on d'éviter les troubles.

Ces étrangers, libres ou non, étaient étroitement surveillés. On accusait les Russes de cracher dans les moules et d'y jeter des gravillons afin de saboter les pièces. L'empereur avait rédigé un manifeste demandant à la population des usines « d'apporter le plus de soin à la fabrication des munitions ». Les chefs devaient « surveiller étroitement les ouvriers, parce qu'il pouvait s'être glissé des espions parmi les nouveaux ». On ne confiait qu'à des spécialistes allemands la vérification des obus qui étaient sortis de nuit des usines. Les ouvriers étrangers devaient entrer dans les ateliers et en sortir par des portes indiquées sur leurs cartes d'identité.

Sans doute pour raisons de sécurité, la firme Krupp n'emploie pas d'étrangers. Elle préfère embaucher des femmes allemandes (10 000 sur 90 000 ouvriers à l'usine d'Essen, 10 000 sur 25 000 à l'usine de Rheinhausen). 35 000 spécialistes, mécaniciens et ajusteurs, ont été retirés du front pour assurer la fabrication des armements. Aucun étranger ne peut entrer chez Krupp, c'est le « saint des saints » de l'industrie de guerre. Par contre, les jeunes ouvriers de 14 à 15 ans sont payés comme des hommes (ils peuvent toucher jusqu'à 10 marks par jour) et donnent toute satisfaction. Les usines sont surveillées très strictement, de jour comme de nuit.

Les prisonniers de guerre, en Allemagne comme en France, ne devaient pas être utilisés dans les industries travaillant pour le front. Toutefois, ils étaient très nombreux dans les mines, les travaux agricoles et les autres industries : Russes et Polonais dans les mines de charbon, Français dans les entreprises métallurgiques. Dans les campagnes françaises, les responsables se disputaient, au moment des récoltes, la main-d'œuvre des prisonniers allemands. Les P.G. français faisaient aussi les récoltes en Allemagne. On accusait les militaires allemands de les utiliser aux travaux de seconde ligne, à l'arrière immédiat du front. Pour ces terrassements, ils préféraient avoir recours à la main-d'œuvre forcée des civils.

Dans les régions envahies, les hommes mobilisables avaient été soigneusement recensés. Les officiers allemands les passaient en revue lors d'« assemblées de contrôle » régulières, et constituaient ainsi de vastes réserves de main-d'œuvre. Dès 1915, des milliers d'hommes étaient expédiés, sous des prétextes divers, dans les camps allemands comme « prisonniers militaires spéciaux » ou « prisonniers civils ». Beaucoup d'hommes du Nord, explique Blancpain, furent ainsi utilisés aux travaux de fortification dans les Ardennes, au doublement des lignes de chemin de fer. Mal traités, mal nourris, il leur arrivait « de réparer les voies ferrées sous le feu des canons anglais ». Ils avaient sur leurs habits civils une large bande de toile orange et portaient un brassard rouge. Quand les hommes des villages étaient « réfractaires » à ce travail forcé, les occupants organisaient des rafles. Les levées d'hommes étaient aussi fréquentes en Belgique : de nombreux travailleurs forcés étaient parqués dans des camps de travail près de Saint-Quentin. Les Russes, vêtus de sacs à charbon, « hirsutes, maigres comme des épouvantails », construisaient les fortifications de campagne et étaient traités plus durement encore que les prisonniers politiques. Faute d'Annamites, de Malgaches, de Canaques ou d'Indiens, les Allemands avaient transformé les peuples dominés en une armée de manœuvres affamés, encadrés militairement, utilisés aux pires travaux.

L'engagement progressif de l'ensemble des populations dans la guerre, y compris les femmes et les jeunes, l'intensification des contraintes, les difficultés alimentaires et la hausse des prix obligent les gouvernements des États belligérants à dominer l'information, non seulement en censurant les nouvelles d'origine militaire, mais en contrôlant tout ce qui peut affecter le moral des nations en guerre. A partir de 1915, cette volonté de mise en condition s'affirme avec netteté.

Les excès de la censure, en France avant la bataille de la Marne, en Allemagne après les premières défaites, avaient suscité des protestations, même chez certains généraux. Gallieni estimait cette absence d'informations préjudiciable au moral des Parisiens. D'où l'idée de donner peu de renseignements, à condition qu'ils fussent exacts, et de les présenter avantageusement, afin que le moral n'en souffrît pas. La presse allemande avait réussi à parler de la Marne comme d'un succès...

La manipulation de l'opinion par la presse était vite devenue une habitude : l'agence Wolff propageait dans le monde entier l'annonce des succès allemands. Les notables d'Afrique du Nord recevaient pour leur information des extraits de presse traduits en français et expédiés de Rotterdam. La presse allemande faisait flèche de tout bois : le moindre drapeau pris aux Français était immédiatement photographié. On pouvait ainsi voir dans la *Kleine Presse* de Francfort un fanion du 309ᵉ d'infanterie. Ce « n'est pas un drapeau officiel, mais un fanion », répliqua le colonel interrogé par son général d'armée à qui le 2ᵉ bureau avait envoyé l'extrait du journal... montrant le « fanion » exposé à Munich !

La presse servait systématiquement l'effort de propagande même auprès des prisonniers français : ceux-ci recevaient dans leur langue, en octobre 1914, deux fois par semaine, une feuille publiée à Wesel. Des journaux de propagande étaient naturellement édités en Belgique et même en France où la *Gazette des Ardennes* entamait ses publications dès le 1ᵉʳ novembre. Ce journal, imprimé à Charleville, était le seul que pussent lire les populations des dix départements occupés. Tiré d'abord une fois par semaine à 4 000 exemplaires, le journal devint bihebdomadaire au début de 1915 et touchait alors 35 000 lecteurs. Un vendeur par village était désigné par les commandatures. Les listes de prisonniers français attiraient particulièrement le public. Naturellement, la propagande tendait à rendre l'Allemagne sympathique aux populations dominées : on y parlait du sort malheureux des soldats français, des mauvais traitements subis en France par les réfugiés, de la mauvaise foi des Anglais et de l'énormité des pertes russes. Des numéros de la

Gazette étaient très souvent lancés dans les tranchées françaises.

La *Gazette* reprenait systématiquement les articles antifrançais de la presse allemande : celle-ci, en octobre 1914, ouvrit la polémique au sujet de la cathédrale de Reims, affirmant que les Français avaient installé deux batteries sous ses tours et un sémaphore à son sommet. Répondant aux critiques de la presse française sur les atrocités allemandes en Belgique, les journaux accusaient les troupes coloniales, noires surtout, d'achever les blessés et de mutiler les soldats allemands. Ils reprochaient aussi aux Russes des exécutions sommaires dans la population civile de Prusse orientale. Les journaux signalaient l'existence à Berlin, au ministère de la Guerre, d'un bureau spécial « pour recevoir toutes les déclarations relatives à la violation par l'ennemi du droit de la guerre ». Les communiqués officiels de l'état-major donnent le ton de cette polémique : le 4 novembre, ils signalent que « c'est un système chez les Français que de mettre des batteries d'artillerie lourde en position près des cathédrales : après Reims, Soissons ». Entre Verdun et Toul, ils ont attaqué en portant des casques allemands... Deux docteurs allemands témoignent en novembre dans la *Kölner Gazette* qu'« ils ont soigné des soldats morts de blessures faites par des flèches »! Les Français et les Anglais font la guerre comme des sauvages : ils mettent des fléchettes dans leurs bombes... (Ce qui au demeurant est exact : des bombes à fléchettes existent aux Archives de l'armée de l'air à Vincennes.) De leur côté, les Allemands sont accusés, dans la presse française, d'utiliser les balles *dum-dum* (explosives) et de dresser des tireurs d'élite à l'élimination des officiers. Une action psychologique tenace est entreprise auprès des journaux suisses, suédois et danois sur la question des responsabilités de la guerre.

Le *Télégramme*, journal français, souhaitait publier dans le même esprit la lettre d'un sous-officier allemand prisonnier, arrivée au journal « par une voie mystérieuse ». L'instituteur signataire de ce texte, *Feldwebel* au 78ᵉ régiment de réserve recruté à Berlin, avait été pris, le 28 décembre, dans une tranchée de Vitry-lès-Reims. Il écrivait « sous le ciel ensoleillé du Midi » et profitait d'une « surabondance de vivres, de fruits, de légumes » et « du meilleur vin rouge pour quelques sous ». Il tenait à affirmer, à la lecture des livres que lui avait prêté le pasteur du camp, que « le peuple allemand a été misérablement trompé, on lui a menti ». Il n'a pas été agressé, c'est lui qui a voulu la guerre. Une note du ministre de la Guerre du 7 juillet 1916 interdit formellement la parution de cet article : « La lettre [en question] était la traduction d'un document répandu dans les tranchées allemandes par notre propre service de propagande »...

Le « bourrage de crâne » sévit dans tous les journaux et les soldats ne trouvent d'antidote, sur le front français, que dans la lecture des quelques journaux de soldats qui circulent de main en main, ou du *Canard enchaîné* qui, sous la signature de Maurice Maréchal, commence à parler courageusement des horreurs de la guerre et à se moquer des torrents d'éloquence patriotique qui hérissent les soldats des tranchées. Même la presse anglo-saxonne se fait l'écho des journaux français sur les atrocités allemandes, amplifiées jusqu'au ridicule. Quant à la presse allemande, elle est si bien au service du pouvoir qu'on y chercherait en vain la moindre feuille de contestation, hormis la littérature interdite des minimalistes socialistes. On loue sous toutes ses formes la splendeur de la guerre allemande, du courage allemand, des sacrifices accomplis par la nation tout entière : aussi soigneusement expurgée que *l'Illustration* française, dont les photos de guerre glacées, irréprochables, font la joie des familles, la *Berliner Illustrierte Zeitung* montre les éléphants du zoo de Berlin travaillant à déblayer les routes bombardées de Lorraine, et les bourgeoises en chapeau à voilette balayant la neige dans les rues pour donner l'exemple. Pour le rêve du soldat, les photographies de Constantinople ou du Sandjak de Novibazar. Un conformisme de la guerre convenable, faite par des héros anonymes comme les aviateurs, les conducteurs de zeppelins, les vaillants sous-mariniers, une guerre propre et chevaleresque qui serait plus belle encore si l'Allemagne avait des ennemis qui fussent dignes d'elle...

La censure écarte non seulement ce qui peut nuire au secret militaire, mais toutes les informations susceptibles d'inciter l'opinion publique à douter du sens de la guerre. Clemenceau, qui critique la gestion de la guerre par les militaires et les généraux, est impitoyablement censuré et son *Homme libre*, qu'il fait paraître en septembre sur les presses de *la Dépêche de Toulouse*, est suspendu le 29 pendant dix jours. Il publie aussitôt *l'Homme enchaîné*, qui poursuit les ministres de ses sarcasmes : « J'ai l'honneur de vous prier de bien vouloir me faire connaître – écrit-il le 17 janvier 1916 au ministre de la Guerre – si vous admettez qu'il dépende de la volonté des commandants de secteurs d'interdire, dans certaines zones du front, la circulation de certains journaux, ou si vous estimez au contraire que les organes de la presse doivent être soumis à l'avant, comme ils le sont à l'arrière, à la règle commune de la loi française. » Le gouvernement se sent soutenu par une grande partie de l'opinion quand il censure les articles hostiles à la conduite de la guerre. Un lecteur de *l'Écho de Paris* écrit en mai 1915 au ministre de la Guerre : « Je crois dangereux les articles d'officiers dans les journaux... Ils sont toujours nuisibles, car ou bien ils ont une portée et l'ennemi peut en profiter, ou bien ils n'en ont pas et alors ils nous font mépriser par l'ennemi. Écrire dans les journaux quand on a l'honneur de porter l'épée ! »... D'autres protestent, il est vrai, contre les communiqués diffusés par l'état-major, dont ils jugent la rédaction « falote et niaise ». Mais la censure et la propagande n'en continuent pas moins leurs méfaits. Dans Metz occupée, les Allemands célèbrent périodiquement comme des « victoires » le moindre petit succès : les « patriotes » viennent alors enfoncer un clou dans la gigantesque statue du soldat allemand en bois dressée sur l'Esplanade. Les Français organisent des défilés de délégations alliées sur les Champs-Élysées, des cérémonies pour la remise des drapeaux pris à l'ennemi aux Invalides, des remises solennelles de décorations aux veuves de guerre. Ils sont exaspérés quand un ballon allemand bourré de tracts vient s'échouer, un soir vers 19 heures, près du Petit-Palais, sur un arbre de l'avenue des Champs-Élysées.

Vigilante, la censure s'exerce aussi bien sur la correspondance (les lettres reçues ou envoyées par les soldats sont filtrées, sondées, exploitées par des services qui en sortent une photographie-robot du moral des armées et de l'arrière) que sur les films cinématographiques alors en vogue. On supprime de ceux-ci les vues de maisons bombardées des « villages reconquis » : elles l'ont été par les 75! On rectifie les commentaires : « Nos soldats instituteurs font la classe à de jeunes Alsaciens dont *beaucoup* [et non : *la plupart*] ignorent notre langue. » Les consignes données quotidiennement à la censure portent sur les sujets les plus variés : il est interdit, par exemple, de parler de la défection des unités (le 15ᵉ corps, particulièrement) ou des attaques des parlementaires contre les « mauvais » généraux (Percin à Lille, Fournier à Maubeuge). « Il ne faut pas laisser passer les articles reprochant aux députés mobilisés le cumul de leur solde et de leur indemnité », est-il précisé le 19 août 1915. Il ne faut pas exagérer les méfaits des zeppelins ni photographier les larges impacts de leurs bombes sur les chaussées du Nord. La présence de correspondants de guerre est absolument interdite dans la zone des armées, « sauf sur les points qui seront spécialement indiqués ». Pourtant, l'état-major se rend compte qu'il faut accréditer quelques journalistes étrangers : le Kaiser n'a-t-il pas près de lui cinq correspondants américains? On déplore que les Allemands puissent lire dans certains journaux américains « que nos nettoyeurs de tranchées tuent indistinctement à coups de revolver, de grenade et de coutelas tout ce qu'ils rencontrent, y compris les soldats blessés qui se rendent ». C'est l'ambassadeur Jusserand lui-même qui alerte le gouvernement sur ce détail. On fait saisir d'urgence une carte postale diffusée à Aix-en-Provence, représentant de joyeux Sénégalais « coupant cabèche » aux Allemands sur le front. Rien ne doit filtrer des horreurs de la guerre ni de la répression. Quand le ministre de la Guerre donne l'ordre d'exécuter le soldat Drude Émile, condamné à mort le 31 juillet 1915, il précise : « Autorisez seulement compte-rendu succinct dans la presse de l'exécution avec

motifs condamnation sans aucun détail sur circonstances affaire. »
Pas question, non plus, de parler des légionnaires allemands fusillés
au Maroc, ni de la répression contre les soldats indigènes. Il faut
censurer (25 novembre 1914) « les articles insinuant que troupes
algériennes sont toujours placées aux endroits les plus dangereux ».

Autres cibles pour la censure : les articles susceptibles de
déprimer la population. Interdit de parler du ravitaillement des
régions envahies. Il est inutile que le pays sache que ces départements meurent de faim. Inutile de parler, comme *le Matin*, de
l'avortement des femmes violées par les Allemands. Les soldats
n'ont que trop d'inquiétude sur la fidélité de leurs épouses. Il ne faut
pas qu'ils sachent que l'avortement est, dans certains cas, possible.
C'est « une provocation brutale et directe à ce que la loi qualifie de
crime ». Inutile de parler des 4 millions de nouveaux masques à gaz
en préparation : « la mesure a été tenue secrète pour ne pas ruiner la
confiance des troupes dans le masque actuellement en service ».

Rien ne filtre, en Autriche ou en Allemagne, sur les découra-
gements, les défaillances, les désertions dans l'armée, cependant
attestées par les renseignements du 2ᵉ bureau. La censure est
partout bien faite : les pays en guerre doivent savoir qu'ils sont
soudés dans un effort sans précédent, que les peuples comprennent
et approuvent totalement la volonté des gouvernements d'aller
jusqu'au bout de la guerre. Quand Clemenceau en France ou le
colonel Repington en Angleterre bravent la censure, c'est au nom de
l'effort de guerre, parce qu'ils jugent leurs gouvernements respectifs trop faibles, timorés, hésitants et incapables. De Londres à
Saint-Pétersbourg, les peuples n'ont d'autre choix que de subir les
longs hivers des tranchées.

7

L'Orient en feu

Pendant que la guerre se « stabilise » à l'ouest, les Allemands, en 1915, recherchent une décision en Orient. Ils inversent le plan Schlieffen, attaquent la Russie. Ils réussissent, en février, à s'emparer de la Lituanie, de la Pologne et leurs alliés autrichiens de la Galicie en mai-juin. En septembre, les Russes sont repoussés au-delà de la Berezina. C'est pour eux une immense défaite, mais leur armée, très affaiblie, n'est pas anéantie.

Les Alliés ont tenté de contre-attaquer : le plan allemand d'investissement de l'Europe orientale et balkanique les inquiète. Le Kaiser a lancé la guerre sainte, développé sa propagande chez les musulmans. Les Turcs veulent attaquer Suez, prendre l'Égypte, envahir la Perse et, par là, gagner l'Inde. Ils sont victorieux en Mésopotamie, mais repoussés à Suez par les Anglais, en Perse par l'armée russe qui s'avance jusqu'à l'Arménie turque.

L'entrée en guerre de l'Italie ouvre un nouveau front au sud de l'Europe, de même que l'attaque franco-britannique contre les Dardanelles. Mais les Italiens ne réussissent pas à percer sur les Alpes et, de février à novembre 1915, les Alliés essuient une défaite dans la presqu'île de Gallipoli. Ils parviennent à entraîner la Roumanie dans leur camp en août 1916, mais la Bulgarie est, depuis 1915, l'alliée de l'Allemagne : leurs armées réunies ont envahi toute la Serbie en octobre, et les Franco-Britanniques débarquent trop tard à Salonique pour pouvoir aider les Serbes. L'offensive Broussilov sur le front russe, en 1916, n'empêche pas la Roumanie d'être écrasée, en décembre, par les forces germano-bulgares. En 1916, les puissances centrales dominent l'Europe de l'Est et peuvent alors espérer reprendre leurs attaques contre l'Angleterre en Orient.

En janvier 1915, les belligérants de l'Ouest – Français, Anglais, Belges et Allemands – ont déjà manqué leur guerre. Les plans établis de plus ou moins longue date ont échoué. Schlieffen n'a pas assez vécu pour voir la désastreuse application de ses préceptes par Moltke. Joffre n'a jamais eu l'initiative de monter, avec des moyens suffisants, sa grande offensive de Lorraine. La guerre est arrêtée, sur des lignes infrangibles. Elle peut durer longtemps. Moins de six mois après le début des combats, nul n'aperçoit plus d'autre issue que l'épuisement de l'un des deux adversaires.

Le concours des Russes devient douteux. Leur attaque rapide a permis de résister au choc massif des Allemands à l'ouest, puisqu'ils ont dû envoyer des divisions en renfort au maréchal Hindenburg. Mais après Tannenberg, on ne parle plus qu'avec circonspection du fameux « rouleau compresseur » russe. On redoute, à Paris et à Londres, que la guerre ne s'enterre aussi à l'est. Les Allemands n'ont certes pas les moyens d'envahir la Russie. Mais le « colosse » est à la merci de troubles intérieurs, le régime du tsar peut s'écrouler devant une nouvelle révolution. L'armée russe a fait la preuve qu'elle n'avait pas les moyens matériels de lancer une offensive puissante, et ses alliés ne peuvent guère l'assister.

Un fait nouveau, capital, est en effet intervenu à la fin de 1914 : les Turcs, déjà hostiles, sont entrés en guerre aux côtés de l'Allemagne. La puissance militaire d'un vieil empire secoué de convulsions internes, mal réveillé par le mouvement jeune-turc, incapable de gagner la guerre contre les petits États querelleurs des Balkans en 1912-1913, n'est pas de nature à faire trembler la France, l'Angleterre ni même la Russie. Mais les Turcs ont le pouvoir de fermer les Détroits, de miner les Dardanelles, d'interdire l'accès de la mer Noire. Il n'y a plus aucun moyen, après leur entrée en guerre, de ravitailler facilement les Russes. Seule la route du Nord, inaccessible en hiver, permet de leur expédier armes, munitions, matières premières stratégiques, experts techniques et militaires. L'alliance turque est précieuse pour les Allemands : enlisés dans la boue de l'Argonne et sur les lignes des Flandres, c'est désormais d'Orient que leur vient l'espoir. Ils ont construit, avant la guerre, l'essentiel du grand chemin de fer Constantinople-Bagdad. Par la Turquie, ils peuvent menacer la Perse, et, depuis la Perse, l'Inde. La Turquie est présente sur les rivages de Méditerranée orientale, elle domine les Syriens et les Levantins, elle peut intervenir jusqu'en Égypte : barrant la route aux Russes, elle peut aussi menacer la route des Indes. Inestimable Turquie !

L'alliance du Japon, acquise à l'Angleterre dès le mois d'août, est loin de représenter un atout comparable : les Japonais n'ont pas les moyens navals d'intervenir à l'Ouest, ni même au Proche-Orient. Ils peuvent faire main basse sur les biens allemands en Chine et dans le Pacifique, et envoyer aux Russes leurs armes disponibles. Ils ne jouent aucun rôle dans le conflit stratégique, désormais axé sur l'Est de l'Europe.

L'alliance turque a un autre avantage : elle n'est pas une simple promesse d'aide militaire à l'occidentale. Les Turcs proclament la « guerre sainte », suggérant à tous les musulmans de les rejoindre dans leur combat contre l'Occident hostile à l'islam. Ils ont ainsi les moyens de toucher directement les peuples russes de Crimée et du Turkestan, qui ne peuvent être sourds à l'appel des ulémas, parlant au nom du calife, commandeur des Croyants. En Perse, en Inde, en Afghanistan et jusqu'en Afrique du Nord et en Afrique noire, les peuples islamisés doivent « considérer comme le plus impérieux devoir religieux de participer à la guerre sainte en corps et en biens ». Ceux qui entendent cet appel et obéissent à la voix du calife « pourront compter en tout sur l'assistance de Dieu ». Les Allemands espèrent un soulèvement en profondeur des peuples colonisés. Ils imaginent immédiatement de créer à Berlin même un centre d'action et de propagande à destination de tous les pays concernés. Sans se convertir lui-même à l'islam, comme le bruit en avait couru en Afrique du Nord, le Kaiser Guillaume II apparaît comme le protecteur des Croyants; ce que les Occidentaux attendaient de la Russie, il l'attend, lui, de la Turquie : un changement rapide de la carte de guerre grâce à une extension de l'activité militaire vers l'Orient.

Il a d'autant plus besoin de cette ouverture que le blocus naval allié risque, à la longue, de rendre la guerre impossible pour l'Allemagne : elle doit s'ouvrir de vastes pays vers l'est, et, si possible, pousser son action assez loin pour couper l'Angleterre de sa réserve fondamentale de soldats et de richesses : l'Inde. L'offensive de la Turquie est mondiale : elle doit mettre en question la première puissance du globe dans l'axe essentiel de son empire.

Pour aider les Turcs, c'est vers l'est que va désormais se tourner l'effort allemand et autrichien. L'Orient-Express réunit Vienne, Munich et Budapest à Belgrade, Sofia, Istamboul. Il faut immédiatement écraser les Serbes, qui ont résisté trop longtemps, dans leurs montagnes, aux offensives autrichiennes, établir ensuite des liaisons solides à travers les Balkans. A l'offensive militaire doit s'ajouter une vive action diplomatique. Aucune nation balkanique ne s'est encore lancée dans le conflit, à part la Serbie. L'Allemagne doit rallier les autres à sa politique. Le Kaiser connaît et méprise ces petits peuples balkaniques : il sait qu'on les achète facilement avec des promesses. Il peut compter, à tout le moins, sur la neutralité de son parent, le roi de Grèce Constantin. Il espère entraîner dans son camp la Grèce, la Roumanie, peut-être même l'Italie.

C'est compter sans les amitiés, les liens économiques, les moyens de pression dont les Alliés disposent dans certains de ces pays. Un parti occidental existe à Rome et à Milan, même si les industries italiennes sont dans la main de l'Allemagne. Un parti démocratique existe en Grèce autour du Crétois Vénizelos, ami des Anglais. Le choix du roi Constantin aurait été fait plus tôt s'il avait été libre d'agir. Quant aux Bulgares et aux Roumains, comme les Italiens, ils ne s'engageront pas dans la guerre s'ils ne sont pas sûrs de ce qu'elle leur rapportera. L'Allemagne a-t-elle les moyens de les acheter?

La nouvelle politique de Berlin suppose un renversement complet du cours de la guerre : la recherche de la décision en Orient implique la stabilisation, déjà réalisée et renforcée, du front occidental – et l'engagement le plus massif possible d'unités à l'est, pour en finir une fois pour toutes avec les Russes. Puisque le tsar ne veut pas la paix, il va désormais subir le plan Schlieffen à l'envers : au moment où il est contraint de disposer des divisions en face de la frontière turque, les Allemands accélèrent leurs préparatifs pour l'atteindre sur son sol. Il est essentiel que la Russie soit retirée de la carte de guerre dans les plus brefs délais.

Comme les Français poussaient en août 1914 les Russes, les Allemands bousculent les Turcs. D'abord, ils les envahissent : 5 000 officiers et techniciens viennent rejoindre Liman von Sanders, le chef de mission, et l'ambassadeur Wangenheim. Ils se préoccupent immédiatement de mettre les Détroits en état de défense, de mouiller des mines, d'installer des positions d'artillerie. Ils aident aussi à lever et à encadrer les unités de l'armée turque. Depuis le 26 septembre 1914, la circulation commerciale est interdite dans les Dardanelles. Les cuirassés allemands *Breslau* et *Goeben,* qui ont pris pavillon turc, assurent l'ordre. A la suggestion de Berlin, le 29 octobre, ils sont allés bombarder – sans déclaration de guerre – les ports russes de la mer Noire : Odessa, Sébastopol, Novorosslisk. Les Turcs ont aussi des forces importantes pour lancer vers le sud l'attaque du canal de Suez. Les Allemands fournissent les armes et alimentent financièrement l'effort de guerre. Mais ils exigent une action rapide.

Les Anglais ont dû promptement se renforcer. Ils savent, depuis le début de la guerre, que le khédive est prêt à les trahir. Maîtres de la Palestine et du Hedjaz, les Turcs peuvent intervenir grâce au chemin de fer de Damas à La Mecque, qui prolonge le tracé Alep-Damas. Si la liaison Constantinople-Alep est relativement facile, les Turcs n'ont que les moyens théoriques de transporter rapidement des troupes vers le sud, comme l'a démontré dès 1913, dans la revue mensuelle du grand état-major allemand, von Kübel, spécialiste des chemins de fer. Celui-ci a fait une enquête détaillée en Turquie à la demande de Liman von Sanders : même sur la partie la plus moderne du parcours, jusqu'à Alep, les trains ne peuvent circuler qu'à 30 km/h de moyenne, avec de puissantes locomotives de montagne ; ils ne peuvent former que des convois de 60 wagons avec un débit maximum de 12 trains par jour. La liaison avec Damas est plus lente : 30 wagons seulement et 4 trains par jour ; il faut 5 jours pour transporter 20 000 hommes. De Damas à la Mecque, le parcours est encore plus difficile, car il traverse des régions désertiques où le manque d'eau fait sentir ses effets sur les locomotives. Les trains n'ont que 20 wagons : il en faut trois pour transporter un bataillon (1 000 hommes) sur le pied de guerre. Conclusion de von Kübel : « Un corps expéditionnaire contre l'Égypte, utilisant le chemin de fer du Hedjaz, ne pourrait pas comporter plus de 25 à 30 000 hommes. »

Effectivement, l'armée de Djemal pacha ne comprend pas plus de 16 000 soldats. Elle compte des réguliers turcs, mais aussi de nombreux partisans arabes mobilisés par la « guerre sainte ». Elle a mis longtemps pour parvenir aux confins de la Palestine et de l'Égypte : elle n'aborde le désert de Tih qu'à la fin du mois de janvier 1915. Les marches ont lieu de nuit, à pied, pour éviter les observations et surtout l'accablante chaleur. Les hommes sont épuisés quand ils arrivent enfin sur le canal de Suez, dans la nuit du 2 au 3 février, à 15 kilomètres au sud du lac de Timsah. Aussitôt, Djemal Pacha fait lancer un pont de bateaux pour franchir le canal. Von Kübel est très étonné de la réussite de l'opération : il ne l'aurait pas crue techniquement possible.

Les Anglais ont déposé naguère le khédive Abbas Hilmi qui a trouvé refuge à Constantinople. Ils ont renforcé leur protectorat, mis l'Égypte en état de siège. Le matériel et l'armement sont arrivés d'Angleterre, les troupes, des Indes et des dominions. Ils savent qu'ils ont devant eux non seulement Liman von Sanders, mais le redoutable von der Goltz qui coordonne les activités de l'armée turque en Orient. Ils s'attendent à un coup de main. Ils sont surpris par l'arrivée nocturne des unités turques, mais réagissent aussitôt : la zone du canal est bien pourvue en artillerie, les nids de mitrailleuses découragent les contingents arabes peu entraînés à la guerre moderne. Les renforts arrivent rapidement du Caire.

Djemal Pacha sait qu'il ne peut pas tenir longtemps, en raison de l'éloignement de ses bases. Il risque de manquer très vite de munitions s'il s'engage dans une guerre de position. Il comptait sur la surprise pour l'emporter : puisque les Anglais se sont ressaisis, il se retire. Dès le 7 février, il regagne le Nord sans être poursuivi.

Il apprend alors que les autres armées turques viennent d'échouer sur le front du Caucase. Là encore, elles avaient attaqué trop vite, poussées par les Allemands qui voulaient obliger les Russes à dégarnir leur front. Les généraux du tsar n'avaient aligné que 100 000 hommes environ contre les Turcs. Michalevski commandait deux corps d'armée, trois divisions de Cosaques et disposait de

250 canons. La 3ᵉ armée turque d'Hassan Izzet Pacha était supérieure en nombre : 140 bataillons, 128 escadrons et les redoutables guerriers kurdes. Les troupes russes connaissaient la région des combats, elles avaient été levées sur place, dans le Caucase et le Turkestan, mais elles manquaient d'expérience au feu. Transportées jusqu'à Tiflis et Kars en chemin de fer, elles avaient tout de suite attaqué Erzeroum, ville arménienne.

Des Arméniens réfugiés de Turquie avaient constitué des corps de volontaires parmi lesquels les généraux russes avaient trouvé des guides pour franchir les montagnes. Les Arméniens de Russie voulaient libérer l'Arménie turque dont la population, depuis la proclamation de la guerre sainte, vivait dans la crainte d'une nouvelle persécution.

Enver Pacha, ministre de la Guerre turc, avait justement privilégié cet axe d'attaque, avec ses meilleures troupes, pour débarrasser d'emblée sa frontière de la menace de l'irrédentisme arménien. Il était décidé à se jeter très vite sur l'Arménie russe, pour marcher ensuite sur la Géorgie, s'ouvrir la route de Bakou, libérer les Azéris, peuple musulman soumis aux Russes. Ainsi l'affrontement entre Turcs et Russes apparaît d'entrée de jeu comme une guerre de religion.

En novembre, les Turcs arrêtent les Russes, infligeant 40 % de pertes à certaines de leurs unités : l'invasion de l'Arménie turque est très improbable, le corps d'armée du Caucase est décimé. Sur le passage des troupes turques, la population arménienne subit les brimades des Kurdes et des gendarmes mercenaires. Des représailles frappent les parents des Arméniens fugitifs, accusés d'avoir aidé l'armée russe.

L'arrivée d'Enver Pacha sur le front ranime les combattants. En plein hiver, il décide de marcher à travers la montagne pour prendre Sarakamych. L'armée, au prix de mille souffrances, franchit effectivement des cols enneigés de plus de 2 000 mètres. Le général russe, pris de panique, ordonne la retraite, mais son chef d'état-major Youdénitch décide de tenir la ville de Sarakamych. Il envoie précipitamment en renfort une centaine de jeunes élèves officiers de l'école de Tiflis et des unités disparates, parmi lesquelles les Cosaques Zaporogues, grands pourfendeurs de Turcs. Le corps à corps est acharné, on se bat de jour et de nuit, les Russes, grimpant à leur tour dans la montagne, menacent les liaisons d'Enver Pacha qui doit faire retraite dans des conditions effroyables, en pleine tempête de neige : des milliers d'hommes meurent de froid ou tombent épuisés aux mains des Russes qui ont eux-mêmes 20 000 tués et 6 000 soldats aux pieds gelés. Mais la 3ᵉ armée turque n'existe plus.

« C'est dommage », épilogue Liman von Sanders. Cette opération, pour laquelle Enver avait pris lui-même le commandement, se termine par l'anéantissement de son armée, la première que les Turcs engageaient dans la guerre mondiale.

S'il ne faut pas compter sur les Turcs pour une décision rapide en Orient, du moins peut-on utiliser au mieux, dans les pays musulmans, les effets psychologiques de la « guerre sainte ». L'état-major de Berlin s'y emploie. Il y a un intérêt immédiat : pousser à la désertion les troupes musulmanes de l'armée française.

Les Français s'y attendaient : la censure dispensait pour consigne à la presse de « veiller à ce que les articles des journaux ne donnent pas à leurs attaques contre les Turcs une forme telle que l'ensemble des musulmans puisse s'en offenser ». Ils avaient pris des précautions pour encadrer solidement les tirailleurs algériens et tunisiens envoyés au front dès 1914. Dans les quatre régiments mixtes, les *turcos* étaient embrigadés à raison de deux bataillons pour un bataillon de zouaves (qui étaient des Français d'Afrique du Nord). Les 12 régiments de tirailleurs algériens et tunisiens, puis plus tard les 2 régiments de tirailleurs marocains étaient répartis dans une douzaine de divisions et ne constituaient jamais de brigades homogènes. Les gradés étaient presque tous français.

Pourtant, les Allemands savaient parfaitement que la tenue de ces troupes était douteuse, leur moral très bas dès les premières batailles : à Charleroi, les tirailleurs s'étaient débandés devant les mitrailleuses. Il y avait eu de graves défaillances au 1ᵉʳ régiment de zouaves. Les officiers parlant l'arabe ayant souvent été tués lors des premiers engagements, les tirailleurs refusaient d'obéir aux capitaines français qui ne parlaient pas leur langue et ne connaissaient pas leurs usages. Ils souffraient effroyablement de l'hiver, mouraient de bronchites mal soignées, de pneumonies ou de tuberculose. En décembre 1914, le général de Bazelaire, commandant la 38ᵉ division, faisait un rapport sur son unité : « Les tirailleurs sont démoralisés et sans ressort, et sont la proie du fatalisme... Au 1ᵉʳ régiment, il a été constaté 240 cas de gelures de pieds depuis un mois. » Les tirailleurs ne supportaient pas les tranchées. Les Allemands, en face, pouvaient mesurer leur découragement.

Pourtant, ils gardaient leurs coutumes et leur foi. Gilbert Meynier [1] les décrit, « continuant dans la mesure du possible de faire leurs prières au front, non sans difficultés : la détermination de la *kibla,* entre autres problèmes, fut source de tourments pour beaucoup ». Ils refusaient à la fois la viande de porc et les aumôniers catholiques, même s'ils ne fréquentaient pas, à l'arrière, la mosquée en bois qu'on avait construite pour eux à Nogent-sur-Marne. Ces mangeurs de chèvres, disaient les Allemands, ne doivent pas rester sourds à l'appel du calife. Il faut leur prêcher la « guerre sainte ».

1. G. Meynier, *L'Algérie révélée.*

Dans les tranchées, les Allemands arborent des drapeaux verts, lancent au porte-voix des slogans en arabe. Le 26 mai 1915, note Meynier, un groupe de soldats du 3ᵉ tirailleurs (Constantinois) sort de la tranchée française pour aller enlever un drapeau turc « dans des conditions périlleuses, et tuent deux Allemands qui l'avaient planté en terre ». Pas un homme ne déserte et pourtant, parmi eux, beaucoup sont découragés, voire indignés par la dureté de leurs officiers pendant les assauts. Au 2ᵉ tirailleurs, le général Blanc note le 23 septembre, dans son rapport sur le front de l'Oise : « J'ai tué de ma main douze fuyards et ces exemples n'ont point suffi à faire cesser l'abandon du champ de bataille par les tirailleurs. » Les 14 et 15 décembre 1914, au 8ᵉ tirailleurs, pendant la bataille de l'Yser, le général de Bazelaire, commandant la 38ᵉ division, rend compte qu'il a fait fusiller 10 soldats parce que la 15ᵉ compagnie refusait de monter en ligne. Rien n'y fait : « Plusieurs se sont mutilés volontairement et ont été traduits en conseil de guerre. ». La troupe est dans un état de « déchéance », disent les généraux. Les Allemands le savent-ils ? Ils agitent furieusement les étendards du *Hilal* devant les tranchées des 45ᵉ, 37ᵉ et 38ᵉ divisions : pas un homme ne bouge.

Plus tard, un déserteur célèbre, le lieutenant indigène Boukabouya, entraîne quelques-uns de ses hommes dans l'autre camp. Cela n'a rien à voir avec la campagne allemande d'incitation à la désertion. A l'époque, en mai 1915, les tirailleurs, repris en main par des officiers qui les connaissent, sont devenus une arme d'élite, spécialisée dans les assauts. Ils sont, dit-on dans *l'Illustration,* « la terreur des Boches ». Les Allemands n'ont pas cessé leur propagande, au contraire. Ils utilisent même une montgolfière qui fait pleuvoir des tracts au-dessus des lignes, ils ouvrent les barbelés pour que les Arabes puissent passer. Ils obtiennent quelques résultats sur les fronts de l'Aisne et de Flandre : 35 désertions, semble-t-il, mais le départ du lieutenant Boukabouya n'est que la conséquence de la maladresse d'un de ses supérieurs, non un effet de la persuasion allemande : il est vrai qu'il est alors récupéré par la propagande et qu'il signe « El-Hadj Abdallah » des pamphlets dirigés contre l'armée française. Il a entraîné une dizaine d'hommes avec lui dans l'armée ennemie. Sans doute serait-il resté si l'institution lui avait permis de devenir capitaine.

Dans les lignes allemandes, les déserteurs sont immédiatement dirigés, comme tous les prisonniers musulmans, au camp de Zossen où ils reçoivent une formation spéciale. Ils y rencontrent des musulmans indiens et russes et ne comprennent pas bien le dialecte égyptien des propagandistes allemands. Seuls les volontaires sont groupés dans un bataillon de *mujâhidîn* qui doivent combattre dans l'armée turque. De 800 à 1 000 se présentent, surtout des Tunisiens. Sur un total de 7 000 prisonniers ou déserteurs algériens, Meynier estime que moins de 5 % ont servi, de plus ou moins bon gré, dans l'armée turque. Sans doute craignent-ils des représailles contre leur famille, mais, surtout, ils ne s'adaptent pas à la vie au camp, dans la steppe glacée de la région berlinoise, et ne s'entendent pas avec les autres musulmans : le lieutenant Boukabouya est bientôt suspect, on l'accuse de travailler pour le 2ᵉ bureau français (il a été condamné à mort et ses biens sont sous séquestre), il demande à se battre contre les Russes et finit la guerre, étroitement surveillé, dans les bureaux de Berlin... Ceux qui sont partis dans l'armée turque sont également suspects, comme « Arabes », à leurs officiers. Beaucoup désertent de nouveau, en Mésopotamie, pour rejoindre les lignes anglaises. Ceux qui n'ont pas accepté l'engagement dans l'armée turque sont placés par les Allemands dans des camps de représailles en Silésie ou en Bulgarie. La guerre psychologique entreprise par les Allemands sur les soldats algériens aboutit à un échec.

Par contre, elle devait développer dans toute l'Afrique du Nord, à partir du Maroc, un fort climat de suspicion et d'hostilité contre la France. Depuis 1912, le protectorat français s'est installé, sous l'action vigilante de Lyautey. Mais le pays est loin d'être pacifié : la voie est largement ouverte à l'action des agents allemands qui peuvent se servir de la base espagnole de Tanger comme centre de diffusion et d'infiltration. L'entrée de Lyautey à Fez, en mai 1912, avait été orageuse. Il y était resté un moment prisonnier du soulèvement général des tribus qui accusaient le sultan Moulay Hafid d'avoir vendu le Maroc aux *roumis*. Lyautey s'était dégagé de justesse, dans un climat de guerre sainte : les tribus Berabers au nord, Chleuhs au sud, Zaïans au centre, étaient en contact avec les agents allemands qui fournissaient des armes à leurs vaillants guerriers.

Lyautey avait persuadé le sultan d'abdiquer en faveur de son frère, le sage Moulay-Youssef. Autour de ce nouveau souverain, Lyautey avait organisé le ralliement d'un certain nombre de notables indigènes, comme El-Hadj Thami Glaoui, qu'il avait fait nommer pacha de Marrakech. Mais il devait combattre l'antisultan des tribus du Sud, le redoutable El-Hiba, fils du guerrier Mael-Aïnin. Avec ses officiers qui devaient tous exercer sur le front, plus tard, des commandements d'armées ou de corps d'armées, Lyautey entreprit d'isoler les tribus rebelles dans les montagnes, gardant pour lui la côte, les villes, les plaines. Franchet d'Esperey et Brulard se chargèrent du littoral entre Agadir et Marrakech; Gouraud et Alix, Henrys et Mangin s'occupèrent de l'Atlas, également bouclé du côté algérien. 16 000 soldats français, la Légion étrangère et 50 000 volontaires indigènes étaient engagés dans la pacification au moment où Lyautey apprit que la guerre était déclarée en Europe : « Ils sont complètement fous ! dit-il devant ses officiers. Une guerre entre Européens, c'est une guerre civile! C'est la plus monumentale ânerie que le monde ait jamais faite [2]! »

Il devait renvoyer en Europe ses bonnes troupes et ses meilleurs généraux. En échange, il recevait des bataillons de territoriaux. Il ne renonçait pas pour autant à la « pacification ». Il commença par débarrasser le Maroc des ressortissants allemands, pour éliminer leur influence, et n'hésita pas à faire passer en justice les légionnaires accusés de trahison et de contacts avec les rebelles. Le 19 janvier 1915, il expliquait à Millerand que l'exécution des condamnés allemands Karl Ficke et Grindler devait absolument avoir lieu : « Ces condamnés sont ici l'incarnation de l'action hostile et implacable de l'Allemagne et une mesure de clémence... donnerait à tout le Maroc l'impression persistante de la puissance allemande. » D'ailleurs, ajoute le résident général, « les indigènes comme les Européens sont aujourd'hui au courant des atrocités commises par les Allemands et des innombrables exécutions arbitraires faites sans le moindre jugement ». Karl Ficke est coupable d'intelligences avec l'ennemi et de relations avec les rebelles Mehallas. Il leur faisait parvenir des armes par l'intermédiaire de son associé Grundler. C'est, dit Lyautey, « le principal agent pangermaniste » au Maroc. D'une manière générale, il demande à Paris qu'on lui laisse les mains libres pour la répression. « Il est essentiel, dit-il le 16 janvier 1915, d'avoir une autorité aussi forte et une répression aussi rapide que possible. » Il faut qu'il soit très clair, à Paris comme à Rabat, « que le Maroc n'est qu'un des théâtres d'opérations de la guerre actuelle ». Il doit donc « être traité sur le même pied que la zone des armées ». Et Lyautey accumule les preuves : en décembre, dans la zone de Taza-Fez, « la propagande intense venant du Rif espagnol » agite des tribus déjà pacifiées. Des convois sont attaqués sur la route de Taza. Les Riatas « sont dans une défensive hostile ». On a constaté, sur les marchés de montagne, « la vente de 600 Lebel, des munitions, des équipements, des charges de mulets et toutes les dépouilles », ainsi que les quatre pièces de 65 et les mitrailleuses « gardées en trophée », qui nuisent beaucoup au prestige français; ces « dépouilles » proviennent de la malheureuse affaire de Kenifra : le 13 novembre 1914, le colonel Laverdure a lancé une expédition très risquée dans le territoire de Tadla. Des milliers de Zaïans ont attaqué les Français, tué 33 officiers, 530 hommes, pris deux batteries d'artillerie. Les uniformes sont vendus dans les souks.

Naturellement, toute la montagne retentit de cris de joie : les pertes des Français sont amplifiées d'un douar à l'autre, de village en village. Cette nouvelle coïncide avec le passage, confirmé par le

2. Cité par André Le Révérend, *Lyautey*.

général Henrys, « de trois émissaires venant du Rif », porteurs d'une lettre annonçant la défaite en Europe des Français, « auxquels aucun musulman ne doit se soumettre ». Henrys suit à la trace ces émissaires, mais ne peut les arrêter; ils sont dans les villages du Moyen-Atlas. « Il apparaît très nettement qu'il se reconstitue, dans les ports du sud de l'Espagne et dans les zones espagnoles, une très solide organisation germano-islamique de la propagande au Maroc, ayant Abd el-Aziz comme raison sociale. » Abd el-Aziz, c'est l'anti-sultan.

Les Allemands soutiennent d'autres dissidents : Abd el-Malek dans le Nord et El-Hiba dans le Sud. Des actions de guérilla sont sans cesse menées contre les routes, les chemins de fer, les postes français. Avec des effectifs réduits, le général Henrys doit faire face. Aucun progrès n'est réalisé tant que Lyautey ne prend pas, en 1917, la décision d'effectuer une percée à travers l'Atlas, de Fez et de Meknès jusqu'à Tafilalet.

Avec des effectifs réduits, Lyautey « tient » le Maroc. Il est vrai que les tribus rifaines ne manquent ni d'armes, ni de munitions, et que les contacts avec la zone espagnole sont nombreux. Les Allemands l'ont inondée d'agents et ont installé une base de refuge pour leurs ressortissants expulsés, ainsi que pour les déserteurs de la Légion étrangère qui ont échappé aux tribunaux militaires français.

L'administration prend en Algérie toutes les précautions possibles pour éviter les soulèvements, moins fomentés par les agents allemands qu'engendrés par le mécontentement des indigènes : un brillant officier de spahis, Khaled, est le petit-fils d'Abd el-Kader. Il a fait Saint-Cyr et a servi au Maroc où Lyautey le haïssait, parce qu'il s'était prononcé pour l'antisultan Abd el-Aziz. Envoyé au front en 1914, ses supérieurs le « jugeaient dangereux et peu sûr », bien qu'il fût utilisé pour la propagande patriotique dans les lignes. On envisageait, en novembre 1914, de l'envoyer en mission en Orient. Alger mit Paris en garde : « Il est possible que son départ soit présenté comme défection à populations chez qui le bruit courait récemment qu'il arrivait en aéroplane pour prendre au nom du Kaiser le commandement en Algérie. » Les bruits de ce genre courent en effet les douars. On annonce le débarquement des Turcs et des Allemands, voire l'arrivée en zeppelin d'*El-Hadj Guillaume*, avec l'émir Khaled.

Mais l'administration redoute bien davantage l'arrivée des blessés et des permissionnaires qui pourraient donner des nouvelles du front. Elles circulent cependant, grâce à l'action des agents turcs et allemands. On sait que les Français ont essuyé des défaites et que les pertes des tirailleurs sont lourdes. Un mouvement de résistance aux engagements se dessine dès la fin de 1914. On lapide les gendarmes et les administrateurs dans le Sud-Constantinois. A Tébessa, une colonne de recrues est arrêtée par des manifestants. Les maquis se remplissent d'insoumis et de déserteurs dans la région de l'Ouarsenis, en Kabylie. Une révolte éclate dans les Beni Chougran et dans les régions voisines des Aurès. Les recrues doivent être arrêtées par les chasseurs et les zouaves. La répression est impitoyable, mais l'administration se demande désormais s'il n'y a pas, venus du Sud, à partir de la Tunisie, des mots d'ordre de révolte.

La Tunisie, en effet, n'est pas sûre. Le général commandant la division d'occupation proteste le 28 décembre contre l'envoi de tirailleurs permissionnaires, qui a donné « de fâcheux résultats ». Dans tout le Maghreb, le recrutement devient aléatoire. En Algérie aussi, « la présence des permissionnaires produit un mauvais effet » (14 janvier, télégramme du général commandant l'armée d'Afrique du Nord à la Guerre). « Pour la même raison, il n'y a pas lieu d'envoyer en Afrique du Nord les convalescents... ils seront bien mieux traités en France et, plus tôt guéris, ils seront plus tôt disponibles. » Il ne faut pas que les récits des combattants enflamment la résistance de l'intérieur, qui n'est déjà que trop violente : à Perregaux, deux chasseurs d'Afrique « furent tués et *mutilés* et deux autres blessés, dont un mortellement ». Les Tunisiens, retour du front, sont dans le plus fâcheux état d'esprit. Un colon rapporte que « sur le pont du bateau qui les ramenait en Tunisie, les tirailleurs manifestaient un sourd mécontentement d'avoir été envoyés au feu. Leur rancune s'adressait surtout aux autorités tunisiennes et au Bey, auquel ils reprochent de ne pas les avoir protégés ». Le témoin a vu « deux sergents indigènes rengagés, dont un médaillé, adresser des injures au Bey en passant devant son palais de la Marsa ».

Il faut renoncer aux engagements « pour la durée de la guerre », câble le gouverneur d'Algérie, et ne maintenir que les « engagements à long terme »; il faut éviter toute levée exceptionnelle; « les populations musulmanes nous étaient sympathiques au début de la guerre, elles croyaient à notre propre victoire... mais les tribus sont tellement terrorisées par cette guerre... elles sont tellement convaincues que tout soldat incorporé est d'avance sacrifié », qu'elles pourraient provoquer « des désertions » : qui leur souffle cette attitude? Le gouverneur pense qu'elles « commencent à se préoccuper de l'activité des Senoussis et des actes d'insubordination sont constatés dans les régions de Souf et Touggourt ». Les Senoussis? Des rebelles du Sud libyen, infiltrés à l'ouest jusqu'en Algérie par les hautes plaines, des religieux fanatiques menés par de redoutables chefs de guerre qui sont en même temps chefs de sectes. Leurs attaches avec les Turcs et les Allemands sont bien connues. Les troubles d'Algérie leur sont-ils imputables?

Le gouverneur rapporte des propos qui, incontestablement, ont pour origine la propagande allemande. Il répond ainsi au télégramme qui lui fait part de l'affaire des « drapeaux verts » des tranchées allemandes : « Il est à prévoir, dit-il, que des fanatiques l'exploiteront en lui donnant cette signification que les Allemands sont bien les seuls vrais protecteurs de l'Islam puisque nous obligeons nos militaires à tirer sur l'étendard du Prophète... » Le bruit ne court-il pas déjà « que nos tirailleurs ont perdu, à notre contact, leur qualité de musulmans ? » D'où viennent ces bruits ? D'Orient, assurément.

On hésite à rapatrier les pèlerins pacifiques notables qui sont allés à La Mecque par les soins des Français et des Anglais. « Il est certain, écrit le résident général au Maroc, que si les pèlerins de La Mecque pouvaient ne pas revenir du tout, cela vaudrait beaucoup mieux pour nous, car, d'après mes renseignements, ils ont été déjà fortement travaillés et rapporteraient des éléments de propagande germano-islamique et des proclamations qu'il serait très difficile de surveiller, surtout pour ceux qui rentreront par la zone espagnole. »

Nul doute que ces pèlerins (tous notables ou fils de notables) ne soient à leur retour très contrôlés. Les autorités françaises sont de plus en plus conscientes que l'insurrection de l'Afrique du Nord est programmée à Berlin. On a constaté que les tirailleurs les plus touchés par la propagande sont les Tunisiens et ceux du Constantinois : ce n'est pas un hasard, ils sont amis des Turcs et sensibles aux mots d'ordre de guerre sainte. La propagande allemande se développe en Algérie essentiellement à partir de Tunis. Des colis de tracts et de journaux viennent par le Sud de Tripolitaine, ils sont d'origine allemande, rédigés en français et en arabe. Les tracts sont signés, à partir de 1916, « Comité d'indépendance de l'Algérie-Tunisie » ; l'origine de ce comité est allemande. Les Turcs envoient de leur côté des feddayin pour leur action de propagande depuis 1914. Enver Pacha anime, avec l'orientaliste allemand Orson, une « société allemande de culture islamique ». En 1914, les Allemands sont présentés comme étant eux-mêmes musulmans. Un tract en arabe fait connaître la « prière du Kaiser à Allah » aux soldats des tranchées. Ils sont les « envoyés de Dieu » pour la protection et la renaissance de l'islam. Leurs ennemis, Français et Anglais, n'ont que mépris pour la religion musulmane, Algériens et Tunisiens doivent se dresser pour conquérir, avec l'appui de l'Allemagne, leur indépendance. En 1916 est créé à Berlin un Comité pour l'indépendance de l'Afrique du Nord. A-t-il une influence sur la grande révolte du Constantinois, cette année-là ? Deux régiments de la 125ᵉ division doivent être distraits du front et engagés dans cette région. Beau résultat pour Berlin, mais si les tribus se soulèvent en masse, c'est contre la levée des recrues et la réquisition des travailleurs; elles n'ont pas besoin d'autres mots d'ordre. Il est vrai que, dans le Sud, les nouvelles de Tripolitaine ont leur importance : elles accréditent le thème de la grande révolte musulmane, d'Égypte au Maroc, qui va libérer des *roumis* le pays d'Allah.

Turcs et Allemands ont très vite noué des liens avec le grand Senoussi, chef militaire et religieux. En Libye, les organisateurs de la révolte contre les Italiens sont les cheiks El-Barouni et Ben Souf, réfugiés en Turquie. Sans doute inspirés par Berlin, ils entrent en relation avec le cheikh Senoussi pour généraliser la guerre sainte. Dès 1914, les Senoussis ont obligé les Italiens à évacuer leurs postes du Fezzan, abandonnant Ghadamès et Sinaoun. Les deux villes sont libérées par la colonne italienne de secours envoyée en mars 1915, mais les Senoussis se renforcent. Ils ont pris aux Italiens des quantités suffisantes d'armes et de munitions et ils sont sans doute aidés par les Allemands. Ils obligent bientôt les Italiens à se réfugier sur les côtes. Sinaoun est de nouveau évacuée, ainsi que Ghadamès et Nalout. A partir de l'été 1915, les Italiens ne tiennent plus qu'une frange côtière; les Français ont dû envoyer des renforts pour empêcher les rebelles de s'avancer dans le Sud tunisien. Déjà des émissaires partisans des Turcs se sont infiltrés dans la région de Tatahouine; de nouveaux renforts français, des territoriaux, doivent être expédiés d'urgence.

Le poste de Ghat, qui ferme le Sud algérien aux nomades de Tripolitaine, a été abandonné par les Italiens : la voie du Sud est ouverte. Pourtant, les Senoussis ne sont pas ennemis des Français qui se sont bien gardés d'aider les Italiens autrement qu'en accueillant dans leurs postes leurs colonnes désarmées. Les Turcs envoyés sur place ont du mal à expliquer aux guerriers qu'ils doivent envahir la Tunisie et l'Algérie et en chasser les Français comme ils ont repoussé les Italiens. Noury bey, le frère d'Enver, vient en personne en Tripolitaine au printemps de 1915. Des Allemands sont présents à l'entrevue avec les chefs, car ils veulent obtenir une base pour leurs sous-marins. L'officier turc Salah Effendi commande les rebelles qui battent les Italiens à Kabao et s'emparent de Zouara. Le prestige du grand Senoussi devient immense, les tribus se rallient : les Italiens sont maintenant attaqués sur la côte. Les Turcs nomment des gouverneurs senoussis. Les Italiens ne tiennent plus guère que Tripoli à l'été de 1915.

Un chef rebelle organise alors, sans l'accord formel du grand Senoussi, l'agitation dans le Sud tunisien : Khalifa ben-Asker lève des soldats en Tripolitaine et s'apprête à attaquer les postes frontière, avec l'aide d'officiers allemands et turcs. Les Français envoient des renforts, mais certains *goums* sont peu sûrs, il faut les licencier. Les troupes sahariennes de Meynier se hâtent d'intervenir, car la révolte gagne le Sud algérien. Le poste de Déhibat est assiégé, ainsi qu'Oum-Souigh. La résistance des garnisons est héroïque. Elle sont finalement dégagées par une colonne de renforts. Les Français ont récupéré toute leur influence et procèdent immédiatement à des confiscations de troupeaux et à des levées d'otages pour s'assurer de la fidélité des tribus. Le grand raid senoussi a échoué, les soldats refluent en désordre : les cheikhs se querellent, le grand Senoussi fait savoir qu'il n'a jamais voulu cette agression contre la Tunisie et que les conseillers allemands et turcs en sont seuls responsables. Les Italiens profitent de ces conflits d'autorité pour soutenir un cheikh dissident, Mohammed el-Idrissi : les Senoussis se font désormais la guerre entre eux, ne reconstituant leurs forces que pour se protéger contre le retour des Italiens. En 1916, ceux-ci ne parviennent pas à sortir de leur base de Tripoli, ni de celle de Zaoura qu'ils ont récupérée. Ils exigent des Français la fermeture totale de la frontière aux caravanes senoussies. Ils contribuent ainsi, comme le remarque Meynier, à l'effritement de l'autorité morale des Senoussis au profit des Ottomans « qui sont regardés comme la seule force organisée de l'Islam ».

Dès lors, les « coopérants techniques » turcs et allemands reprennent la route de Tripolitaine. L'officier turc Ramdan Chtevé organise des camps militaires d'entraînement et El-Barouni débarque avec un *firman* du sultan de Constantinople le nommant officiellement gouverneur, cependant que Noury bey est désigné comme chef de l'armée. Les soldats vont être équipés de fusils Mauser et de mitrailleuses. Cette invasion de matériel et d'officiers allemands déconcerte, et bientôt indigne les cheikhs senoussis qui reprennent leur indépendance et leurs soldats. Certains se laissent convaincre par les Alliés de faire la guerre aux Turcs, comme Idrissi. La Tripolitaine va devenir un de ces champs de bataille où les « conseillers militaires » vont dresser les tribus les unes contre les autres. L'invasion du Maghreb et la guerre sainte ont échoué. Le soulèvement du Sud tunisien n'a pas eu de suites ; il n'a pas réussi à contaminer l'Algérie. Il a cependant immobilisé une division française au moment où les Français manquaient cruellement d'effectifs. En ce sens, il a servi l'effort de guerre allemand. Les raids de goumiers dans le Tassili des Ajjers n'ont jamais requis d'importants effectifs, même si les Touaregs fanatisés ont pu menacer les postes militaires et le trafic caravanier.

Les Senoussis n'ont pas été plus heureux dans le Sud égyptien contre les Anglais. Pourtant, ils bénéficiaient d'une plus grande proximité de la Turquie. Deux cents officiers ou conseillers turcs et allemands avaient débarqué en novembre 1915 dans la baie de Solloum, poste frontière entre Égypte et Libye. Ils avaient réuni 3 000 hommes et rejeté les Anglais surpris sur la côte. Avec des renforts indiens, les Anglais réagirent, obligeant les chefs senoussis à désavouer, dans *la Tribune de Genève*, le raid irresponsable des tribus fanatisées et dressées par les Turcs contre « leurs excellents amis ». Pourtant, les raids senoussis avaient obligé le général Maxwell à immobiliser des troupes assez nombreuses, notamment de la cavalerie de la *Yeomanry* venue d'Angleterre, des troupes indiennes et les fameux escadrons du *Camel Corps*. Pour économiser les effectifs, Maxwell avait demandé l'envoi de matériel moderne : c'est avec des automobiles blindées et des avions que les Anglais devaient réduire, à partir de février 1916, les Senoussistes organisés par le général turc Noury bey. Avec très peu d'effectifs, la colonne Lukin pouvait lancer de nombreux raids, décourager les rébellions, saisir les stocks d'armes, agir rapidement selon les renseignements communiqués par l'aviation.

Les Anglais ne pouvaient pas envoyer d'autos blindées dans le désert du Darfour où une armée de Senoussistes se proposait d'envahir le Soudan. Mais le *Camel Corps* et l'infanterie montée, bien soutenus par l'artillerie, devaient suffire à disperser les 5 000 fusils du chef Ali Dinar qui fut tué dans la campagne. Pas plus en Égypte qu'en Tunisie, les Allemands n'avaient réussi à porter durablement la guerre sainte. En Libye, les succès des Senoussistes contre les Italiens étaient remis en question par la querelle des chefs. La grande insurrection du Maghreb, dont avaient rêvé les stratèges de Berlin, ne s'était pas produite.

Par contre, les Anglais avaient dû faire preuve de vigilance à l'est de l'Égypte où les Turcs devaient multiplier les efforts pour atteindre sinon les Indes, du moins leurs accès. Djemal pacha avait échoué dans son attaque-surprise du canal de Suez, mais ses troupes étaient épuisées, non pas vaincues. Un autre raid avait été lancé contre le Chatt-el-Arab, débouché de la plaine de Mésopotamie sur le golfe Persique. Les Anglais avaient dû envoyer sur place une division indienne sous les ordres du général Townshend. Parti du Koweit, celui-ci avait progressé dans la plaine jusqu'à Kut-el-Amara, en direction de Bagdad. Von der Goltz, le général allemand qui commandait en Turquie, avait envoyé contre lui la 6ᵉ armée turque : battus à Ctésiphon, les Anglais étaient bloqués dans Kut-el-Amara. Le 29 avril, Townshend devait capituler. Au sein de la 4ᵉ armée turque, les Anglais avaient découvert avec surprise l'existence d'une division austro-allemande. Les Turcs ne cessaient pas leurs attaques. Ils revenaient en force, en juillet 1916, traversant le désert du Sinaï pour attaquer El-Kantara. En août, les Germano-Turcs étaient néanmoins en pleine retraite, car les Anglais avaient eu le temps de construire un chemin de fer de Port-Saïd jusqu'à El-Kantara, et même une conduite d'eau : l'offensive des deux armées turques de Mésopotamie et du Sinaï n'étant pas coordonnée, cinq mois de délai avaient permis aux Anglais de se renforcer. L'Égypte était sauvée.

LE THÉÂTRE DES OPÉRATIONS
AU PROCHE-ORIENT

Ils avaient aussi développé, à l'instar des Allemands, leur action psychologique dans le Moyen-Orient afin de détacher les Arabes des Turcs. En 1914 était arrivé au service cartographique de l'armée d'Égypte un lieutenant nommé Lawrence. Il avait été envoyé sur les arrières de l'armée Townshend pour tenter d'agir sur les officiers turcs en les soudoyant. Lawrence, qui connaissait déjà parfaitement la langue et les usages du pays, avait suggéré de soulever les Arabes en leur promettant le droit à l'autodétermination à la fin de la guerre. Mais l'*Indian Office* avait formellement repoussé cette suggestion.

Pourtant, les Anglais connaissaient l'hostilité des habitants du Hedjaz (l'actuelle Arabie) vis-à-vis des Turcs. Ils croyaient pouvoir compter sur l'amitié d'Abdallah, fils de Hussein, grand chérif de La Mecque, qui descendait en droite ligne d'Ali et par conséquent du Prophète. Dès octobre 1914, Kitchener lui-même était intervenu auprès d'Abdallah pour lui demander l'assistance de la « nation arabe » contre les « bandes de soldats turcs » ; de fait, Abdallah avait convaincu son père, en juillet 1915, et les Anglais avaient envoyé à Djeddah des armes, des munitions, des conseillers militaires pour organiser les premiers contingents de Bédouins. Mais Kitchener était mort et Hussein avait élevé ses prétentions, demandant la reconnaissance de son royaume arabe du golfe Persique à la mer Rouge : il avait inquiété les Anglais d'Égypte qui craignaient la contagion de ces idées d'indépendance. Les relations s'étaient détériorées et les Anglais avaient laissé les Turcs s'avancer jusqu'à La Mecque qu'ils tenaient sous le feu de leurs canons.

Lawrence s'indignait de l'inaptitude de ces officiers qui débarquaient des Indes avec leurs clubs de golf et leurs raquettes de tennis. Il fallait d'urgence renouer le fil de l'amitié arabe : « Nous devrions, écrivait-il à Hogarth en mars 1915, envelopper la Syrie en partant du Hedjaz et en agissant au nom du chérif de La Mecque : nous pourrions ainsi nous jeter sur Damas. » Nommé au bureau arabe de la Résidence, il accompagna son chef Storrs, en octobre 1916, dans son voyage au palais d'Abdallah. Il fallait persuader les Arabes de reprendre eux-mêmes Médine et de marcher sur Damas ; ni renforts anglais ni expédition française : une action uniquement arabe, de caractère nationaliste.

Le 3ᵉ fils d'Hussein, Fayçal, doit conduire les armées libératrices. Lawrence le rencontre pour le convaincre. « Dans ses longues robes de soie blanche, avec sur la tête un voile brun retenu par une cordelette de pourpre et d'or », Fayçal est bien ce chef historique dont les Anglais ont besoin pour fanatiser les Arabes. Abdallah et Fayçal sont séduits, l'Angleterre envoie 11 millions de livres : les bases de la reconquête reposent sur l'idée singulièrement dangereuse de l'indépendance – l'idée même dont se servent les Allemands dans le Maghreb.

En Arabie, les Turcs risquent d'en être victimes : contre eux se lèvera le nationalisme arabe stimulé par Fayçal, soutenu par Lawrence. Ailleurs, la même idée sera lancée contre les Anglais et les Russes par les agents allemands. L'un d'eux joue en Perse le même rôle que Lawrence dans le Hedjaz ; il s'appelle Wassmuss.

L'action de cet agent se développe sur la côte nord du golfe Persique, autour de Bouchir. Consul dans le Golfe, il connaissait l'hostilité des Persans vis-à-vis des Russes et des Turcs. Seule la puissance de l'Angleterre les avait empêchés de se joindre à l'Allemagne en guerre. Le chah Mouzaffer ed-Din était endetté, impuissant, misérable : son pays était divisé, depuis 1907, en deux zones d'influence, anglaise au sud, russe au nord. Le nouveau chah Mohammed Ali, à l'instigation de l'Angleterre, avait dû accorder une constitution afin de tenter de désarmer les oppositions et les révoltes dont certaines étaient l'œuvre des Allemands. Wassmuss savait qu'au sud, les tribus de nomades Tangistanis, devenues sédentaires, pouvaient être dressées contre les Anglais. Pendant des mois, il avait parcouru à cheval le Tangistan, habillé d'un manteau local en poil de chameau, parlant dans leur langue aux chefs de tribu; on savait à Berlin qu'il était parfaitement capable de provoquer un soulèvement sur la côte.

Il avait été convoqué à Berlin avec d'autres spécialistes de la Perse : le géologue Oscar von Niedermayer, arraché précipitamment au front de Lorraine, et le fabricant de meubles Schunemann, qui avait fait fortune à Tabriz. On leur avait appris qu'à la suggestion d'Enver pacha, un corps turc et allemand devait traverser la Perse, gagner l'Afghanistan pour soulever les populations musulmanes des Indes. Les Allemands furent réunis par Enver au palace Tokatlian, dans le quartier européen de Constantinople. Enver présidait le banquet dans un uniforme prussien. Le pacte était scellé : les Allemands combattraient sous l'uniforme turc. Aussitôt Niedermayer fut dirigé sur Alep; Wassmuss devait descendre le Tigre, traverser le désert de Perse pour gagner l'Afghanistan. Arrêté par les Anglais, il réussit à s'évader et à rejoindre le Tangistan. Il obligea les Britanniques à renforcer leur garnison du port de Bouchir qui protégeait le fond du golfe Persique. Il réussit à grand'peine à lever des guerriers en proclamant la guerre sainte grâce à un mollah qui parcourait les villages en hissant l'étendard vert du Prophète. Il réunit près de mille partisans qui ne purent prendre d'assaut la ville de Bouchir où les Anglais ne disposaient que d'une seule mitrailleuse. Cependant, Wassmuss (qui devait finalement être capturé, sa tête ayant été mise à prix) continua la guérilla, attaquant les convois britanniques, faisant des prisonniers (notamment le consul anglais Frederic O'Connor).

Les Allemands pouvaient croire leur entreprise en bonne voie : 12 000 soldats anglais et indiens avaient été fait prisonniers par les Turcs à la date du 29 avril 1916 et soumis aux plus durs sévices après la prise de Kat-el-Amara. Quatre mille d'entre eux devaient périr des suites de ces violences qui révoltaient les conseillers allemands d'Enver. La sauvagerie des Turcs s'exerçait aussi à l'encontre des Persans : dans le Nord, l'armée de Rauf bey pillait et brûlait les villages. Dans ces conditions, il y avait peu de chance de soulever la Perse aux côtés des Germano-Turcs, et von der Goltz ne se faisait pas d'illusions.

Pourtant, l'expédition progressait vers l'Afghanistan : Niedermayer et ses compagnons étaient arrivés à Herat en août 1915. Avant d'entrer dans la ville aux sept minarets, ils s'étaient soigneusement brossés et l'un d'eux avait revêtu son uniforme prussien de cuirassier blanc, avec le casque à pointe dorée. Mais le gouverneur, courtois, n'avait guère été encourageant. Il les avait cependant autorisés à poursuivre leur singulier voyage jusqu'à Kaboul où ils avaient été reçus par le célèbre émir Habiboullah, qui tenait sa réputation de la variété de ses tortures. En excellentes relations avec le vice-roi des Indes, celui-ci leur présenta comme une grâce la liberté qu'il leur donnait de quitter le pays.

Les Allemands tentèrent de passer aux Indes : ils furent tous faits prisonniers, sauf Niedermayer qui réussit à rejoindre la Turquie, mourant de soif et de faim. Il fut pendant 15 jours l'hôte personnel du Kaiser, que les épopées d'Orient ravissaient. Il eut ainsi l'occasion de lui dire le fond de sa pensée : tant que la Russie ne serait pas hors de combat, aucune tentative en Afghanistan ne présenterait la moindre chance de succès.

De fait, la politique allemande en Orient se heurtait aux armées russes dont les Turcs ne parvenaient pas à se dégager. L'alliance turque était précieuse, mais elle avait de graves inconvénients : le Kaiser s'était vite aperçu que le sultan de Constantinople n'était pas en mesure de rallier à la guerre sainte tous les musulmans : les Anglais soulevaient contre lui l'autorité religieuse du chérif de La Mecque, favorisaient les rébellions arabes. En Perse, les Turcs, par leurs atrocités, s'aliénaient les population pourtant très hostiles aux Russes. Ils devaient porter leur impopularité à son comble en persécutant les Arméniens.

Sous prétexte qu'ils nuisaient à la défense nationale, ceux-ci furent l'objet, en 1915, d'une véritable tentative d'extermination. On avait déjà déchaîné contre leurs villages le banditisme kurde. La répression avait suscité la création de groupes révolutionnaires que les militants fanatiques du parti jeune-turc traquaient à la fois comme ennemis de la foi et de la nation. Pourtant les Arméniens avaient participé jadis à la révolution jeune-turque : leurs députés, Zohrab, Papazian, Aknouni, Vramian, Vartkhès, étaient les membres dirigeants du parti *Daschnak* qui était représenté au Parlement depuis 1890. Le congrès général avait refusé d'organiser en Arménie russe des opérations subversives, alors que les musulmans, les Géorgiens, les Azéris avaient accepté : c'était bien la preuve, disaient les jeunes-Turcs, que les Arméniens s'excluaient eux-mêmes de la communauté nationale. Les Turcs ne pouvaient rien attendre de ces chrétiens. D'ailleurs, les Arméniens russes avaient servi de guides à l'armée tsariste pour la traversée des montagnes : les Arméniens étaient des traîtres, il fallait les exterminer.

Ils avaient pourtant répondu aux ordres de mobilisation, les hommes avaient rejoint leurs unités. Le parti Daschnak avait recommandé à tous les Arméniens de remplir leur devoir envers la patrie turque. Aux premières défaites, les Turcs avaient décidé d'en finir avec la question arménienne. Le 26 mai 1915, le ministre de l'Intérieur, Talaat pacha, énumérait ses griefs : trahison, gêne dans

le passage des troupes, fourniture de vivres à la marine ennemie...
Un seul remède : la déportation de l'ensemble des populations vers
l'intérieur, vers Alep et Mossoul. Leurs biens seraient confisqués et
vendus.

Les hommes pris ou non par la conscription sont alors astreints au
travail forcé sur les routes, ils travaillent dans les montagnes ou dans
les déserts rocheux, jusqu'à épuisement. Les femmes, les enfants,
les vieillards sont acheminés en longues et misérables colonnes vers
les lieux de déportation du Sud. Le consul américain L. A. Davis
rencontre une de ces colonnes à Kharpout, sur une piste de
l'Anatolie centrale qui conduit à Alep. « Ils étaient tous, dit-il, en
haillons, affamés, sales et malades. » Comment s'en étonner alors
qu'ils marchent depuis des semaines par une chaleur accablante,
couchant le soir sous des tentes? « Je les observais un jour qu'on leur
apportait à manger : des animaux sauvages ne pourraient être plus
avides. Ils se précipitaient sur les gardes et ceux-ci les repoussaient à
coups de bâton... Quand on les voyait, on pouvait à peine croire que
ce fussent des êtres humains. » Tous racontent qu'ils ont été souvent
attaqués en cours de route par les Kurdes qui leur ont tout pris et qui
ont tué même des femmes et des enfants. Le consul donne des
détails : sur une famille de 25 personnes obligée de quitter ses
maisons d'Erzéroum, il n'y a déjà plus que 14 survivants. Onze ont
été massacrés par les Kurdes qui ont volé l'argent, les chevaux, les
bagages et même les vêtements. C'est, dit le consul, « le massacre le
mieux organisé et le mieux réussi auquel ce pays ait jamais assisté ».
Les missionnaires américains ravitaillent les déportés d'un long
convoi de 20 000 personnes qui passent par Aïntab, au nord d'Alep.
Un employé des chemins de fer allemand les voit passer le long de la
voie ferrée. Les femmes, épuisées, ne peuvent plus porter leurs
enfants, les soldats les contraignent à les abandonner dans les
buissons. « Les déportés étaient particulièrement affligés de n'avoir
pu ensevelir leurs morts, note l'employé allemand. Les cadavres
restent sur la route, n'importe où. » Quand les déportés arrivent sur
les bords de l'Euphrate, ils sont épuisés, affamés. Ceux qui meurent
sont attachés par grappes et jetés dans le fleuve. Dix mille
seulement arrivent jusqu'à Deir-ez-Zor, sur l'Euphrate, lieu fixé
pour leur « colonie ». D'autres sont poussés dans le désert de
Mossoul.

Les Allemands témoins de ces spectacles sont écœurés et
protestent. Mais la *Kölner Gazette* refuse de publier les articles de
son correspondant de guerre Harry Stuermer. Pourtant, il avait été
le témoin des rafles de Constantinople, de Brousse et d'Ada-Bazar.
Les déportés n'avaient qu'une heure pour rassembler leurs bagages
et partir. Les gendarmes les escortaient en convois à travers la ville
jusqu'à la station centrale de police de Péra. Les femmes et les
enfants étaient chargés dans les tramways électriques et conduits à

Galata. Ils étaient expédiés, à partir de la gare de Haïdar-Pacha, vers l'intérieur, parqués dans des wagons à bestiaux, transis de froid. Mais la plupart prenaient la route à pied, en longs convois escortés de gendarmes : « Le ministre de l'intérieur Talaat bey – écrivit l'ambassadeur allemand Wangenheim au chancelier Bethmann-Hollweg – a... déclaré ouvertement que la Porte voulait profiter de la guerre mondiale pour en finir radicalement *(gründlich aufzuraümen)* avec leurs ennemis intérieurs sans être gênée par l'intervention diplomatique de l'étranger. » Les rapports des consuls d'Alep et d'Erzeroum à l'ambassadeur ne laissent aucun doute sur les sentiments des Turcs. « Ce gouvernement poursuit sciemment la destruction d'aussi grandes parties que possible du peuple arménien, par des moyens empruntés à l'antiquité et qui sont indignes d'un pays qui veut être l'allié de l'Allemagne », dit l'un d'eux. Le comte Wolff-Metternich parle d'une « fureur fanatique de persécution », et il redoute le massacre des Grecs après celui des Arméniens, le jour où la Grèce aura pris parti pour l'Occident. Les Allemands découvrent le fanatisme religieux des jeunes Turcs. Le consul von Scheubner-Richter note le 4 décembre 1916 : « Une grande partie du Comité jeune-turc procède du point de vue que l'Empire turc doit être construit sur une base purement musulmane et pan-turque. Les habitants non musulmans et non turcs de l'État doivent être islamisés et turquifiés par la force, et, là où cela n'est pas possible, exterminés. »

Les Américains réagissent les premiers : ils sont parfaitement informés des massacres par leurs diplomates et leurs missionnaires. Aux États-Unis, Théodore Roosevelt demande une intervention ferme du président. Les Arméniens de New York exigent de l'aide. Les Anglais publient un *Livre bleu* où le jeune historien d'Oxford Arnold Toynbee fait le bilan des massacres : il estime à un million au moins le nombre des victimes. La plupart des estimations atteignent 1 500 000 victimes. Il a été impossible de les compter, on a dû procéder par déduction, estimer le chiffre des morts d'après celui des survivants : à Smyrne, à Constantinople, dans les communautés religieuses, les Arméniens ont pu être protégés ou bien ont pu s'enfuir. Dans certains *vilayets* comme Van ou Bitlis, ils ont été immédiatement massacrés. Ailleurs, à Trébizonde, Angora, Erzeroum, ils ont été exterminés sur les routes par les Turcs et les gendarmes qui, selon Liman von Sanders, étaient des « brigands ». Ceux de Cilicie ont été tués à petit feu, ils sont morts de faim et de fatigue dans les bagnes les plus durs du monde. Ni les représentations de l'ambassadeur américain Morgenthau, ni l'intervention « humanitaire » du pasteur Johannès Lepsius, président de la *Deutsche orientalische Mission,* ne peuvent fléchir Talaat bey. Des pétitions adressées à Bethmann-Holwegg restent sans effet, de même qu'une interpellation des catholiques allemands du parti du

Centre. Les socialistes aussi protestent en vain : le gouvernement allemand fait passer ses intérêts militaires immédiats avant tout autre considération.

Les Allemands doivent se résigner à voir désormais tachées de sang les cartes postales et les images de magazines de leur rêve oriental. Non seulement les Turcs apportent, par leurs massacres, une puissante contribution à la propagande de guerre des Alliés chez les neutres – en particulier en Amérique –, mais, sur le plan militaire, ils ne donnent pas à Berlin les satisfactions escomptées. Pourtant, les Turcs ont renforcé sensiblement leur armée du Caucase au début de 1915 : ils ont aligné 190 bataillons et 128 escadrons, reconstituant ainsi leur 3ᵉ armée très éprouvée par les combats contre Youdénitch. Mahmoud Kiamil pacha, soutenu par le détachement d'armée d'Abdul Kerim, veut prendre l'offensive, en finir avec les Russes, tendre la main aux Turcs et aux musulmans de l'autre côté du Caucase. Cette tentative échoue, de même que la manœuvre de débordement esquissée sur l'Euphrate et jusqu'en Perse. Deux divisions de cavalerie et une brigade d'infanterie suffisent aux Russes pour nettoyer le Nord de la Perse. Il faut l'intervention personnelle de Liman von Sanders pour que les Russes abandonnent, à la fin de 1916, la région de Kermanchach.

Cette année-là, l'initiative est aux Russes : Youdénitch ne veut pas attendre l'attaque des armées turques renforcées. Il poussera lui-même avec toutes ses forces sur Erzeroum, confiant à Vorobiev la mission de prendre les Turcs à revers en faisant franchir la montagne à ses deux divisions de Cosaques. Les hommes revêtus de cagoules blanches et de tentes sibériennes réussissent l'invraisemblable manœuvre, attaquant pendant les fêtes du Jour de l'An russe, trompant et surprenant l'ennemi. Une grande bataille se livre sur le plateau d'Azapköy, dans une neige épaisse. Les pertes sont énormes des deux côtés, mais Vorobiev réussit sa percée et les Cosaques de Sibérie ne font pas quartier aux fuyards turcs. Une fois de plus, la 3ᵉ armée connaît la défaite ; elle n'est plus en mesure de défendre Erzeroum. Les Russes y donnent l'assaut.

La ville est pourtant bien protégée. Les conseillers allemands ont fait compléter ses défenses. Les massifs qui entourent la petite vallée d'Erzeroum sont réputés inaccessibles, des forts ont été construits dans les défilés, avec des canons modernes, des nids de mitrailleuses, des réseaux de barbelés. Attaquer Erzeroum paraît impossible, la couche de neige atteint par endroits trois mètres et la température – 25°... Youdénitch obtient du grand-duc Nicolas l'autorisation de tenter l'assaut. C'est, dit-il, « le tout pour le tout, victoire ou mort ». Youdénitch décide une fois encore d'agir par surprise. Il a décelé le seul point faible de la défense : le massif de

LA GUERRE TURCO-RUSSE

RUSSIE

MER NOIRE

Caucase

Petit Caucase

Trébizonde

Erzeroum

ARMÉNIE

MER

TURQUIE

CASPIENNE

Mus

Lac de Van

Bitlis

Lac de Rezaiyeh

Tigre

Mossoul

PERSE

Euphrate

SYRIE

IRAQ

Kermanchach

Kargabazar. Une division reçoit l'ordre de s'y installer. « Pas de pistes, dit un témoin ; pour faire monter l'infanterie et surtout l'artillerie, il a fallu creuser un sentier étroit dans la glace et dans le roc... L'altitude du plateau atteignait 2 000 mètres. Le froid était tellement vif, la nuit, que les hommes, pour ne pas geler, étaient obligés de marcher sans arrêt [3]. »

L'attaque se fait de nuit, pour diminuer les pertes. Le premier fort pris, celui de Dalanguez, doit être tenu, a dit Youdénitch, coûte que coûte. Les canons turcs se surpassent : sur 1 400 Russes, 1 100 sont tués, mais les autres restent sur place. Les survivants de la division descendent du plateau de Kargabazar, l'assaut est donné sur toute la ligne, les forts tombent les uns après les autres au prix de pertes très lourdes. Les régiments de Bakou et d'Elizabethpol se couvrent de gloire, hissant leurs étendards au sommet des positions enlevées.

3. Cité par le général Andolenko, *Histoire de l'armée russe.*

Youdénitch apprend que les Turcs préparent l'évacuation de la ville. Il ne faut pas qu'ils échappent. Il demande un nouvel effort à ses soldats épuisés. Les Cosaques de Sibérie chargent. Le 16 février 1916, Erzeroum est prise. Mais partout sautent les uns après les autres les dépôts de munitions et de matériel. Les survivants de la 3ᵉ armée turque parviennent à se retirer en bon ordre, à empêcher les Russes de poursuivre : ils doivent se contenter de leurs dépouilles – 20 000 prisonniers, 450 canons. Le tsar, informé par télégramme, ne veut pas croire à l'incroyable nouvelle. Il en demande confirmation. Youdénitch a réussi l'impossible exploit, mais ses hommes l'ont payé très cher : 6 000 ont les pieds gelés, 15 000 sont morts.

Pour les Turcs, la prise d'Erzeroum est une catastrophe. Les Allemands sont de plus en plus sceptiques sur les ressources réelles de leur allié. « La perte d'Erzeroum, note Liman von Sanders, fut tenue si secrète par le G.Q.G. turc qu'il n'en fut même pas fait mention dans les communiqués et que le sultan et son entourage l'ignorèrent pendant plusieurs mois. » Les Russes, après leur succès, s'avancent aussitôt vers le sud, en plein pays arménien, pour empêcher les renforts turcs de venir au secours de la 3ᵉ armée par la route de Mossoul : Mus et Bitlis sont prises, à l'ouest du lac de Van. Sur la côte de la mer Noire, la marine russe intervient efficacement pour permettre à l'infanterie, débarquée dans des bateaux spéciaux à fond plat, les « elpidiphores », de s'emparer du port de Trébizonde par où les munitions et le ravitaillement arrivent aux Turcs. Voilà les Russes maîtres de la porte arménienne de la Turquie.

Enver n'accepte pas sa défaite. Il lance des renforts très importants pour reconquérir le territoire perdu. Vehib pacha prend le commandement de la 3ᵉ armée reconstituée et augmentée de nouvelles unités. Il prévoit de lui envoyer en renfort la 2ᵉ armée d'Ahmet-Izzet pacha, qui vient des Dardanelles. Youdénitch, s'il veut battre séparément les deux généraux turcs, doit faire vite. Une bataille rageuse s'engage sur le front très étendu de la 3ᵉ armée, de Trébizonde au lac de Van. Les Russes sont vainqueurs et les Cosaques sibériens recueillent 17 000 prisonniers. La retraite, selon Liman von Sanders, est une véritable panique. La 3ᵉ armée, une fois de plus, a plié devant Youdénitch, qui s'est avancé en terrain turc sur plus de 150 kilomètres. Il est aux portes d'Erzindjan.

Reste la redoutable 2ᵉ armée turque qui vient à la rescousse. Ahmet-Izzet dispose de onze divisions d'assaut, contre six russes. Il reprend Mus et Bitlis, mais ne peut progresser sur la route d'Erzeroum, les Russes se faisant tuer sur place. Les deux armées s'enterrent sur une ligne continue de défenses : les 250 000 fantassins russes et les 236 escadrons de Cosaques ne craignent rien des 142 000 fantassins turcs commandés par Ahmet-Izzet pacha qui a pris comme adjoint un officier plein d'avenir, nommé à la tête de la 2ᵉ armée : Mustapha Kemal pacha. Liman von Sanders perçoit

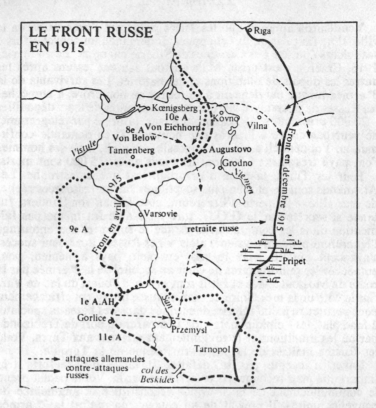

LE FRONT RUSSE EN 1915

Riga

Kœnigsberg
10e A
8e A Von Eichhorn
Von Below Kovno Vilna
Tannenberg
Augustovo
Grodno
Niémen

Front en décembre 1915

l'Istule

1915

Front en avril 1915

9e A Varsovie
retraite russe

Pripet

1e A.AH
San
Gorlice
Przemysl
11e A
Tarnopol

- - - attaques allemandes
→ contre-attaques russes

col des Beskides

clairement que la décision ne peut venir du front du Caucase. Il ne se réjouit que de l'importance des effectifs russes que les Turcs ont réussi à y fixer. A l'évidence, les Allemands doivent rechercher la victoire sur d'autres fronts : à la fin de 1916, nul ne croit plus au mirage oriental.

Par contre, tous les espoirs sont permis sur le front russe du Nord : Falkenhayn et son état-major ont décidé de lever de nouvelles unités pour chercher la victoire à l'est, et de se reporter ensuite sur le front occidental. Les Allemands, en août, n'avaient mobilisé que 2 100 000 hommes alors que le total des soldats levés était de 3 800 000 hommes; ils disposaient donc d'importantes réserves dans les dépôts de l'intérieur et dans les *Ersats,* divisions formées avec les excédents de la mobilisation et qui poursuivaient leur entraînement. Sans doute une partie de ces réserves avait-elle été immédiatement engagée à l'ouest pour compenser les pertes des premières batailles : ainsi, sur l'Yser, cinq corps d'armée nouveaux avaient dû intervenir.

Mais, en janvier 1915, le haut commandement avait totalement refondu les unités combattantes : au printemps, les divisions d'infanterie ne comptaient plus que trois régiments au lieu de quatre, tout en gardant leur puissance de feu, car elles étaient renforcées en mitrailleuses, artillerie de tranchée et engins divers. Quatre nouveaux corps d'armée étaient à l'instruction, prêts à intervenir sur le front de l'est où les Autrichiens avaient aussi envoyé seize nouvelles divisions. Les effectifs et les moyens de l'artillerie avaient également été renforcés : les Autrichiens auraient bientôt 170 batteries, en plus de 471 existantes, et les Allemands 4 000 pièces au lieu de 2 000. La production mensuelle de leurs usines était portée de 100 canons de 77 par mois à 400 !

Ces moyens énormes permettaient d'envisager à l'est de puissantes offensives au moment où les Russes ne pouvaient plus approvisionner leur artillerie, ni même leur infanterie, en munitions. Le stock d'avant la guerre avait tout juste permis d'alimenter deux mois de campagne : dès novembre, les Russes, pour armer les nouvelles recrues, manquaient de fusils et naturellement de mitrailleuses. L'industrie ne pouvait fournir que 360 000 obus par mois alors que l'état-major en exigeait un million et demi. Le grand état-major allemand lançait son offensive contre un adversaire en détresse.

Elle fut tout de suite efficace : forte des quatre corps de réserve dont l'instruction était achevée, l'armée allemande de Prusse orientale, au début de février 1915, fit mouvement au sud-est des lacs Mazures, encerclant en quelques jours un corps d'armée entier dans les forêts d'Augustovo. Le général Sivers, qui commandait la 10ᵉ armée russe (tenant le nord du front de Prusse orientale jusqu'à Varsovie), avait été complètement surpris. Ses unités n'avaient pas été reconstituées depuis le début de la campagne, mais il disposait d'une large supériorité : 200 000 hommes environ contre les 76 000 Allemands de von Below qui, dans sa 8ᵉ armée, ne comptait qu'une brigade d'active. Sivers n'avait pas jugé bon de développer les fortifications de campagne, et, le plus souvent, les Russes n'avaient pas de seconde ligne. Il n'avait aucune information sur les renforts allemands ; son aviation ne pouvait prendre l'air en raison des tempêtes de neige. A peine savait-il qu'un régiment de la Garde prussienne, venu de France, se trouvait sur son front. Comment les Allemands attaqueraient-ils sur un sol enneigé, glacé, alors que les convois russes de ravitaillement avançaient à une cadence de 250 mètres à l'heure ?

C'est pourtant dans ces conditions effroyables que s'était déclenchée l'attaque allemande, le 7 février à l'aube. Hindenburg voulait à tout prix chasser les Russes de Prusse orientale, définitivement, et commencer par là sa campagne. Ses deux armées, la 10ᵉ au nord, commandée par von Eichhorn, la 8ᵉ de von Below au sud, devaient prendre en tenaille l'armée russe de Sivers. Elles y réussirent fort bien : le général Sivers, dont les bataillons sibériens étaient furieusement martelés par les canons allemands, avait d'abord pris la décision de retirer ses troupes, abandonnant les premières positions pour éviter d'être encerclé. Mais son flanc gauche était déjà largement débordé, les colonnes allemandes attaquaient en masse. Les grenadiers de Koenigsberg et les réservistes de Prusse orientale, qui ne craignaient pas le froid, avançaient en lignes serrées, comme à la manœuvre. Les chevaux des Cosaques glissaient sur la glace, les divisions russes de cavalerie ne pouvaient intervenir. Si elles réussissaient à charger, elles étaient décimées par les mitrailleuses de campagne. La résistance s'organisait pourtant dans le sud du dispositif russe où l'attaque allemande s'essoufflait. Mais elle reprenait avec vigueur au nord et menaçait d'encerclement la masse des armées de Sivers. Le 20e corps du général Boulgakov était pris dans la nasse tendue par Hindenburg à Augustovo. Les fantassins avaient combattu jusqu'à épuisement complet. Aucun ne s'était rendu, mais faute de pouvoir poursuivre le combat, 44 000 hommes, dont 669 officiers et 11 généraux, avaient été faits prisonniers par les Allemands qui récupéraient en outre 200 pièces d'artillerie : c'était, pour l'armée russe, un désastre. Les hommes de Boulgakov avaient tenu huit jours contre des effectifs trois fois supérieurs, mais ils n'avaient pas réussi leur percée sur Grodno.

Les Allemands avaient remporté un éclatant succès : toutefois, les autres unités de l'armée Sivers s'étaient échappées, abandonnant la Prusse orientale. Hindenburg n'avait pas pu poursuivre : le brusque dégel avait fait fondre la plaque de glace, les routes étaient devenues des fondrières, il avait dû laisser s'échapper l'ennemi. Il lui restait cependant à prendre à revers, depuis ses bases de Prusse orientale, les armées russes de Pologne.

Mais il devait reconstituer ses forces : les pertes avaient été lourdes, les Russes s'étaient battus avec énergie. S'ils avaient perdu 200 000 hommes, les Allemands en avaient laissé 80 000 dans la neige. Hindenburg demandait déjà des renforts. L'Allemagne avait encore des réserves dans ses dépôts : elle les expédia sur le front de l'est où Hindenburg affirmait qu'il pouvait forcer la décision. Que pouvait-on refuser au vainqueur de Tannenberg ?

Un autre général allemand avait soif de gloire : von Mackensen, qui commandait la 11e armée, massée au début de mai en Galicie, la Garde, et 9 des meilleures divisions allemandes venues de l'Ouest. En mars, les Russes avaient utilisé leurs derniers renforts pour prendre Przemysl et s'ouvrir la route de Hongrie. Ils n'avaient pu poursuivre, faute de munitions. Pourtant, ils tenaient tous les cols des Carpathes. Les Autrichiens avaient eu peur.

Ils avaient envoyé des renforts, aussitôt embrigadés par Mac-

kensen dans sa 11ᵉ armée. Le col des Beskides devait être repris à
toute force; la 4ᵉ armée austro-hongroise reçut pour mission
d'interdire aux Russes la route de Budapest, fermer les crêtes des
Carpathes. L'attaque fut menée sur le front de Gorlice, au nord de
la chaîne, par cinq corps d'armée austro-allemands bien pourvus en
réserves et en munitions, contre deux corps russes épuisés qui
manquaient cruellement de cartouches et d'obus. Les 145 canons
russes n'avaient de quoi tirer que deux obus par jour! Les 800
canons de Mackensen s'ouvraient la route, tirant jour et nuit :
comment tenir? Il aurait fallu organiser la retraite, disposer au
moins de lignes de défense bien tracées : les Russes n'ont que des
tranchées inorganisées, avec des mitrailleuses aux chargeurs vides.
La formidable préparation d'artillerie allemande transforme leurs
lignes en désert de boue informe. Quand les divisions *feldgrau* se
ruent à l'assaut en lignes serrées, nul ne les arrête, le front est
enfoncé. Il n'y a pas de renforts pour colmater les brèches, sauf les
Caucasiens du 3ᵉ corps d'armée qui se font tuer bravement,
retardant seulement l'avance irrésistible de Mackensen. Trois
armées russes, la 3ᵉ, mais aussi la 4ᵉ et la 8ᵉ, qui doivent aligner leurs
fronts, sont en retraite et se précipitent vers le San, affluent de la
Vistule, croyant y trouver le salut. Dès le 15 mai, les avant-gardes de
Mackensen arrivent à leur tour sur le fleuve. Les Russes sont-ils en
état de résister? Il ne reste que 1 000 hommes par division dans
certains corps, les folles attaques ont anéanti les unités. Le général
von Cramon écrit que les Russes se défendent « avec une énergie
farouche ». Mais que faire sans munitions? Mackensen les taille en
pièces, ils ne peuvent répondre. « Donnez-nous des cartouches! »
hurle le général Ianouchkévitch qui voit massacrer ses soldats. La 4ᵉ
division de Denikine combat sans interruption pendant onze jours.
Les hommes sont épuisés sous le feu des Allemands. Ils ne peuvent
répondre aux charges que par leurs baïonnettes. Les renforts tant
attendus arrivent sur le San sans armes. On dit aux soldats d'aller
chercher les fusils et les munitions des morts. Le général Golovine
prétend avoir reçu l'ordre d'armer les fantassins – dont le rôle était
de protéger les batteries d'artillerie – de haches! Les Cosaques
chargent sabre au clair et lancent des contre-attaques : ils font
même, dans le sud, des prisonniers. Mais la retraite confine au
massacre : le front se stabilisera loin vers l'est, du côté de Tarnopol,
quand les Russes auront évacué toute la Galicie orientale, s'arrêtant, en somme, à leur frontière.

Ils doivent aussi céder toute la Pologne. Ils ont déjà perdu
110 000 hommes contre Hindenburg, ils ont abandonné 120 000
prisonniers lors du siège de Przemysl. Ils vont maintenant subir la
grande offensive allemande. Falkenhayn a retiré du front ouest les
effectifs de 14 divisions nouvelles et ces réserves doivent permettre
d'anéantir une fois pour toutes l'armée russe, comme Hindenburg se

flattait de pouvoir le faire. La reprise de la Galicie permet, dans un second temps, d'encercler les armées russes de Pologne dans la boucle de la Vistule. On attaquera au nord, sur Kovno et Vilna, le long des grandes voies de chemin de fer Petrograd-Berlin et Petrograd-Varsovie. Ces vues ambitieuses de Hindenburg ne sont pas acceptées par Falkenhayn qui propose seulement une attaque vers le sud à partir des lacs Mazures, conjuguée à une remontée vers le nord des armées de Galicie dans la direction d'Ivangorod.

Mackensen a du mal à remonter vers le nord : il se heurte, à Krasnostav, aux régiments d'élite de la Garde russe qui se font tuer sur place, croisant la baïonnette, quand les gibernes sont vides, contre les fusiliers de la Garde prussienne. Dix divisions allemandes attaquent au nord, avec le renfort d'une artillerie nombreuse. Les Russes commencent à évacuer prudemment la boucle de la Vistule pour échapper à la « souricière polonaise ». Les Allemands ont déjà 20 000 tués et ne progressent que très lentement, ce qui permet au flot des armées russes de sortir de la nasse. Les tirailleurs de Sibérie et du Turkestan se sacrifient pour rendre possible la retraite qui évite à l'armée du tsar des centaines de milliers de prisonniers. Mackensen au sud, von Gallwitz au nord poussent en forcenés pour fermer à tout prix les battants de la porte. Les Russes lancent des contre-attaques désespérées sur les flancs de ces armées. Le jour, ils résistent; la nuit, ils font retraite. Le 4 août, ils abandonnent Ivangorod; le 5, Varsovie. Les places fortes de Kovno et de Novogeorgievsk se rendent sans combat, abandonnant plus de 100 000 prisonniers et plus de 1 200 canons.

Les Russes sont désespérés. Ils se croient abandonnés de leur commandement, du tsar, de l'arrière. Les soldats se mutilent pour ne plus combattre, ils lèvent la crosse en l'air. Des unités entières se débandent, lasses de se battre sans cartouches, les Allemands vont-ils anéantir l'armée russe? Le 11 août, le tsar a changé de ministre de la Guerre : Polivanov a déclaré « la patrie en danger ». Il a en même temps décidé de prendre lui-même le commandement des troupes, pour le meilleur et pour le pire. Le grand-duc Nicolas est écarté du front de l'ouest, envoyé au Caucase. L'énergique Alexeïev devient chef de l'état-major. Il n'y a plus de tsar à Petrograd : Sa Majesté est au front.

Miraculeusement, les Russes parviennent à éviter l'effondrement. Ils sortent de Pologne et les tenailles allemandes se referment sur le vide. Furieux, Hindenburg attaque sur Vilna, tentant une nouvelle opération d'encerclement. L'armée Smirnov l'en empêche, détruisant la cavalerie allemande. De Riga au Pripet et du Pripet à Tarnopol, le front russe, presque rectiligne, est stabilisé du nord au sud : les tranchées se creusent de part et d'autre : « Le résultat final, dit Hindenburg, ne nous donnait pas entière satisfaction. L'ours

russe échappait aux liens avec lesquels nous voulions le ligoter. Il
saignait, à la vérité, à plus d'une blessure, mais il n'était pas frappé à
mort. Il avait pris congé de nous en nous portant des coups
sauvages. »

Les Russes ont perdu 2 500 000 tués ou blessés, et plus d'un
million de prisonniers. Ils ne disposent plus que de 6 ou 700 000
hommes *armés* pour défendre un front immense. Mais Polivanov
envoie au front des promotions entières d'aspirants de vingt ans,
formés à la diable, et des jeunes recrues qui se sont entraînées avec
des fusils en bois. Un sursaut national d'une grande ampleur porte à
la frontière de nouvelles armées. Les Allemands ont éliminé la
moitié des combattants, ils n'ont pas contraint la Russie à faire la
paix. A l'est aussi, le plan Schlieffen « inversé » se solde par un échec.

Les Allemands et surtout les Autrichiens le ressentent d'autant
mieux qu'ils s'attendent à l'entrée en ligne imminente, pendant l'été
de 1915, d'un nouvel ennemi : l'Italien.

Le 3 août 1914, l'Italie s'était déclarée neutre. En échange de sa
neutralité, elle n'avait rien obtenu, ni de ses anciens alliés allemands
et autrichiens, ni des puissances de l'Ouest. Or elle souhaitait
vivement profiter du conflit pour réaliser ses dernières ambitions
nationales : réunir sous son drapeau ces « terres irrédentes » des
montagnes alpines et de la côte dalmate. Salandra, le président du
Conseil, hésitait à engager son pays, « qui n'était pas prêt
moralement et économiquement à des sacrifices », dans un conflit
où ses intérêts vitaux n'étaient pas en jeu. Mais, d'un autre côté, il
encourait le reproche, en cas d'abstention, d'avoir abandonné pour
toujours des foyers italiens hors des frontières. Pour un État jeune,
ardemment patriote, cet argument avait du poids, surtout dans les
formations nationalistes qui poussaient à la guerre. Salandra
affirma le 16 octobre qu'il voulait s'écarter « de toute préoccupation, tout préjugé, tout sentiment qui ne fussent pas exclusivement
inspirés par une dévotion exclusive et illimitée à la patrie, par
l'égoïsme sacré de l'Italie ». Quelques rares socialistes, animés par
Benito Mussolini, militaient pour l'entrée en guerre, aux côtés des
franc-maçons et des chrétiens-démocrates de l'abbé Murri, des
syndicalistes du groupe De Ambris, des réformistes de Bissolati. Ils
étaient minoritaires : la plupart des grandes formations politiques
étaient neutralistes, les socialistes, totalement hostiles à la guerre, et
les chrétiens fidèles aux mots d'ordre de paix du pape et de
l'*Osservatore romano*. Giolitti, ancien président du Conseil, mettait
en garde ceux qui voulaient lancer leur pays dans la guerre « par
sentimentalisme envers les autres peuples » : les intérêts du pays
exigeaient la paix. Pour décider à la guerre un Parlement où Giolitti
disposait d'une majorité, il fallait des arguments solides. Seule la
diplomatie pouvait les fournir.

Dès août 1914, les puissances de l'Entente avaient certes offert Trente, Trieste et Valona, sur l'Adriatique, alors possédées par l'Autriche-Hongrie. Mais, après les défaites françaises, Rome avait demandé aux puissances centrales de faire des offres à l'Italie : elle n'avait pas obtenu de réponse. Le gouvernement de Vienne se refusait à céder le Trentin, Berlin tentait en vain de l'en persuader. Les Autrichiens avaient peur que les Roumains ne formulassent des demandes analogues; leur réponse ne pouvait donc être que négative.

Par contre, les alliés de l'Ouest pouvaient tout promettre : et le Trentin, et le Tyrol jusqu'au Brenner, et Trieste, et l'Istrie. Sur la Dalmatie, les Russes émettaient des réserves, mais consentaient à discuter; ils ne voulaient pas laisser brimer les Serbes et autres Slaves. Ceux-ci espéraient à juste titre un débouché sur l'Adriatique. En outre, les Italiens avaient formulé des revendications en Asie Mineure qui les hérissaient. Mais, en mars 1915, les Russes n'étaient pas en mesure d'imposer leur volonté.

La réponse de l'Entente fut communiquée aux Italiens au moment où les Autrichiens s'étaient décidés, sous la pression de l'Allemagne, à envisager certaines propositions. Une double négociation s'engagea à Rome. Du côté allié, les Italiens obtenaient satisfaction au prix de quelques concessions faites aux Russes sur la côte dalmate. Du côté de Vienne, le ministre des Affaires étrangères Burian se refusait, malgré la pression de Berlin et de Budapest, à céder aux Italiens des villages allemands au sud du Brenner et les clés de l'Adriatique, en échange d'une simple promesse de neutralité et non pas de participation à la guerre. La cause était ainsi entendue : c'est du côté des alliés de l'Ouest que les Italiens cherchaient des « satisfactions ».

Paris et Londres ont conjugé leurs efforts pour faire céder le ministre russe Sazonov. Le 26 avril 1915, aux termes d'un traité secret signé à Londres, l'Italie déclarera, dans un délai d'un mois, la guerre à l'Autriche-Hongrie en échange des concessions qui lui ont été promises par les Alliés après la paix. Des conventions navales et militaires sont presque aussitôt signées.

Les neutralistes, à Rome, crient leur colère. Les ambassadeurs d'Autriche et d'Allemagne multiplient les démarches de dernière heure. Vienne accepte finalement l'autonomie de Trieste et prétend discuter sur les villages du Tyrol. Il ne reste au prince von Bülow qu'à alerter l'opposition italienne, car il n'obtient aucune réponse de Sonnino, le ministre des Affaires étrangères. Giolitti rentre à Rome : dès son arrivée, il trouve sur son bureau les 320 cartes de visite déposées chez lui par les députés pacifistes. Salandra, le président du Conseil, démissionne. Le traité qu'il a cautionné risque d'être désavoué par la Chambre, qui compte 508 députés...

Les nationalistes manifestent alors dans la rue. Le poète

D'Annunzio parle à la foule, fait conspuer le germanophile Giolitti.
La presse de Milan et de Turin entre dans la danse, les manifestants,
dans les rues, crient « Vive la guerre! » La foule romaine casse les
vitres du Parlement à Montecitorio. Le 16 mai, le roi cède à
l'opinion publique en rappelant Salandra. Giolitti quitte Rome et le
Parlement vote le 20 mai les crédits militaires à une majorité de 407
voix contre 73. L'Italie n'a pas déclaré la guerre à l'Allemagne, mais
seulement à l'Autriche-Hongrie.

Il n'importe : on attend avec impatience ses divisions dans les
Alpes. Les Autrichiens, à la hâte, ont mis en ligne deux divisions
prélevées sur le front de Galicie, afin de fortifier le Trentin et la
vallée de l'Isonzo. Les attaques lancées à partir du 18 juillet sur le
Carso sont facilement repoussées. L'attaque sur Goritz, en octobre,
est plus sérieuse : à cette époque, les Italiens ont 312 bataillons en
ligne et les Autrichiens ont dû en aligner 147. Mais les Italiens
manquent d'expérience de la guerre et le front montagneux est
facile à tenir pour les troupes de Vienne. Ce n'est apparemment pas
sur ce nouveau front que les deux adversaires pourront rechercher la
décision. Tout au plus peuvent-ils espérer, comme les Allemands en
Orient, d'immobiliser des forces ennemies. A Londres comme à
Paris, on imagine d'autres solutions pour bouleverser enfin la carte,
de plus en plus figée, de la guerre européenne.

Le premier lord de l'Amirauté, Winston Churchill, a le goût des
opérations spectaculaires et des risques calculés. Il enrage, depuis le
début de la guerre, de voir sa belle flotte de *dreadnoughts* réduite à
l'inactivité, puisque les flottes ennemies, craignant d'être coulées,
restent au port. A quoi sert l'écrasante supériorité navale de
l'Angleterre si elle ne peut porter en Orient le coup de poing qui
changera le sort des armes, au centre même de la carte de guerre :
aux Dardanelles!

Les Détroits (*Narrows* en anglais) commandent l'entrée de la mer
Noire : la flotte les ouvrira à coups de canons. Elle réduira au silence
les défenses turques, elle contraindra la Turquie à céder. Alors les
Balkans rejoindront en masse le camp des Alliés, Berlin et Vienne
renonceront à toute poussée vers l'Orient et les Indes. La Russie,
une fois dégagée par la réouverture de la mer Noire, vendra son blé
et son bois, achètera les fusils anglais et les canons français. C'est
aux Dardanelles qu'il faut frapper, dit Churchill. « Il est difficile,
dit le prudent Balfour, d'imaginer une opération qui donne plus
d'espoir. »

La flotte seule est en question : il suffit de réunir des cuirassés de
seconde qualité, pourvus de lourdes pièces, et de leur faire
bombarder les forts. Les dragueurs de mines ouvriront un chenal.
Le 28 janvier 1915, le gouvernement anglais approuve le projet de
Churchill. Les militaires émettent des réserves, mais l'armée n'est

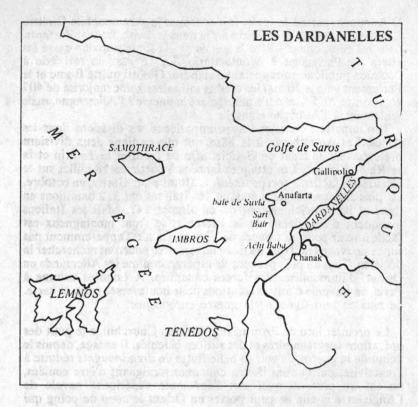

LES DARDANELLES

MER ÉGÉE

SAMOTHRACE

Golfe de Saros

Gallipoli

baie de Suvla   Anafarta

Sari
Bair

IMBROS

Achi Baba   DARDANELLES

Chanak

LEMNOS

TÉNÉDOS

TURQUIE

pas engagée ; lord Fisher, premier lord naval, déplore qu'on arrache des unités à sa flotte de la mer du Nord, mais se résigne quand on lui annonce une participation importante de la marine française. L'amiral Carden est chargé de commander l'expédition.

Mais les défenses turques sont très fortes. L'amiral allemand Souchon commande la flotte, Berlin a envoyé des ingénieurs et des techniciens pour organiser la protection des Détroits. L'amiral von Usedom se charge de mettre en place des batteries d'artillerie. L'amiral anglais ne peut savoir qu'il va être en fait reçu par un tir d'artillerie allemande réglé par des professionnels venus d'Allemagne. Le détroit a 70 kilomètres de long et jamais plus de 7 kilomètres de large. Il est protégé par des forts armés de lourdes pièces et par des champs de mines. La force du courant permet en outre d'utiliser les « mines dérivantes », difficiles à neutraliser. L'amiral Carden doit franchir tous ces obstacles.

A Constantinople, les Anglais comptent sur une révolution pour pouvoir traiter avec la Turquie. Mais que deviendra la flotte si les jeunes-Turcs organisent la résistance, une fois les Détroits forcés ? « A mon avis – dit Liman von Sanders, l'organisateur de l'armée turque –, la flotte alliée [se trouverait] dans une situation presque intenable », faute de « ravitaillement en vivres et en charbon ». Il est impossible de prendre Constantinople si l'on ne s'est pas auparavant rendu maître des rives tout au long des Détroits.

Prudent, l'amiral demande le concours de l'armée de terre : on lui envoie une division de fusiliers marins (le *Naval Corps*), deux divisions du corps d'armée australien et néo-zélandais disponibles en Égypte (mais dont l'instruction, dit Kitchener, est « loin d'être achevée »), avec une division d'élite, la 29ᵉ. Une division française doit rejoindre, sous les ordres du général d'Amade.

La flotte attaque le 25 février. Elle réussit à détruire les forts d'entrée et à avancer dans le détroit jusqu'au cap Kephèz. Il faut ensuite neutraliser les grands forts de Chanak Kalé. L'amiral Carden est malade, l'amiral de Robeck, qui le remplace aussitôt, ordonne la poursuite de l'attaque, le 18 mars. Le *Queen Elizabeth*, le cuirassé le plus moderne de cette flotte, ouvre le feu, imité par l'*Agamemnon*, l'*Inflexible*, le *Lord Nelson*. Les cuirassés français *Bouvet, Gaulois, Charlemagne* et *Suffren* leur succèdent. Le bombardement est formidable, mais inefficace : les coupelles des forts résistent, les canons allemands tonnent et touchent les navires. Les mines sont les plus meurtrières : le *Bouvet* coule en deux minutes, l'*Océan*, l'*Irrésistible* et l'*Inflexible* sont aussi atteints. Au canon, les Turcs neutralisent *le Gaulois*. Les troupes anglaises sont déjà arrivées dans l'île de Lemnos, prêtes à intervenir. Que faire ?

L'échec est cuisant, mais non irrémédiable. La preuve est faite qu'on ne peut forcer les Détroits avec la seule marine. Il faut que l'infanterie débarque, afin de neutraliser les forts. Lemnos n'est pas une base suffisante, l'île est déserte et manque d'eau. On décide de concentrer les troupes en Égypte et de parfaire leur entraînement. La 29ᵉ division anglaise est dirigée sur Alexandrie, ainsi que le corps indien. Les Français forment des nouveaux régiments : le 175ᵉ, avec les dépôts de Grenoble, de Saintes et de Varennes-sur-Allier ; le 1ᵉʳ régiment de marche d'Afrique, composé de zouaves et de légionnaires. Deux autres régiments coloniaux sont formés, avec chacun deux bataillons de Sénégalais. Pas de tirailleurs algériens ou tunisiens. Les hommes s'embarquent à Bizerte, à Marseille, à Toulon, dans tous les ports d'Algérie. La flotte se concentre à Malte et cingle vers l'Orient : de lourds vapeurs avec des réserves d'eau, des vivres et des munitions, des radeaux démontables qui ne permettent pas aux chevaux et aux mulets de débarquer, car ils sont « trop mobiles ». En Égypte, le général d'Amade présente ces troupes au commandant en chef anglais et remet des drapeaux à ces « régiments sans histoire ». Il ne manque pas un bouton de guêtre.

Il faut prendre la presqu'île de Gallipoli : vaste entreprise que de débarquer au pied de falaises à pic, de murailles escarpées, dominées par des buttes de 2 à 400 mètres d'altitude, comme le célèbre Achi Baba qui est une formidable forteresse naturelle. Les petites plages sont rares et peu profondes. Les plateaux intérieurs sont coupés de ravins qui permettent aux 35 000 Turcs de s'abriter contre les bombardements les plus intenses. Liman von Sanders et Essad pacha, qui commandent à Gallipoli, peuvent facilement faire venir en renfort 11 ou 15 divisions. Ils disposent d'une artillerie lourde formidable de 150, de 350, et des mortiers de 210. Les 31 forts du détroit interdisent toute approche.

Les Alliés ont 80 000 hommes, dont 17 000 Français. Ceux-ci voudraient prendre pied sur la côte asiatique, plus accessible, mais sir Ian Hamilton a décidé d'attaquer uniquement Gallipoli. Le 25 avril, les cuirassés s'avancent vers le sud de la presqu'île, suivis des transports de troupe. Les Australiens et les Néo-Zélandais sautent à terre, tombent par centaines sous le feu turc, mais réussissent à prendre pied. L'unique bateau-hôpital est plein de leurs blessés. Il faut, dit sir Ian Hamilton, « creuser la terre et s'y cramponner ».

Les Français sont chargés de débarquer sur la rive asiatique pour y faire diversion. Ils réussissent parfaitement, puis se replient sur ordre du commandant en chef, en pleine nuit. Les hommes ont du mal à comprendre l'utilité d'une opération qui coûte 200 morts et de nombreux blessés, sans profit apparent. Ils ne savent pas encore que, pour prendre pied dans le sud, les Anglais ont perdu 6 000 hommes et deux généraux de brigade. Trois bataillons français interviennent bientôt aux côtés des Anglais, pour tenir la ligne coûte que coûte : les zouaves et les légionnaires perdent presque tous leurs officiers, ils ont 25 % de morts.

A peine débarqués sur une étroite bande de terre, les généraux demandent des renforts : la 156ᵉ division française est envoyée d'urgence en Orient. Français et Anglais résistent de leur mieux aux contre-attaques turques; le renfort de la division du général Bailloud et de huit nouvelles divisions anglaises permettent de nourrir une guerre qui devient rapidement très dure : les fantassins anglais de l'*East Lancashire* ou des *Lowlands* ne sont pas familiarisés avec le climat de Gallipoli. Ils souffrent terriblement de la soif. Les Irlandais plus encore. Quant aux Français, ils sont déconcertés par l'incroyable résistance des soldats turcs. Les Sénégalais doivent être relevés : ils ne résistent pas aux assauts dans les tranchées. Les soldats de l'*Indian Corps*, les Gurkhas, se plaignent d'être bombardés par les canons de la flotte. Les hommes de la brigade du général Cox, dit un journaliste du *Sunday Times*, Ashmead-Bartlett, « ont dû escalader pendant la nuit des montagnes inconnues, par des chemins si tortueux, si accidentés et si couverts de buissons que, s'il s'était agi d'un exercice de temps de paix, les troupes auraient eu grand-peine à atteindre la crête de Sari Bair dans le temps prescrit ». Quant aux Australiens et aux Néo-Zélandais, ils ont perdu la moitié de leurs effectifs : le général Birdwood, qui les commande, déplore ces 30 000 hommes sacrifiés pour des gains territoriaux qui se bornent, dit le général Godley (qui a mauvais esprit) « à 500 acres de mauvais pâturages ».

L'attaque des unités de la flotte par quelques sous-marins allemands a fait craindre à la marine un véritable désastre. Les unités les plus modernes, comme le *Queen Elizabeth*, se sont retirées. Les autres se sont abritées, remplacées par des bateaux plus légers. Les Turcs, n'ayant plus à subir le tir des pièces lourdes d'artillerie, ont pu balayer les plages de leurs propres tirs sans être sérieusement contre-battus. Ils ont renforcé leurs positions, multiplié les contre-attaques. Les Français sont à l'étroit sur leur plage accablée de soleil et d'éclats d'obus. Jean Giraudoux, qui est venu dans le renfort du 176ᵉ R.I. sur les rivages de Gallipoli, se plaint de la chaleur excessive. Le moyen de se baigner sur une plage interdite ? Il enfourche un cheval et brave la mort pour se rafraîchir. Au début de mai, les Français ont déjà perdu 12 000 hommes et 246 officiers. Jérôme Carcopino, lieutenant au 2ᵉ bataillon territorial de zouaves, mange du singe et boit l'eau des bateaux-citernes sur une plage de sable où les hommes amaigris, souffrant de la « dengue » (forte grippe virale) ou de la dysenterie, attendent d'être embarqués vers Lemnos ou Tenedos.

Le 14 juin, les Anglais décident encore d'attaquer avec les renforts arrivés d'Égypte. Mais à la bataille de Suvla-Anafarta, ils essuient un nouveau revers. Les 25 000 hommes débarqués dans la baie de Suvla devaient prendre à revers la ligne de défense turque. Mais ils arrivaient tout juste d'Europe, éprouvés par la fatigue du voyage, sans expérience des combats. Les Turcs de Mustapha Kemal en font un carnage, transformant ainsi en faillite définitive l'expédition des Dardanelles. 450 000 hommes avaient en fait, par les relèves successives, combattu dans « l'enfer de Gallipoli : 145 000 avaient été tués ou blessés. Du moins la flotte avait-elle réussi à opérer, de nuit et en bon ordre, une évacuation convenable. Il est vrai que sir Ian Hamilton ne commandait déjà plus l'armée.

Cette malheureuse affaire entraîne, en Angleterre, le départ du gouvernement de Winston Churchill. Elle a surtout pour conséquence de décider la Bulgarie, longtemps hésitante, à entrer en guerre aux côtés de l'Allemagne et de la Turquie. Falkenhayn multipliait les sollicitations : il avait besoin des chemins de fer bulgares pour envoyer rapidement des renforts aux Turcs, épuisés par leur effort, qui manquaient cruellement de munitions, de canons, de conseillers. Les Bulgares aussi étaient de bons soldats. En entrant en ligne, ils pouvaient aider les Autrichiens à écraser enfin la Serbie.

Peuple pillard, les Bulgares voulaient faire main basse sur la Dobroudja roumaine, la Macédoine annexée à la Serbie et le territoire grec de Sérès et de Cavalla. Les Allemands ne voyaient aucun inconvénient à ces conquêtes. Comment les Français, au contraire, auraient-ils consenti à des mutilations du patrimoine serbe? Pachitch refusait énergiquement tout compromis : aucune entente n'est possible, pour la Bulgarie, avec l'Occident. Au contraire, elle peut immédiatement mettre la main sur la Macédoine serbe si elle participe à l'attaque austro-allemande contre la Serbie : elle n'hésite donc pas très longtemps. Le 6 septembre, un accord est signé : avant 35 jours, quatre divisions bulgares seront aux frontières orientales de la Serbie. En échange, la Bulgarie pourra annexer tous les territoires qu'elle convoite. Les parlementaires russophiles protestent en vain : le 21 septembre, le roi de Bulgarie à décrété la mobilisation.

Dès lors, les jours de la Serbie sont comptés. Elle avait jusque-là résisté aux attaques autrichiennes, grâce à la bonne organisation défensive de ses régions montagneuses et à l'ardeur de ses combattants. Le voïvode Putnik, général des Serbes, avait écrasé, dès août 1914, les trois corps d'armée austro-hongrois sur les pentes du Tsèr. Le 2 décembre, il avait dû ensuite abandonner Belgrade, mais sa contre-offensive avait permis de libérer tout le territoire à la mi-décembre. Il avait alors perdu 180 000 hommes et le typhus sévissait dans les rangs de ses soldats dont 20 % devaient attendre, aux batailles, les premiers engagements pour prendre les fusils des blessés et des morts.

En 1915, les Serbes étaient restés sur la défensive et n'avaient guère été inquiétés : les Russes, puis les Italiens occupaient l'essentiel des forces autrichiennes. Les Français avaient envoyé en Serbie des armes, des munitions et des conseillers. Le lieutenant de vaisseau Picot défendait Belgrade en croisant sur le Danube avec ses canonnières. Jaubert dirigeait une mission de cent médecins qui avait immédiatement entrepris la lutte contre les épidémies. Enfin, le commandant Vitrat apportait à l'artillerie serbe le précieux renfort de son escadrille de reconnaissance. Le voïvode disposait encore d'environ 200 000 combattants, mais ne se décidait pas à l'offensive. Il avait été mécontent des négociations des Alliés avec les Bulgares, et l'entrée en guerre de l'Italie inquiétait le gouvernement serbe : il se doutait que les Alliés avaient fait des promesses et craignait que ce ne fût à ses dépens. Qu'avaient-ils aussi promis au grec Venizelos pour que celui-ci consentît, avant de perdre son ministère, au débarquement d'un corps expéditionnaire allié (deux divisions venues de Gallipoli) à Salonique?

Les Alliés ont interdit aux Serbes d'attaquer préventivement les Bulgares : ils espéraient jusqu'au dernier moment négocier avec Sofia. Le voïvode est donc totalement seul quand Mackensen réunit contre lui, à la fin de septembre 1915, 10 divisions allemandes, 4 divisions austro-hongroises et 4 divisions bulgares, soit 330 000 hommes. Anglais et Français n'ont pas encore débarqué en Macédoine.

Le 6 octobre, les Allemands entrent dans Belgrade et s'avancent dans la vallée de la Morava. En même temps, les Bulgares attraquent à l'est en direction de Nich. Pour ne pas être tourné, le voïvode doit faire retraite sur le plateau de Kossovo. Le roi Pierre en appelle aux Alliés : vont-ils laisser écraser la Serbie?

Les troupes exténuées de Gallipoli ne suffisent pas pour établir un barrage efficace. Mais Joffre ne veut pas lâcher une division, pas plus que Kitchener. Ils doivent cependant s'y résoudre sous la pression de leurs gouvernements. C'est seulement à la fin d'octobre que Sarrail (dont Joffre est enchanté de se débarrasser) est nommé commandant en chef d'un corps expéditionnaire comprenant quatre divisions : 15 000 Anglais seulement et 65 000 Français. Il s'engage aussitôt dans la vallée de la Tcherna, pour venir en aide à l'armée serbe, mais ses unités sont arrêtées par les Bulgares. Elles doivent se retirer.

Les Serbes ne peuvent donc se replier sur Salonique : la route est barrée. Une seule voie leur est ouverte, celle des vallées encaissées et des redoutables montagnes de l'Albanie. Du 23 novembre au 15 décembre, les soldats du roi Pierre arrivent enfin sur les rivages de l'Adriatique, après avoir franchi des cols enneigés de 2 500 mètres. Cent mille hommes meurent de faim et de froid, les soldats transportent le voïvode malade dans une chaise à porteurs. Des milliers de réfugiés suivent l'armée et meurent avec elle. Enfin, 40 000 hommes sont en vue de Scutari et de Durazzo, avec le roi Pierre qui a fait toute la retraite sur un char à bœufs. Son fils, le prince Alexandre, a fait le coup de feu, à pied, au milieu des hommes d'arrière-garde. Des navires alliés transportent les débris de l'armée vers Corfou. La Serbie n'existe plus. Désormais, l'Allemagne et l'Autriche ont puissamment amélioré leurs positions en Europe : elles ont une liaison ferroviaire directe avec l'Orient. Les grands desseins peuvent de nouveau inspirer les états-majors.

Ce déséquilibre favorable aux puissances centrales va-t-il leur permettre de rechercher la décision à l'est? Une imprudence de Conrad von Hötzendorf risque de tout compromettre. Au lieu d'aider Kalkenhayn à lancer à l'ouest sa grande offensive sur Verdun en lui fournissant une partie de son artillerie lourde, il décide de monter seul une opération contre l'Italie. Dégarnissant le front russe, il attaque le 15 mai 1916 sur le front italien. Après une préparation d'artillerie efficace, il réussit à percer : Asiago est pris, les Italiens, entre l'Adige et le val Sugana, laissent aux mains des Autrichiens 30 000 prisonniers.

Ce succès ne peut pas être exploité : l'infanterie progresse trop vite, l'artillerie lourde ne peut pas suivre sur les routes montagneuses, étroites, sinueuses, boueuses. Comment poursuivre les Italiens alors que les colonnes de renforts se bousculent, s'empêtrent, arrivent trop tard sur le front? Les Italiens se ressaisissent après dix jours de combats désastreux. Le front est fixé de nouveau. Pour un bien maigre résultat, Conrad a affaibli son grand front de Galicie.

Les Italiens ont appelé les Russes au secours : l'appel est entendu. Ceux-ci savent que les Allemands ont pris l'offensive à l'ouest, mobilisant de grands effectifs pour prendre Verdun. Les Autrichiens viennent de déplacer les unités. C'est le moment d'attaquer. Les Russes ont déjà perdu en mars 150 000 hommes près des lacs Narotch, au nord, pour répondre à l'appel de Joffre. En juin, leur offensive est mieux montée : Alexeïev a confié quatre armées au général Broussilov pour qu'il attaque sur un front de 150 kilomètres, entre Tarnopol et Loutsk. Il impose une intense préparation d'artillerie, avec 1 700 pièces, sur tout l'ensemble du front, afin que l'adversaire ne puisse dégarnir certaines de ses lignes et intervenir aux points menacés. Il sait parfaitement qu'il doit enfoncer des positions de retranchement bien construites, trois files de tranchées successives, des blockhaus bétonnés, des nids de mitrailleuses protégés, à l'épreuve des canonnades. Il dispose de 512 000 hommes contre 441 000 Austro-hongrois. Il veut crever le front à Loutsk, en direction de Lvov, et à Vladimir-Volynsk, vers Stanislavov. La rupture est réalisée sur le front de la 7ᵉ armée autrichienne de Pflanzet-Baltin, qui perd 70 000 hommes, dont 37 000 prisonniers.

La 4ᵉ armée de l'archiduc Joseph-Ferdinand est aussi bousculée par de tout jeunes Russes qui sont montés au front en chantant. L'armée de Kalédine s'ouvre la route de Loutsk en faisant 45 000 prisonniers : d'un bond, elle a avancé de 60 kilomètres. Les Russes manquaient encore de fusils. Ceux de la division Denikine en prennent sur le champ de bataille. La 12ᵉ division de cavalerie, commandée par le Finlandais Mannerheim, engage une charge interminable, poursuivant les Autrichiens en déroute. Le 14 juin, les Russes tiennent 150 000 prisonniers autrichiens. La cavalerie multiplie les efforts pour mettre en échec les contre-attaques allemandes lancées par Linsingen.

Les Russes vont-ils pouvoir exploiter leur succès? Broussilov demande en vain une attaque générale des armées de son flanc droit, afin d'empêcher les Allemands de concentrer leurs forces sur les unités de pointe. Alexeïev refuse, mais il renforce considérablement la masse de manœuvre de Broussilov en prélevant des régiments dans tous les corps d'armée.

Les Allemands aussi se sont renforcés. Hindenburg dirige personnellement les opérations. Une première tentative échoue, début juillet. Les Russes, vainqueurs à Koloméa, s'emparent de toute la Bukovine. Le 5 juillet, Broussilov attaque Kovel, prend encore 12 000 prisonniers. L'ampleur de l'offensive russe surprend le haut commandement allemand qui n'attend pas un tel sursaut d'énergie d'un adversaire à qui il avait pris, en mars, des dizaines de milliers d'hommes. Les Russes n'avaient pas assez d'armes? Ils ont celles des Autrichiens. Les canons lourds de la Skoda sont désormais servis par des artilleurs à casquette. Le 21 juillet, ils ont de nouveau bousculé les Autrichiens, leur prenant 49 canons et plus de cent mitrailleuses. Broussilov ne sait plus que faire des prisonniers qui empruntent en longues colonnes les pistes de l'est.

L'offensive reprend sur toute la ligne, le 28 juillet, alors que les troupes russes sont déjà fatiguées par 45 jours de campagne. Il s'agit de prendre Kovel : les pertes sont lourdes, 30 000 hommes dans les régiments de la Garde du tsar. Les Autrichiens de la 4ᵉ armée ont perdu près des deux tiers de leurs effectifs. Toutes les réserves, de part et d'autre, sont lancées dans la bataille. Les divisions autrichiennes ont été rappelées en hâte du front italien. Les Allemands font venir 3 divisions turques et prélèvent eux-mêmes des renforts à l'ouest.

Devant Kovel, les pertes russes sont de plus en plus lourdes. Les généraux attaquent sans cesse, sans ménager les hommes. Ils veulent aller au secours des Roumains qui viennent d'entrer dans la guerre aux côtés des alliés occidentaux. Broussilov attaque sans relâche, jusqu'en novembre, mais il n'obtient pas la décision. Il a perdu plus d'un million d'hommes, tués ou blessés. Même s'il s'est emparé de 1 000 canons et de 45 000 combattants autrichiens et allemands, il ne peut poursuivre : son offensive s'essouffle avant qu'il n'ait pu porter secours aux Roumains.

Ceux-ci s'étaient décidés à entrer dans la bataille après les premiers succès de Broussilov. On leur avait promis la Transylvanie, la Bukovine et le Banat. Bratianu avait emporté l'adhésion du roi Ferdinand, réticent. Les 15 divisions roumaines peuvent puissamment aider les Russes : au lieu de venir à leur secours, les Roumains sont surtout préoccupés de faire main basse sur la Transylvanie, depuis longtemps convoitée. Mais les Bulgares et les régiments allemands de Mackensen sont entrés en Dobroudja. En quelques jours, deux armées concentrées en Hongrie délivrent la Transylvanie. En novembre, Falkenhayn (qui n'est plus général en chef, mais seulement commandant d'armée) force les portes des Carpathes, rejoignant en décembre les armées allemande et bulgare de la Dobroudja. Le 6 décembre, les casques à pointe font leur entrée dans Bucarest.

Ainsi, dans les Balkans, Allemands et Autrichiens parlent en maîtres : les alliés de l'ouest n'ont pas réussi à porter leurs coups du sud au nord, l'Allemagne est toujours au centre de la carte de guerre, étendant ses bras de la Somme et de l'Aisne jusqu'aux marais du Pripet, elle étreint, accable, exploite des millions d'envahis, d'occupés, de captifs. Les alliés bulgares et turcs prolongent vers l'Orient cette installation horizontale sur le continent européen, vers l'Asie occidentale et l'Inde. Le grand rêve allemand peut-il se réaliser? L'écrasement de la Roumanie est prometteur : du blé et du pétrole en grandes quantités s'ajoutent au coton et au tabac turcs, l'Allemagne n'est plus isolée, affamée, assiégée. Elle vient de s'ouvrir puissamment l'Orient.

Elle a verrouillé les passes du sud, par où montaient les agressions : ses troupes sont sur tous les chemins de fer d'Europe, volant aux secours de ses alliés en difficulté. Il y a des Allemands en Mésopotamie pour fermer les cours supérieurs du Tigre et de l'Euphrate aux Anglais. Les canons Krupp ont eu raison des troupes de Churchill qui tentaient de forcer les Dardanelles. Quelques divisions de renfort ont empêché les Italiens de progresser, par les cols des Alpes, jusqu'aux plaines du Tyrol, portes de Vienne et de Munich. Quant aux Franco-Britanniques débarqués à Salonique, ils sont partis trop tard pour pouvoir porter secours aux Serbes écrasés. Partout, la menace est reportée loin vers le sud. Les Allemands savent que le roi Constantin, à Athènes, est leur ami, sinon leur allié. Avec leurs partenaires, ils ont modifié à leur profit l'équilibre en Méditerranée : ils sont en mesure d'y interdire toute opération importante.

Pourtant, Falkenhayn, comme Moltke, a échoué. Il n'a pas éliminé l'ennemi de l'Est, il a manqué la bataille d'anéantissement. Les Russes ont échappé aux « nasses », aux « tenailles », aux « enveloppements », ils ont reconstitué un front, avec tranchées et forteresses, comme Joffre en Occident. Les dernières charges cosaques ont fait trembler la steppe : pour l'emporter définitivement, les Allemands devront trouver autre chose que la stratégie; on ne peut plus gagner en appliquant les recettes de Napoléon à Austerlitz ou d'Hannibal à la bataille de Cannes. On consulte désormais plus volontiers les ingénieurs que les professeurs de la *Kriegsakademie*. Si l'Allemagne peut encore gagner, c'est, pense-t-on à Berlin, par son audace inventive, et par la décision de ne plus considérer la guerre comme un jeu ni comme un art, mais comme un crime.

8

La guerre terroriste

Tandis que le sort de la guerre se joue en Orient, la réalité de la guerre se maintient, intangible, sur le front ouest, tout au long du double cordon de troupes combattant au coude à coude, des Flandres à la Suisse.

Un mois après la capitulation des Russes à Przemysl, la première attaque aux gaz est lancée à l'ouest, le 22 avril. A cette date, les coûteuses offensives de Joffre en Champagne (15 février-18 mars) et dans la Woëvre du 5 au 8 avril ont échoué. Sur la Meuse, les hommes meurent au Bois le Prêtre et aux Éparges. L'opération menée en association avec les Anglais dans l'Artois, du 9 mai au 18 juin, n'aboutit qu'à une progression de 4 kilomètres. La deuxième offensive de Champagne, du 25 septembre au 6 octobre, et la seconde opération en Artois (25 septembre-11 octobre), menées simultanément, n'ont pas plus de résultats.

Depuis septembre, Joffre sait que les Allemands n'ont pas réussi à écraser l'armée russe : le front s'est stabilisé à l'est sur 1 200 kilomètres. Il peut s'attendre à de nouvelles opérations sur le front ouest où commencent à refluer les divisions venues de Russie.

Le 21 février 1916, l'assaut sur Verdun est lancé. La bataille va durer jusqu'en décembre, mais, à partir de la fin de juin, les Allemands savent qu'ils ont, sur ce point, perdu la partie. Ils doivent simultanément faire face à l'offensive Broussilov en Russie et à l'attaque de Joffre sur la Somme, du 1ᵉʳ au 20 juillet.

Le 27 août, tirant les conséquences des échecs, le Kaiser remplace Falkenhayn par Hindenburg. Joffre, qui n'a pas mieux réussi sur la Somme, sera éliminé en décembre. Faute de pouvoir changer de guerre, les états-majors changent de chefs et la ronde infernale des divisions continue, jusqu'à épuisement.

Le crime est ce qui enfreint la loi. Avant de se faire la guerre, les États européens ont cru nécessaire, à l'instigation des Américains, de se fixer des règles du jeu susceptibles d'humaniser l'horreur : la seconde conférence de La Haye, en 1907, s'efforça de protéger les prisonniers de guerre, les populations civiles, les neutres et même les combattants contre les armes modernes de destruction. Des conventions précises avaient été signées.

Dans l'esprit des négociateurs, la guerre devait rester l'affrontement loyal d'hommes en uniforme. Les francs-tireurs et terroristes étaient condamnés, de même que les agressions contre les civils : ceux-ci ne devaient être ni bombardés, ni rançonnés, ni pris en otages. Leurs biens devaient être protégés, ainsi que leurs moyens d'existence.

Ceux qui ne voulaient pas faire la guerre ne devaient être en rien gênés par l'activité des belligérants. Le droit à la neutralité était affirmé avec force. Les flottes des neutres pouvaient librement circuler et commercer, à condition de ne pas livrer de produits d'importance stratégique, d'armes ou de munitions, comme l'avait précisé ultérieurement la conférence de Londres (1909). Frontières et pavillons devaient être ainsi respectés.

Les militaires hors de combat étaient également protégés : les blessés par la Croix-Rouge, interdisant les bombardements de trains ou de centres sanitaires, exigeant l'égalité de soins pour tous, recommandant les trêves pour faciliter les évacuations. Les prisonniers avaient droit à des mesures précises de protection. Les tentatives d'évasion pouvaient être réprimées, elles n'étaient pas condamnables en droit.

Ces conventions de La Haye s'imposaient à tous les belligérants qui les avaient signées. Il est vrai qu'elles avaient été, dès le début de la guerre, bafouées : par les Allemands qui avaient envahi la Belgique, état neutre, sans déclaration de guerre, et qui y avaient multiplié, comme dans la France envahie, les mesures d'intimidation terroriste à l'égard des civils – mais aussi par les Alliés qui avaient usé, à l'égard des neutres, de mesures de contrainte destinées à assurer le blocus économique des côtes allemandes.

Cette menace d'asphyxie économique n'était pas compatible, disaient Berlin et Vienne, avec les accords de La Haye. On menaçait de famine des populations civiles, on cherchait à éliminer physiquement l'ennemi en empêchant ses arrières de produire et de survivre. Comment parler encore d'humanité alors que les enfants allemands et autrichiens risquaient de manquer de lait et de pain ?

Quand les règles ne sont plus respectées, on entre dans l'escalade des représailles : seule la crainte d'un choc en retour empêche les belligérants d'aller plus loin. Par représailles ont été bombardés de nombreux villages et villes de France, Reims particulièrement, comme en Belgique Louvain. Par représailles (contre d'imaginaires francs-tireurs) ont été allumés les incendies dans des quartiers entiers, et fusillés les otages. Par représailles ont été lancées les opérations terroristes utilisant contre des populations civiles les armes nouvelles : aviation, dirigeables, sous-marins.

Les Alliés sont entrés dans cette voie, arraisonnant et coulant des navires marchands soupçonnés de forcer le blocus, bombardant à leur tour des villes allemandes avec des escadrilles spécialisées, multipliant les « bavures » contre les sous-mariniers allemands qui se constituaient prisonniers : la haine a monté d'un cran, les ennemis ne se respectent plus.

La crainte de représailles les contraint à observer dans certains cas la règle du jeu : dans le traitement des blessés et des prisonniers, par exemple, encore que des entorses, exploitées par les propagandes, aient été maintes fois constatées et dénoncées de part et d'autre. Mais les belligérants, dans ce domaine, sont loin d'avoir bénéficié d'une égalité de traitement : tout Allemand savait bien qu'il valait mieux être prisonnier en Angleterre qu'en France, et en France qu'en Afrique du Nord. Les Français étaient terrorisés par les camps des Turcs, et les Russes ou les Serbes étaient fort mal traités en Allemagne. Les conventions de La Haye donnaient aux belligérants le droit de faire travailler leurs prisonniers, mais non dans la zone des combats. Combien de fois cette règle n'a-t-elle pas été enfreinte ?

La guerre de positions ou de tranchées avait rendu possible et nécessaire un autre crime, plus grave que tous les autres réunis : puisque l'ennemi ne pouvait être vaincu par l'art de la guerre, celle-ci changeait d'objet. Elle n'avait plus pour objectif d'obtenir la victoire, l'agenouillement, la capitulation de l'ennemi, mais sa destruction, son élimination physique : la guerre « d'usure » devait tuer pour tuer, avec le plus d'efficacité possible. La science et la technique devaient livrer des armes nouvelles, si terrifiantes qu'elles aboutiraient inévitablement à la fin des combats. On ne résiste pas, de fait, à la mort chimique.

L'emploi par les Allemands des gaz asphyxiants, au printemps de 1915, fut l'acte le plus spectaculaire de la guerre terroriste. L'idée de gazer comme des renards ou des rats les hommes dans leurs tranchées était fascinante : les vainqueurs dotés de masques n'auraient plus qu'à avancer en terrain conquis, l'arme à la bretelle. Même les chevaux seraient cloués au sol.

Le 22 avril, au nord d'Ypres, sur le front de Steenstraat, de Langemarck, et plus à l'est, les Allemands ont disposé des tubes à gaz à raison d'une batterie tous les quarante mètres. Ils ont attendu

un vent favorable pour que le gaz lourd, de couleur jaunâtre ou
verdâtre, soit poussé vers les lignes alliées. Les territoriaux de la
87ᵉ division française sont totalement surpris. Ils tombent par
milliers, comme des mouches. Depuis le 16 avril, l'état-major belge
avait averti les Français que les Allemands avaient fait confectionner à Gand 20 000 couvre-bouches en tulle, « imbibés d'un liquide
approprié » et recouverts d'une enveloppe imperméable; les effets
du gaz portaient à un kilomètre. L'affaire est d'importance, un
rapport spécial est envoyé au président du Conseil : « Nos hommes
ressentirent immédiatement, lui explique-t-on, des picotements et
une irritation intolérable dans la gorge, le nez et les yeux, ainsi que
des suffocations violentes et de fortes douleurs dans la poitrine,
accompagnées d'une toux incoercible. Beaucoup tombèrent pour ne
plus se relever. D'autres, essayant vainement de courir, durent, sous
les balles et les obus, se replier en titubant, en proie à des
souffrances cruelles et pris par des vomissements dans lesquels
apparaissaient des filets de sang. Un certain nombre d'entre eux,
malgré les soins qu'on leur prodigua, ne tardèrent pas à succomber à
l'asphyxie provoquée par les lésions pulmonaires. » De fait, le
22 avril, les territoriaux abandonnent leurs positions. Ceux de la
2ᵉ ligne, moins touchés, s'enfuient terrorisés en traversant l'Yser.
L'ensemble de la 45ᵉ division recule, une brèche est ouverte entre les
Français et l'aile gauche anglaise : l'attaque aux gaz, foudroyante,
risque d'être fatale.

Les ordres du général Quiquandon, qui commande la 45ᵉ division,
sont de contre-attaquer immédiatement : ordre inexécutable. Les
hommes refluent, chassés par la nappe de gaz. Il faut envoyer de
nouveaux renforts, des zouaves, et demander l'aide des Canadiens
pour colmater la brèche. On envoie une brigade, puis une division.
La seule parade imaginée dans l'immédiat contre les gaz est
l'application sur la bouche d'un linge mouillé. Les Canadiens sont
touchés à leur tour : dans la nuit du 23 au 24 avril, les Allemands ont
à nouveau employé les gaz. Le 24, c'est au tour des Belges de les
éprouver. Le lendemain, Weygand signe une note spécifiant que les
Allemands utilisent, pour se défendre de leurs gaz, de l'hyposulfite
de soude avec de la potasse. « Les mêmes précautions, dit-il, doivent
être prises par nous. » Et Weygand d'ajouter : « Le meilleur moyen
d'éviter le nuage, quand il arrive, ou d'en sortir le plus vite possible,
est de foncer en avant, contre le vent qui l'emporte... » Manifestement, l'état-major français est dépassé. Les chefs d'unités ne
disposent évidemment pas, pour protéger leurs hommes, des
substances chimiques indiquées par Weygand. Dans l'immédiat, on
se borne à recommander « le mouchoir mouillé sur la figure ». Les
hommes ne résistent pas malgré cette protection sommaire; les
Marocains de la 4ᵉ brigade, utilisés dans la contre-attaque,
ne peuvent progresser : ils sont aveuglés par le chlore.

Joffre fait transporter aux armées les appareils respiratoires utilisés dans les mines et par les sapeurs-pompiers de Paris : ils sont en nombre dérisoire. Foch exige, par télégramme envoyé au ministère de la Guerre, que l'on entreprenne immédiatement la fabrication en grand nombre de masques protecteurs. En attendant ces moyens indispensables, la consigne de chefs d'état-major, quand les nuages de chlore arrivent, est toujours de « foncer dedans ».

La situation est rétablie sur le front des Flandres au prix de pertes très lourdes. La terreur des gaz se répand dans l'armée. Le 2ᵉ bureau cherche à s'informer sur les caractères de la production allemande. Il apprend que les gaz sont le résultat des travaux de professeurs Ernst et Haber, de Berlin, qui réalisent des expériences depuis octobre 1914. La mise au point de leurs bouteilles de chlore, diffusant du gaz par des tuyaux placés en avant des tranchées, a demandé de longues mises au point.

Les Allemands devaient améliorer sans cesse la toxicité de leurs gaz en recourant à toute une gamme de produits chimiques. Le plus efficace, employé à partir de 1917, est l'ypérite. On bourre de ce sulfure d'éthyle dichloré des obus marqués d'une croix jaune aux effets dévastateurs. Les Allemands devaient tirer cette année-là 1 000 000 d'obus, représentants 2 500 tonnes d'ypérite. Le « gaz moutarde », ainsi appelé à cause de son odeur, s'attaquait à la fois aux muqueuses et à la peau, brûlant les yeux et les poumons, puis gagnant sournoisement les reins et l'appareil digestif.

Plus lourdes que l'air, les vapeurs dégagées pénétraient dans les abris, rampaient dans les tranchées, se nichaient dans les ravins, les trous d'obus, les bas-fonds, les vallées escarpées. Comment calfeutrer les abris de planches au point de les rendre étanches? Comment renouveler la provision d'air? Les « barrages de feu » imaginés devant les tranchées sont inefficaces, les pulvérisations d'hyposulfite de soude très incommodes, toujours insuffisantes. Le seul appareil utile, celui de Draeger, est individuel : chaque homme est doté d'une provision d'une heure d'oxygène. Mais comment fabriquer à des centaines de milliers d'exemplaires un appareil aussi délicat, aussi coûteux? Il est en outre volumineux, lourd, il empêche les hommes de se coucher et de ramper. On peut à la rigueur en équiper ceux qui ne doivent à aucun prix abandonner leur poste, les observateurs et les mitrailleurs, les sapeurs occupés aux mines, les officiers de l'avant.

Les premiers moyens distribués aux hommes par le service de santé sont de simples « bâillons-tampons », des compresses imbibées d'hyposulfite de soude ou d'un mélange d'huile de ricin et de ricinate de soude. Pour protéger les yeux, des lunettes en fil de fer modelable. Pour désembuer les verres, un crayon anti-buée, ou tout simplement du savon : tels sont les moyens rudimentaires utilisés par l'infanterie pour résister aux premières attaques. On a ensuite l'idée de fabriquer de véritables masques, dont les modèles s'améliorent peu à peu (masques T.N., puis M 2) et qui permettent aux hommes de se protéger en quelques secondes, pourvu qu'ils aient sans cesse leur masque à portée de main. Pour les myopes, les lunettes peuvent être à verres correcteurs. Il est essentiel que les barbus et les moustachus se rasent afin que leurs visages offrent une adhérence parfaite.

Les chimistes allemands travaillent d'arrache-pied au perfectionnement des gaz pour les rendre plus toxiques, plus faciles à utiliser, plus difficiles à neutraliser. Des usines spéciales sont construites en grand nombre dès 1914. En France et en Angleterre, il n'existe en 1915 aucune fabrique de chlore ou d'autres substances toxiques. L'état-major exige que la fabrication en soit aussitôt poussée. Il ne suffit pas de mettre au point des masques (le modèle Tambutet n'a été distribué qu'à 220 000 exemplaires ; les hommes, dans les tranchées, ne disposent pendant longtemps que de tampons protecteurs) : les gaz, dit Foch, sont une « arme nouvelle » qu'il convient d'utiliser à plein rendement. Six compagnies Z sont chargées d'organiser les tirs sur des fronts assez larges (6 kilomètres) : « Nous n'avons qu'à prendre chez les Allemands les produits et le mode d'emploi », dit Foch. « Nos guerres mettent en jeu toutes les ressources et toutes les activités de la nation. Aura la victoire pour finir le pays qui en mobilisera le plus grand nombre. Nous n'avons pas encore sérieusement touché à la chimie industrielle. »

En février, Albert Thomas est content : il est en mesure d'envoyer aux armées 5 000 cartouches de 75 à « vincennite », un produit toxique expérimenté dans une tranchée sur des animaux avec des résultats satisfaisants. Il s'est lancé dans toutes les spécialités de projectiles, et la fabrication va bon train à la fois pour les *lacrymants,* les *suffocants,* les *incendiaires* et les *toxiques.* Les essais sur les porcs et les moutons, au camp de Mailly, ont été concluants. Il faut pourtant améliorer encore la nocivité de la vincennite, qui n'intoxique que trop faiblement les hommes réfugiés dans les abris. En 1916, la fabrication française en est encore au stade des tâtonnements. Elle n'a guère mis au point que les obus explosifs et les lance-flammes, analogues à ceux que les Allemands utilisent pour le nettoyage des tranchées et des nids de mitrailleuses.

On mobilise les cerveaux, non seulement aux armées, mais à la Sorbonne, dans les facultés de chimie et de pharmacie, au Collège de France : les professeurs Lebeau, Delépine, Mayer, Kling travaillent d'arrache-pied ; 110 chimistes sont mobilisés dans des laboratoires spécialisés. C'est seulement à partir d'avril 1916 que les hommes disposent au front de protections plus efficaces : 1 million de masques T, près de 7 millions de masques T.N. De février 1916 à novembre 1917, on fabrique 29 millions de masques M2, puis des appareils Tissot, des masques A.R.S., et même des appareils de protection pour les chevaux, très touchés par l'ypérite. On active aussi la fabrication de chlore et les premiers bombardements français par obus à gaz ont lieu sous forme intensive à partir d'août 1916, d'abord en Champagne, puis sur tout le front. Les Anglais ont une avance de quelques semaines : ils intoxiquent en juin la 1ᵉ division du corps de réserve de la Garde prussienne.

Chez les Allemands comme chez les Alliés, les masques sont souvent défectueux, ils ont des trous, des déchirures, ils sont mal appliqués, ils ne sont pas changés assez souvent et causent une indéniable gêne respiratoire. Mais, jusqu'à l'été de 1916, Français, Anglais et Belges souffrent seuls des effets des gaz toxiques. Ils sont aussi les premiers à supporter les attaques à l'ypérite, puisque ce nouveau gaz, employé par les Allemands en 1917, demande à leurs ennemis de longs mois de mise au point. Très insinuant, l'ypérite rend difficile l'alimentation des troupes. Les cuisines, souvent dissimulées au fond des ravins, sont touchées, les aliments souillés. Les premiers bombardements à l'ypérite atteignent les arrières, l'artillerie, les états-majors, les services, comme si les Allemands craignaient de l'utiliser dans les tranchées trop proches de leurs propres lignes.

C'est seulement en juillet 1917 qu'un bon dispositif sanitaire, avec personnel spécialisé, est organisé sur le front français. On a alors dirigé les blessés vers l'hôpital Necker, Le Vésinet, l'Hôtel-Dieu de Lyon, et la recherche médicale a pu se développer. Les premiers soins sont devenus plus efficaces, les thérapeutiques mieux adaptées. On a calculé que les troupes prises en 1915 dans les vagues de gaz comptaient 20 % de pertes, dont 1/4 de morts inévitables. Un blessé sur 4, dans le groupe Fayolle, était en 1918 un gazé. Plus de 127 000 soldats, du côté des Alliés, devaient être soignés dans les hôpitaux.

Ces mutilés par les gaz, souvent amputés d'un poumon, parfois aveugles, mouraient d'œdèmes ou d'insuffisance respiratoire. Bien peu devaient être rendus intacts à la vie civile. Les avantages des attaques par gaz sont tels que l'état-major allemand d'abord, les français et anglais ensuite, recommandent l'emploi de très nombreux projectiles au gaz dans les « offensives ». Sur un sous-officier allemand fait prisonnier en mai 1917, on trouve un carnet de « considérations générales sur les attaques par gaz » : devant l'impossibilité de faire suffisamment arroser par l'artillerie le réseau de tranchées ennemies, est-il expliqué, et de mettre hors de combat tous les combattants, on procéda à des essais et on en arriva à l'idée de combattre par empoisonnement. Il fallait inventer les moyens pratiques d'agir sur des kilomètres de terrain et sur tous les êtres vivants qui pouvaient s'y trouver, afin que la mort les atteignît.

Après de longs efforts et beaucoup de travail, on s'arrêta à l'idée du combat par gaz. Sur son carnet de route, le Bavarois Otto Volkmann avait des précisions supplémentaires : « Pourquoi s'est-on décidé à employer les gaz? Afin d'obtenir le maximum de résultats avec une moindre consommation de munitions. Tandis qu'avec des abris de 6 mètres d'épaisseur de voûte, on arrive à se protéger des obus ordinaires, les obus à gaz exercent leur action dans un rayon assez distant du point de chute. Grâce à sa densité, le gaz s'infiltre dans les abris les plus sûrs et atteint les occupants. Enfin, un kilogramme d'explosifs coûte 2,40 marks et un kilogramme de chlore coûte seulement 18 pfennigs. » Comment hésiter? La violation de la Convention de La Haye du 29 juillet 1899 est allégrement justifiée par la « modernité » de l'arme que Foch réclame avec insistance pour ses propres soldats.

La Croix-Rouge internationale réagit très tardivement contre l'emploi des gaz toxiques. Elle lance un appel aux belligérants, le 6 février 1918, contre les gaz « vénéneux »; elle évoque « les souffrances terribles que causent ces gaz ». Nous « protestons de toutes les forces de notre âme, dit-elle, contre cette manière de faire la guerre que nous ne pouvons appeler autrement que criminelle ». Mais quelles garanties, pour les belligérants, s'ils renoncent unilatéralement à l'emploi de ces substances? L'action de la Croix-Rouge, soutenue par le pape, n'a pas la moindre suite. Les responsables militaires ont appris à se servir des gaz, ils ne sont pas prêts à y renoncer. Les Français se sentent bonne conscience : les Allemands n'ont-ils pas commencé les premiers?

Deuxième violation grave des accords de La Haye : les bombardements de populations civiles. Les plus efficaces sont dus aux canons lourds : mais comment les condamner? Ils ont lieu sur des villes qui se trouvent dans la zone des armées, comme Nancy, Lunéville, Soissons, Arras, Reims surtout : 50 000 habitants sur 115 000 y sont encore présents et elle est bombardée quodiennement pendant des mois à partir de septembre 1914; les obus tombent là où ils peuvent : le 25 septembre sur un hôpital, tuant trois malades au lit, sur la cathédrale, sur la basilique Saint-Rémi, très atteinte le 17 novembre; il y a 30 tués le 27 à l'hospice des incurables, en décembre un hôpital civil est en partie détruit.

Le commandement ne cache pas que ces bombardements sont souvent destinés à atteindre le moral des populations : c'est particulièrement vrai à Nancy où une pièce de fort calibre tire périodiquement sur la ville. Les pertes ne sont pas trop sévères : 11 morts en 1914, 19 en 1915, mais ce sont des civils; en 1916 il y a 34 morts, 62 en 1917. Pendant le seul mois d'octobre de cette année, la ville compte 36 morts et 78 blessés. Les bombardements d'artillerie sont combinés avec des raids d'aviation.

Les Allemands atteignent leur but : les tirs de la pièce lourde de 380 mm deviennent, pour les habitants, une obsession. Marc Letot l'affirme : « De plus en plus répétés, le vrombissement des moteurs d'avions allemands et le fracas des explosions ébranlent les nerfs des citadins bombardés. Nous pouvons avancer sans grande chance d'erreur que cet effet psychologique devait être prévu par les responsables militaires ennemis. » Réponse des Français : la censure. La presse régionale ne peut souffler mot des victimes : en janvier 1917, le bruit du bombardement de Belfort par obus asphyxiants jette l'alarme dans Nancy. Les habitants s'enfuient et l'annonce de ce nouvel exode inquiète le ministère de la Guerre qui décide d'envoyer dans la place des pièces de marine pour contre-battre les tirs allemands. « La pièce qui tire sur Nancy, écrit Joffre, est installée derrière une colline élevée qui la masque entièrement aux vues de tout observatoire terrestre... »

Il doit aussi prendre des mesures contre la pièce lourde qui bombarde Dunkerque et qui répond au même but : démoraliser la population. « Deux mois d'efforts ont été nécessaires, dit Joffre au ministre de la Guerre, pour obtenir le succès. » La seule manière de faire cesser rapidement les tirs est d'« exercer des représailles. » Joffre l'explique posément : « Nous pourrions riposter par des tirs analogues sur des villes lorraines ou alsaciennes, si cette hypothèse pouvait être envisagée. » Hélas, il ne peut tirer sur des villes allemandes : elles sont trop éloignées de ses batteries. Mais il envisage « une répression sur une gare importante, comme celle des Sablons à Metz », avec un 340 de marine.

Plus déprimantes encore que les obus sont les bombes transportées par avions ou par zeppelins. Les avions, appelés « taubes », font des raids sur Paris dès 1914 : 2 avions, le 11 octobre, y lancent 22 bombes qui font 3 tués et 19 blessés. Notre-Dame reçoit des éclats. L'émotion est très grande dans la capitale où l'on demande la mise en service d'escadrilles de défense. La défense contre avions, avec des canons montés sur des châssis automobiles, n'intervient que beaucoup plus tard. Les Parisiens doivent descendre à la cave. Il n'y a pas de protection efficace contre les taubes.

Ces raids contre les populations civiles se généralisent en 1915 [1] à la suite des attaques anglaises en territoire allemand contre les usines fabriquant des zeppelins. Le gouvernement allemand autorise alors le bombardement des villes de l'Entente. Mais il ne dispose pas avant 1917 d'avions suffisamment puissants (les Gotha G IV) pour rendre ces raids efficaces. Les taubes inquiètent les populations civiles et les indignent, ils ne lancent pas de bombes aux effets très destructeurs. Pourtant, les réactions de la presse sont

1. Philippe Bernard, *Stratégie aérienne pendant la Première Guerre mondiale*, R.H.M.C.

vives. On accuse les pouvoirs publics de ne pas défendre les innocentes victimes, de ne pas protéger l'espace français. L'industriel Michelin écrit le 6 octobre 1914 au président de la République pour faire une suggestion : « Nous nous engageons à offrir à chaque aviateur français qui descendra un avion allemand une prime de 5 000 francs. »

L'émotion des villes de province touchées par les bombardements est considérable : à Belfort, le raid du 3 septembre ne fait pas beaucoup de dégâts (un café éventré, une chapelle détruite dans un cimetière, pas de victimes), mais on réclame la protection de la ville par la défense contre avions. On s'inquiète même à Dijon où le journal *le Progrès* détaille, pour rassurer la population, les mesures de protection prises : en cas d'alerte, l'usine d'électricité et l'usine à gaz coupent le courant sur toute la ville. « L'officier de service et un clairon montent la garde sur la tour de l'hôtel de ville. Le clairon sonne le " garde-à-vous ", répété par tous les clairons des casernes. » Quand l'avion disparaît, on sonne « la Breloque ». Au signal d'alerte, les troupes « prennent les armes et tirent » : les canons sont en batterie.

En fait, quand un avion allemand fait un raid sur Dijon, longtemps plus tard, en janvier 1917, il lâche tranquillement ses bombes, qui ne font aucune victime, sans être le moins du monde contrarié par les tirs d'artillerie. Le colonel commandant la place a demandé en vain du renfort, autocanons et avions de chasse : il n'a rien obtenu pour une ville que l'on estime trop éloignée de la zone des armées pour y immobiliser du matériel.

Plus encore que des avions, la population craint les raids des zeppelins. Les lourds dirigeables glissant la nuit sur les villes sont censés transporter d'énormes stocks de bombes. On voit des zeppelins partout, on les signale dans toute la France. Il est vrai pourtant qu'ils existent. Certains de leurs raids sont restés célèbres.

D'abord les raids sur Paris : dans la nuit du 20 au 21 mars 1915, la gare de Compiègne signale au camp retranché l'approche de deux zeppelins qui s'avancent, tous feux éteints, vers la capitale. L'alerte est donnée à 0 h 59, l'éclairage est réduit, le « service de défense contre les aéronefs » alerté. Peu après 1 heure, les engins sont passés au-dessus de Chantilly, le fort de Corneilles a tiré sur eux, sans résultat. A 3 heures et demie, leur raid est terminé, ils remontent vers le nord, mais un autre zeppelin est signalé à cette heure-là au-dessus de Compiègne. Cette fois, toutes les batteries du camp retranché tonnent. Mais on tire au hasard, on n'arrive pas à prendre l'engin dans le pinceau des projecteurs. Les canons de la tour Eiffel et du mont Valérien, ceux du Trocadéro aboient en vain. Les zeppelins jettent une bombe rue Blanche, une autre sur la Petite Ceinture. Il y a des dégâts à Argenteuil.

Les avions ont pris l'air, fouillant le ciel. Ils n'ont pu trouver de nuit les zeppelins. Les observateurs de Compiègne affirment cependant que l'un des engins, au retour, sans doute touché par les éclats d'obus, avait « l'arrière incliné ».

A Paris, la crainte des bombes au gaz lancées par les zeppelins est très forte. Les raids sur les villes de l'arrière développent mythes et rumeurs. En Allemagne où les raids de zeppelins sont racontés dans les journaux illustrés avec un grand luxe de détails, on redoute les représailles des Alliés. Durant l'été 1916, d'après nos agents à Copenhague, « les autorités allemandes, émues des bruits selon lesquels les aviateurs français viennent incendier les récoltes, recrutent main-d'œuvre pour hâter moisson et engrangement. On craint surtout pour le Palatinat ».

Les zeppelins continuent leurs raids, on les signale sur Dunkerque, Dijon, Belfort. En 1916, les sorties sont plus fréquentes encore. Dans la nuit du 31 janvier, un zeppelin a été aperçu au nord de Fisme, à 20 heures : les projecteurs de Roissy-en-France fouillent le ciel sans le découvrir. L'engin jette ses bombes au hasard, il ne peut se repérer, la brume est trop épaisse. Stains, Le Bourget, Montmorency reçoivent des bombes incendiaires qui brûlent pendant 15 minutes avec une flamme haute de deux mètres. Une bombe explosive a détruit le lavoir municipal de Saint-Brice. Ces engins font, dans les vergers, des entonnoirs de plus de 7 mètres : sans doute le zeppelin a-t-il répandu son chargement de bombes en se croyant au-dessus de la capitale. Il est reparti vers le nord sans être poursuivi.

L'équipage des zeppelins fait la fierté de l'Allemagne. Les hommes sont des officiers du front, auteurs d'exploits héroïques, mais blessés et rendus inaptes au « service en campagne pénible ». Ces handicapés poursuivent la guerre dans les airs. Ils sont 18 dans les nacelles, mitrailleurs, bombardiers, hommes de radio et de navigation. Les engins du type Z grimpent à 2 000 mètres avec leurs trois moteurs. Ils avancent à 72 km/h. Le type L est plus puissant, avec 4 hélices. Le L 3 a réussi à voler à plus de 3 000 mètres. Quant au superzeppelin, il peut naviguer sans arrêt pendant 100 heures et larguer 1 800 kilogrammes de bombes à 2 500 mètres d'altitude. Grâce à ses 4 moteurs, il avance à 90 kilomètres.

De leurs hangars de Bruxelles ou de Maubeuge, les zeppelins peuvent aussi bien bombarder Paris que Londres. Les raids sur l'Angleterre sont assez fréquents. Le 31 janvier 1916, neuf zeppelins groupés remontent la vallée du Trent et survolent le district de Birmingham. Ils ont pour objectif Nottingham et le Sud du Lancashire. Ils larguent 350 bombes qui font plus de 60 morts et de 100 blessés. Il n'y a pas le moindre dommage militaire, mais deux églises sont incendiées : l'indignation en Angleterre est immense.

Les aviateurs font aux zeppelins une guerre inexpiable. Il faut abattre à tout prix ces engins terroristes qui frappent de nuit, au hasard, et s'en vont sans être repérés. A la moindre alerte, les avions prennent le ciel. Le 1ᵉʳ avril 1916, jour de liesse à Londres, les journaux annoncent qu'un zeppelin a été abattu à Kentish-Knock, au nord-est de Margate. L'équipage a été fait prisonnier. Les tirs de canons s'avèrent efficaces quand les projecteurs peuvent repérer les engins : au canon de trois pouces, un zeppelin est touché sur l'embouchure de la Tamise. Il s'incline, le nez en l'air, et descend petit à petit vers la mer.

Les raids groupés sont repérés dans toutes les régions en avril : le 2, ils sont sur Essex, le 4 sur Hull, le 27 sur Londres. En mai, les avions réussissent à abattre un appareil sur les côtes de Norvège. En septembre, un aviateur accomplit un exploit : il vole au-dessus d'un zeppelin et le détruit en lui lançant des bombes incendiaires. Deux autres zeppelins sont abattus le même mois au-dessus de Londres ; les équipages sont fait prisonniers.

Les Anglais lancent bientôt des raids au-dessus de l'Allemagne pour détruire les hangars à zeppelins. L'usine de Friedrichshafen a 3 000 ouvriers qui construisent un appareil en 15 jours. Ils mettent au point, pour 1917, un modèle révolutionnaire qui doit monter à 6 000 mètres et s'avancer à 170 km/h. Pour échapper aux repérages de nuit, il sera entièrement peint en noir.

Les raids terroristes des zeppelins sont innombrables : un des plus célèbres est celui du 31 janvier 1916 sur Salonique. Jérôme Carcopino, ce soir-là, était au quartier général de l'armée d'Orient. Il dormait dans la chambre que lui avait louée la Mission laïque quand il fut réveillé par le bruit des bombes. « Des maisons flambaient, dit-il, la Banque de Salonique et ses entrepôts s'effondraient sans qu'il fût possible aux pompiers de maîtriser le brasier. » La préfecture grecque est touchée. Quinze bombes lâchées, trois tombées en mer, les autres ont fait plusieurs victimes, des soldats grecs, des civils, une jeune fille. Le zeppelin, « une fois perpétré son forfait, avait fait demi-tour ». Au quartier général dont les vitres ont sauté, Sarrail dicte les mesures préventives qui doivent réduire les risques en cas de nouveau raid. Vers une heure du matin, le 16 mars, c'est Carcopino qui les applique pour la première fois, car il est de garde : on lui téléphone de loin, de la vallée du Vardar. Un zeppelin est signalé ! Il vient de nouveau bombarder Salonique. Aussitôt Carcopino coupe l'électricité dans la ville et donne le signal aux avions du commandant Denain sur le terrain de Zeitenlik. Les projecteurs fouillent la nuit, repèrent l'engin qui vire de bord et s'éloigne vers le nord.

Un troisième raid est fatal au zeppelin. Dans la nuit du 4 au 5 mai, les avions l'abattent : il tombe « sur le fouillis de roseaux d'un sol marécageux ». L'équipage a le temps de détruire les archives. Le 2ᵉ bureau interroge les douze prisonniers séparément. Leur hangar est à Temesvar, en Hongrie : ils refusent de reconnaître le bombardement de Salonique. Carcopino les fait avouer : « Vous avez violé le droit des gens, vous vous êtes placés hors des lois qui régissent humainement les belligérances. Vous n'êtes que des criminels de guerre. » Naturellement, les officiers protestent de leur innocence : ils ne visaient que des objectifs militaires. Heureux d'être sains et saufs après avoir largué dans la campagne leurs 1 500 kilogrammes de bombes et leurs 3 tonnes d'essence, « ils s'enorgueillissaient de leur arme d'élite, constituée indépendamment de tous les groupes d'armée, sous l'autorité d'un seul chef qui résidait à Friedrichshafen... Ils se rengorgeaient de toucher une solde mensuelle de 850 marks, équivalant alors au traitement de nos professeurs en Sorbonne ».

Les sous-mariniers faisaient aussi partie d'une arme d'élite affectée à la lutte contre le blocus maritime. Depuis le début de la guerre, les glorieuses flottes de Leurs Majestés britannique et allemande, qui avaient coûté si cher aux contribuables des deux pays, restaient à l'abri des ports et des rades, sans oser sortir. Les *superdreadnoughts* d'Angleterre se serraient frileusement, bord à bord, dans la rade de Scapa Flow, mouillant des mines contre les torpilleurs et tendant des filets contre les sous-marins. La grande flotte, orgueil du Kaiser, était à quai. L'empereur avait refusé de l'employer. Quel désastre si l'on devait reconnaître le torpillage des grandes unités de Kiel ! Les navires utilisés pour la surveillance de la mer du Nord et du Pas de Calais étaient de vieilles unités de la flotte anglaise ou des paquebots armés de canons. Les seuls cuirassés modernes de la flotte allemande qui eussent osé prendre la mer étaient le *Goeben* et le *Breslau*, de l'amiral Souchon, désormais turcs et isolés en mer Noire. Il y avait aussi en mer des navires perdus qui n'avaient pas eu le temps, début août, de rejoindre leur base : ceux-là étaient devenus des corsaires. D'août à septembre, le croiseur *Karlsruhe* avait coulé 17 navires marchands avant de disparaître lui-même par accident. Le *Königsberg* opérait dans l'océan Indien, mais ne devait pas résister au blocage des contre-torpilleurs anglais. L'*Emden* avait coulé 16 vapeurs sortant des ports indiens avant d'être lui-même détruit par les Anglais. L'escadre de l'amiral von Spee avait battu le 1ᵉʳ novembre, au large de Coronel, sur les côtes chiliennes, une escadre britannique. Mais l'Amirauté avait envoyé des renforts et von Spee avait perdu la partie, le 8 décembre, aux îles Falkland. Un seul croiseur allemand tenait encore la mer au début de 1915, mais il se cachait dans les ports chiliens, traqué par la *Royal Navy* qui devait finalement l'atteindre. Avec le *Dresden* disparaissait le dernier corsaire de surface.

Pas tout à fait : en décembre 1915 et en novembre 1916, deux vapeurs et un voilier, le *Möwe*, le *Seeadler* et le *Wolf*, parvenaient à tromper la vigilance anglaise, à forcer le blocus et à couler soixante navires marchands. Ces équipées sauvages étaient sans lendemain. Elles entretenaient le moral allemand grâce aux gros titres dans la presse illustrée. Elles ne gênaient pas efficacement le grand commerce maritime allié. La flotte de guerre de Wilhelmshaven était inutilisée. Quant à l'unique *dreadnought* autrichien, il se terrait dans la base de Pola, craignant les attaques des sous-marins français.

Les sous-marins allemands, à l'évidence, étaient la **seule chance** que possédait la grande flotte impériale de forcer **le blocus**. L'empereur avait exigé des Danois qu'ils établissent dans les détroits du Sund et du Skagerrak des champs de mines : les Anglais ne pouvaient pas pénétrer dans la Baltique, seule mer qui fût allemande. Ils ne pouvaient pas davantage s'approcher trop près des côtes européennes pour exercer le blocus, sous peine d'être attaqués brusquement par des petites unités pourvues de torpilles. Ils devaient donc contrôler les navires en haute mer : les neutres, vapeurs et voiliers, dont le commerce était réglementé par les textes issus de la Conférence de Londres en 1909. L'Allemagne y avait d'autant plus volontiers souscrit qu'ils ne gênaient en rien la contrebande de guerre : ni le coton américain, indispensable à la fabrication des explosifs, ni les produits alimentaires n'étaient concernés. Même les armes échappaient à la saisie si le navire capteur ne pouvait apporter la preuve qu'elles étaient destinées à ses ennemis. Le maquillage des livraisons était relativement simple à organiser.

Aussi bien les gouvernements de Paris et de Londres avaient-ils rapidement déclaré que « le texte établi en 1909 ne répondait plus aux circonstances », et que toutes les marchandises étaient de bonne prise, puisqu'elles alimentaient finalement une économie de guerre. Les escadres anglaise et française avaient donc l'ordre de se saisir aussi de ces denrées alimentaires, menaçant ainsi l'Allemagne de famine. Le 29 octobre 1914, un « ordre en Conseil » de Londres suivi, le 6 novembre, par un décret du gouvernement français, interprétaient la Déclaration de Londres en considérant comme allemandes les marchandises transportées par les bateaux neutres dans des ports voisins de l'Allemagne, sauf si le transporteur apportait la preuve d'une destination acceptable.

Cette décision était à l'évidence une violation de la règle internationale acceptée par les belligérants. L'Allemagne se sentit donc parfaitement en droit de lancer la guerre de course contre les navires marchands de l'ennemi, et non plus seulement contre les bateaux de guerre. Les sous-marins chargés de la « course » ont ordre aussitôt d'arraisonner et de couler ces navires, puisqu'ils n'ont pas la possibilité de les remorquer dans les ports allemands. Il est cependant précisé que les « prises » doivent être informées par un coup de semonce qu'elles vont être coulées. Les Allemands ont-ils les moyens de faire réellement peur à l'amirauté anglaise ? Ils n'ont, en 1914, que 12 sous-marins dans leur base de Wilhelmshaven. C'est peu pour faire respecter la déclaration de leur gouvernement du 4 février 1915 : les îles Britanniques et leurs zones maritimes sont considérées comme « zone de guerre »; les sous-marins y couleront tous les navires ennemis, même s'ils transportent des passagers ; les navires neutres « courent le même danger », puisque des marchandises anglaises y sont fréquemment embarquées.

Protestations unanimes des neutres, et d'abord des États-Unis : les Alliés ont désormais bonne conscience quand ils affirment, dès le 1er mars 1915, qu'ils saisiront toutes les marchandises transportées par n'importe quel navire marchand pour les entreposer dans les ports anglais. Seuls les armateurs ayant apporté la preuve que les cargaisons ne sont pas destinées à l'Allemagne pourront les récupérer. A ceux qui veulent avoir des assurances, les agents anglais des ports américains délivreront des sauf-conduits si leur cargaison leur paraît « innocente ».

Les sous-marins allemands sont donc la seule réponse possible au blocus : le Kaiser et son gouvernement sont entraînés à la guerre sous-marine, guerre terroriste dont seront inévitablement victimes les passagers et équipages des bateaux neutres.

En octobre 1915, l'arme sous-marine est encore peu adaptée à sa mission. Ancien officier torpilleur sur un cuirassé, le commandant Spiess est déçu par l'U 9 où il embarque comme lieutenant de vaisseau à partir de 1912. Le bâtiment est inconfortable et dangereux : les batteries d'accumulateurs, remplies d'acide sulfurique, peuvent s'enflammer et sauter. Les quatre moteurs à pétrole sont poussifs, les manœuvres délicates, avec les deux moteurs électriques de plongée. A la revue de Kiel, en mai 1913, la plupart des sous-marins sont absents pour cause de pannes. A la parade de 1914, personne ne les remarque, tant leur silhouette est misérable à côté des glorieux *Ajax* et *King George V*, H.M.S.S. de Sa Majesté britannique, envoyés en démonstration. En août, les sous-mariniers en sont encore à faire des essais de torpilles et n'envisagent nullement de longues croisières en haute mer. Les premiers raids de l'U 13 et de l'U 15 sont désastreux : ils disparaissent à la hauteur d'Heligoland. Les Allemands n'ont plus que dix sous-marins.

L'exploit de L'U 9 rend au commandement toute sa confiance : en septembre 1914, celui-ci réussit à torpiller trois croiseurs anglais. La renommée du commandant Weddigen devient immense. Le chef de la flotte, von Ingenohl, accorde à l'équipage le droit de faire peindre une croix de fer sur le kiosque du navire. Désormais, les Anglais savent que les sous-marins sont dangereux. L'U 9 renouvelle son exploit en coulant, en octobre, le croiseur *Hawke*. Il pousse l'audace jusqu'à surveiller la passe de Scapa Flow où gîte la grande flotte anglaise. Le Kaiser félicite lui-même l'équipage par télégramme et décore Weddigen de la plus haute récompense allemande : « pour le Mérite ». Au cours de cette croisière, l'équipage de l'U 17 a envoyé par le fond son premier navire de commerce, le cargo anglais *Glytra*. Il n'ose s'en flatter en rentrant au port. « On ne respira plus librement, note Spiess, que lorsque le chef de la flotte de haute mer eût admis la chose, après coup. » Dès lors, en novembre 1914, les sous-marins sont équipés de canons-revolvers de 37 mm pour l'arraisonnement des bateaux marchands. La vraie course va commencer. Le *Glytra* transportait un dangereux chargement de machines à coudre et de whisky ! L'équipage avait eu le temps de s'éloigner dans les chaloupes de sauvetage. Il était clair, désormais, que les commandants de sous-marins pouvaient envoyer par le fond tous les navires ennemis rencontrés au cours de leurs périples.

Déjà le sous-marin était devenu un mythe. Weddigen, qui commandait à présent l'U 29, avait un navire moderne, puissant, capable d'une longue autonomie de course. Spiess, qui lui succéda sur l'U 9, suivait sa trace. Hersing, qui avait torpillé, dès septembre 1914, le premier croiseur anglais *Pathfinder*, était reconnu dans la rue comme une vedette par les lecteurs de la presse illustrée. On avait tiré son portrait à des milliers d'exemplaires pour les cartes postales. Les sous-mariniers, comme les pilotes de zeppelins, devenaient des héros. On pensait qu'en coulant Anglais et Français, ils luttaient contre l'odieux blocus destiné à étouffer l'Allemagne. L'état-major tenait secret dans ses codes les numéros des bateaux d'Hersing et de Weddigen, afin qu'ils ne fussent pas pris en chasse par l'ennemi. Hersing, à bord de l'U 21, avait réussi à franchir Gibraltar, traversé la Méditerranée, coulé à Gallipoli les cuirassés *Triumph* et *Majestic*, avant de faire une entrée triomphale dans Constantinople. Les Anglais avaient, disait-on, mis sa tête à prix.

Avec l'U 21, Hersing s'était lui aussi lancé dans la course, coulant le vapeur français *Malachite* et l'anglais *Primo*, un charbonnier. Il pousse l'audace jusqu'à bombarder, avec ses petits canons, les chantiers de Barrow en Angleterre (près de Liverpool) et des avions au repos sur un camp. Spiess, pour sa part, attaque plus de 1 000 petits chalutiers dans le Dogger Bank. Il est décoré de la croix de fer pour avoir coulé, en mai 1915, le vapeur *Wilhelmina*, de 3 590 tonneaux. Les prises se succèdent : aucun vapeur n'a les moyens de résister aux simples coups de semonce des sous-mariniers. Tous se laissent couler.

Les Alliés s'organisent pourtant : les navires marchands sont à leur tour armés de canons. Les flottes de guerre sont abritées, défendues par des barrages de filets et par des patrouilles de torpilleurs légers. Des bateaux-pièges sont spécialement aménagés pour surprendre les sous-marins : ils se présentent de loin comme d'innocents bâtiments, mais dévoilent au dernier moment une artillerie puissante. Huit sous-marins de la 1ʳᵉ flotte sont envoyés par le fond : les chantiers allemands travaillent fébrilement pour construire des modèles plus performants, capables de plus longues traversées, armés de torpilles plus nombreuses.

Ordre est alors donné de se lancer dans une campagne « sans restriction » dans les eaux britanniques. Les sous-marins doivent couler tous les vaisseaux qu'ils rencontrent, non sans les avoir en principe avertis. La non-application de ce principe crée des drames en mer et accrédite le caractère terroriste des raids sous-mariniers.

En janvier 1915, les Allemands avaient 27 sous-marins en chantier et en comptaient 52 en service, à la fin de l'année, n'en ayant perdu que 19. Ils avaient l'intention de les utiliser à fond. Pour prévenir des pertes trop lourdes, les neutres cherchaient à s'entremettre : le gouvernement des États-Unis, le 20 février 1915, avait demandé à l'Allemagne de renoncer aux attaques sous-marines contre les navires marchands, à condition que les Alliés acceptent de laisser l'Allemagne se ravitailler librement en denrées alimentaires. Les Allemands tardant à répondre, les Alliés purent se dérober sans difficulté.

Un grave incident suscita chez les neutres, et surtout dans l'opinion américaine, une immense émotion : le 7 mai 1915, un transatlantique anglais, le *Lusitania,* était torpillé au sud de l'Irlande. L'U 20 du commandant Walter Schwieger avait frappé un paquebot désarmé. Aucun avertissement préalable : la torpille était allée droit au but. « Des embarcations submergées ou mal amenées s'abîmaient dans les flots, a raconté Schwieger. Des gens affolés montaient et descendaient les échelles. Des hommes et des femmes sautaient à la mer et essayaient de grimper dans les embarcations chavirées. C'est la plus atroce vision de ma vie. Je ne pouvais leur porter secours. J'aurais pu sauver à peine une poignée de gens. De plus, le croiseur que nous venions de rencontrer ne devait pas être loin et avait dû recevoir les signaux de détresse. Il pouvait arriver d'un moment à l'autre. Le spectacle était trop affreux à voir : je plongeai à vingt mètres et m'éloignai. »

Parmi les 1 200 victimes du naufrage, 118 Américains : le colonel House, devant la montée de la fièvre dans la presse, croit à l'imminence d'une guerre. Mais Wilson ne réagit pas autrement qu'en envoyant, quelques semaines plus tard, une note sèche à Berlin. Un nouveau torpillage, en septembre, coûte la vie à trois Américains, passagers de l'*Arabic.* Cette fois, les États-Unis réagissent avec vivacité. Berlin leur adresse une note apaisante : le gouvernement exprime ses regrets, blâme les capitaines coupables et affirme que, désormais, les sous-marins ne torpilleront plus de paquebots « sans avertissement préalable et sans que les vies humaines aient été sauvegardées, à moins que ces bâtiments n'essaient de s'échapper ou n'offrent de la résistance ». Comment savoir si les paquebots transportent des passagers civils? demandent les commandants de sous-marins. On leur recommande de ne plus torpiller de bateaux ayant plus d'une cheminée, puis de s'abstenir de faire la guerre sur les côtes anglaises.

Mais Falkenhayn et Tirpitz exigeaient au contraire l'aggravation de la guerre sous-marine, seule capable de toucher l'Angleterre et de gêner le ravitaillement de la France en produits stratégiques. L'amiral Scheer et von Holtzendorff, chef d'état-major de la Marine, étaient du même avis. Ils prenaient position dans la presse, poussaient leurs partisans au Parlement, engageaient une bataille d'opinion avec notamment le soutien des nombreux adhérents de la Ligue maritime. Certes, les adeptes d'une politique modérée, qui ne fût pas de nature à brouiller l'Allemagne avec les États-Unis, étaient nombreux chez les industriels et les armateurs comme Ballin, président de la *Hamburg-Amerika Linie*. Le 8 mars, le Kaiser inclinant à l'évidence pour la modération, renvoyait von Tirpitz. Mais pouvait-on faire une guerre sous-marine « restrictive » sans multiplier les bavures? Peu après, l'U 13 torpillait le hollandais *Tubantia* où les importateurs allemands avaient caché dans des fromages... des lingots d'or destinés à financer leurs achats chez les neutres! Le 24 mars, l'U 29 coulait le paquebot français *Sussex* avec 325 passagers : de nouveau, des Américains avaient péri dans le naufrage. Sur leurs représentations très fermes, le Kaiser devait imposer de telles conditions à ses commandants de sous-marins qu'aucune action n'était plus possible. La guerre cessa pratiquement pendant l'été de 1916. A cette date, la flotte allemande s'était interdit pour toujours de reprendre la mer, ayant échoué le 31 mai au Jutland.

Ce jour-là, au large du Skagerrak, une grande bataille était livrée : la flotte de l'amiral von Scheer avait décidé de frapper un grand coup pour rompre le blocus. Il avait envoyé dans la direction des côtes norvégiennes l'escadre de l'amiral Hipper, afin d'y attirer les Anglais. Il devait les rabattre ensuite vers le sud, à l'ouest du Skagerrak, où von Scheer les attendait avec le gros de ses forces.

Prévenu, l'amiral anglais Jellicoe avait lancé l'ensemble de son immense flotte contre Hipper. Beatty, qui avançait le premier avec une escadre de croiseurs de bataille, avait été fort malmené par Hipper. Mais les renforts du gros de Jellicoe étaient arrivés à point pour permettre à Beatty de décrocher : les Anglais avaient perdu un croiseur de bataille, quatre croiseurs légers, un cuirassé. Mais les

Allemands étaient bien plus touchés : trois croiseurs, trois cuirassés, six torpilleurs. Même si les Anglais avaient décroché avant l'aube, peu soucieux de poursuivre une bataille meurtrière, les Allemands renonceraient désormais à tenter l'aventure avec leurs grosses unités : plus que jamais, les marins étaient convaincus que la rupture du blocus ne pouvait résulter que de l'action des sous-marins, même si celle-ci avait pour conséquence le développement d'une guerre terroriste.

Les articles de droit international concernant le traitement des prisonniers de guerre furent ceux qui reçurent le moins d'atteintes, alors que la plupart des autres dispositions des conventions de La Haye, pourtant signées par 44 États, étaient bafouées. Les prisonniers étaient garantis par la convention IV, signée en 1907. « Ils sont, était-il précisé, au pouvoir du gouvernement ennemi, mais non des individus ou des corps qui les ont capturés. » Ce gouvernement devait les entretenir « sur le même pied que ses propres troupes ». Il devait payer les soldats et les sous-officiers qui acceptaient de travailler et qui pouvaient être utilisés, « pourvu que ces travaux ne soient pas excessifs et n'aient aucun rapport avec les opérations de guerre »; les officiers touchaient normalement leur solde. Tous avaient droit à la liberté des cultes, à des permissions de sortie, à une correspondance réglée. Ils pouvaient recevoir des colis et des dons. En France (où la bataille de la Marne avait entraîné un afflux de 25 000 hommes), comme en Allemagne, on avait hâtivement construit des camps d'accueil, mobilisé des châteaux, des forteresses, des casernes vides, des îles (la Corse, Belle-Ile et Oléron). Les Français devaient vite se rendre compte qu'ils avaient instauré un régime plus libéral que les Allemands qui accordaient aux officiers des soldes insuffisantes et faisaient coucher les hommes sur la paille, au camp de Zossen. Les Français se plaignaient de la nourriture, qu'ils jugeaient exécrable, de l'absence de tabac, de sucre et de café, et d'une discipline trop sévère : des plaintes s'élevaient nombreuses contre la punition dite du « poteau ». Dans certains camps, on ne luttait pas assez énergiquement contre le développement de l'épidémie de typhus que les prisonniers russes, à Wittenberg, à Langensalza, avaient communiqué aux Français.

Les Allemands se plaignaient des vexations subies dans les transports du fait de la population : effectivement, à Marseille, la chambre de commerce, qui utilisait une équipe abondante de P.G. pour creuser le canal du Rove, avait dû isoler ces hommes pour les soustraire à l'animosité de la population; elle avait loué pour eux un paquebot désarmé des Messageries, le *Saghalien*. A Dunkerque, le commissaire de police écrivait : « La circulation à travers la ville nécessite de fortes escortes, en raison de l'attitude de la population »; même réaction, en somme, que dans les rues de Marseille où l'arrivée du premier convoi, fin septembre, avait donné lieu à des « incidents regrettables ».

Les Allemands reprochaient surtout aux Français de déporter leurs prisonniers en Afrique, pour les exhiber, en les humiliant, aux yeux des populations indigènes, et pour les soumettre à un très dur régime. Il est vrai que Lyautey avait demandé des prisonniers allemands, qui étaient également assez nombreux en Algérie où ils se plaignaient d'être traités comme les Turcs capturés aux Dardanelles. Le gouvernement français s'inquiétait du sort de ces hommes, car il craignait des représailles des Allemands qui menaçaient de déporter en Turquie les P.G. français. Le général Henrys fit savoir qu'ils avaient été vaccinés contre la typhoïde et ramenés, en septembre 1915, sur la côte. Ils étaient logés « dans des tentes coniques, doublées pendant la chaleur. Ils avaient repos absolu à l'heure de la sieste. Sur la tête un chapeau de paille, et des ceintures de flanelle; ils ne manquaient ni de sucre ni de café ». Les 4 000 hommes étaient répartis à raison de 100 ou 200 par camp. « S'ils étaient privés de vin et de dessert, ils mangeaient le menu des soldats français et travaillaient pour 20 centimes par jour aux terrassements et à l'encaillassement des pistes et des voies ferrées. »

Le ministère, de Paris, avait exigé une enquête urgente : les camps devaient être visités par le pasteur suisse Lauterbourg, dûment autorisé. En échange, les Allemands autoriseraient la visite par des neutres des camps de P.G. français. Pour accueillir le pasteur, il fallait immédiatement « supprimer le dépôt de Biskra » et retirer les P.G. allemands de la zone saharienne pendant les chaleurs. Un télégramme demandait à Lyautey « d'interner les 17 officiers allemands et leurs femmes dans localité *saine* près de la côte. Vous signale – disait le ministère – importance de cette affaire en raison répercussions sur traitement P.G. français en Allemagne ».

La règle de la réciprocité était rapidement devenue l'usage d'un pays à l'autre. Millerand autorisa le 23 avril 1915 les P.G. allemands à fumer, parce que le « gouvernement allemand venait d'autoriser la vente du tabac ». Par contre, il diminua les rations de viande, en raison des insuffisances de la nourriture des P.G. français, et rendit plus strict le régime de la correspondance. Même réciprocité pour le travail : les Allemands protestent parce que les Français utilisent leurs hommes, dans la zone de la 2e armée, à des travaux de terrassement. Le général commandant cette armée fait savoir qu'il tient sous le feu de ses canons « les camps de P.G. russes et français employés à la manutention des munitions et à la construction des voies ferrées ». Le 21 décembre 1916, les Allemands transmettent à l'ambassade des États-Unis une note exigeant le retrait immédiat des travailleurs allemands dans une zone à 30 kilomètres au-delà du front, sinon, dit-il, « un assez grand nombre de P.G. français de tous grades seront pris dans les camps de prisonniers en Allemagne et dirigés sur la zone de feu du théâtre des opérations ». La règle de la réciprocité (avec représentations aux neutres) est absolue. Les Allemands se plaignent que les Français emploient des intellectuels à des travaux de terrassement, ils menacent de représailles, si cette situation n'est pas redressée. Les Français établissent à leur tour un document sur les travaux de force auxquels sont soumis les Français dans les mines : mines de potasse de Strassfurt et Rotenfeld, mines de pyrite de fer, mines de houille à Ewald, de lignite à Hatzendorf.

La plupart du temps, les P.G. sont utilisés à des tâches civiles. Les exceptions existent des deux côtés, elles ne sont pas durables; les Allemands en France sont employés en fonction de leurs compétences. Par exemple, on envoie les Alsaciens dans la forêt de Tronçais pour l'exploitation du bois. Il y sont mal logés et assez mal nourris, mais jouissent d'un régime libéral et ne se plaignent pas du pays. Ils peuvent se rendre dans les buvettes. On leur reproche d'avoir des relations avec les femmes, mais, dit le rapport de l'inspecteur, « celles-ci n'ont certainement jamais été prises de force ». La discipline est à peine plus sévère dans les ports – Rouen, Le Havre – où les prisonniers sont utilisés comme dockers. Ceux qui font des routes à Sartène, en Corse, ne se plaignent pas du climat, mais sont soumis à un dur régime. En général, ceux qui travaillent dans les campagnes sont privilégiés. Les employés, manœuvres, ouvriers sont traités plus durement. Le *War Office*, en 1916, envoie des P.G. allemands des camps anglais dans les ports français comme dockers. Il insiste pour que le traitement consenti par les Français soit aussi favorable que celui qui est d'usage dans les ports anglais, sinon il craint des représailles pour ses propres P.G. en Allemagne.

La différence de traitement des prisonniers, selon les pays, est évidente. Pour les Allemands, l'Angleterre est un paradis, la France peut être un purgatoire, et la Russie est un enfer. Les ressortissants de ces différents pays reçoivent dans les camps allemands un traitement approprié.

Comme les Français, les Allemands ont besoin de la main-d'œuvre des prisonniers de guerre, ils n'ont pas intérêt à la trop mal traiter. En France, on fait venir des betteraviers allemands internés en Corse pour les installer en Seine-et-Marne. Toutes les administrations se disputent les prisonniers : les Transports pour les routes et les carrières, l'Industrie, le Commerce, et naturellement l'Agriculture. Les grandes régions céréalières et betteravières autour de Paris implorent les contingents au moment des grands travaux et des récoltes. Sur 90 000 hommes disponibles au début de 1916, l'Agriculture n'en obtient que 16 000, et les Travaux publics 15 000. L'armée est, pour ses propres services, la première utilisatrice : elle fait travailler 32 000 P.G. sur ses voies de communication, ses zones d'embarquement, ses chemins de fer.

Les P.G. travaillant à la campagne sont évidemment privilégiés dans tous les pays : ils habitent le plus souvent par petits groupes dans les fermes et ne sont guère, en France, surveillés. L'armée finit d'ailleurs par s'en inquiéter : les évasions sont trop nombreuses. A Moulins, en octobre 1915, Fritzen Peter et Richard Prost s'évadent ; ils sont arrêtés à Pontarlier « dans un wagon de pommes de terre en vrac recouvert d'une bâche ». A Citeaux, en février 1916, une mutinerie éclate au camp : les gardiens tirent. A Belle-Ile, on envoie deux torpilleurs de Lorient pour parer à un éventuel coup de main annoncé par le ministère de la Guerre : les Allemands voudraient libérer de force leurs officiers internés. Dans les camps, l'attitude des P.G. allemands est volontiers revendicative. A Roanne, ils refusent de travailler sous prétexte que l'administration ne délivre pas, par représailles, les colis de victuailles expédiés d'Allemagne. A Lorient, en mai 1917, des dockers refusent de charger des bateaux pour la Roumanie, afin de ne pas expédier le « matériel de guerre destiné à tuer leurs frères ». Des évasions spectaculaires ont lieu en Algérie, au camp de Sehdou. Elles sont partout si nombreuses que des mesures de surveillance renforcée doivent être prises en 1917.

Au 1ᵉʳ juin 1916, l'Allemagne a beaucoup plus de P.G. français (300 000) que la France de P.G. allemands (46 000). Ils ne sont guère que 25 000 en Angleterre. Ils sont par contre au moins 82 000 en Russie, aux côtés de 1 328 000 Autrichiens et de 14 000 Turcs. Leur sort n'y est sans doute guère plus enviable que celui des P.G. russes en Allemagne, misérablement traités. Les Allemands exhibent les premiers capturés, en septembre 1914, pour rassurer les populations : ils leur font traverser toute l'Allemagne pour les employer aux travaux d'assèchement des marais du Schleswig. Si les renseignements manquent sur le traitement des prisonniers allemands dans les camps russes, les témoignages abondent en revanche sur la détresse des prisonniers russes en Allemagne : nourriture désastreuse, travaux forcés dans les mines et sur les chantiers de travaux publics, hébergement précaire et insalubre dans les zones marécageuses. Les centaines de milliers de P.G. russes sont considérés par l'Allemagne en guerre comme une main-d'œuvre de qualité inférieure, qu'il faut traiter durement, car, dans la Russie affamée en 1916, les Allemands ne peuvent espérer, pour leurs propres prisonniers, un traitement beaucoup plus favorable. On peut ainsi penser que si les belligérants n'ont pas véritablement remis en question les accords de La Haye concernant les prisonniers de guerre, c'est uniquement dans la mesure où ils craignaient des représailles. Le sort des prisonniers, comme celui des blessés, a été strictement soumis à la règle de la réciprocité.

En respectant parfaitement les lois de la guerre, on pouvait écraser les hommes, les anéantir sous un déluge de feu. Sur le front de l'Ouest, cette méthode tendait à se généraliser. Puisque les généraux ne pouvaient plus vaincre, du moins pouvaient-ils tenter d'éliminer physiquement, jour après jour, les populations de soldats. Statistiquement, celui qui pourrait encore garnir ses tranchées au « dernier quart d'heure » aurait gagné.

Encore fallait-il disposer des moyens nécessaires pour imposer à l'ennemi plus de pertes que l'on n'en subissait soi-même. Il fallait aussi renoncer à la « percée » du front, idée qui hantait les états-majors français et allemands depuis le début de la guerre des tranchées. En 1915, les Allemands avaient franchement cessé de rechercher la décision à l'ouest, retirant du front trois corps d'armée pour les lancer dans l'offensive contre la Russie. Les Français devaient profiter de la circonstance et secourir, par leurs attaques, les Russes en difficulté. De Petrograd, les appels allaient se faire de plus en plus pressants. N'avions-nous pas, depuis la Marne, une dette sérieuse envers les Russes?

Dès qu'il avait été renforcé en effectifs et en matériel, Joffre avait organisé des « offensives » dans deux directions toujours semblables : d'ouest en est en Artois, du sud au nord en Champagne. D'une région à l'autre, il voulait prendre dans une gigantesque tenaille l'armée allemande avancée dans le vaste saillant arrondi de l'Ile-de-France. Les premiers engagements de Noël 1914 en Champagne, qui se prolongèrent jusqu'au 8 janvier 1915, avaient fait mourir du côté de Saint-Hilaire-le-Grand, de Perthes-les-Hurlus et de Souain, des milliers de fantassins de la 4ᵉ armée : les pertes étaient lourdes au 17ᵉ corps de Toulouse; la 33ᵉ division (Montauban) s'était fait massacrer sur des réseaux de barbelés non détruits par l'artillerie. Sept cents soldats du 83ᵉ d'infanterie de Saint-Gaudens étaient morts avant d'être arrivés à la ligne ennemie. L'attaque du 12ᵉ corps fut tout aussi meurtrière : le 78ᵉ de Guéret perdit tous ses officiers et trois de ses compagnies. Les redoutables cuirasses des mitrailleurs des « tranchées brunes » les protégeaient contre les obus français; ils fauchaient ensuite les assaillants.

Les obus français, au début de 1915, avaient d'ailleurs fâcheusement tendance à exploser prématurément dans l'âme des canons. Les nouvelles fabrications étaient trop hâtives, on n'avait pas respecté les normes de vérification. Les accidents se multipliaient dans les batteries, jusqu'à réduire certaines d'un tiers de leurs effectifs; la défaillance de l'artillerie expliquait l'importance des pertes françaises; avec des effectifs inférieurs, les Allemands avaient repoussé la première « offensive » de l'année grâce à leurs défenses échelonnées sur plusieurs lignes et à la supériorité de leur artillerie lourde : les 155 français à tir rapide ne devaient être usinés qu'à compter du mois de juin. Les Allemands avaient également bien résisté lors de la bataille de Soissons, du 9 au 14 janvier 1915, quand la 6ᵉ armée française s'était lancée imprudemment à l'assaut, de Cuffies à Crouy. Le général de Lamaze, qui déconseillait « l'offensive », avait été remplacé par Berthelot, un homme de l'état-major. Les chasseurs à pied et les tirailleurs marocains s'étaient fait tuer bravement à l'assaut de l' « éperon 132 ». La montée soudaine des eaux de l'Aisne, menaçant les ponts, avait obligé les Français à faire retraite dans des conditions difficiles. Heureusement Nivelle, avec les soldats de Belfort (14ᵉ division), avait dégagé les briscards de la Marne, les réservistes de la 55ᵉ division d'Orléans, très éprouvés. « Je commande à des soldats, mais non pas au baromètre », disait Joffre, contrarié par un échec qui lui avait coûté plus de 12 000 hommes.

Les « offensives » devaient ainsi se succéder pendant toute l'année 1915, très décourageantes pour les hommes qui affrontaient la mort sans gain apparent et sans que la fameuse « percée » vînt couronner leurs efforts. Pourtant, en chaque circonstance, on rassemblait derrière les lignes des corps de cavalerie prêts à se lancer dans les brèches ouvertes. L'offensive de Champagne, du 15 février au 18 mars, engagea trois corps d'armée (13 divisions) après une préparation d'artillerie de quelques heures seulement, mais avec des pièces lourdes. Les hommes attaquèrent sur un front de 8 kilomètres à hauteur de Perthes : le but de Joffre était de pousser l'attaque sur le chemin de fer entre Reims et l'Argonne, qui desservait l'ensemble des arrières allemands; on pouvait ainsi durablement désorganiser leur système de fortifications, empêcher peut-être les renforts d'arriver. Le 43ᵉ régiment d'infanterie (Lille) devait perdre beaucoup d'hommes à l'assaut du « fortin de Beauséjour », place importante dans le dispositif allemand. Les gains en territoire de l'offensive étaient singulièrement mesurés : 2 à 3 kilomètres seulement, pour des pertes très lourdes : 40 000 hommes à la 4ᵉ armée.

Moins de deux mois plus tard, le canon tonnait en Artois. Les Français attaquaient avec les Britanniques, sur 15 kilomètres, avec des moyens plus puissants : 400 canons lourds et 6 corps d'armée; 4 heures de préparation d'artillerie. Le 9 mai, le général Pétain, qui dirigeait l'attaque française à la tête du 33ᵉ corps d'armée, enlevait la position allemande sur 6 kilomètres. La « percée », miraculeusement, s'était faite. Comment l'exploiter? Les réserves étaient loin derrière le front, trop loin : à leur arrivée, les Allemands avaient pu reconstituer leurs lignes et prendre les assaillants sous le tir écrasant de leurs batteries.

Le fantassins de Fayolle et de Barbot, les Marocains et les légionnaires avaient chargé furieusement les Badois, les Bavarois, les Rhénans de la 6ᵉ armée du Kronprinz de Bavière. Le but était de prendre Vimy et de déboucher sur la vaste plaine de Douai. Le 9 mai, les Français s'y voyaient déjà. Au cours de l'attaque, la plupart des officiers étaient morts et certains corps avaient perdu la moitié de leurs effectifs : ils n'avaient pas pu poursuivre, faute de renforts. Le général Barbot, que l'on appelait le « Bayard de l'armée », devait y laisser la vie. Les attaques lancées ensuite furent tout aussi meurtrières, mais infructueuses : on se battit avec acharnement sur les buttes, dans les fonds de ravins, dans les cimetières de Carency ou de Neuville. Le « fond de Buval », que les Allemands appelaient *Schlammemude* (le ravin de la boue), était finalement conquis, ainsi qu'une partie du plateau de Lorette, sinistre lieu couvert de morts. Pour une progression de 4 kilomètres, les Français avaient perdu, d'avril à juin, 143 000 hommes. 306 000 combattants avaient dû être évacués pour blessures et maladies : une hécatombe.

Même sur les fronts secondaires, les opérations avaient été meurtrières. Dans les Hauts de Meuse, les combats faisaient rage aux Éparges, où devait être blessé Maurice Genevoix; ainsi qu'au Bois le Prêtre, au nord-ouest de Pont-à-Mousson (les Allemands appelaient ce lieu le « Bois des Veuves »). Dans les Vosges alsaciennes, l'année 1915 fut la plus mouvementée et la plus sanglante. Malgré un climat sévère, des dénivellations parfois de 600 mètres, un réseau routier très sommaire, des combats acharnés et très coûteux en hommes s'y déroulèrent. Les Allemands y étaient avantagés par la proximité de leurs bases de la plaine d'Alsace.

Le sommet de l'Hartmannswillerkopf, excellent observatoire de 956 mètres, au nord-ouest de Cernay, était occupé le 29 décembre 1914 par un détachement d'Alpins du 28ᵉ bataillon. Les Allemands attaquaient les 4, 9, 19 et 23 janvier 1915. Le 26 mars, le sommet était repris par les Français, reperdu le 25 avril, mais réoccupé le lendemain. Le 9 septembre et le 15 octobre, les Allemands essayaient vainement de contre-attaquer. En décembre 1915, pour « donner de l'air » à ses troupes, le général Serret, commandant la 66ᵉ D.I., montait une attaque importante. Elle aboutit, après un succès initial, à un échec, à la destruction presque totale du prestigieux 152ᵉ R.I. Serret lui-même fut tué par un obus.

Plus au nord-ouest, nos troupes ·s'emparaient du Sudel, du Schnepfenrieth (18 avril), de l'Anlass-Wasen (17 mai), de l'Hilsenfirst à 1 278 mètres (14 juin), de Metzeral (20 juin), verrouillant les hautes vallées de la Thur et de la Moselle. A l'ouest de Munster, le

Reichackerkopf (778 mètres) était un autre point de friction particulièrement disputé.

Plus au nord, les 47ᵉ et 129ᵉ D.I. cherchaient à déborder Munster par le nord et la montagne, ce qui amenait des attaques et des contre-attaques continuelles au Lingekopf, au Barrenkopf et au Schratzmaennele (juillet-octobre). Le premier de ces sommets devait être appelé le « tombeau des chasseurs ». Au sud du col de Sainte-Marie-aux-Mines, on assistait au Violu à une éprouvante guerre souterraine. Sur ces sommets, le front ne changerait pratiquement plus, mais les bombardements d'artillerie et de mortiers, les fusillades, les rencontres de patrouilles et les coups de main y étaient incessants.

Joffre ne se décourageait pas : il attendait, au cours de l'été, des renforts anglais. Les nouvelles divisions de Kitchener arrivaient à un rythme ininterrompu : il avait été nécessaire de créer une 3ᵉ armée, commandée par Charles Monro, pour les encadrer. En mai 1915, Joffre avait écrit à Kitchener pour lui exprimer sa confiance dans les résultats de l'offensive décisive qui devait être simultanément engagée, à l'automne, sur le front d'Artois comme sur celui de Champagne : « La France, qui a actuellement engagé 2 500 000 hommes sur son front nord-est, est à la limite de ses possibilités... » Les Russes, à l'évidence, sont impuissants, les Italiens ne sont pas prêts : seuls les Anglais peuvent fournir les effectifs nécessaires à la grande action projetée. Joffre aura 1 700 bataillons, contre 1 128 aux Allemands. La victoire est possible.

Dans son journal, le général Fayolle (un des meilleurs de l'armée française) écrivait en avril, parlant des généraux de l'état-major : « Ils espèrent crever [le front ennemi]. Leur illusion est grande... Ils échoueront pour les raisons cent fois données, dont la principale est l'impossibilité de réduire au silence l'artillerie ennemie. Il y aura 10 000 hommes par terre pour gagner un kilomètre. » Si Fayolle et le corps d'armée Pétain avaient brusquement pu réaliser quelques avances, c'était précisément en raison d'une préparation d'artillerie française au tir plus efficace. La guerre devenait industrielle : il fallait, disait Foch, « marcher sur des ruines ». Dans une de ses improvisations devant ses chefs de corps, dont il était coutumier, il avait dévoilé le futur visage de la guerre : « Si vous voulez renverser ce mur, leur dit-il, n'émoussez point la pointe de vos baïonnettes dessus. Il faut le casser, ce mur, le briser, le renverser, le piétiner et marcher sur ses ruines, car vous allez marcher sur des ruines! L'ennemi, nous allons l'inonder, le frapper partout à la fois, dans ses défenses et dans son moral : le harceler, l'affoler, l'écraser; nous ne marcherons que sur des ruines. »

Le 25 septembre 1915, en Artois, la préparation d'artillerie, qui était de quatre heures en mai, dure quatre jours, avec 660 pièces lourdes et 1 300 canons de 75. L'escalade du feu se précise : 10 corps d'armée franco-britanniques doivent attaquer sur un front de 40 kilomètres. La crête de Vimy doit être prise une fois pour toutes. La supériorité des Alliés est écrasante : 37 divisions contre 16. Effectivement, les Anglais, qui font leur première attaque au gaz toxique, prennent Loos et progressent vivement sur Lens. Mais comme au printemps, les renforts ne suivent pas, et surtout les Français, malgré l'héroïsme des bataillons de chasseurs, ne se rendent pas maîtres de la crête de Vimy.

Les moyens utilisés étaient encore plus considérables en Champagne. Joffre, cette fois, entendait l'emporter. Avec 39 divisions contre 17, il préparait soigneusement la « percée », rapprochant cette fois les unités de renfort des colonnes d'assaut : 1 100 pièces lourdes et 1 400 canons de campagne devaient accabler l'ennemi sous un déluge de feu. Pétain, devenu chef de la 2ᵉ armée, et de Langle de Cary, avec sa 4ᵉ armée, menaient la danse sous la direction de Castelnau, nommé responsable du G.A.C. (groupe d'armées du centre). Jamais l'armée française ne devait par la suite se trouver en condition plus favorable, avec une telle supériorité d'effectifs.

Mais les hommes étaient trop nombreux, sur les 40 kilomètres de front. La préparation d'artillerie avait été efficace, les lignes allemandes semblaient broyées sous les obus des 155 longs et des 305 montés sur voie ferrée de la 4ᵉ armée. Les pièces lourdes avaient assez d'obus pour tirer sans arrêt pendant cinq jours. Mais, à l'aube du 25 septembre 1915, la pluie tombait régulièrement sur les unités d'assaut qui s'étaient élancées au signal du clairon, baïonnette au canon. Le redoutable massif de la Main de Massiges avait été investi par les troupes de Pétain au prix de pertes très lourdes. Le « bois allongé », le « ravin des cuisiniers », le système défensif « de la brosse à dents », le « trou Bricot » et le village de Tahure étaient remplis de cadavres français et allemands au bout de quelques heures d'engagements. Des deux côtés, la rage de vaincre était incroyable. A la tête du 2ᵉ colonial, le célèbre commandant Marchand, devenu général, emportait la ferme de Navarin avant de tomber, blessé au ventre par une rafale de mitrailleuse.

Après la prise de la deuxième ligne, l'afflux des troupes de renfort, violemment bombardées par l'artillerie, s'effectuait dans le plus grand désordre : on avait même demandé à des cavaliers de charger; le 11ᵉ chasseurs et le 5ᵉ hussards devaient attaquer au galop les secondes positions et se faire inutilement massacrer. On commençait à douter du succès de l'offensive quand, soudain, le bruit courut dans les rangs que la « tranchée des Tantes », sur la 2ᵉ position allemande, venait d'être prise. L'enthousiasme était tel autour de Castelnau que personne ne songea à vérifier : 40 000 hommes furent aussitôt envoyés en renfort sur ce point précis, attaquant dans le désordre sous le feu des canons qui devaient tuer 40 % des assaillants. L'arrivée de renforts venus de Russie avait permis aux Allemands d'encercler les troupes aventurées dans la brèche trop étroite : de nouveau, c'était l'échec. Le 6 octobre, le général Curières de Castelnau, qui venait de perdre à l'ennemi son troisième fils, donnait le signal de la fin des combats. Les deux « offensives » de l'Artois et de Champagne avaient coûté 250 000 hommes (tués, blessés, disparus), les Allemands n'en avaient perdu que 140 000, dont 24 000 prisonniers.

L'échec était décourageant, incompréhensible : cette fois, Joffre avait réuni toutes les conditions du succès. Il devait à l'évidence profiter de sa supériorité en effectifs (qui ne serait malheureusement que provisoire) sur les Allemands. Ses troupes étaient aguerries, accoutumées depuis longtemps aux assauts de tranchées. Ni les munitions ni les canons ne manquaient. La préparation d'artillerie avait été intense. Les réserves avaient été rapprochées au maximum de la ligne de départ. Pour Fayolle, qui se trouvait au cœur de l'action, l'échec était dû au désordre, à l'imprécision des ordres, à l'absence de coordination. C'était grave : « Maintenant, il reste démontré, disait-il, que la percée n'est pas possible. Que faire désormais? La solution n'est plus à attendre que de l'usure économique. »

Les pertes françaises et anglaises sont beaucoup plus lourdes que celles de l'armée allemande : Joffre ne peut donc pas prétendre qu'il a « grignoté » l'ennemi. La guerre de tranchées n'a pas encore trouvé, après dix mois de combats exténuants, sa méthode d'attaque. Mais elle a accumulé les pertes. Les Allemands n'en tirent pas la leçon : libres à l'est depuis la nouvelle stabilisation du front, ils attaquent massivement à l'ouest et prétendent aussi, comme Foch, « marcher sur des ruines » à Verdun.

L'attaque allemande n'est pas une surprise totale. La concentration de tant d'unités, sur un front aussi restreint, ne pouvait passer inaperçue, quelles que fussent les précautions prises. Les trains venaient de toute l'Allemagne, sans éclairage; les hommes débarquaient avant le jour et rejoignaient leur base de départ à l'abri des épaisses forêts. Dès décembre 1915, on signale le passage par Vienne et Munich de l'artillerie lourde en provenance de Serbie. On ne sait s'il s'agit d'une offensive prévue sur le front belge, à Dunkerque, ou en Alsace : 40 grands canons sur plates-formes seraient massés dans les Flandres. Une activité anormale est enregistrée, à la fin décembre, sur les voies ferrées au nord de la

Champagne, 5 à 600 000 hommes se concentrent en Belgique, entre Aix-la-Chapelle et Bruxelles, mais on ignore encore leur destination.

Les renseignements ne se font plus précis qu'au début de 1916 : on ne croit pas encore à la concentration de centaines de milliers d'hommes dans la région de Verdun, mais on sait que l'offensive allemande à l'ouest est certaine. Seize divisions ont été ramenées de Russie. La circulation des trains est renforcée dans la région de Verdun. On a également remarqué la destruction par l'artillerie ennemie des clochers qui servent d'observatoires. La population de Champagne a été évacuée de force à l'arrière des lignes, pour réserver aux troupes des cantonnements; enfin, des hôpitaux seraient installés dans tous les villages. La certitude d'une attaque sur Verdun n'est acquise par l'état-major français qu'au mois de février, mais alors les renseignements sont si nombreux qu'on hésite à les croire : les permissions sont suspendues, les voies ferrées encombrées, celle de Charleroi à Namur en particulier... Des tunnels ont été construits devant les lignes françaises de Verdun... « Mes amis, aurait dit le Kronprinz, il nous faut prendre Verdun. Il faut qu'avant la fin de février, tout soit terminé. L'empereur viendra alors passer une grande revue *(eine feste Parade)* sur la Place d'Armes de Verdun et la paix sera signée. » On sait que la préparation d'artillerie doit durer cent heures. Des pièces de 380, de 420 et même de 500 sont signalées dans la région. Toutefois, les mouvements de troupes donnent à penser à l'état-major qu'il pourrait s'agir d'une manœuvre d'intoxication et que la véritable attaque pourrait avoir lieu en Champagne. Une lettre de Joffre à Haig, datée du 22 mai, mais rédigée antérieurement, indique que le général en chef n'est pas encore assuré du point exact de l'attaque allemande.

Quelles sont les mesures prises? La préoccupation de Joffre, depuis l'échec de l'offensive d'Artois et de Champagne, est de reconstituer des réserves et de limiter au minimum les troupes affectées à la défense des tranchées et des forteresses, en renforçant l'organisation des points de résistance. Depuis le 9 août 1915, il a été décidé que les troupes des places devaient être organisées en unités de campagne et que « les places ne devaient conserver que les garnisons nécessaires à la sécurité des ouvrages dont le maintien aurait été décidé ». L'état-major pense en effet que, depuis la prise de Liège et de Namur, la preuve est faite qu'aucune fortification, même bétonnée, ne résiste aux obusiers lourds de Krupp ou de Skoda. A quoi bon, dès lors, investir les forts de troupes nombreuses? Il faut au contraire les vider de leurs garnisons, au besoin les démanteler, et transformer les troupes de forteresse en infanterie de campagne. La « région fortifiée de Verdun » comprend une série de défenses sur les Hauts de Meuse (rive droite), mais aussi sur les buttes de la rive gauche, du fort de la Chaume jusqu'à l'ensemble défensif, au nord-ouest, de Mort-Homme et de la cote 304. Verdun commande une des portes de France. Il a toujours été entendu qu'il devait être défendu. Il forme sur le front français une sorte d'appendice, de verrue, de hernie que les Alle .ands ont forcément la tentation de réduire.

Le général Herr, qui commande la région fortifiée, a fait procéder, sur l'ordre de Dubail, commandant le groupe d'armées de l'Est, à l'enlèvement des batteries d'artillerie lourde dans les forts : 43 fois quatre canons lourds ont été besogneusement évacués ; les garnisons ont été supprimées ou diminuées. Ainsi ont été désarmés les forts de Douaumont, Tavannes et Vaux sur la rive droite, Marre et Vacherauville sur la rive gauche. En janvier, Castelnau a inspecté la place de Verdun. Il n'a pas critiqué l'abandon des forts, mais il a indiqué à Joffre que le système défensif était loin d'être achevé, que la deuxième ligne était en ruines, la troisième ligne inexistante. Même la première position devait être renforcée : elle avait des points faibles, des discontinuités. Au moment où les Allemands construisent devant Verdun les fameux *Stollen* – d'immenses caves souterraines à l'épreuve des obus pour cacher leurs réserves – les Français n'ont pas d'abris efficaces. Rien n'est prêt pour soutenir une attaque de grande envergure.

L'état-major de Chantilly ne croit pas vraiment à une attaque principale sur Verdun. D'ailleurs, Joffre médite une nouvelle offensive sur un front de 70 kilomètres, « vers le 1er juillet ». Il convient de se préparer dès février à cette grande attaque franco-britannique sur la Somme qui doit être, une fois de plus, « décisive ». L'attaque sur Verdun contrarie ce plan et le rend aléatoire.

Falkenhayn n'a pas forcément l'intention de « percer » à Verdun. Rassuré par la fixation du front en Orient, il dispose d'un répit qui lui permet de rechercher à l'ouest une fin honorable à la guerre ; il sait qu'une nouvelle campagne est impossible : les armées sont épuisées. Il faut en finir à l'avantage de l'Allemagne. L'armée française une fois « usée », la France demandera la paix et l'Angleterre suivra. Les Français ont déjà 600 000 morts, ils n'ont plus de réserves d'effectifs. La guerre les ruine en hommes et en ressources, ils sont à la merci d'un coup de boutoir. Si Verdun tombe, c'est un formidable succès moral pour l'Allemagne, car la notoriété de la place est grande. Si elle ne tombe pas, les Français épuiseront leurs effectifs pour s'y accrocher. Le problème du haut commandement allemand est d'économiser ses propres effectifs pour que ses pertes soient au moins trois fois moindres ; un seul moyen pour y parvenir : écraser littéralement Verdun sous un déluge de feu. Les fantassins ne doivent pas avoir à tirer un coup de fusil. Ils doivent avancer sur un terrain mort : on arrachera Verdun comme une dent dévitalisée.

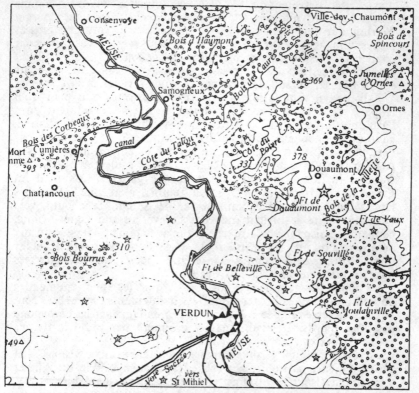

VERDUN

Aux Éparges, à Saint-Mihiel, sur la butte de Vauquois, on entend, le 21 février à l'aube, l'écho du plus formidable bombardement de la guerre. On avait déjà utilisé plus de mille canons dans une offensive, tirant plusieurs jours de suite, mais jamais sur un front aussi restreint, aussi encaissé, et jamais avec une telle concentration de très lourdes pièces. Le premier pilonnage intéresse un front de 12 kilomètres environ, du village d'Ornes à la Meuse. Les Allemands écrasent méthodiquement, mètre par mètre. On a calculé que leurs obus avaient dû tuer dans les premières heures un homme toutes les cinq minutes, et les Français n'ont en ligne, devant Verdun, que deux divisions... Dans un deuxième temps, les grosses pièces allongent le tir, lançant leurs obus vers Avocourt, pour couper le chemin de fer de Sainte-Menehould à Aubréville et empêcher l'arrivée des renforts. Les obusiers visent aussi les ponts sur la Meuse, au sud de Verdun. Il s'agit d'isoler la citadelle.

Falkenhayn veut faire vite. Le front est trop étroit pour qu'il emploie de lourdes masses d'infanterie qui se gêneraient dans l'attaque. Il n'a prévu, au départ, que six divisions. Le Kronprinz, chargé personnellement de l'offensive, sait qu'il doit attaquer par l'est, par la Woëvre, mais aussi par le nord, en emportant les forts et positions de la rive droite de la Meuse. Il faut également, pense-t-il, franchir le fleuve et avancer sur la rive gauche. Comment les Français pourraient-ils envoyer du renfort, alors que les canons lourds bombardent le chemin de fer de Sainte-Menehould, vers l'ouest, et que les Allemands ont enlevé au sud Saint-Mihiel, coupant la liaison ferroviaire de Verdun avec Nancy ? Il ne reste aux défenseurs qu'une mauvaise route et la ligne de chemin de fer d'intérêt local de Verdun à Bar-le-Duc appelée *le Meusien :* très insuffisante pour soutenir un siège.

Le bombardement des grands bois bordant les lignes allemandes obtient en quelques heures des effets hallucinants : les arbres sont abattus, la terre remuée à de grandes profondeurs par les entonnoirs des obus lourds. Deux dirigeables orientent par radio le tir des artilleurs qui est précis, meurtrier.

En première ligne, 12 000 hommes appartenant aux divisions 72 et 51, en majeure partie des réservistes tapis dans les bois de Ville et d'Haumont. Ils subissent, aux premières loges, le tir des *Minenwerfer* ; ceux du bois des Caures sont particulièrement visés. Les ravins sont bientôt envahis de gaz lacrymogène. Le général Chrétien s'informe. Le général Herr lui signale les destructions sur les deux premières positions. A 9 heures, après une heure et demie de bombardement, on ne voit déjà plus les tranchées. Les Allemands ont envoyé des avions en grand nombre qui tiennent le ciel, empêchant les appareils français de faire les réglages d'artillerie et d'assurer l'observation. Les taubes bombardent Bar-le-Duc et la gare de Revigny. Les bois de Spincourt, où sont concentrés les canons allemands, paraissent « souffler de la flamme sans interruption ». Le capitaine Seguin, un chasseur à pied du 59e bataillon, embusqué dans le bois des Caures, raconte : « La violence du feu avait été telle qu'en sortant de nos abris, nous ne reconnaissions plus le paysage auquel nous étions habitués depuis quatre mois ; il n'y avait presque plus d'arbres debout. »

De Langle, qui a pris le commandement sur Verdun, demande à Joffre des avions et des autocanons. Son artillerie ne peut pas faire taire les canons allemands, trop nombreux. Il veut faire bombarder les accès au front, empêcher les Allemands d'avancer les divisions d'attaque. Joffre a déjà prévu d'envoyer en renfort le 20ᵉ corps d'armée : il vient de débarquer à Revigny, Ligny-en-Barois, Bar-le-Duc. On lui a signalé l'importance du bombardement. Mais il se demande encore si c'est bien sur Verdun que les Allemands ont lancé leur attaque principale.

Il ne peut comprendre, de Chantilly, l'intensité inouïe du feu d'artillerie sur un front aussi restreint. Les Allemands l'appellent *Trommelfeuer*. Les premières positions françaises sont suffisamment écrasées, à 16 h 15, pour que les lignes d'infanterie allemande passent à l'attaque. Les *Feldgrau* ont revêtu leur nouveau casque, plus lourd, plus couvrant, ils avancent lentement, observant le moindre obstacle du sol, sur la première ligne des tranchées françaises ; le bois d'Haumont tombe entre leurs mains, ils avancent dans celui des Caures. Selon Jacques Péricard, les fantassins français, dans les tranchées et les trous du bois d'Hautmont, sont trouvés endormis par les assaillants. Le bombardement les a épuisés nerveusement. Ils ne trouvent pas la force de bouger quand s'avancent les grenadiers et les redoutables lance-flammes. Au bois des Caures, les chasseurs de Driant ne sont plus que 350 sur 1300.

Quand le jour tombe, les Français se sont repris, les mitrailleuses crépitent, les hommes, abrités par petites grappes dans les trous d'obus, tirent ou se défendent à la baïonnette. Une mêlée confuse et sauvage se prolonge pendant la nuit et la neige tombe sur les cadavres déjà innombrables. A l'arrière, les généraux n'ont de nouvelles du front que par les « coureurs » qui risquent leur vie pour donner le signalement des positions. Il n'y a plus de liaisons par téléphone, les canons ne peuvent pas tirer sur les lignes enchevêtrées. Les généraux n'ont nul besoin d'expédier d'ordres pour que les soldats tiennent : ils n'ont aucune possibilité de reculer. Bouger, c'est être mort. Ils n'ont plus d'officiers ni d'encadrement, bientôt plus de munitions. Ils n'ont plus que leur courage et se battent jusqu'à la fin.

Ils tiennent encore dans la très dure journée du 22, ils s'accrochent aux points fortifiés, s'enterrent dans les trous. Les chasseurs de Driant, et Driant lui-même, se font tuer dans le bois des Caures qui n'est évacué qu'après une résistance incroyable, devant un ennemi qui attaque « à flots pressés ». Le général Chrétien a fait disposer des canons et des mitrailleuses au débouché des bois pris par l'ennemi pour empêcher sa progression. Il faut défendre la deuxième position. Joffre exige du nouveau général en chef anglais, Douglas Haig (qui vient de remplacer French), la relève de la 10ᵉ armée française qu'il destine à Verdun. Il envoie des avions et le dirigeable *D'Arlandes* pour aider les artilleurs. Il a fait mobiliser des camions par centaines pour emprunter l'unique route de Verdun à Bar-le-Duc : il a de quoi transporter quatre divisions. Les renforts doivent arriver au plus vite, car les troupes en action sont épuisées.

Elles ont dû se replier, abandonner le 23 le bois de la Wavrille. Ce jour-là, le général Chrétien a fait donner les 12 000 hommes de sa réserve, les tirailleurs venus d'Algérie, les zouaves du 3ᵉ régiment, aux côtés des fantassins exténués. Joffre a donné l'ordre à de nouvelles unités de faire mouvement sur Verdun. De Langle a répété la consigne au général Herr : « Tenir, coûte que coûte. »

Le 24, il faut de nouveau reculer. L'artillerie lourde française a donné l'exemple : elle se replie pour ne pas tomber entre les mains de l'ennemi, elle passe la Meuse, gagne la rive gauche. Les fantassins du 351ᵉ ne peuvent tenir dans le village de Samogneux : ils sont assaillis par les *Flammenwerfer,* et de plus bombardés par les 75 français qui tirent trop court! Les zouaves partis à l'assaut du bois de la Wavrille sont fauchés par les mitrailleuses. Il faut organiser la résistance sur une ligne plus proche de la Meuse, de Louvremont à la Côte du Poivre et à la Côte de Talou. Personne ne peut tenir, le feu est trop intense et les premiers renforts n'entreront en ligne que le 25 ou le 26. Les troupes qui résistent encore sont totalement épuisées.

Joffre, qui a rabattu sur Verdun tous les groupes d'artillerie lourde disponibles, convoque Pétain à son état-major le 25 : il lui confie le commandement du secteur de Verdun et fait savoir que « tout chef qui, dans les circonstances actuelles, donnera un ordre de retraite sera traduit devant un conseil de guerre ».

Quand Pétain arrive à Verdun, il se trouve immédiatement confronté à une catastrophe : par suite d'une série de négligences ou de malentendus, le fort de Douaumont vient de tomber sans avoir été défendu. Alors que le 95ᵉ d'infanterie oppose une résistance acharnée aux Allemands dans le village de Douaumont, une poignée de fantassins du 24ᵉ brandebourgeois suffit pour s'emparer de « l'énorme fort de Douaumont, cuirassé, à demi-enfoui dans le sol [et qui] demeurait muet, sans réaction [2] ». L'initiative audacieuse du capitaine Haupt et du lieutenant Brandis aboutit à cet incroyable résultat : ils ne trouvent dans le fort ni canon, ni mitrailleuse en batterie, ni officier, ni soldats d'active, seulement 57 territoriaux et un vieux gardien de batterie. La porte était ouverte, le pont-levis baissé. Le jour même, les Allemands pouvaient tirer sur les lignes françaises avec les tourelles de 155 et de 75. Le commandement de Verdun avait respecté l'instruction envoyée par Joffre en août : il n'avait pas mis les forts en état de défense.

Douaumont ist gefallen, titraient aussitôt les journaux allemands, criant victoire. L'empereur envoyait aux deux officiers du

2. Georges Blond, *Verdun.*

24ᵉ brandebourgeois la Croix pour le Mérite, ils devenaient héros nationaux sans avoir tiré un coup de feu. Le G.Q.G. allemand, dans son communiqué, n'en disait pas moins : « Animés de leur vieil élan, des régiments brandebourgeois se sont frayés un chemin jusqu'au village et au fort blindé de Douaumont qu'ils ont pris d'assaut. »

Pour le reprendre, il faudrait cent mille hommes.

L'attaque allemande s'épuise le 26 février. Les renforts français sont arrivés. Pétain a pris ses premières mesures : organisation immédiate d'une solide ligne de résistance devant la place de Verdun, du fort de Belleville au fort de Moulainville. « La mission de la 2ᵉ armée, dit-il, est d'enrayer à tout prix l'effort que prononce l'ennemi sur le front de Verdun. Toute parcelle de terrain qui nous serait arrachée par l'ennemi donnera lieu à une contre-attaque immédiate. » De son quartier général de Souilly, il dirige heure par heure ses quatre chefs de groupements qui disposent désormais d'au moins 11 divisions d'infanterie et d'une véritable réserve : Pétain va pouvoir organiser la rotation rapide des troupes rapidement décimées par le feu. Bazelaire, Balfourier, Guillaumat et Duchêne ont décompté les pertes françaises dans leurs unités : 25 000 morts en 6 jours. Il faut désormais limiter ces pertes. La tactique employée par les Allemands le permet. Ils n'avancent qu'à coup sûr, quand le terrain est vide de toute résistance organisée. « L'artillerie conquiert, l'infanterie occupe. » L'emploi de nombreux avions de chasse permet de neutraliser les observations aériennes françaises, donc de rendre aveugles les canons. Pétain comprend immédiatement que les renforts d'artillerie sans aviation ne sont pas efficaces. Les Allemands pratiquent une guerre industrielle de rendement et de destruction rationnelle : il faut les imiter.

D'abord renforcer l'artillerie pour contrebattre les 600 canons lourds à tir rapide mis en ligne par les Allemands. Il faut attendre que le programme français de fabrication livre ses pièces, à partir du 30 mai. C'est alors que parviennent dans les lignes les excellents 155 courts et les obusiers de 220 de Schneider. En attendant, Pétain doit se contenter de son vieux matériel, qu'il exploite au maximum, commandant des tirs planifiés sur les lignes et sur les arrières ennemis : 10 millions d'obus lourds français seront tout de même tirés pendant la bataille (contre 21 millions d'obus allemands au-dessus du calibre 120).

La deuxième revendication de Pétain porte sur l'aviation : l'artillerie ne peut tenir sans un renfort immédiat d'avions de chasse, des Spad et des Nieuport de préférence, les plus récents modèles. Il faut aussi envoyer des « as », car à Verdun se joue le sort de la

France. Les huit escadrilles de chasse du commandant de Rose arrivent aussitôt et rétablissent au profit des Français l'équilibre dans les airs. Brocard, Navarre et Guynemer s'illustrent dans les combats avec la chasse allemande, clouent au sol les avions d'observation. Ils ont naturellement pour tâche d'abattre les ballons et autres « saucisses ». Nungesser abat six taubes au-dessus de Verdun, et Navarre, dont l'avion rouge fait la joie des fantassins, en descend quatre. Les Fonck, les Garros, les Romanet, les Noguès affrontent les Udet, les von Richthofen, les Goering. Le travail des aviateurs permet à l'artillerie de reconquérir ses possibilités de tir. Pétain exige un usage généralisé des photographies aériennes : en juillet, il dispose de plus de 200 avions dans ses lignes. Il fait monter des 75 sur des plates-formes de camions pour avoir une D.C.A. efficace et mobile. Mille camions achetés aux États-Unis et en Angleterre permettent d'organiser, sous les ordres du capitaine Doumenc, le roulement continuel des véhicules sur la « Voie sacrée » de Bar-le-Duc à Verdun. La route est élargie à 7 mètres par les territoriaux et accueille dès le 22 février 3 000 camions qui transportent les renforts et les munitions. En juin, plus de 11 000 véhicules se pressent sur la route : un toutes les 5 secondes. Les territoriaux, au dégel, jettent interminablement sous les roues les cailloux des carrières voisines, pour empêcher la chaussée de s'effondrer. Les convois à cheval sont exclus, les dépassements interdits. Tout camion endommagé est aussitôt jeté dans le fossé. Les 8 500 hommes du service automobile ont assuré, du 22 février au 7 mars, l'arrivée dans la bataille de 190 000 hommes et de 22 500 tonnes de munitions. Le chemin de fer *le Meusien* se charge du transport des vivres. Il faut ravitailler, au 1er mars, une armée qui compte déjà 430 000 hommes et 136 000 chevaux et mulets.

La plupart des unités de l'armée française devaient défiler à Verdun, où Pétain avait demandé l'afflux ininterrompu des réserves. Les troupes fatiguées étaient constamment relevées, envoyées dans des secteurs plus calmes. Certaines devaient rester là près de 20 mois, en changeant de secteur, comme le 412e régiment d'infanterie arrivé le 23 mai 1916. Les attaques allemandes au nord du dispositif, du côté du bois des Corbeaux, de la cote 304 et de la butte de Mort-Homme, exigeaient la défense de la rive gauche de la Meuse par des effectifs renforcés. Les hommes de Verdun, à partir de mars, se battaient sur deux fronts, sur les deux rives du fleuve : effroyables combats où l'emploi des gaz et des lance-flammes était constant. Les renforts utilisés par Falkenhayn permettent à l'infanterie allemande de progresser au nord et d'occuper en juillet tout le Mort-Homme, l'ensemble des buttes dominant le village de Cumières et la boucle de la Meuse. Mais ils sont ensuite contenus et leur offensive est brisée par les contre-attaques françaises.

Le roulement des divisions, mal organisé au début (parce que Joffre, qui pense encore à son offensive de la Somme, n'envoie les renforts qu'au compte-gouttes) finit par donner aux combattants les moyens de se reposer. Au plus fort de la bataille, deux divisions ne peuvent tenir plus de trois jours : 115 divisions monteront en ligne à Verdun, quelques-unes seront engagées par trois fois, quatre fois, et sans cesse reconstituées. Sans cette *noria* permanente des renforts, l'armée française n'aurait pu tenir.

Le 19 avril, Pétain avait remplacé de Langle de Cary comme commandant du groupe d'armées du centre. Il avait ainsi tous les moyens pour mener à sa manière la bataille de Verdun, qui devait se poursuivre encore trois mois. Falkenhayn n'avait pas renoncé à son objectif majeur : « Saigner à blanc l'armée française. » Puisqu'il ne pouvait réaliser la percée, il faisait aussi venir en renfort de nouvelles unités et de nouveaux canons, afin de maintenir la pression du feu. Les Français devaient perdre beaucoup de monde pour reprendre et abandonner à nouveau Douaumont : le fort devenait un des enjeux majeurs de la bataille. Le petit fort de Vaux retenait aussi brusquement l'attention dans les communiqués : il devait recevoir 10 000 obus par jour pendant cent jours! Le commandant Raynal, encerclé, résistait encore au début de juin, bien qu'il fût attaqué par des obus à gaz et par lance-flammes. Le 5 juin, une partie de la garnison avait réussi à rejoindre les lignes françaises. Le commandant tenait encore, sans vivres, sans eau, avec une poignée d'hommes. Il ne devait se rendre que le 6 juin, avec les honneurs de la guerre et les félicitations du Kronprinz.

Nivelle commandait, sous les ordres de Pétain, l'armée de Verdun à laquelle Joffre se défendait d'attacher « une importance exagérée ». A partir de mai, ce dernier avait averti ses adjoints qu'il ne voulait plus envoyer de renforts sur ce front, il ne tomberait pas dans le panneau des Allemands, il n'userait pas toute son armée dans les tranchées sinistres de Verdun. De son côté, Falkenhayn, maître du fort de Vaux et du fort de Douaumont, se demandait si le travail d'usure de l'armée française n'avait pas des conséquences trop lourdes sur le moral et les effectifs de ses propres unités. On avait pu observer, dans l'armée allemande, de nombreux symptômes de découragement : la 1ʳᵉ division de Koenigsberg avait essuyé de très lourdes pertes dans les bois de la Caillette, puis autour du fort de Vaux. La 2ᵉ division avait connu des cas d'indiscipline. La 6ᵉ, de Berlin, une des meilleures de l'armée allemande, avait été décimée à Douaumont. Les Badois de la 28ᵉ division étaient accablés par leurs très lourdes pertes. Les unités formées dans les *Kampfschule* divisionnaires et utilisées en première ligne avaient fondu au feu et n'avaient pas été remplacées par des soldats expérimentés. La 101ᵉ *Angriffdivision* de Silésie, spécialement instruite pour l'offensive, passée en revue par le Kaiser en personne, avait dû être relevée : ses meilleurs éléments étaient morts à l'attaque du fort de Souville. Les déserteurs étaient très nombreux parmi les Alsaciens-Lorrains et des Danois des Duchés : plus de 100 pour 2 régiments de la 206ᵉ division. A quoi bon continuer le massacre de ces troupes parfaitement formées ? Le 21 avril, puis le 15 mai, Falkenhayn avait fait part de ses doutes au Kronprinz qui, selon Pierre Renouvin, n'était pas loin de les partager. Mais le chef d'état-major de l'armée de Verdun, Schmidt von Knobelsdorff, voulait tenter un dernier effort.

Il devait échouer, dans son offensive très violente du 23 juin, malgré la montée en ligne de vingt divisions. La prise de Vaux, la menace sur Souville mettaient les défenses organisées par Pétain dans le plus grand péril. Obstinément, Joffre lui refusait tout renfort excessif, mais lui envoya quand même quatre divisions. Il gardait l'essentiel de ses réserves pour la Somme...

Falkenhayn avait observé ce ralentissement des arrivées en ligne de renforts français. A partir du 24 juin, il entreprenait lui-même de dégarnir le front de Verdun. Dès lors, Pétain avait gagné la partie : il lui restait à reconquérir le terrain perdu, ce que Nivelle et Mangin firent en octobre et en décembre, reprenant successivement Vaux et Douaumont.

Falkenhayn avait-il atteint son objectif essentiel : l'usure de l'armée française ? Sans doute, puisque Pétain avait laissé dans la bataille 275 000 de ses soldats. L'utilisation massive des canons, des gaz et des lance-flammes avait effectivement abouti à l'élimination physique d'un grand nombre de combattants. Mais l'utilisation par Pétain des mêmes moyens avait à la longue permis de rétablir l'équilibre de la terreur : au mois de juillet, 240 000 Allemands reposaient dans l'argile de Verdun. « Plus la lutte se prolonge, conclut Renouvin, plus les pertes s'équilibrent. Le plan de Falkenhayn a fait faillite. »

Verdun a laissé durablement le souvenir d'une effroyable tuerie. Louis Gillet, qui y fut soldat, l'a noté plus tard avec force : « A Verdun, une division, dans l'espace d'une relève, laisse en moyenne 4 000 hommes. La terre elle-même change de forme; les collines, sous les coups de rabot des obus, perdent leur relief, leurs contours. Le paysage prend cet aspect monstrueux, jamais vu, cet aspect de néant, cette apparence croulante de fourmilière et de sciure, où des échardes, des fétus, des débris de choses mêlés comme de la paille dans du mauvais pain, rappellent qu'il y a eu des bois, des fusils, des brancards, on ne sait quoi de concassé là. On ne vit plus... on ne dort plus, on ne mange plus, on range les morts sur le parapet, on ne ramasse plus les blessés. On attend le moment fatal dans une sorte de stupeur, dans un tressaillement de tremblement de terre, au milieu du vacarme dément. Toute l'armée française a passé par cette épreuve. »

Il faudrait ajouter : et une grande partie de l'armée allemande. Sans profit, car, dans l'immédiat, c'est la France qui a tiré de Verdun un immense crédit moral, comme le souligne Renouvin : « La résistance de Verdun a soulevé dans le monde entier une émotion, un enthousiasme qui donnent la mesure de l'échec. » Comment ne pas voir dans cette « émotion » une protestation de tous les peuples de la terre contre la tuerie organisée, l'écrasement lucide imposé à des centaines de milliers d'hommes? Si les Français ont retourné contre les Allemands les armes de l'horreur, s'ils ont tenu bon dans l'apocalypse, c'est pour que jamais le monde ne revoie cela, pour que cette guerre soit vraiment la dernière.

TROISIÈME PARTIE

Le printemps des peuples

Janvier 1917 : trentième mois de guerre. De la Manche à l'Oural, des millions de tombes, des centaines de milliers de prisonniers dans les camps, des usines où les femmes ont les cheveux verts, rongés par les produits chimiques, des tranchées où les hommes deviennent aveugles à cause des gaz. De l'Écosse à la Turquie, les civils aussi supportent la guerre, reçoivent des mains des gendarmes ou des facteurs les avis de décès, soignent dans les hôpitaux improvisés les innombrables mutilés. Comment arrêter le massacre?

L'interrogation sur la nécessité de poursuivre est d'abord le fait des gouvernants. A l'évidence, les sacrifices imposés sont sans comparaison avec les buts recherchés. Peut-on demander de nouveaux efforts? Personne ne pouvait prévoir, en juillet 1914, la désastreuse évolution du conflit qui menace désormais l'Europe tout entière dans ses œuvres vives, dans ses équilibres sociaux et politiques. Le nouvel empereur d'Autriche, Charles, en est conscient. Les catholiques allemands et les banquiers anglais aussi.

Mais comment les responsables pourraient-ils expliquer la fin prématurée des combats, une « paix négociée sans victoire », à moins de susciter précisément la révolte dans un opinion publique formidablement mobilisée par l'effort de guerre? À quoi bon tous les deuils et toutes les souffrances si chacun rentre chez soi? Tout ne sera-t-il pas bientôt à recommencer? L'interrogation des gouvernants conduit à l'impasse : l'idée d'une possible négociation jette à la fois le doute sur ceux qui ont accepté le conflit et sur ceux qui pourraient manifester leur intention d'y mettre fin.

La seule issue est de poursuivre, mais la question ne disparaît pas pour autant : elle se déplace, devient le fait des peuples. De l'ouest à l'est de l'Europe, les réactions sont différentes : en France et en Angleterre, les Parlements s'agitent, renversent les gouvernements, demandent des comptes, exigent des engagements précis et un contrôle étroit du pouvoir politique sur l'état-major. L'inquiétude parlementaire se double d'un réveil en profondeur du mouvement social : puisque la guerre devient un instrument colossal de conditionnement pour les masses ouvrières embrigadées, hommes et femmes, dans d'inlassables cadences de production, ne faut-il pas désormais lutter contre cette guerre puisqu'elle n'a pas d'issue ? La tendance est au dégagement des partis ouvriers des « unions nationales » et à la reprise d'une concertation internationale où ces partis de nations ennemies se rencontrent et définissent leurs propres voies vers la paix. En Europe centrale : Allemagne, Autriche, Italie, la protestation se fait violente – grèves sauvages à Turin, mouvements de grande amplitude dans les usines de guerre allemandes –, plus sociale que politique. Enfin, dans le désordre galopant qui affecte l'empire des tsars, l'impuissance de l'État à dominer l'effort de guerre secrète des forces de protestation qui s'organisent sans trouver de moyens légaux d'expression : les libéraux bourgeois – et pas seulement les minorités ouvrières – posent au tsar la question de la guerre : s'il faut poursuivre, que ce soit par d'autres voies.

L'effondrement de la Russie, qui s'annonce en janvier 1917, oblige les belligérants à changer de guerre : puisqu'ils ne peuvent y mettre fin, ils vont la poursuivre en la transformant. L'esprit même du combat est profondément modifié, aussi bien par l'abandon des Russes que par l'entrée en guerre des États-Unis. Le président Wilson est « associé », et non pas « allié » aux Occidentaux. Il ne vient pas en Europe pour se mêler aux ambitions des diplomaties et des gouvernements guerriers, mais pour imposer à tous, alliés et ennemis, une certaine vision de la paix. A plusieurs reprises, il définit ses buts, qui ne sont pas des « buts de guerre » et qui excluent tout esprit d'appropriation injuste. Ainsi Wilson part-il en guerre contre l'impérialisme, qui a tout rendu possible, au nom de l'arbitrage international qui doit tout rendre impossible. Les gouvernants européens commencent à soupçonner qu'ils devront payer plus cher que prévu l'aide des Américains : c'est à leur système de pensée politique qu'ils devront renoncer s'ils veulent consentir à la paix de leur « associé ».

Une autre voix se fait entendre – parce qu'elle est en dissonance – dans le cercle plus restreint des responsables socialistes : celle de Lénine. Tous disaient – et disent encore – qu'ils devaient s'unir pour imposer la paix. Cette revendication ne paraît à Lénine ni raisonnable ni réaliste. Les contradictions que la guerre révèle dans les sociétés des belligérants rendent la révolution mondiale possible. On ne luttera pas contre la guerre en exigeant une paix d'utopie. Seule la destruction du capitalisme peut rendre la paix durable. Elle exige la transformation en « guerre civile » de la guerre impérialiste. Lénine, dès juillet 1914, a expliqué que la révolution, dans chaque pays, quelles qu'en soient les conséquences militaires, est la réponse appropriée du prolétariat à l'impérialisme. Ses paroles, au début de 1917, vont très au-delà des thèses généralement adoptées par les différents socialistes « minoritaires » qui demandent seulement l'abandon d'une politique de soutien à la guerre.

Comme Wilson, Lénine risque de représenter un espoir pour les peuples d'Europe en quête de leur libération. Les Irlandais de l'armée anglaise, les Alsaciens de l'armée allemande, les Slaves de l'armée autrichienne et les Ukrainiens de l'armée russe sont engagés sous des drapeaux qui ne sont pas les leurs. L'idéologie de la révolution, comme celle de la guerre américaine, peut les séduire : désormais, les officiers auront encore plus de mal à combattre les désertions et les révoltes. Les peuples attendent, et déjà s'organisent. Les contradictions des belligérants les aident puissamment : contre les Turcs, les Anglais suscitent le nationalisme arabe, et les Allemands encouragent les oppositions en Russie, facilitant même l'action des révolutionnaires. Les Allemands promettent l'indépendance aux Polonais et les Russes aux Tchèques, cependant que les Français jouent la carte des peuples slaves, tout en étant les alliés des Italiens. La recherche de nouveaux effectifs ou de sources d'approvisionnement explique l'étrangeté de ces comportements : les gouvernements en guerre n'ont pas le choix, ils font flèche de tout bois, même au détriment de leurs intérêts à long terme.

Ils savent que seuls les nouveaux concours, ainsi que les embarras créés sur les arrières de l'ennemi, peuvent les aider à imposer la décision. Ils sont contraints, par la diminution des ressources en hommes et en moyens, de faire une autre guerre plus économe, plus affinée : les révoltes au front, les mutineries, les refus de monter en ligne vont les obliger à rentabiliser la guerre au plus juste, pour en rendre la poursuite supportable. Une autre guerre s'engage en 1917 qui n'a plus rien à voir avec celle des généraux de 1914.

9

La guerre en question

En mars 1917, la Russie est en révolution mais n'abandonne pas la guerre. Il est cependant prévisible qu'elle ne pourra plus reprendre l'offensive. La préoccupation des Alliés est de rechercher la décision à l'ouest, avant que les Allemands ne puissent rapatrier leurs troupes de l'est. Le 16 avril, le général Nivelle lance ses divisions à l'assaut, sur le Chemin des Dames. L'offensive échoue totalement et les Français perdent 271 000 hommes.

Pétain prend en main le commandement au moment où éclatent les premières mutineries qui touchent un grand nombre d'unités de l'armée française. Depuis le 19 mai, toutes les attaques sont arrêtées. Les Allemands n'apprennent les cas d'insubordination qu'à la mi-juin; sur le front, les soldats de première ligne n'abandonnent jamais leur poste.

Les cas d'insubordination ne sont pas rares, à la même époque, dans l'armée allemande. Ils seront aussi nombreux dans l'armée italienne. Mais c'est l'armée française qui devrait présenter le mouvement le plus homogène, le plus massif, le plus important de « grève de la guerre ».

Au début de 1917, l'ensemble des belligérants dressait partout le bilan des échecs. Ni les Autrichiens ni les Italiens n'avaient lieu de se réjouir du piétinement de leurs armées respectives dans les Alpes. Des pertes élevées sanctionnaient la prise du moindre piton, l'assaut donné à la plus petite vallée. L'effort de Conrad von Hötzendorf avait abouti à la prise d'Asiago, non à la défaite de l'armée italienne. Les réserves engagées dans ce combat sans issue avaient dégarni le front russe sans profit. Pas plus que les Italiens au Tyrol, les Autrichiens ne pouvaient déboucher en Vénétie.

Les éblouissants succès de Broussilov n'avaient pas davantage obtenu la décision, en dépit des énormes sacrifices consentis. Même les régiments de la Garde avaient été engagés et perdus. Le commandement n'avait plus de réserves et manquait à nouveau cruellement de canons, de munitions. En matière d'aviation, le rapport des forces était d'un contre dix. Broussilov savait parfaitement que seul un effort massif de production d'armements pouvait permettre aux Russes de l'emporter : le nombre ne suffisait pas.

L'échec le plus cruel était celui des Allemands devant Verdun. Ils avaient engagé des effectifs importants, perdu la face devant l'armée française. Le Kaiser avait « limogé » Falkenhayn quelques semaines plus tard, après l'offensive de la Somme, et son successeur, Hindenburg, tirait aussitôt les leçons de la dernière offensive colossale de l'armée allemande : dans un document établi le 3 janvier 1917, tombé entre les mains des services français de renseignement, il indiquait les causes de ces « durs et regrettables insuccès » : la zone fortifiée était insuffisante, trop « faiblement maillée » de tranchées; les fameux *Stollen,* abris souterrains construits trop près des lignes avancées, étaient des pièges pour les hommes, il fallait les faire sauter, n'en construire que vers l'arrière. Par contre, on aurait dû multiplier les obstacles et les ouvrages d'arrêt dans les mailles des tranchées.

Hindenburg multipliait critiques et avertissements. La défaite était pour lui la conséquence d'une organisation défectueuse de la guerre et des retranchements. En prévoyant tout, en utilisant au maximum les possibilités de la troupe, on pouvait bien sûr gagner. Il y avait eu parmi les combattants de Verdun « un trop grand nombre de prisonniers non blessés » : cet illogisme ne s'expliquait pas seulement par le désarroi moral des soldats. Un général en chef comme Hindenburg ne pouvait l'admettre. La vérité est que l'infanterie, mal protégée, s'était laissée trop souvent surprendre. La défense ne devait pas être trop rigide, trop concentrée sur les premières lignes, mais « articulée en profondeur ». La coordination des avants et des réserves est essentielle, et l'appréciation de l'opportunité des contre-attaques doit être laissée sur le terrain à l'initiative des « commandants de bataillon » : « Personne ne doit attendre l'ordre d'une contre-attaque, il faut en décider soi-même. » Faute de ces actions constamment agressives, les lignes avancées, surprises, deviennent « un butin pour l'ennemi ». La même initiative revient aux chefs de batterie qui doivent « avoir constamment l'oreille et l'œil tendus pour saisir le moment du maximum de feu ». Il leur appartient d'être vigilants et d'utiliser toutes les chances signalées par les observateurs de l'aviation. La victoire implique une coordination étroite des différentes unités sur le terrain, et non dans les salles de cartes des états-majors. Elle suppose aussi un effort moral, car « le nombre extraordinairement élevé des prisonniers allemands qui se sont rendus sans résistance sérieuse et sans pertes sanglantes montre que, pour certaines troupes, le moral est affaissé ». Il faut, dit Hindenburg, « raviver le vieil esprit de l'infanterie allemande ».

Il n'est donc pas question de réfléchir sur les causes objectives qui rendent toute percée impossible : la guerre doit durer, au prix d'aménagements judicieux qui ménagent les forces. Les relèves, le bon traitement de la troupe sont des facteurs essentiels du succès. Avant Pétain, Hindenburg en fait la remarque. L'échec de Verdun n'est pas définitif. L'armée allemande doit se reconstituer afin de reprendre l'offensive dans les conditions les plus rationnelles.

Joffre, de son côté, n'est nullement affecté par son dernier échec sur la Somme. Du 1ᵉʳ juillet au 17 novembre 1916, il est au contraire satisfait de l'engagement croissant de l'Angleterre, dont l'armée présente sur le continent n'a plus rien à voir avec le corps expéditionnaire d'août 1914. Les Anglais ont 1 500 000 hommes sous les armes. Ils ont adopté le service militaire obligatoire, ils seront de plus en plus nombreux : déjà, 48 de leurs divisions combattent aux côtés des 95 françaises. Les meilleures troupes sont sur la Somme, les régiments de la Garde, les Australiens, les Canadiens, les Néo-Zélandais, la division navale rentrée des Dardanelles. Une armée de 150 000 hommes garde encore l'Égypte, en raison de la menace turque sur le golfe Persique. Des unités ont été néanmoins prélevées dans plusieurs divisions pour faire face à la révolte d'Irlande.

Dans cette île troublée, les intransigeants ont fomenté d'abord une agitation, puis une rébellion encouragée et soutenue par les Irlandais d'Amérique et par l'Allemagne, dans le but d'obtenir l'indépendance. Les Allemands ont promis d'envoyer en Irlande, à bord d'un sous-marin, sir Roger Casement, héros de l'indépendance irlandaise, qui s'est réfugié chez eux dès le début de la guerre. Un navire camouflé doit livrer à la petite armée clandestine d'Irlande des armes et des munitions. Casement a été arrêté au moment où il débarquait, mais 1 200 combattants de l'armée révolutionnaire irlandaise ont tenu Dublin pendant la « révolte de Pâques » et proclamé l'indépendance de la république d'Irlande. Si les Anglais l'ont finalement emporté en exécutant les chefs prisonniers, l'Irlande reste une menace qui mobilise en permanence des unités de l'armée.

Joffre est confiant : le service obligatoire permettra aux Anglais d'envoyer des renforts croissants, malgré l'échec dans les Flandres. Ils sont maintenant engagés à fond dans la guerre, ils ne peuvent plus reculer.

Il est vrai, cependant, que l'échec de la Somme a porté un coup au moral des Alliés : le 1er juillet 1916, entre Albert et Chaulnes, de part et d'autre de la rivière, quand le canon tonnait encore à Verdun, les troupes franco-anglaises avaient attaqué après une vigoureuse préparation d'artillerie. Le commandement français, après Verdun, était conscient de la nécessité absolue de ménager l'infanterie. L'avance des unités, en lignes légères, ne devait être ordonnée qu'après martèlement du terrain par les obus. Joffre comptait sur l'impétuosité de Foch qui s'entendait au mieux avec Douglas Haig, le général en chef anglais – mais aussi sur la sagesse de Fayolle, commandant la 6e armée française, qui avait la réputation de ne pas engager ses hommes à la légère.

Pour la première fois étaient montées en ligne, dans les rangs de l'armée anglaise, les divisions de réservistes formées par Kitchener : les « civils » (ainsi appelés pour les opposer aux soldats de l'armée de métier) côtoyaient dans les unités d'assaut les régiments des dominions qui composaient l'essentiel de la 5e armée du général Gough et de la 4e armée de Rawlinson. Ainsi les Néo-Zélandais, les Australiens et les Canadiens combattaient en même temps que les zouaves, les tirailleurs algériens et marocains des « corps coloniaux » français, intégrés dans la 6e armée Fayolle et dans la 10e de Micheler. Le *Royal Flying Corps* (ancêtre de la R.A.F.) et l'aviation renforcée des armées françaises devaient donner aux Alliés une supériorité de dix contre un dans les airs.

Les 26 divisions britanniques et les 14 divisions françaises avaient attaqué sur un front de 40 kilomètres. 900 canons avaient pulvérisé les défenses allemandes. Plus de 1 000 pièces légères furent utilisées pour permettre l'avance immédiate des unités d'infanterie et défendre les positions conquises. Pour la première fois, Anglais et Français mettaient en ligne des moyens d'artillerie comparables à ceux que les Allemands avaient employés devant Verdun. La consigne était de tirer sans compter.

Malgré l'énormité des moyens et le luxe de précautions prises, l'offensive avait échoué : les Français avaient aussitôt enlevé les premières lignes allemandes, mais n'avaient pu progresser, faute de réserves suffisantes. Les Anglais, plus faibles en artillerie, n'avaient pu mordre efficacement sur les défenses allemandes. Pourtant, les combats devaient se prolonger en novembre, parce que ni Joffre, ni Haig ne voulaient renoncer à exploiter une offensive aux résultats si maigres. L'entrée en ligne des premiers « tanks » sur le front anglais n'avait pas donné les résultats escomptés : sur 48 engins engagés, 30 seulement avaient pu prendre le départ ; les autres étaient tombés en panne ou s'étaient enlisés dans la glaise. Un moment déconcertés, les artilleurs allemands avaient neutralisé sans peine les monstres opaques qui progressaient difficilement.

Les pertes alliées étaient lourdes : à la fin du mois d'août, les Anglais avaient 33 000 tués, 165 000 blessés, 35 000 disparus – plus de 200 000 hommes hors de combat. Les Français, à la même date, avaient perdu au total 76 000 combattants. Les Anglais avaient donc fourni l'essentiel de l'effort. On pouvait croire que ces hommes avaient été sacrifiés pour un gain de terrain ridicule : ni Bapaume, ni Péronne n'avaient été prises. Les Allemands, pourtant, avaient beaucoup souffert de l'offensive et si les parlementaires français et anglais qui attaquaient les responsables militaires avaient pu connaître l'importance des pertes ennemies, ils auraient sans doute tenu un autre langage. De l'aveu des généraux allemands, l'affaire de la Somme avait été pour leur armée « la pire épreuve ». Ils avaient dû engager toutes leurs réserves et avaient craint jusqu'au dernier moment la percée alliée, alors qu'ils venaient d'envoyer d'importants renforts sur le front de l'est pour faire face à l'offensive Broussilov. Ils avaient combattu dans des conditions difficiles, limités en vivres et en munitions. Seule la puissance de l'artillerie et la résistance des dispositifs de défense avaient permis de tenir, au prix de 267 000 hommes et de 6 000 officiers hors de combat. L'armée allemande avait à son tour beaucoup souffert de la « guerre d'usure ». Hindenburg qui prenait alors son commandement, aurait bien du mal à reconstituer « le vieil esprit de l'infanterie ».

L'Allemagne avait frôlé le désastre. Le Kaiser en avait rendu Falkenhayn responsable : c'est à l'ouest qu'il avait demandé au vainqueur de Tannenberg de combattre désormais. Seul Hindenburg, avec son immense prestige, pouvait rendre leur moral aux combattants des tranchées, de la Somme et de Verdun. Seul Ludendorff, avec son esprit méthodique et son caractère inflexible, pouvait y préparer la revanche.

Les Français aussi avaient épuré leur commandement. Foch était écarté : sa doctrine du « martèlement » avait déçu. Il était déchargé du groupe d'armée du Nord. Joffre, nullement découragé, avait préconisé à la conférence interalliée de Chantilly, le 18 novembre 1916, la reprise de l'offensive « dès la première quinzaine de février 1917 ». Haig attaquerait de nouveau sur la Somme. Les Français monteraient une autre attaque, quinze jours plus tard, entre Craonne et Reims, sur le front de l'Aisne.

Mais Joffre est-il encore l'homme de confiance du gouvernement? Peut-il imposer à la troupe la conviction que l'offensive projetée sera enfin « décisive »? Ils sont nombreux, dans les allées du pouvoir, à soutenir que seul un changement de général en chef peut rendre à l'armée sa vitalité. Les politiques prêtent l'oreille aux propos d'un général éloquent, qui s'est bien conduit à Verdun. Ce Nivelle promet le succès. Pourquoi ne pas le croire?

L'élimination de Joffre, le 2 décembre 1916, est l'aboutissement d'une longue période de crise entre le gouvernement et l'état-major d'une part, le ministère et le Parlement d'autre part. Les parlementaires se plaignaient d'être tenus à l'écart par le secret militaire et leurs griefs prenaient du poids chaque fois qu'une offensive malheureuse dévoilait les insuffisances de l'état-major. Ils avaient fini par obtenir la réunion de ces « comités secrets » où la conduite de la guerre était passée au crible. Le gouvernement avait également accepté l'institution d'un « contrôle parlementaire aux armées ». La surprise du commandement sur le front de Verdun, la faiblesse du dispositif français de défense semblaient justifier cette intervention. Le 6 juin 1916, un premier comité secret dénonce la mystification de la « guerre d'usure » et du « grignotage » recommandés par Joffre. « C'est nous que l'on grignote! » s'écrie Maginot, député de l'Est, ancien combattant, qui accuse Joffre d'imprévoyance et d'incompétence. La « guerre d'usure » devait permettre d'infliger à l'ennemi des pertes doubles des nôtres. En fait, citant comme sources une note du ministère des Armées et des estimations du colonel anglais Repington, Maginot affirme que le nombre de tués des côtés français et allemand est égal : 800 000 environ. « C'est un bien gros chiffre, dit-il, pour un pays qui a la population du nôtre. » Les pertes françaises sont dues à la passivité de l'état-major « qui n'a vu dans la guerre d'usure qu'une formule, au lieu d'une méthode ». Briand défend de son mieux son ministre de la Guerre et affirme que jamais Gallieni ne lui a demandé la tête de Joffre. Mais, à la fin de 1916, après la bataille malheureuse de la Somme, Briand doit accepter un nouveau comité secret. Cette fois, les critiques sont très violentes, elles viennent de tous les horizons politiques. On accuse Briand de ne pas avoir secouru la Roumanie en pressant les Russes de lui envoyer des renforts, de piétiner à Salonique où le corps expéditionnaire, impuissant, est sous les ordres d'un général contesté, de ne rien faire pour modifier en France l'état-major de Joffre, seul juge souverain de décisions qui engagent des centaines de milliers de soldats.

— Vous êtes au pouvoir depuis un an et nous attendons vos actes, lui dit un jeune député.

— Quel intérêt avez-vous, lui répond Aristide Briand, à venir dire à ce pays des choses qui sont profondément inexactes et injustes?

Le président du Conseil reconnaît que, malgré ses efforts, il a souvent échoué. Il accepte parfaitement de s'en aller. Personne ne le retient. Mais, avant de partir, il veut modifier profondément le haut commandement. Joffre est réduit au rôle de conseiller technique du gouvernement. Il est ensuite nommé maréchal de France.

Ayant sacrifié Joffre, Briand pouvait se maintenir, sortant par la porte et rentrant par la fenêtre avec un cabinet allégé. Il renvoyait le ministre de la Guerre Roques, considéré comme lié à Joffre et aux milieux radicaux du Midi dirigés par Maurice Sarraut, et offrait le poste à Lyautey. De Lyautey seul dépendrait désormais le général Sarrail à Salonique. Briand demandait pour son cabinet des pouvoirs renforcés, créait un Comité de guerre composé des ministres de la Marine, de la Guerre, de l'Armement et des Finances afin de coordonner quotidiennement l'action gouvernementale. Il n'obtenait pas de la Chambre le pouvoir de prendre « par décret toutes les mesures commandées par la défense nationale ». On lui reprochait son inaction, mais on lui refusait les moyens d'agir. Briand avait en vain protesté à la chambre.

A aucun moment le gouvernement français ne se pose la question de savoir s'il est possible de sortir de la guerre, de chercher une solution au conflit. Pas davantage les députés réunis en comité secret n'émettent-ils le moindre doute sur la nécessité de conduire la guerre jusqu'à la victoire. Il en va de même en Angleterre où la tendance est au renforcement des pouvoirs du cabinet de guerre. On juge Asquith trop faible, trop mesuré. Depuis la disparition de son ministre de la Guerre, le populaire Kitchener (noyé en juin 1916 dans le naufrage du croiseur *Hampshire*, touché par une mine au large de Scapa Flow), il avait en la personne de Lloyd George, remplaçant du maréchal, un adversaire vigilant qui attendait son heure : quand le vieux conservateur Lansdowne, négociateur de l'Entente cordiale en 1904, avait protesté, presque seul, contre la poursuite de la guerre qui allait mettre la Grande-Bretagne « dans un état pitoyable », Lloyd George et Bonar Law étaient tombés d'accord pour estimer que le Premier ministre Asquith n'était plus capable de faire face à la montée du découragement. Lord Lansdowne n'avait-il pas recommandé que l'on étudiât des « tentatives de paix » ? La situation était grave : tous ceux qui voulaient continuer la guerre jusqu'au bout réclamèrent une « réorganisation des méthodes gouvernementales » et la création d'un « Comité de guerre ». Asquith, qui perdait l'essentiel de ses prérogatives dans cette hypothèse, quitta le pouvoir et fut remplacé, le 6 décembre, par Lloyd George. Le premier souci du nouveau chef du gouvernement anglais fut de constituer ce Comité de guerre de 5 membres (avec Bonar Law, Curzon, Milner et Henderson) qui devait se réunir tous les jours et disposait de toute l'autorité nécessaire pour conduire la guerre sans en référer constamment au contrôle des Communes où Lloyd George ne se rendait désormais que dans les circonstances exceptionnelles. L'Angleterre avait réussi ce renforcement de son exécutif que Briand avait en vain souhaité pour la France.

Si les gouvernements de l'Ouest étaient plus que jamais décidés à poursuivre la guerre jusqu'à son terme, ils ne pouvaient rester sourds aux appels de plus en plus nombreux de l'opinion qui réclamait une définition précise des enjeux du combat. En Autriche, où le jeune empereur Charles venait de succéder à François-Joseph, cette exigence était d'autant plus marquée qu'un groupe parlementaire hongrois, celui du comte Karolyi, refusait de prolonger davantage un effort de guerre qui ne profitait qu'à l'Allemagne, et demandait la recherche d'une paix de compromis. Il n'entraînait que vingt députés, mais soulevait inlassablement au Parlement hongrois, contre les amis de Tisza, le problème de la légitimité de la lutte. Seuls les socialistes minoritaires, en Allemagne comme en France, prenaient ainsi publiquement parti pour la recherche d'ouvertures de paix.

Les majorités politiques s'attachaient au contraire à définir les « buts de guerre » en termes tels qu'ils rendissent impossible toute éventuelle négociation. Cette définition n'était pas publique, mais restait secrète, car les buts étaient loin de faire l'unanimité dans chaque pays, et ils étaient l'objet de vives discussions entre alliés. Pour la France, la restitution de l'Alsace et de la Lorraine était, au début de la guerre, le seul objectif avoué. D'autres devaient se manifester deux ans plus tard. Les milieux économiques, d'abord réticents, s'étaient ralliés à une politique ambitieuse d'expansion en Sarre et même au Luxembourg. Paul Claudel, au Quai d'Orsay, rédigea une note demandant des prises de participation française dans les charbonnages de la Ruhr. On abandonnait la prudence malthusienne d'un Robert Pinot. Les militaires, officiellement interrogés par le président de la République, travaillaient à la rédaction d'une note signée par Joffre, réclamant pour la France la frontière de 1790, plus la partie allemande de la Sarre et deux têtes de pont sur la rive droite du Rhin. Les pays rhénans seraient détachés de l'Allemagne et l'occupation du Rhin durerait trente et un ans... Seuls les juristes amis de Léon Bourgeois avaient sur la paix des vues plus modérées : ils demandaient une cour d'arbitrage et une paix sans annexions, mais acceptaient la neutralisation de la rive gauche du Rhin et le retour aux frontières de 1790. Le 7 octobre, une réunion groupait à l'Élysée, autour de Poincaré, les présidents des Chambres, Briand, Bourgeois et Freycinet. Les ministres socialistes, anti-annexionnistes, n'avaient pas été conviés. Les exigences minimales de la France étaient désormais le retour aux frontières de 1790, la séparation de la Rhénanie et l'occupation du Rhin par les Français. Mais Dubost et Deschanel, présidents des Chambres, étaient de vigoureux partisans de l'annexion de la rive gauche du Rhin.

Ces buts de guerre étaient évidemment inacceptables par les Allemands, mais ils étaient aussi discutables pour les Anglais, peu soucieux de voir s'installer sur le Rhin un impérialisme français. Il n'était même pas sûr qu'ils acceptassent le retour pur et simple de l'Alsace-Lorraine : on parlait à Londres de plébisciste et Poincaré aurait souhaité que Briand négociât au plus vite la reconnaissance par le cabinet britannique des vues françaises sur la paix. Briand s'en gardait bien, conscient qu'il fût allé à l'échec. Par contre,

Doumergue avait été envoyé en mission à Petrograd pour obtenir un échange de lettres. Les Français avaient monnayé l'accord des Russes en leur abandonnant la Pologne...

Briand n'avait aucunement l'intention de formuler clairement les revendications françaises, parce qu'il savait qu'elles seraient discutées à l'extérieur comme à l'intérieur, exploitées par la propagande allemande, comme par les journaux socialistes qui réclamaient avec insistance la conclusion d'une paix sans annexions. Il était en revanche conscient de la nécessité de définir les objectifs français, depuis que la réunion des chefs d'armées alliées à Chantilly, en décembre 1916, avait jeté les bases d'une reprise générale de l'offensive pour le début de 1917. Si la victoire était au bout du chemin, il importait que la France ne fût pas démunie. Si au contraire, les offensives échouaient, il fallait être prêt à la discussion d'une paix négociée : dès septembre, on a la preuve que Briand [1] avait établi des contacts directs avec le gouvernement allemand par l'intermédiaire d'un certain Haguenin, lecteur avant guerre à l'université de Berlin et chargé de presse à l'ambassade de France à Berne. Si l'on en croit Georges Soutou, « un tel contact existait depuis longtemps entre Londres et Berlin et entre Petrograd et Berlin ». La mission d'Haguenin consistait à savoir si les Allemands accepteraient de négocier sur la base d'une restitution de l'Alsace-Lorraine. Il ne pouvait naturellement pas en être question.

L'Allemagne, le 12 décembre 1916, venait de faire, au nom des puissances centrales, une proposition de paix sans programme précis, mais formulée dans les termes les plus provocants. Entrés en vainqueurs à Bucarest, les Allemands estimaient le moment opportun pour jeter le trouble chez leurs adversaires en devançant de quelques jours la proposition de paix faite par le président américain Wilson, qui venait d'être réélu. Ni les Français ni les Anglais ne pouvaient se faire la moindre illusion sur les exigences allemandes, même s'ils n'avaient pas eu connaissance des buts de guerre exposés par le chancelier Bethmann-Hollweg le 9 septembre 1914, alors que l'Allemagne se croyait au bord de la victoire. L'Allemagne projetait en fait d'étendre son influence économique dominante sur la Belgique, la Hollande, le Danemark et la France. Le Luxembourg serait annexé. L'A.E.F. et sans doute le Maroc seraient allemands. En 1915, cet ambitieux programme avait été confirmé par le professeur Schumacher qui exigeait, au nom des milieux d'affaires allemands, l'annexion de Toul, Verdun, Belfort, Briey, du bassin houiller du Nord et de toute la côte jusqu'à l'embouchure de la Somme. En 1916, après leur échec à Verdun, les Allemands avaient encore l'ambition d'annexer Briey, la Flandre

---

1. Scherer et Grünewald, *L'Allemagne et les problèmes de la paix pendant la Première Guerre mondiale.*

française et un certain nombre de colonies. C'est tout juste s'ils admettaient quelques rectifications de frontières mineures en Haute-Alsace. C'est seulement à la fin de 1916 qu'un certain recul se manifesta dans les prétentions du gouvernement de Berlin. S'il tenait ferme sur Briey, il lâchait la Flandre française. A aucun moment les Allemands ne manifestèrent la moindre intention de négocier le retour à la France de l'Alsace-Lorraine.

Ils n'avaient pas davantage le désir d'abandonner la Belgique dont ils voulaient faire un État vassal, exploité économiquement, protégé militairement. Ils ne devaient jamais céder sur ce point. Or les buts de guerre anglais impliquaient la libération totale et définitive de la Belgique, ainsi que le désarmement de la grande flotte allemande. Les points de vue étaient, là aussi, inconciliables.

L'Angleterre était le seul État belligérant à ne point formuler d'ambitions annexionnistes. La plupart des pays alliés étaient entrés dans la guerre après la signature d'accords secrets qui leur garantissaient noir sur blanc l'accomplissement, après la victoire, de leurs buts de guerre : ainsi le traité de Londres promettait à l'Italie de très nombreux territoires : les terres irrédentes peuplées d'Italiens, le littoral dalmate, des positions en Asie Mineure. Mais les Français avaient aussi promis leur indépendance aux Slaves du Sud, aux Polonais, aux Tchèques, mécontentant ainsi et les Italiens et les Russes.

A cause de la Pologne, Russes et Allemands ne pouvaient s'entendre : les Allemands n'étaient pas même d'accord, sur ce sujet, avec leurs bons alliés autrichiens. Vienne voulait bien d'un grand royaume polonais, mais intégré à l'Autriche-Hongrie. A partir de 1916, l'Allemagne émit le souhait de faire de la Pologne un État économique vassal. Elle occupait depuis 1915 le territoire de la Pologne russe, conjointement avec l'Autriche-Hongrie : un gouvernement général allemand siégeait à Varsovie, un autrichien à Lublin. Les cadres administratifs russes avaient disparu, il fallut les remplacer d'urgence. Les Polonais du « Comité civique central » organisaient écoles et tribunaux, les Allemands nommaient les municipalités, établissaient la censure et la surveillance policière, mais restauraient l'université de Varsovie dont le recteur était l'artisan d'une politique de résurrection de la Pologne autonome, mais vassale de l'Allemagne.

Les Polonais, quand ils ne désertent pas, se battent bien dans les tranchées et l'état-major a besoin de soldats : il insiste pour qu'on leur donne satisfaction, dans l'espoir de lever au moins 4 divisions, peut-être 5, sur le territoire conquis. Le 5 novembre 1916, Guillaume II proclame, avec l'empereur d'Autriche, l'indépendance de la Pologne pour après la paix. Un « Conseil d'État provisoire » est mis en place et les bureaux de recrutement s'ouvrent. Mince résultat : 1 500 volontaires, tout au plus. Encore ces « légions polonaises », dirigées par Pilsudski, entrent-elles en conflit avec les dirigeants allemands de Pologne. Pilsudski est bientôt incarcéré à Magdebourg, et le Conseil d'État dissous.

Les Allemands n'avaient donc nulle envie de lâcher la Pologne. Ils ne pouvaient imaginer de la rendre aux Russes. Comment une négociation germano-russe aurait-elle pu aboutir, alors que le tsar avait tout obtenu de ses alliés occidentaux, y compris la cession à la Russie de Constantinople et des détroits?

Les belligérants se partageaient les dépouilles de l'ennemi selon des accords précis ou de vagues revendications : les grands États n'étaient nullement entrés dans le détail de leurs programmes d'annexions, de crainte de mécontenter l'opinion. Les buts de l'Allemagne restaient à usage interne, c'étaient des estimations d'industriels et de militaires, tout comme les « buts » français. Déjà perdante, l'Autriche-Hongrie de Charles Ier renonçait, au bénéfice de l'Allemagne, à la Pologne et à la Galicie. Les « buts de guerre » de l'Italie étaient précis et rédigés, parce qu'elle en avait fait la condition de son engagement. Les Bulgares et les Roumains avaient également obtenu des promesses. Dans ces conditions, comment l'Europe des « traités secrets » aurait-elle pu prêter une oreille attentive aux propositions de paix formulées par Wilson?

Le 20 décembre 1916, huit jours après l'offre de paix allemande, le président américain envoie une note aux belligérants leur demandant des « réponses franches » sur leurs buts de guerre, qui ne sont peut-être pas inconciliables. Les États européens sont embarrassés : Briand venait de rejeter le « piège grossier », l'« acte de ruse » de la proposition de paix allemande. Lloyd George avait refusé de « passer la tête dans un nœud coulant dont l'Allemagne tiendrait le bout ». Sonnino avait déclaré l'offre allemande inacceptable, puisqu'elle ne contenait aucune proposition précise. Il était plus difficile de repousser sans examen la note de Wilson. Mais comment se mettre d'accord entre alliés sur les « buts de guerre », pour pouvoir ensuite présenter un front commun?

L'attitude de l'Allemagne tira les Alliés de ce mauvais pas. Bethmann-Hollweg n'avait nullement l'intention de soumettre au président Wilson les conditions de paix qu'il entendait imposer aux ennemis vaincus. Le 26 décembre, l'ambassadeur d'Allemagne à Washington faisait savoir qu'il rejetait l'idée d'une conférence internationale, les États-Unis n'avaient pas à prendre part à la négociation de paix. Ils ne pouvaient intervenir, pour proposer des instances internationales d'arbitrage, qu'une fois la paix conclue : « M. Wilson, écrivit Clemenceau, a reçu de nos Boches un violent coup de poing entre les deux yeux. »

Dès lors, les Alliés pouvaient organiser un simulacre de conférence afin de donner l'illusion d'une entente. Ils choisirent soigneusement les points susceptibles d'émouvoir l'opinion publique américaine, lors de la réunion de Rome du 10 janvier 1917. Ils n'étaient pas embarrassés pour faire ressortir les excès de l'occupation allemande en Europe. En France, la « dévastation industrielle » devenait systématique : 4 486 usines détruites, 6 376 pillées, 9 741 détériorées. La moitié des hauts fourneaux belges étaient anéantis. Les Allemands avaient démonté les machines, évacué les stocks. A Munich, en 1916, le quartier général faisait imprimer un document sur l'industrie en France occupée : il dressait branche par branche le bilan de l'activité, des destructions, des besoins, une carte des ressources et de la fortune privée. 4 000 entreprises étaient passées au crible par des spécialistes de la statistique. La reconquête des marchés, la fourniture aux sinistrés de matériels et d'équipements de remplacement étaient cyniquement analysées, ainsi que les possibilités de pénétration des marchés par le commerce allemand. Au moment où les Américains venaient d'apprendre la déportation de 300 000 ouvriers belges en Allemagne, main-d'œuvre forcée pour les usines de guerre, les stipulations des Alliés sur les indemnités nécessairement dues par l'occupant ne pouvaient laisser leurs interlocuteurs indifférents.

D'autant qu'en Belgique, les Allemands ne se cachaient pas de pratiquer une politique franchement annexionniste : le baron von Lancken était à Bruxelles le chef de la « section politique » du gouvernement général constitué dès le mois d'octobre 1914. Il était chargé d'organiser les conditions psychologiques d'une longue occupation. Pour annexer la Belgique, nombreuses étaient en Allemagne les parties prenantes : les marins demandaient la côte flamande, les militaires la place de Liège, les industriels et les banquiers les mines et les usines. Le « Manifeste des grandes associations allemandes » avait, en 1915, exigé l'annexion.

Von Lancken connaissait la division de la Belgique et sa frontière linguistique : en 1914, 3 200 000 belges ne parlaient que le flamand, 2 800 000 le français et 900 000 les deux langues. Le bilinguisme officiel s'efforçait de maintenir l'équilibre entre deux communautés dont l'une était conservatrice et catholique (donc hostile à la république radicale, anticléricale, des Français), l'autre libérale. Les Allemands nient l'existence d'un État belge, accentuent les divergences, provoquent des affrontements. Von Lancken a pour mission de pousser à la révolte la communauté flamande. Il réussit à trouver le concours d'un groupe d'extrémistes et d'un parti « jeune-flamand », ce qui lui permet d'organiser des manifestations séparatistes, désapprouvées par la très grande majorité de la population. L'université de Gand devient flamande, un conseil des Flandres est mis en place, avec des représentants sans mandat, désignés par le gouverneur général von Bissing. La Flandre et la Wallonie sont bientôt des unités administratives distinctes. Les

Allemands ont constamment œuvré à la séparation politique des deux Belgiques pour pouvoir nier l'existence d'un État belge. Rien d'étonnant, dès lors, à ce que les tentatives ultra-secrètes de négociations directes entre Berlin et le roi des Belges aient échoué : le comte Toerring, son beau-frère allemand, avait rencontré à Zurich le professeur Maxweiler, chargé de préciser l'attitude des Belges dans la perspective d'une paix séparée; il n'avait pu que constater l'impossibilité d'un accord.

La note des Alliés, rendue publique le 10 janvier 1917 à la suite de la conférence de Rome, insistait sur les « dédommagements » et « réparations » dus à la Belgique et à la France occupées. Mais il fallait aussi indemniser les Serbes, les Monténégrins, les Russes et les Roumains occupés. Tous ces peuples asservis devaient être libérés. Tous? On parlait des « Italiens, des Slaves, des Roumains, des Tchéco-Slovaques », pas des Polonais. On évoquait la nécessaire « restitution des provinces ou des territoires autrefois arrachés aux Alliés par la force ou contre le vœu des populations » : on désignait ainsi l'Alsace-Lorraine sans oser la nommer. On insistait sur « l'affranchissement des populations soumises à la sanglante tyrannie des Turcs », mais sans dénoncer le massacre des Arméniens. Le but était de « rejeter l'Empire ottoman en Asie » où il pourrait, en somme, poursuivre sa domination. Rien n'était dit sur le mouvement national des Arabes. Par contre, touchant la « réorganisation de l'Europe », on exigeait des garanties pour les petits États comme pour les grands. L'étalage ainsi constitué dans la vitrine de guerre de l'Europe était-il de nature à convaincre les Américains? Wilson, dûment chapitré par le colonel House qui avait accompli plusieurs voyages d'information dans les deux camps, ne pouvait se faire d'illusions. Il savait que Français et Anglais refuseraient son idée de « paix sans victoire ». Mais il était remarquable que son intervention eût déjà contraint les belligérants européens à employer un langage nouveau, commun à tous, celui de la « paix du droit ». La guerre à l'Ouest disposait d'une idéologie de rechange qui pourrait prendre un jour les couleurs du wilsonisme. La propagande des Alliés, quant à elle, s'efforçait plus soigneusement que jamais d'éviter toute allusion aux exigences de l'annexionnisme.

La chute de l'État aux ambitions les plus impures – la Russie – devait au demeurant faciliter le regroupement idéologique de l'Ouest. La révolution de mars 1917 à Petrograd n'était pas tout à fait une surprise : l'effondrement du tsarisme était redouté depuis quelques mois par les agents diplomatiques qui soulignaient le délabrement rapide de l'autocratie. La mission militaire faisait les mêmes constatations. Le lieutenant-colonel Lavergne, attaché militaire adjoint, écrivait au ministère, le 25 octobre, en évoquant le « malaise matériel et moral » qui pouvait « donner des craintes ». La hausse des prix, disait-il, avantage les commerçants et trafiquants en tout genre, mais condamne à la misère les fonctionnaires et les officiers de l'armée. Les formidables gains des patrons d'usines de guerre leur permettaient de surpayer leurs ouvriers, mais les agents de police de Moscou devaient adresser une pétition à leurs chefs pour pouvoir se nourrir. On avait dû augmenter subitement les employés du tramway qui menaçaient de faire grève. Les queues s'allongeaient devant les boulangeries et les épiceries de la capitale, on craignait la disette, on stockait la farine. Partout on utilisait l'huile de tournesol pour remplacer la graisse, absente des marchés. Les boucheries n'avaient plus de viande, par suite de l'effroyable désordre des transports. Pour obtenir des livraisons de matières premières, les industriels devaient « intéresser à l'expédition » les préposés du chemin de fer. La concussion, la fraude, le marché noir se développaient partout. La population s'en prenait aux spéculateurs, mais surtout à cette guerre interminable, rendue responsable de tout. Les classes libérales, pourtant privilégiées, « étaient portées à croire qu'il vaudrait peut-être mieux finir la guerre de façon quelconque, pour faire cette révolution qui doit tout sauver ».

Ainsi, dés octobre 1916, on parlait de révolution. Les fonctionnaires étaient conscients de la dégradation de l'opinion, de la méfiance et de la haine grandissantes contre les autorités. « Si un parti voulait délibérément la paix avec l'Allemagne, il trouverait dans cet état d'esprit à la fois un allié et un argument auprès du pouvoir » – et de citer les propos d'un cocher de fiacre de Petrograd sur le passage d'un prince japonais reçu au Palais : « Les Japonais! Je leur ai fait la guerre et j'ai été blessé. Il y a huit ans, tout le monde les détestait, et maintenant on les reçoit avec de grands honneurs, et l'empereur va à leur rencontre à la gare. Peut-être qu'on fera de même avec les Allemands dans quelques années! »

Les amis des Allemands, note Lavergne, sont déjà présents à la cour. Ils savent que les industriels et les commerçants russes regrettent le temps des bonnes relations économiques avec l'Allemagne. L'impératrice passe pour favoriser les germanophiles comme le ministre Sturmer. Le tsar n'est pas en mesure d'imposer un effort de production suffisant au pays. Il ne peut contraindre les ouvriers, pourtant surpayés dans certaines usines, à travailler plus de 20 jours par mois. On a dû embaucher plus de 500 000 prisonniers de guerre qui sont « très recherchés partout ». Il y a même, à Kharkov, une « bourse clandestine de prisonniers ». Les Slaves, ex-soldats autrichiens qui parlent le russe, sont reçus dans les familles et disparaissent bientôt au sein de la population. C'est un paradoxe que le pays le plus peuplé d'Europe ait besoin de prisonniers de guerre pour animer son industrie.

Les Russes sont plus de 6 millions dans l'armée. Il faut les nourrir, les approvisionner, fournir de l'avoine aux 1 630 000 chevaux qui traînent canons et convois. 1 500 000 hommes sont dans les dépôts, en cours d'instruction, et plus d'un million attendent d'être appelés. Ces énormes masses humaines ne peuvent être utilisées dans l'immédiat, en raison des insuffisances de leur équipement, malgré la fatigue des unités engagées dans l'interminable offensive Broussilov. « Il est difficile, note Joffre en novembre 1916, dans l'état actuel et pour longtemps encore, d'escompter une décision rapide de la guerre sur le front russe. » A cette date, les Russes sont en plein malaise : le général en chef, Alexeïev, malade, a dû prendre deux mois de congé. Janin, l'attaché militaire, signale la « situation politique troublée » et « l'émotion réelle ». Le général Gourko, le 15 décembre, n'a pu faire connaître aux alliés réunis à Chantilly les intentions du commandement russe. Il a toujours devant lui les armées du prince Léopold de Bavière (Eichhorn et Linsingen) et de l'archiduc Joseph. L'armée allemande présente en Dobroudja est sous la responsabilité du front balkanique de Mackensen, vers où convergent tous les renforts, A partir de janvier, le commandement français est averti des symptômes de défaillance qui se manifestent dans l'armée russe. Une note du 17 fait état d'une analyse du général Janin, chef de la mission française : partout – sauf sur le front roumain – les Russes se heurtent à de puissants réseaux de fortifications, très bien dotés en artillerie. L'équipement défectueux des Russes ne leur permet pas de rompre le front, ce qui explique leur découragement. Aucune action n'est sérieusement envisagée. « Vu l'immensité des pertes, écrit Janin, on se dit – et non l'armée seule, le pays entier – que c'est inutile de faire battre l'homme contre le matériel, le fantassin contre l'obus, et il se manifeste une répugnance de plus en plus marquée à s'engager dans les mêmes conditions l'an prochain. »

L'envoi de Castelnau en mission à Petrograd, le 1ᵉʳ février, ne permet pas d'engager les Russes dans l'offensive : Gourko ne promet rien avant la fin de l'hiver. Un déjeuner « dans l'intimité avec l'empereur et Sa Majesté la tsarine » semble plus encourageant. Le tsar voudrait « donner à la campagne de 1917 un caractère décisif ». Lyautey, le ministre de la Guerre, insiste de son côté pour que Castelnau obtienne au moins l'engagement d'une offensive « puissante » sur le front de Roumanie, dès le 15 mars. Il n'obtient rien et explique à Paris qu'une offensive précipitée est impossible, vu l'état des chemins de fer russes : pour transférer des renforts sur le front roumain, il faut au préalable construire des lignes nouvelles qui ne seront pas terminées avant le mois de mai (télégramme du 8 février).

Traité avec les plus grands égards par le tsar et la cour, le général de Curières de Castelnau n'a pu que constater l'état de délabrement du pouvoir. L'ambassadeur Paléologue lui a répété, ainsi qu'à Doumergue, que « la Russie marche à l'abîme ». « Une crise révolutionnaire se prépare, a-t-il précisé. Elle a failli éclater il y a cinq semaines, elle n'est que différée. De jour en jour, le peuple russe se désintéresse de la guerre et l'esprit anarchique se répand dans toutes les classes, même dans l'armée... » Le luxe de la réception au palais de Tsarskoié-Sélo ne fait pas illusion ; il est clair que les Russes ne sont plus en état de prendre l'offensive. « *We are wasting our time* » (Nous perdons notre temps), dit l'Anglais lord Milner à l'oreille de Paléologue. On fait visiter au général Castelnau une usine Schneider montée dans la banlieue de Pétrograd : les ouvriers sont en grève, ils obéissent « aux ordres des comités secrets ». Une visite dans la région de Minsk, aux premières lignes du front, achève de convaincre Castelnau : les soldats russes sont mal armés, mal nourris. « Si toute l'armée ressemble à ce que nous voyons, dit-il, les Russes ne pourront pas attaquer efficacement. Encore heureux si [leur armée] retient les ennemis qu'elle a actuellement en face d'elle. » Par – 40°, le général rembarque pour la France, par la route du Grand Nord, à bord du *Kildonian Castle*. Il pressent qu'il ne faut plus compter sur la Russie.

Quelques jours après son départ, le révolution éclate dans l'ancienne Pétersbourg : le 8 mars (23 février du calendrier russe d'alors), c'est la fête des femmes ouvrières ; elles parcourent les rues de Petrograd derrière des banderoles où l'on peut lire « La paix et du pain ! », et même « A bas l'autocratie ! » Les commerçants ferment boutique, sortent dans la rue, font des signes d'amitié aux manifestantes. « Petits frères, lancent-elles aux Cosaques, ayez pitié de nous ! » Ils laissent faire. Peuvent-ils fouetter des femmes ?

Le lendemain 9 mars, les ouvriers aussi sont là : leurs cortèges remplissent toute la perspective Nevski. Ils acclament les soldats, lancent des hourrahs aux Cosaques. Pas de répression. Le ministre de l'Intérieur sait que la peur de la famine pousse les masses. Il est confiant : « Si la révolution doit se produire en Russie, dit-il, ce ne sera pas avant 50 ans. »

Le 10 mars, les ouvriers venus des usines de banlieue se rassemblent dans le centre. Les défilés se font toujours dans l'ordre, mais on sent une « prise en main » politique. Les banderoles « A bas l'autocratie ! » sont nombreuses. La police se prépare à charger. On voit un Cosaque frapper à coups de sabre un policier qui couche en joue les manifestants. « Les Cosaques avec nous ! » crie la foule.

Le tsar exige du ministre de l'Intérieur la répression des désordres. On vient de lui apprendre que les députés de la Douma veulent provoquer la chute du ministère et imposer des hommes « ayant la confiance du pays ». C'en est trop, il faut faire donner l'armée.

Le général Khabalov renvoie les Cosaques, dont il n'est pas sûr, et ordonne le feu aux soldats. Ceux-ci tirent en l'air. Les officiers doivent mettre eux-mêmes les mitrailleuses en batterie. La troupe est débordée : la manifestation est devenue émeute. Les rebelles occupent la gare de Finlande, l'Arsenal où ils prennent des armes. Ils libèrent les prisonniers politiques enfermés dans la célèbre prison Saint-Pierre et Saint-Paul. Le régiment Volinski, le 12 mars, refuse de marcher contre les émeutiers. La révolte gagne toutes les casernes de la ville. Dans la nuit, les mutins ont fusillé les officiers restés loyaux.

Des cortèges d'ouvriers se rendent à la Douma où ils sont accueillis par Alexandre Kerenski. Deux pouvoirs se constituent : un *soviet* ouvrier qui lance au pays un appel à la révolte, un « comité exécutif » de la Douma, de tendance libérale et démocratique. Le soviet s'installe au palais de Tauride, exige la proclamation de la République. Dans la soirée du 14 mars, le soviet et le comité de la Douma se mettent d'accord pour former un gouvernement provisoire dirigé par le prince libéral Lvov. L'avocat Kerenski, député socialiste à la Douma, devient ministre de la Justice : il abolit la peine de mort, ouvre les prisons, condamne la guerre d'annexions. Les libéraux ne veulent pas instaurer la république, ils exigent seulement l'abdication du tsar au profit d'un autre Romanov.

Personne n'a renseigné le souverain, à son quartier général de Mohilev, sur la gravité de la situation. Il apprend dans la nuit du 12 au 13 qu'il n'a plus de gouvernement. Il prend le train pour Tsarskoié-Sélo, ordonne au général Ivanov de faire marcher sur Petrograd des troupes triées sur le volet. Mais le soviet de Petrograd a barré la voie de chemin de fer. Le tsar doit rebrousser chemin, consulter ses généraux. Seule une action de grande envergure peut permettre la reconquête de la capitale, au prix d'une guerre civile sous les yeux de l'ennemi. Le général Alexeïev n'y croit pas, les chefs d'armée conseillent l'abdication. « Vous ferez le sacrifice que la guerre exige de vous », lui dit le général Danilov.

Dans la nuit du 15 au 16 mars, à 2 heures du matin, le tsar, résigné, abdique « comme s'il passait à un autre le commandement d'un escadron ». Il désigne comme successeur son frère Michel. Son fils, le tsarévitch, est trop malade pour recueillir une telle charge. Le train impérial quitte la gare de Pskov pour gagner Tsarskoié-Sélo.

Le grand-duc Michel n'est pas bien accueilli à la Douma : s'il y compte des partisans, comme Milioukov, bien d'autres, tel le président Rodzianko, estiment qu'il est impossible de refaire un tsar et que la vie du grand-duc est en danger. C'est au peuple de choisir lui-même son régime. Michel, à son tour, abdique avant d'avoir régné, laissant tout pouvoir à l'assemblée constituante : le 17 mars, la Russie entre en république.

Dans tout le pays, c'est une formidable explosion de joie : les télégrammes, les messages affluent à Petrograd. Les paysans revendiquent le partage des terres, les ouvriers la sécurité du travail, les soldats l'humanisation de la discipline. Les autorités tsaristes ont disparu. Spontanément, des comités ou des soviets se sont constitués, avec l'appui des militants bolcheviks ou mencheviks. Déjà figure au sein du soviet de Petrograd un certain Molotov, un Congrès des soviets se constitue bientôt pour coordonner l'action des 77 soviets de villes qui apparaissent dès le 22 mars, sans compter ceux des campagnes ou des régiments. On y trouve les bolcheviks Staline et Kamenev.

La présence des leaders mencheviks et bolcheviks à la tête des insurgés n'est pas fortuite : depuis 1916, ils ont intensifié leur action clandestine et suscité en mars la fraternisation entre soldats et ouvriers. La prise du Palais d'Hiver est un peu leur œuvre : ils ont été les invisibles organisateurs des journées révolutionnaires. En obligeant le tsar à abdiquer, ils ont, selon le mot de Lénine, fait sauter « le maillon le plus faible de la chaîne impérialiste ».

Car désormais la question se pose de savoir si la Russie révolutionnaire restera dans la guerre aux côtés de ses alliés. La bourgeoisie, qui dirige en apparence la révolution, ne constitue qu'une minorité de la population : 67 % des Russes sont des ruraux, 14 % des prolétaires, dont 3 millions sont concentrés dans les grands centres. Les bourgeois de Petrograd, très liés au capitalisme français et anglais, sont les défenseurs naturels de la poursuite de la guerre. Ils trouvent curieusement des partisans parmi le peuple où les valeurs patriotiques n'ont pas disparu. Ferro[2] note que les ouvriers des usines chimiques du parc d'artillerie crient « Vive la guerre! », de même que les hommes des usines électriques du front nord. Les cheminots se montrent activement patriotes et si les soldats se révoltent, c'est contre le règlement, la hiérarchie pointilleuse, la discipline tracassière. Ils ne veulent plus du salut, du garde-à-vous, des exercices inutiles. Ils se passent de main en main un texte révolutionnaire, le *Prikaz I,* qui leur recommande d'ôter leur commandement aux officiers indignes, à ceux qui les frappent et qui les injurient. Une ample crise de discipline se développe dans l'armée : est-elle synonyme d'un refus de combattre?

Ferro a bien montré qu'il n'en était rien : sans doute les soviets de compagnie ou de bataillon ont-ils participé à l'explosion de joie de la révolution de février; ils ont demandé, avec la disparition du règlement, la sécurité pour le soldat et sa famille, la hausse des soldes et des pensions pour les mutilés[3]. Mais, le 10 mars, quand les Allemands ont attaqué à Stokhod, il n'y a pas eu de défaillances. « L'aspiration à la paix ne s'exprima que très rarement. » La majorité des soldats pensaient qu'il fallait tenir les lignes, jusqu'à

2. Marc Ferro, *La Grande Guerre.*
3. Marc Ferro, *Le Soldat russe en 1917.*

ce que la fin des combats fût imposée par les peuples révoltés aux états-majors bellicistes, dans tous les pays. Il n'était pas question, sous prétexte qu'on désirait la paix, d'ouvrir la Russie révolutionnaire à l'ennemi. « Là où les Sazonov, les Lloyd George, les Bethmann-Hollweg ne peuvent aboutir, disaient les soldats du 202ᵉ régiment de montagne, les Kerenski, Liebknecht, Guesde doivent y parvenir. Mais, jusque-là, l'armée russe doit tenir en respect l'ennemi extérieur. » Cette position est généralement reçue dans la troupe qui n'a que méfiance pour les phraseurs bourgeois bellicistes, mais tout autant pour les orateurs ouvriers embusqués. Ils ont « l'impudeur de revendiquer, alors que leur vie n'est pas en danger », quand les soldats « restent vingt-quatre heures sur vingt-quatre dans les tranchées, au froid ». Ils n'admettent pas que l'on parle de la guerre sans y participer. Ils surveillent les usines de Petrograd pour voir si les ouvriers y travaillent. Il faut attendre l'appel du soviet du 24 mars, en faveur de la paix sans annexions ni contributions, pour que le climat change. Encore les soldats sont-ils longs à recevoir les mots d'ordre politiques en faveur de la paix.

Le nouveau gouvernement russe, en mars, ne les encourage nullement dans cette voie. Ministre des Affaires étrangères, l'historien Milioukov est un patriote qui proclame d'emblée sa loyauté envers l'alliance et rassure les Alliés. Il ne renie pas les « buts de guerre » du gouvernement tsariste et reste fidèle aux accords secrets signés par son pays avec la France et l'Angleterre. Il envoie une circulaire dans ce sens, le 17 mars, pour manifester la volonté du gouvernement russe « de combattre l'ennemi commun jusqu'au bout et sans hésitation ». Aussitôt, il prend soin de confirmer que le nouveau gouvernement libéral veut affranchir les nationalités opprimées : l'autonomie est promise à la Finlande; le droit à l'indépendance est reconnu à la Pologne; la formation d'un État tchéco-slovaque est vivement souhaitée, ainsi que l'unité de tous les Slaves du Sud.

Ces propos trompent les opinions publiques d'Occident qui cherchent des raisons d'espérer. « Ce qui fait la grande originalité de cette crise, écrit Jacques Bainville dans *l'Action Française,* c'est que le patriotisme l'a engendrée. » Et l'*Evening Standard :* « Cette révolution fut purement et simplement anti-allemande. » Le *Corriere della Sera* se félicite de ce « coup porté à l'Allemagne, le plus fort depuis la Marne ». Les Allemands s'attendaient à une recrudescence des activités militaires : la « Russie allait désormais mener la guerre au couteau », écrivait la *Kölner Volkszeitung.* Pourtant, les Alliés devaient rapidement déchanter. Ils n'ignoraient pas que le soviet était l'autorité de fait, et son appel du 24 mars en faveur d'une paix sans annexion faisait réfléchir. Les Français savaient par Paléologue, et les Anglais par Buchanan, que le gouvernement provisoire n'était pas unanime et qu'en face de Milioukov, le socialiste modéré Kerenski refusait l'annexion de Constantinople. Après l'appel du soviet, il était clair que la bataille d'opinion était engagée en Russie sur ce thème de la guerre et de la paix : si l'opinion urbaine était divisée, les campagnes, dans leur ensemble, ne se souciaient plus du front, elles étaient trop occupées à résoudre les problèmes d'auto-administration et, surtout, de partage des terres. C'est ce que glissaient dans l'oreille des soldats russes les « détachements de propagande » organisés par le haut commandement allemand pour étendre le mouvement des « fraternisations » de tranchée à tranchée : que faisaient au front les Russes alors que leur avenir était en train de se jouer au village?

La défection de la Russie entrait désormais dans les calculs des états-majors. En France, Pétain ne croyait absolument pas à l'offensive prévue à l'est par la conférence de Petrograd. Il n'attendait plus rien de l'armée russe. Était-il dès lors raisonnable de lancer, malgré ces circonstances, la grande offensive à l'ouest?

Le découragement n'était pas une attitude possible parmi les gouvernements et les états-majors. Français et Anglais décidèrent de maintenir leur programme d'attaque, cependant que les Allemands prenaient une de leurs grandes décisions politiques de la guerre, imposée par leur propre état-major.

Au printemps de 1916, le chancelier Bethmann-Hollweg avait réussi à tenir bon contre l'amiral Tirpitz, partisan de la guerre sous-marine. Celle-ci avait été suspendue pendant plusieurs mois. L'Allemagne, soumise au blocus, au rationnement, au pain gris, puis noir, acceptait mal ce souci de ménager l'Amérique et l'Angleterre. La guerre totale ne souffrait pas le moindre ménagement mercantile. Le fonctionnaire prussien Kapp avait publié, sous le pseudonyme de Junius Alter, une brochure accusant le chancelier de trahison.

En octobre 1916, le nouveau grand quartier général de Hindenburg et Ludendorff avait pris vivement parti pour le programme des amiraux et relancé l'idée de guerre sous-marine. Le 16, lors d'un débat au Reichstag, le parti du Centre avait entraîné la majorité pour donner tort au chancelier, raison à Ludendorff. De nouveaux bâtiments avaient été mis en construction, puissants, modernes, capables de traverser l'Atlantique sans ravitaillement et d'aller menacer les côtes américaines. Le *Deutschland* et le *Bremen,* sous-marins commerciaux, avaient ainsi fait le voyage d'Amérique, impressionnant les New-Yorkais.

Car il fallait à l'évidence compter sur l'hostilité des États-Unis si l'on pratiquait, comme le souhaitait l'état-major, la guerre sous-marine sans réserve ni restriction et si l'on torpillait sans avertissement tous les navires de commerce, même neutres, qui se risqueraient dans la zone de blocus. C'était délibérément violer l'assurance que Bethmann-Hollwegg avait donnée à Wilson, trahir la parole de l'Allemagne. Bernstorff, l'ambassadeur à Washington, avait prévenu Berlin : la reprise de la guerre sous-marine était un *casus belli*.

Aux yeux de Ludendorff, l'intervention des États-Unis n'était pas fatale : Wilson pouvait encore reculer devant la guerre. Même s'il s'y décidait, il ne pourrait envoyer de troupes opérationnelles sur le front de l'Ouest avant le printemps de 1918. Encore les sous-marins pourraient-ils aisément détruire les transports de troupes. Avec 154 sous-marins, dont 100 pouvaient se trouver en permanence en zone opérationnelle, les Allemands espéraient bien couler 600 000 tonneaux par mois : en six mois, l'Angleterre aurait perdu le tiers de sa flotte marchande, elle aurait le plus grand mal à ravitailler sa population. Ni le blé canadien, ni le coton américain, ni la laine australienne ne seraient plus débarqués sur les quais de Londres. Mais, si l'on voulait que la Grande-Bretagne capitule avant six mois, au moment de la « soudure », par exemple, il fallait impérativement commencer le blocus avant le 1ᵉʳ février 1917. La guerre sous-marine était « l'unique solution » pour sortir de la guerre, puisque les offres de paix avaient échoué et que la situation sur le front de l'Ouest était sans issue.

La précision des experts et l'insistance de l'état-major eurent raison des scrupules politiques. Bethmann-Hollweg, qui nourrissait des doutes sérieux, aurait pu démissionner. Il estima qu'il devait rester à son poste, afin d'atténuer la rigueur des mesures militaires. Il n'avait plus dès lors qu'à conseiller à l'empereur, qui se trouvait à l'état-major du front oriental à Pless, de ne pas « se mettre en opposition » avec les vues des chefs militaires et navals. Ainsi, le soir du 9 janvier 1917, la décision historique est prise en toute connaissance de cause. Guillaume II ne peut ignorer qu'elle aura pour conséquence prévisible l'entrée en guerre des États-Unis. Mais les responsables allemands ont conscience qu'il ne faut pas laisser échapper cette dernière chance de victoire. L'empereur envoie à Vienne l'amiral Holtzendorff pour s'assurer de la participation de la marine autrichienne. Le comte Czernin est ulcéré, mais l'empereur Charles lui-même doit s'aligner devant l'insistance de son interlocuteur : l'Allemagne, lui dit celui-ci, joue sa dernière carte, et c'est un atout maître.

Déjà les sous-marins ont pris leur position de départ, pour l'heure H du 1ᵉʳ février. Ils ont pour consigne d'éviter les navires de guerre, de concentrer leur tir sur les marchands. Le 31 janvier, le gouvernement américain a été averti que les côtes anglaises et françaises, la Manche, la mer du Nord et la Méditerranée étaient en état de blocus. Seul le port de Sète était réservé, parce qu'il ravitaillait la Suisse. Les Américains protestent avec la dernière violence. Ils trouvent indigne l'offre de Bethmann-Hollweg qui, dans une « lettre secrète » envoyée au colonel House, assure qu'il arrêtera la guerre sous-marine dès que Wilson aura posé « les bases d'une paix acceptable pour l'Allemagne » (avec annexion de Briey et occupation de Liège et de Namur). Dans un message au Congrès, Wilson annonce dans un premier temps qu'il va remettre ses passeports à l'ambassadeur d'Allemagne.

Il ne déclare pas encore la guerre. House explique qu'il s'agit de « faire revenir l'Allemagne à la raison ». Bernstorff, l'ambassadeur allemand, croit encore possible de négocier. Il prolonge son séjour – ou retarde son départ – jusqu'au 15 février. L'ambassadeur d'Angleterre écrit à son gouvernement que Wilson est décidé « à ne pas agir jusqu'à ce que le pays soit unanime en faveur de cette action ».

Les sous-marins sont partis. Ils savent qu'ils n'auront pas un rôle facile, car les flottes alliées ont imaginé tout un arsenal de défenses : les filets garnis de grenades, les champs de mines, les bateaux-pièges *(Q. ships)*, les grenades sous-marines, très efficaces, les engins de repérage acoustique, les aéroplanes et les dirigeables. Les commandants de sous-marins savent que les navires marchands circulent désormais en convois protégés par des unités rapides, qu'ils changent sans arrêt de cap, naviguant en zigzag. Malgré ces obtacles et la mer déchaînée du début de février, les sous-mariniers coulent, le premier mois, 540 000 tonneaux. Le total est porté à 874 000 en avril; les gros cargos sont les premières victimes. Le capitaine Waldemar Kophamel, avec 60 navires et 190 000 tonnes détruites, est parmi les dix premiers chasseurs de cargot : il coule le paquebot de la Cunard, *l'Ausonia,* dans la mer d'Irlande, le croiseur français *Dupetit-Thouars* et des quantités de voiliers, des gros vapeurs pansus et des petites embarcations de pêche. Tout ce qui flotte est bon à couler.

Les Anglais réagissent en portant l'attaque sur la base la plus proche de leurs côtes. Très nombreux sont les sous-marins qui relâchent à Bruges. Les Allemands ont spécialement créé pour cette base un type d'engin plus petit, le U.B., surnommé « machine à coudre ». Les Anglais bombardent Bruges jour et nuit, avec 40 avions en même temps. Raids sans efficacité : les sous-marins sont abrités, 20 à 25 côte à côte, dans des abris en béton épais de deux mètres que les bombinettes ne peuvent entamer. Les Anglais prennent alors le parti d'attaquer les sous-marins au sortir des bases, au large de Bruges et de Zeebrugge, mais ils n'ont pas encore les moyens, en 1917, d'empêcher les unités de prendre la mer. Les torpillages se précipitent. On calcule, autour du 17 avril, qu'un vapeur n'a plus que trois chances sur quatre d'accomplir sans encombre le parcours Londres-Gibraltar.

Les bases en mer du Nord sont les plus nombreuses, les plus redoutables : celles d'Heligoland-Cuxhaven sont difficiles à attaquer de même que celles de Wilhelmshaven et d'Emden. Seules celles des Flandres et de Cattaro, en Adriatique, sont plus vulnérables. Mais le danger des sous-marins ne réside pas tant dans les torpillages que dans la crainte qu'ils inspirent aux neutres. Ceux-ci refusent désormais de faire sortir leurs bateaux. L'Angleterre est ainsi privée de tous ses approvisionnements alimentaires en provenance des pays du Nord, Hollande, Norvège, Suède et Danemark. La Hollande, en janvier 1917, a encore expédié en Angleterre 13 000 tonnes de denrées; elle risque de ne plus rien fournir à l'avenir. Or les pays du Nord permettent à l'Allemagne de lutter contre le blocus : en 1916, ils lui ont fourni 420 000 tonnes de nourriture, soit une ration hebdomadaire de 250 grammes pendant 5 mois et demi pour une population de 69 millions d'habitants. Les Alliés n'ont aucun moyen d'empêcher ce trafic, sauf en mettant l'embargo sur l'ensemble du commerce des neutres et en assurant le blocus total. Il ne peuvent y parvenir qu'avec l'aide des Américains.

De plus en plus nombreux sont les Américains concernés par le blocus allemand. Les agriculteurs du Middle West ne peuvent plus exporter leur blé, ni les planteurs du Sud leur coton. Les industries de l'Ohio s'inquiètent et les banquiers du Nord-Est craignent qu'un succès allemand ne rende définitivement insolvables leurs emprunteurs européens. A la fin de mars 1917, 600 000 tonnes de marchandises attendent sur les quais de New York leur embarquement pour les ports français. A Bordeaux, l'arrivée du vapeur U.S. *Orléans,* le premier à avoir réussi à franchir le blocus, suscite des manifestations enthousiastes qui impressionnent les Américains. Au Congrès, Wilson demande le 26 février l'autorisation d'armer les navires marchands pour assurer, dit-il, la liberté des mers.

Une maladresse allemande précipite l'évolution de l'opinion américaine. Au début de 1917, des troupes américaines commandées par Pershing se trouvaient encore en territoire mexicain où elles avaient pénétré pour répondre à un incident de frontière. Le président mexicain Carranza avait vivement protesté. Le secrétaire d'État allemand aux Affaires étrangères Zimmermann avait adressé, le 16 janvier, un télégramme chiffré à son chargé d'affaires à Mexico promettant au Mexique, s'il entrait en guerre contre les États-Unis, l'aide financière de l'Allemagne pour la reconquête des territoires annexés par les U.S.A. en 1848 : Texas, Arizona, Nouveau-Mexique. Le télégramme avait dû transiter par Bernstorff, sur le câble anglais à disposition de l'ambassadeur de Berlin aux États-Unis. Le 24 février, les Anglais interceptent et déchiffrent le message, puis ils le communiquent au gouvernement américain. Wilson, le 1ᵉʳ mars, décide de rendre le document public.

La conséquence de cette révélation est immédiate : l'opinion américaine est d'autant plus sensible à l'affaire du Mexique que Zimmermann recommandait aux Mexicains de négocier avec le Japon, afin de le détacher de l'alliance anglaise. Les Américains se sentent menacés : le 15 mars, Wilson est autorisé, par un large vote du Congrès, à armer les navires marchands.

« Si Wilson veut la guerre, dit Guillaume II, laissez-le la faire et laissez-le l'avoir. » Les torpillages ne se font pas attendre ; le *City of Memphis, Illinois* et surtout le *Vigilancia* coulent avec leur équipage : ils sont les premières victimes américaines des sous-marins. Quinze marins sont morts alors qu'ils essayaient de jeter à la mer des canots de sauvetage. Comme le remarque Nouailhat [4], si l'opinion américaine progresse dans le sens d'une intervention armée, elle n'est pas unanime à penser, comme Théodore Roosevelt ou les milieux éclairés de la côte Est, que la place des États-Unis est tout simplement aux côtés des Alliés, même si la révolution russe et l'apparition d'un régime libéral à Petrograd effacent les scrupules de tous ceux qui répugnaient a s'engager aux côtés d'un État totalitaire, persécuteur de juifs et de Polonais. Beaucoup d'Américains estiment qu'ils n'ont pas à entrer en guerre pour libérer l'Alsace-Lorraine, et célébrent en Wilson celui qui les a tenus hors du conflit. Ceux-là veulent bien d'un conflit, mais limité à la défense du droit des neutres.

Les victimes des torpillages alimentent une campagne de presse d'une grande intensité qui décide les plus tièdes à se laisser entraîner vers la guerre. Le 20 mars, Wilson convoque le Congrès en session extraordinaire. Le 2 avril, par 82 voix contre 6, le Sénat vote l'entrée en guerre. Par 373 voix contre 50, la Chambre des représentants approuve.

Cette décision a, pour les puissances d'Europe de l'Ouest d'importantes conséquences immédiates : même si la France et l'Angleterre savent que la machine de guerre américaine ne pourra leur fournir matériellement, avant un long délai, les effectifs dont elles ont besoin sur leur front, elles sont soulagées de pouvoir disposer d'emblée des abondantes ressources du crédit public américain, alors qu'elles avaient pratiquement vu se tarir l'alimentation du crédit privé. Sous forme d'avances directes d'État à État, l'aide est garantie par le *Liberty Bond Act ;* à concurrence de dix milliards de dollars, les Alliés pourront se fournir en Amérique en tous produits et denrées nécessaires. Le gouvernement américain lancera lui-même des emprunts sur son territoire pour alimenter son crédit. Les trésoreries européennes respirent : elles étaient à bout de souffle.

L'entrée en guerre des Américains a une autre conséquence : elle

4. Yves-Henri Nouailhat, *France et États-Unis, août 1914-avril 1917.*

permet de lutter contre la guerre sous-marine par un renforcement drastique du blocus. L'embargo mis par Washington sur les exportations destinées aux pays neutres d'Europe empêche la Hollande, la Suisse et les pays scandinaves de naviguer pour le compte de l'Allemagne. Leur fret est entièrement conditionné par l'autorisation des États-Unis : ceux-ci ont donc les moyens d'obliger les neutres à mettre leurs tonnages à la disposition des pays de l'Entente. La Hollande, qui refuse, est l'objet d'une sanction immédiate : 700 000 tonneaux sont réquisitionnés dans les ports américains.

Les États-Unis entraînent dans la guerre les États d'Amérique latine : Cuba, Panama, le Guatemala, le Costa Rica, le Honduras, la Bolivie, le Brésil où les Allemands sont pourtant nombreux, le Pérou, l'Uruguay et l'Équateur. Les navires allemands réfugiés dans les ports de ces pays sont également confisqués. En Extrême-Orient, les Américains, constamment hostiles à l'impérialisme japonais, décident de pousser la Chine à entrer en guerre, pour empêcher le Japon de faire main basse (en accord avec ses alliés européens) sur les intérêts allemands dans ce pays. Ils y réussissent le 14 août, au prix de convulsions politiques à l'intérieur même de la Chine, qui aboutissent à la guerre civile. S'ils peuvent ainsi s'emparer de tous les navires de commerce allemands présents dans les ports chinois, ils n'évitent pas les difficultés avec le Japon, seul capable de soutenir le régime menacé du Premier ministre chinois Tuan Chi-jui.

Les Américains ont conscience qu'il devront plus tard négocier avec le Japon qui s'est acquis une position prédominante en Chine, et qu'ils doivent éviter de durcir leur attitude. Ils engageront, à la fin de 1917, des négociations directes permettant de gagner du temps. Wilson, à l'évidence, réserve tous les problèmes inhérents aux affrontements impérialistes pour l'heure du règlement définitif de la paix, dont il espère bien être l'arbitre principal. Dans cet esprit, il n'a pas déclaré la guerre à la Bulgarie ni à la Turquie, et il ne s'est décidé que très tard – le 7 décembre 1917 – à rompre avec l'Autriche-Hongrie.

La France, l'Italie et l'Angleterre attendaient trop impatiemment le ballon d'oxygène américain pour opposer à Wilson la moindre prétention. Il était entré dans leur guerre les mains libres, fort de ses principes, sans « aucun mobile égoïste ». « Nous ne cherchons, avait-il dit, ni conquête ni domination; nous ne souhaitons ni indemnité pour nous, ni compensation pour les sacrifices que nous allons librement consentir. » Cet « idéalisme » donnait à la guerre un contenu idéologique nouveau. Non lié par les « traités secrets », le partenaire américain, dont les Européens, à l'évidence, dépendaient et dépendraient de plus en plus pour la conduite de la guerre et son achèvement, ne risquait-il pas, à l'heure des dépouilles, de devenir un adversaire? Déjà Wilson distinguait le « peuple allemand » de la « clique militaire », et les « libéraux alliés » des « nationalistes ». Quand ils applaudissaient à tout rompre le maréchal Joffre, venu s'incliner devant La Fayette, les Américains n'avaient pas conscience d'assumer les querelles et les ambitions de l'Europe en guerre. Ils suivaient seulement la « cause juste » de Wilson, celle qui répondait au « défi à l'humanité » lancé par le Kaiser.

A partir du mois de mai, la mise en construction de nouveaux bateaux en Grande-Bretagne, l'entrée en ligne de la flotte des neutres et de la marine américaine permettent de lutter contre la guerre sous-marine, dont les effets vont progressivement diminuer à partir de l'automne. Mais, au début d'avril, à Paris et à Londres, personne ne peut le prévoir : l'amirauté britannique est très inquiète, les mesures prises contre les sous-marins ne sont pas assez efficaces. Un rapport officiel établit que sur 142 engagements entre sous-marins et torpilleurs ou destroyers, 6 sous-marins seulement ont pu être coulés. Les convois ne sont pas une solution sans danger, car les radios allemands repèrent les routes et s'embusquent pour frapper à coup sûr. L'amiral Jellicoe réclame avec insistance de nouveaux torpilleurs et des mouillages de mines. Le gouvernement anglais redoute l'asphyxie économique. En mars-avril 1917, les anglais ont conscience qu'ils pourraient perdre la guerre.

Dans ce climat, la préparation de l'offensive projetée par les Alliés sur le front occidental, avec des correspondances sur les fronts italiens, orientaux et russes, est poursuivie avec un singulier acharnement. Pourtant, les Français n'ignorent pas qu'ils ne peuvent compter sur l'appui russe. Un télégramme du général Alexeïev, parvenu au ministère le 27 mars, est assez explicite : « Je considère, dit-il, comme un devoir de conscience, pour éviter les suite funestes d'une omission, d'exprimer franchement mon opinion... » Ses dépôts de l'intérieur ne pourront fonctionner avant juillet, il n'a plus assez de chevaux pour tirer les canons, il parle de « l'inaction obligée de l'armée russe ». Il serait dangereux, estime Alexeïev, de lancer « une attaque générale et décisive ». Le même message est envoyé par le général russe à son collègue anglais. Voilà les Alliés avertis.

Les Français ont subitement des doutes. Ils avaient laissé l'état-major préparer tranquillement, depuis de longs mois, la double offensive française et britannique qui devait converger, par la Somme et l'Aisne, sur le « saillant » de Noyon. Le but était la recherche de la rupture, non une simple rectification du front. Pour assurer le succès de cette opération « décisive », on avait bouleversé le haut commandement, renvoyé Joffre, muté Foch, mis en place le général Nivelle. L'assurance de Nivelle rassurait les politiques. S'il était inconnu du grand public, son action à Verdun, avec Mangin, avait été spectaculaire : ils avaient réussi à reprendre les forts de Vaux et de Douaumont et bénéficiaient du prestige attaché à cette toute récente victoire. Contre Pétain et Fayolle, ménagers des hommes et peu favorables aux offensives hâtivement préparées, Mangin et Nivelle passaient pour les seuls artisans possibles d'une ultime tentative en vue d'obtenir la percée. Politiquement, ils représentaient la carte de la dernière chance, que s'apprêtait à jouer Briand à la demande insistante de la majorité parlementaire. Les Anglais aussi pensaient que le temps risquait de jouer contre eux, en raison des événements de Russie et de la défection de la Roumanie. Sir Douglas Haig était vivement encouragé par le bouillant Lloyd George à rechercher la décision.

Robert Nivelle était un polytechnicien qui avait servi dans l'artillerie. Il croyait au bon usage des canons. Il avait rapidement gravi les échelons, ayant réussi, en de nombreux engagements, à maîtriser les batteries allemandes. Il avait succédé à Pétain à la tête de la 2ᵉ armée. A ce titre, il se croyait l'inventeur d'une nouvelle méthode offensive basée sur l'utilisation de l'artillerie lourde à tir rapide. Il fallait rompre le front « d'un seul coup, par attaque brusquée, en 24 ou 48 heures », avec une artillerie considérable et le bénéfice de la surprise. Les nouveaux canons permettaient de raccourcir le délai de préparation : « Ce qu'on faisait en 15 jours ou un mois, peut et doit se faire à présent en 24 heures. » La direction d'attaque? Une large offensive conduite par les Britanniques et soutenue par les Français sur le front de Cambrai; une puissante attaque menée par trois groupes d'armée sur le front unique de l'Aisne, impliquant la conquête de la fameuse crête du Chemin des Dames. Telles étaient les idées de Nivelle.

Pour les réaliser, il devait disposer au plus vite d'une importante masse de manœuvre et du concours actif des Britanniques, dûment coordonné. Il savait qu'il avait sur le front du nord-ouest une supériorité passagère en effectifs dont il fallait profiter si l'on voulait emporter la décision avant que le nouvel état-major ennemi n'ait imaginé ses propres plans d'attaque. Les Allemands disposaient de 152 divisions réparties en trois groupes d'armées : le duc de Wurtemberg au nord, le Kronprinz de Bavière au centre (avec Falkenhausen, Below et Gallwitz), le Kronprinz impérial à l'est. Les Allemands avaient encore 78 divisions immobilisées sur les fronts orientaux. L'instant semblait bien choisi. Les Alliés comptaient 180 divisions : 110 françaises, 63 britanniques, 6 belges, une russe. Ils attendaient une division portugaise qui devait débarquer à Brest. Le déficit des compagnies d'infanterie françaises devait être comblé par l'appel de fractions de la classe 1917 dans les détachements des armées, et par l'incorporation des réformés et exemptés. Depuis le vote de la loi Dalbiez ils étaient traqués, fussent-ils asthmatiques, hernieux, variqueux ou tachycardiaques. Il fallait obtenir un renfort aux armées de 100 000 hommes par mois. Pourrait-on maintenir longtemps l'effectif? Raison de plus, disait Nivelle, pour accélérer les préparatifs d'offensive. Dix divisions nouvelles avaient pu être dégagées par la modification de structure des unités au combat : elles n'avaient plus, à l'imitation des Allemands, que 9 bataillons, mais un armement renforcé en mitrailleuses et en canons. Tous les mois, à Saint-Étienne, à Châtellerault, chez Hotchkiss, on fabriquait 3 000 mitrailleuses et l'on importait d'Angleterre 500 Vickers ou Levis. Les canons légers de 37 sortaient régulièrement des usines de Puteaux. On fabriquait désormais 200 000 obus par jour pour 6 000 pièces de campagne et 4 300 pièces lourdes, dont seulement 1 000 courtes à tir rapide, celles sur lesquelles comptait essentiellement Nivelle : les usines de Saint-Chamond et du Creusot avaient eu du retard dans la fabrication. Les armées devaient disposer en mai d'un stock de 18 millions d'obus de 75 et de 800 canons tout neufs de 155 à tir rapide. Cinq régiments à tracteurs avaient été constitués avec des canons lourds. Il est vrai que ce type de production souffrait particulièrement de la baisse des importations de houille et de fonte, dues à la guerre sous-marine. Les aciéries nouvelles de Caen, de Dunkerque et du Boucau avait du mal à s'approvisionner : en mars, les sous-marins avaient coulé 103 vapeurs et 150 voiliers alliés, 63 vapeurs et 15 voiliers neutres, soit au total 500 000 tonnes! Les 40 000 soldats portugais avaient difficilement rejoint Brest en échappant aux sous-marins.

Outre ses canons classiques et modernes, Nivelle pouvait compter sur ce que l'on appelait, à l'état-major, les « cuirassés terrestres » (les Anglais disaient : les *tanks*). Ils n'avaient pas donné toute satisfaction pendant les attaques de septembre, mais Schneider et Saint-Chamond amélioraient leurs maquettes. Il fallait rendre les engins plus sûrs dans leur progression, moins vulnérables, et surtout les empêcher de tomber en panne. La production d'unités nombreuses avait été lancée au printemps de 1916. Nivelle croyait pouvoir y compter, ainsi que sur les nouveaux avions : seuls les Spad et les Nieuport de chasse pourraient permettre de tenir tête aux « as » de l'aviation allemande et protéger les vols d'observation, essentiels pour l'artillerie. 1600 avions de ce type avaient été mis en fabrication en novembre 1916. Les aurait-on à temps? 1700 appareils avaient dû être réformés, constituant pour l'ennemi des cibles trop faciles; il fallait se hâter. A la fin de 1916, l'armée ne pouvait compter que sur 300 avions de chasse efficaces. Elle ne disposait pas d'une force de bombardement sérieuse : on prévoyait la construction de 400 appareils, essentiels pour la destruction des lignes de ravitaillement et des points de concentration.

Nivelle avait toute confiance dans l'armée anglaise qui avait fait ses preuves en Artois. On espérait dans ses rangs, pour avril, 18 000 mitrailleuses et fusils mitrailleurs. Elle possédait déjà plus de 1 200 canons lourds et activait la fabrication de tanks et d'avions. Les 5 armées anglaises (Horne, Plumer, Allenby, Gough et Rawlinson) comprenaient 4 divisions canadiennes, 5 australiennes, une néo-zélandaise et une brigade sud-africaine. Le 15 novembre, à Chantilly, les Anglais avaient donné l'assurance qu'ils étaient prêts à envisager, malgré les échecs de la Somme et des Flandres, une nouvelle offensive commune.

Pour mobiliser 30 divisions en réserve, Nivelle devait raccourcir son front au bénéfice des Britanniques : il obtint cette extension du front anglais à la conférence de Londres à la fin décembre 1916. Il avait demandé la disposition de l'ensemble de la 10ᵉ armée, mais ne put prélever d'abord que deux divisions. Pour commander ses trois armées d'assaut, il avait songé à Pétain. Mais celui-ci estimait l'entreprise trop difficile. Il fallait, disait-il, éviter les hauteurs du Chemin des Dames, attaquer en plusieurs points pour pouvoir manœuvrer. Finalement, Nivelle choisit Micheler qui avait pour adjoints Duchêne (10ᵉ armée), Mangin (remplaçant Fayolle à la 6ᵉ armée) et Mazel à la 5ᵉ. Foch était remplacé, au nord, par Franchet d'Esperey. Il recevrait plus tard le commandement des armées de l'Est, mais, dans l'immédiat, s'occupait d'imaginer les solutions possibles à une éventuelle invasion de la Suisse par les Allemands, qui préoccupait beaucoup les états-majors.

A l'origine, Nivelle pensait pouvoir attaquer en février. C'était surestimer l'intendance. Le 15 janvier, les Anglais surent le lui faire sentir à la séance du *War Committee* où il fut convié. Sans doute étaient-ils d'accord sur sa déclaration liminaire : « La gravité de nos pertes rend très nécessaire, au point où nous en sommes, d'agir sans perdre un instant et d'arriver le plus tôt possible aux opérations décisives ». Sans doute l'artilleur Nivelle trouve-t-il alors le langage technique convaincant pour ébranler le scepticisme des Britanniques : « Avec nos 155 à tir rapide, dit-il, nous pouvons préparer le terrain sur une profondeur de 8 kilomètres au moins, battant à la fois la première et la seconde ligne ennemie, et la ligne d'artillerie. Dans ces conditions, on doit percer. »

— Aurez-vous assez de ces canons? lui demande lord Balfour.

— Dans quelques semaines, répond Nivelle, assez vaguement.

Haig fait ressortir que la marche risque d'être lente sur un terrain désorganisé, sans voies ferrées appropriées. Nivelle utilisera les camions, en attendant la réfection du réseau. Pour la progression des canons sur un terrain percé de trous d'obus, il aura des « caterpillars ».

— Les aurez-vous à temps? demande sir Haig.

On tombe d'accord pour retarder la date de l'offensive. La question des transports est la plus épineuse : le réseau du Nord ne permet de transporter que 150 000 tonnes par semaine avec un matériel fatigué. Les Anglais exigent 200 000 tonnes, ce qui rend nécessaire le doublement des voies et l'aménagement des gares et des ports. On ne peut, dans ces conditions, envisager une offensive avant le 1ᵉʳ avril. A la conférence de Calais, le 27 février, Lloyd George est manifestement ébloui par les explications optimistes de Nivelle. Il s'arrange pour que l'unité de commandement lui soit confiée pendant le temps de l'offensive. C'est la première fois dans l'histoire de la guerre : sir Douglas Haig en est tellement saisi qu'il menace de démissionner. Il faut que le roi en personne intervienne pour qu'il accepte cette subordination qui lui fait, pense-t-il, perdre la face devant son armée. Toutes les conditions sont désormais réunies ; le plan Nivelle peut se mettre en route. On apprend alors que les Allemands commencent à retirer leurs troupes sur le front compris entre la région d'Arras et l'Oise...

La construction de la célèbre « ligne Hindenburg » n'était pourtant pas une surprise pour le commandement militaire. Des indices existaient depuis la fin de 1916. Des entrepreneurs venus d'Allemagne avaient utilisé, pour fabriquer les ouvrages en béton et planter les lignes de barbelés, des travailleurs réquisitionnés parmi la population civile belge et française, des prisonniers, des déportés par milliers. On savait que de nombreux villages avaient été évacués, les cloches des églises démontées, les cultures abandonnées. Les Allemands avaient même scié à la base les arbres fruitiers. Des prisonniers russes bétonnaient des tranchées près de Saint-Quentin, les Allemands évacuaient leurs quartiers généraux, leurs hôpitaux et même leurs parcs d'aviation. Ils adaptaient leurs voies ferrées, triplant certains tracés, agrandissant les gares de Maubeuge et de Bavay. Le prince Ruprecht de Bavière avait quitté Douai pour Valenciennes. La population de Cambrai savait qu'elle devait prochainement se trouver dans la ligne de feu.

Le repli allemand s'effectue dans les meilleurs conditions et dans un ordre exemplaire. L'opération *Albéric* commence le 4 février : en quatre nuits, du 15 au 19 mars, 29 divisions changent de tranchées entre Arras et Soissons. La défense s'articule désormais le long de la ligne Cambrai-Saint-Quentin-Laon. Noyon est évacué, ainsi que Roye et Péronne. Tout est détruit dans la zone de repli : les ponts, les routes, les chemins de fer, les villages. Le terrain est miné, les puits comblés, les champs ravagés. Le front de Hindenburg est raccourci de 70 kilomètres : il récupère 8 divisions.

« Il faut renoncer à l'offensive, dit Haig. Comment attaquer désormais entre Somme et Oise ? »

Il est en fait bien difficile de préparer l'offensive sur un terrain désorganisé. Les Français, au contact de la nouvelle ligne allemande, doivent entièrement refaire leur propre réseau de défense, réorganiser leurs voies de communication, porter la limite de la zone des étapes à l'ancienne ligne des tranchées. Il est impossible, dit

Haig, « pour les troupes et l'artillerie anglaises, de se rétablir
en temps utile dans un terrain bouleversé et méthodiquement
saboté ».

Une nouvelle conférence, tenue à Londres le 12 mars, tranche le
débat. Lloyd George est décidé à maintenir l'offensive et obtient
l'accord des deux généraux en chef. Les Anglais disposent pendant
15 jours d'un trafic de 200 trains quotidiens. Ils insistent, tout
comme Nivelle, pour pouvoir utiliser les prisonniers de guerre à
leurs travaux de défense et d'aménagement. Ils ont absolument
besoin de cette main-d'œuvre. Albert Thomas soutient leur thèse :
« Les Allemands, dit-il, emploient eux aussi, depuis longtemps, les
prisonniers de guerre sur le front. Une fois même, il y eut un
véritable massacre de prisonniers causé par le feu de l'artillerie
française. » La cause est entendue Lloyd George et Ribot acceptent.
L'offensive sera maintenue.

C'est aux politiques français qu'elle donne désormais des inquiétudes. Après être apparue (à Briand, par exemple), comme le seul
moyen de rendre confiance à l'opinion en présentant la victoire
comme possible, voilà que l'échec imaginable menace de remettre
encore plus gravement en question la guerre elle-même. Poincaré
lui-même s'en émeut. Lyautey lui a dit que Pétain faisait des
réserves. Le ministre de la Guerre s'étonne des promotions
accordées à des baroudeurs comme Mangin et Micheler, aux dépens
d'hommes sages, habitués à manier les grandes unités. Les rapports
de Lyautey et des parlementaires s'enveniment. Le ministre,
hautain, cassant, méprisant envers les députés, s'est aperçu qu'il y
avait eu des fuites dans les « comités secrets ». Il refuse de venir
exposer la situation de l'aviation. Briand insiste. Il démissionne.
Voilà le cabinet par terre.

On nomme un partisan de la « guerre à outrance », l'honnête
Ribot, qui prend le mathématicien Painlevé comme ministre de la
Guerre. Ce dernier se renseigne, voit Pétain et Franchet d'Esperey.
Il y a peu de chances de percer, et l'affaire sera coûteuse. Nivelle est
convoqué au ministère de la Guerre. Il fait une démonstration
éblouissante : la victoire est possible, la « victoire complète est
certaine ». Il percera entre Reims et Soissons. D'ailleurs, si la
rupture n'est pas obtenue en 48 heures, il renoncera : « Je ne
recommencerai pas la bataille de la Somme », affirme-t-il.

Le 6 avril, Poincaré lui-même organise une réunion en gare de
Compiègne où vient d'être transféré le G.Q.G. C'est la première fois
que les politiques provoquent, sur une offensive, un débat contra-
dictoire en quelque sorte. Pétain critique, Nivelle offre sa démission. Elle est naturellement refusée. L'assaut est décidé pour le
16 avril.

Les Français avaient cependant eu maintes fois l'occasion

d'expérimenter la solidité de la ligne Hindenburg : on sait que les Allemands ont construit quatre positions fortement défendues. Le général Humbert a eu loisir de tâter, devant Saint-Quentin, de la rudesse des positions que les Allemands appellent *Siegfried*. Les mitrailleuses sous casemates ont un feu meurtrier. Qu'importe : « il faut briser au canon la croûte fortifiée », disent les généraux de Verdun.

Non seulement l'armée allemande est bien protégée par ses défenses en béton, mais elle n'a rien perdu de son agressivité. A la fin de mars, elle multiplie les coups de main sur le front de la 4ᵉ armée du général Pétain. De très durs combats de grenadiers ont eu lieu dans les boyaux du côté de Maisons-de-Champagne, sous les rafales de pluie et de neige. De nombreuses unités ont éprouvé la vigueur des attaques allemandes. Beaucoup se sont plaintes du faible soutien français en aviation. Le général Mazillier, commandant le 20ᵉ corps, a vu le 6 avril un avion de reconnaissance assailli en plein ciel par deux chasseurs qui l'ont contraint à atterrir dans leurs lignes. Il a vu les observateurs d'un ballon sauter en parachute pour échapper aux mitrailleuses des taubes. « Nous ne possédons pas la maîtrise de l'air! », s'indigne le général.

Les Français n'ont pas davantage les moyens de percer les lignes bétonnées : le commandant André, officier de liaisons rend compte d'une opération menée le 13 avril sur le front de la 3ᵉ armée : elle a échoué en raison du très grand nombre de mitrailleuses bien abritées, de l'ignorance absolue au sujet de de l'insuffisance du repérage aérien. Voilà un avertissement qui mérite réflexion. On apprend en outre, le 4 avril, que les Allemands, lors d'un coup de main au nord-ouest de Reims, se sont emparés du plan d'engagement d'un des bataillons d'attaque. L'ordre de bataille français sur l'Aisne y est indiqué. Le 6 avril, les Allemands ont capturé un sergent-major du 3ᵉ zouaves porteur du plan d'engagement de son propre bataillon. Furieux, Nivelle sanctionne. Pour les Allemands, où est la surprise?

A Compiègne, on a toujours confiance : les troupes d'assaut de Mangin et de Micheler sont prêtes. Elles savent qu'elles doivent « progresser en un seul élan, à la vitesse de 100 mètres en trois minutes ». Mangin n'a pas de chars, mais, dans ses 17 divisions d'active, il compte de nombreux coloniaux, six divisions en première ligne dont les mérites à l'assaut sont célèbres. Mazel, à la 5ᵉ armée, dispose de 8 groupes de chars pour rompre le front, entre Hurtebise et Reims, « dans une attaque brutale, soudaine, poussée à fond ». Il dispose en outre des deux brigades spéciales russes, qui ont une bonne conduite au feu. La 10ᵉ armée de Duchêne doit progresser « en trois bonds » jusqu'au Chemin des Dames. On a même prévu l'emploi d'un corps de cavalerie pour la reconnaissance et l'exploitation de la percée. La 4ᵉ armée de Pétain devra attaquer à son tour et prendre le massif de Moronvilliers... On a formé dans des écoles spéciales les équipages des groupes de chars Schneider et Saint-Chamond, on a créé des centres d'instructions pour les armes nouvelles de l'infanterie : fusils mitrailleurs, engins de tranchées, canons de 37. On a même appris à utiliser l'engin Schilt (le lance-flammes français). 7 000 Chinois et Annamites sont venus en renfort pour faire les terrassements nécessaires ; on a créé des écoles pour apprendre aux Tonkinois à conduire les camions. Jamais une offensive n'a mobilisé de moyens aussi importants, n'a été plus soigneusement préparée dans le détail.

Les Anglais devaient attaquer les premiers : de fait, le 9 avril à 5 h 30, ils passent à l'offensive sur un front de 24 kilomètres, dans des bourrasques de neige et de pluie glacée, entre Arras et Vimy. Horne et Allenby commandent les 1ᵐ et 3ᵉ armées chargées de la rupture sur la Scarpe, en direction de Douai et de Cambrai. Les 4 divisions canadiennes, appuyées par des tanks, réussissent à enlever la plus grande partie de la sinistre butte de Vimy. Les Australiens et les Néo-Zélandais arrachent les deux premières positions allemandes, prenant 10 000 prisonniers. Mais le coup de boutoir de la 1ᵐ armée tourne court : la 5ᵉ armée ne peut pas soutenir et les Allemands contre-attaquent. Le soutien du groupe d'armées français du Nord ne permet pas d'envisager une avance rapide. La ligne Siegfried se révèle très efficace, avec ses casemates blindées et ses innombrables saillants fortifiés dont les feux croisent. Faute d'artillerie lourde, le général Humbert ne peut poursuivre, il demande des pièces capables de pilonner les ouvrages en béton. Le 13ᵉ corps se sacrifie en vain à l'assaut des abris bétonnés restés intacts et des réseaux de fil de fer incomplètement détruits. L'appui de l'aviation est insuffisant : les Allemands dominent les airs avec leurs 540 appareils de chasse dont beaucoup sont de construction récente. Le tir des 155 est aveugle, faute d'être réglé par la reconnaissance aérienne. Il faut arrêter la poussée sur Saint-Quentin.

Plus au sud, la préparation d'artillerie s'avère efficace, mais seulement pour les deux premières lignes. Il faut dire que la position allemande, tout au long du front, est formidable : le terrain accidenté a été merveilleusement utilisé. Du massif boisé de Saint-Gobain jusqu'aux ondulations crayeuses de Champagne, les 40 kilomètres de front attaqués par les Français, de Soissons à Reims, sont dominés, au-delà de l'Aisne, par le massif ouest-est, coupé de ravins, couronné par le plateau de la Malmaison, précédé par la longue crête du Chemin des Dames dont les pentes sont infranchissables pour les attelages hors des routes et difficiles à escalader par les fantassins. Dans l'entablement calcaire du plateau ont été creusées des carrières appelées *creutes,* transformées en forteresses impossibles à bombarder.

Pour prendre le plateau, il faut d'abord franchir les trois parallèles de tranchées de la première ligne, dans les vallées, puis au pied des pentes, enfin sur les crêtes. Il faut ensuite attaquer la deuxième position, à 3 kilomètres en arrière, qui comporte à nouveau trois lignes de tranchées à contre-pente. Il faut enfin enlever la troisième position, sur la hauteur du Chemin des Dames, au-delà de la crête. Von Boehm, qui commande la 7ᵉ armée, von der Marwitz, chef de la 2ᵉ, et von Einem, de la 3ᵉ, estiment à juste titre ces positions imprenables. Leurs 14 divisions jugent improbable l'attaque des Français.

L'intensité de la préparation d'artillerie les a surpris. Une pièce de canon lourd a été mise en place tous les 21 mètres, densité remarquable : 5 350 canons au total ont été rassemblés pour l'offensive. La plupart concentrent leur tir sur la zone de percée. Ils doivent abattre non pas deux lignes de défense, mais quatre : ils manquent en outre d'avions de reconnaissance, et surtout d'avions de chasse pour les protéger. Les Allemands parviennent à réparer les dégâts dans leurs lignes, leurs œuvres vives ne sont pas atteintes. Les destructions ne sont suffisantes que sur les deux premières lignes.

L'assaut est néanmoins donné, le 16 avril, par les troupes de Mangin et de Mazel. Peltier, qui commande l'artillerie de la 3ᵉ division coloniale, rapporte que l'attaque de l'infanterie, lancée en région très boisée, se heurte aux obstacles de la ligne Hindenburg qui ne sont pas détruits : « Importants abattis, mêlés de fils de fer. Les tirs de l'artillerie lourde n'ont fait que rendre l'obstacle plus inextricable ». Les troupes d'assaut sont prises « de flanc et à revers par des mitrailleuses invisibles et insaisissables ». On saura plus tard qu'elles sont enterrées pendant le pilonnage sous abri, et sorties en plein air sur plate-forme au terme de la préparation d'artillerie. Même remarque à la 10ᵉ division d'infanterie coloniale qui a réussi à occuper les bords nord du plateau du Chemin des Dames : « Des îlots ennemis de mitrailleuses tiennent encore à l'intérieur du terrain conquis... une communication souterraine semble traverser, du nord au sud, le goulot d'Hurtebise et recèle des mitrailleuses qui tirent en arrière de nos troupes. » Les pertes, à la division, ont été lourdes et d'abord chez les colonels commandant régiments et brigades : Quérette, Petitdemange, Garnier, Cahen, Dumas sont morts, le 52ᵉ régiment d'infanterie coloniale a perdu la quasi-totalité de ses officiers.

Les hommes sont fauchés par les mitrailleuses. Les Sénégalais ont particulièrement souffert. Le général Marchand, qui commande la 10ᵉ division, signale qu'ils « sont mis en état de moindre résistance par le froid, la pluie et le bivouac ». Ils sont « sérieusement atteints dans leur moral et pourraient être – surtout de nuit – l'objet d'une panique à la moindre attaque allemande ». Sur 10 bataillons, les Sénégalais ont perdu près de 5 000 hommes, soit 50 % de leurs effectifs. Les hommes du 45ᵉ bataillon, qui avaient passé deux nuits sur le terrain détrempé, avaient été déconcertés, à la première attaque, par les réseaux intacts, les mitrailleuses en batterie, les tranchées pleines de défenseurs. Leurs armes bouchées par la boue, ils ont néanmoins attaqué à la baïonnette et au « coupe-coupe ». Ils n'avaient absorbé « ni nourriture ni liquide chaud depuis 48 heures ». Ils ne pouvaient rester dans leurs chaussures, pieds et jambes étaient « enflés par la gelure ». Il fallait les évacuer.

Les Russes aussi sont de la fête. Rakitine, chef d'état-major de la 1ʳᵉ brigade, rend compte de l'action du 16 avril : même déconvenue à l'attaque de la position appelée « Tête de cochon »; les défenses n'ont pas été détruites; les pertes s'élèvent aux trois quarts des effectifs. Néanmoins, les Russes continuent l'attaque, enlèvent les premières lignes, partent à l'assaut des secondes, grâce à l'arrivée de renforts. La « Tête de cochon » coûte aux Russes 50 % de leurs effectifs. Ils font, en fin de journée, plus de 600 prisonniers.

Les chasseurs et les fantassins de la 127ᵉ division ont plus de chance : l'artillerie a détruit les ouvrages de première ligne, ils peuvent progresser jusqu'à la ligne de crête. Mais les pentes sont boisées, parfois « presque à pic », il y a des barbelés tendus à travers les arbres. La garnison est cachée dans des « puits-cavernes ». Il faut enlever un à un les nids de mitrailleuses qui ont reparu, les ouvrages fermés, les « cavernes ». On nettoie les abris à l'aide des « sections Schilt » (lance-flammes) ou à la grenade. Le « mont Sapin » est enlevé, mais les pertes sont très lourdes.

Les défenses allemandes n'ont pas davantage ménagé les fantassins et les chasseurs de l'armée Mazel que les Sénégalais de la 6ᵉ armée Mangin. « Les régiments, explique le général Muteau, du 1ᵉʳ corps, ont été pris presque aussitôt sous le feu d'innombrables mitrailleuses que des casemates bétonnées ou des cavernes naturelles avaient soustraites à l'action du bombardement. » Un régiment, le 208ᵉ, avait déjà perdu 50 % de ses effectifs sur la Somme ; il avait de nouveau perdu 1 000 hommes lors de l'attaque allemande sur Monts-de-Champagne, le 15 février ; recomplété, « ce régiment, dit Muteau, n'existe plus. » Dès le 16 au soir, il demande à l'état-major la relève d'une division entière.

Pourtant, l'armée Mazel disposait de chars pour soutenir son attaque. Leur rassemblement s'était fait sans incident. Ils étaient tous partis en colonne vers la ligne d'assaut (sauf huit engins tombés en panne). Des avions allemands les avaient survolés lors de leur progression : ils avaient aussitôt été pris sous le feu de l'artillerie. Grâce aux passages ouverts par les pionniers dans les lignes françaises, ils n'avaient pas mis longtemps à parvenir jusqu'à la première tranchée allemande, profonde de 3 mètres, infranchissable. Le premier char, basculant en avant, avait obstrué l'obstacle, empêchant la progression des autres. Sous le feu ennemi, les fantassins doivent combler la tranchée, aménager des passages. Les canons allemands, en tir direct, incendient ou immobilisent les lourdes machines. Aucune ne réussit à passer la tranchée. La plupart servent de cibles aux feux d'artillerie. Huit seulement sur 48 réussissent à regagner l'arrière. Le commandant Bossut, à la tête du groupe, est un des trois officiers tués.

A l'évidence, il fallait renoncer à l'attaque, reprendre la préparation d'artillerie, pensaient les officiers qui n'avaient pas encore mesuré l'invulnérabilité des abris allemands. Ceux qui avaient emporté les positions, les chasseurs du mont Sapin, les fantassins du général Pellé, s'inquiétaient de voir les unités voisines arrêtées dans leur progression. Devaient-ils reculer, abandonner le terrain si chèrement conquis? Mangin interdit la reprise des tirs d'artillerie. « C'est une mauvaise solution... elle prouve que la troupe hésite à marcher... Il faut profiter des vides et dépasser les îlots de résistance ». Ordres et contre-ordres nuisent à l'efficacité de l'avance. Les boyaux sont engorgés, les chemins détrempés. Les tirs d'artillerie, désordonnés, tombent souvent sur les Français qui pestent contre les 75, après avoir exigé leur soutien. On saura bientôt que les Allemands battent le terrain de l'offensive avec 392 batteries d'artillerie, dont 53 seulement avaient été repérées. Ils ont quadruplé leurs effectifs d'aviation.

Le 17, l'offensive reprend. Les résultats acquis la veille sont remis en question : au bois Sapin, la contre-attaque allemande est menée avec des troupes fraîches, bien reposées dans les casernes. Une compagnie de chasseurs commandée par un sergent parvient à les repousser. Le 106ᵉ et le 355ᵉ d'infanterie, avec des Sénégalais récupérés, se lancent à l'assaut, gagnent des prisonniers et un peu de terrain. Mais les 5ᵉ et 6ᵉ armées ont déjà renoncé à l'offensive « d'un seul bond ». Ordre leur est donné d'aménager les positions si difficilement acquises. Le général Pellé, qui commande la 153ᵉ division, va plus loin : il demande le retrait de ses troupes de première ligne, pour que l'artillerie lourde, avec des réglages sérieux, puisse enfin faire sauter l'obstacle de la « Sucrerie » où les Allemands sont puissamment retranchés. Si l'artillerie, à cause du mauvais temps, ne peut y réussir, il est inutile de poursuivre la progression.

Il a plu toute la nuit, le temps est couvert, les observateurs ne peuvent déchiffrer le terrain. Nivelle recommande à la 6ᵉ armée « une série d'actions locales ». Elles s'avèrent difficiles : les tirailleurs marocains et les zouaves se font tuer par centaines dans la tranchée fortifiée de la Deva. L'armée Mazel n'est pas plus heureuse, elle ne peut que livrer des « combats de boyaux ». L'armée s'enlise du bois des Buttes au bois des Boches, sans pouvoir déboucher sur le plateau. A la 4ᵉ armée, Pétain a lancé à l'est de Reims les Africains de la 45ᵉ division et les légionnaires à l'assaut de tranchées aux noms étranges : Mozart, Bethmann-Hollweg, Baden-Baden, Constantinople... Légionnaires et Marocains se battent à la grenade, à la baïonnette, réduisant un à un les nids de mitrailleuses non détruits par les canons. Pétain, le soir, demande que l'on relève cinq de ses divisions et qu'on lui envoie au moins un corps d'armée en renfort. Il ne peut continuer sa progression qu'à ce prix.

Le général Nivelle avait promis d'arrêter l'offensive si elle s'avérait trop coûteuse et ne débouchait pas « en 48 heures » sur un succès. Il la poursuit néanmoins, et, jusqu'au 20 avril, des combats meurtriers se déroulent sur tout le front de l'Aisne, sans autres résultats tangibles que la pénétration des premières et secondes lignes allemandes. Dans la nuit du 19 au 20, Nivelle décide d'introduire son armée de réserve, la 10ᵉ, dans le dispositif d'attaque, malgré l'encombrement des voies d'accès, l'épuisement des camions et des tracteurs sur les chemins détrempés, rompus par les trous d'obus. La victoire, écrit-il, « est toujours plus certaine ». Pourtant, le 20, il n'envisage plus d'autre objectif que la consolidation du Chemin des Dames et l'amélioration des positions françaises. Il sait que l'offensive a échoué. L'attaque de la 10ᵉ armée, maintenue, ne donnera que des résultats décevants : les Allemands, prévenus dès le début des opérations du détail des plans français, ont fait revenir vers l'ouest 15 divisions d'infanterie et 5 bataillons de chasseurs prélevés sur les fronts d'Orient. Ils ont considérablement renforcé leur artillerie au moment même où les tirs français s'épuisent, faute de munitions.

Le gouvernement s'inquiète de la situation. Poincaré lui-même fait téléphoner son attaché militaire, le colonel Renault, pour manifester son mécontentement : la reprise des attaques sur Craonne est impossible, faute d'une préparation d'artillerie suffisante. Vexé, Nivelle répond qu'il n'en a pas donné l'ordre et « exprime sa douloureuse surprise que des racontars, nullement autorisés et sans aucun fondement, trouvent écho auprès du président de la République. Il n'est pas possible d'exercer un commandement dans de pareilles conditions ». Il avertit qu'il envisage des « sanctions exemplaires » contre les généraux Hirschauer et Duchêne, pour avoir inquiété l'Élysée...

Le 29 avril, le gouvernement nomme Pétain chef d'état-major auprès du ministre de la Guerre. Le 15 mai, celui-ci remplace Nivelle à la tête des armées du Nord et du Nord-Est. Le général sera chargé d'un commandement en Afrique du Nord.

Bilan de l'offensive : 271 000 Français tués, blessés ou disparus du 1ᵉʳ avril au 9 mai, contre 163 000 Allemands. Ceux-ci ne laissent entre les mains alliées que 39 000 prisonniers. En un point seulement, entre Craonne et Berry-au-Bac, les Français ont pénétré la seconde position allemande, sans pouvoir exploiter leur succès. Mangin est éloigné, Foch rappelé : il est chef d'état-major général. La guerre change de képis. Il n'est plus question d'offensive : « J'attends les Américains et les tanks », dit Pétain.

Le 20 mai, cinq jours après la nomination de Pétain, les premières mutineries éclatent dans l'armée française. Est-ce un fait isolé? Nullement. Les signes d'indiscipline sont aussi manifestes dans l'armée allemande. Les renseignements français et britanniques montrent que les désertions sont très nombreuses au Chemin des Dames, dans la 11ᵉ division de Breslau. Les Polonais se sont rendus par centaines. Des mutineries sont constatées dans la 26ᵉ division wurtembergoise à Poelcapelle. La première ligne est vide : les unités ont mis la crosse en l'air. Il faut les transporter d'urgence sur le front italien, après répression. Les divisions wurtembergeoises, engagées dans le Nord contre les Anglais, ont un moral particulièrement bas. Les Saxons ne sont pas plus décidés à rester dans les tranchées : le 105ᵉ régiment a lâché pied en avril. Il a dû être retiré de la 30ᵉ division. Les Saxons de la 32ᵉ, qui ont déjà éprouvé de lourdes pertes sur la Somme, ne restent dans les rangs qu'en raison de l'énergie répressive du général von Decken qui les commande. Ceux de la 40ᵉ se débandent, sous-officiers en tête, avant une attaque. Il y a des cas fréquents d'abandon de première ligne chez les Saxons et les Wurtembergeois de la 58ᵉ division. Les désertions sont nombreuses à la 123ᵉ, rappelée de Russie. Sur le parcours Varsovie-Lodz-Cassel-Francfort-Sarrebruck-Metz, les occasions de quitter le convoi sont tentantes, les Saxons en profitent. Les troupes venues de l'est ont fraternisé avec les Russes, souvent à la demande de leurs officiers; elles ne montrent aucun enthousiasme à poursuivre la guerre à l'ouest. Les soldats du Schleswig et du Hanovre ne sont pas plus motivées que les Saxons. On compte 100 déserteurs pour deux régiments de la 206ᵉ division. Les Polonais de la 214ᵉ prennent la fuite sous le bombardement des Français en Champagne. Ils sont versés dans les divisions « C » pour secteurs calmes. Les défaillances sont encore plus nombreuses dans les divisions de réserve : une compagnie du 49ᵉ refuse d'attaquer; les hommes du 51ᵉ régiment refusent de monter en ligne. Les Britanniques signalent la défaillance du 212ᵉ régiment qui leur est opposé en Flandre. Les Hessois de la 48ᵉ division doivent être déplacés : ils ne supportent pas le front de l'Ouest. Les Silésiens de la 49ᵉ s'enfuient en première ligne sous le feu des canons, ils désertent. Même les Prussiens sont saisis par la contagion : devant Vimy, ceux de la 79ᵉ division ont pris la fuite au moment de l'assaut britannique. La 80ᵉ division poméranienne se mutinera devant Verdun en août 1917, après avoir subi de très lourdes pertes. On relève de leur commandement le général commandant la brigade et le chef du 264ᵉ régiment.

On pourrait multiplier les exemples. La guerre a trop éprouvé les unités. Celles qui n'ont aucune raison de rester fidèles à l'esprit de la « vieille infanterie allemande » dont parle Hindenburg, sont les premières touchées. Les Alsaciens et Lorrains sur le front oriental, les Polonais, mais aussi les Hessois, les Saxons, les Danois sur le front ouest, donnent des signes de révolte ou de fatigue. Les autorités allemandes prennent sans doute les mesures les plus énergiques, car elles n'ont pas à juguler une vague de mutineries comparable à celle qui affecte les armées françaises. Les généraux autrichiens, sur le front russe, ont assisté, impuissants, à la défaillance de milliers de Tchèques et de Slaves qui se sont rendus sans combattre; ils n'ont pas eu à rétablir la discipline : les coupables étaient partis. On ne peut alors parler de mutineries, mais de désertions en masse. Elles s'étalent sur toute l'année 1917 au lieu d'être concentrées, comme en France, sur quelques semaines.

Les seuls mutins, en Allemagne, sont les marins. Ils se soulèvent pour la première fois le 2 août 1917, à Wilhelmshaven, peu avant l'arrivée du Kaiser qui doit passer une revue. Les équipages de deux *dreadnoughts*, le *Luitpold* et le *Friedrich der Grosse*, donnent « des signes d'insubordination dégénérant en mutinerie », selon l'amiral Scheer. Les causes de la mutinerie? La nourriture, exécrable; l'inaction de la flotte de haute mer, le sentiment que la guerre n'aura pas de fin, que les Allemands ne peuvent la gagner, car ils ont déjà perdu, au début d'août, la lutte sous-marine. Le discours contre la guerre du socialiste Erzberger au Reichstag semble avoir influencé les révoltés : il faut faire la paix, puisque ce conflit n'a pas d'issue. L'amiral Scheer affirme que le mouvement est à « prendre au sérieux », car il a pour but, en liaison avec les « politiciens », de « provoquer la paralysie de la flotte ».

On dénonce, dans le haut commandement, la collusion entre ces mouvements de révolte et l'opposition politique. Les socialistes minoritaires n'ont-ils pas essayé de faire signer aux marins un manifeste, avant la rencontre de Stockholm de tous les partis socialistes mondiaux, destinée à instaurer la « paix des peuples »? Les « marins révolutionnaires » du bâtiment amiral *Friedrich der Grosse* sont particulièrement surveillés. On sait qu'ils préparent une pétition pour octobre, sur la flotte allemande mais aussi sur les unités de la marine autrichienne. La révolte du mois d'août a été jugulée : 5 marins ont été condamnés à mort, et voici que de nouveaux troubles menacent. Ils sont limités à un torpilleur et à quelques sous-marins. Mais le Kaiser est très mécontent : on lui a gâté *sa* marine.

L'événement était en quelque sorte symbolique : que des Polonais ou des Alsaciens refusent de sortir des tranchées pour l'attaque était dans l'ordre des choses. On n'attendait pas des indigènes du *Reichsland* une grande valeur guerrière, ni même une fidélité affirmée à la patrie allemande. Que les marins allemands des bases de la mer du Nord se soulèvent était intolérable : on les avait trop longtemps cités en exemple pour leurs hauts faits, ils servaient dans des armes trop enviées des fantassins des tranchées, pour qu'on tolérât d'eux le moindre écart.

Double symbole : les marins, en se révoltant, mettaient en question la légitimité de la guerre. Mais, en châtiant leurs officiers, ils contestaient aussi la hiérarchie sociale, très affirmée à bord : contrairement à la *Royal Navy* de Churchill, la flotte de guerre allemande n'avait pas démocratisé ses cadres ni ses usages; les officiers étaient superbement logés et convenablement nourris. Ceux qui commandaient sur les ponts tenaient le premier rang, humiliant les officiers des machines qui n'étaient pas de bonne noblesse junker. Certes, pour Guillaume II, la révolte de la flotte rappelait les heures les plus sombres de l'histoire de l'Allemagne, celles où son ancêtre le roi de Prusse avait été, en 1848, à Berlin, prisonnier de la canaille.

Ainsi l'armée et la marine allemandes devaient aussi connaître, en 1917, le doute et la révolte, ces « refus collectifs d'obéissance » qui devenaient la hantise des états-majors. On manque de renseignements sur l'armée du maréchal Haig, mais sa réputation de dureté, et les pertes nombreuses subies par ses unités dans les batailles des Flandres, expliquent les quelques traces de rébellion que l'on découvre dans les archives : le contrôle postal français a surpris des lettres, en septembre 1917, racontant une révolte des soldats écossais et canadiens à Étaples. Les soldats auraient barré les ponts avec des mitrailleuses. Il y aurait eu 45 exécutions. Ni le chiffre, ni les faits ne sont confirmés. On peut néanmoins penser que les unités canadiennes, où les cas de fraternisations abondent, très durement éprouvées à Vimy, employées aux plus dures offensives, ont été, en 1917, un des sujets de préoccupation de l'état-major. On sait d'autre part que l'armée et la marine anglaises étaient les plus intransigeantes au monde pour ce qui avait trait à la discipline. Pour la moindre faute, les soldats pouvaient être condamnés au « *n° 1 field Punishment* » : ils étaient enchaînés deux heures par jour à la roue d'une charrette, pendant 21 jours d'affilée...

Un rapport établi le 24 juillet 1917 par le général commandant la mission française en Italie permet d'affirmer que bien *avant* le désastre de Caporetto, l'indiscipline de certaines unités italiennes engendre une répression très dure : le 141ᵉ régiment de la brigade Catanzaro se révolte le 15 juillet, refuse de monter en ligne et tue deux officiers. Les Français en mission ont pu constater que l'infanterie italienne combat dans les Alpes sans disposer du soutien d'artillerie nécessaire, avec un encadrement techniquement insuffisant. Les soldats sont-ils conscients de la relative incapacité de leurs officiers à les conduire au combat dans des conditions satisfaisantes? Protestent-ils contre les conditions de vie aux tranchées, contre l'excessive durée des engagements d'unités? On ne sait. Mais la répression est impitoyable : le général Porro fait immédiatement exécuter 31 soldats pour un seul régiment. Ce triste record sera largement dépassé par la suite.

Les premières révoltes sur le front français ne sont pas d'abord perçues par les Allemands. Ils ne croient pas les récits des prisonniers évadés, qu'ils traitent d'affabulateurs. Les révoltes ont d'abord eu lieu dans les étapes, les centres de repos, à l'arrière immédiat du front. Les troupes en ligne continuent à repousser les attaques, même si elles refusent elles-mêmes de sortir des tranchées. Les mutins, en quelque sorte, prétendent conduire la guerre à leur manière. Mais ils n'ont nullement l'intention de laisser passer les Allemands.

Ludendorff, dans ses *Souvenirs de guerre,* affirme qu'il était au courant, mais longtemps après le début des événements : « Il se produisit, écrit-il, des mutineries dont nous ne recevions que de faibles échos. C'est seulement plus tard que nous vîmes clair. » On peut néanmoins penser que l'état-major allemand avait, dès le mois de juin, une vision assez précise de l'étendue des rébellions. Le journal *Landauer Anzeiger* écrivait le 30 juin : « Les 36e, 129e, 74e R.I. auraient refusé d'aller aux tranchées. Des cris séditieux ont été poussés à Soissons. » Ces précisions sont portées à la connaissance de l'état-major ennemi malgré les rigueurs de la censure française, rendue particulièrement vigilante après la note du ministère de la Guerre du 7 juin interdisant de donner le moindre détail sur les mutineries.

Le silence relatif de l'Allemagne s'explique peut-être par la crainte de Ludendorff d'une contagion du mouvement français au moment où des signes de lassitude et de nombreux refus d'obéissance se constatent aussi dans les rangs allemands. Peut-être, comme en Russie, le calcul de l'état-major est-il aussi de ne point profiter d'une situation de faiblesse du moral ennemi, susceptible d'engendrer en France quelque processus révolutionnaire. Attaquer un front rendu fragile par le découragement aboutit inévitablement à renforcer la discipline, à durcir la répression : l'intérêt des Allemands est de laisser pourrir la situation sur les lignes françaises.

L'état-major français est convaincu d'emblée que les mutineries ont un but politique et qu'elles sont la conséquence du laisser-aller de l'arrière : le pacifisme et le socialisme ont gagné les rangs des armées, ils ont gangrené les unités. La révolte n'est pas la conséquence des mauvaises conditions du combat, ni des fautes des généraux, mais de l'orchestration insidieuse d'une révolution à la française, d'une sorte de complot dont certains politiciens sont les complices. Le ministre de l'Intérieur Malvy, qui a jusqu'au bout protégé Nivelle, devient la cible des généraux : s'il y a des mutins, c'est que Malvy laisse se développer la propagande clandestine.

Les rapports de la Section des renseignements aux armées confortent l'état-major dans ses préventions : ils établissent que la presse favorable à la « reprise des relations internationales » (un comité regroupant diverses organisations a été créé sous ce sigle) est nombreuse et bien distribuée : plus de 300 000 exemplaires. A côté de *l'Humanité* et du *Journal du Peuple,* organes socialistes, de *la Bataille syndicaliste,* de nombreuses feuilles anarchistes comme *Ce qu'il faut dire,* ou pacifistes et révolutionnaires comme *le Bonnet Rouge* ou *le Carnet de la Semaine,* circulent au front ou à l'arrière immédiat. De nombreux parlementaires leur sont favorables; Caillaux passe pour subventionner deux des journaux séditieux. Les instituteurs sont mêlés à cette propagande, leur congrès fédéral s'est rallié aux thèses pacifistes. Enfin, la saisie de correspondances du front permet à la S.R.A. d'affirmer qu'il existe dans les unités des « contacts » permanents avec les organisations révolutionnaires. Le but de ces manœuvres? Accréditer en France l'idée de la nécessité de la paix, et d'une « paix allemande ».

Le ministre de l'Intérieur est évidemment rendu responsable de ce laxisme qui permet aux agitateurs payés par l'Allemagne de contacter les hommes au front et d'attirer les permissionnaires dans les réunions pacifistes. Briand lui-même est mis en cause : n'a-t-il pas assuré aux socialistes, en décembre 1916, qu'il n'était pas opposé à des pourparlers de paix? « Nous ne sommes ni commandés, ni gouvernés », dit Pétain à Poincaré. La Section des renseignements aux armées avertit le général en chef que des tracts pacifistes, sous plis fermés, sont envoyés aux combattants depuis le mois de décembre 1916. Nivelle avait demandé à Malvy communication de son fichier « Menées anarchistes et antimilitaristes ». Malvy promet alors de donner des renseignements, mais sans ouvrir largement ses sources. Sans doute se méfie-t-il d'une action éventuelle des militaires sur le terrain miné du syndicalisme. Ainsi, pour les généraux, l'inefficacité de la police explique-t-elle l'importance croissante de la propagande pacifiste aux armées, qui se conjugue avec des mouvements de grève très soigneusement gradués et orchestrés dans les usines et jusque dans les arsenaux. Un plan de subversion existe, les « défaillances » des hommes doivent être replacées dans cet ensemble.

Les premières mutineries ne seront donc pas perçues par l'état-major comme de simples refus d'obéissance, déjà maintes fois constatés et réprimés au cours des trente mois de guerre. Naguère, les cours martiales ont eu la main lourde : en mars 1915, une compagnie du 336ᵉ régiment a refusé de sortir des tranchées en Champagne. Le général de division a demandé que le commandant de compagnie désigne quatre caporaux et seize hommes pour une mission-suicide. Ils ont la chance de s'en tirer. Furieux, le général fait passer les 20 hommes en cour martiale. Ils sont condamnés à mort, mais seuls les quatre caporaux sont exécutés. L'officier doit lui-même achever deux d'entre eux, le peloton montrant peu de zèle. Ainsi étaient traités jusque-là les refus d'obéissance.

Mais les mutineries, pensent les hommes de l'état-major, sont un fait nouveau qu'il convient de traiter comme un problème politique de première importance. L'armée n'a pas seulement conscience de la nécessité de tenir le front, elle retrouve son ancienne mission de maintien de l'ordre. Pour Franchet d'Espérey, la révolte est « à caractère politique, ayant des relations avec Paris ». Il écrit à Pétain, le 4 juin : « C'est une organisation générale venant de Paris sous l'instigation des Allemands, tendant à livrer la France à l'ennemi. » Le général Duchêne parle « d'un mouvement occulte plus ou moins profond, venant de Paris »; le général de Castelnau, « d'organisations occultes ». Pour Micheler, « des agents de la révolution viennent de Paris aux armées, avec des déguisements militaires ».

Quelle révolution? L'influence des événements de Russie est considérée comme importante, ne serait-ce que par la contamination immédiate des troupes russes sur le front français : la première « désobéissance » se manifeste au 1ᵉʳ bataillon de la 3ᵉ brigade russe en Champagne; les deux brigades servant en France (la 1ʳᵉ et la 3ᵉ) sont commandées par 307 officiers, dont 88 sont français. Les brigades comptent chacune 10 000 hommes, qui se sont battus bravement. Un des officiers français, le capitaine Lelong, envoie un rapport le 16 mai à son colonel, chargé de l'organisation des troupes russes en France : « Vous savez sans doute, lui dit-il, que la révolution russe a produit une certaine agitation dans les brigades existant en France (meetings plus ou moins bruyants, drapeaux rouges, difficultés entre officiers et soldats)... L'agitation des soldats russes, de forme nettement républicaine, n'est pas aussi francophile qu'on pourrait le croire... Ils trouvent notre république bourgeoise trop réactionnaire... » Le capitaine suggère donc que les officiers français servant dans les brigades abandonnent l'uniforme russe. Ils seront ainsi respectés et distingués des officiers russes qui sont l'objet principal de la contestation des soldats. Il faut aussi protéger les Russes contre la colère de la population française qui les voit défiler derrière le drapeau rouge et les croit partisans d'une paix séparée, dit un autre rapport. Les Russes sont également en butte à la méfiance des soldats français : « Ils ne se trouvent en sympathie qu'avec les troupes noires auprès desquelles ils sont d'ailleurs appelés sans cesse à combattre. Ils se plaignent d'avoir été traités, lors des dernières offensives, « comme des blessés allemands », et d'avoir été mal soignés dans les hôpitaux. « On affirme qu'un médecin-major français se serait laissé aller à frapper un blessé russe. Il n'est pas un soldat russe qui ne raconte cette histoire, c'est le grand scandale. » Et le rapport conclut : « Une enquête s'impose ; s'il y a lieu, une sanction. » On reproche aux Russes de fraterniser avec les Allemands prisonniers, de ne conserver « nulle haine après la lutte ». Les gradés français s'indignent de n'être plus salués par les Russes. « Il serait facile, note le rapport, d'expliquer la situation aux officiers français. » Les Russes veulent repartir. Pourquoi pas ? Mais, au 2ᵉ bureau, on s'inquiète du parti que la propagande allemande pourra tirer de leurs récits, de leur présence dans les comités de soldats en Russie. On envoie les soldats russes à l'arrière, sous bonne garde. Il devient dangereux de les laisser dans la zone du front.

Ont-ils une influence sur le début des mutineries ? C'est douteux. Les relations entre combattants russes et français n'étaient pas de nature à favoriser les échanges d'idées politiques. D'ailleurs, y avait-il une politique de la révolte ?

Guy Pedroncini, qui a minutieusement étudié les dossiers de la justice militaire et les archives de l'état-major, affirme qu'il n'en est rien. Les mutineries sont un phénomène spontané, dans le milieu particulier du front qui n'a pour l'arrière que méfiance et mépris. Elles expriment la lassitude et la révolte des soldats devant les formes d'une guerre qu'ils réprouvent. Ceux-ci ne mettent pas en question la guerre elle-même, ils exigent des changements.

C'est l'attitude de l'état-major qui transforme en phénomène politique coordonné des actions qui font tache d'huile, d'unité en unité, parce qu'elles constituent les réponses anarchiques, mal organisées, aux mêmes préoccupations des combattants.

L'ampleur des « défaillances » a tout de suite conduit l'état-major à imaginer une répression sans commune mesure avec les dispositions antérieures. D'août 1914 à janvier 1917, on avait modérément fusillé dans les armées, et les victimes des tribunaux militaires étaient toujours des isolés, des pillards, des déserteurs, des traîtres. Une moyenne de 8 exécutions par mois (pour 23 condamnations à mort, dont 15 étaient commuées par la grâce du président de la République) portait à 240 environ le chiffre des exécutés. Certaines périodes avaient, plus que d'autres, poussé à la répression : la retraite qui avait précédé la Marne, par exemple, où Joffre avait multiplié les consignes de dureté. En août, le gouvernement avait autorisé les militaires à traduire les présumés coupables devant leurs conseils, sans instruction préalable. Ils pouvaient faire exécuter immédiatement la sentence de mort si la situation l'exigeait. Ils n'avaient l'obligation que de rendre compte. Ils pouvaient éventuellement proposer au président de la République de commuer la peine. Mais cette dernière procédure était exceptionnelle : « L'exécution sans délai, précisait Joffre le 11 octobre

1914, est la règle.» Le gouvernement venait, à la demande de
Joffre, de créer des organes spéciaux, les cours martiales, qui
jugeaient plus vite et plus durement que les conseils de guerre. Elles
se composaient de trois officiers et décidaient sans appel, sans
pourvoi, dans tous les cas de flagrant délit.

En 1915, l'autorité était revenue sur cette procédure par trop
expéditive. Depuis le 15 janvier, aucune sentence ne devait être
exécutée sans l'accord écrit du président de la République : on
rétablissait l'exercice du droit de grâce. En février 1916, Joffre
admettait que le prévenu pouvait avoir un défenseur « désigné
d'office » ou choisi à sa convenance. Les cours martiales étaient
supprimées, seuls subsistaient les conseils de guerre normaux.
Contrairement à l'armée britannique, l'armée française admettait le
recours en grâce et, depuis février 1917, le recours en révision. Tel
était le régime qui devait permettre de faire face aux « refus
collectifs d'obéissance ». Aux yeux de nombreux généraux, il était
trop relâché.

Le premier incident sérieux est signalé dès le 29 avril dans un
bataillon sur le front de Monts-de-Champagne. Le 4 mai, deux
régiments d'infanterie sont touchés, puis, le 16, un bataillon de
chasseurs, arme d'élite, de rupture. Du 16 au 20 mai, le mouvement
s'étend. A partir du 26, les actions les plus provocatrices sont
commises, pour atteindre leur maximum dans les premiers jours de
juin. C'est à partir du 10 juin que le calme se rétablit progressivement et, le 2 juillet, les troubles disparaissent. 119 cas sont graves,
51 ne sont dus qu'à quelques poignées d'hommes. Sont considérés
comme très graves le refus de monter en ligne ou de soutenir les
unités engagées. 54 divisions sont concernées sur les 109 dont
dispose le général Pétain [5]. La 6ᵉ armée de Mangin, celle qui tient le
Chemin des Dames, est la plus touchée, avec 38 cas graves. Les
armées du Nord et de l'Est sont épargnées ; la 10ᵉ, la 4ᵉ et la 5ᵉ, qui
ont participé à l'offensive Nivelle, sont très atteintes : sur 161 cas,
125 sont répartis dans la région de l'Aisne. Les 36 autres cas
concernent des troupes qui viennent de quitter cette région.

En dehors de la zone du front, des troubles éclatent dans les gares
et les trains de permissionnaires : le 19 mai, c'est le premier incident
sérieux à Troyes. Les désordres continuent jusqu'au 5 juillet : les

---

5. Ces chiffres sont ceux qui ont été établis par le service historique de l'armée. En
dépouillant les archives de la Justice militaire, Guy Pedroncini (*Les Mutineries de
1917*) est arrivée à un total sensiblement supérieur : 121 régiments d'infanterie
touchés, 23 bataillons de chasseurs, 7 régiments d'infanterie coloniale, 7 régiments
d'artillerie, un régiment d'infanterie territoriale et un bataillon somali, soit, au total,
65 divisions d'infanterie et 3 divisions d'infanterie coloniale – les deux tiers de
l'armée. Mais Pedroncini ajoute que les mutins motivés politiquement n'étaient
présents que dans 10 % des divisions, et qu'ils y étaient naturellement très
minoritaires.

drapeaux rouges fleurissent aux fenêtres, on chante *l'Internationale* dans les gares, on brise les vitres, on dételle les locomotives dont on a vidé les réservoirs. Les officiers commissaires de gare, ainsi que les factionnaires sur les quais, sont frappés et insultés.

Le 30 mai, un rapport du 3ᵉ bureau s'efforce d'analyser la situation. Pour les militaires de l'état-major, il y a manifestement manipulation : des papillons, des tracts « A bas la guerre, mort aux responsables », ont incité les soldats de la 2ᵉ division d'infanterie coloniale à ne pas monter en ligne au Moulin de Laffaux. Des hommes crient qu'ils ne veulent plus se battre quand leurs camarades gagnent 20 francs par jour dans les usines de guerre. L'embarquement d'un bataillon d'infanterie, le 27 mai, est rendu impossible par « une bande de meneurs, excités par la boisson ». On doit faire appel aux gendarmes pour embarquer de force 114 hommes qui se sont dispersés. A la 158ᵉ division, le 26 mai, les hommes agissent comme des grévistes : ils se rassemblent pour demander « le droit au repos », et, surtout, « le droit aux permissions ».

Le rapport souligne les mauvais effets de l'ivresse, les erreurs du commandement, l'insuffisance du système des permissions : les soldats ont des raisons de se plaindre. Les déceptions de l'offensive et les ordres et contrordres qui ont suivi leur ont affaibli le moral : « Se préparer à l'attaque, est-il écrit, c'est envisager la possibilité de la mort; on accepte l'idée délibérément, mais voir reculer l'échéance une fois, puis deux, puis trois, démoralise les plus braves et les mieux trempés. » Les troupes à l'attaque le 5 mai étaient bombardées depuis 17 jours dans leur secteur!

Il faut évidemment, affirment les rapporteurs, mettre les hommes au repos absolu, en dehors de la zone de bataille. Ils ne doivent plus entendre le canon. Quand ils ouvrent les journaux, ils ne doivent pas lire dans leurs colonnes l'éloge systématique de l'armée anglaise et le dénigrement des efforts français. Les bobards diffusés sur la question russe les inquiètent et il est fâcheux « que l'idée et le mot de paix se multiplient dans les journaux ». Les longs articles sur la crise économique angoissent ceux qui ne peuvent pas savoir si leur famille aura du charbon l'hiver. La presse doit concourir au moral des combattants, et non les accabler. Il faut la diriger étroitement, obtenir « un changement d'orientation ». Enfin, il faut empêcher le troupier de boire sa solde, imitant en cela les excès de certains « officiers subalternes » qui se saoulent dans leurs popotes. On doit pourchasser les nombreux marchands de vin amateurs qui pullulent dans la zone des armées. Telles sont les conclusions de l'état-major : en améliorant la condition matérielle des soldats, en faisant régner au front plus de justice et moins de sottise, en les conditionnant de telle sorte qu'ils ne puissent être démoralisés par l'influence fâcheuse de la presse, on obtiendra assez facilement qu'ils ne suivent pas les mots d'ordre des meneurs. Pour ces derniers, la justice doit pouvoir les démasquer et les châtier promptement.

Naturellement, les officiers doivent être conscients, quel que soit leur grade, de la nécessité d'une répression très stricte. Pétain lui-même les en avertit : « Lors des incidents récents, le commandement ne semble pas avoir fait tout son devoir. Certains officiers ont caché à leurs supérieurs les indices du mauvais esprit qui régnait dans leurs régiments. D'autres n'ont pas montré dans la répression l'initiative et l'énergie voulues... L'inertie équivaut à de la complicité. Le général en chef a décidé de prendre contre les pusillanimes toutes les sanctions nécessaires. Il couvrira, par contre, de son autorité, tous ceux qui feront preuve de vigueur et d'énergie dans la répression. » Pourtant, disent les officiers, il n'est pas toujours possible d'identifier avec certitude les meneurs, ils ne veulent pas condamner des innocents. « Une pareille raison n'est pas valable, écrit Pétain. Il est toujours possible, en effet, de transformer un acte collectif en acte individuel. Il suffit de donner à quelques hommes (en commençant par les mauvaises têtes) l'ordre d'exécuter. En cas de refus, ces hommes sont arrêtés immédiatement et remis entre les mains de la justice, qui devra suivre son cours le plus rapide. »

Oui, renchérit Franchet d'Espérey, il faut en finir « avec un humanitarisme qui n'a que trop duré et qui ne profite qu'aux mauvais sujets ». L'abus des suspensions et des remises de peine est cause de tous les troubles. Il faut immédiatement débarrasser les corps des hommes ayant des antécédents judiciaires, exécuter, sans libération anticipée, les peines des conseils, et expédier les détenus dans le Sud-Oranais. Ces mesures sont « de salut public ». Pétain, le 10 juin, demande que l'on use avec circonspection des suspensions de peine. Seuls les soldats qui se sont bien conduits en bénéficieront. Comme exemple de bonne conduite chez les officiers, Pétain cite l'intervention personnelle du général Taufflieb, commandant le 37ᵉ corps, qui a fait encercler un bataillon révolté par les cavaliers et les gendarmes. Il a demandé aux chefs de compagnie « de faire un prélèvement de cinq hommes par compagnie, choisis parmi les meneurs avérés, ou, à défaut, parmi les mauvais soldats... Le général fit alors rassembler le bataillon, sortir les hommes désignés... et, menottes aux mains, il les fit charger sur des camions automobiles et diriger sur la prison du quartier général voisin... » Le bataillon montait le soir même aux tranchées. « Voilà comment un chef digne de ce nom – concluait Pétain – peut ramener une bande d'hommes égarés et terrorisés par quelques meneurs. » Il annonce que le pourvoi en révision et le recours en grâce sont suspendus : cela permettra « de débarrasser sans délai l'armée des éléments dangereux qui tentent d'y semer le désordre et l'indiscipline ». Telles sont les volontés du nouveau général en chef face à la vague des mutineries.

Devant l'ampleur de la menace, il ne pouvait probablement tenir un autre langage. L'important est néanmoins de suivre ce qui s'est passé sur le terrain. A l'évidence, comme le remarque Pedroncini, la répression « n'a touché qu'un petit nombre d'hommes ». 3 427 sont passés en jugement, 554 ont été condamnés à mort, 1 381 à des peines graves, les autres à des peines légères. Il faut y ajouter un peu plus de 9 000 condamnations pour « désertion à l'intérieur », frappant les hommes qui n'ont pas rejoint leur poste après un départ en permission, ou qui « ont rejoint trop tard ».

Entre Soissons et Aubérive, ceux que l'on appelle dans les cabarets parisiens les « poilus » ont donc, à leur manière, fait la grève de la guerre. « Les chasseurs font la grève des bras croisés », note le capitaine Canonge, du 60ᵉ bataillon. Ils crient à Blérancourt : « La perm' ou la grève! » Rares sont ceux qui abandonnent leur poste devant l'ennemi. Le plus souvent, ils refusent de monter en ligne, comme à Mourmelon-le-Grand, le 29 avril, quand ils sont au cantonnement. Avant le 15 mai, ces incidents sont généralement traités avec une relative indulgence par le commandement. Mais, du 16 au 31 mai, en quinze jours, il y a 46 cas d'indiscipline, particulièrement au 32ᵉ et au 66ᵉ d'infanterie, originaires de Touraine. Des sanctions sont prises, mais pas d'exécution; une seule condamnation à mort, commuée. Les jours suivants, Pedroncini établit que les unités, reparties au combat, ne sont pas affectées par des pertes anormales : il n'y a, dans ces unités, ni « décimation » ni « représailles ».

Le cas du 18ᵉ R.I., régiment originaire de Pau, est plus grave. Il vient de participer à l'action de Craonne où il a perdu un tiers de ses effectifs et la plus grande partie de ses officiers. Il vient de recevoir la « fourragère » pour 600 citations. Les 1 000 « bleus » et les nouveaux officiers ont du mal à s'imposer aux anciens. Le jour de Pentecôte, les hommes boivent et entendent le récit des incidents survenus au 162ᵉ régiment : on a lapidé les officiers en chantant *l'Internationale*. Au moment de monter en ligne, le soir, les hommes s'attroupent, discutent, crient « Vive le colonel! » et « A bas la guerre! » Des coups de feu sont tirés. Les officiers parlementent. Deux bataillons sont embarqués. Le dernier, composé d'hommes décidés, résiste même aux gendarmes, et, de nouveau, un coup de feu est tiré. Finalement, 60 hommes sont arrêtés, 12 soldats et deux caporaux passent en conseil de guerre. Il y a cinq condamnés à mort : un caporal et quatre hommes. Un est gracié. Le caporal incriminé s'appelle Vincent Moulia.

C'est un brave des braves, un Hercule toujours prêt aux coups de main. A 29 ans, il a déjà porté six ans l'uniforme. « Moulia, un mutin? Pas lui! » a dit son chef de bataillon, le commandant Robert. Mais il est pris parmi les cinq, par erreur semble-t-il, ou parce qu'il faut bien un cinquième. Le général Paquette devait lui remettre une citation à l'ordre de l'armée. Il avait gagné ses galons de caporal en chargeant sur ses robustes épaules, étant lui-même blessé, son capitaine gravement atteint. Il n'avait pas son pareil pour toucher la prime de 50 francs offerte par le général à qui ramènerait des prisonniers en bon état. Il avait beaucoup souffert, avec son régiment, dans la Somme, puis sur l'Aisne. Il avait capturé, à Craonne, sept officiers allemands sans coup férir. Il avait été, pour cette action, décoré de la croix de guerre sur le champ de bataille. Le voici accusé d'avoir poussé les soldats à la révolte en les haranguant sur le front du régiment. Il avait menacé un sergent qui voulait le faire rentrer dans le rang. Telles étaient les charges qui pesaient sur Moulia : quatre membres du conseil de guerre avaient demandé pour lui le recours en grâce. Poincaré avait refusé de passer l'éponge sur la rébellion d'un caporal : on avait giflé un officier, tiré des coups de feu, menacé de mort les chefs d'unité, parlé de prendre le train pour Paris : il fallait faire des exemples.

Moulia fut le seul condamné à mort qui put échapper à l'exécution, sans doute en raison de la négligence des gendarmes qui le gardaient et qu'il réussit à berner [6]. Les grandes révoltes de la fin mai devaient faire bien d'autres victimes. Le 28, les troubles s'étendaient à la 5e division, celle qu'avait commandée Mangin. Les hommes répétaient qu'ils ne voulaient plus participer à des offensives alors qu'à Paris, « des tirailleurs indochinois avaient tiré avec des mitrailleuses sur leurs femmes ». Plusieurs régiments d'infanterie suivaient le mouvement : au 129e, trois condamnés à mort étaient aussitôt exécutés. Ce régiment du Havre était changé de divison et privé de drapeau. La révolte gagna trois autres divisions d'infanterie, le commandement était débordé. Les généraux accusaient les officiers de faiblesse, parlaient de complot, exigeaient l'envoi dans les rangs d'agents de la Sûreté déguisés en poilus, afin de repérer les meneurs. Les jugements sont précipités, les exécutions de plus en plus nombreuses. On condamne lourdement ceux qui sont suspects d'appartenir à une organisation politique. Par contre, les circonstances atténuantes sont largement accordées, comme le remarque André Kahn (lui-même commis comme défenseur dans un de ces tribunaux), à ceux dont on peut dire qu'ils avaient des inquiétudes pour leurs femmes...

Cette inquiétude rapproche en effet tous les hommes du front, officiers ou soldats. Ceux du Nord ou des régions envahies ne s'habituent pas à l'idée que leurs épouses subissent l'occupation. Les Parisiens enragent de les savoir livrées aux sollicitations des embusqués. Dorgelès rêve de Mado, qui fréquente les bals de

6. Pierre Durand, *Vincent Moulia*, préface d'Armand Lanoux.

Montparnasse; André Kahn s'**indigne quand** il ne reçoit pas assez souvent les lettres de sa **promise, et le canonnier** Apollinaire écrit ses poèmes à Lou : « Sais-je, mon amour, si tu m'aimes encore ? » Les paysans s'inquiètent de savoir leurs fermes sur le parcours des armées étrangères, anglaise, bientôt américaine, ou à proximité de camps d'entraînement. Quant aux ouvriers, ils entendent dire que leurs femmes, qui travaillent à l'usine, sont surveillées et poursuivies par des Noirs ou par des « Annamites ». Revendiquer la permission n'est pas un luxe pour le poilu : c'est retrouver, à l'arrière, femme et famille. Même un jury de conseil de guerre peut parfois comprendre que l'on puisse faire des folies pour cela.

De jour en jour, la répression se fait plus lourde, car la révolte s'est encore étendue. Au début de juin, plusieurs divisions sont en rupture ouverte avec le commandement : la 5ᵉ, dont les soldats sont assis au bord des fossés; la 41ᵉ où l'on compte, à Ville-en-Tardenois, 2 000 manifestants qui exigent 45 jours de repos et qui crient au général Bulot, venu les haranguer : « Buveur de sang! Assassin! Vive la révolution! »

C'est la première fois qu'un général se fait agresser : on lui arrache ses étoiles et sa fourragère, on lui jette des pierres. Fâcheux exemple, qui entraîne cinq condamnations à mort. Les régiments sont disloqués, répartis, compagnie par compagnie, dans d'autres régiments. Des chasseurs de la 77ᵉ division qui ont refusé d'aller soutenir les Marocains en ligne sont durement frappés. Ceux de la 170ᵉ, qui ont pris la route de Villers-Cotterêts pour aller à Paris, sont arrêtés par les cavaliers. Il y a des exécutions à la 47ᵉ, ainsi qu'à la 81ᵉ où le général Taufflieb est intervenu, au point de s'emporter avec violence contre les juges du conseil qui n'ont pas condamné à mort *ses* mutins. Pourtant, les hommes de la 81ᵉ sont de rudes combattants qui n'ont jamais songé à abandonner les tranchées. Comme leurs camarades révoltés, s'ils chantent plus volontiers la *Chanson de Craonne* (« Adieu la vie, adieu l'amour, adieu toutes les femmes! ») que *la Marseillaise,* c'est qu'ils sont – disait Lanoux – des « patriotes trahis » qui entonnent « le vrai chant de paix et de victoire de l'armée du Rhin, la Marseillaise du désespoir ».

Les soldats de Craonne ne veulent pas lever le crosse en l'air devant l'envahisseur. Ils savent « que la paix est un grand bien, mais qu'on ne vit pas à genoux ». Ils veulent seulement changer de guerre : qu'on fasse la leur, celle de la justice, pas celle des généraux.

Quand les mutineries se terminent, à la fin du mois de juin, le commandement a parfaitement compris qu'il doit changer à la fois les méthodes et l'esprit de la guerre s'il veut que celle-ci dure. Dans l'immédiat, Pétain assume la mutation dans son style bref, précis, un peu sec. Il prend en quelques jours toutes les mesures qu'il eût été normal d'adopter depuis le début de la guerre.

Comme l'établit avec force Pedroncini, la thèse de certains généraux sur le complot socialiste ou pacifiste ne résiste pas à l'examen des faits : les régiments où les troubles ont éclaté ne sont pas ceux où les fiches des renseignements généraux signalaient des « contacts » avec les organisations ou les personnalités du « pacifisme international ». Les mutins sont-ils des repris de justice, des récidivistes du mauvais esprit? Pas davantage : « Le nombre des condamnés dont le casier judiciaire est vierge l'emporte nettement sur celui de ceux qui ont déjà encouru les foudres de la justice. » Les condamnés sont-ils des agitateurs professionnels? Pas du tout, les hommes mariés, après le 15 mai, sont la majorité, les pères de famille, mais aussi bien les très jeunes recrues, qui arrivent au front. Les hommes viennent de tous les horizons politiques et de tous les départements français. Ils sont agriculteurs, mais aussi bien petits commerçants ou employés, valets de chambre, garçons de café et même... gardiens de la paix. Vincent Moulia était plongeur à l'Hôtel de l'Europe à Dax. Peu d'intellectuels : un instituteur, deux étudiants, deux « artistes », mais des boulangers, des maçons, des mineurs, des mécaniciens, des menuisiers, des cressonniers, des tonneliers et des tullistes. Tous les métiers sont représentés parmi ces 629 condamnés à mort dont 542 étaient de simples soldats, 30 des caporaux, les autres : un brigadier et trois sergents. Comme l'affirme Pedroncini, « le plus gros des bataillons de l'indiscipline a été fourni par les bons soldats ».

La preuve? Les régions les plus touchées par les condamnations capitales sont aussi celles qui ont fourni le plus de combattants d'élite, de décorés, de cités, ceux dont on lit les exploits dans les communiqués : les meilleures divisions d'infanterie ont été, à l'évidence, plus engagées que les autres, elles ont plus souffert. Pedroncini cite l'exemple de ces Bretons de la 61e division qui n'ont pas eu de repos à l'arrière, en juin 1917, depuis le 27 septembre 1916. Ou encore la 70e division d'infanterie dont les combattants lorrains, dans leur majorité, n'ont pas eu plus de dix jours de repos depuis août 1916 : « Il faut que l'on sache, disait le général Guillaumat, pourquoi certaines divisions d'infanterie sont toujours en secteur et d'autres pas. » Les hommes indignés sont-ils repartis au combat sous la menace des condamnations à mort, dans le climat de terreur et de répression imposé par l'état-major? Les condamnations, qui se déroulèrent souvent dans une improvisation on ne peut plus impressionnante, ne purent intervenir avant la fin des troubles les plus graves, même si l'on accéléra la procédure. Quant aux exécutions, elles s'échelonnèrent du 10 juin au 8 novembre : 43 hommes au total furent passés par les armes. On aurait dû en fusiller 45, mais l'un des condamnés s'était suicidé, et Vincent Moulia s'était échappé.

Si mesurée qu'ait été la répression, elle ne pouvait pas apparaître comme juste : l'arbitraire était manifeste au moment des arrestations, il était signalé par les officiers eux-mêmes. Il n'était pas moins évident au moment des recours en grâce qui dépendaient du président de la République, haut personnage de la politique. « Le gouvernement, dit Pedroncini, est intervenu de la façon la plus insistante pour sauver un certain nombre de coupables. » On a par exemple sauvé l'instituteur condamné, à la demande de Painlevé, le président du Conseil : l'homme était originaire des pays envahis, il venait de retrouver sa femme évacuée, il était à la fois socialiste et syndicaliste. « On criera à la vengeance politique », dit Painlevé en conseil des Ministres. L'instituteur est gracié. On n'a pas songé à gracier Moulia. Il n'avait pas de protecteurs. Il a dû se sauver lui-même.

La peur des sanctions, dans les périodes troublées, n'est pas seule à impressionner les hommes. La rumeur, le faux bruit, le « téléphone arabe » qui diffuse d'un bout à l'autre des lignes les nouvelles propagées par des agitateurs intéressés, exercent une influence impossible à mesurer mais qui donne naissance à bien des légendes. Beaucoup de soldats sont préoccupés par la répression des grèves à Paris. Ils craignent pour leurs femmes qui travaillent dans les usines. Les bruits d'exécutions collectives au canon sont également très répandus. Quelques histoires vraies, vérifiables, accréditent quantité de récits erronés ou amplifiés : il est vrai que la Légion est au camp de Mourmelon au moment des événements. Mais elle y était bien avant, et pour d'autres raisons : les légionnaires étaient au repos, après une très dure bataille. Il est vrai que le commandant du 42e régiment d'infanterie mutiné à Ville-en-Tardenois a fait tirer à la mitrailleuse sur 2 400 mutins. Un homme seulement est tué, trois sont blessés. Des erreurs dans le choix des condamnés accréditent la rumeur des décimations : les hommes seraient choisis au hasard et jugés sommairement. De tels faits ont-ils pu se produire, dans l'affolement et la panique qui ont gagné aussi les officiers? Pedroncini n'en a pas trouvé la preuve dans les archives judiciaires. Il pense d'ailleurs que « le recours à des exécutions sommaires est dans le domaine des possibilités du commandement d'une armée qui reste disciplinée dans son ensemble; c'est un risque extrêmement difficile à courir dans une armée atteinte par une crise comme celle des mutineries de 1917 ». La plupart du temps, le commandement a « temporisé », au risque d'encourir les reproches de l'état-major. Pétain avait pourtant donné l'exemple de la rigueur calculée en faisant fusiller immédiatement sept hommes.

Il n'aurait pu rétablir durablement l'ordre dans son armée s'il s'était contenté de sévir et de couvrir la répression. On croit rêver en découvrant les premières mesures prises par Pétain pour améliorer la vie du soldat : il réforme le système des permissions, ce qui revient à reconnaître qu'il fonctionnait très mal. Quoi de plus important pour les soldats que le juste repos, également réparti entre tous les combattants? Les retards s'étaient accumulés sous des prétextes divers. Il était essentiel, dit Pétain, d' « assurer aux militaires de tous grades 7 jours de permission par période de 4 mois. « Pour éviter toute contestation, les hommes eux-mêmes pourraient surveiller la liste des tours de départ qui serait affichée tous les 15 jours. Quoi de plus raisonnable? N'est-il pas étonnant qu'on y ait pensé si tard?

En dehors des permissions, les périodes de repos à l'arrière des lignes étaient l'objet des plaintes des unités mutinées. Au lieu de permettre aux hommes de se reconstituer, on les accablait d'exercices, de revues, d'entraînement, on les logeait dans des cantonnements inhabitables. Ceux-ci « doivent être assez confortables, dit Pétain, pour que [la troupe] y trouve le bien-être qui lui est nécessaire ». Le soldat doit vivre dans des conditions d'hygiène convenables, et se détendre complètement pendant trois ou quatre jours quand il revient de secteur; c'est le bon sens même. Fallait-il attendre trente mois pour avoir le souci de loger la troupe au-delà des zones bombardées? Il faut évidemment prévoir des nouveaux casernements (les Allemands en ont depuis longtemps), des cuisines fixes, des points d'eau, des bains-douches... Il faut fournir aux armées plus de 400 000 lits (les soldats au repos n'en avaient pas) et même prévoir un atelier pour la fabrication des lits, susceptible d'en livrer 5 000 par jour. La nourriture doit être améliorée et arriver chaude dans les lignes : à cet effet, les cuisines doivent se trouver le plus près possible des tranchées. Les « roulantes » doivent être en nombre suffisant pour qu'on évite aux combattants le supplice de la soupe froide. Pétain exige qu'on envoie aux armées 100 wagons de légumes verts par jour et un pain d'excellente qualité. Des fruits doivent pouvoir être distribués aux soldats. Des coopératives militaires doivent les protéger contre les sollicitations des mercantis qui leur vendent les denrées 20 à 50 % plus cher. Frappé par les méfaits de l'ivresse sur le comportement du poilu pendant les mutineries, Pétain essaie de régulariser le flux abondant qui arrive dans la zone des armées : il n'y parviendra pas. Le soldat estime avoir le droit de remplir son « quart » et de dépenser sa solde comme bon lui semble, aux jours de repos. Quant aux jours d'attaque, l'administration se charge elle-même de distribuer gratuitement la « gnole ».

Pétain avait été frappé par la mauvaise organisation des transports pour permissionnaires : ils passaient plusieurs journées dans les trains, couchant sur les banquettes de gare. Une réunion spéciale fut consacrée à l'étude de ce problème, avec tous les responsables. La gare de Crépy-en-Valois accueillait ou voyait passer quotidiennement 20 000 permissionnaires. Il fallait maîtriser ce trafic, lui faire sa place dans les calculs des gares de triage, accélérer les voyages, éviter les pertes de temps. L'accueil dans les gares, dont la garde avait été renforcée, devait être organisé, avec distribution de vivres et de café. Un service automobile devait conduire les hommes aux gares d'embarquement. Enfin, Pétain décidait de la publication d'un *Guide du permissionnaire,* avec horaires, itinéraires et centres d'accueil. A la gare de l'Est, du 27 au 31 mai, 80 000 hommes étaient arrivés, 83 000 étaient partis. Il fallait décongestionner ce trafic, d'autant que la propagande antimilitariste en avait fait l'un de ses terrains de chasse favoris. On décida d'utiliser les petites gares autour de Paris et d'y affecter le trafic des permissionnaires; dans le même temps, Pétain s'efforçait d'obtenir du ministre de l'Intérieur des mesures de répression énergiques contre la propagande pacifiste.

Il poussait le modernisme jusqu'à vouloir lutter avec les mêmes armes : une « mission » avait été créée, avec 12 journalistes, pour « faire la presse » du G.Q.G. Les officiers qui y servaient recevaient 20 francs par jour d'indemnité. Elle était chargé de l'accueil des journalistes français et étrangers, de la fourniture des documents et de l'organisation des voyages. Elle offrait au ministère la matière pour la rédaction des radios et veillait à diriger les équipes de films et de photos sur le front. Le 24 mai, le statut de ces « officiers informateurs » était précisé. Le 9 juin, un groupe de « correspondants de guerre français aux armées » était agréé, des professionnels dûment conduits au front par un officier d'état-major. Revêtus d'un uniforme kaki avec casquette, ils devaient vivre en commun avec les officiers de la mission, soumettre au contrôle postal leur correspondance. Ils devaient s'interdire dans leurs articles « tout ce qui pouvait être un objet de renseignement utile ou d'encouragement pour l'ennemi, et tout ce qui pouvait porter atteinte au moral ou à la discipline de nos troupes ». Naturellement, tous les articles étaient soumis à la censure militaire.

La presse ainsi conditionnée, Pétain estimait également nécessaire d'agir sur le moral de la troupe en multipliant les « causeries d'officiers » devant les soldats. Il avait rédigé, au plus fort de la mutinerie, une note en six points pour leur indiquer les angles d'attaque des problèmes politiques préoccupants. La révolution russe? Elle a pour but de « chasser un gouvernement qui se préparait à abandonner lâchement les alliés et à conclure une paix séparée avec l'Allemagne ». Les Allemands ne rêvent que « d'étouffer en Russie les libertés naissantes », et surtout de « prendre les vivres » dont ils manquent. Mais les Russes ont compris, ils vont repartir à l'attaque. La guerre sous-marine? Les Anglais, depuis mai, ont repris l'avantage. Nous sommes rationnés, mais les Allemands le sont plus que nous. L'offensive Nivelle? Elle a eu « des résultats très sérieux ». Les Allemands épuisés n'ont pu secourir les

424 La Grande Guerre

Autrichiens, qui ont subi une « grande défaite » près de Gorizia. Les Américains ? « Les premiers régiments vont débarquer avant un mois. » C'est « un appoint énorme et vraiment décisif ». Il est destiné surtout à la France. L'Allemagne ? Elle est « sujette à des grèves, à des troubles politiques, à une gêne alimentaire croissante ». La paix ? La France en guerre est nourrie, comme l'Angleterre, par les économies d'outre-mer. Si l'on signe une paix blanche, « cent quarante millions d'affamés de l'Europe centrale se précipiteront en même temps sur ces mêmes marchés, nous y feront concurrence en égaux ». Pour nous, la famine ; pour l'Allemagne, la vraie victoire. Déjà, elle aide les bolcheviks, « on a vu les hobereaux de la Prusse orientale feindre de fraterniser avec les moujiks au front ». La seule issue est « la paix victorieuse ». Elle implique des sacrifices, mais c'est l'Allemagne qui a voulu la guerre, ou, plus exactement, « l'empereur Guillaume de Hohenzollern et ses hobereaux ». Et Pétain conclut : « Patience et ténacité ».

Telle est l'idéologie de guerre, traduite dans le langage militaire du généralissime. On remarque, sur le dernier point, la concession déjà sensible à l'esprit wilsonien : la France, comme ses alliés, ne fait pas la guerre au peuple allemand, mais à un appareil, à un système guerrier. Elle s'est longtemps sacrifiée pour la défense de la civilisation, mais voilà que ses alliés lui viennent puissamment en aide, car l'Amérique est une « puissance » ; par elle, la guerre est devenue mondiale. Mesurés et prudents, les propos de Pétain indiquent bien l'ouverture vers la dernière partie de la guerre, celle où les Américains viendront porter le coup de grâce, au nom du monde entier, aux « puissances de proie ».

Pas question de buts de guerre, d'indemnités ni de réparations : cela vient après, et concerne les diplomates et les politiques, non les soldats. Pas la moindre allusion au frémissement du drapeau français à la pointe de la cathédrale de Strasbourg : le style a changé, depuis Joffre. Pétain sait-il que la reconquête des « petites sœurs jumelles » ne fait pas l'unanimité chez les Alliés ?

La guerre, sur tous les fronts, a été mise en question par les combattants, c'est un fait. Quel avantage les Russes en ont-ils retiré ? Les Allemands se préparent à fondre sur eux comme des bêtes de proie. Ils ont les dents aiguisées par de longs mois de jeûne. Si les Russes leur ouvrent leurs lignes, ils seront impitoyablement dépouillés, asservis, occupés, exploités. Ils n'ont d'autre chemin que celui du combat, ils le comprennent déjà. Ils regrettent d'avoir perdu du temps et de l'énergie à parlementer. On ne discute pas avec les Prussiens.

Sur aucun front, la mise en question de la guerre n'a été aussi grave, aussi soudaine que sur le front français. Cela mérite réflexion. Pétain peut croire que les soldats voulaient changer les

formes et les usages de la guerre, qu'ils exigeaient plus d'égards, de
ménagements. Il est vrai qu'à prendre quelques mesures urgentes
qui leur donnaient à penser qu'on ne les traitait plus comme du
bétail en transit, on avait très vite obtenu de spectaculaires
résultats, ce que les officiers de l'état-major appelaient un « redressement du moral ». Hindenburg, par des moyens comparables,
avait atteint, de l'autre côté, le même objectif. Mais au-delà de ces
améliorations de circonstance que pouvaient suivre de nouvelles
désillusions, la question de fond avait été posée par les mutineries :
la guerre pouvait-elle durer ?

L'échec de la dernière offensive avait donné à cette question
toute sa force : l'état-major avait été bien imprudent en promettant
l'entrée dans Laon et Saint-Quentin à bref délai. Les politiques
avaient été plus légers encore en garantissant, dans les comités
secrets et autres commissions, le succès d'une entreprise qui
apparaissait comme douteuse la veille même de son lancement. La
presse, en se faisant l'écho de l'optimisme officiel, avait été l'artisan
essentiel de la désillusion.

En lisant les bilans décroissants de ses campagnes sous-
marinières, l'Allemagne se préparait des déceptions et des difficultés du même ordre. L'investissement politique dans la guerre
sous-marine avait suffisamment tenu la *une* des journaux et les
ordres du jour du Reichstag pour qu'il ne devînt pas, chez les
Allemands, la raison majeure d'espérer. De part et d'autre, il
faudrait naviguer dans les eaux amères de la frustration. Politiques
et militaires ne pouvaient, dans ces conditions, que durcir leur
attitude et bander leurs efforts, plus que jamais, pour le « dernier
quart d'heure ». Toute autre voie leur était fermée. Ils avaient
demandé trop de sacrifices à leurs peuples pour ne leur proposer, en
récompense, qu'une paix sans victoire.

Le nouveau départ de cette guerre sans décision et désormais sans
offensives supposait d'abord l'exploitation d'un champ nouveau :
l'ouverture à des espaces neufs, capables de fournir aux machines
guerrières une énergie nouvelle. Pour les Français et les Anglais,
l'entrée en guerre des Américains représentait ce formidable apport
de sang, d'oxygène, d'énergie vitale, au point que l'arrivée symbolique du premier bataillon d'outre-Atlantique parut un don du ciel
dont il était urgent de faire bénéficier les combattants des
tranchées. Pour les Allemands, le grand espoir résidait dans la
conquête des terres vierges de l'Est : déjà ils tenaient en coupe
réglée la plantureuse Roumanie, riche en blé et en pétrole. S'ils
parvenaient à s'engouffrer dans l'espace russe, ou même seulement
ukrainien, ils relanceraient la guerre pour deux ans. Leurs troupes
libérées à l'est constituaient la masse de manœuvre dont Hindenburg avait besoin pour régler enfin son compte à l'armée alliée de
l'ouest.

Un dernier affrontement se préparait : Ludendorff savait, comme Pétain, qu'il fallait, pour avoir une chance de gagner, en modifier les règles : la victoire n'était plus, comme au temps de Joffre, un problème de chemins de fer. Il fallait acquérir très vite le nouveau matériel nécessaire et enseigner aux troupes les nouvelles techniques de combat : en devenant *industrielle,* la guerre devrait s'inventer une pédagogie, une méthode, mesurer strictement les efforts en fonction de la courbe de production et des résultats sur le terrain. Les états-majors n'avaient plus besoin des diplômés des Écoles de guerre, puisqu'il n'y avait plus de stratégie : par contre, l'incessante modification des tactiques, en raison du renouvellement des apports techniques, exigeait des écoles particulières pour chaque type de combattants. Ceux qui sauraient former d'urgence les spécialistes nécessaires pour les futurs assauts auraient ainsi une chance de l'emporter.

On avait l'impression, dans les lignes, que la guerre s'enterrait à nouveau pour longtemps. En réalité, la course contre la montre avait commencé dès l'été de 1917, même si les affrontements décisifs ne devaient avoir lieu, pour cent raisons, qu'en mars de l'année suivante. Pour leur dernier parcours, les responsables militaires avaient d'abord besoin de disposer de tout leur temps et de recevoir de l'arrière tous les concours requis. Mais quel général pouvait être assuré, durant l'été de 1917, que ses arrières tiendraient ?

10

Les arrières tiendront-ils?

En août 1914, il n'existait plus en Europe d'opposition organisée à la guerre. Partis et syndicats de gauche s'étaient ralliés ou se taisaient. En septembre 1915 seulement, une réunion internationale socialiste s'était réunie en Suisse, à Zimmerwald. C'était la première manifestation collective d'un mouvement européen hostile à la guerre. Mais elle ne comprenait, outre les neutres, que des émigrés de Russie (dont Lénine et Trotski) et des minoritaires des partis français et allemand. Seul le parti socialiste italien avait envoyé des délégués.

Le 1ᵉʳ janvier 1916 avait été fondé en Allemagne le groupe Spartakus, révolutionnaire et pacifiste, cependant que Merrheim développait en France un début d'agitation chez les minoritaires. A leur congrès national, ceux-ci obtenaient 980 voix en avril 1916, et plus de 1 000 en août, alors qu'ils n'en avaient recueilli que 72 en décembre 1915. A la fin de 1916, Lecoin, l'objecteur de conscience, était de nouveau arrêté en France, et Trotski expulsé.

La note de Wilson aux belligérants devait inciter les socialistes à se rallier massivement à sa doctrine de paix sans victoire. L'entrée en guerre des États-Unis, le 6 avril 1917, permit aux partis socialistes européens de réclamer une paix négociée sur la base des principes wilsoniens, et la réunion d'une conférence internationale à Stockholm. Mais, le 2 juin, le gouvernement français, et bientôt Lloyd George, faisaient savoir qu'ils refusaient leurs passeports aux participants. La conférence n'aurait pas lieu.

Cependant, la lutte contre le pacifisme renforçait, en Angleterre, le pouvoir de Lloyd George et conduisait, en France, le 14 novembre 1917, l'énergique Clemenceau au pouvoir dont les socialistes s'étaient exclus. Douze jours plus tard, les Russes demandaient l'armistice.

La prolongation de la guerre exigeait, à l'arrière, des économies plus que jamais dirigées, aptes à fournir au front le matériel de plus en plus coûteux et sophistiqué dont les états-majors avaient besoin : les effectifs ayant fondu, il fallait remplacer les masses d'hommes par la « puissance du feu ». Les difficultés financières des belligérants rendaient tout aussi nécessaire la rationalisation de l'effort, la lutte contre le gaspillage, la concentration des entreprises, l'adoption de normes standardisées. La recherche d'armes et de matériels nouveaux supposait le développement d'importants centres de mise au point, de laboratoires spécialisés non seulement dans la découverte de procédés de fabrication, mais dans l'utilisation de produits de remplacement « ersatz » permettant de faire face à la pénurie des matières premières.

Car la lutte contre la pénurie était la deuxième exigence fondamentale qui s'imposait aux gouvernements belligérants. Ils devaient assurer le bon fonctionnement de la machine de guerre, se rendre maîtres des approvisionnements, donc maîtriser le blocus et le contre-blocus. Si les sous-marins en venaient à empêcher l'Angleterre de se nourrir et d'importer ses matières premières stratégiques, c'en était fini pour elle de la guerre ; quant aux Allemands, ils ne pourraient poursuivre leur effort sans élaborer une stratégie d'élargissement de leurs bases économiques, tout en assurant, à l'intérieur, une répartition autoritaire des ressources existantes.

Curieusement, cette double exigence de maîtrise des échanges extérieurs et de prise en main de l'économie intérieure devait s'imposer même au pays de la Liberté qui se battait pour protester contre les limites imposées arbitrairement au commerce des neutres : les États-Unis, pourtant déjà habitués à fournir aux belligérants d'énormes quantités d'armes, de munitions, de matières premières, découvraient avec l'entrée en guerre la nécessité d'une économie dirigée.

La fourniture de denrées, de coton, de matières premières, de charbon, d'armement, de fusils, mitrailleuses et pistolets, de chevaux, de textiles, et produits chimiques à l'Europe en guerre avait prodigieusement enrichi les banques et les entreprises américaines et donné la prospérité aux fermiers. Aussi Wilson n'avait-il eu aucun mal à mobiliser l'argent nécessaire à la constitution d'une flotte et d'une armée : le *Liberty Loan* était un emprunt au nom de croisade, bien dans l'esprit du wilsonisme. Émis le 2 mai 1917, l'emprunt de 2 milliards de dollars était couvert dès le 15 juin : c'était un succès qui permettait d'ouvrir aussitôt un crédit de 12 milliards de dollars par une disposition spéciale, défendue par Wilson, l'*Army Appropriation Bill*. Les États-Unis avaient les moyens de dépenser pour la guerre plus de 12 milliards de dollars par an, dont l'essentiel était couvert par l'emprunt et 41 % fournis par l'impôt.

Programme immense, car les États-Unis ne disposaient que d'une armée de 200 000 hommes et d'une flotte de guerre fatiguée. Le 18 mai, le Congrès avait décidé, plus de six semaines après la déclaration de guerre, de voter une loi « pour accroître temporairement les forces militaires ». Les responsables entendaient prendre leur temps, ils ne se sentaient pas menacés directement par l'Allemagne. Ils prévoyaient de mobiliser 488 000 hommes dans l'armée régulière et 470 000 dans la garde nationale. Une troisième armée, dite « nationale », aurait, au début, 500 000 combattants et pourrait s'accroître ensuite régulièrement en fonction des besoins. Elle serait recrutée par le « service militaire sélectif » dont les bases venaient d'être approuvées.

Pour imposer ces mesures au pays, Wilson avait demandé et obtenu des pouvoirs spéciaux. La conduite des opérations n'était pas directement son fait : il déléguait ses pouvoirs au *Council of National Defense,* mais il avait immédiatement fait voter le *Selective Service Act* qui lui permettait de lever des soldats, et l'*Espionnage Act* qui lui donnait les moyens de traquer sur le territoire des États-Unis les entreprises des services secrets allemands, lesquelles s'appuyaient sur des émigrés bien organisés en réseaux de soutien et de résistance à la guerre. Les Américains allaient même exporter leur service d'espionnage qui prendrait pied en Europe aux côtés du corps expéditionnaire : sa première mission serait de dépister les agents recrutés par les Allemands parmi les combattants.

L'effort de guerre était totalement entre les mains du président : il avait créé en juillet le *War Industries Board*, réglementant la production des armes et des navires. Il fallait mettre immédiatement en chantier non pas des *dreadnoughts,* qui ne servaient à rien, mais des destroyers pour lutter contre les sous-marins, et 2 millions de tonnes de navires de commerce pour assurer, en toute circonstance, la liaison atlantique. Le *Priority Shipment Act* permit de lancer ce programme. Le *Trading with the Enemy Act* établissait le code du commerce des neutres dont les navires immobilisés dans les ports étaient réquisitionnés. Enfin, le *Food and Fuel Control Act* permettait à l'administration de dominer parfaitement les achats et les ventes à l'étranger, et d'assurer le ravitaillement de l'Europe tout en évitant le rationnement des États-Unis. Un *Committee on public Information* permettait au journaliste George Creel de développer en toute circonstance les vues du président sur l'actualité et la direction de la guerre.

Ainsi l'Amérique avait-elle les moyens de faire face à un effort d'armement sans précédent dans son histoire. Dès l'origine, Wilson indiqua son intention d'envoyer dès que possible des unités constituées sur le champ de bataille principal de la France du Nord-Est. En concentrant sur ce point sa participation, il répondait au désir des militaires qui répugnaient à éparpiller leurs forces et exigeaient que les soldats américains finissent la guerre sous leur bannière nationale. Mais, en même temps, l'envoi de renforts en Europe assurait à la position politique de Wilson une force singulière : plus ces renforts seraient désirés, plus lui-même pourrait être entendu par les gouvernements, ainsi que par les opinions publiques européennes.

Qu'avait-il à dire qu'on ne sût déjà ? Considérer Wilson comme un rêveur ignorant des problèmes européens n'allait pas tarder à devenir une attitude assez répandue dans les chancelleries et les rédactions, voire dans les salons parisiens ou romains. Pourtant, dès l'entrée en guerre, la réflexion idéologique et politique allait bon train dans le *brain trust* présidentiel. C'est le mérite d'Arno Mayer que d'avoir souligné cette volonté précoce des dirigeants américains de dominer les forces politiques mondiales afin de préparer une paix qui fût favorable à la fois à leurs principes et à leurs intérêts [1]. A partir de mai 1917, les difficultés des Alliés sur les champs de bataille renforçaient le wilsonisme, mais dans le camp ennemi, en Europe centrale et orientale. Il était donc gagnant des deux côtés. L'analyse du *brain trust* était simple : le monde est divisé en trois ensembles horizontaux : l'impérialisme, qui rêve de conquêtes territoriales et refuse toute autorité supranationale – il est aussi bien le fait de von Tirpitz que de l'Italien Sonnino ; le libéralisme, qui est national, n'en admet pas moins le droit des autres nations à être traitées comme souveraines et indépendantes : dans la liste des libéraux, les Américains plaçaient, en France, Albert Thomas, aux côtés du socialiste allemand Scheidemann, et Wilson et le colonel House étaient naturellement les têtes de file de ces libéraux patriotes ; une troisième force existait qui, même si elle n'était pas au pouvoir, se manifestait dans l'opinion, et dont les Américains voulaient tenir le plus grand compte : celle des socialistes révolutionnaires : groupes *Avanti* en Italie, *Spartakus* en Allemagne, *bolcheviks* en Russie, *I.W.W.* aux États-Unis. Pour contacter en Europe toutes les forces susceptibles de se rallier au wilsonisme, le département d'État envoya au début de 1918 un envoyé spécial, Ray Stannard Baker. Ce journaliste anticonformiste était, dit Mayer, « fondamentalement intéressé par tout ce qui était « nouveau, frappant, non développé, exploité ». Il devait faire connaître en Amérique les grandes forces « radicales et libérales » de l'Europe en guerre.

Si Wilson avait pris la peine de donner le maximum de publicité à son programme, c'est qu'il comptait rallier non pas les gouvernements réactionnaires et impérialistes, mais les « peuples » et leurs –

1. A. Mayer, *Politics and Diplomacy of Peacemaking.*

organisations politiques et syndicales. Implicitement, il y avait dans son discours une « main tendue » à tous les contre-pouvoirs.

« Notre objet, disait-il, est de défendre les principes de paix et de justice dans la vie du monde, contre les puissances égoïstes et autocratiques. » Il était parfaitement conscient qu'il devrait, à la fin de la guerre, livrer un autre combat contre les pays impérialistes, pour imposer sa paix désintéressée. Il savait que la France et l'Angleterre refuseraient de renoncer à tous les accords secrets. Dès juillet 1917, il écrivait au colonel House : « Quand la guerre sera finie, nous pourrons les amener à notre façon de penser, car à ce moment-là, entre autres choses, elles seront financièrement entre nos mains. »

Les puissances centrales, une fois débarrassées de leur personnel politique impérialiste, seront également disponibles pour la démocratisation à laquelle Wilson rêve de voir accéder l'Allemagne. L'idéologie de guerre, à Washington, ne se contente plus de militer pour l'idée abstraite d'une Société des nations, pour l'établissement d'un régime de droit entre les peuples, substitué à celui de la force ; elle devient enthousiaste, dynamique, convaincante, elle entend faire des adeptes chez les peuples européens, les libérer de leurs régimes oppressifs – elle se veut croisade.

Ces idées trouvent dans le socialisme européen un terrain évidemment favorable : le 1ᵉʳ mai, une délégation de socialistes hollandais est arrivée à Stockholm pour préparer, dans cette ville, une rencontre internationale ; les partis socialistes des pays neutres l'exigent, soutenus par les partis révolutionnaires russes. Le « Comité hollando-scandinave » appelle les socialistes de tous les pays à y participer. La mariée est trop belle pour Wilson qui ne parle plus de « paix sans victoire », mais de « paix des peuples ». Ayant engagé son pays dans la guerre, il ne peut apparaître comme un médiateur. Il constate d'ailleurs que les socialistes majoritaires, en France et même en Russie, nourrissent maints soupçons vis-à-vis d'une manœuvre qu'ils estiment dirigée par l'Allemand Scheidemann. C'est l'avis de Guesde, c'est aussi celui de Plekhanov. Paradoxalement, la conférence de Stockholm était aussi condamnée par Lénine, méfiant et sceptique : « Ce n'est pas, disait-il, le drapeau de la révolution qui va flotter sur Stockholm, mais bien le drapeau du marchandage, des compromis et de l'amnistie pour les social-impérialistes ».

Il n'était pas difficile, pour les socialistes français, de se rallier au wilsonisme avant l'entrée en guerre des États-Unis : à la conférence nationale de la C.G.T. de Noël 1916, au congrès du parti socialiste, on avait demandé au gouvernement de répondre à l'appel de paix du président américain. Le parti avait « enregistré avec joie, affirmait-il bruyamment au Parlement, l'admirable message du président Wilson au Congrès américain ». Sans doute l'unité est-elle loin d'être faite, chez les socialistes français, sur la conduite à tenir vis-à-vis des propositions neutres de rencontre internationale : seuls les minoritaires y sont favorables. Mais, comme le dit très bien Annie Kriegel [2], « ce que les peuples méditent, ce n'est pas tout uniment d'imposer la fin de la tuerie, c'est de donner à cette guerre un sens qui n'était pas au départ le sien ». En cela, ils rencontrent les vues de Wilson.

C'est même Wilson qui va permettre aux socialistes français de trouver, au printemps de 1917, « comme la revanche du 4 août 1914. Comme si, après trois ans d'humiliation, la pensée des grands ancêtres, Bebel, Jaurès, eût enfin éclairé le monde... » La révolution en Russie ne vient nullement contrarier le regroupement des forces qui veulent s'unir sur un programme positif de « paix du droit ». Le groupe socialiste au Parlement français vote, le 16 mars, une motion à ses « frères de Russie » : « La guerre doit avoir pour conclusion la liberté politique des peuples et l'indépendance des nations. » C'est le programme de Wilson. La majorité socialiste française souhaite que, sur cette base, un nouvel accord soit établi qui permette aux Russes de repartir au combat. Il faut « trouver avec les Russes un langage commun ». Au nom du wilsonisme, les majoritaires français sont prêts à affecter ce voyage en Russie qui était depuis longtemps dans les plans de l'état-major... Qui d'autre mieux qu'un socialiste pouvait ranimer l'effort de guerre russe? Albert Thomas fut choisi.

Il ne fut pas le seul « diplomate missionnaire » : les Alliés purent aussi bien envoyer l'Anglais Henderson et le belge De Man, tous deux catalogués comme « libéraux » dans l'annuaire politique des conseillers de Wilson. La mission de Thomas était officielle : ministre du gouvernement de la République, il était mandaté pour se rendre à Petrograd. Le groupe parlementaire socialiste eut l'idée de doubler cette mission d'un voyage sans mandat officiel des députés Moutet, Lafont et Cachin. En vain les minoritaires protestèrent-ils : les élus socialistes estimaient urgent de « renouer autant que possible les liens de solidarité entre la Russie révolutionnaire et les pays occidentaux ».

Arrivés à Petrograd le 13 avril, ils furent aussitôt conduits sur les fronts de Minsk et de Pskov. Thomas disposait à Petrograd d'un informateur privilégié : l'avocat parisien Eugène Petit, marié à une Russe, qui avait jadis milité contre les emprunts russes. Thomas l'avait nommé en 1916 à la « Mission française de munitions ». Petit l'avait tenu constamment informé, non seulement sur l'effort de guerre, mais sur l'évolution de l'opinion publique. Il avait accepté de jouer le rôle d'intermédiaire auprès des socialistes russes pour les

2. Annie Kriegel, *Aux origines du communisme français.*

encourager à poursuivre les combats. Les 160 divisions allemandes et autrichiennes fixées sur le front russe ne devaient à aucun prix en être détournées. Mais, pour obtenir le soutien des socialistes russes, il fallait réviser les accords secrets et abandonner la politique des buts de guerre, s' « engager à une paix sans annexions ni contributions, et avec le droit de chaque peuple à l'autodétermination » – aller, en somme, jusqu'au bout du wilsonisme. Petit insistait sur la nécessité d'envoyer en Russie des propagandistes en grand nombre, expliquant dans chaque soviet que les Alliés combattaient pour une cause juste et démocratique. Peut-être fallait-il, pour prouver sa « bonne foi démocratique », aller jusqu'à accepter de se rendre à la conférence de Stockholm, initiative des partis révolutionnaires de Russie...

Tout engagement là-dessus était impossible : l'état-major français s'y opposait avec force. Autant les politiques pouvaient multiplier les déclarations apaisantes sur les buts de guerre (ils le faisaient aussi du côté de Wilson), autant ils ne pouvaient passer outre au veto du général Pétain qui était en train de réprimer les mutineries sur le front : « Au Comité de guerre, écrivait Ribot à Thomas, le général Pétain a déclaré que si l'on admettait qu'une conférence au sujet de la paix eût lieu à Stockholm avec les socialistes allemands, cela équivaudrait à un armistice, et qu'il serait impossible d'obtenir des troupes l'effort énergique et soutenu que les circonstances exigent... Il n'est que temps de réagir vigoureusement contre les influences dissolvantes qui résultent des discussions relatives aux buts de guerre et à la réunion d'un congrès de l'Internationale. » Une telle rencontre eût en effet inévitablement créé le sentiment que la paix était imminente [3].

Les missionnaires français ne pouvaient donc convaincre les Russes, dont ils devaient vite s'apercevoir qu'ils étaient en fait déjà dominés par le soviet de Petrograd. Les discours de Thomas étaient cependant parfaitement conformes à l'idéologie de guerre wilsonienne : « Le coupable de cette boucherie mondiale ? disait-il. Vous le connaissez ! Le Capital international, l'impéralisme des classes dirigeantes de tous les pays d'Europe... L'avant-garde de cette clique impérialiste est l'impérialisme prussien de Guillaume. Il faut délivrer le peuple allemand du joug de Guillaume, alors la paix deviendra possible ». Les mencheviks et les socialistes révolutionnaires qui peuplaient alors le soviet de Petrograd étaient conscients d'encourir le danger, s'ils souscrivaient à cette position, d'être débordés à gauche par les bolcheviks que l'arrivée des émigrés venait de renforcer considérablement. Or Lénine et ses amis, qui avaient traversé l'Allemagne, venant de Suisse, « dans un wagon plombé », étaient absolument hostiles à la poursuite de la guerre. A

3. Ioannis Sinanoglou, *La Mission d'Eugène Petit en Russie.*

partir d'avril, ils commencèrent dans les soviets leur propagande en faveur de la recherche d'une paix immédiate.

L'échec sanglant de l'offensive républicaine russe devait leur donner raison et anéantir les espoirs de Thomas. Dès avril, le ministre des Affaires étrangères Milioukov avait dû se retirer, laissant la place à Kerenski, rallié enfin à la reprise de la guerre à condition que la paix conclue fût « sans annexions ni contributions ». Kerenski avait joué la carte des Alliés, sans être contrarié par le soviet de Petrograd. Du reste, les mencheviks, avec Tseretelli, participaient directement au pouvoir. Ceux que Lénine appelait avec ironie les « conciliateurs » devaient expliquer au peuple et aux combattants qu'il fallait, pour sauver la révolution, éviter le conflit entre patrons et ouvriers, entre officiers et soldats, entre paysans et *koulaks* : à ce prix, on empêcherait la guerre étrangère (que l'on aurait les moyens de poursuivre) de se doubler d'une guerre civile. L'élection d'une Constituante permettrait à toutes les tendances politiques d'exprimer la volonté du peuple russe. Kerenski s'était-il fait souffler son programme par les gens de Washington? Il était en tous points conforme à l'idéologie de guerre américaine.

L'idée de paix sans annexions, pensait Tseretelli, allait gagner l'Europe entière et mettre fin à la guerre plus sûrement que les victoires militaires. Lénine dénonçait cette illusion, mais il n'avait pas encore les moyens d'agir : les bolcheviks, au premier congrès pan-russe des soviets, en juin, n'auraient encore que 105 délégués sur 1 090. Tout au plus Lénine pouvait-il développer sa propagande dans les soviets d'usines; elle était sans prise aux armées.

Au demeurant, Lénine n'était pas, à cette époque, partisan d'une paix séparée qui « donnerait un coup de poignard dans le dos au prolétariat allemand ». Les socialistes furent libres de préparer leur « offensive », qui devait être la dernière. Du 10 au 18 juin, les bolcheviks interdirent aux soldats et aux ouvriers de se livrer à des manifestations contre la guerre, jugées « prématurées ».

Cette offensive, dans l'état de décomposition de l'armée qu'avait constaté Albert Thomas, ne pouvait réussir : 35 généraux de corps d'armée sur 68, et 75 généraux de division sur 240 avaient été mis à la retraite en un mois. On avait enseigné aux soldats le mépris des *zolotopogonniki* (les porteurs de pattes d'épaules dorées), des *béloroutchki* (les hommes aux mains blanches). Ils avaient pourtant résisté, en avril, au coup de main de Linsingen à Stokhod, mais en laissant aux Allemands des milliers de prisonniers. Le 15 mai, Alexeïev avait fait le voyage de Petrograd pour avertir le gouvernement : « L'armée, lui dit-il, est au bord de l'abîme »; et Gourko : « La patrie est en danger de mort. » Alexeïev fut destitué.

Kerenski s'était dévoué pour faire la « tournée des popotes » et parler au front, devant les soldats, de l'offensive nécessaire. Le nouveau commandement avait formé des unités de choc, entière-

ment constituées de volontaires. Il en avait encore trouvé en grand nombre. Le 1er juillet, l'armée, commandée par le populaire Broussilov, avait attaqué bravement. Elle avait réalisé la percée, après une bonne préparation d'artillerie. Mais l'exploitation n'avait pas suivi : les unités dépourvues de leurs soldats d'élite, engagés dans l'opération de rupture, s'étaient déclarées hostiles à la poursuite de l'opération. Kalush, Galitch avaient été prises, avec 36 000 prisonniers. Mais, devant la contre-attaque des réserves allemandes, l'infanterie russe s'était débandée : « Les Russes ne sont plus eux-mêmes », disait Ludendorff. Le 19 juillet, c'est la fuite générale : les soldats massacrent les officiers qui cherchent à s'y opposer. Une autre tentative, le 21 juillet, échoue dans les mêmes conditions : deux divisions sur six seulement ont consenti à attaquer. L'ensemble du front ayant craqué, les opérations victorieuses du front roumain doivent être interrompues. Les Allemands avaient eu 140 000 tués et blessés [4]. Mais ils avaient anéanti les espoirs de la première – et dernière – armée « républicaine » de Russie.

Les Allemands étaient d'autant plus heureux d'avoir dominé les Russes sur les fronts d'Orient qu'ils n'avaient pas les moyens de préparer d'offensives ni à l'ouest, ni à l'est : ils consacraient tous leurs efforts à la guerre sous-marine et à la répression des grèves et mouvements révolutionnaires, particulièrement affirmés au printemps : à Leipzig, il avait été nécessaire d'avoir recours à l'armée pour mater les émeutiers qui avaient à leur tête des spartakistes. La création de l'U.S.P.D. de Kautsky, Haase, Lebedour et Bernstein (parti social-démocrate indépendant) devait avoir, sur l'ensemble du mouvement socialiste allemand, une influence indéniable en faveur de la paix : les minoritaires, en Allemagne comme en France, se réclamaient à la fois de Wilson et de la révolution russe pour lutter contre les buts de guerre annexionnistes; l'U.S.P.D. préconisait la négociation directe avec la nouvelle Russie, la conclusion d'une paix séparée immédiate. Comment ne pas entendre les sirènes de la paix? Le parti majoritaire devait à son tour exiger, avec Scheidemann, le 19 juillet, lors d'une séance du Reichstag, une « paix de réconciliation durable entre les peuples ». Erzberger, député du Centre catholique, se joindrait à la proposition et désavouerait « les conquêtes territoriales obtenues par la force ». Le Centre avait précédemment voté le principe de la guerre sous-marine à outrance, de même que les sociaux-démocrates : le pays était-il las de la guerre? Comment expliquer cette « résolution de paix »?

L'usure des troupes a été très rapide. A partir de 1916, les Allemands ont subi de lourdes pertes sur les deux fronts. Ils ont plusieurs fois révisé la liste des ajournés et réformés, prélevé les

4. D'après le général Andolenko, *op. cit.*

hommes en sursis, utilisé sur le front des hommes âgés ou de valeur physique médiocre. Ils ont réussi, au printemps de 1917, à former 13 divisions nouvelles au prix des plus grands efforts; d'autres divisions, de la série 250, sont en formation par prélèvements sur des régiments de *Landsturm* nouvellement constitués. On a transformé en divisions des brigades de *Landwehr*. Les hommes ajournés de 1917 n'ayant pas fourni un effectif suffisant, on a fait appel, dès la fin de 1916, aux tout jeunes gens de la classe 1918. On a poussé très activement leur formation dans les camps spécialisés. Ils devaient être expédiés dès que possible en renfort dans les divisions usées du front occidental où l'effectif atteignait à peine le chiffre de 600 combattants par bataillon (au lieu de 1 000).

Cette armée affaiblie de 2 500 000 combattants dispose d'un régime alimentaire médiocre : le fantassin allemand avait droit en 1914 à 750 grammes de pain, 375 grammes de viande fraîche et 125 grammes de riz par jour, outre les biscuits et conserves. Il recevait en outre du café grillé. Depuis le printemps de 1917, il ne reçoit plus que 400 grammes de pain et doit se contenter de fécule de pomme de terre ou de légumes secs. Seules les troupes du front ouest touchent un peu de beurre et de saindoux; l'alcool n'est plus délivré qu'avant les attaques. Plus que jamais, les soldats du front ont dû compter, pour se nourrir, sur les réquisitions opérées en pays occupé.

Le sort du soldat, sur le plan alimentaire, est enviable par rapport à celui des civils accablés par la disette. L'aggravation du blocus, après l'entrée en guerre des Etats-Unis, prive l'Allemagne d'une partie du ravitaillement des neutres. Elle doit instaurer un rationnement très sévère : les Alliés ont en effet délibérément cherché les moyens de l'affamer.

Un rapport du « Comité de restriction des approvisionnements et du commerce de l'ennemi » dresse le bilan de cet effort commun pour 1917 : déjà l'Allemagne était privée, depuis 1916, des produits exotiques qu'elle importait jusque-là librement par Rotterdam : plus de bananes ni d'oranges, de café ni de chocolat. En 1916, les pays du Nord avaient envoyé en Allemagne d'importantes quantités de vivres : 1 250 000 tonnes pour la Hollande, 500 000 tonnes pour le Danemark, autant pour la Norvège. Les Alliés signaient avec ces pays des conventions d'achat, l'Angleterre se réservant, par exemple, 75 % du poisson des pêcheries norvégiennes. La Hollande et le Danemark se trouvaient contraintes, si elles voulaient être approvisionnées en produits tropicaux, de vendre prioritairement à l'Angleterre une part croissante de leur récolte en céréales et en produits d'élevage. L'Allemagne avait encore pu bénéficier, durant l'été de 1917, d'une partie des exportations des pays du Nord. Le renforcement progressif du blocus par l'intervention du président Wilson devait, à partir du mois d'août, réduire considérablement cet apport : Wilson avait en effet décidé, le 27 août, d'interdire l'exportation des denrées alimentaires vers les neutres voisins de l'Allemagne, sauf pour satisfaire à leurs propres besoins. La Suisse et l'Espagne étaient l'objet des mêmes mesures.

Le résultat fut spectaculaire : les ports neutres allaient recevoir trois fois moins de navires venant des pays alliés; la Norvège importa deux fois moins de céréales et d'huiles minérales, la Suède trois fois moins de fourrage; le Danemark ne reçut que 38 000 tonnes de graines d'oléagineux au lieu de 200 000. Les exportations à destination de ces pays étaient strictement calculées en tenant compte de leurs ressources propres : on leur interdisait toute possibilité de réexporter.

Les Allemands avaient un besoin vital de l'aide des neutres. Ils produisaient avant la guerre assez de vivres pour se nourrir, grâce à l'emploi intensif d'engrais désormais introuvables, grâce à une main-d'œuvre nombreuse désormais réduite au minimum par la guerre. Les récoltes, dans ces conditions, ne pouvaient être que médiocres : la pomme de terre, en 1916, avait accusé un déficit important. Même si celle de 1917 était meilleure, elle ne pouvait satisfaire aux besoins. Si la ration quotidienne avait pu être ramenée à 200 grammes de farine par jour, c'était au prix d'une augmentation du taux de blutage de 80 à 94 %. La ration de pommes de terre avait été abaissée de 7 à 5 livres par personne, l'allocation hebdomadaire de viande était de 250 grammes; dans beaucoup de villes, et notamment à Francfort, on ne distribua pendant l'été que 50 grammes de corps gras (beurre et surtout margarine) par semaine et par tête, soit 7 grammes par jour.

La pénurie a pour conséquence la détérioration de l'état sanitaire de la population, surtout dans les villes : les médecins suisses constatent, à l'automne, que des enfants se trouvent mal à l'école; la sous-alimentation fait des victimes jusque dans les camps d'instruction militaire : on note, dans les camps de Juteborg et de Zossen, de nombreux cas de dysenterie. Une épidémie de choléra « asiatique » est signalée à Mannheim; la tuberculose fait des ravages chez les jeunes gens et jeunes filles à partir de 12 ans. Le manque de corps gras nuit aux nouveau-nés, qui naissent sans ongles.

L'état-major français fait procéder à une étude détaillée de l'état par ses agents de renseignement sanitaire de l'Allemagne en 1917 : il apprend que l'amaigrissement, dans certaines couches de population urbaine, atteint 40 %, que les femmes ont des troubles de menstruation, que la proportion des enfants sous-alimentés, maigres ou anémiques, atteint 50 %; les enfants de 1917 ont une taille inférieure de 2 à 3 centimètres à ceux de 1913. Plus de 500 000 enfants ont dû être envoyés à la campagne ou dans les pays neutres et alliés pour des séjours de durée variable (1 à 4 mois). Les cas d'empoisonnement par la nourriture ne sont pas rares dans la population adulte qui souffre de multiples avitaminoses. Le *Kriegsoedem* bien connu des médecins allemands n'est rien d'autre qu'une forme de scorbut. En août, la maladie « de la marmelade » cause une quarantaine de décès à Berlin : c'est une « maladie de peau, avec éclatement des plaies ». La *rote Ruhr* (dysenterie rouge maligne) se développe à partir de juin et pourrait bien être une forme de choléra. Des régiments contaminés doivent être hospitalisés : la proportion des décès est de 10 %. Le fléau affecte tout particulièrement les camps de prisonniers de guerre. Il fait, au total, environ 10 000 victimes. Le typhus famélique (*Hunger typhus*) apparaît en Saxe, sur le Rhin et l'Elbe, en Bavière. Il touche en quatre mois près de 10 000 personnes. Une épidémie de variole sévit en février à Berlin et dans l'Allemagne du Nord. La progression de la tuberculose devient impossible à maîtriser. La proportion des adolescents atteints monte à 4,90 % en 1917. Dans l'Etat de Hambourg, les décès par tuberculose ont augmenté de 44,62 %. Naturellement, les maladies vénériennes, plaie des guerres, font des progrès rapides parmi la population civile : 800 000 personnes seraient touchées. La morbidité, le surmenage deviennent dangereux : on note le cas des ouvrières des usines de Spandau qui travaillent 11 heures par jour et 6 heures le dimanche ; beaucoup sont constamment absentes pour fatigue et maladie. Une enquête faite à Duisbourg par une association de jeunes catholiques établit que sur 157 travailleurs âgés de 13 ans et demi à 17 ans, 104 restent à l'atelier plus de 10 heures par jour, 62 travaillent en alternance le jour et la nuit ; 22 en moyenne tombent malades chaque mois.

Car les Allemands ont décidé d'employer les adolescents dans la « mobilisation civile ». Ils constituent une main-d'œuvre toujours à la limite de l'épuisement, dont le rendement est faible. Leur fatigue cause des accidents graves, souvent mortels. L'encadrement sanitaire est heureusement très efficace. Mais on ne peut lutter contre les méfaits de la sous-alimentation et du travail intensif. La baisse de la natalité s'accuse dans les villes, jusqu'à atteindre 27 %. L'absence des mobilisés n'est pas seule en cause. Les lettres de permissionnaires accusent l'inconduite des femmes et les progrès spectaculaires de l'avortement. Le procès fracassant du professeur Henkel attire l'attention de la presse sur un phénomène qui toucherait, en 1917, 200 000 femmes.

Pourtant, des mesures de protection sont prises pour les enfants en bas âge, des secours sont distribués aux familles, des rations de lait et de matières grasses dispensées aux jeunes mères : plus de 400 000 litres de lait à Berlin en 1916. Ces mesures n'empêchent pas, en 1917, la mortalité infantile d'être particulièrement forte, notamment dans les grandes villes. La situation démographique de l'Allemagne, compte tenu des pertes militaires, devient déficitaire :

− 227 700 en 1916, − 700 000 pour les 40 premiers mois de la guerre.

Cette situation difficile illustre l'inefficacité des mesures prises par l'Office de guerre de l'alimentation. Von Batocki, que l'on appelle en Allemagne le « dictateur des vivres », a largement pratiqué la saisie et l'exploitation administrative des denrées. Cette méthode, valable pour les céréales, les boissons et les fromages, a eu des conséquences fâcheuses pour les denrées périssables, matières grasses, fruits, viande, lait ou pommes de terre : la centralisation des produits a entraîné des pertes importantes. La taxation des prix a développé les manœuvres de marché noir et de dissimulation des stocks de vivres, elle a suscité l'opposition à la politique gouvernementale de tous les milieux commerciaux et agrariens. Von Batocki avait dû laisser à l'initiative des municipalités le soin de ravitailler leurs administrés, en passant directement des contrats avec les centres producteurs. Mais la surenchère entre les communes avait provoqué, dans un climat de pénurie, une forte hausse des prix : le bourgmestre de Berlin intervint vivement pour demander que l'Etat ne renonce pas à ses responsabilités mais fasse pression sur les paysans afin d'obtenir des prix raisonnables en contrepartie de la fourniture d'engrais, de machines ou de fourrages.

L'impuissance des pouvoirs publics à organiser la pénurie avait des implications sociales évidentes : les populations les plus touchées étaient celles qui assuraient le plus grand effort industriel, les travailleurs enfants, les femmes des usines de guerre, sans parler des ouvriers étrangers et des prisonniers d'origines diverses. La gravité de la sous-nutrition obligeait les autorités à des mesures d'assistance étendues : distribution de vivres et soupes populaires. Une réglementation draconienne, avec cartes d'alimentation, détournait les vivres des restaurants, réduits à la portion congrue, et visait à fournir les denrées nécessaires aux « cuisines économiques » et aux « cuisines collectives », instituées par les municipalités sur les « fonds de Secours de guerre ». Déjà, en 1916, la plus grande partie de la population de Francfort devait avoir recours à ces cuisines collectives, pourtant détestées par les consommateurs. A la fin de 1917, elles débitaient à Cologne 20 000 portions par jour, 150 000 à Hambourg. En octobre, les restaurants de Munich fournirent 500 000 portions, avec 21 cuisines. A Berlin, dit le *Berliner Tageblatt* du 30 janvier 1917, la foule se presse; le manque de pommes de terre suscite « la ruée dans les boulangeries et les difficultés pour se procurer du pain jettent la foule aux cuisines en commun ». On dénombre alors 223 cuisines collectives dans 64 villes importantes. Elles sont installées dans des hangars, des bâtiments communaux. Des voitures spéciales, à Hambourg, portent la nourriture dans tous les points de distribution. A Düsseldorf, on utilise le tramway pour transporter la soupe, ou plutôt la « bouillie », débitée au litre. Les repas sont payants et décomptés sur les cartes d'alimentation. Les prix sont assez modestes pour n'exclure que les indigents, qui reçoivent des distributions gratuites. La clientèle est presque exclusivement ouvrière. Les autorités pensent, à Munich, qu'il est souhaitable d'organiser des cuisines pour classes moyennes *(Mittelstandskü- chen)*, les familles bourgeoises se refusant à fréquenter les cuisines populaires. Ce projet est si vivement combattu par les restaurateurs qu'il faut y renoncer.

Les socialistes demandent dans le *Vorwärts* « qu'il ne soit désormais servi dans tous les cafés, hôtels et restaurants, qu'un seul plat, identique à celui fourni quotidiennement aux clients des cuisines collectives ». Ils n'obtiennent pas satisfaction.

L'Allemagne en guerre en est réduite, pour survivre, à répartir au plus juste ses ressources. Elle s'efforce de les accroître en utilisant les « ersatz ». On a d'abord pensé à substituer, dans le régime alimentaire, un produit à un autre : par exemple, l'orge remplaçant la pomme de terre dans le pain. Mais on manque alors cruellement de bière. Si l'on donne à la population des choux-raves au lieu de pommes de terre, on prive gravement les vaches laitières qui, nourries avec de la paille, deviennent stériles. Les ersatz ne privent personne, mais livrent la foule des consommateurs aux charlatans ; aussi réclame-t-on une réglementation du marché des succédanés pour éviter la vente libre du « sel de marjolaine ». On sait imiter le thé et le café ; le houblon entre pour 20 % dans la fabrication du tabac, ainsi que les feuilles de hêtre. On offre dans le commerce, comme ersatz de beurre, « des mélanges de margarine ou de suif avec de la fécule de pomme de terre ». Les cubes pour les potages « sont faits de colle, d'extraits d'os avec addition d'épices, de céleri et de persil ». On vend comme cacao une mixture de maïs, de farine d'avoine et de mauvaise poudre de coquilles de cacao. On fabrique de faux fromages et même de fausses saucisses. On comprend que les consommateurs aient demandé la protection du gouvernement... Les poudres et gelées, les ersatz d'œufs et de beurre, le miel artificiel, les colles et gélatines colorées risquaient de faire croître trop rapidement la population hospitalière. Quant aux feuilles d'arbres récoltées par les enfants des écoles pour nourrir les chevaux, elle ne pouvaient être une solution durable à la pénurie d'avoine.

Le gouvernement ne peut parer à toutes les tâches. Von Batocki s'efforce de lutter contre la protestation de l'Allemagne du Sud, plus agricole, mieux nourrie, qui se juge exploitée et dépossédée par le Nord. On accuse le Sud, dans le grandes villes, de pratiquer « le recel des vivres ». Bethmann-Hollweg doit se rendre lui-même dans les États du Sud pour défendre le chef de l'Office de l'alimentation.

Si l'étatisation échoue dans l'organisation du ravitaillement, elle a des résultats plus heureux dans l'industrie : le monopole d'État sur les matières premières, le travail obligatoire donnent des résultats positifs; l'économie de guerre de Rathenau fonctionne bien et fournit à l'armée ses moyens matériels, au détriment des travailleurs surexploités. Le temps de travail dans les charbonnages s'étend à neuf ou neuf heures et demie, voire même douze heures en Haute-Silésie. On compte 47 000 femmes travaillant à la mine, au lieu de 9 400 avant guerre. Dans les houillères de Westphalie, elles sont 20 000. Et 20 000 jeunes gens ont également été recrutés. A Aix-la-Chapelle, les mineurs de moins de seize ans représentent 8 % des effectifs.

Les ouvriers ne disposent d'aucun moyen de pression sur le patronat cartélisé, protégé par les pouvoirs publics. La nécessité de réserver la majeure partie de la production à l'industrie de guerre crée la pénurie dans les transports et dans la consommation privée. Riche en charbon, l'Allemagne ne peut plus chauffer les civils, ni même alimenter les marchés. L'hiver très rigoureux de 1916-1917 a gelé les canaux pour longtemps; les chemins de fer n'ont pu suffire à écouler les marchandises. Leurs ouvriers sont désormais des hommes âgés, des femmes, des invalides et même des prisonniers de guerre, dont le rendement est très faible. On augmente les tarifs pour dissuader les voyageurs, ce qui accentue d'autant la hausse générale des prix; l'Allemagne connaît la « vie chère ».

Même à la campagne, les conditions de vie sont difficiles. Une fermière de Marzling, en Bavière, est veuve. Elle n'a plus auprès d'elle qu'un seul fils, qui s'occupe de son moulin. Les autres sont sur les fronts français et italien. Elle est seule pour les travaux des champs. Tous les hommes « de 13 à 45 ans sont en campagne ». Elle est « rationnée pour tout et ne reçoit que le strict nécessaire » : pas beaucoup de bière. Les gens des villes enlèvent tout, même les cloches, « envoyées en Prusse ». Le bétail est « exproprié ». La fermière ajoute : « Je ne crois pas que cette tromperie *(Schwindel)* prendra fin encore cette année-ci. Cela durera au moins aussi longtemps qu'il existera un homme bien portant. » Dans sa commune, il y a déjà 20 morts et beaucoup de blessés.

Dans le Schleswig, pays d'élevage, les hommes et les femmes ont longtemps soustrait leurs produits et leurs bêtes à la réquisition. En 1917, c'est impossible : « Des visites domiciliaires sont constamment faites par l'autorité cantonale qui confisque toutes les provisions. » Celles-ci sont envoyées à Kiel, « où les ouvriers réclament davantage de nourriture, avec menace de grève », et aussi à Hambourg. Les Allemands ont transplanté dans l'ancien duché danois des colons venus de Russie ou des pays baltes.

Dans les villes, les usines, la grève sauvage devient le seul moyen d'améliorer la condition alimentaire des travailleurs : dès le printemps, les mouvements s'étendent dans les grandes régions industrielles. A Essen, en mai, les mineurs font grève pendant vingt-quatre heures. Ils réclament un supplément de salaire et l'augmentation de leur ration de pain. Les femmes pillent boulangeries et boucheries, la police doit intervenir. Les troubles les plus graves ont lieu à Leipzig où les émeutes de la faim prennent un caractère révolutionnaire, en raison de l'intervention des spartakistes. La diminution des rations est exploitée par les socialistes minoritaires qui parviennent à déclencher des grèves jusque dans les usines d'armement : au printemps, 125 000 grévistes. Le mouvement n'est brisé qu'au prix d'une véritable militarisation des effectifs, après arrestation des leaders. Les mots d'ordre de « paix honorable » sont diffusés par les socialistes indépendants de Haase et par les spartakistes. Ils rencontrent inévitablement un écho dans l'opinion : on note une augmentation des adhésions aux deux partis socialistes à partir de juin. L'interdiction de toute participation ouvrière – en Allemagne comme en France – à la conférence de Stockholm ne décourage pas le mouvement. Les spartakistes recrutent, se renforcent, s'installent dans la clandestinité, militent même dans les prisons. Au printemps de 1917, on peut se demander si un changement de majorité politique en Allemagne ne va pas résulter de l'agitation sociale et de la crise du ravitaillement.

En mars, les nationaux-libéraux, les progressistes et les socialistes sont en effet rejoints par les députés du centre sur un point précis de revendication : la réforme électorale en Prusse et l'établissement d'un vrai régime parlementaire. En apparence, rien à voir avec la crise. Mais l'intervention d'Erzberger, chef indiscuté du centre, dans la bataille politique, crée en juillet un fait nouveau : la politique de guerre risque de n'avoir plus de majorité au Reichstag. Le socialiste majoritaire Scheidemann est à la tête de la contestation.

Par son « message de Pâques », l'empereur avait promis l'instauration en Prusse d'un régime démocratique « après les prodiges accomplis par le peuple tout entier dans cette guerre formidable ». Bethmann-Hollweg avait en revanche refusé de discuter des buts de guerre. Toutefois, il avait écrit à Hindenburg pour l'avertir qu'il n'était pas hostile à une « paix d'entente » : « S'il devait arriver que, dans notre situation actuelle, nous repoussions des possibilités de paix parce qu'elles ne nous permettraient pas d'atteindre certains buts de guerre, il en résulterait certainement des conséquences incalculables pour notre force de résistance intérieure. » Ludendorff était indigné, Hindenburg surpris. Une paix de compromis, répliqua-t-il, serait « un désastre pour notre avenir politique et économique ». Le 27 juin, dans une lettre à l'empereur, il exigeait plus de fermeté. Il ne pouvait supporter que l'arrière faiblisse ou trahisse.

Le 6 juillet, il était clair, au Reichstag, que la guerre sous-marine avait échoué et que l'Allemagne n'avait plus les moyens de gagner la guerre. Le délai de six mois demandé par l'état-major de la marine avait expiré. Encore un an de guerre et l'Allemagne aurait une dette extérieure accrue de 50 milliards de marks : c'était la ruine. Le catholique Erzberger posa la question : « Ne pouvons-nous pas nous grouper pour dire au gouvernement que nous sommes prêts à faire la paix sur la base de 1914? » Catholiques et socialistes pouvaient parler fort : ils avaient la majorité.

Mais Hindenburg menace de démissionner si ce gouvernement d'abandon reste au pouvoir. Il envoie son agent politique, le colonel Bauer, à Berlin. Le 12 juillet, celui-ci obtient de l'empereur la tête de Bethmann-Hollweg, qui démissionne.

Le Kaiser doit choisir : une paix « blanche » ou la continuation de la guerre. L'état-major lui impose son choix. Un pâle fonctionnaire, docile et timoré, est désigné : c'est Michaelis. Hindenburg ne parvient pas à obtenir des députés qu'ils renoncent à voter leur « résolution de paix » du 19 juillet. Le discours wilsonien résonne, une fois au moins, dans l'enceinte berlinoise : « Le Reichstag désire une paix d'entente, de réconciliation durable entre les peuples. Les conquêtes territoriales obtenues par la force, les mesures violentes d'ordre politique, économique et financier, sont incompatibles avec une paix de ce genre. »

Michaelis ne devait pas rester longtemps au pouvoir. Non qu'il fût menacé par la coalition parlementaire : la « résolution de paix » ne pouvait avoir aucune conséquence, puisqu'un vote de défiance n'entraînait pas le départ du cabinet. Mais les troubles et mutineries de la flotte, à la fin juillet et au début d'août, avaient permis à l'opinion de dénoncer l'incapacité du chancelier. Confirmant sa volonté de donner raison jusqu'au bout à l'état-major, le Kaiser désigna pour lui succéder le comte Hertling, vieux catholique patriote, membre du parti du Centre, mais adversaire du régime parlementaire. Encore un homme effacé, incapable de résister à la pression de Hindenburg, dont le monument colossal, inauguré dans la grande allée de la Victoire *(Siegsallee),* est l'objet de la dévotion des Berlinois qui ont encore le cœur de se rendre le dimanche dans Tiergarten.

Les mesures de « redressement » politique suffiront-elles à désarmer le front social? C'est douteux : les grèves reprennent à l'automne de 1917, plus violentes et plus révolutionnaires. Indépendants et spartakistes ont beau jeu de dénoncer désormais la mauvaise foi des majoritaires qui demandent la paix tout en votant les crédits de guerre. Leur propagande est active; en septembre, ils distribuent des tracts à Stuttgart contre la guerre. Ils multiplient les réunions, soutiennent les grèves en leur conférant, comme à Leipzig, fin août, un caractère révolutionnaire. « Les manifestants, dit un rapport du 2ᵉ bureau, réclamaient la paix et proféraient avec une violence inconnue jusqu'à ce jour des injures contre le Kaiser et plus particulièrement contre Hindenburg. » Le bruit courait en Allemagne que l'empereur, en juin, aurait échappé, sur le parcours Potsdam-Berlin, à une tentative d'assassinat. La police se préparait à demander l'intervention des mitrailleuses de l'armée pour juguler les nouvelles grèves dans les usines de guerre, à Cologne notamment. Ces mouvements, le pouvoir politique ne pouvait y répondre que par la force : ils justifiaient les observations des conseillers de Wilson qui lui parlaient des *deux Allemagnes*. Incontestablement, l'une d'elles, à la fin de 1917, désirait la paix. Seule la répression imposée par l'état-major l'empêchait de s'exprimer.

La capacité de résistance de l'État semblait bien moindre en Autriche-Hongrie : l'empereur Charles était un personnage aimable, « affichant volontiers, disait un rapport parvenu au 2ᵉ bureau, une certaine *Gemutlichkeit* que l'on attribue aux Viennois ». Mais son indécision était célèbre : on l'avait surnommé « Karl der Plötzliche » (le capricieux). Sans doute souhaitait-il sincèrement la paix, mais comment résister à son entourage, et comment son état-major eût-il pu se dérober aux injonctions des puissants alliés de Berlin ? Pourtant, Charles a éloigné Conrad von Hötzendorf, il a pris conseil du prince Hohenlohe, des comtes Berchtold et Czernin : ces notables sont des modérés, mais Czernin pense qu'après la révolution russe, il faut encore tenter de poursuivre la guerre. S'il y a une chance de conclure une paix avantageuse qui évite la dislocation de l'empire, il convient de la tenter.

D'ici là, Charles doit apaiser les impatiences nationales. Il reçoit une députation de l'Union parlementaire tchèque, avec Stanek, Fiedler et Smeral. Il écoute leurs doléances sur la condition des ouvriers, la pénurie économique. Czernin reçoit longuement les députés qui lui parlent des troubles dus à la famine, à Moravska-Ostrava.

— Il faut conserver le calme à tout prix, leur dit-il.

— Faites la paix, lui répond Stanek.

— Comment arriver au tapis vert? » rétorque le comte. Il étonne les députés en leur confiant qu'il compte surtout, pour conclure la paix, sur les socialistes italiens, français et neutres. Il est, pour sa part, partisan de la conférence de Stockholm. Il reçoit en particulier le socialiste Smeral, approuve son départ pour la Suède, lui donne des passeports. Il faut très vite apaiser les Tchèques et les Yougoslaves qui viennent d'affirmer publiquement leurs revendications. En juillet, les Serbes, les Croates, les Dalmates ont signé le « pacte de Corfou », base de la fondation de leur futur État indépendant. Le gouvernement de Vienne n'a pas les moyens de réagir, il lâche du lest, fait amnistier tous les condamnés politiques, sauf ceux qui se sont enfuis à l'étranger, comme Masaryk ou Benès. Charles voudrait constituer un gouvernement avec des représentants de toutes les nationalités : l'Allemagne s'y oppose, elle intervient désormais directement dans les affaires intérieures de l'Autriche-Hongrie. Le juriste Redlich, qui voulait tenter cette politique de réconciliation, est écarté du pouvoir au profit du fonctionnaire Seidler, incapable de proposer la moindre réforme. Charles échoue également dans sa tentative de rénovation de la Hongrie : il renvoie le Premier ministre Tisza, mais ne parvient pas à modifier sensiblement la loi électorale qui portait aux urnes 1 200 000 électeurs, tous magyars, sur une population de 20 millions d'habitants aux nationalités bigarrées.

L'état-major allemand est sceptique sur les possibilités de résistance de l'Autriche-Hongrie : le ministre du ravitaillement Höfer annonce pour 1917 un déficit de 6 millions de quintaux de blé. Les terres n'ont pas été amendées depuis trois ans, les chevaux et les bras manquent dans les fermes. Les prisonniers de guerre russes ne montrent guère d'ardeur au travail. La récolte de pommes de terre s'annonce également mauvaise. A Prague, à Brno, la Bohême connaît la famine. A Pilzen, les émeutiers ont arraché les rails de chemins de fer. A Moravska-Ostrava, les magasins ont été pillés. Les prix des denrées montent sans arrêt dans les villes dont les habitants n'ont pu se chauffer l'hiver, faute de charbon. Les vivres sont réservés aux soldats ou aux travailleurs des usines de guerre : les civils crèvent de faim. La Hongrie a une meilleure situation alimentaire, de même que la Croatie. Mais les paysans de ces pays protestent contre les réquisitions de vivres expédiées en Autriche.

Le gouvernement prend les mesures nécessaires pour ravitailler Vienne à tout prix : dans la capitale, la pénurie s'installe, mais non la famine. En revanche, le Autrichiens ne remplissent plus leurs devoirs pour l'alimentation des prisonniers : le sort de ceux-ci devient tragique. Ceux qui séjournent dans les camps, au lieu d'être employés dans les cultures, dépérissent lentement. A Wegscheid, en Basse-Autriche, une quarantaine de Russes meurent ainsi tous les jours, affirme un rapport d'espionnage. Comment les Autrichiens pourraient-ils nourrir leurs prisonniers alors qu'ils sont contraints d'abattre leurs propres chevaux ? Ces derniers, à l'armée, n'existent plus que dans l'artillerie. Cinquante mille sont morts dans la boue de Galicie.

La situation alimentaire n'est guère meilleure chez les alliés orientaux de l'Allemagne. Mais comment se révolter contre le pouvoir, en Turquie ou en Bulgarie ? Les récoltes bulgares avaient été bonnes dans les premières années de la guerre, elles avaient malheureusement été exportées largement dans les pays « alliés ». La pénurie était telle, à la fin de 1916, que la presse bulgare s'en plaignait : la crise du pain, écrivait le *Mir,* est due aux agissements

« d'étrangers en uniforme » qui raflent toutes les réserves de farine. Un « Comité central de prévoyance sociale » fut chargé des achats dans les campagnes et de la répartition des vivres, ainsi que de la fixation des prix. Mais, au début de 1917, cet organisme avait fait faillite et les prix avaient flambé par suite de la pénurie. La ration de pain avait dû être limitée, à Sofia, à 100 grammes par repas. Le gouvernement avait interdit la sortie des semences et graines pour jardinage, afin de préserver la production nationale et de lutter contre la pénurie de légumes. Les pommes de terre, à Sofia, étaient, un article de luxe.

Les bêtes à cornes aussi avaient pris le chemin de l'Allemagne ; la population de Sofia était restée jusqu'à dix jours sans pouvoir manger un seul morceau de viande. En février 1917, l'abattage des veaux, des génisses, des agneaux, des chevreaux fut interdit jusqu'au 15 avril : on espérait ainsi sauver ce qu'il restait du cheptel. La réglementation du marché des viandes avait provoqué à la fois la pénurie et les abattages clandestins pour le marché noir. Les Allemands s'emparaient même des oies qu'ils payaient à prix d'or : 35 000 oies, en février 1917, avaient pris le chemin du Reich.

L'interdiction à l'exportation des huiles et graisses, des œufs, du beurre, ne permettait pas de résoudre le problème de la pénurie, car la Bulgarie ne produisait pas assez d'huile de noix ou d'olive pour sa propre consommation. Un « Office pour l'alimentation » fut créé en avril, sous la direction d'un général. Des mesures de salut public furent prises de toute urgence, à la fois pour empêcher la sortie des denrées du territoire national et pour réglementer la fourniture des vivres. La population de Sofia, qui n'avait pas de charbon pour se chauffer, dut aborder le rude hiver 1917-1918 dans une situation alimentaire désastreuse, sans aucun moyen de protester : les militaires tenaient le pays bien en main.

Les Turcs n'étaient pas plus favorisés : la disette se faisait surtout sentir dans les villes, mal approvisionnées, ainsi que dans les régions qui pouvaient être touchées par le chemin de fer et où les autorités étaient en mesure de réquisitionner et d'enlever récoltes et troupeaux. La hausse du prix du pain était sensible dès le début de la guerre, malgré la fixation des prix par le « Comité turc des approvisionnements alimentaires ». Les cartes de rationnement permettaient à la population de Constantinople de se procurer chaque jour 250 grammes de pain noir fait de maïs, de fèverolles et de millet. Une loi obligeait toutes les personnes non astreintes au service militaire, les femmes et les enfants de plus de 14 ans à travailler aux champs. Mais la population ne manquait pas seulement de céréales. La disette de légumes était tout aussi importante, et les fournisseurs de viande désertaient les marchés urbains. 50 000 bêtes, en 1917, avaient été expédiées en Allemagne.

Une manifestation à Andrinople avait empêché le départ d'un convoi : la foule avait attaqué et pillé les wagons. Les troubles étaient constants dans la capitale où la police devait garder les boucheries. Il fallait, dans les gares, empêcher le pillage des wagons de sucre, de plus en plus rares, venus d'Autriche. Comme en Bulgarie cependant, ces émeutes alimentaires étaient aisément réprimées, elles n'avaient pas de conséquences politiques. Le blocus des Alliés, renforcé par Wilson, mettait en difficulté l'ensemble des populations civiles de l'Europe en guerre, il ne parvenait pas à infléchir la politique menée par les états-majors. Les militaires, dans toutes les capitales, tenaient la situation d'une poigne ferme.

En France, en Angleterre, en Italie, la détresse alimentaire risquait aussi de provoquer un mouvement social de grande ampleur, susceptible de créer des difficultés aux gouvernements en place. La guerre sous-marine avait incontestablement gêné le ravitaillement des grandes villes et des populations ouvrières, et la diminution brutale de la main-d'œuvre rurale (en France surtout) avait compromis les récoltes.

L'Angleterre était la première touchée, du fait de l'insuffisance évidente de ses ressources : même si l'on avait favorisé la remise en culture des prairies désormais ensemencées en blé et en pommes de terre, le grand pays industriel et marchand n'avait pas l'habitude de compter sur son sol pour se nourrir. Il importait les vivres d'Europe, d'Amérique, des dominions. En frappant sa flotte marchande, les Allemands menaçaient effectivement son ravitaillement. Mais les populations civiles étaient en outre affectées par les modifications des productions industrielles, des modes de vie, des niveaux de vie, accentuées par l'inévitable inflation. Le gouvernement s'était en vain évertué à dominer la situation monétaire en contrôlant sévèrement, à partir de 1915, le *Stock Exchange,* en empêchant les transferts de fonds à l'étranger. Le contrôle étatique avait permis de créer de toutes pièces une puissante industrie de guerre, et 20 000 établissements, grands et petits, travaillaient en permanence pour l'État en étant assurés d'un bénéfice au moins égal à celui qu'ils réalisaient avant 1914. Le ministère des Munitions passait les marchés, surveillait les commandes grâce à ses 65 000 fonctionnaires qui distribuaient du travail à des millions d'ouvrières et d'ouvriers. Les socialistes n'avaient pas vu d'un mauvais œil cette « rationalisation » du système industriel qui obligeait les intérêts privés à s'intégrer dans un plan national de production. Le fait que 5 700 000 hommes devaient être recrutés tout au long de la guerre n'avait pas affaibli outre mesure l'appareil productif : on avait augmenté les heures de travail, introduit des machines modernes dans les ateliers, accru ainsi le rendement. On avait engagé plus de 3 millions d'ouvrières et 900 000 employées de commerce : le travail féminin faisait dans l'industrie et les services une entrée en force. Les femmes étaient alors six fois plus nombreuses qu'avant la guerre dans les banques, deux fois plus dans la fonction publique ; elles étaient même présentes dans l'armée : 100 000 infirmières et autant d'auxiliaires. Pour maintenir les ouvriers spécialisés aux postes clés de l'industrie, on avait apporté des exceptions, des exemptions au système de recrutement, qui n'étaient pas sans susciter des mécontentements : pourquoi, disaient les syndicats, avait-on dispensé de service les garçons coiffeurs et les palefreniers ? Était-ce pour seller les chevaux des ducs ?

Pour entretenir l'armée des ouvriers et ouvrières travaillant pour la guerre, l'État avait dû s'endetter constamment : les activités nouvelles n'étaient pas productrices de richesse et le commerce extérieur accusait un déficit croissant. Les importations doublèrent, les exportations diminuèrent, le déficit quadrupla en quatre ans. 1 365 millions de livres devaient être empruntées aux neutres et aux dominions. Il fallait instaurer des impôts nouveaux, quadrupler les recettes fiscales, lancer des emprunts intérieurs pour tenter de combler ce trou. La dette publique atteignit le chiffre énorme de 7 milliards de livres.

La pénurie financière, tout autant que la pénurie alimentaire, favorisait la hausse des prix et l'inflation. L'État, en 1917, avait dû étendre sa « protection » aux fermiers. Il leur garantissait les prix des denrées tout en exigeant une extension de la production. Cette « garantie » était en fait un moyen de lutter contre la vie chère en imposant des prix plafond. On n'avait pu échapper au rationnement alimentaire, instauré d'une manière très modérée en 1917. Pour l'Angleterre, c'était une vraie révolution !

L'État achetait et distribuait lui-même les denrées importées, puisqu'il avait réquisitionné une grande partie de la flotte commerciale. Pour lutter contre l'absence de main-d'œuvre dans les fermes, il avait favorisé l'acquisition par les fermiers de tracteurs et d'engins mécaniques achetés aux États-Unis, et suscité l'engagement de 300 000 ouvrières agricoles, le renfort des prisonniers de guerre s'avérant négligeable. Mais il n'attendait pas de miracle de la hausse de la production : la solution du problème alimentaire anglais était dans la construction de nouveaux navires de commerce et dans la maîtrise des hausses de prix qui provoquaient déjà des réactions hostiles en milieu ouvrier.

Car la guerre avait ses profiteurs : les fermiers avisés qui bénéficiaient, grâce à la mécanisation, de l'augmentation des denrées agricoles ; les industriels des fabriques de munitions qui avaient facilement échappé aux mesures fiscales frappant à 100 % les bénéfices en excédent de 20 % par rapport aux profits d'avant guerre. Ils avaient réinvesti – disaient-ils à l'administration – leurs profits dans le système économique... Ils échappèrent pareillement au super-impôt de 50 %, puis de 80 %, sur les bénéfices, sans cesser de faire de juteuses affaires.

Les salariés, eux, faisaient de plus en plus les frais de l'effort de guerre : le consensus patriotique de l'été 1914 ne résistait pas à l'inflation, d'autant que les salariés étaient désormais assujettis à l'impôt sur le revenu et acquittaient les taxes indirectes dont la masse allait croissant. Ils avaient dû accepter des journées de travail plus longues, ils subissaient la concurrence des femmes, payées moins cher, et des enfants d'âge scolaire recrutés dans les usines par centaines de milliers.

Les salaires avaient certes augmenté à partir de 1915. Ceux des ouvriers agricoles avaient triplé. Dans les usines, les menaces d'arrêt de travail suffisaient pour obtenir une hausse de la paie. L'arbitrage, en cas de conflit, était constamment recommandé par le gouvernement qui redoutait une grève des usines de munitions. Les syndicalistes siégeaient dans une commission consultative sur les problèmes du travail. Ils étaient sans cesse consultés et prenaient une part croissante dans l'administration des entreprises, au point qu'en 1917, ils décidaient eux-mêmes de l'exemption des ouvriers du service militaire. Ils avaient recruté des centaines de milliers d'adhérents supplémentaires et représentaient, avec 6 500 000 cartes, un groupe de pression considérable.

Lloyd George n'hésita pas à braver cette puissance quand il eut besoin de lever de nouvelles troupes, après la bataille de la Somme, au printemps de 1917 : il supprima ce privilège des syndicats. L'administration pouvait désormais envoyer à l'armée les ouvriers des industries, imaginer des solutions pour remplacer les ouvriers spécialisés (la « dilution » des tâches), engager une main-d'œuvre de remplacement, essentiellement féminine. Des mots d'ordre de grève furent aussitôt lancés, bien que les chefs du syndicat ne soutinssent pas le mouvement. Les ouvriers ne voulaient pas dépendre de l'administration pour leur départ à l'armée, ils craignaient que la « dilution » du travail n'aboutît à la disparition, après la guerre, des ouvriers spécialisés. Spontanément, d'atelier en atelier, la grève s'étendit, bientôt 230 000 grévistes posèrent à Lloyd George un grave problème : pour la plupart, ce sont des métallurgistes travaillant pour la guerre. Le gouvernement doit négocier : s'il ne rend pas aux syndicats le pouvoir d'affecter les hommes ou de les retenir à l'usine, il abandonne ses projets de « dilution » des postes de travail spécialisé. La promesse de libération des grévistes arrêtés suffit à désarmer le mouvement. En Angleterre, la guerre est acceptée, même si elle est critiquée : la censure n'empêche pas le colonel Repington d'adresser de rudes critiques à l'état-major et au ministre, pas plus qu'elle n'interdit aux correspondants de se rendre aux armées, ni qu'elle n'empêche les contestataires de faire entendre leur voix hostile à la guerre.

La grande majorité du parti travailliste soutient Lloyd George dans son effort patriotique. Henderson, John Hodge et Barnes sont ministres. Il n'y a pas le moindre doute sur le sens du combat, car l'Angleterre peut adhérer sans difficultés au programme de Wilson : elle n'a aucune revendication annexionniste. En 1917, la conférence du *Labour Party* vote une motion pour une paix de victoire. Pas question de paix « blanche ». Le retour à l'internationalisme, l'esprit de Stockholm n'existent que dans *l'Independant Labour Party* de MacDonald, Keir Hardie et Jowett, ou chez les libéraux et socialistes de *l'Union of Democratic Control*. Le petit parti socialiste britannique, avec Hyndman, Ben Tillett et Bax, véhicule des idées pacifistes et exerce sur la gauche du Labour une attraction indéniable : ces groupements s'expriment d'autant plus librement qu'ils ne constituent en rien une menace pour la cohésion de la majorité de Lloyd George, composite, ambiguë et provisoire, mais menée d'une poigne de fer.

Contrairement à l'opinion publique britannique qui ne met pas gravement en question la politique de guerre de Lloyd George, l'opinion italienne, dès le premier jour, est profondément divisée. La parti socialiste italien a eu d'abord pour mot d'ordre : « Ne pas saboter la guerre, mais ne pas y adhérer. » C'était l'affaire de la bourgeoisie, non de la classe ouvrière. Les socialistes italiens avaient participé, en 1915, à la conférence de Zimmerwald où ils avaient demandé la « paix sans annexions ni indemnités de guerre ». Depuis le début des hostilités, les libéraux neutralistes, amis de Giolitti, s'étaient retirés sur l'Aventin, soulignant par leur silence combien ils désapprouvaient les sacrifices imposés au pays. Comment les militants catholiques seraient-ils restés sourds aux multiples tentatives du pape, à l'attitude constamment pacifiste du Vatican? En Italie, la guerre était loin de faire l'unanimité. Les publications pacifistes étaient nombreuses et de tendances fort diverses : la presse proche du Vatican militait pour une idée d'association internationale directement inspirée du wilsonisme; la revue neutraliste *Voce del Tempo* s'inspirait des articles du programme de l'association pacifiste anglaise *Union for Democratic Control,* de sir Ponsomby; la *Vita Internazionale* rassemblait à Milan les partisans d'une paix « organisée » à l'américaine. Cette publication avait été fondée par Theodoro Moneta, ancien directeur d'*Il Secolo,* ancien prix Nobel de la paix. Moneta voulait une paix basée sur le respect des nationalités, comme tous les militants de l' « Union lombarde », antenne wilsonienne en Italie. Il s'était néanmoins rallié à l'entrée en guerre, parce qu'il estimait nécessaire de lutter en Europe contre les « puissances de proie ». Les milieux pacifistes milanais et romains ne pouvaient rester sourds, en juin 1917, au mouvement de protestation contre la guerre qui s'était manifesté, à l'armée, par d'inquiétantes désertions, et qui s'exprima au parti socialiste et à la Confédération générale du travail par une déclaration très nette, le 30 juin : le peuple italien ne pourrait supporter un nouvel hiver de guerre.

L'offensive socialiste fut relancée par l'Union populaire catholique qui demanda, en août, que le gouvernement « mette fin à cette horrible guerre ». Les libéraux giolittiens étaient alors prêts à intervenir au Parlement.

Les armées italiennes comptent plus de 2 millions d'hommes, qui ont déjà connu de lourdes pertes sans emporter la décision. Une offensive a été déclenchée le 12 mai par la 3ᵉ armée du duc d'Aoste, sur l'Isonzo. Les fantassins italiens ont attaqué le mamelon de San Marco et les pentes du mont Cucco. Ils ont subi le tir redoutable de l'artillerie autrichienne, sans avoir reçu de renfort suffisant en canons français. Le mont Cucco, la crête du Vodice sont enlevés par la progression coûteuse des *Alpini,* des *Bersaglieri* qui se font tuer par milliers sur les pentes du Monte Santo où les Autrichiens, qui ont eu de lourdes pertes, restent accrochés. Les Italiens eurent 15 000 tués et 12 000 disparus dans ces combats sans issue. Dans le Trentin, la 6ᵉ armée du général Mambretti était lancée sur le front Giulia, à la Bochetta di Portule. Elle n'obtint pas de résultats spectaculaires et laissa de nombreux morts dans les ravins de la montagne.

Depuis le 1ᵉʳ décembre 1916, le gouvernement italien avait appelé aux armées 650 000 hommes supplémentaires. En juin 1917, il avait l'intention de lever la classe 1899; des réformés, des exemptés étaient envoyés au front. Dans les campagnes d'Ombrie et de Toscane, dans la plaine du Pô, on recevait très mal ces nouvelles mesures : était-il raisonnable, disaient les giolittiens, de priver les fermes de main-d'œuvre au moment où la pénurie de denrées alimentaires devenait préoccupante dans les villes? Comment importer du blé alors que les transports maritimes avaient subi les lourdes conséquences de la guerre sous-marine?

La pénurie de pain et de farine devait provoquer à Turin, en août, une crise très violente : les citadins du Nord avaient passé un hiver frileux, sans charbon; ils abordaient l'été sans avoir de pain. Les boulangeries et les boucheries de Turin furent prises d'assaut. La troupe prit position dans les rues : quarante morts. Le responsable socialiste Lazzari devait envoyer une circulaire aux municipalités pour leur demander de paralyser l'effort de guerre en offrant collectivement leur démission.

Le gouvernement, dirigé par un vieillard, Boselli, était sans réaction. Il proclama à la fin de septembre, très tardivement, l'état de siège dans les provinces de Turin, Alexandrie, Gênes. Tous ceux qui agiraient « pour déprimer l'esprit public » seraient punis par la loi. Attaqué vivement au Parlement comme « ministre des fusillades », Boselli devait en outre répondre aux reproches de l'extrême droite patriote qui venait de constituer un groupe d'union, le *Fascio*, animé, entre autres, par Benito Mussolini.

L'Italie n'était plus gouvernée, elle semblait s'offrir aux coups des armées ennemies. Le 1ᵉʳ septembre 1917, Hindenburg et Ludendorff décidèrent d'aider l'Autriche en lui envoyant sept divisions qui devaient prendre Udine en attaquant très puissamment sur l'Isonzo. Le général Otto von Below revient spécialement du front de l'ouest pour monter l'opération. Avec 6 divisions autrichiennes, il se fait fort du succès.

Les Italiens, prévenus par des déserteurs roumains et tchèques, s'attendent au choc. Ils connaissent la date et le lieu de l'offensive : le secteur de Tolmino, dont les tranchées ne sont pas en bon état. L'attaque est lancée le 24 octobre. En 24 heures, la bataille de Caporetto est gagnée, les positions italiennes forcées. Allemands et Autrichiens peuvent se déployer dans la plaine, prendre Cividale. La retraite de la 2ᵉ armée italienne devient une véritable débandade. Malgré les cavaliers et une brigade de bersaglieri qui se sacrifient à l'arrière-garde, les divisions se rendent avec l'artillerie et les trains régimentaires. Les déserteurs s'enfuient par milliers jusqu'aux Abruzzes : il n'y a plus de 2ᵉ armée.

La poussée austro-allemande sur le Tagliamento risque de couper la retraite à la 3ᵉ armée du duc d'Aoste qui n'échappe à l'encerclement qu'au prix de lourdes pertes. Le 2 novembre, les Italiens refluent sur le Piave. Les lenteurs de Conrad von Hötzendorf, qui attaque trop tard en direction d'Asiago, permettent aux Italiens d'établir une ligne de défense sur le fleuve. Ils ont perdu 300 000 hommes, mais ils ont sauvé leur 3ᵉ armée. Avec à peine 10 000 tués, Caporetto peut en revanche être considéré comme le résultat de la démoralisation de l'armée, qui ne sait pas pourquoi elle se bat.

Les giolittiens, les pacifistes, les socialistes, les catholiques vont-ils en profiter pour imposer la paix ? Ils sont plutôt sensibles – inégalement, il est vrai – au réveil du sentiment patriotique devant la menace d'invasion du territoire par les vieux ennemis autrichiens. Ce sursaut est aussitôt capté, récupéré : Boselli est balayé par 350 députés en colère qui donnent le pouvoir, dans une atmosphère d'union sacrée, à l'ancien ministre de l'Intérieur Orlando. « L'Italie ne peut être vaincue ! » disent les députés.

Il n'est pas besoin de défaite militaire pour que la France suive une évolution politique comparable à celle de l'Italie. Il est vrai que les mutineries sont plus graves sur le front français que les désertions italiennes avant Caporetto, et que le malaise social aboutit à des manifestations moins sanglantes mais plus préoccupantes que les émeutes de Turin ou de Gênes.

Le découragement de l'opinion publique a des causes objectives, mesurables : comme en Italie, comme en Allemagne, la difficulté de la vie quotidienne, les mauvaises conditions de travail, la flambée des prix et la pénurie accroissent le mécontentement à la fin du très dur hiver de 1916-1917; la hausse des salaires n'a pas compensé celle des prix, malgré le rationnement du sucre et de la viande, et le pouvoir d'achat ouvrier a diminué de 10 % par rapport à 1914. Même les paies élevées des ouvriers des usines d'armement ne suffisent pas à leur assurer un niveau de vie décent, sauf s'il y a plusieurs salaires dans le même foyer. La taxation du blé et de la viande provoque des mécontentements chez les commerçants et les cultivateurs qui menacent de donner leur blé aux volailles. Le système des allocations permet d'éviter la misère dans les foyers de mobilisés, mais, à lui seul, il ne permet pas d'assurer la survie familiale : les femmes doivent se mettre au travail, participer massivement à la « mobilisation industrielle ».

Elles constituent une main-d'œuvre indispensable dans l'agriculture où les « gardiennes » remplacent les hommes, ainsi que dans l'industrie d'armement : en août 1917, 5 200 000 hommes portent l'uniforme en France. 518 000 soldats seulement ont été renvoyés à l'usine, et 300 000 aux travaux agricoles. 108 000 étrangers et 61 000 « coloniaux » ont été recrutés, ainsi que 133 000 enfants au-dessous de 18 ans (chiffres de 1918). 430 000 femmes ont pris le chemin des usines. Comment cette main-d'œuvre hétérogène aurait-elle pu composer un front uni de revendication contre les employeurs?

Ceux-ci étaient majoritairement des sociétés privées. Comme le remarque G. Hardach [5], « en France, il n'y eut pas de fusion institutionnelle des trusts et de l'appareil d'État, comme celle qui avait lieu dans l'économie de guerre allemande ou dans le *War Industries Board* des États-Unis. L'État considérait l'industrie de guerre privée plutôt comme un partenaire ». A ce titre, il pouvait lui imposer une politique de participation ouvrière, ce qu'avait tenté de faire Albert Thomas : au début de 1917, les ouvriers participaient aux commissions consultatives du ministère de l'Armement. Des « délégués d'ateliers » étaient associés aux discussions du travail. Mais le gouvernement, s'étant refusé à réquisitionner les entreprises, n'avait pas les moyens réels d'imposer sa politique associative. Le patronat savait que les ouvriers mobilisés mis à sa disposition n'avaient ni le droit de coalition ni le droit de grève. 55 % des effectifs du Creusot, société privée, étaient des ouvriers mobilisés. De bas salaires purent leur être imposés jusqu'au moment où Albert Thomas finit par faire respecter la loi sur le salaire égal.

En 1917 avait été instauré l'arbitrage obligatoire des conflits salariaux devant des comités paritaires patrons-ouvriers. L'État

5. G. Hardach, *La Mobilisation industrielle*, in « L'Autre Front ».

était le médiateur et imposait ses tarifs : 1,50 franc de l'heure aux hommes spécialisés, 1 franc aux manœuvres, 0,75 franc aux femmes, 0,35 franc aux jeunes filles de moins de seize ans. Les ouvrières des usines d'armement étaient particulièrement sensibles à cette inégalité de traitement. Dans la Seine, elles étaient près de 59 000, pour 300 000 ouvriers [6] en 1916, et 96 000 en 1918. Ces « munitionnettes » étaient vérificatrices, calibreuses, forgeronnes, pontonnières, elles préféraient travailler à l'usine plutôt que de toucher 1,25 franc par jour d'allocation comme femmes de mobilisés (avec un supplément de 0,50 franc par enfant). Elles gagnaient plus à l'atelier – même si elles étaient moins payées que les hommes – que les domestiques ou les couturières à domicile. Au départ, elles avaient été assez mal reçues par les syndicats qui craignaient cette main-d'œuvre sous-payée. Dans certaines entreprises, elles étaient la majorité : 60 % chez Citroën. Très rarement, elles accédaient à la maîtrise : la plupart du temps, elles étaient cantonnées dans des emplois non qualifiés. Thomas leur avait garanti le principe « à travail égal, salaire égal », mais ce principe n'était pas appliqué dans les usines où les patrons trouvaient normal de déduire des salaires féminins « le coût de revient de toutes les nouvelles modifications à l'outillage, à l'organisation du travail, à la surveillance et, de façon générale, la part des frais supplémentaires entraînés par la substitution de la main-d'œuvre féminine à la main-d'œuvre masculine ». La fatigue des journées de 10 heures, la toxicité des fabrications, la dureté des cadences devaient vite faire prendre conscience aux femmes de la nécessité de réagir.

C'est ainsi que les munitionnettes et autres ouvrières parisiennes prennent la tête des grands mouvements de revendication de l'année 1917. Moins de 12 % sont membres des syndicats en 1918, mais la plupart participent aux vagues de grèves consécutives à la hausse des prix, à la « vie chère ». Peu politisées, elles se rallient difficilement aux slogans « guerre à la guerre », elles pratiquent des grèves subites, sans préavis, sans assemblées générales, et négocient elles-mêmes la reprise du travail.

Les munitionnettes suivent très vite, au début de 1917, la grève déclenchée par les ouvrières de la couture, les « cousettes ». Dix mille femmes défilent sur les Champs-Élysées, suivies de près par les ouvrières de l'armement : le mouvement compte bientôt 100 000 personnes à Paris, 300 000 en province. On doit fermer certaines usines. Le conflit est réglé par Thomas qui augmente les salaires et prend des sanctions contre les « ouvriers militaires ».

Il rebondit en mai dans le bâtiment. La hausse des prix en est encore cause. Le mouvement gagne l'habillement, puis les usines de

6. Mathilde Dubenet, F. Thebaud, C. Vincent, *Les Munitionnettes de la Seine*, in « L'Autre Guerre ».

guerre où 166 000 journées de travail sont perdues. Trois grévistes sur quatre sont des femmes, les ouvriers mobilisés s'abstiennent. A Toulouse, les ouvrières de la cartoucherie font grève une journée entière, celles de la poudrerie, une semaine. Elles veulent s'opposer, à la gare Matabiau, au départ des trains qui conduisent les ouvriers au travail. Gendarmes et artilleurs à cheval doivent intervenir. Comme le signale J.-J. Becker, tout rentre dans l'ordre dès que les revendications salariales sont satisfaites. « Il y a eu, certes, des emprunts au folklore révolutionnaire : *Internationale,* drapeaux rouges, mais aucune référence à la révolution russe ni au projet de conférence socialiste de Stockholm [7]. » Comme les Parisiennes, les grévistes toulousaines ne font pas de politique. Elles sont plutôt modérées et peu soutenues par les dirigeants syndicaux : ceux-ci « ne souhaitaient pas gêner la défense nationale et ils étaient également agacés par l'insuffisante formation syndicale de ce nouveau personnel et par ses impulsions mal contrôlables ».

Le gouvernement français n'en est pas moins inquiet : pour la première fois, un mouvement de grande ampleur avait affecté les usines de défense, alors que la politique contractuelle d'Albert Thomas était destinée à éviter la perte de journées de travail, que le haut commandement ne pouvait accepter. L'approfondissement du mouvement social était insupportable : plus sûrement encore que la défaite, il mettait la guerre en question, même s'il n'était pas politisé.

Précisément, dans le monde politique, il risquait de trouver le soutien de forces nouvelles qui commençaient alors à s'exprimer : comme en Italie, le malaise social et les revers militaires (l'échec, en mai, de l'offensive Nivelle) pouvaient ébranler la confiance en la victoire chez une majorité de parlementaires. Après tout, la Chambre française avait été élue, en mai 1914, sur un programme de paix; elle avait alors une majorité de gauche, radicale et socialiste. Le leader non socialiste s'appelait Caillaux. Écarté du pouvoir depuis l'affaire d'Agadir, éclaboussé par le scandale de l'assassinat du journaliste Calmette par son épouse, il se tenait, depuis août 1914, dans une prudente réserve, quoiqu'il eût été chargé officiellement de missions à l'étranger par les divers gouvernements. Le dirigeant radical pouvait fort bien être rappelé au pouvoir, en cas de difficultés graves, pour négocier la paix. On soupçonnait aussi Briand de rechercher des « sorties clandestines » à un conflit sans issue. Mais, au-delà du monde politique, la tendance à la remise en question de la guerre s'exprimait dans le milieu intellectuel. Le philosophe Alain s'était engagé en 1914 avec enthousiasme, bien qu'il eût alors quarante ans : en 1917, il « jugeait » la guerre et la considérait comme une naufrageuse. Le

7. J.-J. Becker, *Les Français dans la Grande Guerre.*

maître à penser de ce pacifisme des professeurs était un jeune normalien réfugié en Suisse, Romain Rolland, qui avait publié en 1915 *Au-dessus de la mêlée* : « Mon internationalisme est celui de l'amour et non pas de la haine », écrivait-il. Il faisait campagne contre la guerre, démontrant que les responsabilités du conflit, en 1914, étaient partagées, et que « toute guerre qui se prolonge est une guerre pour de l'argent ». Vivement attaqué par tous les écrivains nationalistes : Barrès, Maurras, Massis (« Romain Rolland parle, et la France se bat »), il était défendu par tous ceux qui voyaient en Barrès, selon le mot de Guéhenno, un « ordonnateur des pompes funèbres nationales ».

Rolland l'iconoclaste recevait le prix Nobel en 1916; le prix Goncourt allait cette année-là à l'auteur du *Feu,* Henri Barbusse. Des soldats le félicitèrent d'avoir « osé prendre leur défense contre les spectateurs de l'arrière ». Le succès du livre, qui décrivait les souffrances des tranchées, fut fulgurant : 200 000 exemplaires, chiffre considérable pour l'époque, devaient être vendus pendant la guerre. Barbusse, socialiste antimilitariste, volontaire en août 1914, affirmait avec force : « Être vainqueur dans cette guerre, c'est pas un résultat. » D'autres écrivains combattants devaient faire découvrir aux civils des vérités que leur cachaient les communiqués : Roland Dorgelès, ancien journaliste à l'*Intransigeant,* auteur, en 1917, de *la Machine à finir la guerre*; Maurice Genevoix, normalien, blessé en 1915, dont les ouvrages *Sous Verdun* (1916) et *Nuits de guerre* (1917) devaient être « caviardés » par la censure qui redoutait leur force et leur sincérité; le médecin Georges Duhamel, auteur en 1917 de la *Vie des martyrs.* Au théâtre, Henry Bataille osait monter une pièce pacifiste, *l'Amazone,* qualifiant la guerre de « saignée de la race » et d' « aberration suprême ». Un clan des intellectuels se constituait avec des noms connus, Anatole France, Victor Margueritte, en face du bloc des écrivains nationalistes qui dénonçaient les ouvrages pacifistes comme instruments de démoralisation.

En réalité, le pacifisme envahissait peu à peu nombre de milieux dirigeants : la bourgeoisie financière et industrielle, le Parlement, les salons parisiens, sans parler des grands corps de l'État, administrations, université, et jusqu'à l'armée elle-même : ainsi général Percin, accusé d'avoir rendu Lille, et le capitaine Ledoux, attaché au 2e bureau, suspect d'avoir soutenu les journaux de trahison.

La prolongation de la guerre ne faisait pas l'affaire de tous les industriels; beaucoup se plaignaient de la concurrence anglaise et souhaitaient retrouver au plus vite leurs marchés d'Europe centrale. Duroselle [8] cite le cas d'un industriel allemand, Moritz Meyer,

8. J.-B. Duroselle, *La France et les Français,* 1914-1920.

désireux de travailler pour la paix, qui avait, via la Suisse, établi des liens avec un député français, Charles Humbert, directeur du *Journal*. Un intermédiaire helvétique envoyé par Moritz Meyer avait même rencontré en France un directeur du Comptoir des Acies, Le Chatelier. Ils avaient discuté des modalités économiques de la paix, et notamment du bassin de Briey, dont Moritz Meyer envisageait l'annexion à l'Allemagne contre une forte indemnité. De tels contacts ont existé, ils sont attestés par les archives allemandes. On sait aussi que le ministre de la Marine de 1914, Augagneur, ami de Caillaux, est intervenu pour faire relâcher un navire de nickel calédonien saisi par le tribunal des prises de Brest. L'acheteur s'appelait Krupp.

De violentes campagnes xénophobes sont lancées par la presse nationaliste et patriote qui traque la « trahison ». Des trafiquants, des hommes d'affaires sans revenus avouables deviennent la cible des polémistes; certains sont parfois victimes de règlements de compte. Qui connaissait en France le Belgo-Roumain Margulies, en dehors des clients du casino de Monte-Carlo et de l'Hôtel Negresco à Nice? Ce Margulies est l'objet d'une vive campagne de Léon Daudet dans l'*Action Française*, de Clemenceau dans *l'Homme enchaîné* : cet homme sans scrupules, affirmait-on, fait du commerce avec l'ennemi. On arrête Margulies. Mais c'est au tour de Georges Clemenceau d'être attaqué : on lui reproche d'accabler Margulies parce que son concurrent Rosenberg, autre commerçant honnête, est le client de son frère, l'avocat Paul Clemenceau...

L'idée répandue dans les journaux nationalistes est que la finance « cosmopolite » veut la paix à tout prix : payée par l'Allemagne pour corrompre les puissances de l'Entente, elle achète les journaux suspects, comme *le Pays* du sénateur Humbert, ou le *Bonnet Rouge* d'Almereyda. Un milieu parlementaire pacifiste « couvre » l'action sournoise de ce complot dont les racines sont allemandes. Les caillautistes de la Chambre n'osent se démasquer, mais on connaît les sentiments véritables d'un Paul Painlevé, d'un Anatole de Monzie, et l'admiration qu'ils nourrissent pour Joseph Caillaux. Nombreux sont les parlementaires qui ont approuvé le message de paix de Wilson : le sénateur Debierre, par exemple, qui n'a pas hésité à signer des articles dans *le Bonnet Rouge*. *Le Pays*, furieusement lu au Parlement, est l'organe caillautiste qui défend les idées des radicaux de gauche, des Ceccaldi, des Chappedelaine, des Accambray. Fondé en janvier 1917, le journal a une fidèle clientèle d'universitaires dont beaucoup pensent, avec Alain, que la guerre n'a que trop duré. Sans doute les Aulard, les Victor Basch, les Victor Bérard, les Gabriel Séailles, les Théodore Ruyssen et les Charles Gide ne sont-ils pas des défenseurs de la « paix sans victoire ». A l'évidence, ils sont pour le retour à la France de l'Alsace-Lorraine. Mais les fondateurs de la « Société d'études documentaires et critiques sur la guerre » pensent que les Allemands aussi doivent être las de l'hécatombe, et qu'il faudrait discuter pour trouver un terrain d'entente. Les « occasions de paix » ne doivent pas être abandonnées au nom de la poursuite de « buts de guerre » impérialistes. Ce « pacifisme modéré » (Duroselle) rencontre beaucoup de succès dans le milieu enseignant, particulièrement chez les instituteurs et les professeurs de lycée qui suivent alors parfois les idées beaucoup plus avancées défendues par la Fédération nationale des syndicats d'instituteurs (2 500 adhérents sur 120 000 fonctionnaires). Une trentaine approuvent Hélène Brion, secrétaire au bureau fédéral, et Marie Mayoux, institutrice à Dignac, en Charente, qui lancent un manifeste : « Assez de sang versé! » et demandent l'armistice immédiat.

La police surveille les instituteurs syndiqués, les poursuit, les empêche de distribuer leurs tracts, au moment même où le parti socialiste remet en question sa participation aux gouvernements de guerre : déjà, en janvier, au conseil national, les minoritaires avaient réuni 1 407 voix contre 1 537 aux majoritaires, mais les deux courants s'étaient retrouvés, au retour de Russie de Cachin, de Moutet et de Lafont, pour exprimer le souhait qu'un « congrès international des socialistes » examine les moyens de mettre fin à la guerre. Les délégués du parti avaient-ils eu connaissance, à Petrograd, des entretiens secrets de Briand et du gouvernement tsariste par l'intermédiaire de l'ambassadeur Paléologue? Il était clair, à leurs yeux, que les « buts de guerre » excessifs du tsar et du gouvernement français empêchaient toute tentative de paix. Le 28 mai, majoritaires et minoritaires se réconciliaient pour demander « des passeports pour Stockholm ». Du 1ᵉʳ au 4 juin, Cachin avait obtenu la réunion à la Chambre d'un « comité secret » où il comptait révéler ce qu'il avait vu et entendu en Russie : l'armée démoralisée, Lénine et les bolcheviks entamant une propagande efficace contre la guerre. Comment se fier à la Russie? La seule chance de l'entraîner dans le combat eût été d'affirmer publiquement les intentions désintéressées de la France : mais celle-ci n'a-t-elle pas les mains liées par les « traités secrets »? Le radical Augagneur renchérit, réclame à nouveau les « passeports pour Stockholm ». « Voulez-vous que nous acceptions la paix allemande? réplique le président du Conseil Ribot, qui devait d'autre part déclarer au Sénat : « La paix ne passera pas par Stockholm, mais par la victoire! »

A la Chambre, pour la première fois, 47 socialistes ont refusé de voter l'ordre du jour exigeant de l'Allemagne « le retour de l'Alsace-Lorraine à la mère patrie et la juste réparation des dommages », ainsi que « des garanties durables de paix et d'indépendance pour les peuples, grands et petits, dans une organisation dès maintenant préparée de la Société des nations ». Les socialistes minoritaires ne veulent pas s'associer à la réaffirmation, même modérée, des « buts de guerre » français.

Ils devaient voter contre le gouvernement, pour le renverser à la première occasion. Celle-ci leur fut fournie par l'affaire Malvy. Ce ministre de l'Intérieur radical avait constamment garanti à la majorité de guerre la paix sur le front social. C'est lui qui détenait et tenait à jour le fameux « Carnet B », permettant l'arrestation immédiate des militants syndicalistes et pacifistes. Il avait les « listes noires » à sa disposition. Or le climat politique à la Chambre devenait très passionnel depuis le célèbre « comité secret » du 29 juin et du 7 juillet où les députés avaient mis en question l'offensive Nivelle et évoqué les mutineries. Le député combattant Ybernegaray, ancien de Craonne, avait pris violemment à partie l'état-major et le commandement, il demandait des « sanctions » contre Micheler, Mangin et Nivelle. Pierre Laval avait, lors d'une séance antérieure, longuement critiqué la politique du gouvernement et de l'état-major dans l'affaire des mutineries. On reprochait à Poincaré son attitude : il aurait pu gracier davantage. Le député sénégalais Diagne protestait contre le massacre des « troupes de couleur », toujours en première ligne. On dénonçait le scandale des secours aux blessés, insuffisamment prévus dans l'offensive. Le vibrant plaidoyer de Painlevé, l'honnêteté de Ribot en avaient finalement imposé à la Chambre, mais, au « comité secret » du Sénat des 19 et 22 juillet, Clemenceau s'était employé à attaquer personnellement Malvy.

A cette date, il n'y avait plus à ménager les socialistes russes : l'offensive montée par Broussilov, politiquement défendue par Kerensky, avait échoué. Clemenceau n'avait du reste jamais été partisan de cette politique de gribouille. Il voulait faire la guerre jusqu'au bout, avec ou sans les Russes, et ne pas transiger avec le pacifisme :

— Je vous reproche de trahir les intérêts de la France! lança-t-il à Malvy.

L'accusation était grave : elle reprenait, en somme, la thèse de Pétain et de certains généraux du haut commandement qui considéraient les mutineries comme le résultat de la trahison des arrières. Le ministre de l'Intérieur avait-il poursuivi les auteurs et les diffuseurs des tracts antimilitaristes qui arrivaient jusque dans les tranchées?

Malvy se défendit : il avait surveillé les instituteurs, fermé les imprimeries clandestines, emprisonné les anarchistes. Il venait de faire arrêter l'aventurier Almereyda, repris de justice dont on avait noté la présence auprès de Caillaux lors du procès de sa femme. Le fondateur du *Bonnet Rouge* avait bénéficié, depuis 1913, de subventions du ministère de l'Intérieur! Elles ne lui avaient été supprimées qu'en 1915, au bout de deux ans de guerre! Il avait été prouvé qu'Almereyda recevait de l'argent du banquier allemand Marx par deux intermédiaires qui voyageaient souvent en Suisse, Duval et Marion.

Un chèque de 150 000 francs avait été trouvé sur Duval; il avait été rendu à Almereyda par le directeur du cabinet de Malvy! Le scandale fut révélé à la Chambre le 7 juillet. Malvy avait dû suspendre *le Bonnet Rouge* et faire arrêter Duval, puis Almereyda (7 août). Quelques jours plus tard, ce dernier était retrouvé mort dans une cellule de la prison de Fresnes. Beaucoup de documents compromettants furent saisis chez lui, et 400 000 francs de subvention pour *le Bonnet Rouge* et *la Tranchée républicaine*, autre feuille pacifiste. Devant l'ampleur de la campagne de presse, Malvy, le 31 août, dut offrir sa démission. Il condamnait du même coup le cabinet Ribot qui dut partir le 7 septembre.

Painlevé le remplaça. Poincaré s'était senti obligé de désigner une personnalité qui eût l'oreille de la gauche : à tout prix, le président de la République voulait maintenir la fiction de l'Union sacrée. Il ne put y réussir. Les socialistes refusèrent de participer à un gouvernement qui donnait à Ribot le ministère des Affaires étrangères. Ils ne voulaient plus entendre parler des buts de guerre, même atténués. L'ampleur de la crise sociale, le gonflement des effectifs syndicaux à l'automne et la recrudescence des mouvements de grève les incitaient à prendre leurs distances vis-à-vis des gouvernements bourgeois, et, en même temps, par rapport à la politique de guerre. L'échec de Kerenski en Russie ouvrait la porte aux forces d'extrême gauche, de plus en plus dominées, comme l'avait établi Cachin, par le soviet de Petrograd. Le parti socialiste français n'avait aucun intérêt à se compromettre dans une politique que les partis frères en Russie, chez les neutres, en Italie et bientôt en Allemagne, ne manqueraient pas de condamner. Mais les scandales du pacifisme bourgeois, les affaires policières révélées autour d'une certaine presse, rendaient les socialistes méfiants : il était temps pour eux de quitter le pouvoir et l'Union sacrée, et non pas de favoriser un regroupement politique autour de personnages discrédités. Comme le remarque Annie Kriegel, les « forces ouvrières n'avaient plus qu'une issue : s'orienter dans le sens d'une politique de recueillement, de splendide isolement, dans le sens de la défense stricte des intérêts ouvriers, compte tenu de la situation de guerre et du régime en place ». La « diplomatie secrète » n'inspirait aucune confiance aux socialistes : elle était aussi bien capable de conclure des accords insensés sur les buts de guerre que de rechercher clandestinement les voies d'une paix de compromis.

L'été de 1917 avait révélé plusieurs tractations avortées : ainsi les ouvriers, les poilus, les professeurs, les instituteurs, les journalistes et les députés n'étaient pas les seuls à être très injustement suspectés en bloc de compromission avec le pacifisme; les gouvernants donnaient l'exemple : ils se rencontraient secrètement pour essayer de négocier la fin de la guerre, démentant ainsi les propos belliqueux et jusqu'au-boutistes qu'ils tenaient publiquement.

Ce qui frappe en effet, dans l'attitude des dirigeants français notamment, ce n'est pas l'absence ou le refus de contacts avec l'ennemi, mais bien leur grand nombre : d'avril à octobre 1917, on a l'impression de conversations incessantes par l'intermédiaire de personnages plus ou moins connus. Outre les individus mandatés régulièrement mais secrètement par les gouvernements, qui se rencontrent en Suisse, un très grand nombre d'« informateurs » s'agitent dans la coulisse et tentent, parfois sous leur propre responsabilité, de nouer des liens profitables. Les diplomates n'étaient pas seuls concernés, avec les milieux d'affaires et les membres de la haute société; les états-majors eux-mêmes entretenaient des relations par le biais de leurs services de renseignements. Naturellement, l'intoxication jouait son rôle dans ces contacts : on cherchait à éprouver l'adversaire pour faire dire à ses dépens qu'il était disposé à traiter.

Le plus faible des belligérants, l'Autriche-Hongrie, s'était engagé le premier dans l'esquisse d'une négociation avec des personnalités dûment mandatées : l'empereur Charles I⁰ʳ avait choisi le frère de sa femme Zita, le prince Sixte de Bourbon-Parme, qui servait dans l'armée belge. Sixte et son frère Xavier, qui avaient averti Poincaré, avaient accepté de rencontrer une première fois Charles I⁰ʳ à Vienne les 23 et 24 mars. Charles était prêt à garantir l'indépendance belge et même le retour de l'Alsace-Lorraine à la France, il était disposé à assurer à la Serbie un débouché maritime, mais il ne soufflait mot de l'Italie. Sixte était revenu à Paris porteur d'une lettre manuscrite de l'empereur. Ribot et Poincaré étaient méfiants, Lloyd George « emballé ». Pourrait-on conclure une paix séparée avec Vienne? Les Italiens étaient contre, puisque leurs revendications, garanties par le traité de Londres, n'étaient pas même abordées. Un second entretien, le 8 mai, ne devait pas apporter de lumières. En outre, Sixte avait mal traduit la note que lui avait remise le ministre Czernin le 9 : il avait ajouté dans le texte les termes « paix séparée », alors que Czernin n'envisageait qu'une conversation pour une paix *générale*. En fait, Berlin avait brutalement refusé tout échange de l'Alsace-Lorraine contre la Pologne russe, comme le proposait Vienne. Les Autrichiens ne pouvaient faire cavalier seul. Les Alliés ne pouvaient renier les promesses faites à l'Italie.

Si l'on ne pouvait détacher l'Autriche de la carte de guerre, les Allemands et les Autrichiens pouvaient-ils pour leur part espérer diviser la coalition de l'Entente? On le crut à Berlin, en mai, après la démission de Milioukov. Le député socialiste suisse Grimm avait rencontré Lénine en Russie. Il avait indiqué au conseiller suisse Hoffmann, chef du département politique à Berne, que la paix avec les Russes était possible. Hoffmann avait averti Berlin et mandaté Grimm pour les sonder. Grimm pouvait garantir que l'armée allemande n'attaquerait pas à l'est tant qu'il y aurait une possibilité de paix, et que l'Allemagne souhaitait s'entendre « par accord amiable » sur la Pologne, la Lituanie et la Courlande. Il était trop tôt pour qu'un tel contact fût profitable : le gouvernement provisoire n'avait pas encore renoncé à la guerre; le 9 juin, il expulsait Grimm, « agent de l'Allemagne ». En Suisse, le germanophile Hoffmann était remplacé par Ador. Une première tentative de déstabilisation avait échoué.

La seconde faillit avoir quelque chance de succès : elle était l'œuvre du pape. La diplomatie du Vatican avait été très surprise de la réaction anglaise à la note rendue publique le 1er août, signée de Benoît XV. Celui-ci proposait de rétablir la liberté des mers, de réduire les armements, de renoncer aux indemnités et aux gains de territoires. Aucune allusion à l'Alsace-Lorraine, à la Serbie, à la Pologne. Mais la Belgique devait retrouver son indépendance. Immédiatement, Londres envoyait au Vatican son chargé d'affaires, le comte de Salis : les Allemands comptaient-ils bien libérer la Belgique?

Les diplomates du Vatican s'activent : la Belgique risque d'être au centre de la négociation de paix; si une transaction peut aboutir, l'Angleterre abandonnera ses alliés. Le nonce Pacelli écrit aussitôt au chancelier en lui joignant le double de la note remise par Salis. L'affaire est assez sérieuse pour le Kaiser convoque au château de Bellevue le Kronprinz et l'état-major. Ni Ludendorff, ni l'amiral Holtzendorff ne renoncent à la Belgique : l'un réclame Liège, l'autre la côte flamande. Hindenburg exige une occupation permanente. Le Kaiser doit renoncer à toute tentative de paix séparée avec la Grande-Bretagne.

Comment la France, si l'Angleterre n'obtient pas des Allemands la garantie de l'indépendance de la Belgique, pourrait-elle espérer des satisfactions sur l'Alsace-Lorraine? Briand l'a-t-il cru un moment? Il n'était plus au pouvoir quand il reçut la visite, fin août, de la comtesse de Mérode (épouse d'un sénateur belge) et du fils du baron Coppée, l'un des magnats européens du charbon : le baron von Lancken, directeur des affaires politiques au gouvernement général allemand de Belgique, voulait le rencontrer en Suisse; il était prétendument prêt à négocier sur l'Alsace-Lorraine. Briand ne pouvait demander que la restitution pure et simple des deux provinces. Il s'en ouvrit à Ribot, à Painlevé, à Poincaré. Finalement, il craignit un piège et le baron von Lancken se retrouva seul au rendez-vous suisse, le 22 septembre. Manifestement, les Allemands n'étaient pas disposés à lâcher l'Alsace-Lorraine, pas plus que les

Français n'entendaient taire leurs revendications sur le Rhin. La déclaration d'investiture de Ribot en porte témoignage : s'il renonce à toute annexion, il maintient la demande de « garantie », c'est-à-dire la neutralisation et l'occupation du Rhin. Il n'a donc pas renoncé aux visées antérieures, il est même partisan de réclamer, pour l'Alsace-Lorraine, les frontières de 1790. Comme l'établit Soutou, « malgré l'échec de l'offensive Nivelle, il continue à avoir une politique rhénane ». Jean Longuet et les minoritaires socialistes sont alors les seuls à demander à la Chambre une « paix sans annexions, sans contribution ». Trente-neuf députés majoritaires, avec Renaudel, votent l'ordre du jour de Ribot et Painlevé. Les contacts pris par Painlevé lui-même avec l'Autriche montrent à l'évidence que le gouvernement français n'a pas abandonné ses buts de guerre. La femme de Paul Clemenceau est autrichienne; pour son ami Painlevé, elle demande à sa sœur, Frau Zuckerkandl, de sonder Czernin. Elle contacte aussi un historien d'art, Kessler, qui connaît son Gotha sur le bout des doigts. Il n'y a finalement pas de rencontre. Les entretiens de commandant Armand, du 2ᵉ bureau français, et du comte autrichien Revertera, destinés à proposer à l'Allemagne, en échange de l'Alsace-Lorraine et de la démilitarisation de la rive gauche du Rhin, Madagascar et l'Indochine, n'avaient aucune chance de succès, mais exprimaient bien, dit Soutou, « les idées du ministre de la Guerre et de l'état-major » sur le Rhin. Elles étaient aussi celles de Painlevé, à quelques nuances près : pour lui comme pour Ribot et Briand, les « garanties rhénanes » supposaient une « paix de victoire ».

L'opinion publique française avait-elle encore la force de la revendiquer? Elle était secouée, après le départ de Malvy, par de nouveaux scandales : le 20 septembre, le gouvernement demandait la levée de l'immunité parlementaire du député des Côtes-du-Nord, maire radical de Loudéac, Turmel. Un huissier de la Chambre avait découvert une enveloppe contenant 25 000 francs suisses dans son vestiaire de parlementaire. Turmel était connu des services de police pour ses fréquents déplacements en Suisse. Une enquête permit d'établir qu'il en avait rapporté 300 000 francs. Le 7 octobre, il était arrêté. On le soupçonnait d'avoir vendu aux Allemands les comptes rendus des séances des « comités secrets ». Provocation policière? Les archives allemandes sont formelles, Turmel était acheté : rude coup pour la respectabilité du Parlement! Un aventurier d'origine lyonnaise, Bolo, devait au même moment se faire arrêter à la suite d'une enquête prouvant qu'il avait reçu sur son compte, dans une banque américaine, un crédit de 1 683 000 dollars provenant de la Deutsche Bank. Ce Bolo n'était pas un inconnu pour les services de police : agent de change et placier en vins, il était devenu « homme d'affaires », avait rendu des services au khédive d'Égypte déposé par les Anglais, Abbas Hilmi, qui l'avait nommé « pacha ». Bolo pacha avait de puissants protecteurs : Monier, le premier président de la Cour d'appel de Paris, par exemple, qui s'était porté garant de son intégrité. Monier fut destitué, Bolo convaincu d'avoir utilisé des fonds allemands pour acheter la presse française : *le Journal* de Charles Humbert avait ainsi été récupéré par son propriétaire qui avait dû, en 1915, vendre à Pierre Lenoir et Guillaume Désouches la majeure partie de ses parts. Or l'argent qui avait permis à Humbert de réussir son opération provenait de Bolo pacha, par l'intermédiaire du président Monier. Nous savons par les archives allemandes que Bolo, depuis 1915, était payé par le Reich, que les petites annonces du *Journal* étaient utilisées par le service d'espionnage, enfin que les colonnes du quotidien, fort lu dans Paris, étaient systématiquement anti-anglaises. *Le Journal* était un des éléments de ce que Kupfermann appelle « l'offensive morale » en France en 1917 [9].

Le sénateur Humbert, catalogué comme ami de Caillaux, fut arrêté en novembre 1917. Rude coup pour les caillautistes : au moins un tiers des députés français étaient alors favorables à Caillaux dont la *Gazette des Ardennes*, journal allemand de zone occupée, faisait vivement l'éloge. La presse d'extrême droite, derrière l'*Action française* et les journaux « patriotes », entama une très violente campagne contre la « bande caillaux-malviste », compagne qui devait laisser des traces profondes.

Le Parlement était ainsi un lieu de scandale. On se demandait même si le gouvernement n'était pas éclaboussé. Clemenceau parut le suggérer quand il attaqua, dans *l'Homme enchaîné*, le « haut personnage politique » qui s'était rendu coupable d'un projet « d'ignomineuse paix séparée ». Qui visait-il? Briand, à l'évidence. Celui-ci demanda un « comité secret », qui s'ouvrit le 16 octobre. Ribot y démontra que l'affaire Lancken n'était rien d'autre qu'un piège allemand, et que l'ex-président du Conseil français ne s'y était pas laissé prendre. Celui-ci s'emporta contre la censure, qui l'avait laissé mettre en cause par Clemenceau. Il obtint l'approbation du « comité », mais le crédit de Painlevé se trouva très obéré dans l'opinion par ces lourds soupçons.

Quand on apprit à Paris l'arrivée au pouvoir en Russie des bolcheviks, l'autorité du gouvernement était devenue nulle. Painlevé, qui avait demandé la confiance de la Chambre, fut renversé par 277 voix contre 186. Jamais, en province comme à Paris, la « crise du moral » n'avait été aussi forte.

On a pu la mesurer à ses différentes manifestations, souvent consignées dans les rapports des préfets, des commandants de régions militaires, des responsables de la police et de la gendar-

9. Alfred Kupfermann, *op. cit.*

merie, des procureurs généraux et surtout des commissions de contrôle postal. Une trentaine de ces commissions établissaient tous les quinze jours un rapport sur le moral, d'après les lettres décachetées. L'amélioration qui avait été constatée pendant l'été n'avait pas duré : à partir de septembre, les nouvelles de Russie et, surtout, les affaires de trahison avaient fait « doubler en quinze jours le pessimisme », affirmait vers la mi-novembre une des commissions. On évoquait, dans certaines lettres, l'imminence d'une révolution en France. A Marseille, où la population italienne était nombreuse, on commentait la visite dans la ville des délégués du soviet de Petrograd, début août, et les troubles survenus en Italie ; on redoutait aussi une flambée révolutionnaire en France. Les journaux marseillais, du *Sémaphore* au *Soleil du Midi*, étaient pleins de scandales parisiens. On exigeait des sanctions contre les « embochés », un coup de balai dans la « République des camarades ». A l'image de l'*Action française*, le *Soleil du Midi*, journal royaliste, réclamait nommément la tête des traîtres : le sergent Paix-Séailles, par exemple, accusé d'avoir fourni à Almereyda les effectifs de l'armée française de Salonique, pour qu'il les transmît à Berlin. *Le Petit Marseillais*, journal modéré, s'emportait contre Caillaux qui voulait « faire de la France la vassale de l'Allemagne et la dresser contre l'Angleterre ». Seuls *le Radical et le Petit Provençal* soutenaient « l'homme d'État qui avait su éviter la guerre », mais tous les organes, à la chute de Painlevé, demandaient la venue au pouvoir d'un « gouvernement fort [10] » – y compris le journal socialiste qui fut le premier à applaudir, contrairement à ses modèles parisiens, l'avènement de Georges Clemenceau.

Poincaré, son vieil ennemi, faisant taire sa méfiance et son ressentiment, l'avait appelé à la présidence du Conseil. Il savait que Clemenceau gouvernerait seul, sans le consulter, sans l'associer aux décisions. Mais il fallait barrer la route à Caillaux en appelant aux affaires un homme énergique et populaire : Clemenceau allait sauver, par son prestige, la guerre des partisans d'une paix de victoire. Son arrivée au pouvoir signifiait précisément l'abandon de toute velléité de paix négociée, « blanche », prématurée, séparée. Tombeur de Malvy, pourfendeur de Briand et de Painlevé, l'infatigable vieillard (il avait soixante-seize ans en 1917) était l'homme indispensable, le seul capable de relever le moral de la nation. « Clemenceau, dit Poincaré à Barthou, me paraît en ce moment désigné par l'opinion publique, parce qu'il veut aller jusqu'au bout dans la guerre et dans les affaires judiciaires. » Le 14 novembre, il fut désigné. Le 20 novembre, il déclara aux députés : « Nous nous présentons devant vous dans l'unique pensée d'une guerre intégrale. »

10. Georges Liens, *L'opinion à Marseille en 1917*, R.H.M.C.

Clemenceau en France, Lloyd George en Angleterre, Orlando en Italie (après le sursaut national qui a suivi le désastre de Caporetto) – les démocraties occidentales se sont reprises : la « crise du moral » est oubliée. En France, les socialistes sont désormais dans l'opposition. En Italie, ils ont toujours milité contre la guerre, allant jusqu'à chasser du parti ceux qui étaient prêts à voter les budgets militaires. En Angleterre, Lloyd George a contre lui la double opposition – qui ne l'empêche pas d'agir – des libéraux « orthodoxes » et des travaillistes « indépendants ». Mais, dans les trois pays, la volonté de conclure la guerre par une paix victorieuse vient de s'affirmer avec force : ce sentiment, après les scandales judiciaires, s'est exprimé en France à l'occasion de l'arrivée au pouvoir de Clemenceau. En Italie, Caporetto a imposé silence à Giolitti et aux amis du pape. Le sursaut patriotique s'y est manifesté aussi bien dans les associations ouvrières que dans les groupements de catholiques, comme l'a remarqué avec justesse Pierre Renouvin [11] : « Les socialistes annoncent que, sans aller jusqu'à participer au pouvoir, ils donneront leur contribution à l'organisation de la défense nationale. » Plus question, désormais, de « parler de paix ».

En Angleterre, Lloyd George a les mains libres pour conduire son pays à la victoire. La grève des métallurgistes d'avril-mai, déclenchée « sur le tas » et contre l'avis des cadres syndicaux, a été heureusement conclue et elle a provoqué le retour aux affaires de Winston Churchill, devenu ministre des Munitions. Lloyd George a réussi à empêcher le départ à Stockholm de délégués du Labour Party. Henderson avait démissionné du Cabinet pour être libre de s'y rendre. A la conférence des *trade unions*, le 4 septembre, la majorité des participants décida que les socialistes des États alliés ne devaient pas se rendre à Stokholm avant d'avoir tenu, entre eux, une réunion préalable : c'était condamner Stockholm. Il ne restait plus à Lloyd George qu'à engager un autre ministre travailliste pour remplacer Henderson. La crise se terminait sans remous : la guerre pouvait être poursuivie.

La réaction des États était tout aussi énergique dans les monarchies d'Europe centrale. L'état-major, en Allemagne, avait imposé ses vues aux politiques et refusé toute paix amoindrie, réaffirmant avec force ses buts de guerre. En octobre, les « résolutions de paix » du Reichstag, émises en juillet, étaient oubliées de la plupart des groupes politiques, conscients du tournant pris par la guerre depuis la désagrégation de la Russie, la victoire obtenue sur la Roumanie et sur l'Italie. Les sociaux-démocrates étaient isolés. Au demeurant, s'ils étaient partisans d'une « paix sans annexions », ceux-ci n'avaient aucunement l'intention d'abandonner

11. Pierre Renouvin, *La Crise européenne et la Première Guerre mondiale*.

un pouce de territoire allemand dans la négociation. On chercherait en vain dans le *Vorwärts* d'autre suggestion que de minimes rectifications de frontières. L'opinion publique était manifestement prête à accepter une prolongation de la guerre qui, pour la première fois depuis de longs mois, et malgré l'échec de plus en plus patent de la lutte sous-marine, se présentait sous un jour stratégiquement favorable. Même les Autrichiens renonçaient à toute discussion de paix : dans son discours du 4 décembre, le comte Czernin affirmait que la paix devait assurer « l'intégrité territoriale de la double monarchie », et même « son développement futur dans le domaine politique et économique ». A l'évidence, les États belligérants tenaient, dans toute l'Europe, la situation en main. Comme l'a remarqué Pierre Renouvin, « l'expérience a montré qu'un État pouvait continuer son effort de guerre même si une large partie de sa population manifestait sa lassitude et son découragement, à condition que le gouvernement reste capable d'exercer une impulsion ». En Allemagne comme en Autriche-Hongrie, en Italie, en France, en Grande-Bretagne, les gouvernements avaient réussi à surmonter le désarroi des peuples, à imposer la poursuite de la guerre, à refuser toute paix sans victoire. Le seul pays qui, en abandonnant avec éclat la carte de guerre, allait en permettre la continuation, était la Russie.

11

Russes et Américains

La deuxième révolution russe, en novembre 1917, précipite l'évolution de la guerre. Les Allemands, qui viennent, avec les Autrichiens, d'écraser les Italiens à Caporetto (27 octobre), sont pratiquement débarrassés de deux fronts. L'échec de la dernière offensive Broussilov, pendant l'été, les a rassurés sur la combativité de l'armée républicaine russe : ils savent que le nouveau gouvernement bolchevique n'a d'autre issue que la paix. Dès le 26 novembre, les Russes ont demandé l'armistice. Ils signeront, à Brest-Litovsk, une paix de capitulation, le 3 mars 1918, abandonnant aux Allemands la Pologne et les pays de la Baltique, reconnaissant leur accord avec l'Ukraine indépendante.

Maîtres du blé ukrainien, les Allemands vont aussi s'emparer des ressources agricoles et pétrolières de la Roumanie par le traité de Bucarest. Ils sont alors en mesure de relancer leur grande politique orientale. Le corps expéditionnaire allié, cantonné en Macédoine, est tenu en respect par les Bulgares, dûment encadrés par les officiers allemands. Le front italien est calme pour longtemps. Falkenhayn, nommé en Turquie, croit pouvoir enfoncer les fronts anglais en Mésopotamie et en Palestine. Il échoue et, en décembre 1917, le général Allenby fait son entrée dans Jérusalem. La tentative des Turcs pour développer un mouvement « pantourien » entre la mer Noire et la Caspienne est également un échec. Dès lors, plus que jamais les Allemands sont convaincus, au début de 1918, que la décision suprême doit être recherchée à l'ouest. Ils vont y consacrer tous leurs efforts, ils s'y préparent déjà très activement quand le président Wilson fait connaître, en janvier, son célèbre programme de paix rédigé en quatorze points.

La révolution de Février avait fait des Russes un peuple nouveau dont les réactions étaient, pour les États de la vieille Europe, imprévisibles. La prise du pouvoir par les bolcheviks en octobre (novembre pour le calendrier occidental) accroissait cette ambiguïté : même au sein du parti bolchevik, tous n'étaient pas d'accord sur la guerre et la paix. De l'évolution de la situation, passionnément suivie à Berlin, dépendait l'avenir immédiat de la guerre. L'enjeu était de taille : on escomptait, au soviet de Petrograd, que l'annonce de la paix précipiterait en Allemagne et en Autriche-Hongrie les soulèvements révolutionnaires, entraînerait par contagion l'extension de la révolution à l'Europe entière. A Vienne et à Berlin, on supputait sur les avantages que l'écroulement de la Russie vaudrait au bloc des « Centraux » : sans doute une extension très sensible de la carte de guerre...

Parallèlement, l'arrivée des Américains suscitait à la fois, à l'ouest, un espoir et une inquiétude : ces nouveaux venus de la guerre européenne étaient accueillis, quand ils débarquaient, par des manifestations d'enthousiasme. Mais faisaient-ils la même guerre que les Français, ou les Anglais? On devait très vite s'apercevoir qu'ils avaient des exigences, contraignant le haut commandement à modifier les normes de la guerre, les conditions des attaques, la vie des combattants à l'arrière. Les Américains voulaient tout prévoir, tout prévenir. Soucieux de faire combattre leurs « garçons » dans les meilleures conditions possibles, ils astreignaient les appareils directeurs à prévoir encore plus, à développer les encadrements, les services, les productions de biens nécessaires aux combattants, les installations à l'arrière, les systèmes de transport au front. De proche en proche, la guerre à l'américaine ne risquait-elle pas de transformer aussi les mentalités des combattants? La réaction, amorcée sous Pétain à la suite des mutineries, allait se poursuivre : désormais, il serait impossible de continuer la guerre sans mettre au premier plan le confort, la sécurité, la récupération des soldats du front.

L'arrivée des Américains risquait d'amplifier le problème politique, déjà posé quand le corps expéditionnaire anglais était devenu une armée nombreuse aux effectifs se rapprochant progressivement de ceux de l'armée française : l'exigence du commandement américain de constituer une seule force, responsable sur le front d'un secteur bien délimité, allait dans le sens d'une armée associée et non pas intégrée, qui serait, dans les mains de son gouvernement, un groupe de pression de plus en plus important : le jour où les combattants américains seraient deux millions sur le front de l'ouest, qui pourrait encore traiter Wilson de « doux rêveur »? Il faudrait bien que ses « principes » soient acceptés pour régler les conditions de la paix, comme on avait accepté ses « boys » pour résister au surcroît de puissance de l'armée allemande, renforcée par les divisions venues de l'est.

Les Anglais avaient eu beaucoup de mal à mobiliser les Canadiens ou les Australiens pour les aider à libérer la Belgique. Ils avaient hésité à intégrer les unités portugaises, qui n'étaient pas formées à leur école. Mais ils avaient incité les dominions à augmenter leur recrutement : ils avaient besoin d'hommes. Avec un peu plus d'un million de combattants en ligne, ils accusaient un déficit d'au moins 120 000 hommes. Du 9 avril au 11 juin 1917, ils avaient perdu 157 000 soldats, dont 16 000 Australiens et Néo-Zélandais et 22 400 Canadiens. On estimait à 120 000 les pertes mensuelles que devrait subir l'armée dans les derniers mois de l'année. Les dominions avaient refusé d'instaurer la conscription obligatoire. Le Canada avait tout juste assez de volontaires pour entretenir les quatre divisions qu'il avait au front, le recrutement menaçait de se tarir, il faudrait combattre avec des unités diminuées. Les soldats d'une 5e division, rassemblée en Angleterre, furent envoyés en renfort dans les autres unités. L'Australie avait aussi refusé le service militaire et parvenait mal à combler les vides dans les rangs de ses volontaires.

Par contre, les Américains n'avaient eu aucun mal à recruter : le président Wilson disposait immédiatement de 280 000 soldats de l'armée régulière et de 440 000 gardes nationaux. A défaut d'un nombre suffisant de volontaires, il était, par la loi du 28 avril, autorisé à instaurer la conscription pour les jeunes gens de 21 à 30 ans. Cette première armée nationale comprendrait 500 000 hommes. Ils ne venaient pas en Europe pour repousser les *Huns* (ainsi les journalistes anglais appelaient-ils les Allemands), mais pour imposer aux nations brouillonnes et cupides du vieux continent les règles du droit. Les « défenseurs virils du droit » de la « grande République américaine » répondaient à l'appel du Président au « noble courage ». Ainsi cette « croisade » était-elle présentée dans la presse française... Wilson répétait dans ses discours que les soldats ne venaient pas en Europe pour défendre les intérêts des États-Unis, mais pour une « juste cause ». D'entrée de jeu, il moralisait sa guerre : « Nous combattrons, disait-il, pour ce qui nous a toujours tenu à cœur, pour la démocratie... pour les droits et les libertés des petites nations, pour le règne universel du droit par une ligue de peuples libres. » L'armée alliée n'aurait donc rien de commun avec ces coalitions de peuples embrigadés de force sous les bannières impériales : c'est aussi pour libérer ces peuples asservis que l'Amérique allait faire la guerre. Ils choisiraient ensuite librement leur destin.

On ne devait pas recevoir les Américains en France comme des Hindous ou des Portugais. Une réception d'une qualité particulière leur était due : il fallait qu'il fût clair que le peuple français était moralement reconnaissant d'un appui donné au parti du droit, de la juste cause, contre celui du crime et de l'agression. Une mise en scène, des cérémonies étaient à prévoir. Elles furent organisées d'autant plus volontiers, avec forte participation populaire, que l'arrivée des premières unités avait été impatiemment attendue et que toutes les tendances de l'opinion politique, de l'extrême gauche à l'extrême droite, pouvaient se sentir motivées par l'accueil : on pouvait agiter à droite les drapeaux de l'alliance sainte contre les « barbares », et les socialistes pouvaient acclamer à loisir ceux qui venaient libérer l'Europe de la guerre. A Marseille, où même les garçons de café avaient fait la grève du printemps, les dockers, espagnols pour la plupart, avaient repris le travail avant l'arrivée des premiers transports de troupes. Le 4 juillet, on avait joyeusement fêté l'*Independance Day* et les bannières étoilées étaient à toutes les fenêtres. Les journaux célébraient le rôle essentiel de l'armée américaine et décrivaient les villes allemandes bombardées demain par plus de 100 000 avions... A Nantes et Saint-Nazaire, on avait aussi préparé une réception. Depuis le printemps, les municipalités, les chambres de commerce avaient multiplié les démarches pour que les grandes villes de l'ouest fussent choisies comme bases par l'armée américaine. La réception pourtant n'eut pas lieu : le secret des premiers débarquements avait été bien gardé. Le mardi 26 juin, dit Nouailhat [1], « lorsque le premier contingent débarque, vers neuf heures et demie du matin, l'accueil de la population est très réservé : pas un cri, pas un bravo, pas un drapeau, pas un hourrah! Mais la seule et unique raison de ce manque d'empressement réside dans le fait que la nouvelle de l'arrivée des Américains avait été tenue absolument secrète et que la population ne s'en trouva prévenue qu'au tout dernier moment ».

Dès qu'on apprit que les Américains étaient installés dans les camps autour de la ville, les routes furent assaillies, le dimanche, par des promeneurs en foule compacte, venus pour sympathiser avec les nouveaux alliés. La population manifestait ainsi pour les Américains une « curiosité sympathique », les badauds photographiaient les camions, les motos à side-car qui « roulaient comme des bolides ». Les soldats étaient reçus dans les familles « comme des fils ou des frères, non comme des étrangers fraîchement débarqués ». Préfets et sous-préfets multipliaient les discours; quant aux journaux régionaux, « ils ne tarissaient pas d'éloges sur la courtoisie, l'amabilité, l'esprit de discipline des soldats américains ». Le commandement avait aussi tenu à ce que les premiers éléments de l'armée représentassent en quelque sorte leur pays, et d'abord en les préservant des tentations dégradantes : le général Pershing avait écrit à Foch, chef d'état-major de l'armée, une lettre

1. Nouailhat, *France-États-Unis, 1914-1917*, thèse d'État.

très sévère, le 1ᵉʳ juillet, pour défendre « la discipline et la valeur militaire » de ses soldats. Il demandait que les docks et les quais fussent débarrassés « des flâneurs et des gens d'allure suspecte », en particulier des « femmes de mauvaise vie ». « La vente de l'alcool, tenait-il à préciser, auquel nos jeunes recrues ne sont pas habitués, paraît illimitée et non surveillée. » Il faut, dit Pershing, « préserver à tout prix la santé de l'armée américaine ».

Foch répondit en plaçant Nantes et Saint-Nazaire sous autorité militaire et en renforçant la police des ports. Il prenait très au sérieux les exigences de Pershing. Il savait que les premiers Américains débarqués n'avaient pas toujours eu à se louer de l'accueil dans les villes françaises. Paris leur était particulièrement pénible : ils sont surpris d'y trouver des civils faisant ripaille dans les restaurants, alors qu'on leur avait représenté la France comme saignée à blanc. Ils ont l'impression qu'on leur fait payer des prix spécialement élevés dans les hôtels et les cafés. « Leur sentiment national, dit un rapport de l'état-major, est susceptible et chatouilleux. » Ils s'indignent d'entendre jouer fréquemment *la Marseillaise* dans les théâtres et les salles de danse, et jamais le *Star Spangled Banner*. En Amérique, disent-ils, les soldats français en uniforme sont accostés dans la rue, aussitôt invités à dîner dans les familles : les Français sont trop réservés, renfermés; « nous les accueillons avec une simplicité qui les choque et leur fait croire à notre indifférence ».

L'instruction de la Iᵉ division américaine a commencé le 1ᵉʳ juillet : un mois plus tard, un général français fait son premier rapport à l'état-major pour décrire les nouveaux soldats venus d'outre-Atlantique. Ils ont été, dit-il, surpris par la France : « Ils s'attendaient à voir un pays inculte, un peuple aux abois, une armée brave mais désorganisée. Ils sont pleins d'enthousiasme et de bonne volonté, mais totalement ignorants de la guerre : il y a quatre recrues pour un ancien soldat. » Ils manquent d'exercice, bien qu'étant jeunes et sportifs : « Après chaque marche, les indisponibles sont nombreux. » Mais ils ont un grand désir de s'instruire et de monter vite en ligne. Ils ont « une certaine répugnance pour les travaux de campagne dont ils ne comprennent sans doute pas l'utilité ». Ils ne savent pas « coucher sur la dure » et seront malheureux en ligne : ils couchent sur des lits pliants et leur drap léger d'uniforme, leurs chaussures trop fines ne résisteront pas à la boue de l'hiver. Ils sont généralement sobres et se contentent d'une nourriture simple, bien qu'ils disposent d'une solde que le général français estime trop élevée.

L'encadrement moral des soldats américains est assuré par les officiers qui font régner une stricte discipline. Ils préfèrent les baraques des camps, où ils peuvent surveiller leurs hommes, aux cantonnements dans les villages, qui « froissent leur conception du droit de propriété ». Pour lever ces hommes, l'État a développé aux États-Unis une forte propagande. Le 23 juin, il manquait encore 70 000 hommes aux effectifs et Wilson avait dû faire appel au patriotisme des jeunes : il n'avait pas réussi à trouver, comme il l'espérait, 10 000 volontaires par jour. Le général Vignal, attaché militaire à Washington, expliqua à Paris que la loi sur le recrutement obligatoire avait été nécessaire pour fournir à l'armée ses divisions. Il avait été indispensable d'expliquer aux recrues le sens de la guerre et le combat mené en France : tous étaient loin de partir avec la même ardeur; « le contraste, exposait Vignal, entre l'enthousiasme des jeunes gens des camps d'instruction, des élèves officiers de réserve et l'insuffisance des enrôlements volontaires montre aussi que si, dans les classes élevées, la jeunesse comprend tous ses devoirs, il y a, dans les classes qui alimentent l'armée régulière, une assez grande insouciance et un patriotisme insuffisant ».

Pour stimuler le patriotisme américain, les Français leur avaient envoyé Joffre, le vainqueur de la Marne, largement photographié devant la statue de La Fayette. Il fallait aussi rassurer l'opinion sur les conditions morales des soldats en France. Tardieu, haut commissaire français aux États-Unis, recommandait de désigner des aumôniers catholiques pour prendre contact avec les Irlandais, ainsi que des israélites. Il fallait rassurer les aumôniers américains, leur montrer que la France n'était pas une terre d'impiété. Quand Wilson s'adressait aux combattants, c'était dans un langage quasi religieux : il exhortait le « Dieu tout-puissant » de donner la victoire aux armées et de rendre « aux nations de la terre une paix honorable et durable ». Il comptait sur la Croix-Rouge, sur les associations religieuses, sur les œuvres de bienfaisance pour assurer le confort moral du soldat américain en France, le préserver de l'impiété et du péché.

Il exigea aussi, dès le départ, une collaboration étroite des « associés » pour assurer aux soldats américains les moyens de faire convenablement la guerre. Dès son arrivée en Amérique, Joffre avait été conscient de ce problème, il avait travaillé avec le secrétaire à la Guerre Baker et rédigé, le 20 mai, un premier rapport, à bord du cuirassé *Lorraine* qui le ramenait en France. Il fallait, disait-il, admettre « le principe fondamental que les États-Unis étaient capables d'organiser une grande armée, que tel était leur désir ». Il fallait donc « ménager l'amour-propre américain » et renoncer à suggérer l'envoi en France de petites unités. Le principe de l'autonomie de la division américaine à neuf régiments était essentiel. Joffre l'avait fait admettre par le ministre Baker qui était, disait-il, une sorte de « chef de bureau » du président Wilson. Aidé par le général Kuhn, directeur du *War College,* il avait jeté les bases d'un premier accord : les Américains enverraient en France, dès le 1ᵉʳ juin, les effectifs d'une division, avec les services. Elle serait intégrée au groupe d'armées françaises du nord-est, mais Pershing ne dépendrait nullement du gouvernement français. Les Américains seraient en mesure – ce qui était très important pour Joffre – de participer à la revue du 14 juillet. Les *marines* débarqueraient sans doute les premiers, peut-être à La Pallice. Il faudrait qu' « ils traduisent dans leur correspondance une satisfaction complète au point de vue matériel ». Il ne fallait pas perdre de vue, disait Joffre avec un clin d'œil, que les Anglais avaient voulu les persuader de débarquer d'abord leurs troupes en Angleterre et non en France, et qu'ils avaient l'intention de les équiper de fusils britanniques. « Toute faute de notre part serait exploitée par eux. » Il fallait veiller en particulier, « par des mesures disciplinaires », au bon état sanitaire des soldats, et recruter immédiatement un corps d'interprètes pour leur donner en permanence des interlocuteurs nombreux et attentifs.

Après le voyage de Joffre, l'expédition de la division Pershing s'était faite sans difficultés; elle avait débarqué à Saint-Nazaire. Mais Tardieu, le 6 juin, tirait la sonnette d'alarme : rien n'était encore prévu pour la suite. Le 8, Joffre signalait que 13 bateaux seulement étaient affectés au transport : 80 000 tonnes au lieu des 500 000 nécessaires. Il fallait assurer, à partir de septembre, un débit mensuel d'au moins trois divisions, et envisager de les doter de matériel français, canons et mitrailleuses notamment. Au début de juillet, le plan de transport n'était pas encore approuvé, mais on comptait parvenir à un tonnage de 400 000 tonnes, grâce à l'utilisation de 16 navires allemands ultra-rapides, saisis dans les ports américains et transformés en transports de troupes. Notamment l'ex-*Vaterland* allemand, un des plus gros paquebots de l'époque. Les commandes aux usines d'artillerie françaises, pour la fourniture en matériel du corps expéditionnaire, étaient passées. Les Américains se proposaient d'envoyer immédiatement en France, pour préparer le débarquement de leurs divisions, cinq régiments de construction de chemins de fer et trois régiments pour l'exploitation et les réparations. Quatre bataillons, soit 2 200 hommes, seraient affectés en priorité aux routes, huit autres aux constructions de camps, magasins et baraques. Des services des subsistances, des Eaux et forêts, seraient également envoyés en France, ainsi que 10 000 hommes pour le service automobile et les nombreux corps de télégraphistes. Pershing demandait personnellement au ministre de la Guerre que l'on mît à sa disposition d'énormes quantités de bois pour la construction des baraquements et des poteaux télégraphiques. Il promettait d'envoyer plusieurs régiments de forestiers et de monter des scieries mécaniques, avec l'outillage le plus moderne et les moyens de transport correspondants.

Outre les canons, les Américains nous demandent de leur fournir des avions en grand nombre : Foch accepte, à condition qu'ils envoient en échange des unités d'automobiles et de camions qui permettent d'utiliser dans les constructions d'aviation les spécialistes retenus aux armées. Les prévisions d'arrivage sont de 15 divisions au 1er mai 1918 : il faut que les moyens en artillerie et en aviation soient prêts d'ici là. Les Américains ont adopté le 155 court Schneider et le 75 de campagne : leurs commandes seront honorées. Le Congrès a prévu, en juillet, un crédit de 3 milliards de francs pour la construction en France de 22 000 avions.

Les Américains formulent encore de nombreuses demandes : 4 000 chevaux de trait par division d'artillerie, avec fourniture d'avoine correspondante, chars d'assaut et matériel d'artillerie lourde, fusils mitrailleurs et artillerie de tranchée. Les régiments du génie doivent couvrir tous leurs besoins : ils ont recruté des spécialistes des transports, du bâtiment, des mineurs-carriers, des électriciens et des conducteurs de grues, des télégraphistes, des techniciens du camouflage, du béton, des projecteurs – tout a été prévu pour que l'armée ne manque de rien; deux régiments d'ouvriers mécaniciens doivent travailler à l'entretien des 38 escadrilles immédiatement en service. L'effort consenti dans le domaine des transports automobiles sera considérable : à la fin de la guerre, chaque armée américaine disposera de 40 000 camions, 25 000 motocyclettes, 8 000 voitures personnelles, 6 000 ambulances, avec un effectif de 100 000 conducteurs et 35 000 techniciens dans 273 parcs de réparations. Ils auront constitué en quelques mois l'armée la plus mécanisée du monde. En novembre 1918, plus de 500 000 hommes travailleront dans les services d'une armée de 1 224 000 combattants. Les Américains devaient beaucoup apporter en France, et beaucoup recevoir : leurs unités furent presque entièrement dotées d'armes lourdes, d'armes automatiques et d'aviation par les usines françaises. Encore devaient-ils s'initier très vite à leur maniement. Le problème de l'instruction, dans une guerre déjà sophistiquée, se posait d'emblée.

Il était compliqué par la susceptibilité nationale. Joffre avait prévenu l'état-major français : les instructeurs ne devraient pas considérer les Américains comme des élèves, mais comme des alliés. Il était d'abord nécessaire de former des officiers d'état-major pour la pratique d'une guerre de forteresse très spéciale, avec emploi d'armes modernes. Jamais les Américains n'avaient eu l'occasion de s'initier à l'utilisation de grandes unités sur un front étendu. Pershing demandait que l'on envoyât aussitôt 200 officiers de réserve d'artillerie et d'infanterie pour « apprendre leur métier avec les Français ». Foch suggérait d'accueillir les stagiaires dans les écoles françaises d'artillerie, dans les camps de Coëtquidan ou

Meucon. D'autres camps devaient être organisés pour l'infanterie à Valdahon, à Neufchâteau, à Gondrecourt.

Les demandes américaines en instructeurs devenaient de plus en plus pressantes : des officiers « suffisamment anciens et éclairés pour être chefs de groupes et conseillers discrets de chaque commandant de division américaine » étaient chargés de trouver des instructeurs pour la construction des fortifications, le lancer de grenades, l'organisation des liaisons, l'utilisation des tubes d'artillerie. Le 15 septembre, 1 000 officiers de réserve d'infanterie, 350 pour l'artillerie et 200 pour le génie, devaient être accueillis et immédiatement instruits. Une école d'état-major fut ouverte à Senlis. Le général Pershing, qui s'était, au début de septembre, installé à Chaumont, attendait avec impatience les cadres nécessaires pour faire entrer en ligne la division Sibert, la première instruite. Les Américains avaient retenu la suggestion de Joffre d'envoyer aussitôt en stage sur le front les futurs commandants de divisions : il fallait les accueillir et leur apprendre les tout nouveaux procédés de guerre. La division Sibert avait été instruite sur le front même par une division française. Mais l'état-major américain ne voulait pas, pour l'avenir, de ce couplage qui lui faisait perdre son autonomie d'action : la division Sibert jouerait à son tour le rôle d'instructeur auprès des divisions fraîchement débarquées.

Encore fallait-il l'envoyer aux tranchées : sous quelle forme, à quelle date? Il y eut beaucoup d'hésitations. Pershing voulait une accoutumance progressive des cadres, puis des hommes, unité par unité. Il aurait fallu plusieurs mois. Pétain, le 4 octobre, indiquait qu'il estimait souhaitable l'entrée en ligne de la 1ʳᵉ division le 25 octobre, sur le front Arracourt-Parroy, dans la 8ᵉ armée française. On pouvait, suggérait-il, installer en secteur un bataillon américain entre deux bataillons français de la 18ᵉ et de la 59ᵉ divisions. Le lieutenant-colonel de Chambrun, chef de la mission militaire française auprès de l'armée américaine, précisait qu'il s'agissait « pour la division Sibert d'acquérir, dans un secteur calme, l'expérience du front ». Sibert avait donc finalement quitté le camp de Gondrecourt, où il poursuivait l'instruction de ses hommes, pour les envoyer en camions dans la zone du front. Il savait que, désormais, la 1ʳᵉ division n'était plus seule en France. La 2ᵉ était au camp de Bourmont, avec son artillerie à Coëtquidan. Trois régiments de la 26ᵉ étaient déjà à Neufchâteau. L'escadrille Lafayette était au front depuis longtemps, une deuxième s'installait à Étampes, avec des appareils français. Une dizaine de camps s'équipaient à la hâte pour recevoir les prochaines divisions : la ligne de chemin de fer Bourges-Nevers-Dijon devait soutenir l'accroissement du trafic : elle avait sa gare régulatrice à Is-sur-Tille, mais bientôt l'armée U.S. utiliserait deux lignes : celle de Bordeaux à Dijon par Limoges, Châteauroux, Bourges, Nevers et Beaune, et celle de Saint-Nazaire à Sens par Saint-Pierre-des-Corps, Orléans et Montargis. Les Américains avaient en France une autonomie totale de liaisons, des ports de débarquement jusqu'à la zone d'opérations en Lorraine. Six camps seraient construits près des ports, une douzaine dans la région Toul-Langres. On attendait 24 divisions en France pour septembre 1918.

Le 2 novembre, pour la première fois, les unités américaines installées dans les tranchées du secteur de Sommerviller subirent le feu de l'artillerie allemande et se défendirent contre un coup de main. Quatre jours avant le début de la révolution bolchevique, les premiers soldats américains se faisaient tuer aux côtés des Français.

De longs mois seraient encore nécessaires avant que l'armée américaine devînt réellement opérationnelle en France. Mais déjà les Américains étaient adoptés par la population dont ils contribuaient à élever le moral. Les témoignages abondent sur l'animation de la vie locale et régionale grâce aux camps ou aux lignes de communication : à Pontanézen, près de Brest, Alain Jestin se souvient d'avoir assisté à l'installation, puis à l'agrandissement du camp [2] où devaient passer près d'un million de soldats. Prévu pour 50 000, puis pour 90 000 hommes, c'était « le plus grand camp du monde, monté de toutes pièces par le génie américain ». Au début, la marine avait constaté l'insuffisance d'accueil du port commercial de Brest, qui ne pouvait recevoir que 15 000 hommes par mois. Des régiments de pionniers, couchant sous la tente, avaient agrandi le port, construit des magasins, créé des lignes de chemins de fer, nivelé les champs, comblé un étang insalubre. Jamais les Bretons du village proche de Mesmerrien n'avaient vu autant d'activité, de matériel, d'organisation du travail : c'était pour eux la découverte d'une autre civilisation.

Les troupes noires et blanches étaient réparties dans des quartiers à part, numérotés, surveillés par la police militaire aux longs bâtons blancs : l'organisation était impitoyable, brutale, ne souffrait aucun laisser-aller. Les dirigeables de la base de Guipavas prenaient l'air pour guider les grands convois au large d'Ouessant et les amenaient à bon port. Les unités se succédaient sur les quais de Brest : après la célèbre division de volontaires *Arc-en-Ciel* (où le colonel MacArthur exerçait déjà un commandement) étaient venus les conscrits de vingt ans à qui la *Military Police* interdisait toute boisson alcoolisée.

Les villageois de Mesmerrien et de Lambézellec apprenaient à marcher dans les bottes que revendaient les officiers, à rouler le tabac *Bull-Durham*, vendu en sacs avec feuilles et allumettes

2. Alain Jestin, *in* « Cahiers de l'Iroise ».

jointes, et même à tirer au revolver Browning 9 mm. Ils voyaient les
soldats chanter et danser autour des feux de camps, chaque fois
qu'ils devaient partir pour l'est, après huit jours de repos; ils
admiraient aussi les M.P., à cheval, anciens cow-boys pour la
plupart, donnant des spectacles de rodéo. Ils étaient là, groupés en
foule sur les trottoirs, quand un nouveau général faisait son entrée
dans le camp, passant sous un arc de triomphe, descendant
cérémonieusement des magnifiques Cadillac noires réservées aux
grades élevés, cependant que les soldats saluaient en agitant leurs
chapeaux à bout de bras...

Bientôt le camp dut abriter 90 000 soldats : une armée de
techniciens l'agrandit en quelques semaines, construisant 12 000
baraquements, une ville entière avec ses avenues, ses places, ses
trottoirs de caillebotis, ses cireurs de chaussures noirs, ses magasins,
ses églises... Une station de pompage fut construite pour livrer
45 000 hectolitres d'eau par jour; des infirmeries, des bibliothèques,
des salles de spectacle étaient prévues, organisées par la Croix-
Rouge américaine et par les associations confessionnelles, telle
l'Y.M.C.A. catholique ou le Bien-Être juif. La cavalerie du Barnum
devait se donner en spectacle dans le nouveau camp et les villageois
se rappellent avoir assisté à la première de *Charlot soldat,*
découvrant ainsi le cinématographe et Charlie Chaplin. Les soldats
du camp disposaient même d'un journal, *the Pontanezen Duck-
board,* imprimé sur les presses de *la Dépêche de Brest...*

L'émerveillement des civils français est le même tout au long des
voies de communication installées par les Américains : à Gièvres, au
confluent du Cher et de la Sauldre, sur la route de Tours à Bourges,
ils installent en quelques semaines une immense usine frigorifique
destinée à expédier vers le front les rations de viande congelée
venues directement d'Amérique par Saint-Nazaire. Un formidable
camp de 700 baraquements est construit, avec lavabos, douches,
centres de loisirs et, surtout, d'immenses magasins. La gare est
aménagée pour recevoir chaque jour 20 trains, 500 wagons tirés par
des locomotives Pacific débarquées à Brest et dont « le signal
rauque et prolongé rappelait les sirènes des bateaux ³ ». Les wagons
« blancs, isothermes, à boggies », s'arrêtent le long des quais
construits à la dimension des convois et sont déchargés en un rien de
temps par des équipes de huit hommes par wagon. Les quatre
chambres froides de l'usine, alimentées par compresseurs, permettent de produire 500 tonnes de glace par jour et de stocker 8 000
tonnes de viande, soit l'équivalent de 16 millions de rations : ainsi
huit jours de viande sont-ils garantis aux troupes américaines
stationnées en France...

Les engins les plus variés débarquent au camp en pièces

3. J. Rouel, *L'Agriculteur du Loir-et-Cher,* 8.11.82.

détachées et sont montés dans les ateliers spécialisés. Les 4 réservoirs à essence permettent de stocker 8 millions de litres pour les pelles mécaniques, les *scrapers*, les rouleaux compresseurs, les turbines de l'usine électrique, les gros camions Nash, les Cadillac, les Dodge, les Ford T, appelés encore « araignées » en raison de leurs caisses hautes sur roues. Les hommes circulent sur des Harley Davidson à side-car ou sur de curieuses bicyclettes à guidon relevé, très robustes. Ils distribuent volontiers à la population le *chewing gum* et le chocolat, mais surtout le lait condensé en boîte, qui devient l'objet d'un trafic, et les merveilleuses *ice creams* qui justifient le déplacement de tous les jeunes des environs vers les baraquements du camp, devenu un véritable pôle d'attraction.

Dans une grande ville comme Saint-Nazaire, Nouailhat remarque la fascination exercée sur la population par les soldats américains : les garçons se coupent la moustache et adoptent les cheveux courts, les filles portent des chapeaux genre « boy-scout ». Ceux qui veulent parler aux soldats achètent des dictionnaires, cependant que les commerçants suivent des cours des écoles Berlitz. Les craintes du général Pershing étaient fondées : on vend de l'alcool aux recrues, il y a des bagarres, des accidents de la route, des scènes de violence. Un quartier réservé est toléré par la police à partir d'octobre. La population se plaint de la hausse des prix provoquée par les achats inconsidérés de ces militaires à hautes soldes... L'armée réagit en organisant une surveillance et une répression sans douceur. Les associations d'entraide reprennent en main la troupe qui fait de grands efforts pour se concilier la population : les enfants des écoles sont invités, pour Noël 1917, à un arbre de Noël avec distribution de bonbons et de jouets. Même attitude des soldats du génie qui abattent les arbres dans la forêt de Marchenoir près d'Orléans : les forestiers ont beau dire qu'ils saccagent les bois, la population est heureuse de récupérer les madriers « égarés » et les gosses sont reçus au campement le jeudi et le dimanche. « Le cuisinier, dit G. Boutet [4], les gavait de mangeaille... C'était véritablement un régal pour ces mioches qui, à la table maternelle, manquaient parfois de pain. » Le *Journal* du 485° escadron américain raconte son séjour à Chatenay-sur-Seine, près de Montereau : les soldats avaient adopté deux jeunes orphelins dont le père avait été tué au front en novembre 1914; la mère, madame Deloffre, n'avait que 1 260 francs par an pour élever son fils et sa fille qui avaient « les cheveux clairs et les yeux bleus » : ils devaient être reçus régulièrement au camp comme *honored guests* et se faisaient photographier sous l'étendard de l'escadron.

Les secours étaient largement distribués par la Croix-Rouge américaine qui faisait faire des enquêtes par les autorités pour

4. Gérard Boutet, *Le temps des guerres, 1914-1939*.

accorder à bon escient des subsides s'élevant à un franc par jour et par enfant. Les archives de Bourgogne renseignent sur les bénéficiaires des dons : une femme de vingt-huit ans a trois enfants de cinq à trois ans. Son mari, chasseur à pied, était domestique de culture. Il a été tué au front. La veuve d'un deuxième classe tué en Serbie n'a pour vivre, avec ses deux enfants en bas âge, que 3,50 francs par jour. Le maire de Saint-Léger-Triey écrit au préfet de Côte-d'Or pour refuser le secours des Américains : « Il n'y a pas que mon fils, dit-il, qui soit mort pour la France, victime d'un accident d'aéroplane; je laisse à d'autres infortunés le bénéfice du secours attribué aux familles de nos soldats par la générosité de la Croix-Rouge américaine. » Aux États-Unis, les donateurs sont nombreux, informés des besoins de la France, notamment des régions occupées, par la propagande de guerre, alimentée depuis longtemps par une organisation qui utilise la voie hollandaise. Les dons en argent ne sont pas les seuls : l'ambassadeur Jusserand signale que la veuve de l'une des victimes du *Lusitania*, qui habite Seymour, dans l'Indiana, veut offrir en souvenir de son mari (Eliesh Thompson) « une auto puissante et de grande vitesse » : Jusserand lui recommande de s'adresser au ministère de la Guerre pour que la voiture soit affectée au transport des blessés. Beaucoup de femmes américaines se rendent alors en Europe pour servir dans les hôpitaux ou dans les camps de transit, à l'assistance et à l'organisation des œuvres sociales.

D'autres offres ne sont pas toujours désintéressées : Tardieu signale, en 1917, le cas d'un certain George Baker, manufacturier de chaussures à Brooklyn, « âgé de quarante-sept ans et désireux de rendre service aux Alliés ». Il propose de diriger lui-même un atelier de réparations de chaussures militaires sur le front. Avec deux camions automobiles spécialement aménagés, ils se fait fort de ressemeler 400 paires de chaussures par jour. Sa proposition est très sérieusement étudiée : elle en vaut la peine. Une autre proposition est par contre repoussée : celle d'un organisateur de New York qui prétend détruire toute la récolte allemande de céréales en bombardant les champs avec des boules Ortiz, incendiaires. Les calculs sont faits : avec 100 boules au km², 15 000 boules chargées sur un seul avion, il faudrait cent avions pour détruire 150 000 km² de céréales. On recule devant la dépense : 50 000 dollars par million de boules !...

Pour les Français du front et pour ceux de l'arrière, les Américains représentent désormais la toute-puissance d'un pays qui n'exporte pas seulement le jazz et les films de cinéma, mais une gamme d'engins industriels permettant de renouveler, dans le monde entier, les conditions de travail; l'esprit d'entreprise américain est en train de devenir un mythe, et d'abord dans les milieux ouvriers, au moment précis où l'enthousiasme manifesté aux débuts de la révolution russe retombe brutalement quand on apprend que les dirigeants bolcheviks entendent faire la paix avec les « Boches ».

Le gouvernement provisoire, en Russie, ne disposait plus du soutien de l'armée depuis l'échec des offensives Broussilov. Le 17 juillet, les bolcheviks avaient essayé de s'emparer du pouvoir par la force à Petrograd en entraînant les soldats de la garnison. Le soviet de la ville, qui obéissait aux mencheviks, fut sauvé par des régiments loyalistes, obéissant à leurs officiers, des Cosaques notamment. Lénine, pour ne pas être arrêté, avait dû s'enfuir en Finlande. D'autres chefs bolcheviks furent mis en prison. Le parti, accusé de recevoir de l'argent de l'Allemagne, était l'objet d'une répression. Pour les démocrates bourgeois et socialistes, les bolcheviks étaient désormais des gens à abattre. Kerenski avait succédé au prince Lvov à la tête du gouvernement. Il voulait organiser des élections et avait réuni à Moscou une « conférence d'État » où les bourgeois, professeurs, militaires, parlementaires, délégués des villes et des zemstvos, constituaient la majorité. Pour imposer à l'armée sa volonté de démocratisation, Kerenski avait destitué, en septembre, le général Kornilov, désireux de rétablir l'ancienne discipline. Le général avait organisé un coup d'État avec les cavaliers fidèles pour imposer au pays une dictature patriotique, une militarisation des usines et des chemins de fer. Kerenski fit appel à toutes les forces politiques, y compris les bolcheviks, pour résister au général qu'il avait mis hors la loi : la tentative de coup d'État avait échoué.

Dès lors, une course de vitesse était engagée : dans l'armée, les généraux putschistes étaient massacrés par les soldats; dans les campagnes, les paysans procédaient eux-mêmes au partage des terres; dans les villes, la disette faisait le jeu des propagandistes bolcheviks qui réclamaient la paix; en octobre, ils prenaient la majorité au soviet de Petrograd. Sentant le pouvoir lui échapper, Kerenski décida de convoquer un « conseil provisoire » de la République, avec les *zemstvos*, les coopératives, les syndicats et le parti, une sorte de « pré-parlement » précédant les élections du 6 décembre et donnant autorité au gouvernement pour maintenir l'ordre. Mais, depuis le 23 octobre, Lénine était clandestinement rentré à Petrograd.

Que voulait Lénine? « Le moment décisif est proche », disait-il. Il fallait organiser la seconde révolution, celle des bolcheviks. Seul un coup de force pouvait empêcher la réunion de la Constituante, qui serait nécessairement une assemblée bourgeoise. Lénine venait d'écrire en Finlande *l'État et la Révolution* où il développait ses thèses sur la « dictature du prolétariat » et sur la destruction nécessaire de l'« ancienne machine de l'État ». En promettant « la paix pour demain » aux soldats, et la terre « immédiatement aux paysans », il était assuré de l'emporter : il l'expliqua le 1er novembre dans un article intitulé *Lettre aux camarades*. Contre Zinoviev et Kamenev, mais avec Staline, Trotski et Sverdlov, il avait décidé les bolcheviks à se lancer à la conquête du pouvoir.

Ils le prirent presque sans coup férir. L'armée d'ancien régime n'avait aucunement le désir de soutenir Kerenski qui avait laissé les soldats se livrer à une féroce répression après le coup d'État manqué de Kornilov. Le général Tchéremissov devait rester obstinément neutre. Le gouvernement Kerenski, se sachant abandonné des masses et des soldats, ne montrait plus aucun ressort, le pouvoir était à prendre.

Les bolcheviks savaient qu'ils pouvaient disposer de la garnison de Petrograd, des marins de Cronstadt, des miliciens rassemblés contre Kornilov dans la « Garde rouge ». Le soviet de Petrograd constitua le 3 novembre un Comité militaire révolutionnaire provisoire qui fit placer des mitrailleuses autour de l'Institut Smolny, siège du soviet. Dans la nuit du 6 au 7 novembre, les soldats s'emparaient des points stratégiques, gares, postes, centraux télégraphiques, empêchant le gouvernement de demander des secours. Les trois régiments de Cosaques qu'il avait appelés à Petrograd avaient refusé de marcher. Kerenski avait franchi les lignes sous un déguisement, mais ni à Gatchina ni à Pskov il n'avait obtenu l'aide des militaires qui refusaient de soutenir un pouvoir « condamné ». Les bolcheviks allaient-ils s'emparer de l'État sans effusion de sang, sans signe visible de révolution? Le croiseur *Aurora* avait tiré à blanc sur le Palais d'Hiver où les membres du gouvernement s'étaient réfugiés, défendus par les cadets des écoles militaires et par des femmes en armes, embataillonnées. Dans la nuit, l'assaut, immortalisé par Eisenstein – était donné au Palais d'Hiver. A deux heures du matin, les bolcheviks étaient les maîtres. Au 2e Congrès des soviets, 390 délégués acclamèrent Lénine et ses amis qui restaient seuls en séance : les adversaires du « coup de force » avaient quitté la salle. Lénine, président du Conseil des commissaires du peuple, avait pris le pouvoir en Russie.

Aussitôt le régime ralliait les grandes masses de la population en prenant les décrets attendus : celui du 9 novembre, ordonnant le partage des terres; celui du 14, sur le contrôle des fabriques par les ouvriers; celui du 15, donnant aux « peuples de Russie » le droit de disposer librement de leur sort, et même de se séparer de la Russie pour former des États libres. Tous les non-Russes pouvaient bénéficier de ce droit à l'autodétermination. En même temps, Lénine annonçait son intention de faire la paix. La révolution bolchevique avait donc pour conséquence immédiate la modification de la carte de guerre.

Cette paix, les bolcheviks la voulaient générale : ils ne souhaitaient pas une paix séparée qui les ferait passer pour complices des

Allemands. Mais ils craignaient aussi le « retournement d'alliances », la réconciliation contre eux des « forces impérialistes ». Aussi, le 7 novembre 1917, le 2ᵉ Congrès pan-russe des soviets proposait-il à tous les belligérants de conclure un armistice d'au moins trois mois « pour une paix démocratique et équitable ». Les Alliés unanimes repoussèrent cette proposition. Le 22 novembre, les bolcheviks signaient l'armistice avec tous leurs adversaires, de la Baltique à la mer Noire et, le 30, ils renouvelaient aux Alliés leur proposition de négociation globale et de désarmement général. Comment les Alliés auraient-ils répondu favorablement à ce gouvernement révolutionnaire dont ils mettaient en doute la représentativité ? Aux élections à l'Assemblée constituante, que Lénine n'avait pas pu empêcher, les bolcheviks n'avaient recueilli que 900 000 voix contre 16 millions et demi aux socialistes-révolutionnaires et 1 800 000 aux partis bourgeois... Comment les Occidentaux seraient-ils tombés dans le piège de Lénine alors que les services de renseignements leur apprenaient que le pouvoir bolchevik était vigoureusement contesté en Russie même ? Le syndicat des cheminots lui était hostile, et les soviets paysans qui se partageaient les terres étaient-ils tous d'accord pour abandonner aux Allemands une grande partie des provinces dominées par les Russes ?

Les bolcheviks avaient dès lors le choix entre la poursuite d'une guerre révolutionnaire et la conclusion immédiate d'une paix séparée. Les « communistes de gauche », avec Radek et Boukharine, qui disposaient d'amitiés nombreuses au soviet de Petrograd, étaient contre la capitulation : la révolution pouvait armer des partisans, rendre la vie impossible aux armées étrangères qui voudraient occuper la Russie, elle pouvait aussi prendre l'offensive, faire une levée en masse dans le style des Jacobins. D'autres bolcheviks, avec Trotski, voulaient arrêter la guerre en démobilisant l'armée, mais sans signer la paix. Pourquoi discuter avec les impérialistes allemands ? La « guerre révolutionnaire » était impraticable, car les masses aspiraient à la paix. La capitulation, qui libérerait les armées allemandes et leur permettrait d'écraser les révolutions potentielles en Europe centrale et à Berlin, était irrecevable. Il fallait au contraire inciter « les travailleurs d'Allemagne et d'Autriche à une action révolutionnaire renforcée ».

Erreur de calcul que Trotski reconnaîtrait lui-même plus tard : « Pour secouer l'apathie de l'ouvrier allemand, il aurait peut-être fallu des semaines, voire des mois, alors qu'à ce moment, les armées allemandes n'avaient besoin que de quelques jours pour s'avancer jusqu'à Dvinsk, Minsk et Moscou. La mesure de la politique révolutionnaire est longue, tandis que la mesure de la guerre est courte. »

C'est le troisième parti, celui de Lénine et Staline, qui l'emporte. Le choix proposé par Trotski, dit Lénine, est trop risqué : « Si nous devions périr pour la révolution allemande, nous serions tenus de le faire. La révolution allemande serait infiniment plus importante que la nôtre. Mais quand viendra-t-elle? Pour l'instant, il n'y a rien de plus important au monde que notre révolution. Il faut la sauvegarder à tout prix.» Pour cela, Lénine est d'avis qu'il convient d'accepter la capitulation. La révolution européenne en rendra rapidement les clauses caduques.

Les bolcheviks ont eu quelque difficulté à lancer leur demande d'armistice : le généralisme Doukhonine ne voulait pas livrer son pays « en esclavage à l'Allemagne impérialiste ». Il fut destitué et c'est l'enseigne Krilenko, nommé à sa place, qui adressa le 26 novembre la demande aux Allemands et aux Autrichiens.

« Est-ce qu'on peut négocier avec ces gens-là ? » demandait Ludendorff au général Hoffmann, chef d'état-major des armées allemandes sur le front de l'est. L'Allemagne peut-elle cautionner un gouvernement bolchevique? N'est-il pas préférable de le renverser en marchant sur Petrograd? L'armée allemande n'en a pas les moyens, elle craint de reconstituer contre elle un front patriotique et révolutionnaire en Russie, et de développer des troubles intérieurs en Europe. Dans les 24 heures, la demande russe est agréée : Ludendorff pense que si les bolcheviks sont emportés par une contre-révolution, jamais les Russes n'auront le courage de se jeter de nouveau dans la guerre.

A l'état-major ex-impérial de Mohilev, que le général Doukhonine, cependant destitué, n'a pas quitté, les officiers blancs protestent contre cette paix « honteuse et pernicieuse ». L'enseigne Krilenko ne peut se faire obéir; il demande l'aide des marins de Cronstadt, troupe fidèle à la révolution. L'état-major est investi, le général Doukhonine assassiné. Rien ne s'oppose plus à la capitulation. Le jour même (3 décembre), les délégués russes se rendent au quartier général allemand de Brest-Litovsk. Le 5 décembre, Joffé et Kamenev obtiennent la suspension des combats : les négociations de paix, est-il décidé, commenceront le 20 décembre. Bulgares et Turcs y seront représentés : il s'agit d'obtenir une paix générale en Orient au moins, puisque les « alliés » de l'Ouest — insiste Lénine — ont refusé d'envisager la paix sur leurs fronts.

Les princes bavarois et les hobereaux prussiens qui déjeunent avec les délégués ouvriers venus de Petrograd et les anciens bagnards de Sibérie ne peuvent évidemment trouver avec eux un langage commun : la « paix sans annexions » signifie, pour les Allemands, l'évacuation à leur profit des pays jadis annexés par les tsars. S'ils acceptent les « plébiscites » dans les régions qu'ils occupent, c'est qu'ils comptent les dominer. Ils refusent bien sûr la proposition russe de faire voter *après* l'évacuation militaire de la Pologne, de la Lituanie, de la Courlande... Le 28 décembre, la conférence est ajournée.

Quand elle reprend, au début de janvier 1918, les Allemands et les Autrichiens sont pressés d'en finir : si les partis du Reichstag se sont prononcés pour une « paix qui assure la sécurité et l'avenir du pays », les socialistes indépendants et les spartakistes organisent des arrêts de travail dans les usines de guerre. La grève générale ne va pas tarder à se déclarer dans Vienne. Les Tchèques et les Slaves deviennent intenables. Les atermoiements des soviets ont évidemment pour but de favoriser la propagande révolutionnaire dans toute l'Europe centrale : il faut brusquer les Russes, les menacer de rupture. Ludendorff sait parfaitement qu'ils ne sont pas en mesure de résister. Il veut leur lancer un ultimatum.

Il se sent obligé d'agir quand il apprend que le Comité central bolchevique est hostile à la capitulation (en se ralliant à la thèse de Trotski, partisan de l'atermoiement, Boukharine et la « gauche communiste » ont mis Lénine en minorité). Avec une certaine allégresse, l'armée allemande reprend le combat sur tous les fronts, menaçant de lancer une offensive. Elle s'apprête à envahir le territoire russe en commençant par les provinces où le pouvoir des soviets est mis en question, comme c'est le cas en Ukraine.

Les Ukrainiens n'avaient pas attendu le décret de Lénine sur les nationalités pour se rendre indépendants : ils étaient 32 700 000 en Ukraine russe et 5 millions en Ukraine autrichienne. Ils étaient en majorité absolue à Kiev, à Podolie, Poltava, Kharkov, Katerynoslav, Kherson, Volhynie, Tchernyhiv et Tauride. Ils s'étendaient aussi sur Kursk et le Kouban et pouvaient revendiquer un territoire vaste et très riche en cultures, en mines, en industries. Les étrangers, Russes, Juifs, Allemands, Polonais, résidaient dans les villes; 85 % des Ukrainiens étaient des paysans. Mobilisés, ils ne comprenaient pas les buts de la guerre et refusaient d'en faire les frais : en mars 1917, un régiment avait refusé de tirer sur la foule à Petrograd. Il était originaire de Volhynie. Dès le 17 mars, cinq jours après la révolution, un parlement provisoire, la *Rada*, fut constitué à Kiev. Il désignait aussitôt un gouvernement qui promettait la liberté à « trente millions d'Ukrainiens ». Le 25 mars, les soldats ukrainiens de la garnison de Petrograd avaient défilé dans les rues de la capitale avec les drapeaux azur et or de l'Ukraine. Une gigantesque manifestation fut organisée à Kiev le 1er avril. Une armée « nationale » allait être constituée.

Le 21 avril, le Congrès national ukrainien demanda l'admission de son pays à la future conférence de paix. Au défilé du 1er mai, les drapeaux ukrainiens et sionistes figuraient aux côtés des drapeaux rouges – pas un seul drapeau russe. « Quelqu'un de Kiev m'a dit que c'est tout juste si l'on peut y parler russe », écrivait un diplomate français [5]. Mais qui recevrait les revendications des Ukrainiens?

5. W. Kosyk, *La politique de la France à l'égard de l'Ukraine, mars 1917-février 1918.*

L'UKRAINE

POLOGNE

U.R.S.S.

Kiev
Jitomir
Kharkov
Poltava
Dniepr
Vinnitsa
Boug
U K R A I N E
Zaporojie
Dniestr
Kherson
ROUMANIE
Odessa
Crimée
MER   NOIRE

Lénine, en avril, leur laissa la possibilité de se séparer de la Russie, mais les alliés occidentaux n'étaient nullement disposés à les reconnaître, alors qu'ils encourageaient volontiers les mouvements d'indépendance tchèque, polonais, et slave du sud. Pourtant, en mai, un régiment ukrainien était formé, un « congrès militaire » réuni pour étudier la possibilité de regrouper en une seule armée les Ukrainiens dispersés dans les régiments russes. Des unités de « francs-cosaques » se formaient dans le pays. Les bolcheviks, en Russie, se prononçaient, à partir de juin, en faveur des revendications ukrainiennes.

Kerenski, jusque-là hostile, devant la menace allemande de juillet, avait dû céder et reconnaître la légitimité de l'automonie ukrainienne. Le nouvel ambassadeur français Noulens, qui remplaçait Paléologue, ne pouvait dès lors se désintéresser de l'Ukraine où les investissements des banques parisiennes avaient été nombreux avant la guerre. Il reçut, par l'intermédiaire du journaliste Jean Pélissier, les ouvertures des Ukrainiens indépendantistes, soucieux de trouver une protection internationale. Mais les militaires et diplomates français soupçonnaient le mouvement ukrainien d'être manipulé par les Allemands et les Autrichiens : « Plus le gouvernement russe s'oppose aux aspirations légitimes de l'Ukraine, télégraphiait Noulens le 22 août, plus les regards de ceux qui dirigent le mouvement d'indépendance se tournent vers l'Autriche et l'Allemagne. C'est ainsi que, peu à peu, dans la *Rada*, un fort parti de germanophiles s'est créé. » En vain Jean Pélissier s'efforçait-il de convaincre les responsables français : ceux-ci ne voyaient dans l'affaire d'Ukraine qu'une « intrigue allemande » destinée à « affaiblir le front ».

Pourtant, les Ukrainiens n'avaient pas de raison particulière d'aller à la rencontre des Autrichiens, qui avaient constamment favorisé contre eux les Polonais en Galicie. Si les Ukrainiens d'Autriche (les Ruthènes) détestaient encore plus les Russes que les Autrichiens, les Ukrainiens de Russie n'avaient aucun intérêt à rechercher l'alliance de l'Autriche, qui traitait si mal leur compatriotes à l'intérieur de ses frontières. Au demeurant, les officiers hongrois, dans leur retraite, avaient pendu par centaines les paysans ukrainiens de Galicie, accusés d'être russophiles (36 000 exécutions, d'après Kosyk), et 30 000 déportés devaient mourir de faim dans les camps de concentration d'Autriche. Jamais les Autrichiens n'avaient vraiment promis la moindre autonomie à leurs Ukrainiens de Galicie; ils les avaient réduits au silence.

Ils avaient néanmoins développé leur propagande en Ukraine russe, notamment dans les camps de prisonniers ukrainiens, promettant de réaliser l'indépendance de ce pays. Ils encourageaient l'Union pour la libération de l'Ukraine, mouvement de réfugiés créé à Lvov. L'Union, en 1917, avait obtenu des Autrichiens l'autorisation de constituer deux divisions ukrainiennes qui « libéreraient » leur pays après la paix de Brest-Litovsk. Ainsi se précisait la menace autrichienne.

Vienne voulait faire vite : le 7 novembre, en Ukraine, sitôt après la révolution bolchevique, le congrès militaire ukrainien demandait à la *Rada* de proclamer l'indépendance. Il l'emportait sur les bolcheviks armés, manipulés par Moscou, et sur les unités restés fidèles au gouvernement Kerenski. Le 13 novembre, la *Rada* se proclamait pouvoir suprême. Petlura, président du comité militaire, devenait l'arbitre de la situation. Le 20 novembre fut instaurée une République populaire : l'« autonomie nationale et personnelle » y était reconnue (mais que voulait-elle dire?) aux minorités russes, juives, polonaises des villes.

Nul ne consentit à reconnaître l'indépendance du nouvel État, qui ne figurait pas dans le programme de paix allemand à Brest-Litovsk en décembre. Alors seulement, Français et Anglais manifestèrent quelque intérêt pour l'Ukraine.

Les Ukrainiens ne pouvaient-ils pas constituer, comme les

Polonais et les Cosaques, une force militaire de résistance au bolchevisme ? L'état-major français souhaitait que, dans l'immédiat, des forces nationales fussent utilisées contre les Allemands. C'est ainsi que les militaires de la mission française reçurent mandat d'organiser l'armée ukrainienne. Coupé de Petrograd, le général Tabouis, en poste à Kiev, prenait ses instructions auprès de Berthelot, commandant en chef sur le front roumain : favorable aux séparatistes, ce dernier n'était guère soutenu par Paris. Une note de Foch du 29 novembre indiquait qu'en cas de capitulation des Russes, la lutte pouvait être poursuivie avec les Roumains et les Cosaques, « peut-être avec les Ukrainiens... » A l'évidence, l'état-major français ne fondait pas de grands espoirs sur le mouvement indépendantiste de Kiev.

Les Autrichiens, par contre, croyaient pouvoir l'utiliser. Ils avaient un urgent besoin de blé et n'avaient pas le choix des armes. Ils devaient se méfier en Ukraine des appétits bolcheviques. « Nous sommes partisans sans réserve, avait dit Lénine, en décembre, de la liberté totale, illimitée du peuple ukrainien. » Depuis les élections à la Constituante, il savait que des courants séparatistes existaient non seulement en Ukraine, mais en Sibérie, en Caucase : les bolcheviks n'avaient aucun intérêt à vouloir s'imposer d'entrée de jeu dans un pays où les Russes n'avaient recueilli que 10 % des voix. Le 16 décembre, le Conseil des commissaires du peuple reconnaissait la république d'Ukraine. Clemenceau, soudain pressé, décidait de nommer le général Tabouis commissaire de la République à Kiev. A la réunion du 23 décembre, avec les Anglais Milner et R. Cecil, il avait indiqué que les approvisionnements de l'Ukraine ne devaient en aucun cas échoir aux Allemands, et qu'il fallait reconnaître et soutenir ce pays, seul capable, en outre, de fournir de l'aide à la Roumanie. On avait appris à Clemenceau que les Ukrainiens avaient bouté hors de leurs frontières les bolcheviks armés envoyés par Petrograd : « En somme, dit lord Milner, dans l'affaire ukrainienne, il s'agit en définitive de savoir nettement si, en dernier ressort, nous sommes prêts ou non à entrer en lutte avec les bolcheviks... Si les choses devaient en venir là, nous prendrions le parti de l'Ukraine et nous laisserions les bolcheviks faire cause commune avec l'Allemagne. » Et le compte rendu note : « M. Clemenceau donne son acquiescement formel à cette manière de voir. »

Les Anglais suggèrent d'envoyer de l'argent aux Ukrainiens et aux autres nationalités russes. Ils se font forts d'obtenir l'aide des Etats-Unis sur ce point. Mais ils ne veulent pas « être accusés de préparer la guerre contre les bolcheviks ». En somme, comme Clemenceau, ils sont prêts à aider l'Ukraine si les bolcheviks les trahissent à Brest-Litovsk, mais ils préféreraient que la paix garde l'Ukraine aux Russes, une fois le pouvoir bolchevique aboli. Ils estiment « prématurée » une reconnaissance immédiate de la République ukrainienne. Par contre, il fallait la financer « en utilisant les services de juifs d'Odessa et de Kiev, par l'intermédiaire de juifs d'Occident partisans des Alliés, comme les sionistes ».

La position des Alliés commence à se dessiner nettement : il s'agit encore de lutter contre Vienne et Berlin, non contre Petrograd ; les Anglais s'emploient à ménager les bolcheviks, à ne pas les heurter. Mais, dans l'hypothèse où les Russes lâcheraient l'Entente, celle-ci doit s'accrocher au terrain pour que la lutte se poursuive à l'est. Un véritable partage des tâches se dessine à la conférence de Paris du 23 décembre : la France développera son action au nord de la mer Noire (Bessarabie, Ukraine, Crimée) ; l'Angleterre, au sud-est, contre les Turcs (Caucase, Arménie, Géorgie, Kurdistan). La France a déjà donné 100 millions au général Alexeïev pour qu'il « organise une armée destinée à tenir tête aux ennemis ». Qui sont-ils ? Les Allemands et les Autrichiens ? Peut-être aussi les bolcheviks ?

Ceux-ci ne peuvent tolérer que les Ukrainiens disposent à leur guise de leurs réserves de vivres. De juillet à décembre 1917, Petrograd et Moscou ont reçu 2 000 wagons de blé. Ils ne peuvent s'en passer. L'Ukraine devient le nerf de la révolution, comme elle est, à Vienne et à Berlin, le nerf de la guerre. Le 20 décembre, Lénine a envoyé des gardes rouges en Ukraine : ils ont gagné le Donbass et le Dniepr, et proclamé à Kharkov la « république soviétique » d'Ukraine, liée à l'Union des Républiques soviétiques russes.

La République ukrainienne de Kiev avait envoyé des délégués à la conférence de Brest-Litovsk. Ils furent reconnus par les délégués bolcheviques, cependant que les troupes rouges avançaient dans la plaine ukrainienne, saisissant le blé, le charbon, tout ce qu'ils pouvaient charger dans les wagons. Mouraviev, qui commandait les gardes rouges, « fusillait sans pitié » ceux qui refusaient de livrer leurs stocks. Lénine demanda par télégraphe « d'activer à tout prix le ravitaillement de Petrograd ». Staline s'étonnait que Trotski acceptât de discuter avec les Ukrainiens de Kiev alors que la « république soviétique de Kharkov prenait toutes les richesses ». Commissaire aux nationalités, Staline envoya un télégramme à Trotski, précisant que le charbon et la « zone de blé » étaient entre les mains des bolcheviks, ainsi que la flotte de la mer Noire et les villes côtières : « Tout cela donne au Comité central exécutif des soviets de Karkhov le droit d'avoir son représentant à la délégation de paix. » Kharkov ou Kiev ? Trotski se garde de reposer la question. Pour lui, la reconnaissance de Kiev est pain bénit : elle détache l'Ukraine des Alliés, puisque ceux-ci ont la preuve que les

Ukrainiens – qu'ils se préparaient à soutenir – discutent avec leurs ennemis.

Le 18 janvier, pourtant, Trotski rompit les pourparlers pour dix jours. Trois jours plus tard, il fit savoir que les « délégués de Kharkov » représenteraient désormais l'Ukraine, remplaçant ceux de Kiev. Les Rouges s'apprêtaient en effet à lancer une offensive générale contre l'Ukraine restée indépendante, et Trotski savait que les Autrichiens, quel que fût leur désir d'être ravitaillés par l'Ukraine, auraient du mal à donner l'autonomie à leurs propres Ukrainiens de Galicie sans mécontenter gravement les Polonais. Les bolcheviks allaient-ils récupérer leur grenier à blé sans coup férir ? Le 28 janvier, Lénine télégraphiait aux chefs des gardes rouges : « De grâce, prenez des mesures les plus énergiques et les plus révolutionnaires pour expédier du blé ! du blé ! du blé ! Sinon, Petrograd pourrait crever. Des trains spéciaux et des unités spéciales. Collecte et stockage. Faites accompagner les trains. Faites des rapports quotidiennement. Pour l'amour de Dieu ! »

Devant l'assaut soviétique qui se prépare, les autorités de Kiev n'ont d'autre ressource que de demander l'aide de l'armée allemande. Le 9 février au matin, Kiev tombe entre les mains des bolcheviks : il y eut « entre 3 000 et 5 000 exécutions sommaires » (Kosyk). La *Rada* était dispersée. Les Allemands ignoraient ces événements quand ils signaient, le même jour, un traité d'assistance à l'Ukraine, laquelle s'engageait à leur fournir, ainsi qu'à l'Autriche, un million de tonnes de blé avant le 1ᵉʳ juillet 1918.

Le 18 février, les Austro-Allemands commençaient leur offensive. Kiev était conquise le 2 mars. Trente-trois divisions avaient été engagées dans l'opération. Les réquisitions commençaient aussitôt après l'occupation du pays. Il est vrai que les puissances centrales arrivaient bien tard : Lénine était passé par là... Elles purent néanmoins se procurer, avant la « soudure », au moins 113 000 tonnes de blé et de fourrage.

Les Allemands entendaient désarmer la Russie tout entière en poussant, le 18 février, leurs armées vers l'est. Guillaume II avait imposé cette décision, conformément au projet de l'état-major, au conseil du chateau de Homburg du 13. Les soviets avaient profité des atermoiements pour envahir l'Ukraine : demain ils fomenteraient une révolte en Finlande, où l'Allemagne installait un gouvernement « indépendant »; ils pouvaient même agiter la Pologne occupée. Il fallait en finir ! Les Autrichiens, eux, étaient prêts à toutes les concessions pour obtenir le blé d'Ukraine. « L'Autriche, disait Czernin, est dans la situation d'un homme dont la maison brûle et qui saute par la fenêtre : il préfère une mort possible à une mort certaine. » Pour ne pas s'engager trop avant en Russie, l'état-major, méfiant, avait donné ordre aux troupes d'assaut de ne pas dépasser Wenden, dans leur avance vers Petrograd. L'offensive fut une promenade militaire; les Russes ne résistaient pas. Le général Hoffmann dit : « C'est la guerre la plus comique que j'aie vécu. » Les bolcheviks se laissaient prendre par milliers, sans tirer un coup de fusil...

Au Comité central, Lénine imposa cette fois la paix. Trostski s'était rallié à sa thèse, qui l'emporta par 7 voix contre 6. L'Allemagne obtenait la Lituanie, la Courlande, mais aussi la Livonie et l'Estonie. Les Russes devaient évacuer toute l'Ukraine et ouvrir leurs frontières aux produits allemands. Au dernier moment, Trotski s'était laissé tenter par son ami Sadoul, capitaine français en mission à l'ambassade, qui lui proposait une aide militaire et financière. Mais à quoi bon des secours, quand les armées allemandes étaient déjà aux portes ? Le 23 février, Lénine imposait au comité la signature d'une paix immédiate. Le 3 mars, le traité de Brest-Litovsk était signé : la Russie capitulait. « Nous ne sommes pas en mesure de forcer l'histoire », dit Lénine.

La Pologne aussi était abandonnée. Entièrement occupée par les Allemands et par les Autrichiens, elle ne pouvait être revendiquée par Lénine. Terre d'émigration, elle avait fourni des mineurs à toute l'Europe, de l'Allemagne à la France et à la Belgique, et même aux Etats-Unis où les Polonais étaient nombreux. Terre d'invasion, elle était divisée depuis 1772 entre la Prusse, l'Autriche et la Russie, et souhaitait avec force la reconstitution de son unité : bien entendu, les Allemands encourageaient les Polonais dans cette voie en leur promettant, vers l'est, le territoire ukrainien. Si l'Autriche avait accepté d'émanciper, aux dépens de ses Polonais, les Ukrainiens-Ruthènes de Galicie, c'était en dernière extrémité. Même le tsar avait un moment promis leur autonomie aux Polonais, mais aucun des trois Etats n'avait le moins du monde réalisé ses promesses.

La Pologne opprimée ne manquait pas de représentants, dans tous les pays, pour plaider sa cause : en Europe centrale, Dmovski avait pris des positions anti-allemandes et pro-russes, mais Pilsudski avait accepté de commander la Légion polonaise, armée par les Autrichiens, pour combattre les Russes. Les légionnaires polonais devaient prêter serment de fidélité, comme tous les autres peuples, à l'empereur d'Autriche. L'engagement de Pilsudski avait fini par entraîner Dmowski, qui s'était déclaré favorable à la victoire des puissances centrales. Plusieurs légions polonaises avaient pu être constituées, mais aucune insurrection ne s'était manifestée en Pologne russe : tout au contraire, les députés polonais à la Douma avaient proclamé leur fidélité au tsar, en échange de la promesse d'indépendance faite par le grand-duc Nicolas. La même promesse avait dû être consentie en 1916 par les Austro-Allemands pour les territoires « libérés » de la Pologne russe. Mais Berlin et Vienne étaient loin d'être d'accord sur le tracé des frontières et l'autonomie réelle du futur Etat. Chacun tolérait son existence sous sa propre protection. Quand l'Allemagne décida de contrôler militairement les légions polonaises, Pilsudski, favorable à Vienne, donna l'ordre à ses troupes de refuser le serment. Il fut emprisonné à Magdebourg.

Cependant qu'Autrichiens et Allemands se disputaient la Pologne occupée, les alliés de l'Ouest – où les Polonais en exil, comme le célèbre pianiste Paderewski, jouissaient d'un crédit certain auprès des gouvernements – multipliaient les déclarations favorables à l'indépendance d'une Pologne reconstituée. « La Pologne revivra, écrivait Clemenceau dès 1914. Un des plus grands crimes de l'histoire va prendre fin. » Wilson, le 24 janvier 1917, avait déclaré au Sénat américain : « Il devrait y avoir une Pologne unifiée, indépendante et autonome. » La paix de Brest-Litovsk, en livrant la Pologne aux puissances centrales qui se garderaient bien de lui donner l'autonomie promise, ouvrait la voie de la revendication polonaise vers l'Ouest, où l'on engageait déjà des légions.

Un travail de propagande et de prospection avait été accompli aux Etats-Unis : le noyau de la future armée serait constitué par des volontaires résidant en France, et le recrutement aux Etats-Unis serait assuré, parmi les émigrés, par les sociétés de *sokols* (mouvements de jeunesse catholiques recevant une formation prémilitaire). On espérait constituer trois corps d'armée de 22 000 hommes, avec 130 000 hommes de réserve. Ces troupes combattraient sous le drapeau national blanc et rouge. En mai 1917, le gouvernement russe provisoire avait donné son accord à la constitution de cette force. Une commission franco-polonaise dirigerait les recrues sur le Canada, qui les instruirait. Un noyau serait immédiatement formé en France avec des Polonais retirés des armées françaises et des volontaires des brigades russes. Italiens et Anglais refusèrent de laisser s'engager les prisonniers de guerre polonais retenus dans leurs camps, craignant des représailles. Au début de novembre 1917, 3 000 Polonais d'Amérique étaient déjà rassemblés dans le camp Niagara, au Canada, grâce à des crédits français. Ils se joindraient aux 1 000 volontaires qui attendaient en France : deux régiments pourraient ainsi être formés à Sillé-le-Guillaume, entre Mayenne et Laval.

Pouvait-on espérer plus ? Les comités et associations de Polonais aux Etats-Unis étaient également travaillés par la propagande allemande et autrichienne. Mais ils avaient été sensibles aux rapports de l'avocat Piotrowski, de Chicago, qui avait visité la Pologne comme correspondant de la presse américaine, et d'Ignace Paderewski qui déployait beaucoup d'énergie pour assister les « affamés de Pologne ». Les Polonais d'Amérique étaient traditionnellement beaucoup plus hostiles au tsar qu'à l'empereur Joseph. C'est seulement après la révolution de février qu'ils devinrent favorables à l'entrée en guerre des Etats-Unis contre Vienne et Berlin, qu'ils approuvèrent à 85 %. Il y eut de plus en plus d'adhésions aux *sokols*. Une mission de l'armée polonaise formée en France fut envoyée en Amérique en août 1917 (avec le sous-lieutenant Poniatowski et Rejer, leader des mineurs polonais en France). Elle reçut un accueil mitigé : les Polonais d'Amérique étaient déçus par Wilson, qui leur refusait l'autorisation de combattre sous leur drapeau. La guerre, pensait Wilson, était faite pour unir les nations d'Amérique, pas pour les diviser. Mais les Polonais ne voyaient pas l'intérêt de fournir aux Français, comme il leur fut dit à Chicago, « de la chair à canon ». Ils demandaient des garanties politiques que le représentant de la France, Franklin Bouillon, était bien incapable de négocier. A grand-peine pouvait-il promettre des primes et des assurances pour les futurs invalides de guerre. Pouvait-il garantir que la France traiterait les soldats polonais sur le même pied que les soldats américains ? Toucheraient-ils les mêmes soldes ? Les cortèges, les messes, les défilés et les meetings ne devaient pas aboutir à un recrutement spectaculaire : les Polonais d'Amérique restaient méfiants, ils résistaient à l'éloquence républicaine de Franklin Bouillon. Il n'y avait, en décembre 1917, que 4 500 engagés au lieu des 100 000 espérés. En février 1918, Tardieu indiquait qu'il ne fallait pas s'attendre, au total, à plus de 15 000 hommes. Ils étaient 11 000 en France en mai 1918, qui devaient monter en ligne en juillet, et 16 000 en septembre.

Quant aux Polonais qui servaient dans les armées du tsar, ils s'étaient regroupés au début de 1918 sous les ordres du général Doubor-Muzninski : ces 40 000 hommes étaient restés dans les lignes allemandes lors de l'offensive de février. Le général les avait mis à la disposition du conseil de régence de Varsovie, dominé par les Allemands. Ceux-ci en avaient exigé la dissolution. Quant au 2° corps polonais, commandé par le général Haller, il avait été recruté par les Autrichiens mais était passé avec armes et bagages du côté de l'Entente. Faisant retraite à travers la Bessarabie, il avait été anéanti par les Allemands, et ses survivants, perdus en Russie, devaient exiger leur renvoi sur le front français. Ils furent rassemblés à Mourmansk et à Arkhangelsk où ils se mirent aux ordres du général anglais Poole, qui n'avait nullement l'intention d'évacuer la région. Bien d'autres Polonais étaient dispersés dans toutes les Russies, de l'Ukraine à la Sibérie : il était difficile de les regrouper. La dispersion des Polonais dans le monde, leurs divisions politiques expliquaient l'absence d'une grande armée polonaise sur le front des Alliés. Ceux-ci n'avaient pas réussi mieux que les Allemands ou les Autrichiens à mobiliser pour leur compte la « nation martyr ». Des centaines de milliers de soldats polonais avaient combattu dans les deux camps sans pouvoir être rassemblés dans un même combat. En dépit des efforts des politiciens, aucun engagement précis n'avait été pris, de part et d'autre, en faveur de la Pologne.

La Roumanie devait faire les frais de son entrée en guerre tardive aux côtés des Alliés : les bolcheviks ayant retiré les unités russes du front roumain, il n'était plus possible de résister. Après l'invasion du pays par les armées allemandes et bulgares, le gouvernement roumain s'était réfugié sur une petite bande de territoire encore libre, à Iassi, uniquement soutenu par les canons russes et par l'aide d'une mission militaire française commandée par le général Berthelot. L'avance des armées allemandes en Ukraine condamnait à la famine les troupes en ligne : depuis longtemps, les militaires français avaient averti Paris qu'il n'était plus possible de combattre sur ce front, les unités russes étant de plus en plus gagnées par la propagande de paix des bolcheviks.

Les Autrichiens avaient laissé entendre au roi Ferdinand qu'il pouvait sauver son trône, s'il traitait immédiatement. Le monarque se débarrassa sur l'heure de son équipe favorable aux Alliés pour appeler au pouvoir Averesco : le 10 février, celui-ci offrait de signer la paix. L'Allemagne ne présentait pas de revendications territoriales, mais les Autrichiens exigeaient une rectification de frontière sur le Danube : pour se mettre à l'abri d'une agression, ils voulaient occuper la crête des Carpathes, le rivage des Portes de Fer. Les Bulgares étaient beaucoup plus gourmands : ils n'avaient aucun égard pour le principe des nationalités et exigeaient toute la Dobroudja, jusqu'au Danube – prétention insensée! Toute la population, ou presque, était roumaine. Comment la Roumanie pourrait-elle respirer si on lui enlevait le port de Constanza?

Le comte Czernin fit comprendre au roi qu'il n'était plus temps de discuter. S'il prenait un Premier ministre ami de l'Autriche, peut-être obtiendrait-il quelques concessions : Averesco était trop rigide! Le roi nomma Marghiloman, connu pour ses sympathies pro-viennoises, et signa le 5 la paix de Buftea, consacrant la capitulation totale des Roumains. Ils n'avaient obtenu qu'une rectification mineure dans les Carpathes, et la disposition du delta du Danube. L'Allemagne avait imposé des conditions économiques draconiennes : un monopole pour une société austro-allemande de 30 à 90 ans sur les pétroles appartenant à l'Etat roumain. La Roumanie était en outre contrainte de réserver aux vainqueurs la totalité de ses exportations en blé, en fourrage, en bétail jusqu'en 1926. Les tarifs douaniers ne devaient pas augmenter avant 1930. Le traité de Bucarest, signé le 7 mai 1918, plaçait la Roumanie dans un état de vassalité économique complet.

Les Bulgares pouvaient-ils entrer en Dobroudja? Les vieux démons des guerres balkaniques se réveillent. Les Turcs protestent avec énergie : ils ont participé, avec deux corps d'armée, à la guerre contre la Roumanie. Eux aussi ont droit au partage des dépouilles. Le président Wilson peut rêver : les Balkans sont restés, dans l'esprit de leurs dirigeants, ce qu'ils étaient en 1912. Les Turcs demandent, en compensation, de pouvoir occuper la zone frontière de la Maritza. Les Bulgares ne veulent rien lâcher. Vienne et Berlin doivent intervenir avec la dernière fermeté pour imposer un compromis : les Bulgares ne sont autorisés à occuper que l'ancienne Dobroudja, le Sud de la province. La région de Constanza sera occupée conjointement par les alliés jusqu'au règlement définitif des questions turco-bulgares. La déception de l'opinion parlementaire, à Sofia, oblige le Premier ministre Radoslavov à se retirer. Les Roumains ne sont plus une nation indépendante. Mais ils subissent de telles conditions qu'ils seront, si le sort des armes vient à changer, les plus âpres à exiger des compensations, voire des annexions, au détriment de leurs voisins immédiats. La « paix des peuples » passe par la vengeance des nationalités brimées, et pas seulement opprimées : il y a encore de belles heures pour l'impérialisme, dans les Balkans, après la paix de Bucarest...

Les autres peuples d'Autriche-Hongrie sont édifiés sur les intentions de libéralisation du gouvernement de Vienne : s'il traite ainsi les Roumains, les Ukrainiens, les Polonais, comment croire aux promesses qu'il a faites aux Tchèques et aux Slaves? Déjà les tchèques prisonniers de Russie, libérés par la révolution, ont formé une légion de plus de 40 000 hommes qui constituera, du côté des Alliés, une force de pression. Le gouvernement en exil de Masaryk revendique l'indépendance des Tchèques et des Slovaques. Le vieux professeur, l'ancien député jeune-tchèque, exilé dès 1914, vient d'être élu président du gouvernement provisoire; à ce titre, il a contribué à la constitution, sur le front français, des unités de la Légion tchécoslovaque. Avec Benès, il anime la résistance à l'étranger et regroupe les condamnés politiques libérés par l'administration Seidler, qui a succédé à Clam-Martinitz. Les députés tchèques au *Reichsrat* viennent de présenter leurs revendications. Le gouvernement de l'empereur Charles voudrait leur donner quelques satisfactions, mais l'allié allemand s'y oppose : on ne rouvre pas en pleine guerre, dit-il, le dossier explosif des nationalités.

La tutelle allemande est lourde : elle empêche aussi les responsables autrichiens d'amorcer un règlement de la question slave. Pourtant, en juillet 1917, les députés croates et slovènes au *Reichsrat* ont également fait entendre leurs voix. Ils ont signé avec les Serbes le « pacte de Corfou », qui exprime les principes de fondation du futur Etat yougoslave. Ils sont en relation étroite avec les réfugiés de Londres qui s'agitent dans les milieux gouvernementaux anglais. Le plus connu, Trumbitch, a quelque crédit auprès de Lloyd George, qui n'est pas fâché de se servir des Serbes pour limiter les prétentions italiennes.

Huit Etats totalement neufs s'apprêtent à sortir des grands empires allemand, autrichien et russe : outre la Pologne, la Tchécoslovaquie, l'Albanie et la Yougoslavie, la Finlande, la Lituanie, l'Estonie et la Lettonie vont se détacher progressivement de l'influence des administrations allemandes qui veulent y instaurer des « régences » vassales, à la manière polonaise. Le printemps des peuples n'affecte pas que les Etats danubiens, il fleurit aussi sur la Baltique.

Les Italiens, les Grecs et les Turcs auraient pu poursuivre leurs rivalités en Méditerranée s'ils n'avaient été intégrés, bon gré, mal gré, dans l'affrontement des deux blocs. Loin de limiter leurs ambitions, la guerre les avait accrues sans mesure, au point que leurs exigences (nous l'avons vu dans la querelle bulgaro-turque) menaçaient parfois la cohérence des systèmes belligérants. L'Italie était, à l'ouest, le partenaire le plus encombrant.

Elle avait affirmé sa présence sur la côte dalmate en occupant Vallona, en Albanie, dès le 15 décembre 1914, avant même d'être entrée en guerre. Quand les Français et les Anglais avaient débarqué leur corps expéditionnaire à Salonique pour aider les Serbes, les Italiens avaient refusé de leur envoyer des renforts, préférant s'installer solidement à Valona – où ils avaient construit un camp retranché – et plus au nord, à Durazzo. Ils avaient laissé les Bulgares massacrer les Serbes sans intervenir, et le général Sarrail retraiter sur Salonique, en arrière de la frontière grecque. Huit divisions allemandes et deux divisions austro-hongroises s'étaient rencontrées, en Serbie, avec les six divisions bulgares. 100 000 Turcs massés en Thrace pouvaient à tout moment intervenir. Les Italiens n'avaient pas envoyé de renforts. Ils n'avaient guère aidé l'armée serbe, en retraite dans les montagnes albanaises, à s'embarquer pour Corfou. Ils avaient remontré aux Alliés qu'il était imprudent de reconstituer cette armée dans le camp de Valona, où la population albanaise était très hostile aux Serbes. Ils n'avaient consenti à envoyer une division à Salonique (la 35ᵉ, du général Petiti) qu'au mois d'août 1916.

Le but de leur intervention était alors de venir en aide à la Roumanie qui s'était décidée à entrer en guerre. Les Italiens devaient tenir 50 kilomètres de front, avec leurs troupes de montagne, dans la Macédoine grecque, aux côtés des Serbes, des Franco-Britanniques et des quelques centaines d'Albanais d'Essad Pacha. 375 000 hommes étaient ainsi commandés par Sarrail. Les Italiens avaient accepté d'éloigner une partie de leurs forces de la zone d'influence qu'ils revendiquaient depuis le traité de Londres : l'Albanie et les côtes de l'Adriatique – l'Istrie, avec Trieste et Pola (sans Fiume), le nord de la Dalmatie avec les îles, enfin Vallona et l'île de Sasseno. L'Albanie serait un Etat autonome, dominé politiquement par l'Italie. La politique de guerre italienne avait uniquement pour but de s'assurer des gages dans sa zone d'expansion, pour être sûre de tenir au plut tôt ce que les Alliés lui avaient promis. Au reste, le ministre serbe Pachitch avait satisfait les Italiens en reconnaissant leur suprématie dans l'Adriatique. Il leur était reconnaissant d'avoir transporté les troupes serbes sur leurs bateaux. Contrairement aux « comités » yougoslaves de Paris et de Londres, le gouvernement serbe était favorable à l'apaisement. Les Italiens ne manquaient d'ailleurs jamais de protester quand un journal français ou britannique ouvrait ses colonnes aux revendications dalmates et illyriennes des « comités ». L' « italianité » des deux rives de l'Adriatique était, pour les Italiens, un dogme.

Ils avaient d'autres visées : vers l'Asie Mineure. S'ils avaient obstinément fait *leur guerre* (« guerra nostra ») depuis le début des hostilités, ils se rendaient compte, vers la fin de 1916, qu'ils avaient tout intérêt à coopérer à l'effort des Alliés s'ils ne vou-

laient pas être exclus des grands partages qui s'annonçaient : celui de l'Austro-Hongrie, mais aussi de l'Empire ottoman. Pourtant, cette coopération s'était géographiquement limitée à la partie ouest du front Sarrail, celle qui traversait l'Epire du Nord, ou l'Albanie du Sud. A Santi Quaranta avait débarqué, en octobre, un renfort de 3 000 hommes et les Italiens avaient occupé Delvino, Argyrocastro, toute la région disputée entre Grecs et Albanais. Ils établirent ainsi la liaison routière entre les ports d'Albanie et le front de Sarrail. Les Français protestèrent en vain contre cette nouvelle extension de la politique des gages. Les Italiens n'avaient accepté de renforcer le corps expéditionnaire allié que pour s'assurer de nouveaux avantages. « La France est une sœur jumelle, non une sœur aînée », pouvait-on lire dans la presse « italianissime ». Les Italiens avaient capturé, sur leur front autrichien, des prisonniers slaves du Sud. Ils refusaient de les libérer pour leur permettre de s'engager dans l'armée alliée d'Orient. Ils protestaient avec violence quand les journaux français omettaient de signaler la participation des troupes italiennes à la prise de Monastir. Ils accusaient Sarrail de visées politiques et d'incapacité militaire, et refusaient de lui envoyer tout nouveau renfort. Soupçonnant les Français d'avoir une politique anti-italienne en Albanie, ils avaient autorisé le général Ferrero, qui commandait la division italienne, de proclamer à Argyrocastro « l'unité et l'indépendance de toute l'Albanie sous l'égide et la protection du royaume d'Italie ». Cette déclaration unilatérale avait vivement choqué les chancelleries européennes mais, comme le remarque Daniel Grange [6], « la politique [italienne] en Epire n'avait qu'un but : protéger les acquisitions du pacte de Londres et empêcher une remise en cause de ce document ». L'Italie ne faisait en Orient que la politique de ses intérêts. Il est vrai qu'à partir de novembre 1917, le désastre de Caporetto l'obligerait à tenir obstinément le front alpin, avec l'aide de divisions de renfort françaises et anglaises. Elle perdrait ainsi une partie de sa liberté de manœuvre en Orient.

Les déceptions italiennes sur le front des Alpes étaient vives, depuis le début de la guerre : les lourdes pertes éprouvées, la difficulté particulière de la guerre en montagne, l'insuffisance en armements lourds des unités favorisaient le découragement, l'amertume, le regret de s'être engagé dans une guerre coûteuse. La grande offensive sur Trieste n'avait été qu'un rêve : très vite, le front s'était « stabilisé ». Le rôle de l'armée italienne n'était plus que de « fixer » le plus possible de divisions autrichiennes, puis allemandes, sur les Alpes, afin de soulager les armées alliées : but de guerre peu exaltant.

6. Daniel Grange, in *La France et l'Italie pendant la Première Guerre mondiale.*

Plus tard, sur l'Isonzo, Joffre jugea trop timorée la manœuvre imaginée par le généralissime italien Cadorna en 1916. Cette offensive, disait-il, n'aurait « aucune influence directe sur les opérations en France ». Tout au plus pourrait-elle aider l'armée russe. Les échecs de mai 1916 affligèrent Joffre, mais il ne s'attendait pas à des opérations décisives. Pour lui, le front italien était bel et bien « secondaire », il ne méritait pas de « sacrifices » des Alliés, autres que quelques fournitures d'artillerie. La prise de Gorizia en mai ne l'avait pas fait changer d'avis. On constate d'ailleurs, tout au long de la guerre, le mépris du commandement français pour les opérations du front italien, Pedroncini [7] a noté que les Français avaient, en 1915, promis... 12 avions à l'Italie et qu'ils n'en avaient livré que 5... un an plus tard! Les Italiens avaient dû beaucoup insister pour obtenir la livraison de quelques canons dont ils manquaient pourtant cruellement. On avait dû prélever 60 canons de 120 longs dans les dépôts de l'intérieur; Joffre avait refusé de les retirer du front. Faut-il s'étonner, dans ces conditions, que les Italiens aient montré tant de mauvaise volonté pour fournir au gouvernement français les travailleurs dont il avait besoin?

Seule la menace d'une invasion allemande en Suisse avait obligé le commandement français à prendre plus au sérieux le front italien. Foch avait reçu mission de préparer le « plan H » d'intervention franco-britannique pour éviter à tout prix (avec une trentaine de divisions) l'invasion de la Lombardie et la prise de Milan par les Allemands violant la neutralité suisse. Il avait, en Italie, étudié directement avec Cadorna les possibilités d'une coopération. Une dizaine de divisions pourraient débarquer, dans un délai de trois semaines, dans la région Vicenze-Padoue.

Foch s'était parfaitement rendu compte que l'armée italienne manquait d'artillerie : elle n'avait que 8 batteries de campagne par division au lieu de 10, et accusait un déficit de 180 batteries, contre les canons autrichiens Skoda, les plus puissants du monde. Au lieu de canons, Foch dispensait de bonnes paroles et demandait aux Italiens d'engager l'offensive... Huit groupes furent enfin obtenus, en septembre, après d'interminables négociations. On avait refusé d'envoyer des chars. Face à l'offensive austro-allemande, Cadorna manquait non seulement d'artillerie, mais même de munitions. Son aviation était tout aussi insuffisante.

Le front italien avait été reconstitué sur la Piave, après le désastre de Caporetto, sans l'aide des divisions de secours françaises et britanniques : les Alliés enverraient jusqu'à 11 divisions, mais pour les retirer progressivement plus tard, quand, au début de 1918, la menace allemande se préciserait de nouveau sur le Rhin : deux

7. Guy Pedroncini, *Id.*

divisions italiennes seraient alors appelées, en raison de l'urgence, à combattre sur le front français. Plus de 100 000 travailleurs seraient recrutés pour travailler à la reconstitution des lignes de chemins de fer et aux fortifications.

Le redressement politique italien, après Caporetto, avait permis de lancer le pays dans une nouvelle guerre, celle de l'intégration des commandements. Même si l'intervention franco-anglaise en Italie n'avait pas permis, dans l'immédiat, de réaliser le « commandement unique », le besoin s'en était affirmé. Le Premier ministre Orlando avait plaidé la cause de la coopération, activant le départ des travailleurs vers la France, se prêtant aux demandes des Alliés, même si leur participation militaire était jugée médiocre par les Italiens. L'armée Duchêne et l'armée Plumer avaient contraint les Autrichiens à la défensive, mais sans gain de territoire appréciable. L'attitude des officiers français, leur mépris pour le commandement italien créait des frictions continuelles.

Les rapports qu'ils adressaient à Paris au ministère de la Guerre, sont symptomatiques : « Il n'existe au *Comando Supremo*, on ne le sait que trop, aucun plan de relève au sens où nous l'entendons, écrit un officier. Ce sont les événements, autrement dit les actions et réactions de l'adversaire, qui entraînent de telles relèves, le plus souvent partielles. » Comment s'étonner dès lors du faible moral des combattants italiens ? Ce moral, à la mi-décembre, « s'est amélioré... Mais il y a des parties du front où, par suite de la continuité de la lutte et du mauvais fonctionnement des relèves, l'esprit des troupes en première ligne s'use rapidement ». Une excellente unité de la brigade Modena (27ᵉ corps) est prête à refuser le combat. « Il peut y avoir des surprises. » La « reprise en main » ne peut durer longtemps, à cause des insuffisances du commandement. « Il faut bien dire aussi qu'un certain nombre d'officiers, et malheureusement à tous les échelons, sont bien loin d'avoir la flamme nécessaire pour entretenir celle de leurs hommes. » L'encadrement, au niveau des compagnies, est déjà déficient : les lieutenants et les capitaines sont « trop jeunes, sans expérience », et surtout « le sous-officier italien n'existe pas en tant que chef, c'est-à-dire de conducteur d'hommes ». Quand une grande unité est retirée d'un secteur, elle n'est jamais remise à l'instruction, il ne faut pas s'étonner si les commandants ou les colonels n'ont guère de prise sur leurs hommes. Eux-mêmes ignorent les règles élémentaires de la guerre de tranchées.

Quant à l'état-major, « il manque de confiance et d'esprit offensif ». Il n'a rien fait pour assurer l'instruction des artilleurs, qui ignorent « les règles d'emploi [des batteries] à la division ». Ils ne savent pas réaliser dans des conditions convenables les barrages en avant des premières lignes, qui ne sont reliées à leur artillerie de campagne que de façon « précaire ». Le général signataire du rapport, de Gondrecourt, signale que « l'on est encore à la merci d'une attaque un peu violente de l'ennemi ».

Bien reçues en Italie à leur arrivée, les troupes alliées doivent ensuite déchanter : les Français ont une réputation de mécréants qui les fait mal accueillir dans les villages. « Leurs curés n'étaient pas mobilisés et les soldats français ne leur plaisaient guère », note Grenadou, l'artilleur à cheval. Pourtant, dit-il, on vivait bien, « les paysans nous faisaient cuire une oie pour trois francs, du vin tant qu'on en voulait, tous les matins le soleil se levait avec un ciel d'un bleu... ». Les soldats français ne sont pas malheureux. C'est en Italie que Grenadou « a vu les plus belles femmes ». Il préfère la Piave à la Somme...

Les officiers, par contre, sont constamment irrités dans leurs rapports avec les généraux italiens. Les Français réussissent une action locale sur le Monte Tomba. Les Italiens, jaloux, montent aussitôt des opérations hâtives, mal préparées. Dans un rapport adressé à Paris le 14 février 1918, Fayolle insiste sur la nécessité d'un échange d'officiers dans les écoles et de stagiaires dans les états-majors. S'il dit « échange », c'est pour ne pas vexer les Italiens ; en fait, il faut leur apprendre à faire la guerre : leur « instrument » est trop « instable ». Des cours d'artillerie pour officiers sont organisés à Vérone, Venise, Trévise. Des séances d'instruction sont fréquentées par les princes de Bergame et de Pistoia, qui veulent donner l'exemple ; le duc d'Aoste en personne rend visite aux instructeurs français. Des cours pour chefs de batteries, pour commandants de compagnies, pour les liaisons, les canons de tranchées, les spécialités diverses, sont bientôt fréquentés par de nombreux officiers italiens. « Ce sont les généraux qui prennent le plus de notes », affirme un responsable qui ajoute : « Les officiers ne cachent plus qu'ils n'ont aucune doctrine de guerre et qu'aucun progrès n'a été réalisé. Dans les moments d'abandon, ils s'expriment avec une certaine amertume vis-à-vis de leur commandement qu'ils accusent d'être routinier. Les plus avertis se rendent compte enfin de la nécessité de surveiller sans cesse le moral de leurs hommes. » L'enseignement des méthodes françaises est une révélation pour ces officiers qui combattaient dans des conditions effroyables : l'infanterie attaquait en formations massives, deux hommes pour trois mètres, par trois ou quatre vagues ! « Une vaste cohue à la merci de la moindre contre-attaque. » Les défenseurs du front n'avaient qu'une ligne de tranchée : quand elle était prise, c'était la débandade. Le soutien d'artillerie ne pouvait intervenir à coup sûr, faute de liaisons par avions.

Pour lutter contre le découragement des troupes, accablées de tracts et de fausses nouvelles par les Autrichiens, le commandement n'avait d'autres armes que la répression et une rigueur accrue. « Le *Comando* a, dans toutes les unités, quelques hommes sûrs ; dans les cantonnements, des personnes de confiance renseignent l'autorité militaire sur tout ce qui se dit ou se propage. » En avril et mai 1918, la crise du moral est à son comble : les soldats parlent de « lâcher pied », en gare de Milan ils ricanent en disant : « Voilà nos maîtres », désignant par là des officiers anglais. Pourtant, ceux dont la famille est revenue dans les régions envahies « expriment un désir très manifeste de vengeance ». On avait prédit que les unités italiennes se débanderaient, sur mots d'ordre pacifistes, le jour anniversaire de l'entrée de l'Italie en guerre. Il n'en est rien. Le 24 mai, ce sont les autres qui manifestent, les « italianissimes » sont plusieurs milliers à l'*Augusta* à Rome, avec Orlando, le prince de Galles, le duc de Bergame, fils du duc de Gênes, cousin du roi, et D'Annunzio l'aviateur, tête de file des irrédentistes, ceux qui veulent installer l'Italie sur la côte dalmate... Depuis Caporetto, l'Italie aussi a des territoires à libérer, tout comme la France et la Belgique. Les Italiens ont fait leur devoir : sur leur front étroit, jugé « secondaire » par Joffre, ils ont combattu pratiquement seuls, fixant les divisions allemandes et autrichiennes, perdant 460 000 hommes au cours d'une guerre dont personne n'était assuré en Italie qu'elle avait tenu les promesses, comblé les espoirs de ceux qui avaient choisi d'y engager leur pays.

Si le développement industriel du Nord de l'Italie rendait la région de Gênes, Milan et Turin sensible à la propagande pacifiste et révolutionnaire, alimentant dans le reste du pays un courant d'opinion contre la guerre, rien de tel n'existait en Grèce où le pacifisme du Vatican ne pouvait par ailleurs jouer aucun rôle parmi une population orthodoxe. Le faible développement de la Grèce, l'absence sur son territoire d'une classe ouvrière nombreuse et organisée, ne la prédisposait pas à recevoir les mots d'ordre de « révolution mondiale » de Lénine. Il est vrai que cette monarchie à dynastie allemande était politiquement divisée : soutenaient le roi les pays ruraux, continentaux, partisans d'une politique d'ordre et de neutralité. Les Grecs des îles, marins et commerçants, étaient tous derrière le Crétois Vénizelos, partisans d'une démocratie à l'anglaise et soutenus par les Alliés. Sur l'échiquier balkanique, les Grecs étaient encore moins réceptifs que les Italiens aux formules wilsoniennes du droit des peuples et de l'arbitrage international. Impliqués avant la guerre dans les conflits des Balkans, les Grecs surveillaient jalousement leurs entreprenants voisins, Turcs, Bulgares, Italiens, Albanais : ils étaient encore plus décidés que les Italiens à ne faire la guerre – s'ils s'y décidaient – qu'en fonction de leurs intérêts nationaux : les roussins d'Arcadie ne paîtraient pas sous les oliviers wilsoniens.

La débarquement des premiers soldats français à Salonique, le 5 octobre 1915, n'avait pas suscité en Grèce un enthousiasme excessif : Vénizelos lui-même avait été irrité par les hésitations des Anglais qui, jusqu'au dernier moment, avaient essayé de se concilier les Bulgares. Si le roi Constantin avait finalement autorisé la venue du corps expéditionnaire allié, c'était moins pour soutenir les Serbes que pour se protéger contre les vieux ennemis bulgares. Quand Vénizelos avait déclaré à la Chambre que la Grèce soutiendrait la Serbie agressée contre les Bulgares, le roi avait fait savoir qu'il n'avaliserait pas cette politique : Vénizelos avait dû démissionner. « Pourquoi ne l'avouerais-je pas, disait le roi, oui, je redoute d'entrer en conflit avec l'Allemagne et l'Autriche qui ne feraient qu'une bouchée de la Grèce. » Feld-maréchal de l'armée allemande, Constantin avait envoyé à l'académie de Berlin les officiers de son armée, il avait reçu des canons Krupp et des conseillers militaires. Sa presse, germanophile, montait en épingle le moindre succès des Bulgares contre les Serbes, minimisait l'apport du contingent allié...

La défaite des Serbes et la retraite du corps expéditionnaire permettait au roi de poser en termes nouveaux le problème de la neutralité grecque : aucun Grec ne voulait entendre parler de l'extension de la guerre sur son territoire. Les Allemands, les Autrichiens, les Bulgares poursuivaient les Franco-Britanniques et les Serbes. Ils allaient envahir la Grèce. Seul moyen d'empêcher cette catastrophe : désarmer le corps expéditionnaire en retraite.

Le Premier ministre Zaïmis proposa une autre solution : délimiter un couloir, de la Serbie à Salonique, libéré de soldats et de populations grecques, où les adversaires pourraient s'affronter à leur aise. Mais déjà cinq divisions de l'armée grecque se concentraient à Salonique, trois à l'est de la Strouma, une à Florina. Le roi faisait connaître son intention de désarmer les troupes alliées... Pour sortir du guêpier macédonien, ceux-ci n'avaient d'autre solution que la force : les navires à destination de la Grèce furent bloqués à Gibraltar, les convois de blé saisis, on affamerait la population d'Athènes. Des escadres prirent position à Milo, sous les ordres de l'amiral français Le Bris, prêtes à bombarder la capitale. Des marins français avaient déjà débarqué pour s'emparer du télégraphe. Constantin fut obligé de traiter : il accepta, sous contrôle de militaires grecs, que les Alliés organisent la défense de Salonique et leur retraite vers le port.

Ils se retranchent donc solidement, expulsant les consuls ennemis, organisant le contre-espionnage. Le contrôle des Alliés sur la Grèce s'accentue malgré les protestations du roi. Les mesures prises pour assurer la sécurité du corps expéditionnaire sont exploitées par la propagande allemande qui met en évidence le mépris des Alliés pour l'indépendance grecque; le gouvernement ne cesse de s'indigner de sa « neutralité violée ». Le baron von Schenk, qui assure, auprès du roi, la présence allemande, lance dans la presse grecque de violentes campagnes contre Sarrail : les Alliés n'hésitent pas à priver la population grecque de charbon et de blé pour l'obliger à faire leur guerre.

Sarrail, à Salonique, a proclamé l'état de siège, afin de lutter contre les espions bulgares et allemands; il veut pouvoir arrêter les suspects. Le passage de la frontière grecque par les troupes bulgares, le 1ᵉʳ juin 1916, soulève une immense émotion dans le pays : si le roi ne peut défendre la Grèce, s'il est pris entre deux feux, Vénizelos dit qu'il faut choisir son camp. Son parti est pris : il ira à Salonique, il soulèvera la population, il aura pour lui une partie de l'armée. Les Alliés refusent ses propositions, mais menacent le roi : les escadres bombarderont Athènes s'il ne cède pas. Le 28 juin, il démobilise son armée, change son préfet de police, annonce de nouvelles élections. La nécessité d'assurer la sécurité du corps expéditionnaire vient d'obliger les Alliés à intervenir directement dans la politique intérieure grecque : le général Sarrail exige un régime à sa botte.

Les Anglais avaient-ils prévu toutes ces difficultés avec la Grèce quand ils hésitaient à engager leurs troupes dans l'opération? Depuis l'organisation du camp de Salonique, ils ne pouvaient plus reculer : faisant taire leurs scrupules libéraux, ils prêtent la main à une opération politique d'élimination du roi Constantin.

Les Alliés n'avaient pas le choix : après avoir lancé une offensive générale qui leur avait permis d'enlever la ville de Monastir, la défaite des Roumains avait de nouveau rendu précaire la présence du corps expéditionnaire. La Grèce risquait d'être déchirée par la guerre civile depuis le succès de la révolution vénizéliste, que les Anglais avaient fortement désapprouvée. Mais Constantin avait livré aux Bulgares, sans combat, des forteresses grecques de Thrace. Vénizelos avait pu enflammer, à Salonique, le sentiment national à son profit. Cette guerre, disait-il, était bien celle de la Grèce : la politique de neutralité du roi aboutissait à l'invasion, à la trahison, à l'affrontement entre Grecs. Déjà les Bulgares avaient pris Drama, Kavala, Sérès. Des soldats grecs, rendus aux officiers allemands de l'armée bulgare, seraient-ils internés en Allemagne? Le colonel Christodoulos avait été relevé de son commandement pour avoir résisté aux Bulgares : honte aux royalistes!

L'ancien préfet de Salonique, Argyropoulos, et le colonel Zymbrakakis devaient aider Vénizelos, en recrutant des volontaires, à assurer son pouvoir dans la zone contrôlée par les Alliés : les germanophiles eurent beau jeu de condamner cette « révolte » protégée par les mitrailleuses françaises. Une « révolution pacifique » avait emporté Salonique, puis gagné les îles, la Crète, Corfou, Mitylène, Lemnos, Samos. Vénizelos avait fait triomphalement le tour des îles avant de débarquer à Salonique. Il y avait constitué un

« gouvernement grec indépendant » : sans être reconnu par les gouvernements alliés, il recevait des armes et une subvention pour équiper ses troupes. Un bataillon partit, dès le mois de septembre, dans l'armée de Sarrail. Trois divisions seraient levées à Sérès, dans l'archipel et en Crète.

Dans le même temps, les autorités françaises faisaient preuve de fermeté à l'égard du roi Constantin : l'amiral Dartige du Fournet exigeait la livraison de la flotte grecque, l'arsenal de Salamine, le désarmement de l'armée, le contrôle des postes et des télégraphes, l'expulsion des diplomates et espions d'Athènes. Le roi expulsa les diplomates, mais refusa de livrer les armes : il ne pouvait, disait-il, « faire accepter au peuple grec un désarmement humiliant ». Il est vrai que les officiers, au nom de l'honneur militaire, s'y opposaient absolument. Ils étaient décidés à sauver le roi malgré lui, et à exterminer les vénizélistes de Sarrail. Constantin, dans un appel aux neutres, se plaignit de ce que « le droit du plus fort ait toujours été opposé aux légitimes protestations de la Grèce ». Les officiers faisaient disparaître toutes les armes des dépôts et organisaient en Thessalie et dans la Grèce intérieure une armée royaliste.

Une fois de plus, les Français recoururent à la force : ils débarquèrent le 1ᵉʳ décembre 1916 au Pirée et prirent la route d'Athènes : ils étaient deux mille, commandés par Pugliesi-Conti, avec cent Italiens et quatre cents britanniques, tous des marins. Ils furent surpris et assaillis dans Athènes à la fois par des soldats de l'armée régulière et par des partisans convoqués à la trompette. On tua dans Athènes les amis de Vénizelos dont la maison avait été marquée d'une croix rouge. Cent marins furent tués ou blessés, soixante faits prisonniers. Les survivants durent au plus vite rejoindre leurs bateaux. Les canons avaient tiré sur Athènes 64 obus de gros calibre. L'un d'eux avait détruit les cuisines royales. L'humiliation des Alliés redonnait du prestige aux partisans de Constantin. La France envoya en Macédoine quatre nouvelles divisions.

Il fallait en finir avec le régime royaliste. Une nouvelle offensive de Sarrail échoua au printemps de 1917. Le général français, exaspéré, voulut embarquer de force, sur un torpilleur, le roi et sa famille : c'est lui qui, en décembre, fut « limogé » et remplacé par Guillaumat. Mais, entre temps, la décision avait été prise par les Alliés de détrôner Constantin. Le Français Jonnart avait pleins pouvoirs pour réaliser cette mission. La révolution russe exigeait des mesures d'urgence et le tsar n'était plus là pour protéger le roi grec. Il fallait conforter la position des Occidentaux au plus vite. Le 11 juin, ils débarquent au Pirée et dans l'isthme de Corinthe. Une opération générale de reprise en main du territoire grec est lancée avec l'aide des vénizélistes. L'armée royale est isolée en Thessalie et dans le Péloponnèse. Un détachement français neutralise les forces royalistes de Thessalie, ne rencontrant de résistance qu'à Larissa. Constantin abdique en faveur de son fils Alexandre. Il refuse d'embarquer sur un bateau français; ce sont les marins grecs qui le conduisent en exil à Messine. Le nouveau roi appelle aussitôt Vénizelos, cependant que les Français occupent Athènes, bientôt remplacés par une division vénizélienne venue de Salonique. Pour apaiser les esprits, Vénizelos ne mobilise pas immédiatement les Grecs, se contentant de convoquer les Chambres et d'expulser les fonctionnaires et officiers germanophiles : désormais, pourtant, les Alliés sont assurés que la Grèce entrera en guerre à leurs côtés.

La population voulait-elle de cette guerre? Le stationnement des troupes alliées à Salonique n'était pas bien accueilli : les Sénégalais avaient rempli d'effroi la population d'Athènes, les Hindous de l'armée anglaise n'étaient pas mieux reçus. La propagande allemande avait répandu l'idée que Français et Anglais faisaient combattre à leur place les troupes coloniales : les Grecs n'avaient nulle envie d'être considérés, comme à l'évidence les Russes ou les Serbes, en tant que combattants d'appoint, bons pour toutes les sales besognes.

Mais la guerre civile les avait malgré eux engagés dans un conflit qui, au départ, n'était pas le leur. Elle avait réveillé les vieilles haines : contre les Italiens en Épire, contre les Bulgares en Macédoine, et, partout, contre les Turcs. Le Crétois Vénizelos connaissait son peuple, il avait su stimuler les sentiments patriotiques à son profit et démontrer les mauvais effets du neutralisme royal. Sous couleur de défendre le territoire grec, le roi l'abandonnait en fait aux soldats des deux camps et ouvrait aux Bulgares les frontières du nord comme il avait ouvert aux Franco-Britanniques le port de Salonique. Vénizelos sut aussi flatter le sentiment populaire en offrant aux Grecs, le jour de la victoire aux côtés des Alliés, une moisson de conquêtes.

Avec le renfort des divisions grecques (qui atteindraient en 1918 l'effectif de 200 000 hommes), l'armée alliée du général Guillaumat était une macédoine de peuples : les Français n'étaient que 186 000 en août 1917, car on avait dû renvoyer au pays les soldats embarqués dès 1915, qui n'avaient pas encore eu de permission. Dix-huit mois de présence en Orient avaient affecté leur santé. Très nombreux étaient les paludéens rapatriés; la dysenterie faisait des ravages dans les hôpitaux de Salonique toujours submergés. Les pertes au front étaient bien moindres que les décès pour cause de maladie ou d'épidémies. Les malades étaient beaucoup plus nombreux que les blessés. Les difficultés du ravitaillement, l'inconfort des tranchées ajoutaient à la lassitude des troupes que les lenteurs du service postal démoralisaient. Le scorbut et l'anémie pernicieuse avaient décimé l'armée serbe, qui ne pouvait se reconstituer : 77 000 combattants, au lieu de 91 000 au front. En août, le commandement serbe demandait du repos pour son armée, déçue par l'échec de l'offensive. Les Anglais n'avaient plus que 79 000 hommes en ligne, ils avaient prélevé une division pour la diriger sur la Palestine où le général Allenby redoutait une offensive des Turcs. Ils se proposaient d'ailleurs d'enlever de nouvelles troupes au front de Macédoine afin de concentrer leurs efforts sur le Proche-Orient qu'ils étaient pratiquement seuls à tenir depuis la défection des Russes. Les Italiens, grâce aux renforts reçus, disposaient de 50 000 soldats bien approvisionnés par Santi Quaranta, qui avait des liaisons commodes avec la région de Monastir. Quant aux deux brigades russes, les très durs combats du printemps et de l'été les avaient beaucoup démoralisées. L'annonce du rapatriement de la division qui combattait sur le front français, en décembre, avait provoqué des actes d'indiscipline dans les unités commandées par Dietrichs. Les Russes étaient l'objet, sur leur front, d'une intense campagne de fraternisation. L'armistice de Brest-Litovsk obligea le général Guillaumat à improviser une politique de répartition des combattants russes en plusieurs lots : ceux de la première catégorie (généralement les officiers) sont placés dans des camps spéciaux, rééduqués, expédiés en France ; les 2 000 combattants de la deuxième catégorie sont utilisés dans l'armée d'Orient et considérés comme troupes d'étape ou travailleurs de l'arrière ; quant aux 13 000 hommes de la dernière catégorie, ils sont évacués vers les mines grecques des îles, où ils deviennent de véritables forçats, ou déportés en Tunisie.

La démoralisation n'est pas le lot des seuls Russes : les Serbes aussi y sont sensibles. Ils ne comprennent pas pourquoi les prisonniers de guerre faits par les Italiens ne rejoignent pas leurs rangs comme volontaires : 22 000 Tchèques, 19 994 Serbes, Croates, Slovènes, attendent leur libération dans les camps italiens. Le gouvernement a promis aux prisonniers réintégrés dans l'armée (et qui risquent d'être considérés comme « traîtres » si les Autrichiens les reprennent) « cinq hectares en Macédoine à la fin de la guerre ». Un certain nombre, venus de Russie, puis, par petits paquets, d'Italie, ont répondu à cet appel. Ils accusent les Italiens de se conduire traîtreusement avec les Yougoslaves : « La censure italienne laisse passer pour l'Autriche des cartes où les officiers hongrois et autrichiens [prisonniers] racontent la traîtrise de leurs camarades yougoslaves, on signale ainsi des familles aux redoutables représailles des Impériaux et on décourage les autres. » Les brimades des Italiens, qui ne favorisent pas les insertions, sont connues dans les lignes serbes et les hommes se demandent pourquoi ils combattent aux côtés d'une nation qui leur est hostile. S'ils ont toujours repoussé les tentatives de fraternisation qui se multiplient dans les tranchées autrichiennes, ils se laissent aller à l'abattement, refusent d'étendre leur front, menacent de ne pas prendre part aux offensives.

Pour remplacer les Russes défaillants, les Français ont dû faire appel à de nouveaux bataillons de Sénégalais, et faire monter en ligne les tirailleurs algériens et indochinois qui, jusque-là, servaient de troupes d'étape. Le caractère colonial du corps expéditionnaire se trouve ainsi renforcé. Les Français ont même fait appel aux Malgaches, aux spahis marocains. Une compagnie du 54ᵉ colonial est créole. Les Anglais ont été plus prudents : les troupes hindoues sont aussi en Macédoine, mais ils y ont surtout expédié les unités dont la présence en France n'était pas nécessairement désirable : par exemple le 13ᵉ Manchester, ou le 14ᵉ Liverpool. Leurs solides Écossais du *Cam'n Highlanders,* les fusiliers du *Kent Regiment* encadrent les régiments de « civils » des régions industrielles qui reçoivent très tard, dans les camps de Macédoine, les journaux de Londres, de Manchester ou de Dublin.

S'il n'y a pas de cas de mutinerie dans l'armée anglaise, le moral des Français a flanché en 1917 : outre l'absence de permissions, la stagnation des lignes et le développement des maladies endémiques en sont responsables : selon Patrick Facon, les moustiques de la boucle de la Cerna ont touché 94 % des 378 000 Français envoyés en Orient : 100 000 ont dû être évacués, 10 000 sont morts de maladie. Les moustiques inoculant le paludisme ne sont pas seuls en cause : la mauvaise nourriture est aussi à l'origine des cas de scorbut. Les efforts des officiers pour se procurer des légumes frais ont transformé les soldats en « jardiniers », ce qui a fait dire méchamment à Clemenceau que les « Saloniciens » préféraient cultiver leurs potagers que monter en ligne.

Il y a eu des déserteurs en 1917, notamment dans la Légion étrangère. Mais le mouvement d'indiscipline le plus spectaculaire est celui qui affecte, au mois de juin, le camp de transit de Zeitenlick, près de Salonique. Quand les hommes apprennent la nouvelle (peut-être fausse) d'un retour au front, exigé par Sarrail, plus de 600 hommes et sous-officiers refusent toute affectation, exigent immédiatement des permissions. Le 242ᵉ régiment d'infanterie (le plus touché) obtient ses permissions et tout rentre dans l'ordre, sans aucune condamnation à mort, mais avec de nombreuses peines de prison et de travaux forcés [8].

Les plus graves défaillances se manifestent dans l'armée grecque dont la plupart des officiers sont restés royalistes. Guillaumat avait préparé l'entrée en ligne, pour la fin de l'année 1917, de 5 divisions helléniques destinées à remplacer les unités russes retirées du front. Déjà la division de Larissa avait terminé son instruction. Les

8. Patrick Facon, *La crise du moral en 1917 à l'armée française en Orient,* in R.H.A., 1977, nº 4.

divisions de Chalcis, d'Athènes et de Yanina devaient suivre. Mais il avait été nécessaire de retirer d'urgence un régiment sûr du front du Vardar pour mater les éléments qui s'étaient rebellés à Larissa et à Lamia. Les déserteurs étaient nombreux, les soldats de Lamia étaient descendus en ville en cortège, ils avaient tué le préfet de police. Le 2ᵉ régiment d'infanterie grecque refusait de monter en ligne. Le conseil de guerre siégeait en permanence à Lamia où les exécutions étaient immédiates. Craignant des coups de main royalistes, les autorités d'Athènes consignèrent à leur domicile les principales personnalités suspectes, y compris les femmes. On découvrit empoisonné le prince Ypsilanti, ex-grand écuyer du roi Constantin; la terreur vénizéliste s'emparait d'Athènes. Cent fuyards de Lémia se réfugièrent à Thèbes et se barricadèrent dans la ville; d'Athènes, on envoya des unités loyalistes pour les déloger. Des mesures énergiques furent prises dans le Péloponnèse, région traditionnellement royaliste.

La propagande allemande se développait dans la presse, malgré les mesures de répression : le journal *Politiki* lançait une campagne neutraliste, expliquant aux Grecs que leur intérêt n'était pas de mourir pour la Belgique ou l'Alsace-Lorraine. Un *nouveau* parti socialiste, marxiste et léniniste, attaquait le parti frère vénizélien. Le Jour de l'An grec, personne n'acclama Vénizelos dans les rues d'Athènes. Manifestement, on lui attribuait la responsabilité du blocus et de la famine : que faisaient les nouveaux alliés de la Grèce pour la ravitailler? L'armée grecque elle-même n'avait ni chevaux, ni masques à gaz, et des rations alimentaires insuffisantes. Les Alliés manquaient de chemins de fer pour enlever les 1 800 tonnes qui débarquaient tous les jours du port du Pirée et de Volo. Il fallait 141 wagons pour expédier les 2 300 tonnes quotidiennes de matériel et de vivres nécessaires aux 18 divisions en ligne. Les camions, sur les routes spécialement aménagées, transportaient chaque jour 1 500 tonnes sur 140 km. Les céréales des Indes, le fourrage d'Algérie, le charbon anglais, les armements français empruntaient la voie maritime, dangereuse : les cargos aménagés pour le transport des chevaux (la *Pampa*, l'*Amiral Gantheaume*, qui pouvait en recevoir 400), ceux qui, comme le *Saint-Barnabé* ou le *Machico*, acheminent des caisses d'avions et d'autos, redoutent les sous-marins allemands : en février 1918, le vapeur *Catherine II* est coulé, avec 100 sections de mitrailleuses Hotchkiss à trois pièces. On utilise plus facilement la route de terre, par Tarente et l'Albanie. Mais elle est plus longue, plus fatigante pour la troupe. Comment les Alliés pourraient-ils soutenir la population grecque alors qu'ils ont tant de mal à ravitailler leurs propres soldats?

Les Américains, à partir de février 1918, font un effort : il faut empêcher la Grèce de redevenir royaliste et germanophile à un moment difficile de l'évolution de la guerre. Les Anglais, sur les injonctions de Foch, fournissent les wagons, et l'organisme interallié chargé des achats internationaux, le *Wheat Executive,* fournit le blé; les demandes des Grecs reçoivent un début de réponse : 4 000 tonnes d'orge et d'avoine par mois, 2 000 tonnes de viande frigorifique, 300 tonnes de sucre et 240 de café. Il faut aussi du drap kaki pour les uniformes de l'armée, 500 000 paires de chaussures, des clous, des fils et même des boutons : les Grecs manquent de tout.

Sont-ils pour autant satisfaits? Les désordres se perpétuent en Grèce pendant toute l'année 1918. Les maladresses des généraux franco-britanniques (on refuse à l'armée grecque la disposition d'un navire-hôpital), les convoitises des Italiens (qui ont réussi à faire affecter leur division d'excellentes troupes – bersagliers, chevaux-légers de Catane et de Palerme – à l'ouest du front, au contact de leurs bases d'Albanie, la débandade des Russes et les indécisions des Serbes n'encouragent guère l'effort de guerre hellénique. Le pays est soumis à la double propagande allemande, puis bolchevique : il n'est pas surprenant que Vénizelos ait du mal à dominer un pays en partie hostile pour des raisons politiques (les royalistes ne désarment pas) et globalement mécontent d'être entraîné dans une guerre qui piétine, sans ravitaillement convenable. Le sursaut national anti-bulgare a servi la cause de Vénizelos, mais ne lui a pas permis d'être, comme Orlando en Italie, l'animateur incontesté d'un effort de guerre dont une partie de son peuple, à sa droite comme à sa gauche, met en doute la nécessité.

Au début de 1918, les Grecs voyaient d'autant moins la justification de leur engagement que la carte de guerre, dans les Balkans, était dangereusement favorable aux « Centraux » : des trois puissances pro-occidentales, l'une était écrasée : la Serbie, l'autre entièrement occupée : la Roumanie; quant à la Grèce, elle était divisée, affamée, réduite à la défensive autour de bases manifestement organisées, à Valona, à Salonique, pour empêcher l'avance des Autrichiens et des Allemands vers la Méditerranée : le seul intérêt du front de Macédoine était de permettre aux Anglais de se mesurer avec les Turcs sur d'autres fronts – ceux du Moyen-Orient.

Bien malgré eux, les Britanniques avaient dû se résoudre à utiliser, pour venir à bout des Turcs, une carte dangereuse : celle du nationalisme arabe. Le colonel Lawrence, principal animateur – et inventeur – de cette politique, savait qu'elle risquait de susciter des difficultés avec la France : les accords Sykes-Picot de 1916 avaient arrêté un partage du Proche-Orient après la dislocation de l'Empire turc : aux Français la Syrie et le Liban, avec un protectorat sur la Syrie intérieure devenue indépendante; aux Anglais l'Irak et le Sinaï; une zone internationale très restreinte était délimitée autour de Jaffa, Haïfa et Jérusalem.

Les Anglais avaient déjà favorisé l'installation dans cette région de colonies juives venues de Russie, de Pologne ou d'Europe. Ils avaient donc la responsabilité de les protéger contre un éventuel mouvement de protestation des nouveaux États arabes. Lord Balfour, le 2 novembre 1917, pouvait tenir la promesse qu'il avait faite depuis longtemps aux sionistes : l'Empire russe s'était écroulé, il avait les mains libres. Le tsar, si opposé à la création d'un « foyer juif » en Méditerranée orientale, avait perdu son trône.

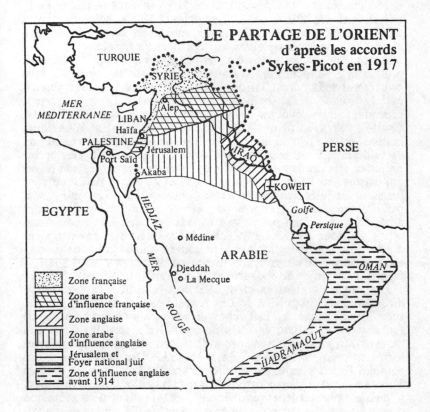

LE PARTAGE DE L'ORIENT
d'après les accords
Sykes-Picot en 1917

TURQUIE

SYRIE

MER MÉDITERRANÉE

Alep

LIBAN

Haïfa

PALESTINE

Jérusalem

Port Saïd

Akaba

IRAK

PERSE

KOWEIT

Golfe

Persique

EGYPTE

HEDJAZ

MER

ROUGE

Médine

Djeddah

La Mecque

ARABIE

OMAN

HADRAMAOUT

Zone française
Zone arabe d'influence française
Zone anglaise
Zone arabe d'influence anglaise
Jérusalem et Foyer national juif
Zone d'influence anglaise avant 1914

L'apôtre du sionisme, Herzl, avait précisément pour intention de créer des colonies qui fussent un refuge pour les juifs persécutés par le tsar. S'il n'avait pas réussi à négocier avec le sultan de Constantinople la création du « foyer », il avait organisé les secours financiers du « Fonds national juif », permettant d'installer en Palestine plus de 8 000 colons durant la seule année 1913-1914. A cette date, les juifs de Syrie étaient environ 100 000 contre 1 500 000 musulmans, 900 000 chrétiens et 300 000 membres de sectes musulmanes, Druses par exemple. La colonie fondée par Edouard de Rothschild en Palestine était destinée, disait le baron, « à favoriser la renaissance d'Israël à son ancienne patrie ». Elle était gérée, depuis 1899, par la *Jewish Colonisation Association* dont l'Alliance israélite universelle possédait 40 % des parts [9]. A cette époque, les Allemands avaient des colonies agricoles à Haïfa et les jésuites français plantaient de la vigne dans la plaine de la Békaa. Mais les juifs avaient 17 colonies et 10 500 hectares, contre 3 000 aux Allemands et 300 aux Français. Ils étaient les seuls à avoir pleinement réussi dans leur entreprise agricole.

Après le début des hostilités contre les Turcs, Haim Weizmann, professeur à Manchester, avait relancé l'idée d'un foyer juif sous protectorat de Londres. Balfour avait enfin rédigé, le 2 novembre, la note historique jetant les bases du futur Etat juif, en des termes cependant très prudents : « Le gouvernement de Sa Majesté, disait-il, voit avec faveur l'établissement en Palestine d'un foyer national pour le peuple juif et donnera tous ses soins à la réalisation de ce dessein, étant bien entendu que rien ne sera fait pour porter préjudice aux droits civils et religieux des communautés non juives qui existent en Palestine, et aux droits et au statut politique dont jouissent les juifs dans toute autre contrée ». En 1918, la France, puis l'Italie devaient approuver cette note, et le gouvernement américain, qui n'était pas en guerre avec les Turcs, acquiesça à son esprit en août 1918. Déjà, les milieux sionistes envisageaient d'administrer la Palestine avec un gouvernement juif sous protectorat anglais. Mais le gouvernement de Londres pouvait-il à la fois favoriser ce projet et encourager le nationalisme arabe ?

Les Anglais étaient en effet allés fort loin dans cette dernière direction, sous l'impulsion de Lawrence. Ils savaient que le général turc Djemal pacha, après l'échec de son offensive sur Suez, avait fait arrêter au Liban, en Palestine, en Syrie, tous les chefs des mouvements et associations pro-arabes, ceux-là mêmes qui avaient tenu leur premier congrès à Paris en 1913. Des intellectuels, des notables furent pendus en public en août 1915 et mai 1916. Les Turcs faisaient régner la terreur. Ils affamaient à dessein le Liban, imposaient partout leurs réquisitions. Les Arabes avaient prêté une oreille favorable aux propositions des Anglais d'Egypte qui souhaitaient substituer à l'autorité religieuse du sultan de Constantinople celle de Hussein, grand chérif de La Mecque. Mais l'autorité de cet anti-calife, armé et payé par les Anglais, ne pouvait être universelle,

9. Jacques Thobie, *op. cit.*

surtout après les accords Sykes-Picot qui organisaient le partage impérialiste du Moyen-Orient entre Français et Anglais.

Pourtant, les Arabes s'étaient révoltés. Au Hedjaz, en juin 1916, les tribus avaient attaqué La Mecque, Djeddah, Taïf, Rabigh, faisant 6 000 prisonniers turcs. Ils avaient échoué devant la forteresse de Médine où la garnison comptait 14 000 hommes bien armés. Aussitôt les Anglais envoyaient aux tribus des armes et des experts. Les Français dépêchaient le colonel Brémond. Les Turcs résistaient à tous les assauts et lançaient des contre-offensives. C'est alors qu'intervint Lawrence.

Il devint l'ami d'un des fils du calife, Abdullah, une nature de guerrier, mais surtout de son frère Fayçal : il reconnut immédiatement en ce dernier « le chef qui conduirait la révolte arabe à la gloire ». Il sut convaincre les Arabes d'attaquer au nord, au lieu de s'obstiner, faute de pouvoir s'emparer de la ville, à lancer des actions contre le chemin de fer de Médine. Il avait participé, aux côtés de Fayçal, à la prise d'El-Ouedj. Il voulait plus, et, grâce à l'appui d'un chef de tribu, Rouda Abou Taya, il fut assez heureux pour prendre Akaba, le port du Sinaï, la porte de la mer Morte et de la Palestine intérieure. Un tel succès fit réfléchir Allenby et les généraux chamarrés du Caire. Lawrence reçut 500 000 livres-or des mains d'Allenby pour soulever toutes les tribus, d'Akaba jusqu'à Alep : ainsi toute la Syrie intérieure, les confins du désert échapperaient à l'armée turque. Lawrence réussit pleinement : renforcé par les unités de Fayçal, il prit la piste du nord, entra dans Azrak, poussant les reconnaissances jusqu'à Dera'a où il fut pris et torturé, raconte-t-il, par le bey... En fait, il avait rejoint à cette époque (décembre 1917) le général Allenby qui faisait son entrée dans Jérusalem.

Car le corps expéditionnaire anglais avait régulièrement progressé sur la côte, aucun renfort turc ne venant contrarier son avance : les raids des Arabes sur le chemin de fer devaient faciliter les opérations. Les Anglais avançaient prudemment, posant eux-mêmes les rails d'un nouveau chemin de fer de Port-Saïd à El-Arich; le matériel venait d'Angleterre ou des Indes, et la progression était fort lente; elle obligea cependant les Turcs à retirer leurs forces du Sinaï. En octobre, Allenby était enfin prêt pour son offensive, il allait envahir la Palestine avec des soldats hindous, quelques unités anglaises, des Noirs des Antilles, les méharistes du *Camel Corps* et les contingents italiens et français.

Expédition, par sa nature, impérialiste, qui n'avait pas seulement pour but d'abattre les Turcs, mais de marquer sur le terrain les présences nationales, par l'occupation des villes et des territoires : pour cette raison, les alliés de l'Angleterre avaient tenu à envoyer quelques unités dans le désert de Gaza...

Les Français n'avaient guère de troupes disponibles : aussi étaient-ils préoccupés d'enrôler sous leur bannière des victimes des Turcs; comme les Anglais encourageaient les Arabes, ils avaient recruté des Arméniens. Des navires français avaient transporté de l'embouchure de l'Oronte jusqu'à Port-Saïd 4 000 rescapés des 100 000 déportés de Cilicie. Un détachement français, commandé par le colonel Philpin de Piépape, venait justement d'y débarquer : un bataillon de territoriaux, deux mille tirailleurs algériens et un peloton de spahis de Biskra. Les Italiens étaient moins nombreux encore : 100 carabiniers et 300 bersagliers. La recherche de nouveaux combattants pour gonfler les effectifs était urgente : on réunit à Famagouste, dans une « légion d'Orient », des Arméniens, des Syriens, des Arabes et même des Libanais. On comptait recruter des Arméniens d'Amérique, mais aussi bien des Indes et d'Egypte : déjà 200 hommes valides du Djebel Moussa s'étaient engagés, et leur instruction avait donné de très bons résultats. Pourtant, la crainte des représailles en empêchait beaucoup de porter l'uniforme français : ils préféraient « errer sur la plage de Port-Saïd », sachant leurs femmes et leurs enfants recueillis dans un camp, plutôt que de prendre de nouveaux risques contre les Turcs. Ils se considéraient « comme les soldats de la communauté, mais seulement vers leur objectif national ». Ces hommes « bien découplés, alertes et sobres », tentaient les sergents recruteurs français. Ceux qui avaient été entraînés à Chypre avaient reçu l'assurance que l'on prendrait soin de leurs familles. Avec les Arméniens, les Syriens et les chrétiens du Liban, la légion d'Orient put ainsi aligner deux bataillons. Grâce aux renforts qu'avait reçus le corps expéditionnaire français, le général Bailloud, qui le commandait désormais, envisageait de le faire entrer en ligne aux côtés de l'*Eastern Force*. Il venait de récupérer en outre des tirailleurs algériens faits prisonniers par les Allemands et qui venaient de déserter l'armée turque où ils avaient été incorporés.

Les lignes s'étaient beaucoup renforcées de part et d'autre, du côté de Gaza. Les Anglais étaient conscients de livrer un double combat, en Palestine et en Mésopotamie, en liaison avec les armées russes du Nord qui opéraient entre le Caucase et la Perse. Toute progression sur Gaza avait échoué, tandis que le 11 mars 1917, le général Maude entrait triomphalement dans Bagdad, effaçant le désastre de Kut-el-Amara. La 6e armée d'Halil Pacha battait en retraite. Venus du Caucasse, les Russes de Baratov avaient pénétré en Perse jusqu'à Hamadan, ils marchaient à la rencontre des Anglais, atteignant Kermanchah. La Perse tout entière risquait d'être perdue pour les Turcs et les Allemands. Quel bon moment pour attaquer aussi en Palestine! Anglais et Russes réunis marchaient déjà sur Samarra.

Dans leur offensive de printemps, les Britanniques avaient perdu plus de 6 000 hommes devant Gaza dont les défenses se renforçaient ; les Turcs y tenaient désormais 35 000 hommes ; après l'inaction des Russes sur le front nord, ils seraient bientôt 50 000, abrités dans la double ligne de tranchées. Les Russes avaient pris Samarra, mais ne pouvaient plus progresser. Les Anglais durent faire venir 30 000 chameaux et 60 000 travailleurs égyptiens dans le désert pour fortifier leurs propres lignes, de peur d'être enfoncés. Ils savaient que les tunnels du chemin de fer de Bagdad, à travers le Taurus et l'Amanus, étaient presque terminés : bientôt les Turcs pourraient faire intervenir massivement des renforts et de l'artillerie lourde sur les fronts du sud ; il fallait se hâter.

On s'attendait à une puissante contre-offensive des Turcs sur Samarra. Sans doute voulaient-ils reprendre Bagdad. L'inaction de la Russie, en cet été de 1917, permettait aux Allemands de reprendre leur vieux rêve de descente vers les Indes. 50 000 Turcs retirés du front roumain marchaient vers la Mésopotamie. Des indications sérieuses permettaient de penser qu'ils avaient en outre des renforts allemands. La présence en Orient du général Falkenhayn inquiétait. Il était arrivé en Turquie fin mai, et conduisait toute l'opération. Les bataillons allemands de lance-mines et de mitrailleuses constituaient la force de frappe de cette nouvelle armée, baptisée par les Turcs *Vilderim* : éclair, dont les unités étaient sous le commandement de Mustapha Kemal pacha. Où frapperait *Vilderim* ? A Bagdad ? Sans doute, mais un coup de main contre La Mecque n'était pas exclu, ni une offensive sur la ligne de Gaza. Au nord, les Russes, qui n'avaient plus de munitions, de vivres ni d'argent, devait se retirer de Khanikine. L'armée russe du Caucase, commandée par Prjévalski, était incapable de marcher sur Mossoul avant avril 1918... Dans ces conditions, Allenby se résolut à attaquer, pensant que l'offensive était la meilleure défense.

Il ignore que son adversaire, Falkenhayn, s'entend mal avec les Turcs, qu'il ne connaît pas : cet aristocrate, ancien commandant en chef des armées allemandes de l'Ouest, ancien ministre de la Guerre, traite de haut Enver pacha, écarte Liman von Sanders et prétend n'avoir de comptes à rendre qu'à l'empereur Guillaume. Il juge sévèrement l'armée turque où les solides régiments d'Anatolie sont de plus en plus rares, où les services de santé et de ravitaillement sont inexistants. Il sait qu'il n'y a plus de cavalerie, faute de fourrage, que les hommes reçoivent seulement le tiers des rations nécessaires, qu'il faut tirer les canons à la main dans le sable, faute de chevaux. Le *Bagdadbahn*, qui permet d'acheminer les renforts, a un rendement quotidien de 800 tonnes seulement et s'arrête au nord-est d'Alep, à Nisibin.

Les Anglais ont 95 000 combattants en Irak ; ils viennent, en capturant Bagdad, de reprendre la haute main sur les champs de pétrole si convoités par les Allemands. Ils accumulent les renforts venus des Indes et d'Angleterre sur le front de Gaza. Falkenhayn sait que les Turcs disposent en tout de 46 divisions à effectifs moyens de 5 000 hommes pour continuer la guerre sur les trois fronts où ils restent engagés (Caucase, Mésopotamie, Palestine). Il a pour force de frappe 6 500 Allemands groupés dans un *Asian Korps*, et peut espérer le renfort des Turcs venus de Macédoine, de Galicie, de Roumanie. Il n'ignore pas que ces troupes sont fatiguées, découragées et commandées par des chefs qui supportent mal la « coopération » avec les Allemands. Quand Bothner, en Galicie, demandait au général turc Yakoub Chefki de lui faire des rapports en allemand, celui-ci répliquait : « Si je dois apprendre leur langue, ils n'ont qu'à apprendre la mienne. » Falkenhayn ne ménage guère les susceptibilités des Turcs. Il s'empare en priorité des voies ferrées pour ses Allemands, bien dotés en uniformes d'été et d'hiver et en rations alimentaires, pleins de mépris pour les fantassins turcs en guenilles. Les hommes mangent chaud, par hygiène, couchent sur des lits de camp protégés par des moustiquaires. Les *Asiankämpfer*, au terminus du *Bagdadbahn*, circulent en camions et prennent des habitudes de paresse : ils font une guerre de riches au milieu de populations démunies, attaquées par la peste et le choléra. Les officiers allemands de l'état-major, colonel von Frankenberg und Proschlitz, major Feldmann, colonel Dommes, éliminent les officiers turcs qu'ils emploient à des tâches subalternes. Avec 5 millions de livres de trésor de guerre, von Falkenhayn est un puissant seigneur qui réalise le rêve dont parlent tous les magazines illustrés allemands : combattre en Orient.

Il est rapidement déçu dans ses prévisions : l'incendie de la gare de Haïdar-Pacha, à Constantinople, retarde les convois, les services de santé fonctionnent aussi mal, les stocks de vivres sont inexistants et les camps d'hébergement prévus pour les Allemands ne sont pas installés. Falkenhayn comprend très vite qu'il faut concentrer toutes les forces contre Allenby, et renoncer à reprendre Bagdad. Il décide de se porter au secours du colonel allemand von Kreuss, qui commande le front du Sinaï. Ce renfort massif déplaît fort au Turc qui commande la 4ᵉ armée et qui s'est constitué en Syrie une sorte de satrapie. Djemal pacha, le bourreau du Liban, déclare à qui veut l'entendre qu'il n'a nul besoin de renforts allemands. Mustapha Kemal les déteste encore plus : il demande la turquisation intégrale des cadres de l'armée, exige d'Enver une politique vraiment nationale. En octobre, à la veille de l'offensive anglaise, il s'oppose à Falkenhayn et doit quitter son commandement.

L'escadrille allemande n° 300 a survolé le Sinaï, repéré les préparatifs anglais, évalué les forces d'Allenby. Falkenhayn enrage des délais de transport des unités de sa 7ᵉ armée : 10 jours pour aller de Constantinople à Alep... 20 jours pour transporter une division d'Alep à Rayak, où les troupes sont transbordées pour emprunter ensuite un chemin de fer à voie étroite. Il faut au total plus d'un mois pour qu'une division soit à pied d'œuvre. Allenby aura-t-il la courtoisie d'attendre?

Falkenhayn, en automobile, entre dans Jérusalem le 1ᵉʳ novembre : Allenby avait attaqué la veille. Les Anglais étaient reposés, bien nourris, sur-armés, alimentés en eau par le pipeline spécial qui venait d'Egypte, le long du chemin de fer dont les voies avaient été doublées. Ils avaient perdu six mois dans ces travaux, mais ils étaient prêts. L'*Eastern Force* était dotée de plusieurs centaines de camions de corps spéciaux de méharistes, d'éclaireurs arabes, d'automitrailleuses et d'artilleries portée. Allenby attaqua sur le flanc des défenses allemandes, vers Bir Seba; il lança une formidable charge de cavaliers anglais, arabes, australiens et, dans un nuage de poussière, les 30 escadrons enfoncèrent les positions turques, attaquées simultanément par l'infanterie de la 60ᵉ division de Londres. Les *Light Horse Australians* avaient enlevé Bir Seba au galop, défait les troupes d'Ismet bey qui s'était enfui seul, à pied, dans la nuit. Les Arabes de la 27ᵉ division turque s'étaient rendus sans résistance.

En voulant faire appliquer aux Turcs en retraite les techniques allemandes de « défensive agressive », Falkenhayn se condamnait à l'échec. Les Anglais enfoncèrent le front de Jérusalem, il lui fallut se replier sur Naplouse. Il devait être remplacé par Liman von Sanders qui organisa la nouvelle ligne de résistance turque selon les vieux principes : enterrer l'infanterie sur un front rigide et rendre aux officiers turcs leurs commandements. Avec 15 000 sabres et 80 000 fusils, Allenby avait pris Gaza et Jérusalem, il avait bousculé le front turc, de la mer au sud de Bethléem. Il avait eu 5 000 morts, 20 000 blessés, et capturé 11 000 Turcs.

Le 11 décembre 1917 à midi, il faisait dans Jérusalem une entrée triomphale, en un long cortège empruntant la porte de Jaffa. Les notables et les autorités religieuses, à Barracks Square, l'accueillaient au milieu d'une population nombreuse qui acclamait les troupes anglaises ainsi que les petits détachements français et italiens. Un attaché militaire américain était également du cortège. Les Bédouins du *Camel Transport Corps* (40 000 chameaux), les terrassiers et les porteurs de l'*Egyptian Labour Corps* (57 000 hommes) suivaient les 80 000 combattants qui s'installèrent en Galilée, cependant que les avant-gardes poussaient déjà sur Jéricho. C'était, en Palestine, une véritable invasion anglaise. Dans cette masse, le petit corps expéditionnaire français passait inaperçu. Georges Picot, représentant de Clemenceau au Caire, rendit compte de l'accueil des populations : les chrétiens et les juifs avaient accueilli les Anglais « en libérateurs ». Les musulmans « nationalistes arabes de

Jérusalem sont facilement résignés » : ils aperçoivent l'étendard de l'émir Fayçal dans les rangs des Alliés. Les juifs savent que les Anglais forment trois bataillons de juifs dans leur armée. Les Français sont les seuls mécontents : ils n'ignorent pas que l'expédition anglaise est uniquement destinée à prendre des gages de territoires en fonction des futurs partages; ils craignent que les accords Sykes-Picot ne soient remis en question. Clemenceau exige par une note du 23 février que l'on renforce « à bref délai l'action militaire de la France en Palestine ». A quelques semaines de l'offensive allemande de mars 1918 à l'ouest, Clemenceau veut trouver des troupes pour la Syrie : 10 000 hommes qui doivent partir tout de suite. « Une action séparée de nos troupes en Syrie, dit le ministre français des Affaires étrangères, eût présenté un intérêt encore supérieur... et permis de grouper... autour de notre seul drapeau des populations qui sont restées profondément attachées à la France ». Il s'agit de protéger à tout prix la zone française, et de faire comprendre aux Italiens que leur présence est « déplacée » en Palestine. L'activité des agents politiques anglais en Arabie inquiète particulièrement le Quai d'Orsay. S'ils veulent reconstituer « une grande nation arabe », il ne faut pas que cette politique lèse les intérêts français. La mission Philby, qui a pour but de réconcilier l'émir de Nedj et le grand chérif Hussein, vise à empêcher les émirs de se déchaîner contre le royaume du Hedjaz, création britannique. Ils disposent opportunément, en Arabie orientale, du soutien d'Ibn Saoud. Ils ont ainsi les moyens de dessiner un avenir politique qui ne fait pas sa place à la France. D'où le ressentiment qui explique et justifie les sacrifices militaires consentis par Clemenceau : il faut maintenir l'influence française en Syrie.

Allenby n'a pas les moyens de pousser jusqu'au bout ses avantages. La défense turque s'organise et le danger allemand en Europe le prive, en avril, de ses deux meilleures divisions. De nouveau, il doit attendre les conditions d'une nouvelle offensive.

La poussée anglaise est également contenue en Mésopotamie et en Perse : comme en Palestine, les agents consulaires français se plaignent des procédés des officiers britanniques : « Ils mènent contre nous, dit un agent de Bassorah, une lutte d'influence politique et commerciale où nous ne sommes guère traités en alliés. M. Roux, consul de France, n'a pas été autorisé à séjourner à Bagdad, résidence officielle de son poste, sa correspondance a été ouverte ». Mais il faut alors 30 jours pour se rendre de Paris à Bagdad : comment le Quai d'Orsay pourrait-il réagir? Clemenceau suggère (note du 31 mars 1918) qu'une mission militaire double une mission économique et culturelle envoyée par la France en Perse afin de « faire échec aux entreprises allemandes ». Le retrait des Russes a en effet ouvert la porte aux Turcs et aux Allemands. Les bolcheviks ont déjà posé des jalons : un comité révolutionnaire russe veut faire arrêter le général Baratov et expulser tous les étrangers de Perse. Les Anglais deviennent conscients de la nécessité d'établir une liaison, à travers la Perse, entre le Caucase et la Mésopotamie.

Mais où trouver les troupes? Les Français savent, depuis le voyage du général Lavergne en novembre 1917, que la situation est désespérée sur le front du Caucase : les Turcs, connaissant la démoralisation de l'armée russe, ont décidé d'y lancer une offensive, malgré l'avis contraire des Allemands. Ils veulent rallier les populations musulmanes des rives de la Caspienne et développer leur politique « pantourienne », sans se préoccuper des buts de guerre allemands, de leur percée vers l'Inde. Il y a des coups de feu échangés entre troupes turques et allemandes au sud de Batoum : les alliés ne se comprennent plus. Les Allemands trouvent tout de même étonnant qu'un peuple accablé par tant d'années de guerre, sous-alimenté, sous-équipé, déçu même par ses victoires (que lui ont rapporté les Dardanelles?) trouve encore la force de lancer une offensive de conquête destinée à tailler des croupières au vieil ennemi russe en difficulté, de soulever à ses dépens tous les peuples amis des Turcs et de l'islam, engourdis par des années de servitude!

Il est vrai que les Turcs ont devant eux l'ombre d'une armée. Selon Lavergne, la place de Trébizonde est « mal tenue et travaillée par la politique », Erzeroum ne vaut guère mieux. Certains corps, les *plastonnes* par exemple, ont perdu jusqu'aux neuf dixièmes de leur effectif pendant l'hiver, très dur dans le Caucase. Ils ont été emportés par les épidémies de typhus, de scorbut, de paludisme : on a vu des soldats, faute de vivres, manger de vieux cuirs; la cavalerie a disparu, les 12 divisions d'infanterie ont fondu, il reste 100 000 fusils pour défendre un front de 700 kilomètres. Les généraux ne veulent pas demander de renforts, craignant l'infiltration d'agents bolcheviks. Ils ne peuvent exploiter la riche vallée d'Erzindjan, car ils ont détruit les maisons pour faire du feu avec leurs charpentes, et coupé jusqu'aux arbres fruitiers pour se chauffer. Les soldats se sont nourris de chasse et de rapines, les tirailleurs du Turkestan ou du Caucase, les Géorgiens et les Arméniens ont survécu en pressurant les villages de la zone du front, jusqu'au lac de Van. En décembre 1917, la discipline s'est relâchée, les *plastonnes* ont rossé leur général, ils ont refusé d'exécuter les ordres. On les a retirés du front pour constituer un corps d'armée cosaque. Le régiment géorgien et les six régiments arméniens, comme la « division sauvage » des cavaliers tatars, ont abandonné le front des Russes pour se consacrer à la défense de leurs collectivités nationales à nouveau menacées par l'avance turque. A l'hôpital chirurgical français de Tiflis, le docteur Louis Dartigues assiste à l'armement des brigades géorgiennes : elles tentent de protéger le pays d'abord contre les soldats russes en retraite, qui pillent et massacrent la population sur leur passage. Les réfugiés d'Asie Mineure sont nombreux et misérables : il y a des cas de typhus et de choléra à l'hôpital, où se déclare même la peste bubonique. Les Anglais ont envoyé des officiers vers le Caucase pour prendre en main la résistance et assister les Arméniens et Géorgiens. Ils peuvent compter, dans leur armée de Mésopotamie (Marshall), sur un petit corps russe commandé par Bicharakov, seul survivant de l'armée Baratov. Ils savent que des volontaires russe peuvent se rallier à une force d'intervention rapide qui aurait pour but d'empêcher aussi bien les Turcs que les bolcheviks de se rendre maîtres du Caucase.

Le véritable enjeu de cette force, c'est naturellement le pétrole de Bakou. Les Anglais veulent s'assurer des puits, comme ils l'ont fait en Perse. Ils envoient le général Dunsterville, qui est arrêté dans sa progression par la tribu des Jengualis, armée par les bolcheviks ou par les Allemands. Il a dû rétrograder sur Bagdad, mais réussit à passer par Tabriz. Il se prépare à foncer sur Bakou, où les Tatars se battent avec les Arméniens et les bolcheviks, cependant que les Allemands occupent Batoum, marchent sur Tiflis et vont interdire aux Turcs leur progression en Géorgie, protégeant une nouvelle République indépendante qui leur est dévouée. Maîtres de la ligne Erivan-Tabriz, ceux-ci s'efforcent de soulever les Tatars musulmans et les populations des rives de la Caspienne. Dans le Caucase, les alliés sont devenus rivaux : les Allemands veulent à tout prix se rendre maîtres du chemin de fer Batoum-Bakou pour exploiter le pétrole. Ils ont 12 000 hommes concentrés à Tiflis, tandis que les Turcs ont armé 7 000 Tatars pour attaquer Bakou. Pendant l'été, la mission de l'Anglais Dunsterville consistera à mettre les plaideurs d'accord en s'emparant du pétrole convoité au profit de Sa Majesté britannique...

Jamais les nationalités n'ont eu plus de protecteurs. De la Baltique au Caucase, les Allemands organisent, après Brest-Litovsk, des Etats autonomes, dans la Finlande, qu'ils occupent et exploitent, comme en Géorgie. La mise en coupe réglée des territoires conquis à l'Est est leur but fondamental : ils ont besoin de toutes les ressources des pays qu'ils prétendent avoir « libérés », car ils ont à terminer la guerre dans un dernier effort de tout leur peuple. Les Ukrainiens ou les Géorgiens ont pu trouver avantage, contre les bolcheviks, à ce genre de « protection » : mais la puissance allemande une fois abattue, pourront-ils compter sur la reconnaissance de leur indépendance par ce « congrès des peuples » qu'annonce *urbi et orbi* le président des Etats-Unis ?

C'est aussi l'espoir des nombreuses « nationalités » du Proche-Orient que Français et Anglais ont également « libérées ». Avant même d'en avoir chassé les Turcs, ils s'étaient partagés les dépouilles du vieil Empire ottoman, par des « accords secrets » dont les Italiens, nouveaux venus de l'impérialisme, étaient au départ exclus. Les Arabes des déserts d'Arabie et de Syrie, les rebelles de Tripolitaine et de Libye, les chrétiens du Liban, les juifs de Palestine, les survivants de l'Arménie turque : autant de candidats à l'indépendance qui doivent s'organiser dans les « sphères d'influence » tracées par les Franco-Britanniques dans un état d'esprit voisin de ceux qui procédèrent, au début du siècle, au partage de la Chine. Les Américains ont commencé à s'informer sur la complexité des rivalités de peuples dans les régions du monde où l'histoire est la plus ancienne : côte syro-palestinienne ou Transcaucasie. Leurs émissaires reviennent perplexes : ils ne sont pas sûrs, dans ces régions, de pouvoir faire la paix plus facilement que dans la péninsule toujours troublée des Balkans.

A l'évidence, la deuxième liquidation, celle de l'Empire austro-hongrois, se fera elle aussi dans la douleur : la création des nations nouvelles de Pologne, de Tchécoslovaquie, de Yougoslavie, engendre déjà des tensions, des contestations, des luttes sourdes. La Serbie et la Roumanie occupées et exploitées sortiront du conflit avec un amer désir de revanche. Comment contenir ces « petites nations de proie » dont parle Wilson ?

La guerre est loin d'être terminée, et déjà tous les problèmes apparaissent en transparence derrière la nouvelle carte de l'Europe que le président imagine dans son bureau de la Maison Blanche. La situation s'est trouvée compliquée encore par la révolution bolchevique : au début de 1918, seule la présence des Allemands a empêché la nouvelle doctrine de s'étendre par-delà les frontières russes. Les Etats confortés par les officiers de l'armée allemande ont résisté par la force toute contamination. Pour refuser le bolchevisme, les Ukrainiens ont appelé les Allemands et les Géorgiens les supportent. Les Finlandais leur ont demandé d'instruire leur armée. Wilson, jusqu'ici, n'a pas cédé à la tentation de reconnaître les nationalités périphériques de Russie comme base d'une future action de démantèlement du nouvel Empire russe. Mais comment pourra-t-il résister à la pression des « associés », devenus protecteurs des pays menacés par le bolchevisme et relayant en somme les Allemands dans cette mission ?

En janvier 1918, Wilson se garde bien de donner, de ses vues d'avenir, des aperçus trop détaillés. Mais il estime nécessaire de rappeler les principes du combat de la « libre » Amérique avant l'effort décisif. Le 8 janvier 1918, le monde découvre les « quatorze points » du président : un message au Congrès qui, dans son esprit, doit d'abord répondre au défi bolchevique. Puisque Lénine prétend que la guerre est le fait des nations impérialistes, Wilson tient à donner sa position sur le problème russe, qui se veut libérale et démocratique : les Russes doivent avoir « toute latitude de déterminer sans entraves ni obstacles et en pleine indépendance » leur avenir politique et national. Wilson leur garantit « l'aide de toute sorte » qu'ils sont en droit de recevoir. Dans son esprit, les élections libres et le ravitaillement sont les réponses appropriées à la terreur bolchevique.

Mais il faut aussi calmer les Etats européens, les avertir que le temps de la diplomatie secrète est terminé : il ne tiendra aucun compte de leurs partages, de leurs accords particuliers, de leurs promesses et de leurs désirs de conquêtes : seule comptera la volonté des peuples, qui devront pouvoir commercer librement et ne plus subir le coût des réarmements. Deux exceptions : la Belgique et l'Alsace-Lorraine, qui devront être l'une restaurée, l'autre restituée sans autre forme de procès. Mais l'Italie et la Pologne devront tenir le plus grand compte des populations concernées : la Pologne ne pourra revendiquer « que des territoires habités par les populations indiscutablement polonaises », et l'Italie devra rectifier ses frontières « selon les lignes clairement reconnaissables des nationalités ». Il ne promet prudemment aux peuples des Balkans que « la plus grande latitude de développement autonome », ne voulant pas anticiper sur le sort de l'Autriche-Hongrie, dont il ne souhaite pas le démantèlement. Grands et petits Etats seront protégés par une *Société des nations* qui aura pour but de leur assurer « des garanties mutuelles d'indépendance politique et d'intégrité territoriale ». Ainsi se trouve définie « la paix juste et durable », cette idéologie de guerre à laquelle les Alliés ne pourront plus désormais – du moins formellement – que se rallier. Plus question, en apparence, de « buts de guerre » ni d'espoirs de rapine. Face à Lénine qui prétend convaincre les peuples de faire immédiatement la paix « sans annexions ni indemnités », Wilson vient de répondre, au nom de tous les belligérants : seul l'écroulement des Etats impérialistes permettra de conclure la paix « juste et durable », cette « paix des peuples » qui ralliera les suffrages de la plupart des socialistes européens, sans impliquer la capitulation devant les armées du Kaiser, mais bien, au préalable, leur élimination.

12
La victoire manquée de l'Allemagne

En mars 1918, épuisée, affamée, exsangue, l'Allemagne trouve encore la force de relancer la guerre à l'ouest : elle va sacrifier un million d'hommes pour tenter d'enlever la victoire. Les Alliés, Français et Britanniques, font appel à toutes leurs ressources pour résister ; sur le front combattront des Américains en nombre croissant, des Italiens, des Portugais, des Tchèques et des Polonais.

L'offensive de Ludendorff perce le front allié au point de rencontre des armées françaises et britanniques, le 21 mars. Les Allemands avancent de Saint-Quentin jusqu'à Montdidier. Le 26, Foch est nommé coordinateur « de l'action de toutes les forces alliées sur le front occidental ». Il a les moyens d'arrêter les Allemands devant Amiens et d'aider les Anglais à les repousser au nord, le 9 avril, entre Ypres et Béthune.

La deuxième offensive de Ludendorff porte de nouveau, le 27 mai, les Allemands sur la Marne. Ils sont à Dormans et à Château-Thierry. Ils tiennent Paris sous leurs canons. Ils ont repris Soissons. Mais les alliés contre-attaquent sur les flancs de l'avance allemande.

Une troisième offensive de Ludendorff, de part et d'autre de Reims, échoue le 15 juillet. Le 8 août, « jour de deuil de l'armée allemande », une contre-attaque des Alliés l'oblige à reculer sensiblement. Ce jour-là, le quartier-maître général offre sa démission à Guillaume II.

Elle est refusée, et la guerre se prolonge encore pendant trois longs mois, parce que les Allemands veulent obtenir la paix la plus avantageuse possible en divisant le front diplomatique des Alliés, et parce que ces derniers veulent en finir avec l'Allemagne en lui imposant une paix de victoire qu'elle ne puisse contester. Mais la famine, les émeutes, la révolution dans les villes obligent les Allemands à traiter et l'empereur à partir. Il finira ses jours, en 1941, en Hollande, alors occupée par les armées de l'ex-caporal Adolf Hitler.

Le quartier-maître général Ludendorff peut croire en janvier 1918 que l'heure de la victoire est enfin venue. Jamais l'Allemagne n'a eu plus de chances de gagner la guerre, en pleine conformité avec le plan Schlieffen qu'elle n'avait pu exécuter en septembre 1914, après son échec sur la Marne : elle était enfin débarrassée de l'un de ses deux fronts, elle pouvait retourner toutes ses forces vers l'ouest, bien avant que les renforts américains n'arrivent en ligne. Avec sa précision et son autorité habituelles, Ludendorff avait annoncé à Hindenburg que l'armée devait immédiatement préparer l'offensive décisive, qu'elle avait toutes chances de l'emporter. « La lutte sera formidable, devait-il déclarer. Elle exigera beaucoup de temps, elle sera dure » ; mais jamais elle n'a été engagée, depuis août 1914, dans de meilleures conditions stratégiques.

C'est vrai. Comme le dit Pierre Renouvin, « l'audace de l'état-major allemand paraît sage ». Le front italien a été enfoncé : pour plusieurs mois, les Autrichiens sont à l'abri d'une attaque. Les Anglais et les Français ont dû dégarnir leur front pour venir en aide à leur allié. Sur le front de Macédoine, toutes les offensives se sont heurtées à la résistance de l'armée bulgare qui, libérée des Roumains, peut désormais recevoir des renforts et dégager les unités allemandes et autrichiennes venues à son aide. Brest-Litovsk permet d'espérer à court terme la reconversion vers l'ouest des nombreuses divisions combattant sur le front russe. La libération des divisions turques d'Europe peut même laisser envisager une reprise de la poussée sur l'Inde, la fameuse offensive vers la Perse que Falkenhayn vient de manquer, mais que l'on peut songer à reprendre. Pour la première fois depuis la bataille de la Marne, l'Allemagne est à même d'envisager une nouvelle invasion de l'Ouest, par la percée du front, avec tous les moyens dont elle dispose.

Car ses victoires à l'est donnent à la guerre un second souffle : elle exploite à son profit les riches champs de pétrole roumains, elle est à portée des mines de charbon d'Ukraine, elle cherche à étendre la main sur le pétrole russe de Bakou. Elle va surtout bénéficier, pour son approvisionnement, des ressources agricoles de la Roumanie et de l'Ukraine : sur sa récolte de 1917, la Roumanie exportera 905 000 tonnes de céréales, dont 367 000 en Allemagne. L'Ukraine a déçu, les livraisons interviennent tard, mais elles permettent d'attendre la soudure : 70 000 tonnes de céréales jusqu'au 15 juin. Elle fournit plus rapidement la viande : 160 000 bœufs, le fourrage, et surtout 500 millions d'œufs. La conquête de nouveaux espaces économiques vers l'est vient à point : même si les territoires acquis sont déjà épuisés par la guerre, les Allemands vont s'ingénier à en obtenir toutes les ressources disponibles.

Sans doute n'échappent-ils pas à la pénurie, que le blocus allié rend chaque jour plus insupportable, mais l'intervention de l'État tend à rendre plus juste la répartition des ressources : pour la bière, par exemple, 7 200 tonnes d'orge ont été débloquées après la récolte de 1917, pour les brasseries : 4 000 tonnes ont dû être utilisées pour les besoins de l'armée, 200 pour la marine et 3 000 pour les ouvriers des usines de guerre de l'Allemagne du Nord. La priorité absolue accordée aux besoins de l'armée oblige les civils à se passer de denrées de consommation courante au profit des hommes du front. Le charbon, pourtant abondant en Allemagne, est également contingenté pendant l'atroce hiver de 1917-1918. Les écoles doivent se grouper pour mieux utiliser le chauffage central, les églises ne sont pas chauffées.

Les restrictions portent sur les objets courants, les chaussures par exemple : l'utilisation massive du cuir pour les besoins de l'armée a créé une pénurie dans les fabriques. Une « société des semelles de remplacement » a organisé la production de chaussures à partir des déchets de cuir. Les journaux doivent réduire leur consommation de pâte : plus de feuilles spéciales avec calendriers ou almanachs, un format réduit et du papier à pâte de bois.

La population participe à l'effort de rationnement : si les enfants font la récolte des marrons ou des feuilles d'arbres, des familles entières se rendent dans les campagnes de Westphalie, le dimanche, pour ramasser les myrtilles, les framboises, les groseilles, les mûres. L'armée allemande ne manquera pas de confiture ni de marmelade. Le sucre est rationné ; à Cologne, on ne peut plus se procurer de pralines, de chocolats ou de bonbons qu'avec des tickets individuels.

Les civils peuvent acheter des costumes de fibres de bois ou d'orties, ils doivent payer très cher les chaussettes de coton ou de laine. Les 400 tonnes de réserves de soie sont entièrement consacrées aux gargousses et aux tissus de ballons : pas question d'utiliser la soie turque pour les robes féminines. Tous les tissus sont rationnés, saisis, il faut un bon d'achat pour avoir un manteau ; les tissus réquisitionnés dans les régions envahies ont été affectés en priorité à la fabrication de vêtements pour l'armée et les ouvriers des usines.

Les prix ont flambé à la fin de 1917 : la livre de bœuf coûte 3,48 marks au lieu de 1,40 mark en août 1914, le raifort a quintuplé, le choux-rouge doublé, les pommes triplé. Le stockage des produits à la ferme précipite la tendance et crée des inégalités dans les régimes alimentaires : des lettres venant du front, signées par des soldats qui habitent les villes, « signalent que leurs camarades originaires de la campagne reçoivent tous les deux jours des paquets contenant du jambon, du lard, des œufs et même du pain, alors qu'eux-mêmes n'ont pas assez de pain pour apaiser leur faim ». Les habitants des villes protestent à leur tour : le *Vorwärts* signale le mécontentement de la population de Steglitz qui n'a reçu, au mois d'octobre 1917, que 250 grammes de produits d'avoine par personne, 100 grammes de marmelade, 200 grammes de miel artificiel, un œuf et du fromage mou immangeable au prix usuraire de 2,50 marks la livre. Un rapport largement diffusé du docteur Zuntz explique en vain que l'alimentation des Allemands est bien meilleure quand ils ne mangent pas de graisses et d'albumine. Personne ne veut le suivre quand il recommande de pratiquer moins de sport et plus de repos au lit, et « d'ingérer les aliments végétaux réduits en particules aussi petites que possibles » *(Deutsche medizinische Wochenschrift)*. Pourtant, le temps de repos s'accroît pour les commerçants; les heures d'ouverture des magasins sont limitées : de 8 heures à 16 heures l'hiver, afin de réduire la consommation de gaz et d'électricité. L'Allemagne en guerre se restreint jusqu'à la limite du possible. Les transports en chemin de fer sont eux aussi limités : seuls sont admis dans les wagons les « bagages d'officiers, les caisses d'échantillons des commis voyageurs, les fauteuils de paralytiques ou les instruments de musique en boîtes ou étuis ». Les wagons de marchandises doivent être réservés aux denrées de première nécessité. Pour les décharger, si l'on manque de main-d'œuvre, les villes constitueront un service de corvées, avec les femmes (pour les petits colis) et les jeunes gens. Les enfants sont largement utilisés dans les collectes d'objets divers (papiers, journaux, bouteilles vides, chiffons, cheveux de femmes, papier d'argent) au profit de la défense nationale.

Grave en Allemagne, la pénurie peut s'avérer tragique dans les pays occupés, même s'ils disposent de ressources abondantes : en Roumanie, par exemple, dont les récoltes sont saisies pour l'exportation, la disette en céréales, en viandes, en charbon est effroyable. La situation est pire encore en Belgique où les campagnes sont accablées de réquisitions et de contributions de guerre. Le beurre atteint, fin 1917, 30 francs le kilo. La tuberculose, la sous-alimentation accroissent la mortalité dans les hôpitaux et l'on a supprimé les visites médicales qui permettaient aux plus faibles de toucher des rations supplémentaires de sucre. La mortalité a doublé pendant l'hiver à Anvers. 45 % des jeunes mères de l'Institut de Wyneghem sont incapables d'allaiter leur enfant. Tous les territoires occupés par l'Allemagne, du Nord de la France à la Pologne, connaissent cette situation de pénurie.

Elle provoque dans les villes allemandes de puissants mouvements de protestation au début de 1918, dans les derniers mois de l'hiver : les syndicats des métallurgistes ont lancé un ordre de grève le 28 janvier, repris et amplifié par les militants socialistes indépendants. Les grévistes réclamaient la paix sans annexions et la démocratisation de la Prusse : 500 000 ouvriers ont cessé le travail pendant une semaine. Les journaux les plus modérés sont pris d'un vent de panique. Les rédacteurs de la *Frankfurter Zeitung* écrivent au grand quartier général : « Le peuple veut bien combattre pour la défense de la patrie; pour autre chose, non. La Courlande, la Belgique, Briey lui sont complètement indifférents. »

Les troubles sociaux fournissent à l'état-major une raison supplémentaire d'intervenir dans la politique; Hindenburg écrit au chancelier : « Je ne veux pas entendre parler de concessions, quelles qu'elles soient, aux grévistes, qu'il s'agisse de revendications politiques ou de revendications économiques. » Si de nouvelles grèves se déclarent, il préconise « la force et la fermeté ». Le nouveau chancelier Hertling a 74 ans. Il n'est pas en mesure de résister à l'état-major : la répression s'abat sur les socialistes indépendants et les leaders syndicaux. Guillaume II n'intervient pas. L'Allemagne, dit Bethmann-Hollweg, est « soumise à la dictature du grand quartier général ».

Elle est donc résignée à poursuivre la guerre, fût-ce sans enthousiasme. « Le danger de troubles graves n'existe pas, disait Ludendorff. La grande majorité du peuple a des idées trop raisonnables et des sentiments trop patriotiques. » On explique aux Allemands dans la presse officielle que l'Allemagne fait une guerre défensive; qu'elle subit le blocus que bientôt ses sous-marins feront sauter. Par sa tactique défensive, elle réduit ses pertes et accroît chaque année le nombre de ses combattants. Elle vit mieux, grâce à son « organisation méthodique », que les pays de l'Entente. Les Alliés veulent ruiner l'Allemagne et lui prendre des territoires, ils refusent de faire la paix sur la base du *statu quo,* ils ne veulent pas d'une « paix sans annexions ». La France va jusqu'à souhaiter le démembrement de l'Allemagne. Un rapport du 2ᵉ bureau établit, au début de 1918, qu'il ne faut s'attendre à aucun trouble grave en Allemagne : « Le peuple, convaincu que ce n'est pas son gouvernement que dépend la continuation de la guerre, supporte privations et souffrances. »

Dans son discours du 25 février au Reichstag, le chancelier Hertling présente l'action des Allemands à l'est de l'Europe comme des « opérations de sauvetage entreprises au nom de l'humanité ». Les ennemis de l'Allemagne sont des impérialistes honteux qui dissimulent leurs intentions sous les principes vagues de Wilson. Les armées allemandes, animées par l' « esprit de Riga », sauront bientôt emporter la décision.

A Riga, en effet, les Russes se défendaient sur le front nord, en septembre 1917, avec une certaine efficacité. Pour les réduire, les

Allemands avaient inauguré une nouvelle tactique : sur un front relativement étroit (15 kilomètres), ils avaient déclenché, à 5 heures du matin, une préparation d'artillerie de 130 batteries, courte mais très violente. Leur but était de détruire les premières lignes et d'envoyer des obus à gaz vers l'arrière afin d'empêcher la montée des renforts. Les tranchées étaient radicalement nivelées, les communications coupées. Les batteries russes avaient été anéanties. Cette tactique avait déjà fait l'objet d'expérimentations sur le front français, au cours de petites actions. Elle supposait une liaison permanente du feu des canons et de l'infanterie d'assaut. Si les groupes d'attaque se heurtaient à la moindre résistance, ils devaient passer outre, demander un renfort de feu, renoncer à des pertes inutiles qui compromettraient la suite de l'offensive.

Cette action reposait sur l'importance décisive des groupes d'assaut spécialisés, avec les armes nouvelles à disposition : grenades, fusils mitrailleurs, mitrailleuses légères, lance-mines, lance-flammes. Ludendorff devait favoriser l'entraînement de ces groupes d'assaut *(Stosstruppen)* dans les *Kampfschulen* de divisions où les hommes étaient exercés aux nouveaux procédés d'attaque. L'infanterie avait pour mission d'occuper le terrain aux moindres frais par une avance rapide, élastique : en les isolant, elle neutralisait les nids de résistance avec des procédés radicaux (mines, gaz, grenades incendiaires) sans prendre de risques, et elle poursuivait rapidement son avance en la signalant constamment aux artilleurs. La 101ᵉ division de Prusse avait été particulièrement entraînée à cette action spéciale de percée *(Angriffdivision)*.

Par ailleurs, Ludendorff était conscient de l'urgence d'une formation particulière aux armées, si l'on voulait reprendre la guerre de mouvement : de longs mois de tranchées avaient fait oublier aux hommes et aux officiers les lois du déplacement des grandes unités. Le 2ᵉ bureau avait appris qu'en février 1918, la 233ᵉ division poméranienne subissait au camp de Saverne-Haguenau, en Alsace, un entraînement spécial pour la guerre de mouvement; les nouvelles classes étaient l'objet d'une instruction intensive de six semaines dans les camps de la Warthe et de Neuhammer. Les *Sturmdivisionen* ne devaient pas être, à l'exemple des Hanovriens et des Mecklembourgeois de la 238ᵉ, des divisions de « premiers communiants »; les hommes devaient être dressés au « nouvel esprit offensif » qui, selon Ludendorff, apporterait la victoire. Dans toute l'Allemagne, en Wurtemberg, sur le Rhin, en Bavière, près de Berlin, dans les camps spécialisés, on en revenait aux règles du mouvement après avoir appris les procédés de rupture. Les divisions étaient contraintes d'équiper pour les coups de main au moins un détachement de *Stosstruppen*, avec des soldats jeunes, sportifs, désireux de changer les règles de la guerre, d'en finir avec l'immobilité des tranchées. Elles devaient aussi prévoir des unités d'assaut capables d'exploiter immédiatement ces coups de main.

Les Français connaissaient ces nouveaux procédés de dressage du soldat en fonction de la reprise de l'offensive. Mais ils se méfiaient de la spécialisation : « L'emploi de détachements d'élite comprenant les diverses spécialités de l'infanterie, écrivait Pétain, tend à se généraliser dans quelques armées. » Lui-même envisageait, « en vue d'entretenir l'émulation », d' « exploiter à fond la vigueur, l'adresse et l'audace des grenadiers les mieux doués ». L'intérêt, en somme, est ici moral. On leur donnera « l'insigne en or ». Les officiers organiseront les « petites fêtes mettant les grenadiers-lanceurs au premier plan, des concours, des prix, des nominations de soldats de première classe ». Le but de ces « soldats d'élite » est « d'entretenir l'esprit de dévouement, la belle humeur et la ténacité de leur compagnie ». Ils sont des « moniteurs d'énergie ». Mais il ne faut pas perdre de vue, ajoute Pétain, que « l'assaut ne doit pas être le privilège d'une élite ». La « *Stosstruppe* est l'indice du fléchissement de la confiance du commandement allemand en son infanterie ». Toutes les armes doivent être associées aux honneurs. A la demande de Pétain, Clemenceau « a décidé d'organiser, en janvier 1918, un criterium interallié de combat à la baïonnette, corps à corps, et lancement de grenades » : comme le dit Pétain, « le fantassin français n'a pas besoin de détachements d'entraîneurs pour donner l'assaut ». Il est éventuellement permis d'utiliser des grenadiers d'élite pour les coups de main, exceptionnellement à l'échelle du bataillon. Il est interdit de constituer des détachements d'élite dans les régiments, et d'en former dans des écoles spéciales.

Ludendorff, au contraire, a classé ses divisions et mis à part les *Sturmdivisionen* ayant subi un entraînement spécial de haut niveau, pour leur faire effectuer la percée : au prix d'un effort d'instruction intense, il dispose de 56 unités de ce type au mois de février. Les unités ont été mises au repos, bien nourries, constamment tenues en main. Elles sont prêtes à intervenir. La supériorité allemande en effectifs est, au début de l'année, de 20 divisions : Ludendorff, avant d'avoir rappelé les troupes du front russe, en a 192.

Il a pris soin de réserver les chevaux (qui manquent cruellement en ligne) à l'artillerie des divisions d'assaut qui disposeront ainsi des attelages nécessaires pour se porter en avant. Les camions disponibles ont été également rassemblés à l'arrière du front. Il n'a pas été possible d'en pousser la fabrication, faute de caoutchouc pour les pneus, d'essence pour les réservoirs. L'offensive se devra d'être courte : l'essence disponible sera réservée aux avions. Car si Ludendorff n'a jamais cru aux chars d'assaut (les Allemands en ont à peine une centaine), il a obligé l'industrie à fournir au front 2 000 avions tous les mois. Les appareils de chasse, destinés à abattre les avions de reconnaissance et de réglage d'artillerie, sont les plus nombreux. Équipés de moteurs nouveaux (des Benz de 200 HP), ils surclassent le dernier modèle de Spad. Les monoplaces Albatros sont déjà nombreux au-dessus des lignes, ils montent à 6 000 mètres en 22 minutes, à 200 km/h. Les biplaces Rumpler d'observation sont équipés du meilleur matériel photographique fabriqué par Carl Zeiss à Iéna. Le *Royal Flying Corps* a abattu, au début de 1918, un avion porteur d'une caméra animée par un moteur électrique Siemens. Les escadrilles de chasse du groupe Richthofen sont équipées d'appareils de T.S.F. Les Allemands disposent aussi d'escadrilles de bombardement à longue distance, qui leur permettront d'atteindre non seulement les centres de communications, mais les villes françaises de l'intérieur.

Ludendorff ne manque ni de canons, ni de mitrailleuses, ni de matériel d'assaut. L'industrie de guerre allemande suffit non seulement aux besoins du front ouest, mais à l'alimentation des fronts périphériques : elle doit équiper l'armée bulgare et l'armée turque. Par contre, Ludendorff manque d'hommes.

Les dépôts du front et de l'intérieur ne peuvent en fournir plus de 250 000. C'est trop peu pour une offensive de grande envergure dont on attend la victoire définitive. En 15 jours, la bataille peut éliminer ces renforts. Dès l'été de 1917, on a fait monter en ligne les tout jeunes gens de la classe 1918. Ils ont fait, à 19 ans, la connaissance amère des horreurs des tranchées. On attend, au début de 1918, les premiers effectifs de la classe 1919, mais elle n'est pas assez nombreuse pour permettre de constituer des unités nouvelles : les nouveaux venus, déjà mobilisés et en cours d'instruction, combleront les vides des compagnies. On ne peut encore lever les jeunes gens de la classe 1920, qui n'ont pas 18 ans. Ils ne sont pas mobilisables avant l'été et ne participeront pas à l'offensive du printemps. La seule solution, pour trouver les effectifs, est de réviser les sursis. Faut-il rappeler des usines les ouvriers spécialisés, qui sont 1 200 000 en Allemagne ? Ils assurent la production de guerre : au prix de compressions draconiennes, on en récupère à peine 30 000, au détriment des cadences.

Les alliés ne peuvent fournir de renforts : les Turcs conduisent désormais la guerre à leur guise, contrariant au besoin les objectifs allemands en Orient. Ils ne veulent pas envoyer une seule unité sur le front occidental, Berlin n'ose pas même en formuler la demande. Les Bulgares ne sont pas plus coopératifs, ils refusent de faire la guerre ailleurs qu'aux frontières. Quant aux Autrichiens, ils ont des troupes en réserve depuis la fin de la guerre en Russie. Ludendorff pourrait compter sur un renfort de 6 à 10 divisions de bonnes troupes, disposant d'un excellent matériel. Il en fait la demande au chef d'état-major autrichien von Arz, qui l'accueille favorablement. Mais l'impératrice Zita s'y refuse. Elle n'accepte pas l'idée que des troupes autrichiennes aillent combattre les Français : ses frères, les

Bourbon-Parme, servent dans l'armée belge. Tout au plus consent-elle à ce qu'on prête aux Allemands des batteries d'artillerie.

Où trouver des troupes? Ludendorff n'en a pas besoin dans l'immédiat, il a de quoi réaliser la percée. Mais il doit prévoir l'exploitation en profondeur du succès, l'effort continu jusqu'à la victoire. Il ne peut compter, à vrai dire, que sur le million de combattants qui tiennent encore en février 1918 le front de l'est : 53 divisions d'infanterie; 13 brigades mixtes. Il doit employer 20 divisions pour s'assurer de la bonne volonté de l'Ukraine et ne peut dégarnir ce front avant d'être tout à fait sûr de la paix avec les Russes, au début de mars. Même à cette date, Hindenburg considère une telle opération comme risquée : les prélèvements ne seront effectués qu'en fonction des besoins immédiats. Cette réserve néanmoins existe.

La réserve de l'Occident, c'est l'armée américaine. Elle est plus lente à entrer en ligne que les divisions allemandes venues de Russie : les Américains ont quatre divisions en France en novembre 1917, six en mars 1918. Les effectifs sont passés de 77 000 à 225 000 hommes, dont beaucoup sont utilisés dans les services de l'arrière. Les unités combattantes ne peuvent être envoyées au front avant longtemps, pour des raisons à la fois techniques et politiques : les dotations françaises de matériel aux unités débarquées sont insuffisantes; ces dernières apprendre à s'en servir au cours de quatre phases d'instruction : premiers exercices dans les camps de l'infanterie et de l'artillerie, présence en secteur en amalgame avec des unités françaises, retour aux camps d'entraînement pour instruction d'ensemble, enfin montée en ligne pour la défense autonome d'un secteur calme par exemple ceux du Sundgau, des Vosges, de la région de Lunéville. Pershing, le général en chef, refuse absolument l'emploi de ses unités par petits paquets. Il ne participera à la bataille, dans l'Est, qu'au moment où ses corps d'armée pourront assumer pleinement leurs responsabilités. Il exige que l'instruction des divisions débarquées en France soit assurée par les unités américaines déjà formées, et non par les Français qui n'enverront que quelques conseillers. Pershing ne répond donc aucunement à l'attente de Pétain qui lui demande, en décembre 1917, « de faire abstraction de tout amour-propre et de s'en remettre à l'expérience de l'armée française ». En mars 1918, une seule des six divisions américaines présentes en France tient un secteur en Lorraine; les autres sont en cours d'instruction et deux d'entre elles ne sont pas même complètement débarquées. Pourtant, dès le mois de janvier, sous la menace d'une invasion allemande, Pershing doit faire quelques concessions : il promet l'envoi immédiat de quatre régiments « indigènes » non instruits, qui pourraient être amalgamés à des unités françaises. Pétain accepte avec reconnaissance ces régiments « noirs » de la garde nationale. Pershing lui a garanti la valeur des deux régiments de New York et de l'Illinois, qui ont servi au Mexique. Il précise qu'un seul est immédiatement disponible, mais qu'il enverra deux régiments supplémentaires pour combler les pertes des quatre premiers. Ainsi, pour faire plaisir aux Français, Pershing leur abandonne ses « indigènes » qui devront avoir un « dépôt commun » avant leur entrée en ligne.

Autre déception pour Pétain : Pershing consent à faire instruire en Angleterre six divisions d'infanterie dont le transport sera assuré par la *Royal Navy*. La décision est prise le 19 janvier; le 30, Pétain pose de nouveau la question de l'utilisation des six divisions américaines : si les Allemands attaquent, il veut pouvoir en disposer comme renforts. A l'évidence, l'armée américaine ne pourra, dit-il, envisager une action autonome qu'en 1919. Il faut que, dans l'immédiat, elle accepte l'amalgame. Wilson, consulté, avait répondu qu'il y consentirait « en raison des intérêts en jeu ». Rien de plus précis.

Pétain pouvait-il compter sur des renforts des autres alliés? Nullement. Les Belges n'avaient plus de recrutement capable de renforcer leurs divisions si elles venaient à être décimées. Il était opportun de les réorganiser en les dotant d'artillerie de campagne et de pièces à longue portée; elles pourraient fournir une aide supplémentaire en étendant leur secteur de front. Il n'était pas raisonnable d'en attendre plus. Quant aux Anglais, au début de 1918, ils avaient en ligne 62 divisions d'infanterie et 5 de cavalerie. Les Britanniques avaient perdu au front 800 000 hommes en 1917. Ils ne pouvaient incorporer que 750 000 recrues, alors que les besoins étaient pour l'année 1918, de, 900 000. Chez eux, les hommes de plus de 41 ans n'étaient pas appelés au service et l'Irlande ne fournissait pas de conscrits (seulement des volontaires). Sur le contingent, 500 000 appelés seraient retirés pour les activités économiques. Nécessité faisait loi : tous les mois, 50 000 hommes de renfort devaient compléter en France les unités affaiblies; 35 000 seulement pouvaient être expédiés. Haig avait dû ramener les effectifs de ses divisions de 12 à 9 bataillons...

Le tarissement des ressources françaises en hommes pose à l'état-major d'angoissants problèmes : il y a 2 500 000 hommes aux armées, mais 800 000 sont à l'arrière. Il faut pouvoir disposer d'au moins un million d'hommes d'octobre 1917 à octobre 1918, pour compenser les pertes considérées comme probables (920 000) et alimenter les nouvelles armes, l'aviation, les chars, l'artillerie lourde. Les ressources du recrutement ne permettront de maintenir les effectifs en ligne que jusqu'au 1er avril. On a déjà supprimé, en trois mois, 55 bataillons d'infanterie. Les renforts ne proviennent des dépôts qu'au compte-gouttes. Les hommes réussissent soit à se faire affecter à l'intérieur, soit à changer d'arme, ils ne veulent pas être fantassins. Il est nécessaire, dit Pétain, d'incorporer la classe 1919 au plus tard le 1ᵉʳ mars, afin qu'elle soit mobilisable en juillet, car la classe 1918 (les jeunes gens qui ont à peine vingt ans), « si nous avons à livrer une bataille, sera dépensée ». Et d'ajouter, en termes déjà technocratiques : « Il n'est pas possible de nous trouver cet été dépourvus de toute ressource de ravitaillement [entendez : en hommes] autre que la récupération sanitaire » [c'est-à-dire : les blessés légers renvoyés immédiatement au front].

Après les jeunes, les vieux : les officiers et les hommes d'au moins 40 ans seront pris à la territoriale et utilisés dans l'armée d'active. Des plus de 40 ans étaient déjà affectés à des unités combattantes et la territoriale comptait 171 bataillons en ligne, avec 237 compagnies de mitrailleuses : un effort supplémentaire lui sera demandé ; les anciens devront servir dans les secteurs chauds, avec les tout jeunes de la classe 1918. Les cuirassiers et les dragons seront mis « aux tranchées », on lèvera en Algérie trois régiments, au Maroc un régiment de tirailleurs. Au total, les armées disposeront d'un renfort de 571 000 combattants pour les sept premiers mois de 1918. On est loin du million d'hommes que l'état-major jugeait indispensable. Devant l'offensive ennemie, Pétain sait qu'il ne peut disposer que d'effectifs réduits. Il ne peut pas en outre deviner l'importance des mouvements de troupes effectués par les Allemands d'est en ouest, il est tenté de les surestimer. S'il ne compte pas, dans l'immédiat, sur les renforts américains, peut-il au moins compenser son infériorité numérique par la supériorité du matériel ?

Pétain mise d'abord sur l'aviation. Il a vu maintes fois au front les avions de chasse ennemis aveugler son artillerie en abattant les ballons et les avions de reconnaissance. Il sait que les bombardiers sont capables de désorganiser les arrières en coupant les lignes de chemin de fer, en attaquant les gares, les routes, les ponts. De ce point de vue, il estime qu'aucun ménagement ne saurait être toléré dans l'action de notre aviation de bombardement : elle doit être « employée en masse », dit la note du 13 février 1918, et groupée en escadres opérant de jour et de nuit. Aucun objectif, même civil, ne doit être épargné. Pétain donne en particulier son accord pour que les gares soient l'objectif essentiel des bombardements, en particulier « sur le pourtour des bassins [lorrain et luxembourgeois] et principalement sur Thionville qui sert de débouché à la majorité du minerai ». Non seulement les avions doivent s'attaquer aux objectifs stratégiques, mais, comme l'a recommandé Lyautey, ministre de la Guerre, le 12 mars 1917, aux « industries de guerre ». La liste des hauts fourneaux de Sarre, du Luxembourg, de Lorraine annexée et du bassin de Briey est fournie aux unités de bombardement. Sous l'influence d'un sous-lieutenant technicien, Lejeune, l'état-major se laisse néanmoins convaincre qu'il est plus efficace d'attaquer les voies de communications, qui permettent au minerai de gagner l'Allemagne, que les usines et les mines. Peut-on là encore réussir?

L'aviation alliée n'a guère les moyens, de fait, de se prêter à ces missions de bombardement lourd. S. Pesquiès-Courbier l'établit avec certitude [1] : « l'aviation de reconnaissance, qui signale les convois ferrés acheminant vers l'Allemagne le minerai de fer », rend certes ces bombardements possibles. Mais avec quels appareils? Pétain sait fort bien que le bombardement de jour ne dispose pas d'avions efficaces : les lourds Voisin se font abattre en vol et « le mordant de la chasse allemande sonne le glas du bombardement de jour ». Les Aviatik et les Fokker EIII abattent sans difficulté les appareils. Il faut se résoudre à bombarder de nuit, en jetant à l'aveuglette des bombes qui ne sont que des obus à ailettes. Comment détruire des gares de triage avec de tels moyens?

Pétain pousse à la fabrication rapide du Bréguet 14 B2, seul appareil capable de transporter 32 bombes de 8 kilos fixées sous les ailes et larguées par le lance-bombes Michelin. Il doit équiper les escadres nombreuses qui attaqueront, pense Pétain, les convois de minerai de fer, mais surtout les nœuds de communication par où passent nécessairement les renforts allemands : plus question d'attaquer les usines, les mines; Briey peut dormir en paix, l'état-major n'a pas les moyens de le bombarder.

Les missions de représailles lancées sur les villes allemandes sont-elles plus efficaces? Les Anglais, avec des bombardiers plus puissants que les nôtres, en exercent depuis longtemps. Ils n'ont aucun scrupule, après les raids de zeppelins sur Londres, à bombarder des populations civiles. Leurs Sopwith attaquent les villes allemandes. Castelnau, lui, hésite, il regrette que les cibles soient trop éloignées du front français, « elles ne peuvent être atteintes efficacement », écrit-il à Pétain. « Il faut admettre, dit le général en chef au ministre de la Guerre, que les attentats allemands contre les villes ouvertes françaises dont je vous envoie la liste pourront être punis par des bombardements aériens sur des villes allemandes dont je vous soumets la liste. » Castelnau préférerait que l'on bombarde les gares de Thionville, de Longuyon et de Luxembourg. Il voudrait que l'on attaque, avec l'aide des Anglais, des « grosses usines ». Il se résoud cependant à envisager, en septembre 1917, des raids sur la Ruhr, parce qu'il faut, dit-il, « frapper le moral de l'ennemi par des bombardements effectués *vraiment* chez lui, c'est-à-dire ni en Alsace-Lorraine, ni dans les pays envahis ». Ne faut-il pas « exploiter de suite la supériorité momentanée » du bombardier français, le Bréguet? Des représailles immédiates seront exercées sur Fribourg-en-Brisgau et Staufen, si Nancy est attaqué. En octobre,

1. Simone Pesquiès-Courbier, R.H.A., 1981.

trois escadrilles anglaises de Handley-Page et de Haviland s'installent à Ochey, pour attaquer Briey et la Sarre. Les habitants de Toul et de Nancy l'ont-ils appris ? » Les derniers bombardements par avions de Toul et Nancy, écrit le commissaire de police au préfet, ont fort impressionné les citadins. Plusieurs se disposent à quitter la région. Ils craignent que les différents camps d'aviation en construction aux environs ne soient la cause de représailles. Plusieurs habitants cherchent à mettre leurs familles en sécurité dans les villages voisins ». Clemenceau, à la réunion du 15 mars 1918 au 10 Downing Street, proteste au nom des droits de l'homme contre ces raids sur l'Allemagne. Les Anglais estiment avoir le droit de bombarder les villes ouvertes allemandes si les Allemands viennent bombarder des villes ouvertes alliées. Ils utilisent la base de Nancy pour lancer leurs raids de nuit sur le Rhin.

La cause est-elle entendue ? Les bombardiers exécuteront-ils des raids de représailles de jour et de nuit ? Les Allemands ont donné le mauvais exemple : leurs Gotha G.V. et de leurs zeppelins Staaken R VI ont lancé, à partir de mai 1917, 27 raids sur Londres, sur Calais, Belfort et Dunkerque, enfin sur Paris. Leurs torpilles volantes de 300 kilos ont tué et blessé beaucoup de civils dans la nuit du 31 janvier 1918, puis lors du raid du 11 au 12 mars : 33 victimes au total, une péniche coulée à Charenton, un incendie par bombe incendiaire à Aubervilliers, un pavillon détruit à Montreuil... L'indignation est si forte que tous les raids anglais sur l'Allemagne sont suivis passionnément par l'opinion. Au Parlement, Flandin et beaucoup d'autres demandent la constitution d'une grande force française de représailles et s'indignent de la réponse de Clemenceau : « Je ne veux pas être un assassin. »

En plein accord avec l'état-major, celui-ci n'est en effet favorable qu'à l'emploi de l'aviation dans la zone du front, où elle est plus efficace. Il refuse de se laisser emporter par le mythe des « bombardements stratégiques » mettant l'industrie allemande à genoux. Le conseiller de Pétain pour l'aviation, Duval, lui a expliqué toute la vanité des raids sur les villes, qui sèment l'effroi mais ne causent que peu de dommages. L'anglais Frederic Sykes, chef de *l'Air Staff,* entre inévitablement en conflit avec les Français. Il pense, comme le général Smuts, comme l'ingénieur Lanchester, comme l'Italien Caproni, que les avions lourds du major général Hugh Trenchard peuvent décider du sort de la guerre. Les Anglais ont déjà attaqué les usines et les hangars de zeppelins en Allemagne, ils ont lancé des raids sur les bases de sous-marins. Ils construisent des hydravions, et, en 1917, le premier porte-avions. Le 1ᵉʳ avril 1918, le *Royal Flying Corps* et le *Royal Navy Service* vont être unis dans une seule organisation qui devient une arme indépendante, la *Royal Air Force.* Sykes va plus loin : il demande la constitution d'une « armée aérienne interalliée de bombardement, ayant un chef

unique et pour mission unique le bombardement des villes à
l'intérieur du pays allemand ». Le général Duval s'élève « de la
façon la plus absolue contre l'idée d'une force indépendante ».
Pétain a fait sa religion : l'aviation de bombardement, comme la
chasse, doit exercer son action strictement dans la zone des combats
et sur les arrières immédiats, attaquant les lignes de communication, les routes, les ponts et les gares. Tant pis pour les civils qui
rêvent d'une immense force alliée bombardant de nuit l'Allemagne.
Les avions seront plus utiles au front [2].

Le développement de la chasse est indispensable à la bataille
terrestre, pense Pétain qui a tiré les leçons des échecs de mai 1917,
où l'aviation allemande était maîtresse des airs grâce à la technique
du « cirque » de Richthofen (les avions opérant à des hauteurs
variables, en cercle, et se prêtant les uns aux autres assistance).
Pétain estime que l'aviation doit strictement servir sous les ordres
du commandement à terre, et non pas constituer une force
indépendante. Les usines françaises sortent, avec le Spad 7 et
surtout le Spad 13, des appareils capables de rivaliser avec
l'Albatros D III et susceptibles d'équiper non seulement l'armée de
Pétain, mais les armées alliées, italienne, grecque, serbe, américaine. 5 000 Spad 7 et 8 000 Spad 13 seront mis en chantier. La
concentration des avions en patrouilles leur permettra d'attaquer
plus efficacement la chasse ennemie et de protéger les avions
d'infanterie, les observateurs d'artillerie dont dépend le sort de la
bataille. Le temps des « as » n'est pas révolu : Fonck, Romanet,
Nungesser survivent, mais Guynemer se fait tuer, ainsi que
Richthofen, glorieusement enterré par les Australiens dans leurs
lignes. Le combat, en 1918, est une entreprise d'équipe : un
chasseur isolé est une proie quasi certaine. Les « as » comme Fonck
« sont d'abord des chefs de patrouille » [3].

Les petits avions d'infanterie sont l'objet de tous les soins de
l'état-major. Ils doivent être protégés contre les 684 nouveaux
chasseurs allemands (ils étaient 200 à la fin de 1916) basés en
Picardie et qui les tirent comme des perdrix. Pourtant, leur rôle est
essentiel : ils règlent minutieusement le tir des batteries, les
« accrochant » avec précision à leurs objectifs. Ils font la « liaison
d'infanterie », volant à 50 mètres au-dessus de la première vague
d'assaut. Les fantassins, pour les informer, placent sur les tranchées
conquises des « pots de Ruggieri » (feux de Bengale). Pour se
protéger des tirs de mitrailleuse venus de terre, les pilotes ont
recours aux « poêles à marrons », des sièges blindés en tôle
incurvée... Plus de 200 appareils de ce type avaient été abattus

2. Ph. Bernard : *A propos de la stratégie aérienne pendant la Première Guerre
mondiale : mythes et réalités*, in R.H.M.C. 1969.
3. S. Pesquies-Courbier, *L'Aéronautique militaire française en 1914-18*, Icare,
n° 88, 1979.

au-dessus du Chemin des Dames, faute de protection efficace de la chasse. Pétain voulait qu'ils soient à tout prix protégés : ils étaient les fantassins de l'air.

L'aviation de chasse comptait jusqu'alors 5 groupes de combat réunis provisoirement, selon les besoins, sous commandement unique. Pétain avait porté de 5 à 11 le nombre des groupes de chasse : six composaient deux escadres autonomes d'intervention, avec des chefs permanents. Chaque armée comptait deux escadrilles de chasse. En mars 1918, les avions affectés aux unités organiques étaient regroupés en trois escadrilles par corps d'armée : chaque division isolée, chaque régiment d'artillerie lourde avait la sienne; l'aviation était ainsi complètement intégrée à l'activité au sol.

Grâce à la formidable industrie improvisée par les constructeurs français et britanniques, les Alliés étaient, en mars 1918, bien placés pour renverser la tendance et affirmer leur maîtrise des airs. Les Allemands avaient 240 avions de bombardement efficaces, contre 180 britanniques et 420 français, dont beaucoup étaient déclassés. Les Français disposaient par contre de 900 avions de chasse efficaces, et les Anglais de 600, en face des 1 500 chasseurs allemands. Au front, 1 770 petits avions (contre 1 050) servaient au réglage d'artillerie et à l'appui aux fantassins. Au total, les Alliés disposaient de 3 870 avions, contre 2 890 à l'Allemagne. L'effort d'armement avait été suivi. Le ministre Loucheur et le sous-secrétaire d'État à l'Aéronautique Dumesnil avaient su organiser une véritable production industrielle, avec des objectifs ambitieux : en novembre, la France aurait en ligne plus de 7 600 avions, et 664 en réserve, 3 400 dans les écoles ou à l'entraînement, 11 000 en tout. Elle aurait presque entièrement équipé l'armée américaine et les petites armées balkaniques. Dans l'Europe entière, les usines de production de moteurs (Fiat en Italie, Gnome en France, Mercedes à Stuttgart, Rolls Royce en Angleterre) engageaient des milliers d'ouvriers. Par sa nouveauté, par les exploits de ses « as », par son efficacité au front, l'aviation enthousiasmait les foules et l'aviateur devenait un personnage de légende, jalousé du « biffin », idole des lecteurs de la presse illustrée et des premières bandes dessinées.

Une autre arme nouvelle intéressait au premier chef le général Pétain : l'artillerie d'assaut, appelée par les Anglais « tanks ». La difficulté de déplacer sur le front, en pleine bataille, les canons lourds avec leurs attelages de chevaux, poussait en effet à la production de « caterpillars », larges chenilles d'acier capables de véhiculer les tubes les plus pesants. Pétain avait naturellement exigé l'accélération du programme de fabrication des pièces classiques à tir rapide : chaque division devait être dotée, au début de 1918, d'un groupe de 155 courts et chaque corps d'armée d'un groupe de

155 longs modernes, et de deux groupes de 105. Les retards dans la fabrication étaient imputables aux grèves, aux difficultés d'approvisionnement, à l'insuffisance de main-d'œuvre. En mars, sur 103 divisions au front, 49 seulement possédaient leurs 155 courts, indispensables dans le nouveau style d'offensive à cause de leur tir rapide. On manquait aussi de 105 et de 155 longs. Par contre, un grand effort avait été consenti dans la mécanisation des batteries : plus de 200 étaient « portées » au moment de la bataille de mars. L'industrie des tracteurs et des chenilles avait fait de surprenants progrès.

Si l'artillerie de tranchée était diminuée, les grosses pièces transportées sur plate-forme de chemin de fer étaient en nombre croissant. Pétain avait exigé que l'on reprît très vite la fabrication des 75, qui avait été négligée : le front avait besoin en permanence d'au moins 5 000 pièces en bon état, avec d'importantes réserves de munitions. Rien n'avait été négligé pour envoyer en ligne les redoutables obus à l'ypérite ou à la collongite.

L'artillerie « d'assaut », de même que l'aviation, devait, dans l'esprit de l'état-major, collaborer étroitement aux opérations d'infanterie, et non pas constituer une « arme cuirassée » indépendante. Un programme de 2 500 chars avait été lancé en mars 1917, avec 2 000 chars légers Renault, les plus utiles sur le front. En juin, Pétain avait insisté pour que la commande de Renault fût portée à 3 500. Les chars lourds Schneider et Saint-Chamond étaient des proies trop faciles sur les terrains mouvementés où ils se déplaçaient avec peine.

Les Anglais avaient fait, à la bataille de Cambrai, en novembre 1917, une expérience douloureuse ; ils avaient déjà été les premiers à utiliser les chars sur le champ de bataille, dès 1916 sur la Somme ; à Cambrai, ils tentèrent pour la première fois une charge cuirassée sur terrain favorable, non effondré par les entonnoirs d'obus. Les chars devaient prendre d'assaut les trois positions successives de la ligne Hindenburg. Ils en prirent deux sans difficulté, bénéficiant de l'effet de surprise. Les Allemands étaient sûrs de la valeur de leurs fortifications et n'avaient garni que les premières lignes : les Anglais purent les emporter par une attaque massive de près de 400 chars, avant l'arrivée des renforts. Pour le *Royal Tank Corps* c'était une victoire et une brillante démonstration [4]. Le général von der Marwitz, qui tenait la ligne de Cambrai, n'en croyait pas ses yeux : il n'avait jamais vu une telle masse de tanks employée sur un front restreint d'une dizaine de kilomètres. Les tanks à grappins arrachaient les réseaux de barbelés, des tanks à fascines comblaient les tranchées, d'autres portaient des ponts. Le brigadier général Elles, qui commandait l'opération, engagea ses Mark IV dans leur

---

4. Golaz, *Les Chars britanniques à Cambrai*, RHA, 1965, n° 2.

totalité, leur donnant des ordres par radio. Ces chars lourds pesaient 28 tonnes ; avec 340 litres d'essence en réserve, ils pouvaient tenir en ligne, avançant à une moyenne de 3 km/h, pendant 7 heures et demie, jusqu'à 25 kilomètres... Les huit hommes d'équipage tiraient de leurs deux canons et de leurs quatre mitrailleuses.

Ils avaient avancé de 75 kilomètres sans rencontrer de résistance, sans pertes notables. Mais la contre-attaque allemande était venue : 179 chars avaient été mis hors de combat, 43 s'étaient abîmés dans les tranchées, 71 étaient tombés en panne, 65 avaient été incendiés par les obus allemands. Dans la nuit du 21 au 22 novembre, trois divisions ennemies étaient entrées en ligne, récupérant l'essentiel du terrain, engageant une impitoyable guerre d'usure : pour tenir les positions conquises par les chars, les Britanniques devaient perdre 44 000 hommes. Pour contre-attaquer, les Allemands avaient perdu 41 000 combattants : à quoi bon les chars ? disait von der Marwitz.

Les Anglais ne désespèrent pas : ils construiront un char au moteur plus puissant, le Mark V, et reprendront le principe de l'attaque massive. Les Français, ont une tout autre doctrine.

Leur programme de construction de chars est ambitieux : ils en prévoient 3 500 légers, 1 400 moyens et 150 lourds pour 1919. En décembre 1917, l'artillerie d'assaut ne comprenait que 216 chars Schneider lourds, 79 Saint-Chamond et seulement 31 Renault légers. Pétain demanda « la plus grande célérité » pour la réalisation du programme Renault. Les promesses ne seront pas tenues : lors de l'offensive allemande, il ne disposera que de chars lourds et de 2 Renault seulement : 150 étaient à l'instruction...

L'état-major avait étudié l'opération de Cambrai et analysé à sa manière les causes de l'échec : le défaut majeur de l'opération résidait dans l'insuffisance des liaisons avec l'infanterie. Les chars équipés de radio étaient l'exception. Les autres communiquaient avec l'extérieur par des voyants de couleur ou des pigeons voyageurs ! A Flesquières, dix chars avaient pu être détruits par un seul canon de 77 sans que celui-ci fût le moins du monde gêné par des tirs de barrage. « L'utilité des tanks est incontestable, concluait le général Anthoine, la seule erreur consisterait à croire qu'ils créent une tactique entièrement nouvelle... Leur valeur dans l'offensive, dans la contre-attaque et dans la contre-offensive est nettement confirmée » : mais le char n'est rien d'autre que l'auxiliaire de l'infanterie. Si Pétain attend ses chars en 1918, c'est qu'il entend bien compenser la faiblesse de ses effectifs par une puissance de feu accrue. Il est sûr, comme le dira plus tard Guderian, réfléchissant sur la même bataille [5], « que les chars livrés à eux-mêmes ne sont pas capables de briser la résistance de l'infanterie ». Mais il n'est pas

---

5. Heinz Guderian, *Achtung-Panzer*, Stuttgart, 1936.

prêt à penser que l'emploi massif des chars, en liaison avec l'aviation, est seul en mesure d'assurer la victoire. Il est au contraire plus disposé à saupoudrer les unités d'infanterie de ce soutien en « artillerie d'assaut », plus souple que l'artillerie traditionnelle. Cet emploi des chars d'accompagnement (conforme aux théories d'Estienne, le général créateur des unités de chars, mais aussi de Foch) résume alors la doctrine française. Pourtant, comme le remarquera plus tard Guderian, « les succès remportés par les chars diminuèrent vite lorsqu'on les obligea à combattre isolément, ou par petits groupes, un adversaire qui peu à peu se ressaisissait devant eux ».

Ludendorff ne croit pas aux chars d'assaut, et l'utilisation des petits Renault comme matériel d'accompagnement de l'infanterie ne le gêne pas outre mesure : il adapte l'artillerie de tranchée aux tirs antichars. Il est convaincu d'avoir la supériorité dans les airs grâce à son aviation de chasse moderne et nombreuse. Fort du précédent de Riga, il a les moyens de réaliser la percée dans un style d'offensive entièrement neuf, utilisant une synchronisation très précise des diverses armes. Il ne sait pas encore que, de l'autre côté, Pétain a mis au point une tactique qui lui permet à la fois de résister à ce nouveau genre d'offensive et de lancer avec succès – et un minimum de pertes – ses propres attaques.

Pétain a remisé au musée de la guerre les deux modèles périmés d'offensives : la poussée frontale de l'Artois et de la Champagne, prodigieusement meurtrière, et la poussée en largeur, reposant sur l'usure, le temps, l'anéantissement méthodique du terrain : la bataille de la Somme. L'armée française n'a plus les moyens d'envisager des opérations de ce genre : au reste, elles n'ont permis la conquête que de quelques arpents de lignes.

Le 19 mai 1917, aussitôt après sa nomination au poste de général en chef, Pétain avait rendu publique sa *directive n° 1,* qui fut « l'une des décisions les plus graves de la Grande Guerre », affirme avec raison Pedroncini [6]. Son but, en attendant « les Américains et les chars », est de « ménager l'armée française, épargner les effectifs ». Il était raisonnable de renoncer « à des buts inaccessibles immédiatement » (la percée, la décision, la poursuite) et de se contenter « d'avances limitées mais sûres ». Les attaques devaient être réalisées avec l'emploi d'un matériel à la fois puissant et rapide, capable de créer la surprise. Quant à l' « organisation défensive », elle avait pour but d'assurer « un échelonnement convenable de l'infanterie sur les diverses positions... », qui évite « la tendance à entasser l'infanterie sur les premières lignes, ce qui ne saurait qu'augmenter inutilement les pertes ». En somme, Pétain voulait aménager sur tout le front des deuxième et troisième positions

6. Guy Pedroncini, *Pétain général en chef, 1917-18.*

capables de réaliser la fameuse « défense en profondeur » qui avait permis à Ludendorff, à Cambrai, de contenir la poussée anglaise. Il insistait aussi sur la nécessaire « amélioration des transports ferroviaires et routiers » qui permettait de faire face à une offensive brusquée en portant tout de suite les renforts sur le point menacé : ainsi, à Cambrai, Ludendorff avait-il pu faire intervenir trois divisions fraîches pour contre-attaquer.

Dans les offensives limitées de Verdun et de la Malmaison, en août et octobre 1914, Pétain avait fait la preuve que la tactique nouvelle valait pour l'attaque comme pour la défense : en développant l'instruction des différentes armes, en multipliant les écoles pour apprendre le maniement des armes nouvelles, en utilisant les camps d'entraînement pour perfectionner sans cesse la liaison des armes au combat, on obtiendrait des résultats spectaculaires : il fallait enseigner la guerre, apprendre aux jeunes recrues les moyens d'attaquer sans se faire tuer. La formation des artilleurs et des aviateurs était essentielle : seule leur coordination pouvait empêcher l'infanterie d'être l'éternelle victime. Non seulement l'aviation devait renseigner les artilleurs, mais elle devait intervenir directement dans le combat, mitraillant les lignes, bombardant les concentrations de troupes à l'arrière, neutralisant l'artillerie, adversaire redoutable des chars, pendant que ceux-ci auraient pour tâche de nettoyer les nids de mitrailleuses.

Cette méthode avait été mise au point lors d'une attaque montée dans le Nord, sur le canal de l'Yser à Ypres, en liaison avec l'offensive anglaise de Haig vers Ostende et Zeebrugge. Les six divisions à la disposition de Haig avaient pleinement atteint leur but, avec un minimum de pertes, mais au prix d'une formidable concentration de canons et d'aviation. Les Français ne devaient pas participer substantiellement à la longue et coûteuse offensive des Flandres, montée par Haig de juillet à octobre 1917 et destinée à libérer la côte belge, repaire de sous-marins allemands. Par contre, la « méthode Pétain » était de nouveau appliquée avec succès lors d'une opération destinée à dégager Verdun en août : cette attaque, décommandée en mai à cause des mutineries, devait apporter la preuve du « mordant retrouvé » de l'armée française. Deux tonnes de munitions au mètre furent dépensées, 38 escadrilles mobilisées : l'attaque était montée comme une série d'actions se relayant sans cesse, avec des temps d'arrêt, des reprises ; les unités engagées ne supportaient pas seules l'effort offensif, elles étaient constamment remplacées en première ligne par des renforts qui se retiraient aussitôt leur objectif atteint. Pour des pertes très faibles (15 000 hommes pour 16 divisions engagées), les Français avaient fait 10 000 prisonniers et entièrement recouvré leurs positions défensives à Verdun. On avait notamment repris le Mort-Homme, la cote 304, la Côte du Talon, la Côte de l'Oie...

L'offensive « de précision » du 24 octobre, sur le Chemin des Dames, recueillit des résultats encore plus spectaculaires : Pétain voulait reprendre aux moindres frais un morceau du sinistre plateau de la Malmaison, où étaient morts tant de braves. La 6ᵉ armée reçut une formidable dotation d'artillerie : un canon, en certains points, pour 5 mètres de front! Cette concentration avait pour but de réaliser la préparation la plus courte possible, afin de créer l'effet de surprise. L'emploi d'une soixantaine de chars, répartis entre les unités, était destiné à favoriser la percée et le nettoyage du terrain. Les renforts d'aviation de chasse et de bombardement avaient permis à Pétain d'expérimenter sur le front la fameuse coordination des armes à l'assaut dont il faisait l'essentiel de sa doctrine. L'emploi des chars devait, disait-il, rendre « confiance aux troupes dans l'emploi de ces appareils ». Pourtant, une des colonnes avait été immobilisée au départ : les chenilles s'étaient profondément enfoncées dans la glaise. Seule la deuxième colonne avait donné : elle avait pu s'emparer des carrières de Bohéry, qui avaient jusque-là découragé tous les assauts. Les chars avaient fait la preuve qu'ils pouvaient détruire les fortins bétonnés. Ils n'avaient malheureusement pas pu poursuivre leur attaque, s'étant enlisés avant d'arriver jusqu'au fort de la Malmaison. Immobilisés, les engins devenaient des proies faciles pour l'artillerie.

Ils avaient néanmoins apporté à la 13ᵉ division d'infanterie une aide précieuse dans la destruction des nids de mitrailleuses et des batteries d'artillerie de campagne. L' « offensive de précision » avait porté ses fruits : 15 000 Allemands prisonniers, 35 000 hors de combat. Les Français n'avaient perdu que 2 241 hommes. Les Allemands avaient évacué le plateau du Chemin des Dames et s'étaient repliés au nord de l'Ailette. Une véritable « ivresse de victoire » s'était emparée des lignes où l'on accumulait les trophées : 200 canons, 720 mitrailleuses. Les Français croyaient-ils de nouveau à la possibilité de gagner la guerre?

Ludendorff sous-estimait certainement ce facteur moral dans son appréciation de l'équilibre des forces. Il savait que les armées alliées manquaient d'hommes et que le « commandement unique » n'avait pu être réalisé. Anglais et Français se disputaient les secteurs, combattaient à coups de statistiques pour mesurer leur présence respective au front : depuis l'été de 1916, les Anglais ne voulaient plus étendre leur front, obligeant leurs alliés à tenir sous leur garde une longueur beaucoup plus étendue qu'il n'était équitable. Haig prétendait que les tranchées boueuses des Flandres étaient plus difficiles à tenir et à entretenir que les fortifications solides et sèches de Champagne, ou graniteuses des Vosges. Pétain, à sa prise de commandement, avait exigé l'extension du front anglais. Les Allemands savaient que les réunions du « Conseil supérieur de guerre » nouvellement créé entretenaient ces désaccords et ne permettaient pas d'imaginer des solutions. Pétain avait demandé que les Anglais étendissent leur front jusqu'à Berry-au-Bac. Il n'avait pas réussi, Haig ne lui avait promis qu'une relève partielle. Comment imaginer alors une nouvelle offensive française sur le front de Lorraine? Pétain en rêvait, souhaitant de prendre des gages en territoire ennemi pour le jour de la victoire. Haig, de son côté, ne songeait qu'à garder des troupes fraîches pour relancer sa progression vers le littoral de Belgique : les généraux étaient séparés par la politique de la guerre conçue par leurs gouvernements respectifs, ils ne pouvaient avoir d'action commune.

Seule la menace les rapprocherait. Elle se précisait, les renseignements annonçaient un renforcement lent, mais constant, des unités allemandes de l'ouest. Ludendorff dégarnissait prudemment le front russe : il avait 156 divisions en ligne à l'ouest en juin 1917, contre 65 sur le front russe, 11 en Roumanie, 2 en Macédoine; au 1er décembre, la proportion était encore de 151 contre 90 en Orient et en Italie. Mais, à partir du 1er janvier 1918, l'ouest avait 156 divisions, l'est 75. Le 1er février, on était à 171 contre 64; le 1er mars, à 175 contre 57. Le renforcement modéré mais sûr des effectifs sur le front ouest n'était pas une surprise pour Haig et Pétain. A partir de janvier, ils s'attendaient à l'offensive. Ils savaient qu'en outre, les Russes allaient libérer 100 000 prisonniers allemands et 1 600 000 prisonniers austro-hongrois. Pourrait-on résister au déferlement de l'armée allemande?

Pétain avait accéléré les préparatifs, incitant sans relâche les généraux d'armée à fortifier la seconde ligne. Il rendait lui-même visite aux états-majors d'armée pour s'assurer que les dispositions nécessaires étaient bien prises sur le terrain. Il fallait, disait-il, « accepter de céder du terrain » et remplacer la notion de « position d'armée » par celle de « champ de bataille d'armée ». La défensive ne devait pas être statique, mais mobile. Il avait du mal à convaincre certains généraux attachés au fétichisme du terrain. Gouraud protestait, Foch lui-même restait sceptique. Mais Pétain s'imposait « en termes tranquilles, fièrement impératifs », dit le colonel Zeller. C'est sur la seconde position que se livrerait la bataille. Celle-là devait être tenue à tout prix. Pour l'organiser, il fallait mettre au travail, avec acharnement, plusieurs centaines de milliers d'hommes. Où les trouver?

On ne pouvait occuper aux terrassements les troupes dont on attendait une initiation accélérée aux nouvelles méthodes de combat. Priorité devait être donnée à l'instruction. Si les troupes ne savaient point manœuvrer dans le « champ de bataille d'armée », à quoi bon les enterrer dans les fortifications nécessairement hâtives? Mais comment renoncer aux fortifications, alors que les renseignements annonçaient une puissance de feu allemande de 1 150 batteries d'artillerie lourde et de 190 batteries de canons géants ou d'obusiers? Clemenceau demandait, exigeait même que l'on donnât la primauté aux travaux de défense. Pétain, au contraire, sans sous-estimer le travail nécessaire de fortifications, s'ingéniait à privilégier l'instruction. Contrairement à Foch qui s'en tenait à la doctrine de la première ligne, il n'entendait pas se résigner à « préférer, comme le dit Pedroncini, des fortifications qui, perdues, sont sans valeur et sans bénéfice, au rempart mobile de divisions bien entraînées ».

Divergences au sein de l'état-major français? A l'évidence, tous les généraux, et à plus forte raison les politiques, n'avaient pas été illuminés par les principes de Riga... Des difficultés étaient à prévoir entre Foch et Pétain.

Mais aussi entre Pétain et Haig. Il fallait aller à la bataille, dit Pétain au début de 1918, « toutes forces réunies », accepter un commandement unique, Lloyd George, qui déteste Haig et ses méthodes meutrières dans les Flandres, est acquis à cette idée. La désignation de Foch comme président du comité exécutif du Conseil supérieur de guerre n'est-elle pas un premier pas? En réalité, les Alliés ne parviennent pas à se mettre d'accord sur leur projet de guerre pour 1918. En raison de l'opposition des généraux en chef, ils sont incapables de créer une réserve générale interalliée. Tout au plus ceux-ci parviennent-ils à se mettre d'accord, très tardivement, sur les positions respectives de leurs fronts et sur un plan d'assistance mutuelle. Pétain avait exigé la relève immédiate de sa 3ᵉ armée. Il demanda l'appui de Poincaré et de Clemenceau pour obtenir l'extension du front anglais jusqu'à Craonne et Berry-au-Bac. Leur abandonnait-on la défense de Paris? A la fin de janvier, l'accord était réalisé, la relève effectuée. En échange, la 3ᵉ armée recevait mission d'étudier son intervention immédiate au secours de l'armée anglaise si celle-ci était menacée. Il fallait prévoir une réserve de 30 ou 40 divisions pour contenir une éventuelle percée allemande. Or, l'état-major français ne pouvait mettre à la disposition du front britannique qu'une douzaine de divisions, il prenait donc un risque immense.

En réalité, les renseignements sur la direction prévisible de l'offensive allemande sont divergents : on annonce aussi bien une attaque sur Cambrai ou Saint-Quentin qu'une offensive sur Reims. Les Français ne veulent pas dégarnir la Champagne. Pourtant, un rapport du 3ᵉ bureau de l'état-major alerte Pétain, le 25 janvier : « Les Anglais n'ont jamais supporté une bataille défensive. Et c'est *notre* territoire, *nos* ressources, *notre* moral qu'ils auront à défendre. Quelques divisions françaises ne feraient pas mal à leurs côtés... Les Allemands livreront une bataille. Il serait inopportun de vouloir en livrer *deux* ». Pétain, le même jour, prend des dispositions pour prévoir l'intervention rapide de

20 divisions au minimum dans une contre-attaque vers la zone anglaise. Il écrit à Haig pour lui demander de préparer, de son côté, un plan d'intervention de son armée dans la zone des troupes françaises.

A la conférence de Londres, les 14 et 15 mars 1918, les gouvernements « endossaient » – comme l'a dit Clemenceau – le plan d'assistance mutuelle des états-majors, portant sur un nombre de divisions de secours manifestement insuffisant de part et d'autre. Outre les préventions des chefs, leurs stratégies divergentes (l'un avait le souci d'affecter ses réserves à une offensive vers le nord, le second en Lorraine), l'incertitude sur les intentions de Ludendorff avait pesé lourd dans l'attitude respective des états-majors français et britanniques.

Où Ludendorff attaquerait-il? Les services de renseignements, en mars, n'avaient que trop d'informations. Elles surgissaient de toute l'Europe : deux offensives étaient annoncées, l'une sur le front français, l'autre chez les Britanniques. Depuis février, la Champagne et les Flandres apparaissaient comme les zones probables. Le 14 février, à Londres, le général Davidson disait au général de Laguiche, attaché militaire français, que Ludendorff attaquerait « entre Arras et la vallée de l'Oise ». Le 2ᵉ bureau français savait que les Allemands avaient entraîné des troupes spéciales pour l'offensive, qu'ils avaient installé de très nombreux aérodromes en Picardie. La date prévue était mars. Les prisonniers annonçaient aussi bien Saint-Quentin que Reims et l'Argonne comme direction d'attaque. Les renseignements anglais, à l'inverse du 2ᵉ bureau, pensaient que le front de Champagne serait menacé en premier. A partir du 10 mars, on était sûr, de part et d'autre, que les Allemands attaqueraient à la jonction des deux armées, mais aussi sur le front de Champagne. La date du 22 mars était même précisée pour l'attaque devant Reims. Sur le front anglais, elle aurait lieu « dans la région de Cambrai ».

Reims? Cambrai? Jusqu'au dernier moment, l'incertitude subsiste. Ludendorff a réussi à tromper les Alliés sur ses intentions véritables. Comment pourraient-ils savoir qu'il a décidé, depuis le 21 janvier, de porter tout son effort à la jonction des deux armées, pour empêcher précisément les Français, qui ont massé leurs réserves plus à l'est, de venir au secours des Anglais enfoncés? Haig et Pétain connaissent parfaitement les deux zones d'attaque, mais ils ne savent pas laquelle est la bonne. Ils sont ainsi placés d'entrée de jeu en position d'infériorité quand menace de s'engager la bataille historique dont dépend l'issue de la guerre.

Le 21, le général Duchêne, qui commande la 6ᵉ armée autour de Soissons, envoie à Pétain le premier télégramme annonçant le début de l'attaque allemande : « L'ennemi, dit-il, a engagé la bataille sur tout le front de l'armée britannique à notre gauche, à partir et au nord de l'Oise. » Mais il signale en même temps que « de très vives actions d'artillerie se sont poursuivies dans les régions de Reims et au nord-ouest de Reims ». Ne préparent-ils pas une attaque sur le front principal de Champagne? Pendant plusieurs jours, Pétain s'attend à cette attaque. Son major général, Anthoine, envoie le 24 mars un télégramme au groupe des armées du Nord : « En prenant toutes dispositions pour briser dans l'œuf l'attaque ennemie probable sur le front de Champagne, donnez des ordres sévères pour qu'à aucun échelon, et spécialement dans les premières lignes, il ne soit fait allusion, ni au téléphone ni dans les conversations ordinaires, à la connaissance que nous en avons et aux mesures en cours. » C'est seulement le 27 mars que le G.Q.G. « admet » son erreur : « Il paraît certain que les Allemands avaient préparé une offensive en Champagne, mais que la tournure prise par la bataille de l'Oise les a fait renoncer à exécuter dans cette région une attaque de grande envergure. » Cette obsession du commandement français pour le front de Champagne pèsera lourd sur les débuts de la bataille. L'essentiel des réserves françaises (18 divisions) est groupé derrière le front de l'est, de l'Argonne aux Vosges. Deux divisions sont au nord, derrière l'armée belge. Pour porter rapidement secours aux Anglais, Pétain n'a prévu que 19 divisions entre l'Oise et l'Argonne.

Les Anglais sont-ils mieux avisés? Ils s'attendent à une attaque imminente, vers le 15 mars. Comme Pétain, Haig ne veut pas « recevoir la bataille » sur la première ligne (*forward zone*), mais sur la seconde : *battle zone*. Malheureusement, au 20 mars, ces deux lignes, surtout la seconde, sont loin d'être terminées, faute de travailleurs. Les organisations de résistance sont particulièrement insuffisantes à la 5ᵉ armée de Gough, entre l'Oise et l'Omignon, entre Péronne et la Fère. Au nord, au contraire, dans le secteur tenu par la 3ᵉ armée de Byng, la *battle zone* est plus solide. Haig a prescrit de construire une troisième ligne, la *green line*, qui est peu avancée. Il a 42 divisions en secteur, dont deux portugaises, et 9 divisions en réserve d'infanterie derrière la partie menacée de son front, entre la Scarpe et l'Oise, entre Arras et La Fère.

Dans ce secteur, précisément, le 21 mars à 4 heures du matin, sur 70 kilomètres, 6 200 canons allemands installés secrètement ouvrent un feu d'enfer. Non seulement ils accablent les *long toms* et leurs servants d'obus à gaz, mais les pièces à longue portée bombardent des objectifs à 30 kilomètres du front, comme Albert ou Saint-Pol. A 6 h 40, les canons prennent pour cibles des objectifs plus rapprochés, puis les lignes anglaises elles-mêmes.

Soudain, à 9 h 45 précises, les canons changent de voix : les fantassins anglais tapis dans leurs abris reconnaissent le tir rapide de barrage, qui annonce la sortie des groupes d'assauts. Un

St Pol

Lens

Scarpe

Arras

Doullens

Front le 27-3-1918

Front le 21-3-1918

Somme

Albert

Amiens

Péronne

St Quentin

Chaulnes

Moreuil

Nesle

Ham

Roye

Montdidier

Chauny

La Fère

Noyon

Oise

St Gobain

**L'ATTAQUE ALLEMANDE
DE MARS 1918**

brouillard épais empêche les mitrailleuses de tirer à coup sûr, et les grenadiers, les lanceurs de mines, les fusiliers prussiens et bavarois envahissent sans difficulté les premières tranchées anglaises : ils appartiennent à la 18ᵉ armée de von Hutier, qui compte 27 divisions. Plus au nord, les 17 divisions de von der Marwitz (2ᵉ armée) et les 17 divisions de von Below (17ᵉ armée) attaquent les troupes de Byng. Ludendorff a lancé contre l'armée anglaise 61 divisions d'assaut.

Pétain doit immédiatement se demander de combien de réserves il dispose : dès le début de l'attaque, avant d'envoyer les renforts aux Anglais, il doit s'assurer qu'il ne sera pas attaqué sur un autre front ; le 2ᵉ bureau estime à 78 divisions les réserves allemandes au 21 mars. Ludendorff peut en outre compter sur le renfort de 15 divisions venues de l'est. Les renseignements français ont bien localisé l'essentiel de ces réserves, ils ne trouvent cependant pas trace de 24 divisions. Pétain est en droit de penser qu'avec les renforts venus de l'est, le quartier-maître général dispose d'une masse de 39 divisions dont on ignore l'emploi éventuel dans la bataille : cela incite à la prudence.

Les Allemands enfoncent très vite le 21 le front de l'armée Gough qui doit se replier. Dès qu'il en est informé, Pétain fait avancer vers la région menacée le 5ᵉ corps du général Pellé, qui ne pourra entrer en ligne que dans l'après-midi du 23. Haig a immédiatement envoyé à Gough deux divisions en réserve. Sur le nord de la zone d'attaque, la 3ᵉ armée de Byng résiste bien.

Le recul de Gough s'accentue : les Allemands traversent sans difficulté les marais de l'Oise, près de La Fère, que les Anglais jugeaient impraticables : une longue période de temps sec a rendu l'opération possible. Les groupes d'assaut ont pris pied sur la rive ouest de l'Oise, l'artillerie se rapproche et les munitions arrivent en ligne sur de nouveaux tracteurs très bas, à chenilles.

Pétain comprend le sens de l'attaque allemande : elle a pour but de séparer les deux armées alliées : il donne l'ordre à Duchêne, qui commande le 6ᵉ armée française, immédiatement à la droite des Anglais, de faire avancer la 125ᵉ division sur Chauny, afin d'empêcher à tout prix la percée. Haig demande d'autres renforts : il a devant sa droite 27 divisions allemandes! Il exige l'entrée en ligne de la 3ᵉ armée française du général Humbert. Outre les trois divisions du 5ᵉ corps, Pétain envoie dans la foulée trois autres divisions (dont la 125ᵉ) avec, en plus, une division de cavalerie. Le délai normal d'entrée en ligne est de quatre jours : en fait, les divisions sont embarquées presque aussitôt à partir de zones assez proches. Pourront-elles contenir la ruée allemande? Dans la nuit du 22 au 23 mars, les Anglais doivent ordonner le repli général de leurs armées à l'ouest de la Somme, et abandonner Péronne.

La situation est grave : l'attaque allemande est poussée cette fois au nord de la 5ᵉ armée britannique, et Gough risque d'être coupé de Byng. Haig envoie à Pétain un message désespéré, il lui demande de prendre en charge pratiquement tout le front de la 5ᵉ armée. Pétain prend des dispositions immédiates, comme s'il s'y était attendu : le 23 mars dans la soirée, le général Fayolle, de retour d'Italie, se voit confier un groupe d'armées de réserve comprenant la 3ᵉ d'Humbert, la 1ʳᵉ de Debeney, qui débarque dans la région de Montdidier, et les restes de la 5ᵉ armée anglaise ainsi placés sous commandement d'un général français. Quatorze divisions nouvelles sont jetées dans la bataille. Les Allemands ne négligent rien pour terroriser les arrières : le 23 mars, un nouveau canon allemand (appelé par les Français « grosse Bertha », du nom de Bertha Krupp, et par les Allemands « long Henri »), bombarde Paris à partir de la forêt de Saint-Gobain. Un obus tombe tous les quarts d'heure : le vendredi 29, 75 personnes seront tuées d'un coup dans l'église Saint-Gervais. Les raids aériens continuent : pas de panique à Paris, mais le sentiment d'être revenu quatre ans en arrière, au temps de Gallieni.

On craint une percée des Allemands sur le front de la 5ᵉ armée anglaise, qui perd pied. Ils franchissent la Somme, s'avancent rapidement vers Nesle. A peine débarquée, la 3ᵉ armée française est mise en difficulté : Humbert, un fonceur colonial, doit reculer, lâcher Chauny. Fayolle, vieux spécialiste des « coups durs », ne peut que tenter de boucher les trous. Le corps Pellé recule vers Noyon. Dans la matinée du 24, les Allemands s'engouffrent dans le trou qui s'agrandit entre Français et Britanniques ; deux divisions françaises rétablissent un contact précaire du côté de Nesles. Il faut absolument défendre au nord le front d'Arras, pivot de la défense anglaise, et au sud la région de Noyon que les Français ne doivent lâcher à aucun prix : les ordres des généraux retrouvent les accents de Joffre :

« Pourquoi a-t-on évacué Noyon ? demande le 26, à 1 heure et demie, Fayolle au téléphone.

— Parce que les Allemands tournaient Noyon par le nord, par Lagny...

— On ne peut pas reculer indéfiniment, il faut se faire tuer sur place ! » aboie Fayolle.

Et Pellé au 5ᵉ corps : « Il faut tenir coûte que coûte sur les positions actuelles. L'honneur de chaque chef militaire y est engagé. » Et Foch à Pétain, le 27 mars : « Il n'y a plus un mètre de sol de France à perdre. » Et Pétain à la troupe, le même jour : « Cramponnez-vous au terrain ! Tenez ferme ! Les camarades arrivent... Soldats de la Marne, de l'Yser et de Verdun, je fais appel à vous : il s'agit du sort de la France ».

L'appel à la discipline est renforcé. De Mitry, au 6ᵉ corps, recommande aux officiers d'appliquer l'article 121 du service des armées en campagne : ils doivent « retenir à leur place, par tous les moyens, les militaires sous leurs ordres ; au besoin, ils forcent leur obéissance ». Et Robillot, au 2ᵉ corps de cavalerie : « Les divisions doivent organiser en arrière du champ de bataille des barrages de police dont la nécessité s'est fait trop souvent sentir. Tout homme non muni d'une fiche d'évacuation doit être impitoyablement renvoyé au front. Les fuyards seront fusillés ».

Comme pendant la bataille de 1914, il faut organiser la *noria* des divisions vers le front enfoncé. Vingt-sept ont été mises en route entre le 21 et le 24 mars, treize du 24 au 26. Les Bavarois poussent au nord, dans la région de Péronne, et von Hutier au sud. La ligne d'Amiens est devenue inutilisable, les chemins de fer doivent utiliser celle de Beauvais, qui ne peut faire face à un gros trafic : les hommes sont débarqués loin des lignes qu'ils rejoignent par des marches forcées de 30 kilomètres, sac au dos. Les camions ne peuvent compenser les déficiences du chemin de fer : « Les camarades arrivent! » dit Pétain. On les charge en camions pour qu'ils arrivent plus vite, mais les divisions ont du retard et les Allemands progressent toujours. Ils foncent sur Amiens et Beauvais, aussi vite qu'ils le peuvent. Rien ne semble pouvoir les arrêter.

Les chefs de corps sont informés par l'état-major des raisons des succès ennemis : les Allemands établissent des barrages roulants d'une stupéfiante précision qui progressent en même temps que la ligne d'assaut. Les sous-officiers ont « un croquis au 1/10 000e de toute position à enlever. Le pliage de la carte était prévu de façon à permettre de suivre facilement la progression... La vitesse de marche... était de 200 mètres en 4 minutes. Le barrage roulant (*Feuerwalze*) progressait par bonds calculés avec une minutie extrême ». Au besoin, il pouvait « épouser la forme exacte de la tranchée à enlever, avec des temps variables selon la forme de celle-ci, pivotant même en éventail par bonds courts sur certains points de résistance probable. » Les équipes de lance-bombes suivaient les premières vagues. L'ennemi avançait « par coups d'épaule successifs échelonnés dans le temps ». Les éléments avancés étaient suivis de près « par des camions et de grandes voitures ». Ils utilisaient pour leurs transports la ligne Péronne-Chaulnes et Saint-Quentin-Hamm, toutes deux remises en état. La minutie de la préparation de l'attaque était telle que des équipes spéciales de ramassage (*Ausbeutekommando*) avaient été prévues pour la récupération des armes et des vêtements : « Les cadavres amis et ennemis sont déshabillés complètement et au plus tôt. Les morts attendent entièrement nus la corvée de champ de bataille ». Les bombardements français ne gênaient pas vraiment l'arrivée des renforts, et l'offensive se poursuivit implacablement. Les Allemands avaient déjà progressé vers Amiens de plus de 20 kilomètres.

Haig et Pétain étaient en désaccord fondamental sur l'appréciation de la bataille : le premier voulait se replier vers les ports du Nord; le second, constituer plus au sud une ligne de défense pour protéger Paris. Les deux généraux en avaient appelé à leurs gouvernements. Haig ne pouvait accepter de se replier sur la Somme sans consulter Lloyd George. Pétain ne pouvait envisager le retrait vers le nord des armées anglaises sans en appeler à Clemenceau. Il se plaignait vivement de l'« obstination de Haig à toujours faire appuyer vers le nord », comme si l'effort principal de l'attaque allemande n'était pas au sud, dans la direction d'Amiens. Il demandait à Clemenceau d'intervenir pour « décider [les Anglais] à s'appuyer sur lui, et à ne pas le forcer à s'étendre indéfiniment pour aller à eux ». Foch, chef d'état-major, intervient lui aussi dans la querelle. Il est d'avis, comme Haig, de renforcer plutôt le nord du front, « plein de menaces », où doivent converger les réserves française et anglaise.

Le nord? le sud? C'est Foch contre Pétain : « Pétain reste prudent, note Pédroncini, donne l'impression qu'il va perdre; avec un jeu médiocre et sans atouts, Foch réussit à faire croire qu'il a déjà gagné. » La zone Péronne-Arras doit être défendue en priorité. C'est celle de la 3ᵉ armée anglaise, de Byng, qui résiste le mieux. Pourquoi cette obstination? Parce que Foch, dit Pedroncini, a « une certaine ignorance de la situation ». Il ne sait pas que la véritable menace est au sud, où le front craque, que les Allemands foncent sur Amiens, poursuivant les débris de la 5ᵉ armée britannique. Il ignore que les Bavarois de von Below, s'ils ont au nord franchi l'Ancre, poursuivant les troupes de Byng en retraite, ont subi de lourdes pertes et commencent à s'essouffler. La bataille au nord de la Somme va connaître un répit avec l'arrivée des renforts anglais qui n'ont pas, comme les Allemands, des difficultés de ravitaillement en essence et en munitions. Au sud, par contre, les réserves françaises ont été longues à entrer en ligne, la retraite se poursuit dangereusement. De nouveaux renforts doivent être expédiés d'urgence. Deux divisions françaises sont rappelées d'Italie, Pershing offre de faire monter en ligne, dans un secteur calme de Lorraine, les 4 divisions américaines : une masse de manœuvre de 6 divisions devient ainsi disponible, mais à moyen terme. Dans l'immédiat, le front sud risque d'être enfoncé complètement.

Foch demande encore que les réserves françaises, à mesure qu'elles arrivent dans la zone du front, soient jetées dans la direction du nord pour défendre Amiens et maintenir à tout prix le contact avec les Britanniques. Il va au-devant des désirs de Haig, mais contre les dispositions prises par Pétain qui souhaite au contraire un recul des Britanniques en direction de la Somme. Il fait ressortir que les Allemands sont maintenant à 10 kilomètres seulement d'Amiens et que la 5ᵉ armée anglaise continue à reculer : après Noyon, Roye est tombée. Le front risque d'être crevé au moment où les Français ont déjà mis en mouvement plus de 40 divisions de renfort. Le 25, Haig a averti Clemenceau que son armée battait en retraite vers les ports du Nord. Il est urgent de réagir : le 26, à Doullens, à l'arrière immédiat du front, une conférence est réunie pour aboutir à un accord du haut commandement devant l'avance de l'ennemi.

La veille, à Compiègne, il était apparu aux Français, réunis par Poincaré en personne, que le seul chef capable de rétablir l'unité de commandement entre Anglais et Français était Foch. Lord Milner et le général anglais Wilson s'étaient ralliés à cette idée. Haig ne la repoussait pas, car il avait besoin des renforts français et il n'avait plus confiance en Pétain qu'il accusait de vouloir sauver Paris à tout prix, en se repliant sur la Somme. C'est Haig lui-même qui demanda pour Foch des pouvoirs supérieurs.

Foch fut chargé « de coordonner l'action des armées alliées sur le front ouest ». Décision capitale qui créait le commandement unique depuis longtemps attendu. Le choix de Foch pouvait apparaître comme provisoire, parce qu'il ne commandait pas directement l'armée française, toujours aux ordres de Pétain. Mais il était le seul qui pût arrêter la retraite des Anglais vers le nord et sauver l'unité de commandement. Haig acceptait de lui obéir, il récusait par contre toute subordination à l'état-major de Pétain. « Nous avions tous l'impression, commente Weygand, chef d'état-major de Foch, que la France venait d'obtenir un résultat qui valait presque une victoire sur les Allemands. » En fait, les pouvoirs de Foch devaient être constamment accrus : Lloyd George acceptait le 3 avril à Beauvais qu'il fût chargé de la « direction stratégique » des opérations alliées. Le 14 mai, il recevait officiellement le titre de « commandant en chef des armées alliées en France ».

Le commandement unique pouvait-il changer rapidement le sort de la bataille? On était sûr, à tout prendre, qu'Amiens serait défendu. L'action de Foch ne souffrit aucun retard : il intervint dès le 26 mars, donnant ordre à deux unités de la 1ʳᵉ armée française (général Debeney) de se porter immédiatement en avant pour maintenir le contact avec les Anglais de Gough en retraite. Faute de moyens suffisants, la 56ᵉ division d'infanterie ne pouvait progresser, elle abandonna Montdidier, perdit la liaison, sur sa droite, avec l'armée Humbert qui recula à son tour de 13 à 14 kilomètres... Pour sauver l'armée britannique, Foch prenait le risque de laisser von Hutier percer le front français, séparer les 1ʳᵉ et 3ᵉ armées françaises. « Le front est sur le point d'être rompu », télégraphie Fayolle, affolé. Foch peut-il continuer dans cette voie? Il prend la décision, conforme aux vues de Pétain, de maintenir la cohésion de l'armée française et de constituer en arrière de Beauvais, avec les 5ᵉ et 10ᵉ armées françaises, une masse de manœuvre capable de contre-attaquer, au lieu de jeter une à une, comme des bûches sur le feu, les divisions de renfort dans la bataille. Foch s'adresse à Gough avec la dernière brutalité : « Il ne peut plus y avoir de retraite, lui dit-il, les positions doivent être tenues à tout prix ». Pas de renforts, pas de relève par les Français des Anglais exténués. On ne relèvera pas davantage les divisions françaises fatiguées. Une résistance désespérée s'organise : cuirassiers et dragons combattent à pied, les tankistes anglais ont enlevé de leurs engins les mitrailleuses Lewis pour se retrancher dans les villages, les groupes de cyclistes font le coup de feu à plat ventre, comme les fantassins. Au 2ᵉ corps de cavalerie de Robillot, les cuirassiers du colonel de Brantes sont envoyés pour maintenir à tout prix la liaison entre le 18ᵉ corps anglais en déconfiture et la gauche de la 22ᵉ division d'infanterie française qui ne vaut guère mieux. Les cuirassiers s'enterrent et se font tuer. Toutes armes mêlées, on résiste à la pression allemande; au sud du bois de la Cave, le général Grégoire regroupe des cavaliers à pied, des biffins de la 19ᵉ division, des Anglais en retraite de la 18ᵉ division... Un peu plus à l'ouest, Gamelin s'accroche au terrain avec un groupement de deux divisions. Il reçoit, pour reprendre la montagne de Porquéricourt, le renfort d'escadrons de chasseurs et des cavaliers canadiens.

En bombardant les gares à proximité immédiate du front, en attaquant à la mitrailleuse les colonnes de renfort en marche, l'aviation joue un grand rôle dans la bataille : comme les cavaliers à pied, les aviateurs interviennent aussitôt pour empêcher l'avance allemande avant l'arrivée en ligne des divisions d'infanterie de renfort. Le groupement Féquant est venu du Tardenois, le groupement Ménard de Champagne. Fonck rapporte que l'aviation se conduit dans la bataille comme une « cavalerie » aérienne : elle « charge » les troupes au sol, cependant que les nouveaux Spad affrontent les redoutables chasseurs allemands Fokker D VII utilisés sur le front dès le mois d'avril. Ces efforts désordonnés finissent par donner des résultats : l'offensive allemande s'essouffle. Le 28 mars, Ludendorff échoue au nord de la Somme : la 3ᵉ armée anglaise a reçu des renforts – trois divisions australiennes, deux divisions canadiennes, deux anglaises. Le front anglais, dans la région d'Arras, tient bon. Les Allemands ne reprendront plus l'offensive entre la Somme et la Scarpe. Au sud, ils ont avancé de 60 kilomètres dans la direction d'Amiens et de Montdidier. S'ils ont pris Montdidier, ils sont arrêtés devant Amiens : leur infanterie, épuisée, ne reçoit plus de renforts et commence à se fixer sur les positions conquises. Les divisions nouvelles jetées par les Français dans la bataille empêchent Ludendorff de garder la totalité du terrain si difficilement acquis.

Pourtant, le 30 mars, alors que l'offensive allemande paraît s'épuiser, même au sud de la Somme, Ludendorff lance une dernière attaque-surprise après une courte préparation d'artillerie. Les unités françaises reculent : au groupement Mesple, la 133ᵉ division exténuée est mélangée d'éléments britanniques. Certaines divisions n'ont plus que 5 000 combattants (la 12ᵉ, par exemple), elle rassemblent des soldats venus de toutes les unités. La 56ᵉ, très éprouvée par le feu, accueille des territoriaux, des cavaliers à pied, des bataillons de la 12ᵉ qui a les effectifs de deux régiments à peine : elle a dû lutter contre la Garde prussienne, dont les troupes étaient bien reposées et puissamment armées. Au 2ᵉ corps de cavalerie, le général de Rascas a mis à pied ses dragons qui font le coup de feu avec des tirailleurs algériens et des biffins de régiments perdus. Avec leurs unités de bric et de broc, les Français tiennent, l'attaque allemande s'épuise : aux hommes harassés par leur effort de résistance, Foch demande immédiatement de construire des tranchées, des trous individuels, des barrages de barbelés pour défendre les positions.

Nouvelle attaque-surprise, le lendemain 31 mars, plus au nord, sur Moreuil. L'infanterie allemande s'élance en direction d'Amiens. Mais la première armée a des troupes fraîches : si les Franco-Britanniques de la 133ᵉ division reculent, les renforts arrivés à point permettent de contre-attaquer. « La journée a été bonne », dit le général Debeney. Sur tout le front, les attaques roulantes lancées par les Allemands échouent. Il faut attendre le 1ᵉʳ avril, après dix jours de durs combats, pour que les unités les plus éprouvées (la 62ᵉ, la 22ᵉ, la 56ᵉ divisions) soient envoyées dans des secteurs plus calmes. Les armées Debeney (1ʳᵉ) et Humbert (3ᵉ) se préparent à la défensive. « Il n'y a pas une heure à perdre pour se préparer à de nouvelles attaques », dit Fayolle. Les Allemands disposent encore de 29 divisions fraîches et en attendent 15 de Russie. L'aviation doit bombarder sans répit routes et chemins de fer, l'infanterie s'enterrer entre l'Oise et la Somme. Deux mille travailleurs italiens sont envoyés d'urgence pour creuser des fortifications. Les unités des 5ᵉ et 10ᵉ armées de réserve participeront aux travaux. Les généraux Micheler et Maistre, qui commandent ces unités, ne savent pas encore où il devront engager leurs troupes fraîches. Foch médite une contre-attaque. En aura-t-il les moyens?

Les Allemands ne lui laissent pas le temps de s'organiser : après un court répit, ils attaquent violemment l'armée anglaise entre Ypres et Béthune, sur les rives de la Lys. L'offensive est déclenchée le 9 avril. Elle va durer 20 jours. En hâte, Pétain demande 200 000 hommes de renfort à Clemenceau. Il n'a plus que 23 divisions, au lieu de 35, pour tenir le front de l'est, avec 7 divisions seulement de réserve. Le front du nord a 22 divisions au lieu de 25, et 2 divisions seulement de réserve. La situation peut tourner à la catastrophe.

Effectivement, le front britannique est enfoncé et les Allemands avancent rapidement dans les Flandres : vont-ils rejeter les Anglais à la mer? Il faut faire intervenir d'urgence des réserves françaises et accroître ainsi la pénurie de réserves dont souffre l'ensemble du front. Ludendorff a chargé le Kronprinz de Bavière de cette nouvelle offensive avec la 6ᵉ armée von Quast, attaquant sur le front à l'ouest de Lille. Les armées Maistre et Micheler doivent être expédiées vers le nord, à partir de la Somme. Les Portugais ont lâché pied devant l'infanterie allemande dont l'avance, le 10 avril, est déjà de plus de 12 kilomètres. En même temps, la 4ᵉ armée allemande de Sixt von Arnim s'est jointe à l'offensive, attaquant les Anglais de Plumer. A Londres, le général Wilson s'inquiète : il prend le bateau pour Paris et demande à Clemenceau de faire inonder le Nord, car les Anglais doivent « protéger à n'importe quel prix les ports de la Manche ». C'est l'essentiel pour le ravitaillement de l'armée : elle peut tenir sans Dunkerque, mais non sans Calais et

LES OFFENSIVES ALLEMANDES
de mars à juillet 1918

MER DU NORD
Dunkerque
PAYS-BAS
Ostende
Anvers
Gand   Escaut
Yser
Ypres   Lys
Bruxelles
B E L G I Q U E
Béthune   Lille
Namur   Meuse   Liège
Arras   Sambre
Front le 17-7-1918
Cambrai
Bapaume
Amiens   St Quentin   Front le
Charleville
Montdidier   Laon   18-
Meuse
3- 1918   Aisne
Compiègne   Chemin des Dames   Berry-au-Bac
Oise   Soissons
Dormans   Reims   Verdun
Paris   Marne   Épernay   Châlons

Boulogne. En outre, la côte, aux mains des Allemands, deviendrait immédiatement un repaire de sous-marins. Foch envoie un corps de cavalerie à Saint-Omer et deux divisions d'infanterie. Il fait hâter la relève des troupes anglaises au nord de la Somme par les unités des deux armées françaises de réserve. De Dunkerque à Saint-Omer, le plat pays sera sous les eaux.

Les Anglais évacuent peu à peu le saillant d'Ypres, organisant leur défense sur la crête de Passchendaele, conquise en 1917 au prix de lourds sacrifices britanniques, et que l'on envisage d'abandonner. Des réserves françaises sont envoyées dans le Nord, en particulier le 2e corps de cavalerie de Robillot qui parcourt 200 kilomètres en 70 heures, sans crever ses chevaux. Il s'installe autour de Steen-voorde, défendant Saint-Omer et Dunkerque. Les Allemands attaquent avec trois divisions sur Bailleul; il faut engager dans la ligne du feu la 133e division française d'infanterie. Trois autres divisions arrivent en toute hâte, transportées par camions. Les Belges et les Anglais ont bien résisté aux attaques allemandes, mais

Ludendorff, à l'évidence, a entrepris une opération de grand style. Le commandement français ne peut le laisser liquider sous ses yeux l'armée anglaise. Un détachement d'armée du Nord, confié au général de Mitry, est créé par Pétain avec le corps de cavalerie et 5 divisions d'infanterie. D'autres divisions viendront par la suite en renfort. Après la perte du mont Kemmel, les divisions françaises en opération seront au nombre de 12. Pétain proposera à Haig d'envoyer les unités anglaises épuisées se refaire dans les lignes calmes de la 6ᵉ armée : il acceptera avec empressement.

La bataille des Flandres est impitoyable : on se bat avec acharnement pour le moindre piton, pour un morceau de forêt perdu parmi les champs de betterave. Le général Gillain enfonce son armée belge dans les sables de Nieuport et s'efforce de tenir le front de l'extrême nord-ouest. L'armée du général anglais Plumer se bat jusqu'à la limite de ses forces, aux côtés des Français, sur les pentes du mont Kemmel que Foch ne veut abandonner à aucun prix, à cause de sa valeur comme observatoire. Les avions de chasse franco-britanniques s'épuisent à vouloir arracher la maîtrise du ciel aux redoutables chasseurs allemands ; les renforts d'artillerie s'efforcent d'empêcher les batteries allemandes de bombarder les mines de charbon de Béthune et de Bruay. Quand les attaques cessent, à la fin d'avril, l'armée anglaise compte ses pertes : 250 000 hommes. Elle est pratiquement mise hors d'état de participer à la moindre offensive et elle aura besoin de longs mois pour se refaire. Pourtant, elle n'est pas vaincue. Les Allemands n'ont pas pu prendre les ports de la Manche, ni l'Yser, ni Ypres.

Ils sont à 60 kilomètres d'Abbeville, à 16 kilomètres d'Amiens. Ils tiennent sous leurs canons la grande ligne à deux voies Paris-Amiens, artère vitale du Nord. Les Alliés n'ont plus, pour leurs communications, qu'un seul chemin de fer vers les Flandres, à voie unique : le Paris-Beauvais-Abbeville-Calais. Les canons allemands bombardent Bruay, Calais, Dunkerque. Ils ont mis hors de combat 92 000 Français, cependant que leur armée, par suite des arrivées de renforts venus de l'Est, s'est accrue de 24 divisions : le drame de l'état-major français est qu'il n'est à même de localiser que 49 divisions allemandes de réserve sur les 64 qui peuvent encore permettre à Ludendorff de gagner la guerre.

A la conférence du Conseil supérieur de la guerre qui se tient aux deux premiers jours de mai, les Alliés font la preuve de leur immense indécision et s'affrontent dans des querelles politiques plutôt que militaires : les Anglais finissent par admettre qu'en cas d'offensive allemande, la défense de l'unité du front est primordiale, et les Italiens reconnaissent enfin l'autorité de Foch comme généralissime. Mais ni Haig ni Pétain ne sont en mesure de réunir les réserves nécessaires à la contre-offensive que médite d'engager Foch, qui aurait pour effet de dégager la voie ferrée Paris-Amiens : plusieurs semaines sont nécessaires pour reconstituer le dispositif de bataille franco-britannique qui s'est étendu, après les offensives allemandes, de 100 kilomètres.

Ainsi Ludendorff est-il une fois encore le maître de la situation. Lui seul a les moyens de continuer à attaquer. Il lance ses unités, dans la surprise totale, le 27 mai, sur le front du Chemin des Dames. La percée est rapide, l'avance allemande fulgurante : le 30, les avant-gardes sont sur la Marne : Paris est de nouveau à portée de canon.

Si l'on en croit Pedroncini, Foch est responsable de ce drame : en envoyant les divisions françaises en renfort sur le front du nord, il a dégarni les masses de réserve disponibles sur les autres fronts, et les troupes fraîches n'ont pu contenir à temps la percée allemande. En donnant pour directives aux chefs de corps de résister sur la première ligne de défense, il a contredit l'instruction de Pétain sur la défense en profondeur, seule riposte possible de la tactique de Riga. Il a permis à Ludendorff de l'emporter sans risque [6].

De son quartier général de Sarcus, au nord de Beauvais, Foch mesure alors parfaitement la précarité de sa position : pour couvrir les lignes de l'est (370 kilomètres), il a 25 divisions et 8 en réserve. Sur le front du nord, entre Argonne et Oise, le général Franchet d'Esperey, qui doit soutenir l'assaut allemand, a la 4ᵉ armée de Gouraud et la 6ᵉ de Duchêne, soit 23 divisions en ligne et 8 en réserve : une anglaise, épuisée, deux italiennes dont il ne connaît pas la valeur, et 5 françaises. Les cinq divisions de cavalerie sont un secours inespéré. Le groupe d'armées de Fayolle (avec Humbert et Debeney) a été fort engagé dans les batailles de printemps, il n'a que 9 divisions de réserve. Il ne reste guère que les 7 divisions de la réserve d'armée Micheler qui n'ont pas donné dans la bataille, et qui sont stationnées dans l'Oise et la Somme. L'essentiel des unités françaises est au nord : les renforts ne parviendront pas facilement sur le Chemin des Dames. Foch, comme Pétain, pense que la prochaine offensive allemande aura encore pour objectif de séparer les armées françaises des britanniques : Ludendorff frappera entre l'Oise et la mer. On ne croit plus guère, après l'avoir beaucoup attendue, à une offensive en Champagne.

Pour contenir l'offensive allemande, les Alliés ont été d'un faible secours. Foch avait demandé aux Américains de hâter leur entrée en ligne : ils ont seulement donné une division nouvelle, les autres sont restées à l'instruction. Foch a dû insister pour que l'on transporte sur bateaux anglais des fantassins et des mitrailleurs en priorité, à raison de 120 000 par mois. En juin, les Américains devraient être

6. Pedroncini, *Pétain général en chef*, op. cit.

600 000 en France, 400 000 au front. Dans l'immédiat, ils n'offrent que deux divisions en état de combattre.

Les Italiens ont deux bonnes divisions dans l'Argonne, les Polonais sont 11 000, les Tchèques 5 000 à l'instruction. Pas de renforts pour les Anglais avant le mois de juin, ils accusent un déficit d'au moins 100 000 hommes et le maréchal Haig doit dissoudre des unités. Les Français n'ont, au total, que 38 divisions d'infanterie et 6 divisions de cavalerie en réserve. Sur les 200 000 hommes demandés par Pétain, le ministre de la Guerre a répondu qu'il ne pourrait en fournir que 110 000, pris dans les usines, aux colonies ou dans les camps de prisonniers tchèques ou polonais. Encore Foch et Pétain sont-ils conscients, à l'expérience des combats de Picardie, que l'infanterie française a oublié la guerre de mouvement et qu'il est urgent de l'instruire : « L'infanterie, écrit Foch à Pétain le 11 mai, a perdu la notion de la manœuvre des petites unités. » Et Pétain aux chefs d'armées, le 13 : « Les officiers d'infanterie ne savent pas toujours manœuvrer en profondeur, sans préoccupation d'alignement rigide, en combinant le feu de leurs engins d'infanterie et le mouvement pour forcer les résistances de l'ennemi ou briser ses contre-attaques ». Comment, dès lors, croire à la manœuvre dans la « zone d'armée »? Au moment où les Allemands préparent leur attaque avec les groupes d'assaut spécialisés, les généraux français controversent... Le « champ de bataille d'armée doit être meublé dans toute sa profondeur », explique Pétain. Le recours à la seconde position « ne doit pas être une manœuvre en retraite »... Mais il y a, dit le général Roques, vieil ami de Joffre, qui a été ministre de la Guerre, de « sérieux flottements d'opinion » chez les chefs de corps : ils savent que, très souvent, la seconde position n'est pas équipée pour tenir. Quant à la première, n'étant pas destinée à être tenue, elle a été négligée, construite à la diable, mal entretenue. Roques signale, dans son rapport du 11 avril, qu'à la 6ᵉ armée (Coucy, Chemin des Dames, Craonne), « c'est aussi la deuxième position qui est la " position de résistance ", mais l'âpreté prescrite aux combattants de la zone de couverture baisse encore d'un degré ». Il faut prévoir, dit Roques « l'abandon du Chemin des Dames ». On aboutit à une situation désastreuse dans les unités : « L'idée de repli gagne dans les esprits et s'y substitue peu à peu à la vieille notion française de résistance jusqu'au bout. » Ce repli peut facilement prendre « les allures d'une défaite », et Roques de conclure : « Il faut que notre infanterie tienne. Il faut lui demander, comme à la Marne, de se faire tuer sur place plutôt que de reculer. Et notre infanterie tiendra si la consigne est sincère et générale. » En somme, pour Roques, et peut-être aussi pour Foch, les conceptions de Pétain sont une source de gêne et de flottement, elles nuisent au moral du « biffin », elles peuvent être responsables de reculs.

Pétain n'en maintient pas moins son point de vue, précisant, expliquant, développant minutieusement, dans sa note du 20 avril, le nouveau combat d'infanterie directement inspiré par les méthodes allemandes : « Une mitrailleuse enlevée n'est pas perdue si elle a tué jusqu'au dernier moment », la guerre défensive doit user l'ennemi en l'accrochant à de multiples îlots de résistance indéfinissables, à des « emplacements de combat » difficiles à repérer, inattaquables par l'artillerie, parce que trop éparpillés. Il faut faire « naître l'impression » chez l'ennemi « que ses " gains " de terrain ne correspondent pas aux pertes subies », et compenser l'infériorité numérique par la puissance de feu : avantageuse doctrine, qui suppose une instruction solide du fantassin, une maîtrise totale des armes nouvelles, une utilisation ponctuelle et judicieuse des chars. Pétain recommande de multiplier les camps d'entraînement chars-infanterie, qui fonctionneront comme celui de Champlieu, au sud de Compiègne. L'artillerie aussi doit être répartie entre les unités, rendue plus mobile grâce aux tracteurs et aux camions porteurs. L'armée vient de recevoir 36 nouvelles batteries de 75 portées, 14 batteries de pièces lourdes à tracteurs. Ces canons ont fait leurs preuves en Picardie. Quant aux chars, qui désormais sont robustes et légers, on doit pouvoir compter sur eux quand le terrain s'y prête : les livraisons de Renault se montent à 75 chars par semaine; les armées en ont déjà 300 quand Ludendorff attaque. Même si elles sont loin de pouvoir compter sur les chars lourds anglo-américains Liberty, qui doivent être construits dans l'usine de Châteauroux mais dont la fabrication a du retard, elles peuvent espérer le soutien appréciable des Renault. Même si elles ne peuvent pas voir encore dans le ciel les 4 000 avions du nouveau programme de fabrication, elles sont depuis longtemps familiarisées avec les ailes américaines de l'escadrille Lafayette, qui a fait des émules, et avec le soutien des unités britanniques. Les Français ne manqueront ni d'avions ni de chars pour la deuxième bataille de la Marne.

La seule menace porte sur les chevaux : ils deviennent rares, et manquent d'avoine. Le déficit de la seule armée française est de 284 000 tonnes en mars, pour la campagne 1917-1918. Encore faut-il nourrir les 422 000 chevaux des Anglais, quand les 700 000 de l'armée française ont mangé. Les économies réalisées sont spectaculaires : désormais, les officiers n'ont plus droit à un cheval de selle. C'est l'unité qui en dispose. Il faut tout de même 6 300 chevaux par division. Depuis l'offensive allemande du 21 mars, les armées ont perdu 4 500 chevaux par semaine. Ils sont indispensables pour tirer les canons, fournir le ravitaillement, participer aux travaux. Les Anglais exigent davantage d'avoine : leurs chevaux, disent-ils, sont plus lourds. Une paire de ces chevaux (qui mangent 15 livres anglaises d'avoine et 14 livres de fourrage) fait le travail de quatre chevaux plus légers...

– Venez au secours de nos chevaux, dit un général anglais.
– J'estime que des chevaux travaillant côte à côte, dans un même cantonnement, ne peuvent avoir des rations différentes », répond le Français Bélin.

Les réunions houleuses entre responsables se multiplient. On finit par adopter le taux français : 5 kg d'avoine et 4 kg de foin par cheval et par jour : les Alliés ont près d'un million et demi de chevaux à nourrir ; les Américains, en août, en auront 150 000. La France ne peut fournir que 4 millions de quintaux d'avoine sur les 29 millions nécessaires. Près de 30 000 wagons sont mobilisés pour le transport de l'avoine et du foin qu'il faut importer à grands frais. Déjà les Français envisagent de supprimer 140 000 chevaux et les Anglais 75 000. La guerre va-t-elle se terminer faute d'avoine ?

A Belleu, au sud de Soissons, le général Duchêne, qui commande la 6ᵉ armée française, est informé depuis longtemps des préparatifs de l'ennemi en face du Chemin des Dames. Il sait depuis le 23 mai qu'une attaque « de grande envergure » de la 7ᵉ armée allemande s'étendrait jusqu'à Reims. Pour l'Allemand, écrit-il, « les difficultés du terrain n'entrent guère en ligne de compte ». Le temps ? Pas davantage. L'Allemand compte sur la surprise, approche au dernier moment son artillerie, n'effectue pas de relèves d'infanterie ; les divisions d'attaque, « cachées tout le jour, ne marchent que la nuit, sans être découvertes par les avions, et arrivent à pied d'œuvre la dernière nuit ou l'avant-dernière nuit, donnant l'assaut en traversant les divisions en ligne ou les entraînant avec elles ». La 7ᵉ armée allemande, Duchêne le sait, est absolument prête : « Tout est monté pour une poussée à allure foudroyante. »

Le général a pris ses précautions : il a averti Pétain qu'il résisterait, en toute hypothèse, sur la première position, qu'il ne rendrait ni le Chemin des Dames, ni le plateau de Californie si chèrement conquis. Ses 11 divisions d'infanterie de première ligne et ses 4 divisions de réserve étaient bien armées, bien soutenues par l'artillerie. Elles avaient bon moral, même si beaucoup de soldats avaient souffert dans les offensives de Picardie et des Flandres, même s'il y avait 2 500 malades de grippe espagnole, la maladie nouvelle qui faisait des ravages dans l'Europe entière. Duchêne voulait à toute force défendre l'Oise et l'Ailette. Son armée avait pour mission de protéger Paris : il demandait carte blanche. Pétain, plutôt que « de procéder à un changement de personne » à la veille d'une action décisive, avait laissé faire à regret. Les généraux Chrétien et Maud'huy, commandant les 30ᵉ et 11ᵉ corps d'armée, devraient se faire tuer sur place. Sur leur droite, les Anglo-Canadiens d'Hamilton-Gordon et la 45ᵉ division de Naulin auraient plus de souplesse dans leur défensive : ils pouvaient compter sur le soutien, à leurs arrières immédiats, de deux divisions d'infanterie et d'un corps de cavalerie et ils étaient flanqués, du côté de Reims, par le 1ᵉʳ corps colonial du général Mazillier dont la réputation n'était plus à faire. Des régiments de 75 portés et les groupes d'auto-canons-mitrailleuses de la 4ᵉ division de cavalerie étaient en mouvement pour venir au secours des premières lignes menacées. Les locomotives d'artillerie lourde sur voie ferrée étaient maintenues sous pression. Le général Duval, à qui Pétain venait de donner le commandement de l'aviation (division aérienne), était prêt à distribuer aux bombardiers les objectifs indiqués par l'état-major : il n'y avait pas de surprise.

Duchêne avait minutieusement mis en place ses dispositifs d'alerte. Les prisonniers avaient annoncé l'attaque pour le 27 mai. Un chasseur à pied capturé le 26 avait tout dit : heure de préparation d'artillerie, durée, importance des unités mises en ligne, *Stosstruppen*, régiments de la Garde qui « circulent depuis huit jours, pattes d'épaules cousues et sans insignes », par petits paquets. Toute le Garde, venant de Laon, est dans les carrières de Colligis. Les soldats ont dit au prisonnier « que les mêmes éléments de la Garde qui avaient perdu la position autrefois devaient la reprendre à tout prix ». L'attaque doit avoir lieu avant qu'il fasse jour.

Les dispositions sont prises du côté français. Les renforts prévus s'apprêtent à partir. Brusquement, mais sans surprise, les canons allemands commencent leur bombardement à 1 heure du matin, le 27 mai. Le général Duchêne n'avait pas prévu que, pendant 2 heures 40, plus de mille batteries et des centaines de *Minenwerfer* rendraient toute vie impossible sur ses 90 kilomètres de front, et sur une zone de 12 kilomètres à l'arrière des lignes. L'emploi massif des obus à ypérite rendait difficile la riposte des artilleurs français et anglais : les pièces sautaient sous un feu cinq fois plus destructeur. Le général de Mitry expliqua la difficulté de récupérer rapidement après les attaques massives de gaz : les vêtements et les souliers ne sont pas protégés, ils restent longtemps imprégnés. Impossible d'avancer : il faudrait « 5 kg de chlorure de chaux » par trou d'obus. Jamais les Allemands n'avaient utilisé une telle quantité de gaz sur un front aussi restreint. Le nombre des gazés est inhabituellement élevé.

A 3 h 40, l'infanterie allemande part à l'assaut : vingt divisions commandées par von Boehm (7ᵉ armée) et von Below (1ʳᵉ armée) précédées par le *Trommelfeurer* (barrage roulant). Trois divisions de *Stosstruppen* attaquent une seule division française, la 21ᵉ, celle de Dauvin, et 5 divisions, la 22ᵉ, celle de Renouard. Quatre autres bousculent, sur Craonne, la 50ᵉ division britannique. Ludendorff veut-il s'ouvrir la route de Paris? C'est douteux : d'après ses *Souvenirs de guerre*, il veut seulement fixer sur l'Aisne les renforts français venus du Nord, pour en finir une fois pour toutes avec l'armée anglaise. C'est encore un front partiellement tenu par les Anglais qui est l'objet de l'attaque.

La réussite de la percée au centre est foudroyante : les Allemands grimpent sur le Chemin des Dames dès 5 heures du matin. Entre 6 et 7 heures, ils sont sur la crête, submergent les défenseurs déjà décimés par le bombardement. Certains soldats français sont « cueillis » en sortant de leur abri. A 9 heures, ils dévalent les pentes du sud, vers l'Aisne. A droite, les Britanniques sont en retraite, ils ont abandonné le plateau de Californie.

A 4 heures et demie du matin, Duchêne a appelé son beau-frère, le major général Anthoine, pour lui demander des renforts. Anthoine a répondu qu'il ne pouvait « lui donner immédiatement satisfaction », mais qu'il lui enverrait « dans l'après-midi » deux divisions en renfort. En réalité, quand il appelle le grand quartier général, Duchêne lui-même ignore que son front est percé. A partir de 3 h 30, il n'y a plus guère d'informations, les lignes téléphoniques sont coupées, les courriers rares. Quand les Allemands sont déjà sur la crête du Chemin des Dames, il ne sait pas encore avec certitude si l'attaque est vraiment déclenchée. A 5 h 45, il exige que Maud'huy, qui commande le 11ᵉ corps, rétablisse le contact perdu avec ses divisions. C'est entre 6 et 7 heures du matin (avec plus d'une heure de retard) que la vérité est enfin connue. Duchêne fait alors monter en ligne la 157ᵉ division de Galembert et la 25ᵉ division de réserve anglaise. « Il faut à tout prix, lance-t-il à l'état-major du général Renouard, à Billy-sur-Aisne, que le corps d'armée et les divisions d'infanterie soient renseignés. Se servir d'autos et d'estafettes à cheval pour se tenir en liaison et suivre la marche du combat. » A 7 heures et demie, Duchêne informe le groupe d'armées du Nord que les Allemands attaquent en force sur l'Aisne, et demande d'importants renforts. A 7 h 45, il reçoit un message lui indiquant que le général Renouard est encerclé dans son P.C. d'Oeuilly, au nord de l'Aisne. Aussitôt, il envoie deux divisions en renfort pour tenir sur la position intermédiaire, puis sur la seconde ligne.

A l'état-major général, Pétain est informé plus tard encore : il n'envoie d'ordre, à 5 heures du matin, qu'à deux divisions qui doivent partir « soupe mangée, à la fin de la matinée ». C'est à 8 heures seulement que les renseignements précis arrivent : il peut alors immédiatement donner ordre à Degoutte, qui commande le 21ᵉ corps, de marcher au canon avec ses divisions.

Il est déjà trop tard : les Allemands ont pris les ponts de l'Aisne. Renouard envoie à 10 h 40 un message : « Le pont d'Oeuilly a été pris par les Allemands à 9 h 40. Je suis à Merval sans liaison téléphonique avec la ferme Pinçon, ni avec le corps d'armée, ni avec Belleu. Entre l'ennemi et moi, il n'y a qu'une section réunie par mes officiers d'état-major. » Les Allemands ont pris aussi les ponts à Vailly, à Chavonne. La 22ᵉ division est pratiquement hors de combat. Les Allemands ont les moyens de passer l'Aisne en plusieurs points. La deuxième position de résistance ne peut être organisée sur la rivière. Les équipes du génie n'ont pu dynamiter les ponts à temps, elles ont reçu les ordres trop tard. D'ailleurs, elles auraient dû faire sauter pêle-mêle Français et Allemands, qui étaient, sur les ponts, en combat rapproché.

A midi, le 27 mai, la ligne de l'Aisne est enfoncée : le renfort des quatre divisions Degoutte est arrivé trop tard. Pétain en est informé aux premières heures de l'après-midi. Il dirige alors sur le front de l'Aisne d'importants renforts d'artillerie et d'aviation : les groupements Féquant et Chabert reçoivent l'ordre d'attaquer sans relâche les colonnes allemandes, qui poussent désormais en direction de la Vesle. Toute résistance est en train de cesser au nord de l'Aisne. Maud'huy reçoit un message de Billy, envoyé par pigeon voyageur, daté de 14 heures : « Sommes complètement encerclés. Centre de résistance à droite pris de flanc. Subis une pression très forte. Tout le monde a fait son devoir, officiers, hommes jusqu'à la dernière limite. Le bataillon a lutté pied à pied pendant 11 heures. Il ne reste plus que le quart de l'effectif et plus de munitions pour les mitrailleuses. »

Dès le 27 mai, les Français **viennent** de perdre la bataille de l'Aisne.

A l'état-major général, on **en tire les conclusions** : les Allemands ont su camoufler leurs **bases** de **départ,** trompant les Alliés sur leurs effectifs. Les obus à croix bleue ont fait des ravages, en particulier chez les artilleurs, et leurs forces d'attaque très supérieures ont procédé par « infiltrations méthodiques », contournant les centres de résistance, obligeant les défenseurs à se replier pour ne pas être encerclés. Ils ont pratiqué avec succès les techniques modernes d'assaut, aidés par une très puissante préparation d'artillerie, deux fois plus rapide qu'à l'accoutumée, et par une très active aviation de chasse et de bombardement.

Ludendorff est-il lui-même surpris par la rapidité de la percée? Il donne des ordres pour pousser l'avantage, change ses plans, prépare désormais une attaque en force sur Paris. Les Français n'ont pas plus les moyens de résister sur la Vesle que sur l'Aisne. Leur seule position de repli est encore la Marne, comme en 1914. Pétain donne des ordres très stricts, dès le 28, pour que les ponts soient solidement gardés. « Pour chaque pont, dit le chef d'état-major Mollandin, l'officier responsable de la défense prendra ses dispositions pour faire sauter le pont dès que le premier Boche mettra le pied dessus. Au besoin, il se fera sauter avec. » De nouveau les mots d'ordre héroïques sont diffusés par les généraux d'armée ou de division : « Ils ne passeront pas! » dit Chrétien, et Duchêne : « J'exige que tout le monde se fasse tuer plutôt que de reculer. »

Mais comment résister à un contre deux? Le seul parti à prendre, celui que prend Pétain, est bien d'admettre le recul, pour attaquer ensuite sur les flancs de la poussée allemande qu'il faut « endiguer par une résistance à outrance sur ses ailes ». Où prendre les troupes ? Foch ne veut pas lâcher celles du front nord : il craint une deuxième attaque allemande dans les Flandres. Il faut prélever sur les maigres effectifs de Franchet d'Esperey. Degoutte, devant la poussée allemande, n'a que deux divisions en bon état. Dans toute la bataille, la rapidité de la progression allemande surprend l'état-major français qui envoie ses renforts trop tard. Le 9e corps britannique, le 11e corps français n'ont que des débris d'unités, cependant que les Allemands reçoivent de nouveaux renforts. Déjà, à l'ouest de la percée, on se bat dans Soissons, et les éléments avancés se précipitent en direction de Château-Thierry. Au soir du 28 mai, le 2e bureau évalue à 65 divisions les réserves allemandes, dont 48 fraîches. Ludendorff a les moyens de prendre Paris.

Dans la capitale où Clemenceau n'entend pas envisager un nouveau départ du gouvernement, on exige déjà des responsables, bientôt on dénoncera les coupables. Un étonnant dialogue du *Fonds Clemenceau* illustre ce moment crucial :

— Les circonstances sont telles, dit Clemenceau à Pétain, qu'il ne faut pas qu'il y ait *aucun* souci pour le gouvernement. D'un autre côté, le général Foch ne peut pas *être attaqué*. Comme il faut un responsable, la Chambre l'exige, ce sera le général Duchêne.

— Je l'ai toujours couvert, répond Pétain. Je le couvre encore. Il n'est pas coupable. Prenez-moi.

— Nous sommes en guerre, tranche Clemenceau. Nous n'avons pas de choix à faire. Vous obéirez.

Pétain n'a pas le temps de réfléchir à ce problème politique des responsabilités ; il doit envoyer des renforts : trente divisions seront mises en route ou alertées en deux jours, et Foch refuse toujours de livrer ses réserves stratégiques. Dans ces conditions, l'avance allemande sur la Marne ne peut être contenue : Degoutte n'a que des troupes épuisées et les renforts envoyés par Duchêne ne permettent pas d'arrêter l'ennemi qui atteint Fère-en-Tardenois et pénètre dans le bois d'Arcy, position avancée du camp retranché de Paris. Le 29 mai, à Fère-en-Tardenois, les Allemands, en entrant par le nord, ont failli s'emparer de Clemenceau. Les unités fraîches envoyées au secours des armées fatiguées ne peuvent être mises en ligne efficacement pour les contre-attaques d'ensemble : elles se présentent sur le front bataillon par bataillon, et sont usées très rapidement. Seules tiennent encore, aux ailes, les groupements de la Montagne de Reims à l'est, des plateaux du Soissonnais à l'ouest. Sept divisions allemandes progressent entre l'Ourcq et la Marne. Le 30 mai, elles bordent le fleuve entre Chartèves et Dormans. Elles réussissent à le franchir à Jaulgonne. Franchet d'Esperey doit en toute hâte disposer des unités tout le long de la Marne pour en défendre le franchissement. La situation est tellement grave que Pershing propose lui-même à Pétain deux divisions incomplètement instruites, qui sont acceptées avec reconnaissance.

Dans ces conditions, le 31 mai, rien n'empêche Ludendorff de foncer sur Paris. Au lieu de franchir la Marne, il choisit d'attaquer entre la Marne et l'Oise, avec toutes ses forces : trente divisions. Il n'a devant lui, comme troupes fraîches, que les divisions du 1er corps autour de Soissons, dont la contre-offensive, appuyée de chars Renault, échoue rapidement. Il se jette entre le 11e et le 21e corps d'armée qui se replient sur Villers-Cotterêts. La brèche peut être refermée de justesse, mais le commandement français ne voit pas sans inquiétude affluer les renforts ennemis. A l'évidence, les Allemands recherchent la victoire décisive.

L'appel de Pétain à Foch, le 31 mai, est désespéré : il n'a plus de réserves. Il ne peut plus faire face à l'offensive allemande. Il faut de toute urgence lui expédier la 10e armée, ainsi que les réserves américaines de la zone britannique, et les divisions anglaises. A Trilport, il rencontre Foch et Clemenceau. Foch ne fait que des promesses : il faut, dit-il à Pétain, « arrêter à tout prix la marche de l'ennemi sur Paris, par une défense pied à pied ». Pétain ne voit plus d'issue que la reprise, à travers le territoire français, de la guerre de mouvement. Il donne des instructions en ce sens à Castelnau. L'idée de front doit être abandonnée, et les unités américaines repliées vers l'arrière avec tout leur matériel. Ce qui ne pourrait pas être évacué doit être détruit. Il demande à Clemenceau de faire placer dans la zone des armées les départements du Calvados, de l'Eure-et-Loir, du Loiret, du Cher et de la Nièvre : sommes-nous revenus aux heures sombres de 1870 ?

Le 1er juin, Château-Thierry tombe : c'est la dernière victoire allemande. Pas de panique à Paris : la population fait confiance à Clemenceau et aux chefs militaires. Elle supporte vaillamment les bombardements du « long Henri » et les raids d'aviation, le ravitaillement et l'épidémie. Les obus de la « grosse Bertha » tombent depuis le 23 mars, régulièrement, toujours dans l'axe gare de l'Est-Montrouge. Dans les hôtels, on ne loue plus les chambres des étages supérieurs, trop exposées. Les bombardements ont fait déserter la ville par un grand nombre de familles bourgeoises, celles qui possèdent des résidences en province où elles peuvent envoyer les enfants. Le 3 avril, on compte environ un million de Parisiens absents. Ils sont revenus en mai, mais ils se préparent à repartir : la municipalité ne commence-t-elle pas à évacuer les écoliers ?

Pourtant, tout fonctionne : les administrations, les banques, les spectacles, la vie mondaine. Il ne manque en fait de distractions que les courses, toujours interdites. En vain les esprits chagrins et vindicatifs écrivent-ils à Clemenceau pour dénoncer les « embusqués » (les lettres de dénonciation sont nombreuses), ceux-ci s'affichent cyniquement dans les meilleurs restaurants. En vain Pétain demande-t-il que l'on reprenne les listes des exemptés, que l'on déloge les privilégiés : ils se maintiennent, grâce aux protections politiques, aux amitiés mondaines. Avec leurs uniformes de fantaisie, ils indignent les poilus qui rentrent du front. Paris baisse ses lumières, mais ne veut pas croire à l'invasion. Pourtant, les morts sont nombreux, sous les obus et les bombes : la « Bertha » tue 256 personnes. De mars à juin, les Gotha font 237 victimes.

Moins que la grippe espagnole : ce virus inconnu, dont les effets, disent les médecins de l'époque, s'apparentent à la fois à la peste, au choléra et au charbon, et qui progresse en Europe « à la vitesse d'un train express », frappe douloureusement la France : l'épidémie se manifeste pour la première fois aux armées et dans les villes au mois d'avril. La vague la plus meurtrière est celle de l'automne, mais l'épidémie se prolonge toute l'année : au total, plus de 22 000 morts aux armées et 91 000 chez les civils, l'équivalent de 11 divisions ; certains jours, il faut enterrer dans Paris 300 morts.

Les cartes de pain, les restrictions et la vie chère qui manifestement n'affectaient que les couches les plus pauvres de la population, provoquaient un mécontentement social seulement contenu par le patriotisme et les secours distribués par les municipalités. La colère contre les « mercantis » était vive, surtout dans les milieux ouvriers où les salaires étaient loin de suivre la hausse immodérée des prix. Les campagnes de Ludendorff ne surprennent pas la France dans un climat social serein : les grandes grèves de 1917 ont repris au printemps avec une gravité accrue. Tout le territoire est concerné, puisque 29 départements au moins travaillent pour la guerre. Le préfet de Grenoble est inquiet, il écrit en avril qu'il redoute dans sa ville « la révolution sociale » et demande des renforts de gendarmerie. Clemenceau prend ces avertissements au sérieux : une partie des divisions de cavalerie sera détournée du front en avril-mai pour réprimer les grèves. Le 14 mai, les 28 usines de Grenoble sont arrêtées : les ouvriers s'indignent contre les mesures de rappel des mobilisés. A Vienne, c'est la grève générale, on doit arrêter des dirigeants syndicaux. Le travail ne reprend que le 28 mai.

La situation est encore plus grave dans le Gard où J.-J. Becker a établi, aux mois de mars et d'avril, l'existence d'une activité syndicale « contre la guerre [7] ». Les mineurs sont en grève à partir du 21 mai, et le mouvement s'étend aux forges de Bessèges. Le préfet remarque que « la population civile est hostile aux grévistes » et que « les chefs de la fédération des mineurs, toujours fidèles à la confédération générale du travail, combattent vivement la grève

7. J.-J. Becker, *Les Français dans la Grande Guerre*.

générale ». Le mouvement, à l'évidence, déborde les responsables, s'oriente dans une direction nouvelle, avec des agitateurs inconnus, des orateurs spontanés qui demandent au gouvernement de « faire connaître ses buts de guerre ». L'ingénieur des mines de La Grand-Combe rappelle aux mineurs mobilisés qu'ils n'ont pas le droit d'arrêter le travail : il reprend, y compris aux forges de Tamaris, après l'intervention des gendarmes. « On ne peut nier, dit Becker, que le début du mouvement ait été le résultat d'un fort courant pacifiste, mais les participants à la grève ne la concevaient pas comme devant durer. » Le préfet ne s'y trompait pas : il ne s'agissait pas vraiment d'un mouvement révolutionnaire.

Plus graves sont les grèves de la région parisienne, en raison de la forte concentration ouvrière dans les usines d'armement. Clemenceau est très attentif au déroulement de ce conflit qui pèse lourdement sur les fabrications (en particulier celles des chars Renault et des avions). « Suivies massivement au début, annonçant clairement que leur objectif était de mettre fin à la guerre, ces grèves s'évanouissent au bout de quatre jours. » Tout commence chez Renault le 12 mai. On demande au gouvernement non seulement « des gros sous », mais une définition des buts de guerre, comme à Grenoble ou à Vienne. « Le moment est venu d'arrêter la boucherie et le carnage », s'écrie un leader, Michelet, qui évoque les grèves massives des usines d'armement en Allemagne. Le 13 mai, plus de 40 000 grévistes dans Paris, aussi bien chez Hotchkiss à Saint-Denis que chez Renault. Le 14, Citroën, Voisin, Chenard et Walker à Gennevilliers, Thomson : plus de 100 000 grévistes. On proteste contre la relève des trois classes de mobilisés d'usines, on exige la paix. Bestelle, chez Hotchkiss, affirme qu'il n'est pas un « défaitiste » et qu'il ne veut pas « d'une paix allemande », mais il demande « pour quoi et pour qui les nôtres se battent ». Tous applaudissent quand il exige « la paix des peuples ». Quand deux millions de Français ont été tués, « il ne faut pas que 100 000 autres soient enlevés des usines pour être envoyés à l'abattoir ».

Clemenceau impose silence à la presse, profite de la coupure entre les grévistes et le mouvement syndical, beaucoup plus prudent, et qui tient ce Michelet, agitateur de chez Renault, « syndiqué depuis un an à peine », pour un aventurier. A l'union des syndicats de la Seine, le 15 mai, on refuse de s'associer au mouvement : « Pour prendre position contre la guerre, il faudrait être prêt à renverser le pouvoir et à en assumer la direction. Or il faut reconnaître que la classe ouvrière n'a pas actuellement la force de remplir cette tâche. » Comme le dit Becker : « Pacifistes, les ouvriers français n'étaient pas défaitistes. » Le travail reprend au bout de quatre jours, même chez Renault.

Les troubles graves qui éclatent dans la Loire trouvent une issue analogue. A Firminy, à Saint-Chamond, au Chambon-

Feugerolles, à Saint-Étienne, c'est le rappel des mobilisés qui est à l'origine des incidents violents devant les casernes, lesquels ne constituent pas une nouveauté : l'agitation est quasi endémique depuis janvier. Le préfet demande le renfort d'unités de cavalerie : les gendarmes ne suffiront pas à la répression. Après un 1ᵉʳ mai houleux, il faut envoyer sur place trois bataillons d'infanterie, six escadrons de cavalerie. Les grévistes prétendent cesser le travail « jusqu'à la paix ». Ils manifestent le 23 mai dans les gares pour empêcher les rappelés de partir. On est à quatre jours de l'offensive du Chemin des Dames. Dans la nuit du 25 au 26 mai, 43 dirigeants syndicaux sont arrêtés, 73 ouvriers déférés aux régions militaires. Le 28, la reprise est générale : « Quel que soit le dégoût de la guerre, les fractions les plus révolutionnaires du monde ouvrier français, conclut Becker, ne se résignaient pas à sacrifier la Patrie à la révolution. » La preuve était faite, au sein du mouvement ouvrier français, que le modèle russe ne serait pas appliqué : pour la très grande majorité de la population ouvrière, la paix à tout prix n'était pas acceptable, même si l'on souhaitait la « paix sans victoire ».

Fin mai, alors qu'on peut s'attendre au déferlement des masses allemandes vers Paris, le mouvement de contestation de la guerre dans les usines d'armement est donc en décrue complète. C'est au Parlement que le débat se prolonge, avec l'intervention du député Brunet qui demande « des sanctions contre les généraux responsables ». Clemenceau monte en ligne, refusant, et le débat public, et le « comité secret ». Il couvre de toutes ses forces les hommes de l'état-major : « S'il faut, dit-il, pour obtenir l'approbation de certaines personnes qui jugent hâtivement, abandonner les chefs qui ont bien mérité de la patrie, c'est une lâcheté dont je suis incapable. » Il refuse les sanctions, il refuse même de réclamer des explications aux généraux, il les couvre en bloc, demandant seulement aux « pouvoirs civils » d'être « à la hauteur de leurs devoirs ». Par 377 voix contre 110, la Chambre approuve, ajourne le débat. Clemenceau a gagné sa bataille.

Il n'est pas aussi sûr de la situation militaire, qui ne dépend pas de lui. Pourtant, des signes d'essoufflement se manifestent chez les Allemands. Ludendorff a enlevé Soissons, mais n'a pu encercler Reims : les deux « môles de résistance » tiennent toujours, de part et d'autre de l'avance allemande. Le ravitaillement de ses troupes avancées sur la Marne ne peut se faire que par une voie ferrée étroite, à faible rendement. Foch a enfin envoyé la 10ᵉ armée en réserve, avec les renforts anglais et américains. Le 5 juin, Ludendorff a arrêté son offensive. Il attaque encore, le 9, sur la ligne Montdidier-Noyon, réussit une percée jusqu'au Matz, mais il est arrêté par une contre-offensive : le 11 juin, de part et d'autre,

Allemands et Français se remettent à creuser des tranchées. Ludendorff ne peut maintenir ses troupes dans leur situation précaire; il doit absolument poursuivre son offensive : il a enlevé aux Alliés, depuis mars, plus de 150 000 prisonniers et de grandes quantités de matériel. Les pertes sont énormes dans toutes les armées, mais l'avantage des réserves reste du côté allemand. Une ultime offensive, à l'évidence, se prépare.

Hindenburg et Ludendorff ont toutes les raisons de se hâter : l'arrivée des Américains réduira rapidement l'écart entre les combattants, et, sur le front italien, les Autrichiens viennent de lancer une offensive sur la Piave qui a échoué. Ils n'ignorent pas que la masse des réserves n'est plus de nature à obtenir une décision facile et qu'en Allemagne même, des voix s'élèvent pour tenter de rechercher la paix dans des conditions avantageuses. Les Alliés ne multiplient-ils pas, depuis deux mois, les offres tentantes? Le 2 avril, le comte Czernin, dans un discours à la municipalité de Vienne, a annoncé qu'il venait de repousser une offre française de négociation (la conversation Armand-Revertera). Clemenceau l'a démenti avec force, étalant le dossier des offres autrichiennes et la lettre de l'empereur Charles. Cette révélation a provoqué la démission du comte Czernin et l'humiliation de l'empereur, qui a dû signer à Spa une alliance de dix ans avec l'Allemagne, mais elle rend publiques les différentes tentatives d'approche d'une solution pacifique au conflit. Le 1ᵉʳ juin, alors que Ludendorff est auréolé de ses victoires, le prince Ruprecht de Bavière, commandant l'un des groupes d'armées importants sur le front de l'ouest, écrit au chancelier que l'Allemagne ne pourra pas obtenir la victoire militaire, et qu'il serait plus sage de négocier. C'est aussi l'avis du colonel von Haeften, agent de liaison du quartier général auprès du chancelier : celui-ci demande une action politique, indispensable pour obtenir la décision. Il faut que chez les Alliés, l'arrière lâche. On obtiendra ce résultat en offrant la paix. Balfour ne vient-il pas de déclarer, le 16 mai, en Angleterre : « Le gouvernement britannique ne fermera la porte à aucune démarche de paix, si une invite lui est adressée, de quelque côté que ce soit, pourvu qu'elle s'appuie sur des bases solides. » Le moment n'est-il pas venu, pour les Allemands, de tirer leur épingle du jeu à l'ouest, pour exploiter la plantureuse victoire qu'ils viennent d'acquérir à l'est? Si le chancelier Hertling reste passif, le secrétaire d'État Kühlmann comprend l'intérêt de la situation. Il saisit l'occasion d'une conférence réunie à La Haye sur les échanges de prisonniers de guerre, envoie un émissaire qui rencontre le délégué anglais. Il affirme que l'Allemagne traiterait sur la base du *statu quo*, avec restitution de la Belgique. Les Anglais peuvent-ils le croire? Ils décident d'attendre et de voir.

Kühlmann sait bien qu'il n'a pas une chance de pouvoir négocier sans un large appui politique qui lui permette de dicter à l'état-major la volonté du pouvoir civil. Il refuse de rencontrer Ludendorff, comme le lui suggère le colonel von Haeften. « Si le général Ludendorff, dit-il, a un désir à m'exprimer du point de vue politique, il n'a qu'à m'en parler directement. » Tout le monde sait à Berlin que Ludendorff est d'une totale intransigeance sur la Belgique. A quoi bon l'affronter?

C'est sur le terrain politique que Kühlmann porte la bataille : le 24 juin, au Reichstag, sans consulter le chancelier, il lance à fond son attaque contre l'état-major. Il rappelle que Moltke, en 1870, prévoyait « une nouvelle guerre de Trente Ans » si les puissances européennes s'affrontaient de nouveau : « Aucune, disait-il, ne consentira à s'avouer vaincue. » Il n'y a d'autre issue que l'offre de paix, seule capable de provoquer un enchaînement de réactions politiques. La preuve est presque faite qu'il n'y a pas de solution militaire au conflit : c'est la révolution qui a gagné la guerre à l'est. « On ne peut guère compter, dit-il, qu'une solution absolue soit obtenue par des décisions militaires seules, sans négociations diplomatiques quelconques. »

Ce discours est jugé inconvenant par la droite du Reichstag qui demande des explications : qu'un ministre du Reich ait l'audace de réclamer la négociation alors que l'Allemagne est à deux doigts de la victoire, relève de la trahison. L'exemple russe n'est pas convaincant : ce n'est pas la révolution, mais « notre bonne épée » qui a remporté la victoire à l'est. Il en sera de même à l'ouest, si le gouvernement ne trahit pas.

Ainsi mis en cause, le secrétaire d'État se dérobe, s'embarrasse, tente de résister à l'offensive politique de l'état-major qui va l'emporter. Le 25 juin, Hindenburg lui-même télégraphie à Berlin : il avertit le chancelier que le discours de Kühlmann nuit au moral de l'armée. Il envoie à la presse un communiqué pour exprimer ses regrets qu'un ministre ose tenir un tel langage. Le 2 juillet, l'état-major impose au chancelier son point de vue sur la Belgique, fermant ainsi la porte à toute velléité de négociation avec les Anglais : la Belgique « doit rester sous l'influence allemande », elle doit être occupée, divisée, soumise à un régime douanier léonin. Un jour, sans aucun doute, elle acceptera de s'unir à l'Allemagne « de la façon la plus étroite ». L'état-major n'a d'autres vues, en Belgique, que d'en faire une seconde Alsace-Lorraine.

Hindenburg et Ludendorff réclament franchement la tête du ministre à l'empereur. Ils n'iront plus au Conseil de la couronne si Kühlmann y siège encore. L'empereur cède; le 8 juillet, il dit à Kühlmann : « Notre mariage est rompu. » Ludendorff a les mains libres pour lancer sa dernière offensive sans être contrarié en rien par les pacifistes du gouvernement de Berlin.

Pour soutenir le choc, Pétain ne dispose, sur tout son front, que de 71 divisions en ligne et d'une demi-douzaine de divisions en réserve au 15 juin. Il espère, d'ici la fin du mois, récupérer une dizaine d'unités françaises et américaines. Il sait que les Anglais n'ont pas hésité à envoyer au front les hommes consacrés jusque-là à la *home defence*, même ceux de la catégorie B, réputés inaptes au combat hors d'Angleterre : ces hommes tiendront les secondes lignes. De Palestine, de Macédoine, d'Égypte, Haig a fait venir des unités de renfort. Le sort de l'Angleterre se joue dans la plaine des Flandres.

Douze divisions décimées, quinze en voie de reconstitution : les Anglais n'ont plus guère en ligne que 34 divisions. On ne peut compter que sur les Américains; au 15 juin, ils ont en secteur leurs quatre régiments noirs et sept divisions plus ou moins instruites. Dix divisions sont à l'instruction, six sont en mer et doivent débarquer avant le 1er juillet. 553 000 combattants attendent, le 22 juin, le moment d'entrer en ligne dans une armée américaine indépendante. Un petit nombre d'unités seulement sont en secteur, mêlées à l'armée française. On attend, pour la fin de 1918, 45 divisions complètes, mais Pétain reste sceptique et veut interdire aux journaux de parler de l'aide américaine comme si elle représentait le salut pour l'armée française. « Avant longtemps, dit-il, les effectifs américains en France ne feront pas sérieusement pencher la balance à notre avantage. »

Avec ses maigres effectifs, Pétain ne sait toujours pas où va porter l'effort allemand. La moitié seulement des divisions de réserve de Ludendorff est localisée. Une étude du 2e bureau du 28 juin indique deux directions possibles : sur l'Ourcq, sur Reims. On sait que Guillaume II et le Kronprinz viennent de visiter l'état-major de la 7e armée, près de Braine, où sont arrivés « de nombreux trains de munitions toxiques ». Mais on croit aussi savoir que les Allemands se préparent à franchir la Marne du côté de Dormans. Ils préparent des pontons en bois, accumulent les planches dans les champs qui bordent la rivière. Derrière les lignes allemandes, des prisonniers de guerre et des travailleurs autrichiens posent nuit et jour des voies ferrées : c'est un indice sérieux d'offensive prochaine. On sait par ailleurs que les Allemands « ont fait distribuer à leurs troupes une note les prévenant que Reims contenait 5 000 000 de bouteilles de champagne... »

Un pont de bateaux pour traverser la Marne, large de 55 mètres, peut être construit par les Allemands en 20 minutes par un personnel entraîné : il n'y a pas de sécurité sur la Marne. Les troupes peuvent la franchir en déployant des nappes de fumée. On sait que les Allemands accumulent les flotteurs et les passerelles métalliques. Pétain demande à Foch de réaliser immédiatement le danger, et de prévoir en conséquence la mise en route de renforts. Le groupe d'armées du nord, deux corps d'armée à six divisions, sont acheminés à la fin de juin dans la vallée du grand Morin, sous le commandement du général de Mitry. Celui-ci est prêt à soutenir les unités en secteur les plus éprouvées : la 6ᵉ armée, où Degoutte vient de remplacer Duchêne, la 10ᵉ, commandée désormais par Mangin, qui s'est illustré à la bataille du Matz. On espère ainsi faire face aux 210 divisions allemandes, dont 55 sont fraîches ou reconstituées. Fayolle est convaincu – il l'écrit le 24 juin à Pétain – que les Allemands chercheront la percée sur Paris avec l'armée von Hutier, le vainqueur de Riga (33 divisions), et l'armée Boehm (35 unités). Foch, pour prévenir cette offensive, veut s'assurer de ses « môles de résistance ». Il prévoit de lancer la 5ᵉ armée de Micheler à l'attaque près de Reims et la 10ᵉ armée de Mangin sur le flanc de la poche de Château-Thierry, en direction de Soissons. Avec l'appui des chars.

Mais comment engager ces opérations alors que l'attaque allemande est imminente? On l'attend à la fois sur Paris, par la Marne et l'Ourcq, et en Champagne. Pétain crée la 9ᵉ armée, confiée à Mitry pour renforcer le front de Champagne, sans être tout à fait sûr que Ludendorff ne médite pas d'attaquer plutôt entre Château-Thierry et Dormans, tentant le passage en force de la Marne. Maistre, qui commande le groupe d'armées du centre (ex-groupe d'armées du Nord), reçoit en conséquence les assurances de l'état-major : si on ne peut lui envoyer des renforts dans l'immédiat, il sera le premier secouru, en cas de danger, par la 20ᵉ division stationnée à proximité. En fait, tous les généraux français savent, dès le 7 juillet, grâce à la multiplication des coups de main, que l'offensive allemande comprendra deux groupes d'assaut, l'un sur Épernay, à l'ouest de Reims, l'autre sur Châlons, à l'est. Le but de Ludendorff est de s'emparer du massif redoutable de la Montagne de Reims, et de disloquer ainsi le centre de l'armée française.

Cette fois, Pétain ne se laisse pas surprendre : les 5ᵉ et 4ᵉ armées françaises reçoivent immédiatement, en arrière de leurs lignes, une vingtaine de divisions en réserve. Foch surenchérit : il ne faut pas seulement prévoir la défensive (il demande à cet égard à Haig de mettre en mouvement quatre divisions anglaises vers la Champagne), il faut aussi que les 6ᵉ et 10ᵉ armées préparent une puissante offensive entre l'Aisne et la Marne, à partir du 18 juillet.

Le *Friedensturm* commence le 15 juillet : préparation d'artillerie rapide à 1 heure du matin sur le front de l'armée Gouraud (4ᵉ), à l'est de Reims. Les Noirs américains, les tirailleurs marocains et algériens, les chasseurs et les territoriaux du général Hély d'Oissel, commandant le 8ᵉ corps d'armée, se terrent dans les abris, cependant que les Américains de la 42ᵉ, les chasseurs polonais et les fantassins français du corps Naulin (21ᵉ) se préparent dans l'angoisse à recevoir l'assaut. A leur gauche, les cinq solides divisions du général Pont (14e corps) sont prêtes. « Alertez les unités sous vos ordres », lance le chef d'état-major aux chefs de corps, à 0 h 40. A Reims, on entend un bombardement vers l'ouest, déclenché au même moment. Ceux de la 5e armée, commandée désormais par Berthelot, baissent la tête et préparent leurs masques à gaz. Les coloniaux de Mazillier sont toujours de la fête, avec les Italiens du général Albricci, installés de part et d'autre de l'Ardre : 25 000 paysans du Piémont ou de Toscane s'apprêtent à mourir pour la cause des Alliés. Les Sénégalais du général Pellé, à l'aile gauche, sont moins vivement bombardés, mais ils s'attendent à subir aussi l'attaque des groupes d'assaut.

A la 4e armée, les fantassins de Gouraud tiennent bon : les Allemands ne peuvent enlever la position de résistance; les vagues de tirailleurs qui s'avancent en petites colonnes, souvent accompagnées de chars, sont arrêtées par les îlots de résistance de la zone de couverture. Ils ne progressent guère et les aviateurs français français les attaquent sans relâche : 225 sorties dans la journée du 15, les avions descendent les ballons d'observation *(Drachen)*, bombardent les points de passage des troupes, lançant plus de 17 tonnes de bombes par escadre. Le capitaine Petit, avec sa mitrailleuse sous le fuselage, abat sans difficulté un Fokker D 7 et le capitaine Tourangin (Spa 89), un biplan Fokker « à fuselage rouge ». Ils attaquent à la mitrailleuse les ponts et les passerelles sur la Marne quand les bombardiers ont fini de larguer leurs obus à ailettes. Les fantassins français sont heureux de voir enfin l'aviation alliée maîtresse du ciel.

Sur le front de la 5e armée, par contre, les Allemands réussissent à entamer la ligne de résistance entre la montagne de Bligny et la Marne. A deux contre un, ils enfoncent le corps d'armée italien dont les divisions sont décimées. Le général Pellé doit reculer, tandis que les Allemands passent la Marne devant l'aile droite de la 6e armée (Degoutte). Sur des radeaux, des ponts de bateaux, des passerelles métalliques, ils se précipitent sous le feu des canons et les bombardements des avions. « C'est un enfer que de traverser les ponts de la Marne », dit un message allemand envoyé par pigeon voyageur. Les Américains de la 3e division et les Français du général Piarron de Mondésir réduisent la poche et contre-attaquent pour « jeter les Allemands à l'eau ». Leur attaque au point de rupture des 5e et 6e armées aurait réussi et la Montagne de Reims aurait pu être prise à revers si Pétain n'avait envoyé d'urgence en renforts quatre divisions, s'il n'avait fait débarquer à Arcis-sur-Aube et Nogent-sur-Seine le 22e corps britannique, s'il n'avait fait venir de Châlons la 14e division française : toutes ces troupes étaient en mesure de contre-attaquer dans la journée du 16.

Encore fallait-il qu'aucune unité ne fût détournée de ce combat fondamental. Contre Foch qui voulait maintenir, sur Soissons, l'offensive de l'armée Mangin, Pétain prétendait garder à tout prix ses positions de Champagne : nouvelle querelle de chefs, tranchée par Foch qui réussit à maintenir les effectifs de *son* offensive. Il fallait pourtant résister pied à pied, dans la région de la Marne, à l'avance allemande, qui s'intensifiait entre Dormans et Épernay. Châtillon était pris, Pellé était en retraite. Il était temps de faire intervenir les Britanniques.

Les pertes des Allemands étaient telles, et les résultats si limités que Ludendorff, à partir du 17 juillet, renonça à son attaque. La résistance de la 4ᵉ armée Gouraud avait déséquilibré ses plans et affaibli ses effectifs. La 5ᵉ armée n'avait pas réussi à réduire la poche au sud de la Marne, mais elle avait finalement contenu l'avance allemande, en particulier par le sacrifice des unités italiennes et par l'héroïsme des soldats du général Pellé, dont la 8ᵉ division épuisée devait être évacuée sur Arcis-sur-Aube. Inférieurs en nombre, les Alliés avaient gagné grâce à la supériorité de leur matériel : 19 800 canons contre 18 000, 1 500 chars d'assaut, mais, surtout, 5 400 avions contre 3 000 qui manquaient d'essence. Désormais, l'initiative appartenait enfin à Foch.

La bataille qui commence le 18 juillet, en direction de Fère-en-Tardenois marque véritablement le début de la fin de la guerre. Ce jour-là, plus de 2 000 pièces ouvrent le feu sur le front des 6ᵉ et 10ᵉ armées françaises. Dix-huit divisions d'infanterie sont déjà parties à l'attaque, protégées par le feu roulant : aux côtés de 13 unités françaises, 5 américaines. Un corps d'armée entier est en ligne, celui du général Ligett. Dans le corps Berdoulat (20ᵉ), situé au centre du dispositif d'assaut, deux divisions américaines et une marocaine sont en tête. L'offensive Mangin a commencé, avec le soutien, au sud, de la 6ᵉ armée Degoutte. Il s'agit d'attaquer vers l'est, dans la « poche » allemande de la Marne.

Dans le plus grand secret, et malgré l'orage qui camoufle le bruit des préparatifs, les troupes se sont rassemblées. Elles bénéficient du soutien de nombreux chars d'assaut (346 dans l'armée Mangin, 147 chez Degoutte) et de toute l'aviation disponible. Des moyens importants d'artillerie lourde ont été regroupés. Pour le Kronprinz impérial, la sortie de ces unités de la grande forêt de Villers-Cotterêts constitue une surprise : alerté, il ne veut pas y croire. Le succès est immédiat, les Allemands reculent sur Oulchy-le-Château. Pour permettre à l'offensive de se développer, les 9ᵉ, 5ᵉ et 4ᵉ armées attaquent à leur tour, immobilisant l'ennemi sur la Marne. Sept divisions nouvelles sont envoyées au front, dont deux britanniques : Foch, de son quartier général de Bombon, près de Melun, l'a exigé de Haig. A Provins, Pétain presse l'envoi des renforts. L'armée alliée tout entière est dynamisée par son succès.

Degoutte parvient à reprendre Château-Thierry : dès lors, la poussée est générale. Les Allemands doivent envoyer une armée de secours : la 9ᵉ, de von Eben. Ils ne peuvent empêcher la poussée de Mangin et Degoutte sur Fère-en-Tardenois. Complètement surpris par l'offensive, Ludendorff a dû renoncer à ses propres projets dans les Flandres. Il a été aussi contraint de reculer jusqu'à son point de départ : la ligne de l'Aisne, le Chemin des Dames.

Pour les Français, le sentiment de victoire est immense : ils ont rompu un charme, écarté les maléfices. La deuxième victoire de la Marne est aussi importante que la première. Paris, sauvé deux fois, a retrouvé en Foch une figure comparable au vieux Joffre. Même si la situation est injuste pour Pétain et Fayolle, qui ont permis la remarquable résistance de la Montagne de Reims, Foch et Mangin apparaissent comme les vainqueurs de ces chaudes journées de juillet où la respiration des terres à blé donnait à penser à Ludendorff que les Français avaient employé des brouillards artificiels. En disgrâce depuis l'affaire Nivelle, Mangin, surnommé en 1917 « le boucher », impatient de retrouver sa gloire, avait saisi la chance que Foch, avec obstination, lui avait offerte à la tête de la 10ᵉ armée.

Il y avait un autre vainqueur : Pershing, dont les unités avaient beaucoup contribué au succès. Désormais il n'avait plus peur d'assumer pleinement ses responsabilités au feu. Le 21 juillet, à Bombon, il demandait à Foch de commander lui-même la première armée américaine installée sur la Marne, avec son poste de commandement à La Ferté-sous-Jouarre. Bientôt la deuxième armée tiendrait en Lorraine le front de Saint-Mihiel.

Car l'offensive se poursuivait : Foch dégageait, du 25 au 28 juillet, la voie ferrée Paris-Avricourt, dans la région de la Marne. Soissons était repris début août, la Vesle dégagée. Une attaque en Picardie était aussitôt préparée. Au rythme de 200 000 par mois, les Américains étaient désormais en mesure d'assurer la victoire irrésistible des armées alliées : Ludendorff avait manqué son coup.

Il entr'aperçut la défaite le 8 août, jour de l'offensive française visant à dégager la voie ferrée Paris-Amiens. Ce jour-là, 12 divisions anglaises et 15 françaises avaient fait un bond de 15 kilomètres, contraignant l'armée allemande à une retraite désordonnée. Un état-major de division avait été capturé. La surprise avait été presque parfaite et l'armée allemande avait donné de nombreux signes de panique, notamment devant les chars. Il y avait eu des refus de monter en ligne, des désertions. Ludendorff s'était senti si près de la catastrophe, en ce « jour de deuil », qu'il avait offert sa démission au Kaiser.

Par trois fois vainqueur, Ludendorff avait frôlé la victoire définitive. Il s'apprêtait à lancer dans les Flandres une grande opération contre l'armée anglaise, quand il avait été surpris, le 15 juillet, par la résistance imprévue des Français, et plus encore, le 18, par l'offensive de Mangin. Le 21, il n'avait pu tenir sur la Marne, avait dû consentir une retraite difficile de 40 kilomètres, les Français tenant sous leur feu l'unique chemin de fer qui assurait le ravitaillement des troupes aventurées. A la suite de ce contretemps qui avait failli tourner au désastre, il avait dû renoncer, en Flandre, à l'opération *Hagen*. Il n'avait plus désormais de politique de guerre. Avec des pertes de près d'un million de combattants depuis le 21 mars, et des renforts insuffisants, il savait désormais la victoire compromise : la journée du 8 août lui en avait apporté la preuve. Jusque-là, il pouvait croire les Alliés plus épuisés encore que les Allemands. Il n'en était rien : les Américains, fin juillet, étaient 1 145 000 en France. Ils seraient deux fois plus nombreux à la fin de l'année. Les Anglais, que l'on pouvait croire à bout de forces, avaient attaqué sur Bapaume et poursuivaient leur offensive sur Cambrai : il ne restait plus à l'armée allemande qu'à s'enterrer de nouveau sur la ligne Hindenburg. Le 8 août était bien son « jour de deuil ».

Comment accepter la négociation avec les Alliés dans des conditions aussi défavorables? « Je vois, a dit Guillaume II, qu'il faut tirer le bilan. Nous sommes à la limite de nos forces. La guerre doit prendre fin. » Ludendorff lui-même souhaite que l'on négocie. De son état-major qu'il vient d'installer à Spa, il le dit au gouvernement. Mais sur quelles bases? Il faut abandonner « la Belgique sans réserve », dit le vice-chancelier Payer, c'est le seul moyen de gagner l'Angleterre et l'Amérique à une paix honorable. Mais ni les Belges ni les Américains ne veulent prendre langue. La reine des Pays-Bas refuse de jouer les intermédiaires. D'ailleurs, le gouvernement allemand parle de la Belgique, non de l'Alsace-Lorraine. Espère-t-il encore enlever leur victoire aux Alliés?

Dans sa recherche d'une paix honorable sur les principes wilsoniens, il semble bénéficier du soutien de son opinion : le *Vorwärts,* journal social-démocrate, écrit le 12 août qu'un peuple qui recherche « la paix à tout prix » subit nécessairement le sort des Russes à Brest-Litovsk. Les Allemands ne veulent pas abandonner leur territoire. Mais Wilson exige la fin de tout « pouvoir arbitraire ». Quand à Clemenceau, il ne peut renoncer à ses buts de guerre et le fera savoir.

Le 3 et le 8 septembre, Foch a fait connaître ses « directives » pour l'offensive contre l'Allemagne : les 22 divisions de l'armée américaine et la 4ᵉ française attaqueront en Lorraine, avec Mézières pour objectif. Les Anglais, soutenus par un groupement français, perceront la ligne Hindenburg et poursuivront les Allemands jusqu'à Valenciennes, où ils ont établi une nouvelle ligne de résistance baptisée *Hermann*. Le roi Albert prendra la tête d'une armée de libération de la Belgique qui poussera sur Bruges. L'offensive générale est prévue pour le 26 septembre.

Ludendorff croit-il possible de tenir sur la ligne Hindenburg ? Il perd 200 000 hommes par mois, il est fâcheusement impressionné par les opérations de la mi-septembre. Le 12, une douzaine de divisions américaines, avec l'aide de 4 divisions françaises, ont réduit la « hernie » de Saint-Michel et se sont placées pour l'offensive de Lorraine. Le 14, le sinistre moulin de Laffaux, maintes fois pris et repris au cours de la guerre, est récupéré par les Français sur le plateau qui sépare les vallées de l'Ailette et de l'Aisne. Le 15, les Anglais ont montré leur agressivité contre la ligne Hindenburg dans la région d'Havrincourt. Sans doute sont-ils décidés à l'emporter.

Ludendorff ne peut envisager de rappeler de nouvelles troupes de l'est. Il a déjà fait venir à l'ouest les divisions les plus valables, commandées par des hommes jeunes. S'il ordonne de nouveaux transferts, l'Allemagne risque de perdre le bénéfice de sa paix orientale. Les Alliés regardent l'espace russe : ils méditent de créer, en Sibérie, avec l'appui du Japon, un nouveau front contre l'Allemagne. Ils ont sur place la « légion tchèque », 50 000 prisonniers libérés de l'armée austro-hongroise. Ils bénéficient du soutien d'un gouvernement anti-bolchevique installé à Samara, sur la Volga. Le 6 août, l'armée blanche de Samara a défait l'Armée Rouge et saisi les réserves d'or de la Banque russe d'État. Les Alliés peuvent aussi compter sur des généraux blancs de la Russie du Sud, Alexeïev, Denikine. Ils ont au nord, à Arkhangelsk, une base solide où ils ont débarqué un « gouvernement russe » qui est leur protégé. Les bolcheviks, menacés, ont demandé l'appui de l'Allemagne et conclu avec elle un traité, le 27 août. Berlin a promis aux Rouges Riga et Reval. En échange, ceux-ci ont reconnu l'indépendance de la Géorgie et d'une partie de l'Ukraine. Russes et Allemands écraseront ensemble Alexeïev et interviendront en Finlande. Pour « protéger » les États baltes, la Pologne et la Finlande, pour exploiter l'Ukraine et peut-être la Géorgie, Ludendorff, qui entend sauver le mythe oriental de la géopolitique allemande, a besoin de troupes.

Il peut d'autant moins libérer les fronts orientaux qu'il n'est pas sûr de son allié autrichien ; le 14 septembre, l'empereur Charles a fait connaître ses intentions de paix : « Chez nous, a dit son ministre Burian, c'est absolument la fin. » Vienne doit supporter l'humiliation d'un refus général des Alliés : à Paris, Clemenceau a un mot terrible : « Debout, dit-il, pour la victoire sans tache ! » Les Alliés entendent continuer la guerre jusqu'au bout. Comment les Allemands pourraient-ils traiter ?

Ludendorff perd ses dernières illusions à la fin de septembre quand s'écroule le front bulgare. Depuis le 19, il envisageait déjà la défaite de la Turquie : l'armée Allenby avait lancé une attaque en Palestine, avançant d'un bond de 40 kilomètres jusqu'à Tibériade. Les officiers allemands qui conseillaient les Turcs avaient dû s'enfuir en hâte. Trois armées turques étaient anéanties, Damas était perdue : seul Liman von Sanders tentait encore de tenir devant Alep.

Le 15 septembre, Franchet d'Esperey, qui avait pris en juin le commandement de l'armée d'Orient, avait lancé son offensive : contre une armée bulgare affaiblie, sous-alimentée, démoralisée, presque abandonnée par les Allemands, il avait crevé le front dans la région montagneuse de Dobropolié. Serbes et Français avaient poursuivi leur avantage, et la cavalerie française du général Jouinot-Gambette avait lancé un raid audacieux sur les arrières de l'armée bulgare, empruntant de difficiles chemins montagneux pour s'emparer par surprise de Prilep, puis d'Uskub. Les Alliés avaient désormais les moyens de marcher sur le Danube, d'envahir la Hongrie. Ludendorff dut enlever d'urgence quatre divisions du front oriental pour les faire marcher sur les Balkans. Trop tard : dès le 25 septembre, le général en chef bulgare avait demandé l'armistice. Celui-ci fut signé le 29. Les troupes bulgares évacuèrent les territoires grecs et serbes : les Allemands perdaient leur liaison directe avec Constantinople. Une partie du rêve oriental s'effondrait sans qu'ils eussent les moyens d'intervenir.

Le 26 à l'aube, les canons tonnaient des monts de Champagne à la Meuse, sur 70 kilomètres de front. Les Américains avançaient dans l'Argonne, sans réussir la rupture. Le 27, les Anglais attaquaient à leur tour, sans pouvoir enlever la ligne Hindenburg. Ludendorff avait-il raison de penser qu'il fallait attendre le moment favorable pour négocier?

Le 1er octobre dans la nuit, les Anglais s'emparaient de Saint-Quentin, pivot des défenses allemandes dans le Nord de la France. De Cambrai jusqu'à l'Oise, 50 kilomètres de la ligne Hindenberg étaient entre les mains des Alliés. Une offensive avait fait quelques progrès dans le secteur d'Ypres. Le maréchal Haig pouvait légitimement penser qu'il était possible d'obtenir un « effondrement complet » de l'adversaire.

Dès le 28 septembre, Ludendorff avait fait savoir au chancelier qu'il exigeait une demande de paix, faite par un gouvernement parlementaire désigné sur « une base large » A l'évidence, ce faisant, il regardait dans la direction de Wilson dont il souhaitait un appui relatif dans la négociation. Hertling démissionna. Quelques heures plus tard, Ludendorff dit à Hindenburg que l'Allemagne devait demander l'armistice à Wilson. Le 29, il estimait cette demande d'une nécessité immédiate. L'empereur se rangeait aussitôt à son point de vue et appelait au pouvoir le beau-frère de sa fille, Max de Bade, un libéral qui avait refusé de soutenir la campagne sous-marine « à outrance » et qui s'était déclaré partisan, en 1917, d'une paix de compromis. Ludendorff multipliait les pressions, les mises en demeure pour que le chancelier désigné adressât au plus tôt une « note de paix » à Wilson. « Je veux sauver mon armée », disait-il.

Max de Bade refuse de faire une démarche qu'il n'approuve pas. Hindenburg se joint à Ludendorff pour faire pression sur lui. « Le grand quartier général, dit Max de Bade, a-t-il conscience que les pourparlers peuvent aboutir à la perte des colonies allemandes et de territoires allemands, en particulier de l'Alsace-Lorraine et des cercles purement polonais des provinces de l'Est? » Les chefs deviennent soudain évasifs. Ils ne veulent rien abandonner. Mais ils insistent encore pour que la demande d'armistice soit envoyée. Max de Bade doit se sacrifier : « Le haut commandement la tient pour nécessaire, lui dit le Kaiser, et tu n'es pas ici pour créer des difficultés au haut commandement ». La demande est expédiée à 1 h 10, dans la nuit du 3 au 4 octobre.

Ludendorff a-t-il voulu se décharger du fardeau de la paix sur les civils? Il faut, disait-il, « que les hommes politiques mangent la soupe qu'ils ont fait cuire ». A-t-il lancé une manœuvre politique dans le but d'épargner à l'armée la responsabilité de la défaite? Depuis le 8 août, il sait qu'il ne peut gagner. Il a sacrifié 200 000 hommes par mois depuis cette date funeste, et il ne veut pas prendre, au nom du grand quartier général, l'initiative publique d'une démarche qui mette en cause l'honneur de l'armée. L'empereur n'a pas songé une seconde à lui résister. Comme le remarque Pierre Renouvin, « il a suffi que le quartier-maître général le déclare nécessaire pour que le commandant en chef, le ministre des Affaires étrangères se résignent aussitôt [à demander l'armistice]. Nul d'entre eux ne s'est avisé de prendre l'avis des commandants de groupes d'armées, et bien moins encore celui des ministres ». Pour la paix comme pour la guerre, l'Allemagne wilhelminienne est restée jusqu'au bout soumise au pouvoir de son état-major. Il est vrai cependant que l'état-major a pu craindre, à partir d'août 1918, d'être débordé par ses troupes.

La lassitude des combattants allemands est décelable à la fois chez les vieilles troupes, fatiguées des campagnes, souvent transférées à plusieurs reprises d'est en ouest et d'ouest en est depuis 1914, et chez les jeunes de la classe 1919 effrayés par le déluge de feu du front occidental. A la 232ᵉ division, prussienne de formation, on a récupéré des prisonniers de guerre venus de Russie après Brest-Litovsk : ils constituent des sections très indisciplinées, qui affectent le moral des jeunes. Les Saxons et les Brandebourgeois de

la 234ᵉ se plaignent : les bataillons comptent trop de blessés trop vite
guéris : les médecins ont hâte de les renvoyer « à l'abattoir ».
Restent en ligne en septembre 25 % des hommes recrutés en janvier.
La 235ᵉ division a si mauvais esprit qu'elle est une des premières
dissoutes, en août 1918, quand il faut réduire, faute d'effectifs, le
nombre des unités. On pourrait multiplier les exemples. Le mauvais
moral de l'armée allemande devient un des thèmes quotidiens des
services de renseignements alliés. On câble de Copenhague, le
28 juillet (attaché militaire français), que d'après les services de
renseignements danois, « des actes d'indiscipline de plus en plus
nombreux se produisent dans l'armée allemande. Au front, les vieux
soldats refusent de marcher et à l'intérieur, les désertions se
multiplient. Les grandes villes sont le refuge de tous les réfractaires
qui échappent aux recherches grâce à la complicité de la population. Les renforts envoyés des dépôts au front arrivent incomplets
par suite des fuites continuelles pendant le trajet en chemin de fer ».
Le 22 août, de la même source : « Trois divisions auraient récemment refusé de marcher à l'attaque dans la région à l'est d'Amiens.
Ces divisions auraient été envoyées dans des camps de répression à
Sedan et en Lorraine. » Le 6 septembre, les journaux danois sont
nombreux à relever les cas d'indiscipline et de démoralisation. « La
brèche ouverte dans la ligne Hindenburg apparaît comme une
menace très inquiétante, note l'attaché militaire, et comme un signe
de dépression des troupes. » Le 11, « mouvement violent de réaction
libérale et opposition au mouvement pangermaniste ».

Les S.R. de Belfort centralisent, à la frontière suisse, les
renseignements sur l'Allemagne : à la suite du discours prononcé
par Guillaume II le 11 septembre à Essen, aux usines Krupp, dans
le but de rendre son courage au peuple allemand, on note les
réactions de l'opinion : « Allons-nous croire que le Bon Dieu va nous
abandonner au dernier moment ? » a dit Guillaume. Le discours,
dans le pays, « a causé un sentiment de gêne ». Si, pour les
conservateurs, l'empereur est « le véritable directeur des consciences allemandes » (*Tägliche Rundschau*), le *Chemnitzer Volks-
stimme*, socialiste, est plein d'ironie : « C'est avec une profonde
satisfaction que les ouvriers socialistes, les " sans patrie ", comme
les appelait l'empereur dans ses discours de jadis, les " misérables ",
suivant l'expression du Kronprinz, apprendront maintenant que
Guillaume II les considère comme ses " chers amis " ». Quant au
Münchner Post, il affirme carrément : « Guillaume II prend les
ouvriers pour des imbéciles. » Pour les catholiques, l'empereur « est
un bon époux et un fervent chrétien », comment ne toucherait-il pas
le cœur de l'ouvrier allemand ? (*Kölnische Volkszeitung*). Après
tout, « l'Allemagne est un navire battu par la tempête. Nous n'avons
pas le choix, aujourd'hui. Il faut tenir jusqu'à ce que nos ennemis
soient persuadés que, malgré tous leurs sacrifices, ils ne nous

abattront pas ». C'est alors seulement qu'ils songeront à « entrer en pourparlers ». Et le journal catholique lance cet avertissement apeuré : « La mutinerie amène la catastrophe avec une certitude mathématique. »

Les pangermanistes et les amis de l'état-major s'agitent, fin août-début septembre, pour remonter le moral de la nation. Pour le *Sedantag* (jour anniversaire de la victoire de Sedan), Hindenburg a expliqué aux Allemands que toute manifestation de découragement est l'effet de la propagande de l'ennemi. Des commandants de région ont frappé de lourdes amendes et de peines de prison les colporteurs de faux bruits. Les généraux prennent la parole dans des manifestations patriotiques : Freytag Loringhofen à Berlin, le comte Witztum à Dresde. Au moment où les parlementaires catholiques, socialistes, progressistes même, ne dissimulent pas leurs inquiétudes pour l'avenir de l'Allemagne et envisagent des solutions politiques pour permettre à l'état-major et à l'empereur de sortir de l'impasse, les pangermanistes et les conservateurs s'efforcent en vain de reprendre en main l'opinion : la seule qu'ils ne puissent pas contrôler est celle des troupes...

Le moral des soldats français est-il meilleur? D'après le contrôle postal [8], à la 163ᵉ division d'infanterie, qui combat dans la 3ᵉ armée, on espère la paix dans l'année, « c'est d'ailleurs cette conviction qui nous donne du courage ». Un jeune écrit à sa fiancée : « Au diable toutes les considérations de sécurité, de sauvegarde, de revanche. Au diable toutes les sornettes prônées aux tribunes par les caïmans et les marchands de patrie. Je ne connais qu'une patrie, c'est celle de la paix. » A l'armée Mangin, après la victoire, les hommes, qui ont combattu huit jours d'affilée, sont épuisés. Mais ils ont le sentiment que la guerre va se terminer. La présence des Américains leur donne confiance : « Des soldats merveilleux – écrit un poilu –, il est vrai qu'ils ne font pas la guerre depuis quatre ans. » « Nous sommes bien fatigués, dit un autre, mais nous avançons tous les jours, cela nous encourage et nous fait oublier la fatigue. » En septembre, beaucoup d'hommes, épuisés, demandent la relève : le poilu ne fléchit pas, mais « l'importance des pertes provoque une dépression ». Comme l'écrivent Devos et Waksman, « la haine de l'Allemand, le sentiment du devoir, la victoire entrevue dans le mois d'août, ont permis de tenir... Les pertes des derniers combats de la guerre ont ranimé les craintes, et c'est un soulagement unanime que procure la nouvelle des négociations d'armistice. Ils sont recrus de souffrance et de fatigue : l'élan d'août 1914 n'existe plus ».

L'armée française ignore, en septembre, que l'Allemagne songe à faire la paix : deux mois et demi de guerre, de nouvelles offensives

---

8. Devos et Waksman, *Le moral à la 3ᵉ armée en 1918, d'après les archives de la Justice militaire et du contrôle postal.*

seront nécessaires avant d'aboutir; des milliers de vies seront gaspillées avant qu'un accord ne soit établi. Le long tour de valse de Wilson et de Ludendorff prolonge le bal.

Les Allemands comptent, selon les principes de Clausewitz, mettre à profit cette prolongation pour continuer « la guerre dans la paix ». En maintenant l'armée intacte, ils obtiendront de meilleures clauses d'armistice, à condition qu'ils restent maîtres du jeu et parviennent à dissocier, par un dialogue direct avec Wilson, le front uni de leur adversaires.

L'échec de la première offensive générale des Alliés sur le front allemand encourage l'état-major dans son attitude : cette offensive, lancée le 26 septembre, n'obtient pas de résultats spectaculaires. Les Américains piétinent dans l'Argonne, où les troupes de von Gallwitz leur infligent des pertes sévères. Les Français s'enfoncent dans le massif de Moronvilliers, à l'est de Reims, sans parvenir à s'en emparer. Les Anglais entament la ligne Hindenburg en plusieurs points, sans vraiment la rompre. Au nord, ils sont longtemps arrêtés par la forêt d'Houthulst. La catastrophe redoutée par Ludendorff a pu être évitée par la bonne résistance de ses troupes. La progression des Alliés est entravée par les difficultés de communication (les Allemands ont fait sauter les ponts, les tunnels, les voies ferrées), par le grand nombre de nids de mitrailleuses qui immobilisent les assaillants pendant de longues heures et par la difficulté d'harmoniser l'offensive avec des armées très différentes. Le grand quartier général estime donc possible d'écarter la suggestion de Boehm, d'un repli immédiat sur la position Anvers-Meuse, pour adopter la tactique du « repli progressif ». Dans cet esprit, les Allemands s'établiront, à partir du 10 octobre, sur la position *Hermann*. Ludendorff a les moyens de supposer qu'une véritable offensive de grande envergure ne pourra être lancée par les Alliés avant le 15 novembre.

Sans l'accord de ses « associés », Wilson répond une première fois à la note allemande, le 8 octobre. Lloyd George est furieux d'être tenu à l'écart, Clemenceau est perplexe, Orlando inquiet. Poincaré, président de la République en France, a peur « qu'on ne coupe les jarrets de nos troupes par un armistice, si court soit-il ». Pour lui, l'Allemagne amuse Wilson avec de « fausses négociations ». La réponse de Wilson est plutôt un questionnaire et n'a pas lieu d'alarmer ses alliés : le seul point précis qu'il mette en avant est l'évacuation des territoires envahis. Le seul fait qu'il engage seul la négociation indigne pourtant tout à la fois les Européens et les opposants républicains au Congrès américain, pour qui la paix ne doit pas être envisagée sans capitulation préalable de l'Allemagne. Lloyd George et Clemenceau sont d'accord pour exiger que des garanties militaires solides, empêchant toute reprise du conflit, soient immédiatement imposées.

En Allemagne, le gouvernement Max de Bade n'est pas décidé à accepter n'importe quelles conditions. Il est composé d'anciens de la majorité de 1917, celle qui a voté la « résolution de paix du Reichstag »; des socialistes comme Ebert et Scheidemann, des catholiques du Centre comme Erzberger, des progressistes comme Haussmann, soutiennent le cabinet quand il affirme, comme l'écrit Walther Rathenau dans la *Vossische Zeitung* : « Nous ne sommes pas battus ». En 48 heures, pour éviter la révolution et inspirer confiance à Wilson, l'empereur a accepté le régime parlementaire; il croit pouvoir s'en féliciter : le nouveau cabinet, le 4 octobre, a rédigé un projet commentant les 14 points de Wilson, refusant de rendre l'Alsace-Lorraine sans plébiscite, maintenant la présence allemande à Dantzig. Max de Bade affirme que l'Allemagne n'acceptera qu'une paix « compatible avec l'honneur ». Sinon, elle « luttera jusqu'à la mort ». Les socialistes majoritaires l'approuvent : « Malheur au peuple qui pose les armes cinq minutes trop tôt », écrit le *Vorwärtz*. Max de Bade a lu avec plaisir que la première note de Wilson ne faisait pas mention de l'Alsace-Lorraine : tous les espoirs sont permis. Le 9, Ludendorff est rassuré : « L'armée, dit-il, doit rester prête à combattre. » Max de Bade, le 12 octobre, accepte les conditions de Wilson et se dit qualifié pour traiter « au nom du peuple allemand ».

La seconde note de Wilson, rédigée le 14 octobre, définit plus précisément les conditions de l'armistice : ses clauses seront soumises aux conseillers militaires alliés et devront garantir « la suprématie militaire actuelle ». Il faut tout de suite renoncer « aux méthodes de guerre illégales et inhumaines comme la guerre sous-marine ». Il faut enfin que la « nation allemande » réduise à l'impuissance le « pouvoir arbitraire ». Les « associés » sont de plus en plus indignés : le président ne donne aucune précision sur le désarmement qu'il faut obtenir d'emblée. Il ne souffle mot de l'Alsace-Lorraine. Pourquoi n'a-t-il pas consulté ses alliés?

Sans doute le torpillage, le 13 octobre, du paquebot *Leinster*, où 150 passagers ont péri – information reprise avec indignation dans toute la presse américaine –, est-il pour beaucoup dans l'insistance de Wilson à vouloir faire cesser sur-le-champ la guerre sous-marine, cause de l'entrée en guerre des Etats-Unis. Mais cette attitude trop personnelle est inacceptable pour ses associés : très curieusement, elle provoque en Allemagne un débat à retardement sur la lutte sous-marine à outrance, de nouveau défendue par l'amiral von Scheer... Une âpre discussion est nécessaire avant qu'on ne décide de donner satisfaction à Wilson. Ludendorff, plus confiant que jamais, rassure l'empereur que les attaques de Wilson contre le « pouvoir arbitraire » avaient « consterné » : « Empoignez le peuple, lui dit-il, soulevez-le », l'Allemagne n'obtiendra de bonnes conditions de paix qu'en combattant! La réponse allemande, vague et conditionnelle, est dépêchée à Wilson le 20.

Celui-ci répond le 23 en termes très fermes. Il informe le gouvernement allemand que l'armistice ne sera signé qu'à une condition : s'il rend impossible la reprise de la guerre par les Allemands. Il maintient son exigence d'élimination des « maîtres militaires » et des « autocrates monarchistes ». Il donne pour la première fois communication de sa note aux gouvernements « associés » et précise qu'il n'a nullement l'intention de signer un « armistice prématuré ». Le front allié est reconstitué, ainsi que l'écrit Pierre Renouvin : « la note américaine du 23 octobre a mis fin à un aparté germano-américain ».

Les Allemands ont-ils les moyens de poursuivre la guerre en rompant le dialogue? Ludendorff, dès qu'il a connaissance de la réponse américaine, déclare qu'il faut « poursuivre la lutte jusqu'au bout ». Au gouvernement, Max de Bade a la grippe, Stresemann est alité; en un jour, plus de 1 500 Berlinois sont morts de la grippe espagnole, et le climat n'est pas à l'optimisme. Hindenburg et Ludendorff vont voir l'empereur :

– La réponse de Wilson, explique Hindenburg à la presse, exige la capitulation militaire. Elle est donc inacceptable pour nous, soldats.

Max de Bade a demandé l'élimination des militaires. Ludendorff offre sa démission, aussitôt acceptée. Hindenburg propose la sienne : « Vous restez! » lui dit l'empereur. Comment renvoyer le vainqueur de Tannenberg, l'idole de l'Allemagne en guerre, fût-ce pour sauver un trône? Ulcéré, Ludendorff, en quittant le palais impérial, refuse de s'asseoir dans la même automobile que le maréchal.

Les « associés » vont-ils se contenter d'une tête? Les Allemands n'ont plus les moyens de discuter : ils viennent d'apprendre que l'Autriche est à quelques heures de la capitulation. Dans tout l'Orient, le système allemand, après la paix bulgare, s'est effondré : Enver pacha a quitté le pouvoir en Turquie au profit d'Izzet pacha, ami des Anglais, qui traite avec un général britannique prisonnier, Townshend, interné dans l'île de Prinkipo. Les Turcs acceptent d'ouvrir les Détroits aux Alliés, de leur livrer les tunnels du Taurus et le pétrole de Bakou. Ils vont signer, à Moudros, le 30 octobre 1918 avec un amiral anglais. Il ne faut plus compter, à Berlin, sur la Turquie.

Pas davantage sur l'Autriche : l'empire est en révolution, les Polonais de Galicie veulent leur indépendance, les Ukrainiens aussi. Serbes, Croates et Slovènes ont affirmé à Agram leur désir d'union. Les Tchèques, à Prague, ont affiché leur indépendance. Même les Roumains de Transylvanie souhaitent élire une assemblée nationale. En Hongrie, le comte Karolyi vient de se déclarer « ami de la France » et de former un « Conseil national hongrois » indépendant de tout lien avec Vienne. Le chef d'état-major autrichien a demandé au Conseil des ministres, le 22, la conclusion d'un armistice immédiat : dans ses régiments, les soldats des nationalités opprimées désertent en masse.

Les Français et les Serbes le savent : ils avancent dans la vallée de la Morava, marchent sur Belgrade, passent le Danube, s'installent en Hongrie. Vers l'ouest, ils sont à Novibazar; vers l'est, à Negotin. La Roumanie libérée livrera passage aux troupes alliées. L'Italie, sur la Piave, prend enfin l'offensive dans la soirée du 26. Des unités anglaises, françaises et tchèques participent au combat. Le lendemain, le fleuve est franchi. « Je ne connais pas l'honneur militaire, dit à Ludendorff le vice-chancelier Payer. Je ne suis qu'un méchant civil et je vois seulement le peuple qui a faim. » La réponse envoyée à Wilson lui donne satisfaction sur tous les points : les Allemands promettent de désarmer et de procéder à la réforme de leurs institutions. Cette résignation leur est imposée par les circonstances. L'état-major s'est arrangé pour en refuser la responsabilité.

Le départ de Ludendorff ne produit en Allemagne aucune réaction politique notable, aucune émotion dans la presse : la population, explique le *Berliner Tageblatt*, « ne veut plus entendre parler des hommes qui lui ont déclaré que l'Amérique ne prendrait jamais part à la guerre et que, si elle y prenait part, cela n'aurait aucune importance ». Au demeurant, le quartier-maître général n'était-il pas à l'origine de la négociation d'armistice précipitée? N'avait-il pas lui-même insisté sur son urgence? La réponse des Alliés rendait désormais le processus irréversible, comme si le départ de Ludendorff avait d'un coup rendu la paix possible.

En fait, Foch n'y croyait pas. Il faisait ses plans de campagne pour 1919. Il n'attendait pas de résultats décisifs de l'offensive de Lorraine préparée par Pétain, qui devait commencer le 14 novembre.

Les Allemands avaient encore en ligne 146 divisions d'infanterie, dont 27 en réserve. Les Alliés disposaient désormais de la supériorité absolue en hommes et en matériel. Les grandes offensives avec soutien massif de chars et d'aviation semblaient irrésistibles; pourtant, on se battait encore pied à pied. Des dizaines de milliers d'hommes tombaient pour permettre de signer une paix conforme à l'honneur des militaires. Ludendorff parti, Groener, administrateur méthodique, avait dirigé la retraite de l'armée allemande quand l'écroulement de l'Autriche-Hongrie et les attaques à l'ouest, reprises à partir du 31 octobre, l'avaient obligé à reculer. Le 2 novembre, dans la région de Valenciennes, le prince Rupprecht de Bavière avait dû abandonner la ligne d'Anvers. La veille, les Américains avaient enlevé dans l'Argonne le défilé de

Grandpré. Les coups de boutoir de Foch ébranlaient l'ensemble du front : le 3, le centre allemand reculait de 15 kilomètres; le 4, dix-sept divisions partaient à l'attaque sur la Sambre; le 5, les Anglais étaient sur l'Escaut, les Américains franchissaient la Meuse, menaçant l'artère vitale du front allemand, la ligne de chemin de fer ouest-est Mézières-Sedan-Montmédy. Tous les jours, des hommes tombaient pour contraindre les Allemands au recul, et ceux-ci acceptaient encore de se faire tuer pour enlever leur matériel, leurs armes, des régions envahies et opérer les destructions que leur commandement jugeait nécessaires. Le 14 au matin, les 14 divisions d'infanterie et les 3 divisions de cavalerie de la 10ᵉ armée (Mangin) avaient encore été choisies pour la « rupture » : elles perceraient le front allemand entre Pont-sur-Seille et le canal de la Marne au Rhin.

Les troupes du front ouest ne devaient pas être en retard pour entrer sur le territoire de l'ennemi : les fronts orientaux venaient de craquer. Les Italiens avaient remporté, à Vittorio Veneto, le 30 octobre, une victoire éclatante sur un ennemi découragé. Les Serbes et les Français de Franchet d'Esperey, le 1ᵉʳ novembre, avaient défilé dans Belgrade. A Prague, le Conseil national tchèque avait proclamé la République tchécoslovaque. Les Serbes de Zagreb se réunissaient pour fonder un Etat souverain avec les autres Slaves du Sud, cependant que ceux de la langue allemande formaient un « Etat autrichien ». Karolyi annonçait à Budapest, dans une atmosphère d'émeute, la fin de la monarchie dualiste. Alors que Charles 1ᵉʳ négociait de toute urgence l'armistice, il venait d'apprendre que le comte Tisza, qui avait longtemps tenu les nationalités sous la botte hongroise, venait d'être assassiné. Rien ne pouvait plus sauver l'empire.

Du moins Charles 1ᵉʳ voulait-il sauver l'honneur en ne permettant pas aux troupes italiennes de traverser l'Autriche pour attaquer l'allié allemand. Il se proposait de s'opposer par la force à cette exigence si elle était formulée : « Tu peux, sur ce point, me faire confiance absolument », dit-il à Guillaume II. Mais comment résister, alors que les soldats hongrois, sur l'injonction de Karolyi, déposaient les armes sans attendre l'armistice? Charles 1ᵉʳ allait-il « se mettre à la tête de ses Allemands d'Autriche? »

Le 2 novembre, il apprit qu'il avait trente heures pour signer un armistice donnant aux Alliés le droit de passage. Embarrassé, il consulta les membres du Conseil d'État autrichien : ceux-ci répondirent qu'ils ne voulaient pas prendre une responsabilité dans la « liquidation » de la guerre, le gouvernement, en 1914, n'ayant nullement jugé utile de consulter les députés pour savoir s'il devait ou non attaquer la Serbie. Finalement, l'Autriche décida d'accepter les conditions italiennes, se réservant le droit d'émettre **une** protestation si l'on traversait son territoire : l'« honneur » était **sauvé** à bon compte. Le 3 novembre à 18 heures, à Villa Giusti, elle mettait bas les armes.

Foch avait donc désormais les moyens d'attaquer l'Allemagne du Sud. Le Conseil supérieur de guerre décida aussitôt de concentrer des divisions italiennes autour d'Innsbruck et de Salzbourg, pour foncer, avec quelques unités françaises et britanniques, sur Munich. Franchet d'Esperey arriverait à Vienne par le Danube. Les Allemands dirigèrent aussitôt sur le Tyrol deux divisions bavaroises du front français. Les 170 000 hommes de Mackensen tenaient encore campagne sur le front du Danube et pouvaient retarder les Français. Le 10, ceux-ci franchissaient le fleuve, assurés que le roi de Roumanie ne leur tirerait pas dans le dos : il avait de nouveau mobilisé les Roumains aux côtés de l'Entente, contraignant les Allemands à évacuer son territoire. S'ils faisaient encore bonne figure à l'ouest, les généraux allemands avaient-ils les moyens de tenir le sud et l'est? Devaient-ils rapatrier leurs troupes d'Ukraine et des pays baltes?

Quand ils avaient répondu, le 27 octobre, à la dernière note de Wilson, ils n'avaient pas encore réalisé l'étendue de leur défaite, et seule la presse socialiste réclama fermement l'abdication de l'empereur. Le Centre acceptait qu'il restât, à condition qu'il admît la monarchie parlementaire. Le *Vorwärtz* était certes partisan de « hâter l'arrivée de la paix », mais pensait aussi qu'il faudrait « sauver l'honneur », si la paix était « ignominieuse ». L'Allemagne politique tout entière, de la gauche à la droite, faisait front pour demander une fin honorable à une guerre qu'elle avait constamment acceptée et soutenue. Seuls les spartakistes publiaient le 26 octobre un appel « aux travailleurs et aux bourgeois », contre les militaristes qui voulaient « faire la guerre jusqu'au dernier homme ». Le 27, des manifestants parcouraient Berlin, drapeau rouge en tête, criant avec Liebknecht, au théâtre de Moabit : « A bas les Hohenzollern, vive la révolution sociale! »

Guillaume II a quitté Berlin, il est au quartier général. Il sait que Wilson a demandé son départ, mais qu'aucune personnalité politique allemande, et surtout pas Max de Bade, n'ose le lui suggérer, à cette date du 31 octobre, même s'ils y pensent tous déjà. Comment resteraient-ils sourds aux menaces qui viennent de Bavière? Si les Etats du Sud se détachaient de la Prusse pour traiter des paix séparées plus avantageuses, ce serait la fin du Reich. Max de Bade songe à une abdication sauvant la dynastie, avec un conseil de régence : le départ de l'empereur serait présenté comme un « sacrifice » destiné à faciliter la paix. Un mouvement se dessine en faveur de cette thèse chez les sociaux-démocrates, les progressistes et la gauche du Centre. Seuls les militaires tiennent bon, appuyés sur l'opinion conservatrice. Même le Westphalien Groener soutient encore le Kaiser. Il pense qu'il devrait rester à l'armée, et peut-être descendre aux tranchées : ce serait, dit-il, « une belle fin ». La place de l'empereur est parmi les combattants.

L'ouverture de la frontière vers l'Autriche, à partir du 3 novembre, et surtout la mutinerie des équipages de la flotte à Kiel accentuent la menace de dislocation interne du Reich : les marins ont refusé la dernière sortie que méditait l'état-major le 28 octobre. Ils n'ont pas envie de « sauver l'honneur ». Deux cuirassés et un croiseur de bataille sont en insurrection, sur le modèle russe : drapeau rouge aux mâts et feux éteints. Les ouvriers de l'arsenal, les troupes d'infanterie de marine se joignent au mouvement. Les « conseils d'ouvriers et de matelots » demandent l'abdication de l'empereur et la paix immédiate. « Nous ne pouvons pas attendre, dit le 4 novembre le socialiste Erzberger. Sinon, le peuple nous brisera. » Si nous laissons arborer le drapeau rouge, surenchérit le socialiste David, c'est « le drapeau blanc » qu'il faudra hisser. Et le général Groener, au cabinet de guerre du 5 : « Le pire danger, c'est le bolchevisme. »

Si le général maintient encore, jusqu'au 6, que le départ de l'empereur, en décourageant les officiers, ferait tomber le seul barrage contre la révolution, il est bien le seul. Même les milieux d'affaires pensent désormais que l'abdication immédiate de Guillaume II est le seul moyen de sauver l'Allemagne. L'évolution de la situation militaire a du reste convaincu (après l'attaque américaine et le passage de la Meuse) et Groener et l'empereur qu'il faut désormais, de toute urgence, s'adresser directement à Foch et conclure avec lui l'armistice, même s'il impose des conditions militaires très dures.

Ces conditions ont été fixées en commun par les Alliés après de longues discussions qui ont commencé dès le 7 octobre : ce jour-là, les chefs de gouvernement ont pensé que l'Allemagne devait évacuer tous les territoires de la rive gauche du Rhin. Foch a exigé des têtes de pont sur la rive droite. A plusieurs reprises, il a eu l'occasion de défendre sa thèse des « sécurités sur le Rhin », avec occupation prolongée jusqu'à la paix. Il a même été rappelé à l'ordre par Clemenceau, qui n'admettait pas qu'il empiétât, en suggérant la formation d'« Etats-tampon » sur la rive gauche du Rhin, sur les attributions du pouvoir civil. Foch s'est donc borné à demander, le 25 octobre à Senlis, que les Allemands, retirés jusqu'au Rhin, livrent leur artillerie lourde, leur matériel de chemin de fer, leurs mitrailleuses, et permettent aux Alliés d'occuper des têtes de pont sur la rive droite. Les trois chefs politiques ont repris, le 31, les stipulations de Foch, non sans avoir longuement discuté des clauses d'occupation des territoires allemands, dont ne voulaient pas les Anglo-Saxons. Ceux-ci sont partisans de ne pas désarmer intégralement l'Allemagne, car son armée doit continuer à garder « le boulevard contre le bolchevisme ». Ils sont d'accord pour interner « dans un port neutre » – et pour ne pas incorporer dans les flottes alliées – les navires de guerre allemands : pas d'humiliation inutile.

Encore fallait-il préciser, à l'intention du gouvernement allemand, que l'on traiterait sur la base des « 14 points » du président Wilson. Un mémorandum fut expédié à Berlin le 5 novembre : il exprimait les deux réserves faites la veille au président américain par les gouvernements alliés; ceux-ci gardaient « entière liberté d'action » sur l'interprétation du principe de la liberté des mers : les Anglais n'avaient pas voulu renoncer à leur droit au blocus; il précisait aussi que l'Allemagne serait contrainte, pour restaurer les pays qu'elle avait envahis, à payer des dommages de guerre. Les Alliés n'avaient pas fait d'observation sur les questions territoriales, qui n'avaient pas été discutées : Clemenceau et Orlando y avaient renoncé. Les Allemands se trouvaient en présence d'un texte qui faisait l'unanimité et qui servirait de base à la future paix. Les Alliés n'avaient pas voulu discuter entre eux, avant l'armistice, des frontières de l'Alsace-Lorraine et de la Pologne, de la durée d'occupation du Rhin, du rattachement éventuel – que beaucoup redoutaient – de l'Autriche allemande à la future Allemagne.

Le document des Alliés, arrivé à Berlin, soulagea les Allemands qui allaient pouvoir éviter « la capitulation en rase campagne ». Ils donnaient aussitôt des ordres pour que la commission d'armistice gagnât les lignes alliées.

Le 7, à 20 heures, les Allemands se présentent devant les lignes françaises, à Hautroy, au sud-ouest de La Capelle. Un civil, le ministre d'Etat Erzberger, un diplomate de rang mineur, le comte von Oberndorff, un capitaine de vaisseau, Vanselow, un général qui avait été attaché militaire à Paris, von Winterfeldt, se rendent en automobile à Saint-Quentin, puis à Tergnier, où le train spécial les attend pour les conduire à Compiègne. Ils pénètrent dans le wagon du maréchal Foch, président de la délégation interalliée. « Essayez d'obtenir le plus que vous pourrez pour notre patrie », leur avait dit simplement Hindenburg.

Le délai, pour l'acceptation, était de trois jours. Foch avait refusé que le cessez-le-feu fût immédiat. Du 8 au 11 novembre, les combats continuent, les hommes se font tuer en ligne dans des opérations de détail. Le courrier chargé d'emporter le texte définitif à Berlin, le capitaine von Helldorff, doit franchir des rivières sans ponts et affronter des feux d'artillerie sur sa route. Le 9 au matin, il n'a pas réussi à passer. Foch lui a proposé un avion. Il réussit enfin à franchir les lignes, à 15 h 30, près de Fourmies. Il est au quartier général, à Spa, en fin d'après-midi.

A cette date, l'Allemagne est en pleine révolution : le 7, les mutins de Kiel ont rejoint Hanovre par chemin de fer, ils occupent la gare. Brunswick, Cologne sont gagnées par le mouvement. Des conseils y exigent le départ de l'empereur. Le 8, Magdebourg, Düsseldorf, Coblence accueillent la révolution. Dans la nuit, Kurt Eisner, socialiste indépendant, a instauré la république dans Munich occupée par ses partisans. Les spartakistes menaçent de prendre le pouvoir à Berlin, pour le premier anniversaire de la victoire des bolcheviks en Russie. « Notre conviction est que l'empire va se disloquer si l'empereur n'abdique pas immédiatement », dit Scheidemann qui menace lui-même de démissionner. Guillaume II pouvait-il encore tenir?

L'armée, consultée, affirme qu'elle n'est pas en mesure de continuer à tenir le front et d'affronter en même temps la révolution. Le 9, l'émeute a gagné Berlin. Les spartakistes, dans leur journal *Rote Fahne*, réclament la paix immédiate et la dissolution du Reichstag. La grève générale est annoncée. Les chasseurs de la garnison ne chargent pas les manifestants. A Spa, Groener refuse de lancer l'armée dans la guerre civile :

« Je veux conduire l'armée en bon ordre dans la patrie, lui dit Guillaume II.

– L'armée rentrera sous l'ordre de ses généraux, répond le quartier-maître général, mais non pas sous la direction de Votre Majesté.

– N'a-t-elle pas juré fidélité sur ses drapeaux?

– C'est une fiction. »

Interrogés, 39 généraux et colonels convoqués à Spa, venant des lignes, affirment qu'une opération de contre-révolution est impossible : « La troupe est encore fidèle à Votre Majesté, dit à l'empereur le colonel Heye, chef du bureau des opérations. Mais elle est avachie et indifférente. Elle ne veut que le repos et la paix. Elle ne marchera pas contre le pays, même avec Votre Majesté à sa tête. Elle ne marchera pas non plus contre le bolchevisme. Elle veut purement et simplement avoir l'armistice. »

Guillaume II finit par renoncer à la couronne, à condition de rester roi de Prusse. Max de Bade annonce l'abdication pure et simple et démissionne lui-même : le socialiste modéré Ebert devient chancelier. A Berlin, pour contenir et prévenir l'extrême gauche, Scheidemann a proclamé la république. Six commissaires du peuple (trois sociaux-démocrates, trois socialistes indépendants) dirigent le gouvernement : pas un spartakiste. Ils veulent, comme Ebert, « protéger le peuple allemand contre la famine et la guerre civile ». Le train spécial qui doit conduire Guillaume II en Hollande chauffe déjà. C'est seulement le 10, à 23 heures, qu'Erzberger apprend par les Français l'abdication et la formation du gouvernement Ebert. Il signe le 11 à 5 h 10. Une dépêche est arrivée à 22 heures 30, dans la nuit, l'autorisant à conclure. Elle émane du quartier général, sans signature. Il faut traduire les derniers mots de la dépêche : « *Reichskanzler. Schluss* » (le chancelier du Reich. Point final), et expliquer aux Français que Schluss n'est pas un nom de personne...

Les Français et leurs Alliés avaient fait quelques concessions : ils laissaient aux Allemands davantage de mitrailleuses et d'avions, ils accordaient des délais supplémentaires pour l'évacuation et pour la livraison des camions. Ils s'engageaient à ravitailler l'Allemagne pendant la durée de l'armistice. On accordait les honneurs de la guerre au général von Lettow-Vorbeck, le seul qui eût défendu, pendant toute la durée du conflit, la colonie allemande de l'Afrique orientale... Mais on prenait à l'Allemagne tous ses sous-marins et on lui demandait d'évacuer aussi les territoires de l'Est, de rappeler de Hongrie les troupes de Mackensen et les Bavarois du Tyrol. Enfin, le blocus était maintenu. L'Allemagne ne serait ravitaillée que par le bon vouloir des Alliés : elle était, disait Foch, « à la merci des vainqueurs ». Nul n'avait voulu prêter l'oreille à ceux qui estimaient, comme Poincaré ou Pershing, que l'armistice était prématuré. Il « épargne, avait dit Foch, 60 000 vies humaines ».

La fin du drame

Quand le clairon Sellier sonne la fin des combats, le 11 novembre à 11 heures du matin, le soulagement des combattants est immense, la joie des civils formidable. Les canons tonnent, les foules se pressent dans les avenues de New York, de Paris, de Londres, de Rome, de Bruxelles. A Metz, on renverse la statue équestre de Guillaume. Partout les cloches sonnent et les façades se fleurissent de drapeaux, c'est la fin du drame.

C'est aussi la fin d'un monde : celui des aristocraties européennes. Les Anglais souhaitaient poursuivre Guillaume II comme criminel de guerre. Il terminera paisiblement sa vie dans la Hollande occupée par les armées de Hitler, en 1941. Nicolas II n'avait pas eu la chance d'échapper au désastre : interné à Iékatérinenbourg, il avait été massacré avec sa famille dans une cave, à coups de revolver. Après la proclamation de la République autrichienne, le 2 novembre, l'Empereur Charles, le dernier des Habsbourg, s'était retiré en Hongrie, puis en Suisse. Il devait tenter, en 1922, un coup d'État à Budapest, et mourir à Madère dans le plus grand dénuement. Le sultan Mehmet VI qui avait, pour sauver son trône, accepté le contrôle des Alliés, était chassé du pouvoir, en 1923, par un général vainqueur, Mustapha Kemal, qui deviendrait le premier président de la République turque. Il n'y avait plus d'empires.

Toutes les familles régnantes d'Allemagne avaient disparu : plus de duc de Wurtemberg, ni de roi de Bavière, plus de grand-duc de Bade. Les seuls souverains à garder leur trône étaient ceux que les Alliés avaient maintenus ou installés : Boris III remplaçait Ferdinand à Sofia. Le roi Ferdinand de Bucarest restait en place, alors qu'en Grèce, Alexandre succédait, pour peu de temps, à son père Constantin. Pierre de Serbie devenait en décembre roi des Serbes, des Croates et des Slovènes, et le roi des Belges avait sa statue dans toutes les capitales des pays alliés. La guerre avait balayé quelques trônes, créé des Républiques en Allemagne, en Autriche, en

Hongrie, en Pologne, en Tchécoslovaquie, mais chétives d'apparence et pauvres en moyens.

Les régimes libéraux de l'Ouest se félicitaient bruyamment d'avoir traversé la tempête dans le bon fonctionnement de leurs institutions. Le renforcement des pouvoirs du président des États-Unis s'était traduit, il est vrai, par des contre-pouvoirs singulièrement efficaces : au moment où il signait l'armistice, Wilson savait qu'il venait de perdre la majorité à la Chambre des représentants, alors qu'il était déjà en minorité au Sénat. La dictature de fait exercée par le cabinet de guerre anglais, où Lloyd George régnait sans partage, était l'équivalent du pouvoir de force installé par Clemenceau en France : tous deux respectaient strictement la légalité mais utilisaient à leur profit les forces d'opinion et l'appareil de l'État. Ils avaient ainsi pu surmonter – jusqu'à la paix – toutes les formes de contestation. La satisfaction de Clemenceau était d'autant plus grande que la France, en 1914, avait été la seule « République » européenne parmi les États belligérants. Il n'était pas de ceux qui jugeaient superflu de rappeler que la république avait donné à la France sa victoire. Pourtant, les gouvernements vainqueurs – Lloyd George, Clemenceau, Orlando lui-même – étaient désormais, comme Wilson, à la merci de la paix : ils l'apprendraient à leurs dépens.

Que les vainqueurs politiques de la guerre fussent remis rapidement en question dans leur propre pays (Clemenceau devait être battu aux élections présidentielles de 1920) était, à tout prendre, la preuve que les démocraties n'avaient nul besoin, pour survivre, de sauveurs ni de héros. Aussi représentaient-elles, en 1918, des modèles politiques pour les dix jeunes nations qui s'étaient constituées sur les ruines des vieux empires.

La guerre avait-elle imposé à l'Europe l'idée de liberté? Certainement pas en Allemagne, où la forme républicaine était de circonstance et où l'armée, avec la complicité des Alliés, gardait tout son prestige – en dépit de la défaite – et tout son pouvoir. Le modèle libéral n'était accepté que du bout des lèvres par une société restée hiérarchisée, dont le but était de survivre au dépècement médité par certains vainqueurs, et surtout à la contagion du bolchevisme. « Notre réel danger, disait le 10 novembre le général anglais Henry Wilson, ce n'est plus maintenant le Boche, c'est le bolchevisme. » Si l'on avait laissé aux Allemands des mitrailleuses et des avions, c'était pour qu'ils se débarrassent au plus tôt de leurs « rouges », et montent la garde à l'est. Dans ces conditions, il n'était pas question de discréditer l'armée allemande qui allait faire, dans Berlin, une entrée triomphale.

Elle était la seule force à pouvoir empêcher les bolcheviks de gagner vers l'ouest. On hésitait à exiger son retrait des territoires occupés : les bolcheviks n'allaient-ils pas s'en rendre immédiatement maîtres ? Personne n'avait envie de protéger la Finlande ou la Pologne contre les armées de Trotski : on pouvait trouver expédient que les Allemands s'en chargent.

Mais, en même temps, on redoutait de les voir s'installer, s'enraciner dans l'immense Europe orientale. Les Anglais craignaient qu'ils ne renouent trop vite et trop fort des liens commerciaux, devançant les vainqueurs dans l'exploitation de ce marché, gagnant la paix après avoir perdu la guerre. Ni Wilson ni Lloyd George ne pensaient que le communisme pût-être un phénomène durable : il s'écroulerait en Russie, des élections feraient apparaître la multiplicité des tendances politiques, un nouveau régime serait constitué par les Russes enfin libérés de la guerre et de la terreur. Dans cet esprit, Wilson, plus encore que Lloyd George, voulait « causer avec » les bolcheviks. Il devait inviter Lénine dans l'île de Prinkipo, pour le confronter, sur le problème de la paix, avec les Russes des autres tendances politiques. Si l'on pariait sur le retour de la Russie, prise de folie, à la sagesse, n'était-il pas imprudent de laisser l'armée allemande faire la loi à l'est ?

Elle assure la paix en échelonnant ses divisions des pays baltes à l'Ukraine : les Alliés ont exigé qu'elle évacue le « grenier à blé », qui sera rapidement réoccupé par l'Armée Rouge de Trotski. Au moment de l'armistice, la 10ᵉ armée est à l'est de la Bérésina. Elle se replie également. La 8ᵉ armée défend les Polonais contre les bolcheviks, mais aussi les Estoniens, les Lettoniens. A Narva comme à Riga, les Allemands protègent les nouveaux États contre les raids bolcheviques. Leurs officiers recrutent des volontaires et constituent une « brigade de fer », chargée de protéger les intérêts allemands sur la Baltique. Ils n'hésitent pas à intervenir dans la politique intérieure des nouveaux États. Si les Alliés leur en font reproche, ils menacent de quitter le pays, de rentrer chez eux. La Conférence de la paix leur interdit tout retrait : « Ils devront rester là où ils sont jusqu'à nouvel ordre. »

Comment l'armée allemande ne garderait-elle pas tout son prestige alors qu'elle assure provisoirement, pour les Alliés, la défense des États qu'ils veulent créer ? Partout en Allemagne, le retour des troupes a été marqué par des manifestations plus ou moins spontanées : la *Kölnische Zeitung* salue à Cologne « les héros invaincus » et des « hourrah sans fin » accueillent la Garde dans son retour à Berlin. « Drapeaux déployés, au pas de parade, les troupes défilent sous les yeux de leur généraux. C'est bien ainsi qu'on s'était représenté leur retour, en 1914. »

Il était bien temps qu'ils reviennent pour balayer les comités d'ouvriers, maîtres des villes : puisque l'Allemagne a signé la paix de Wilson, elle chasse à coups de bottes la révolution de Lénine. Elle compte sur son armée pour la répression, elle la choie, la couvre d'honneurs et de lauriers. Le bourgmestre de Berlin affirme : « Ces troupes ne sont pas battues, ne sont pas vaincues », et le socialiste Ebert, président de la République : « Aucun ennemi n'a pu vous vaincre. » Il est temps que les soldats reprennent en main la situation : elle devient désastreuse.

Si l'Allemagne bascule dans le bolchevisme, Lénine et le leader centriste Erzberger sont d'accord pour penser que toute l'Europe suivra : « Vous y passerez à votre tour », avait dit Erzberger à Foch dans le wagon de Rethondes. Karl Marx n'a-t-il pas annoncé que « la révolution suivrait toute guerre générale sur le continent » ? L'Allemagne est la patrie de l'Idée communiste, elle peut puissamment relayer ce « fléau pire que la guerre », dont parle alors le général Lyautey. L'horreur inspirée aux bourgeoisies européennes par les bolcheviks n'a d'égale que la fascination qu'ils exercent en Allemagne sur les lecteurs de *Rote Fahne*. « L'homme à figure de Mongol et qui avait l'air de rire » – Lénine – attendait avec impatience le développement de la subversion à Berlin.

Dès 1918, cet espoir est déçu; pendant les six premiers mois de 1919, le bolchevisme est tué dans l'œuf grâce à la collusion de l'armée, des syndicats sociaux-démocrates, du patronat de l'Ouest et du parti chrétien du Centre : les seules forces qui subsistent en Allemagne, devenue un « cimetière de dynasties », s'unissent pour trouver une parade sanglante à la poussée révolutionnaire.

Dès le 10 novembre, veille de l'armistice, le socialiste Ebert s'est entendu en secret avec le quartier-maître général Grœner. L'armée assurera l'ordre pendant le temps nécessaire à la convocation d'une Assemblée constituante. Liebknecht, Rosa Luxembourg et les spartakistes s'opposent à ce « crétinisme parlementaire » et réclament « la dictature du prolétariat ». Le 6 décembre, 16 morts à Berlin : les marins de Kiel se battent contre les soldats d'Ebert. Le gouverneur de Berlin est un ancien menuisier socialiste. Ce Noske, excellent sous-officier, organise, grâce à la « protection méprisante » (Maurice Baumont) des officiers de l'ancienne armée, le massacre des spartakistes au cours de la semaine sanglante de Berlin, du 6 au 11 janvier 1919. Il devient le ministre de la Guerre de la nouvelle République régulièrement et légalement constituée, dont l'ancien sellier Friedrich Ebert est élu président. Il recrute et paie grassement les mercenaires des corps francs qui parcourent l'Allemagne pour extirper la révolution : le sang coule à Munich, où Kurt Eisner est abattu d'un coup de revolver et où les corps francs du général von Epp massacrent plusieurs centaines de spartakistes. A Berlin, les soldats interviennent de nouveau au *Minenwerfer* et à la mitrailleuse : 1 200 morts en mars 1919. La révolution a échoué en Allemagne. Elle n'a pas gagné les autres pays d'Europe, sauf la Hongrie où le communiste Bela Kun a exercé le pouvoir pendant

133 jours seulement. Les Alliés avaient laissé les Roumains « libérer » le pays.

Comment transiger avec les bolcheviks? Lénine avait envoyé un message à Wilson, le 26 octobre 1918. Cette « note écrite » était irrecevable. Lénine trouvait étonnant que le président des États-Unis affirmât son « bon vouloir » à l'égard de la Russie et envoyât des soldats dans les ports du Grand Nord, qu'il promît l'indépendance aux peuples des Balkans et d'Europe en oubliant les Irlandais, les Égyptiens, les Indiens, et, plus proches de lui, les Philippins, qu'il voulût astreindre l'Allemagne épuisée au paiement de dommages de guerre, alors que les surprofits du « capital américain » pourraient fournir une aide désintéressée aux nations martyres. Wilson voulait-il faire payer la guerre par les Russes dont les Alliés, à l'évidence, convoitaient les territoires et les ressources naturelles? La guerre était responsable de tous les malheurs de l'Europe, et le capitalisme était responsable de la guerre. C'était à lui de la payer. Il n'était pas question que les dettes de guerre fussent remboursées. Pour l'avenir, le seul moyen d'éviter la guerre était « l'expropriation des capitalistes de tous les pays ».

Cette fois, il ne pouvait y avoir d'ambiguïté : entre Lénine et Wilson, les sociaux-démocrates européens devraient choisir. S'ils repoussaient la révolution, ils ne devaient pas croire que la fin des combats signifiait la fin de la guerre : ses racines demeuraient vivaces.

Contre Lénine, Wilson souhaitait créer un ordre mondial nouveau, fondé sur les principes libéraux dont la défense avait constitué l'idéologie de guerre des États-Unis. Le projet de *Société des nations* était le cadre fondamental de l'avenir. Il devait définir les « sauvegardes grâce auxquelles les mères de toutes les nations éprouvées ne seraient plus jamais appelées à supporter de nouveaux sacrifices ». La guerre, désormais, était considérée comme un crime, et tout État agresseur comme coupable désigné devant le tribunal mondial. Si Lénine voulait détruire le capitalisme pour supprimer la guerre, Wilson se proposait d'extirper simplement l'impérialisme.

Dans cet esprit, le pacte de la Société des nations rassemblerait les vainqueurs, les neutres, peut-être les ennemis d'hier. L'Allemagne ne manquerait pas de demander son admission. Chaque État membre s'engageait à éliminer les tensions. Un *Bureau international du travail* était créé pour harmoniser les législations sociales de par le monde. Wilson, par un « traitement équitable du commerce », prétendait aussi lutter contre les affrontements économiques. Enfin, le système des « mandats » devait permettre le partage des colonies allemandes dans un état d'esprit « démocratique » : les peuples coloniaux, quand ils seraient « majeurs », seraient affranchis de la « tutelle ».

Dans l'immédiat, il fallait aider les nations libérées de l'Europe à se constituer sans injustice : vaste tâche, contrariée au départ par les ambitions plus ou moins légitimes, mais aussi par l'extraordinaire bigarrure des races et des peuples dans certaines parties des Balkans. Les « experts » accourus à Paris en très grand nombre pour faire la paix parvenaient difficilement à se mettre d'accord : sur le terrain, les partages s'effectuaient dans l'improvisation, souvent dans la violence ; les Polonais de Prusse, les plus riches, ne pouvaient manquer de reconnaître l'autorité de Joseph Pilsudski, ancien déporté en Sibérie, mais aussi ancien prisonnier des Autrichiens et des Allemands à Magdebourg. Ce héros de l'indépendance avait composé, sous la pression des Alliés, avec l' « Américain » Paderewski et avec Dmowski, fondateur du « Comité national polonais » de Paris. La Pologne, en devenant une République indépendante, avait immédiatement levé une armée pour disputer à ses voisins les territoires qu'elle revendiquait : elle avait ainsi agressé les Lituaniens et les Tchèques, combattu les Russes et les Allemands. En Galicie, elle avait fait la guerre aux Ukrainiens baptisés Ruthènes, et les Alliés prétendaient s'opposer à l'annexion de la Galicie orientale, dont les populations ukrainiennes ne voulaient à aucun prix. Mais pouvait-on refuser à la Pologne, devenue la sentinelle avancée du combat antibolcheviste, la disposition d'un pays qui, sans elle, reviendrait inévitablement aux soviets ? On pouvait, par contre, lui imposer une entente avec les Tchèques dans le pays de Teschen, et une solution raisonnable au problème des frontières allemandes : Lloyd George lança et défendit l'idée de la « ville libre » de Dantzig. Pour donner aux Polonais l'accès à la mer, on créa sur le terrain une cause de guerre permanente : le « corridor » de Dantzig, isolant la Prusse orientale. Vers l'est, on admettait comme raisonnable la ligne-frontière séparant la Pologne des Russes, tracée par l'Anglais Curzon, de Suwalki et Grodno à Brest-Litovsk et Przemysl. Les Polonais, « têtes brûlées de l'Europe », n'étaient pas satisfaits : on leur avait imposé le partage avec les Allemands de la Haute-Silésie. Les Allemands l'étaient moins encore. Encore faudrait-il aider matériellement et militairement les Polonais pour qu'ils défendent et fassent confirmer leurs frontières orientales contre les Russes. En Europe de l'Est, en voulant appliquer le principe de la libre disposition des peuples, Wilson se heurtait aux plus grandes difficultés...

Les Alliés pouvaient-ils encourager plus longtemps les menées des mercenaires allemands dans les nouveaux pays baltes sans mettre en question, d'entrée de jeu, le principe des nationalités ? Si la Finlande avait réussi, grâce à l'armée du baron Mannerheim, à expulser à la fois les Allemands et les bolcheviks, les « barons

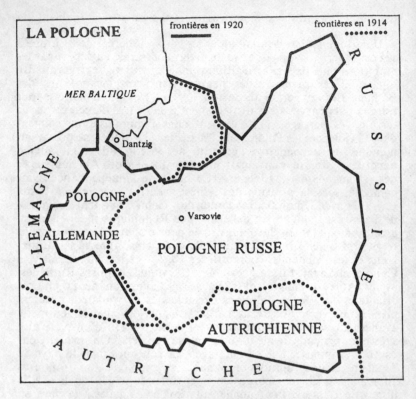

LA POLOGNE   frontières en 1920   frontières en 1914

MER BALTIQUE

ALLEMAGNE

o Dantzig

POLOGNE
ALLEMANDE

o Varsovie

POLOGNE RUSSE

POLOGNE
AUTRICHIENNE

RUSSIE

AUTRICHE

baltes », maîtres de la terre, étaient autrement puissants dans les fragiles républiques de Lettonie, d'Estonie et de Lituanie. Si le comte von der Goltz infligeait aux bolcheviks défaite sur défaite, c'est qu'il bénéficiait du soutien actif des barons. Mais les Anglais redoutaient la présence des intérêts germaniques dans une région importante à la fois pour la stratégie antibolchevique et pour le grand commerce. Ils obtinrent, après de multiples péripéties, le retrait des mercenaires et la constitution de républiques agraires, partageant entre les nationaux les terres des colons allemands.

La possession des terres et des provinces est le véritable enjeu des affrontements que les principes wilsoniens ne parviennent pas à dominer dans l'Europe balkanique. Il est d'abord paradoxal de refuser aux Allemands d'Autriche la possibilité de se rattacher au Reich allemand. La République de Vienne est misérable, exsangue, partagée en tendances politiques diverses, des socialistes à la droite humiliée qui ne rêve que d'un régime de force. Le ministre des Affaires étrangères Otto Bauer a beau jeu de montrer aux Alliés que ce rattachement est pleinement conforme au vœu des populations. Pourtant, le traité de Saint-Germain-en-Laye imposera à l'Autriche misérable une existence souveraine. Elle n'a plus de nobles ni de grands bourgeois, elle ne sait comment nourrir les nombreux fonctionnaires de l'ancien empire. On lui impose la liberté.

La Hongrie n'accepte pas les sacrifices que le traité de Trianon exige d'elle : qu'importe! On lui enlève trois millions de Magyars, que l'on distribue à ses voisins. Au sortir de la dictature communiste, elle s'engage dans un régime de droite, furieusement contre-révolutionnaire, qui refuse tout partage des grands domaines et proteste avec constance contre « l'infâme traité ».

La même évolution se dessine, plus lentement, en Bulgarie où l'agrarien Stambouliski, démagogue inspiré, Lénine rural, croyait satisfaire les millions de réfugiés qui affluaient de toutes parts en partageant les terres des grands propriétaires. Malheureusement, en Bulgarie, les grandes propriétés étaient l'exception. Le traité de Neuilly devait distribuer des régions entières de l'ancienne Bulgarie, réduite à la portion congrue : les Yougoslaves enlevaient des districts ethniquement bulgares, comme les Roumains en Dobroudja et les Grecs en Thrace. Les « Macédoniens » n'admettaient pas l'annexion de leur pays par les Yougoslaves, atteinte criante au principe des nationalités : ils organisèrent des attentats dans les montagnes, constituèrent des bandes de partisans, assassinèrent Stambouliski lui-même, que l'on devait découvrir décapité, coupé en morceaux. Un régime de droite s'installa en Bulgarie, avec la bénédiction des alliés de l'Ouest : la S.D.N., prise d'un remords tardif, distribua une fortune pour apaiser les 400 000 réfugiés de Thrace et de Macédoine.

Ainsi les États vainqueurs, dans les Balkans, avaient manifestement bafoué les principes du nouvel ordre européen imposé par l'Amérique : la Tchécoslovaquie, la Yougoslavie et surtout la Roumanie sortaient du conflit grossies de provinces arrachées aux vaincus. Ainsi concevait-on, sur le Danube, les principes wilsoniens. Les Tchèques (six millions) riches, évolués, industrialisés, absorbaient 3 millions de Slovaques arriérés, illettrés à 27 %, 500 000 Ukrainiens encore plus pauvres, et faisaient la loi à trois millions d'Allemands, de « Sudètes », en employant la force et l'occupation militaire. De même qu'il y eut presque immédiatement une tendance autonomiste slovaque en Tchécoslovaquie, de même les Croates s'opposèrent-ils très vite aux Serbes dans le nouveau royaume yougoslave, même s'ils étaient d'accord pour dominer les 500 000 Hongrois, les 500 000 Allemands, les 400 000 Turcs et Albanais, les 200 000 Roumains qui vivaient à l'intérieur de leurs frontières... Quant aux Roumains, ils avaient sur leurs nouveaux territoires 1 380 000 Magyars, 780 000 Juifs, 723 000 Allemands,

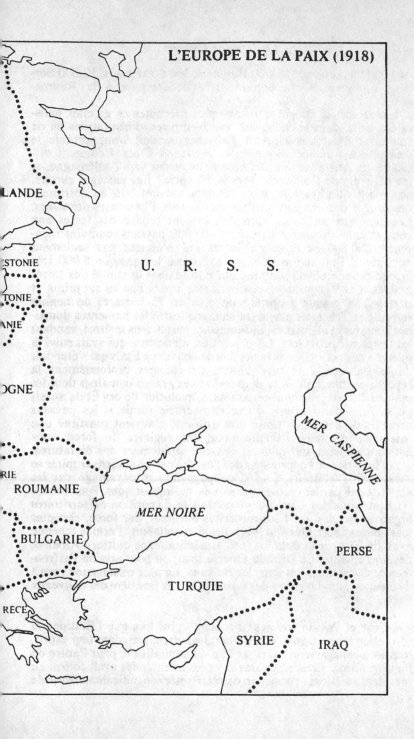

L'EUROPE DE LA PAIX (1918)

LANDE

ESTONIE

TONIE

ANIE

OGNE

RIE

ROUMANIE

BULGARIE

RECE

U. R. S. S.

MER CASPIENNE

MER NOIRE

MER NOIRE

PERSE

TURQUIE

SYRIE

IRAQ

448 000 Ukrainiens, 358 000 Bulgares, 308 000 Russes, 57 000 Serbes : un quart de la population était étranger à la Roumanie.

Les minorités étaient d'autant plus mécontentes qu'elles jouissaient jadis, dans le cadre des vieux empires, d'institutions ou de
traditions d'autonomie, dont l'absence rendait insupportable le
centralisme « démocratique » des nouveaux États. Comment dissuader les Allemands de Bohême de regarder vers l'Allemagne, et
les Magyars de Roumanie vers la Hongrie ? Les partages ruraux,
accomplis sitôt après la paix, s'étaient souvent faits au détriment
des grands propriétaires étrangers, maîtres d'immenses domaines.
Les généraux serbes et roumains avaient promis des terres aux
combattants ; ils tinrent parole : 1 400 000 paysans roumains reçurent 5 800 000 hectares de terres qui n'étaient pas seulement
étrangères. Bratiano avait aussi exproprié les quelque 8 000 très
grands propriétaires roumains qui possédaient la moitié des terres
arables. Les Yougoslaves expropriaient aussi : une loi supprima et
partagea la grande propriété de plus de 75 hectares de bonnes
terres. Les Tchèques plaçaient sous séquestre les immenses domaines hongrois et allemands, indemnisant les anciens maîtres, vendant
les terres par petits lots. La révolution silencieuse qui avait suivi la
guerre avait permis, dans le cordon de nouveaux États qui s'étendait
de la Baltique à la mer Noire, de changer profondément la
répartition du sol, de faire disparaître ces grands domaines dont les
maîtres étaient jadis tout-puissants. L'évolution de ces États aurait
pu se faire dans le sens d'une démocratie rurale si les paysans
accablés de dettes, en proie aux usuriers, n'avaient constitué une
masse de manœuvre docile pour des régimes de force, tous
anticommunistes, qui allaient devenir rapidement des dictatures.

A l'injustice de l'oppression des peuples par les anciens empires se
substituait l'arbitraire d'un découpage inspiré davantage par les
appétits que par les réalités ethniques ou linguistiques. Pour rendre
les États « viables », on leur accordait la disposition de territoires
bigarrés, hostiles, dont les minorités devaient, par force, accepter
leur nouveau sort. Quelquefois, elles se révoltaient : l'armée tchèque
avait dû occuper la Bohême, et l'armée italienne quitter l'Albanie,
devant l'émeute. La Grande Guerre avait eu pour origine l'affrontement des nationalités dans les Balkans. La paix wilsonienne venait
de créer en grand nombre des *casus belli* à la frontière des nouveaux
États.

Lénine et Wilson voyaient beaucoup plus loin que l'Europe : la
révolution mondiale ou l'ordre libéral concernaient, dans leur esprit,
tous les peuples victimes, pour l'un du capitalisme, pour l'autre de
l'impérialisme. Le partage des colonies allemandes avait fourni au
président américain l'occasion de réaffirmer son anticolonialisme de

principe. Les Européens avaient beau jeu de lui rappeler qu'il avait refusé aux Japonais d'inscrire l'égalité raciale au frontispice de la future Société des nations. Il n'avait pas non plus fait d'efforts en faveur des nationalités occupées et dirigées par les Américains, comme les Philippines. Enfin, il ne s'était pas opposé au partage des colonies allemandes ni à leur mise sous tutelle.

Le changement de vocabulaire suscitait cependant à lui seul des espoirs dans tous les pays exposés par ailleurs à la propagande bolchevique. Les agents du 2ᵉ bureau français signalaient qu'en Égypte, en 1918, on trouvait les paroles de l'*Internationale* inscrites dans la langue du pays sur des feuilles de papier à cigarettes. La campagne contre « le banditisme occidental » grondait dans tout l'Orient, et jusqu'aux Indes. Les bolcheviks développaient vivement leur action psychologique en s'appuyant sur l'islam. Peu après la guerre, ils devaient réunir à Bakou un Congrès des « peuples opprimés de l'Orient », et encourager les nationalismes anti-blancs, particulièrement hostiles à l'Angleterre.

Les positions prises par celle-ci dans cette partie du monde étaient immenses : maîtresse absolue en Égypte comme en Inde, elle avait joué contre les Turcs la carte arabe. Elle avait suscité par réaction en Turquie un puissant mouvement national qui devait aboutir, après l'élimination de jeunes-Turcs responsables de la politique pro-allemande, à la prise du pouvoir par le général Kemal qui, chez lui, persécutait les communistes, mais s'alliait contre les Anglais avec Moscou. L'exemple turc était dangereux pour les peuples islamisés, maintenus sous la domination anglaise : Ataturk avait réussi à détruire jusqu'aux souvenirs des Capitulations, il avait aboli les « traités inégaux », il avait fait de la Turquie un État vraiment indépendant.

La victoire anglaise avait au contraire tendance à établir en Orient une domination sans contre-pouvoir : la nation blanche affirmait cyniquement sa volonté de profiter au maximum des fruits de la victoire, sans les partager même avec son alliée la France que les Anglais du Caire souhaitaient éliminer aussi complètement que possible. Vue d'Égypte ou de Syrie, la guerre occidentale n'était nullement une croisade du droit ou de la liberté, mais une guerre exclusivement impérialiste.

Les Égyptiens avaient participé à l'effort de guerre, fourni aux Anglais des milliers de travailleurs, les Indiens un million de soldats. Les « indigènes » étaient nombreux dans les armées françaises, et particulièrement les tirailleurs algériens et marocains. Les peuples islamisés exigeaient plus de reconnaissance pour cette confraternité d'armes. Pourquoi le « droit des peuples à disposer d'eux-mêmes » ne pourrait-il s'appliquer à eux aussi ? Le développement de l'enseignement, de la presse et de la radio, la facilité des communications par automobile et par avion avaient permis la naissance d'élites intellectuelles et politiques dans la plupart des pays, qui demandaient la *selfdetermination*. Les Anglais et les Français avaient promis des « gouvernements indigènes » à la Syrie et à la Mésopotamie libérées. Hussein, l'ami des Anglais, était déjà roi du Hedjaz. Son fils Fayçal, encouragé par les Anglais et par les Américains, voulait être roi de Syrie, où les troupes françaises du général Gouraud avaient relevé, conformément aux accords, les troupes britanniques. Il devait effectivement se faire proclamer roi, cependant que son frère Abdallah était nommé par les Anglais roi d'Irak. Mais Gouraud, devant faire face à une révolution dans Damas, expulsa Fayçal. Après bien des tâtonnements, les Français, « tuteurs » de la Syrie, devaient finalement y fonder autant d'États autonomes qu'il y avait de communautés, accordant une protection privilégiée au Liban chrétien. Quant aux Anglais, ils avaient suggéré à Abdallah de prendre l'émirat de Transjordanie pour laisser son trône d'Irak à Fayçal, chassé de Syrie. Soucieux de dominer l'Irak riche en pétrole, ils brisèrent dans le sang toutes les révoltes. Ils pactisèrent avec Ibn Séoud, lui envoyant Philby comme émissaire pour qu'il fasse la paix avec Hussein. Ils protégèrent en Palestine historique les colonies rurales des juifs attaquées dès 1921 par les Bédouins : ils instituèrent sur l'Iran, riche en pétrole, une sorte de protectorat qui leur réservait les profits des puits. Mais, pour contenir la poussée des Soviétiques, ils devaient utiliser un ancien sous-officier de Cosaques persans, Reza-Khan, devenu maréchal, qui les obligerait ensuite à quitter le pays. Ils devraient alors reconnaître la pleine indépendance de l'Iran et de l'Afghanistan où l'émir Amanoullah avait juré sur le Coran de libérer son peuple des maîtres britanniques.

Mais la vraie révolte contre l'impérialisme anglais devait venir de l'Inde et de l'Égypte. L'ancien avocat de Bombay, Gandhi, était devenu le prophète de l'indépendance par la non-violence : son arrestation allait provoquer de très violentes émeutes : le sang coulerait en Inde avant que les Anglais ne se décident à accorder un statut proche de l'autonomie, dès 1919. Le sang coulerait aussi en Égypte, quand la déportation de l'avocat Zaghloul, chef du parti nationaliste *wafd,* susciterait des émeutes populaires au Caire. Lloyd George devrait reconnaître l'indépendance de l'Égypte, où le sultan Fouad deviendrait roi d'une monarchie constitutionnelle. Même si les Anglais restaient les maîtres en Égypte comme en Inde, en Irak comme en Iran, ils avaient dû admettre dans ces pays le principe des nationalités, faire la part du feu aux nationalismes, dont les leaders étaient davantage des admirateurs de Wilson (Zaghloul avait organisé une « délégation égyptienne » à la Conférence de paix) que de Lénine. Le wilsonisme avait également beaucoup de prestige dans les pays d'Afrique du Nord : en Tunisie, les avocats et intellectuels du parti *Destour* avaient revendiqué dans un mémoire au président américain le droit des Tunisiens à disposer d'eux-mêmes. Les élites algériennes exigeaient, après la guerre, soit le même traitement que les Français, pour qui elles avaient combattu, soit un régime de *dominion*. Quant au Maroc, il n'avait jamais cessé, dans le Rif, d'être en dissidence. Un certain Abd el-Krim fonderait, dans ses montagnes, une « république des tribus confédérées du Rif ».

Si les pays arabes étaient plus sensibles aux discours de Wilson qu'à ceux de Lénine, les bolcheviks étaient très actifs en Extrême-Orient. Il y avait, peu après la paix, des communistes en Indochine où étaient rentrés de nombreux travailleurs venus des usines françaises, comme Ho Chi Minh, et surtout dans les Indes néerlandaises où les syndicats révolutionnaires improvisaient des grèves répétées. Quel spectacle pour les Chinois que le Congrès de la paix à Paris! Quel déchaînement d'ambitions pour la « chasse aux mandats » dans les pays occidentaux! Que la France et l'Angleterre se partagent le Togo et le Cameroun, l'Angleterre et la Belgique le Ruanda et l'Urundi, ne les touchait guère. Mais ils voyaient avec stupeur le Japon, qui n'avait pas participé aux combats, s'emparer sans coup férir des îles allemandes du Pacifique et surtout s'installer chez eux, en Chine, avec l'accord formel du président Wilson... Le Japon gardait Tsing-tao, ancienne possession allemande, et toute son influence économique dans le Chantoung. Indignés, les délégués chinois quittèrent Paris, refusant de signer le traité de Versailles. Belle occasion pour les bolcheviks de proposer leur appui au jeune parti *Kouo-min-tang* de Sun Yat-sen! Lénine lui envoie Borodine et des conseillers militaires qui aident son jeune beau-frère, Tchang Kaï-tchek, à créer une nouvelle armée. Commentant le traité de Versailles, protestant contre le maintien en Chine des « traités inégaux » en faveur des étrangers occidentaux, Sun Yat-sen avait déclaré : « La guerre a été faite par la barbarie et l'injustice contre la barbarie et l'injustice; de sorte que la barbarie et l'injustice ne sont remplacées que par la barbarie et l'injustice. »

Ainsi les principes du président Wilson contribuaient à déstabiliser l'ancien monde dominé par l'Europe aussi puissamment que les propagandistes de Lénine. Les émeutes sanglantes de l'Inde et de l'Égypte, les troubles d'Algérie et de Tunisie, la guerre au Maroc, les grèves dures d'Indochine et des Philippines, remettaient en question le vieux pouvoir « civilisateur » des Européens. Au parlement français le Sénégalais Diagne avait eu l'occasion de protester en France contre l'emploi des « troupes de couleur ». En Inde, Gandhi recommandait aux protestataires de ne plus accepter désormais l'uniforme anglais, ni les fonctions d'administration, au nom du « droit des peuples à disposer d'eux-mêmes », mais aussi du droit des hommes à rejeter l'exploitation et l'impôt du sang; le pouvoir européen devait se draper, pour survivre, de nouveaux principes, et utiliser un autre discours. Avec la guerre se terminait le temps des canonnières. Les Anglais prirent l'initiative de ce dialogue libéral avec des institutions rapidement mises en place dans les pays dominés. La colère qui grondait dans le port au pied du rocher superbe de Hong Kong les avait avertis qu'ils devraient, pour continuer à dominer le monde, faire leur part aux nationalismes de couleur.

Le président Wilson avait couvert de son autorité le nouveau partage, qui donnait satisfaction en Extrême-Orient à la « rapacité » japonaise et au Proche-Orient à l'hégémonie britannique. Il avait par contre refusé, en accord complet avec Lloyd George, de laisser s'installer en Europe de l'Ouest une domination française.

Pour plaider son dossier de paix, la France avait cependant tous les titres : longue et coûteuse occupation de son territoire, lourdes spoliations, redoutables pertes en vies humaines : un pays de 42 millions d'habitants avait perdu 1 300 000 hommes en pleine force, sur 8 500 000 morts pour toute l'Europe en guerre. Les destructions étaient considérables : 289 000 maisons rasées, 422 000 endommagées. Trois millions d'hectares de bonne terre rendues inutilisables par les combats. Pour 116 000 hectares, le coût des travaux de remise en culture dépassait la valeur du sol. Les quatre cinquièmes des chevaux, les neuf dixièmes des bovins avaient disparu dans les régions occupées. Les évaluations officielles des dommages les chiffraient à 130 milliards de francs-or.

Les Français demandaient des réparations légitimes, que l'Allemagne devait payer, et les « sécurités » nécessaires pour éviter la reprise des combats. Comme eux, les Belges (44 000 morts au front et 30 milliards de francs de dommages), les Serbes (300 000 morts) et les Italiens (460 000 morts et 21 milliards de lires de dommages) exigeaient des indemnités. Encore fallait-il que les Allemands fussent reconnus comme responsables, en droit civil, de tous les dommages causés; les Alliés étaient d'accord sur ce point : « Les Huns, dit Lloyd George, devaient payer jusqu'au dernier *Pfennig.* » Les Anglais revendiquaient leur part de dommages, en raison des bombardements allemands et, surtout, des pertes de leur marine marchande. Il faut « fouiller leurs poches », insistait le Premier britannique, pour leur faire rembourser les 10 millions de tonnes de navires coulés. Il ajoutait que les Allemands devaient aussi payer les dépenses de guerre, les pensions et allocations, les dommages aux personnes : on atteignait ainsi le chiffre fantastique de *mille milliards*, et l'article 231 du traité déclarait les Allemands « responsables, pour les avoir causés, de toutes les pertes, de tous les dommages subis... en conséquence de la guerre déchaînée par l'agression de l'Allemagne et de ses alliés ». Jusqu'au bout, les Allemands protesteraient contre cette « diffamation » : pour les faire payer, on faisait reposer sur eux seuls la responsabilité du conflit.

Réalistes, les Américains voulaient borner les demandes alliées à 25 milliards de dollars payables en trente ans. Dérisoire! s'écriaient en commun Lloyd George et Clemenceau. Nul ne savait comment l'Allemagne paierait, ni ce qu'elle pourrait payer : on devait décider de s'en remettre à une « commission des réparations », composée d'experts qui évalueraient les dommages avant le 1er mai 1921. Pour s'assurer les remboursements nécessaires, les Français demandaient des prises immédiates de matériel roulant, de machines, de bétail, de charbon. Ils exigeaient aussi la saisie d'un gage territorial qui obligeât les Allemands à s'acquitter de leur dette.

Ainsi la revendication des réparations débouchait sur les questions de sécurité : les Alliés occuperaient l'Allemagne, ils ne lui permettraient pas de reconstituer sa puissance militaire et industrielle. Son armée serait limitée à 100 000 hommes, officiers compris, service militaire aboli : ni canons lourds ni avions, ni sous-marins dans la marine. Une zone démilitarisée sur les deux rives du Rhin (50 kilomètres sur la rive droite). Cette occupation avait pour but d'assurer le paiement des réparations et le respect des clauses de désarmement. Trois zones, trois échéances de 5, 10, 15 ans : tous les cinq ans, un bilan. Si les Allemands ne payaient pas, ou réarmaient, on réoccuperait. Les Alliés s'étaient résignés à l'idée d'occupation, qu'ils n'aimaient pas, pour esquiver la solution française, celle du général Foch.

Celle-ci avait à plusieurs reprises défini une politique rhénane qu'André Tardieu, le collaborateur de Clemenceau, devait rassembler et proposer dans un mémoire : le Rhin devait être considéré comme une frontière et occupé en permanence par les Alliés. Ses populations devaient former un ou plusieurs États tampons, protégés par la Société des nations. Les Alliés refusaient de démanteler l'Allemagne, ils ne voulaient pas l'acculer au désespoir. Ils se refusaient aussi à satisfaire la revendication française sur « les frontières de 1814 », qui aurait enlevé à l'Allemagne une grande partie du bassin de la Sarre. Un statut particulier était proposé pour ce territoire riche en mines de charbon : la France aurait les houillères, en compensation des dommages subis dans les mines du Nord ; la Sarre serait séparée du Reich, administrée par la S.D.N. et déciderait elle-même de son sort par plébiscite dans quinze ans. C'est tout ce que les Alliés avaient concédé aux Français. Malgré les protestations de Foch, Clemenceau avait accepté qu'ils substituent à la « politique rhénane » du général une « garantie » d'alliance contre une agression allemande.

Telles quelles, ces concessions étaient considérées comme excessives, en Allemagne d'abord, mais aussi en Angleterre et aux États-Unis. Les Belges avaient reçu Eupen et Malmédy, les Danois une partie du Schleswig : avec les amputations de territoires subies à l'Est, les Allemands perdaient un septième de leur sol, un dixième de leur population. Le traité était « inacceptable », disaient Scheidemann et Ebert. Leur ministre des Affaires étrangères, le comte de Brockdorff-Rantzau, protesta avec hauteur contre ce *diktat* que le Parlement allemand devait accepter « le couteau sous la gorge ». Même si les Anglais avaient au dernier moment tenté d'en atténuer les clauses (l'armée allemande avait été portée à 200 000 hommes, un plébiscite serait organisé en Haute-Silésie), les Allemands n'admettaient pas que l'on fît supporter à la jeune République les fautes de l'ancienne monarchie dont ils s'étaient débarrassés. Ils ne comprenaient pas que plusieurs millions de leurs compatriotes fussent privés de ce droit d'auto-détermination que l'on reconnaissait au moindre Slave du Sud. Totalement exclus, comme l'Italie, de toute expansion hors d'Europe, ils s'étonnaient que Wilson eût cautionné la paix des vainqueurs. Que restait-il de ses principes? Il avait finalement admis de couvrir de son autorité les conquêtes de la pire « diplomatie secrète » : même si les Italiens protestaient parce qu'ils n'avaient pas obtenu Fiume, « l'italianissime », ils annexaient 150 000 Tyroliens totalement germanophones dans leur frontière du Brenner, et ils prenaient, comme convenu à Londres, Trente, Trieste, Zara et une grande partie des îles Dalmates. Pourtant les Italiens, insatisfaits avaient claqué la porte du Conseil des Quatre où se négociaient, de mars à juin 1919, les frontières de la nouvelle Europe : les nationalistes italiens et français accusaient Wilson de ne pas avoir satisfait leurs espérances, et les Allemands déçus lui reprochaient ses concessions à la « paix de victoire » de Clemenceau...

Les Français, à terme, avaient quelques raisons d'être mécontents. L'Allemagne refusait de toutes ses forces l'exécution du traité, se dérobait aux paiements, organisait ou refusait de contrôler l'inflation. La *Reichswehr* était patiemment reconstituée par von Seeckt, avec la complicité des Anglais. La marine sabordait la flotte massée à Scapa Flow et les étudiants de Berlin brûlaient les drapeaux français de 1870, réclamés par Paris. La prétention de l'Entente de juger les crimes de guerre, la demande d'extradition de Guillaume II, mais aussi de Hindenburg, Ludendorff, Tirpitz, du Kronprinz, du chancelier Bethmann Hollweg, indignait l'opinion. Bientôt Ludendorff entreprenait, avec le fonctionnaire prussien von Kapp et les anciens du *Baltikum,* un coup d'État manqué, singulière préfiguration des violences qui attendaient l'Allemagne : pour mobiliser les masses, l'ancien quartier-maître général s'était le premier aperçu que le traité de Versailles était le thème le plus efficace, avec l'anticommunisme. Il se trouvait ainsi en communion d'idées parfaite avec l'agitateur italien, ancien socialiste, devenu chef des « faisceaux », Benito Mussolini. Contre le traité de Versailles, les déçus du 28 juin 1919 allaient préparer la substitution, à l'Europe des monarchies et des empires, de celle des dictatures.

La France ne pouvait compter, pour assurer l'exécution du traité, sur ses principaux alliés : le Sénat américain repoussa le traité et Wilson disparut de la scène politique. Lloyd George en profita pour se dérober à ses engagements de « garanties ». La France n'avait plus les moyens de monter la garde sur le Rhin. Les Anglo-Saxons ne viendraient pas à son secours, en cas de danger, comme ils l'avaient promis. Elle en était réduite, pour tenter d'obtenir l'exécution du traité, à intervenir seule dans un contexte international unanimement hostile, d'entrer dans la Ruhr pour « saisir des gages » ou de conduire en Europe centrale une politique de soutien aux petits États nouvellement créés, qui serait une source permanente de conflits et la ferait accuser, à Londres et à Berlin, de prétentions hégémoniques.

Les deux plus grands États du monde étaient absents de la S.D.N. qui prétendait garantir la paix universelle. Longtemps combattue, tardivement reconnue par les anciens Alliés, l'U.R.S.S. n'était en rien liée par le règlement de Versailles, qui s'était fait en son absence. Qu'elle eût réussi à expulser les armées blanches et à constituer un État militairement solide, économiquement autonome, n'impliquait pas seulement pour les Occidentaux une immense perte sèche en investissements et placements divers : la menace devait s'accroître à la frontière de l'Europe. Le communisme, qui n'avait pas renoncé à sa vocation internationale, ne pouvait à l'évidence être contenu ou ignoré. Il serait présent dans tous les calculs diplomatiques, interviendrait implicitement ou explicitement dans les nouveaux rapports de force entre les nations. Il pèserait d'un poids lourd dans les relations de l'Europe avec les mondes extra-européens.

Dans l'immédiat, les États-Unis d'Amérique tenaient entre leurs mains la survie de l'Europe. L'alimentation des Balkans ravagés, de l'Autriche exsangue, de l'Italie, de la France, de la Belgique, les fournitures de charbon et de blé, la reconstitution des monnaies, tout dépendait des États-Unis. Les Français et les Anglais avaient accumulé les dettes, dépensé tout leur avoir. Il n'y aurait plus en France que des rentiers amoindris, des épargnants ruinés. Pour soutenir l'effort de guerre, puis la reconstruction de l'Europe, les États-Unis étaient devenus, de loin, le premier producteur mondial de charbon, ils avaient doublé leur production d'acier et leurs exportations de blé. Ils étaient les créanciers du monde entier et détenaient dans leurs coffres la moitié du stock d'or de l'ensemble des nations. Leur marine marchande, jadis inexistante, était égale à la moitié de l'immense flotte anglaise et leur permettait d'enlever les marchés d'Asie et d'Amérique latine. Par les dettes de guerre, ils tenaient les États européens dans une position d'infériorité constante. Les énormes profits réalisés par les banques, les industries, les milieux agricoles, faisaient des États-Unis les vrais vainqueurs du sanglant affrontement dont l'Europe sortait vaincue.

Ainsi s'était ruinée la Grèce antique, dans les trente ans de guerre du Péloponnèse où Sparte, Athènes et Thèbes s'étaient déchirées avec acharnement avant d'être une proie pour le Macédonien. Les revendications nationales, les rivalités qui avaient engendré la dernière des guerres du XIXᵉ siècle avaient abouti à l'exaspération des nationalismes devant la paix bâclée, manquée, perdue, qui ferait de la « Grande Guerre » le prologue à l'autre conflit, survenu vingt ans plus tard. Ainsi les traits atroces de la Deuxième Guerre mondiale peuvent-ils se trouver en germes dans la première : hier les Arméniens, plus tard les Juifs; avec le génocide, les armes scientifiques anéantissant des populations : le phosphore sur Dresde, la bombe atomique sur le Japon, les *stukas* sur Coventry; les crimes de guerre accumulés, les occupations insoutenables. L'idéologie présidant aux massacres et les justifiant.

Mais aussi l'espérance, déjà forte en 1918, de donner au sacrifice des hommes le sens d'un combat désespéré mais ardent contre la fatalité, de refuser le destin suicidaire, d'éliminer l'injustice, l'agression, la domination, pour n'avoir pas à reprendre les armes. Et si la guerre « naît des passions », demander aux « Christs inférieurs des obscures espérances » dont parlait le canonnier Apollinaire la force d'imposer la paix comme passion majeure. Tel était sans doute l'espoir de ces combattants déçus, vêtus de bleu horizon, si proches de nous, nos ancêtres, nos frères.

BIBLIOGRAPHIE

Avant d'indiquer ses sources, l'auteur tient à remercier ceux qui ont puissamment contribué à faciliter ses recherches ou à les enrichir de documents nouveaux : Mme Maurice Genevoix, qui a bien voulu lui confier des lettres inédites de son mari ; le général Delmas, directeur du Service historique de l'armée de terre et son équipe, particulièrement Mme Combe ; le général Christienne, directeur de Service historique de l'armée de l'air, et Mme Pesquiès-Courbier ; les habitants de Seine-et-Marne, département deux fois concerné par la bataille : M. Christian de Bartillat, maire érudit d'Etrépilly ; M. Yves Chabot, rédacteur en chef du journal *la Marne*, M. Jean Marcel Gaudet, directeur du Crédit agricole de Lagny ; M. Pierre Camus, ancien notaire à Brie-Comte-Robert, qui a bien voulu nous communiquer le journal de sa mère, tenu pendant la guerre sur la ligne du front ; M. Roger Moreau, de Tournan-en-Brie ; M. Roger Bruge, auteur de *la Ligne Maginot* et M. Jacques Fromont, de Lésigny, originaire des régions envahies ; les anciens combattants qui ont fait part à l'auteur de leurs souvenirs sur des points précis : l'artilleur à cheval Henri Mérat, de Sézanne, le seconde-classe Guénolé Goalès, récemment décoré de la Légion d'honneur, fantassin de Quillien (Finistère) ; le sergent-major Pierre Guillebeau, du régiment de Verdun, qui a enrichi les épreuves de ce livre de souvenirs vécus ; Mme Jacques Maroger et M. Guillaume Gillet, fille et fils de Louis Gillet, ancien combattant de Verdun ; les libraires de Bretagne, fidèles relais de la tradition orale de leur province Mmes Le Goaziou, de Quimper, et Tournellec, de Morgat, M. A. Papazian, dont la famille fut témoin et victime de drame arménien ; enfin les très nombreux correspondants qui ont bien voulu envoyer à l'auteur leurs témoignages de soldats, d'habitants des régions envahies, de prisonniers, de déportés, d'enfants de l'exode. Qu'ils soient ici chaleureusement remerciés de leur contribution spontanée et d'un inappréciable intérêt. Que les futurs lecteurs de cet ouvrage n'hésitent pas à écrire à l'auteur pour enrichir ou rectifier tel ou tel point du récit. Ainsi pourra-t-il l'améliorer.

Le professeur Modris Eksteins, du Centre des études internationales de l'université de Toronto, qui prépare lui-même une *Histoire culturelle et sociale du modernisme* a bien voulu communiquer à l'auteur quelques précieuses réflexions sur le résultat de ses recherches, qui portent sur le problème des fraternisations. Qu'il en soit vivement remercié. Une reconnaissance toute particulière est due à M. Duchêne-Marullaz, spécialiste d'histoire militaire, qui a bien voulu honorer l'auteur des ressources de sa bienveillante érudition et de son exceptionnelle compétence. Enfin comment ne pas exprimer, pour terminer, des sentiments de reconnaissance envers les véritables inspirateurs de cet ouvrage : le doyen Pierre Renouvin, dont la mémoire ne sera jamais assez honorée pour sa contribution majeure à la compréhension de la Première Guerre mondiale ; le doyen Raymond Poidevin, organisateur à Metz, dans les années 1968-70, de colloques internationaux du plus haut intérêt, qui ont permis à l'auteur de rencontrer le professeur Imanuel Geiss, de Hambourg, fascinant spécialiste du problème des origines de la guerre.

Sources

Archives du Service historique de l'armée :
L'auteur a consulté les cartons suivants :

Série 3N
3N 1-2-3-10-11-12-13. Comité de guerre. Fonctionnement du comité. Séances du comité. Echange de prisonniers de guerre. Rapport d'Aubigny sur la situation de l'aviation. Document du comité de restriction des approvisionnements et du commerce ennemis.

Série 4N. Conseil supérieur de guerre.
SÉRIE 4N. 1 à 6 : les séances du comité et sa correspondance.
4N 9 à 13. Les transports, l'aviation et la D.C.A. Les chars d'assaut et les fabrications de guerre.
4N 27 à 37. Front franco-britannique de 1917 à 1918.
4N 38 et 39. Front italien.
4N 40 à 49. Front russo-roumain.
4N 50. Les armées slaves en France et en Italie. Les armées polonaises en France. Recrutement aux Etats-Unis. Forces tchécoslovaques.
SÉRIE 4N 52 à 60 : le front oriental, les Balkans 1917-1920.
4N 61 : Asie, Afrique.
4N 71 : questions économiques concernant les Alliés et les neutres. Questions économiques concernant les pays ennemis.
4N 74 : effectifs alliés et ennemis : novembre 1917-septembre 1919.

Série 5N. Cabinet du Ministre.
5N 8 : exécution des mesures de précaution les 26 et 27 juillet 1914.
5N 9 : la mise à la retraite des officiers généraux. L'arrestation d'anarchistes dans le Pas-de-Calais. Les mesures à prendre en territoire ennemi occupé.
5N 10 : document publié à Nice sur la conduite des troupes du Midi le 13 février 1915.
5N 11. Dardanelles.
5N 12. Avis à la presse.
5N 16 : saisie du *Canard Enchaîné*. Eléments d'un article de propagande pour la Russie.
5N 17. A propos des Arméniens voulant servir dans l'armée française.

5N 18. Troupes coloniales; spahis. Tirailleurs auxiliaires, kabyles. Opérations dans le Sud tunisien.

5N 24. Messages téléphonés au sujet de l'exode des populations des régions envahies. Ordre de supprimer de *la Semaine religieuse* tout passage demandant la paix (31.1.15).

5N 39-64. Télégrammes chiffrés sur l'Algérie, recrutement et troubles. Incident du *Drapeau vert* et répercussions en Algérie. Manifestation de femmes à Marseille. Envoi d'ouvriers japonais dans les fabriques d'armes en France. Régime des prisonniers ottomans en Algérie.

5N 66-67. Les garibaldiens.

5N 70-79. Algérie-Tunisie. Recrutement indigène et complot sénoussiste. Rebelles condamnés à mort. Propagande antifrançaise au Maroc. Désertion de volontaires allemands à la Légion étrangère.

5N 70. Afrique noire, Madagascar, Indochine.

5N 73. Impressions d'un Américain revenant d'Allemagne le 10 novembre 1914.

5N 74 et 75. Russie. Approvisionnements en armes et munitions.

5N 77. Suisse. Espionnage. Suède, Danemark, Norvège. Le nouveau gaz asphyxiant allemand.

5N 84. Plaintes des Marseillaises dont le mari est au front.

5N 85. Grèves et propagande pacifiste.

5N 87. Alsace-Lorraine. Régions envahies. Réfugiés, otages.

5N 88 à 92 : armée française, effectifs, engagés volontaires, renforts et pertes d'août 1914 à mai 1915.

5N 93. Constitution et organisation des unités.

5N 100. Marine.

5N 101. Aéronautique.

5N 102. Armée d'Orient.

5N 117. Russie. Armée, recrutement, effectifs. 1915-1918. Troupes russes en France et à Salonique.

5N 118. Historique de la guerre.

5N 122. Algérie. Recrutement. Incidents. Evénements de Mascara octobre 1914.

5N 123. Maroc. Opérations dans la région de Taza.

5N 126. Etats-Unis. Préparatifs militaires. Fourniture à la France de matériel. Recrutement pour les armées tchécoslovaque et polonaise.

5N 127-128. Allemagne : Etat d'esprit et presse. Les effectifs.

5N 131. Dossiers Clémentel et Albert Thomas. Ressources industrielles et fabrications de guerre.

5N 132. Participation de l'industrie française à l'aéronautique militaire russe. Dossier de neuf soldats d'origine russe condamnés à mort pour révolte et refus d'obéissance.
Étudiants qui se font embaucher dans les usines pour éviter la mobilisation.

5N 133-138. Cession de matériel et de munitions à la Russie. Novembre 1915 Correspondance avec Clemenceau sur l'interdiction de *l'Homme enchaîné* dans la zone des armées.
Recrutement d'ouvriers chinois. Février 1916.

5N 135. Propagande allemande aux Etats-Unis. Envoi du contingent portugais en France. 1916.

5N 136. Raids des zeppelins en 1916 et 1917 sur la France et l'Angleterre du 31 janvier au 31 décembre.

5N 138. L'Angleterre. Note sur le recrutement de l'armée. Contingents levés par les dominions.

5N 139-141. Russie. Envoi de troupes en France, matériel. Rappel du général Cordonnier.

5N 144-145. Ouvriers italiens devant travailler en France. Sénégalais à Athènes.

5N 147. Les Sénégalais.

5N 152. Un zeppelin abattu à Salonique.

5N 154. La rebellion en Afrique du Nord. Troubles au Maroc.

5N 155. Rapport Lyautey sur la situation militaire et politique au 1er décembre 1916.

5N 156. Armée d'Orient.

5N 158. Danemark. Renseignements des attachés militaires. Actes d'indiscipline dans l'armée allemande. 1916-1917.

5N 210. Algérie. Attaque à Batna d'un détachement conduisant des recrues. Les troupes russes en Algérie. Bataillon alsacien-lorrain en Algérie.

5N 237-257. Reddition de Maubeuge. Commission d'enquête.

5N 254. Reddition de Lille, Douai et Arras. Enquête du général Rau.

5N 255. Offensive de l'Aisne. Commission d'enquête.

5N 256. Rupture du front de la 6e armée sur le Chemin des Dames. Commission d'enquête.

5N 267-68. Le mouvement pacifiste à la fin de 1916. L'affaire Malvy. Bulletins confidentiels sur la situation morale.

5N 269-70. Renseignements sur l'Allemagne et la mobilisation de la jeunesse.

5N 272 à 291. La guerre économique.

5N 332. Contrôle et censure de la presse en France et en Afrique du Nord.

5N 345. Lettre de Clemenceau sur la circulation des journaux dans la zone des armées.

5N 359-67. Brochure de Jules Bellendy. La légende du 15e corps. L'affaire de Dieuze.

5N 365. Contrôle des films cinématographiques.

5N 366. Contrôle des petites annonces.

5N 369. Note sur la déception éprouvée par les Américains à Paris.

5N 372-75. Censure.

5N 376. Indiscrétions de la presse et sanctions.

5N 554. Parti tiré par les journaux allemands des informations et des polémiques de la presse française.

554-576. Presse.

Fonds Clemenceau :

6N 53. Ressources anglaises en hommes et possibilités de recrutement. Avril 1918. Rapport de la mission Berthelot aux Etats-Unis.

6N 99-102. Aéronautique. Raids allemands et français. Lettre de Flandin sur Briey. Réponse de Nivelle.

6N 110. Vie aux armées. Cinéma. Œuvre *Cinéma du Poilu.*

6N 10 et 111. Prisonniers de guerre.

6N 114. Allemagne, misère et grèves en 1917. Les unités de l'armée allemande.

6N 142. Relations franco-américaines. Les Américains en France.
6N 155-158. Rapports des attachés militaires sur l'armée, le recrutement, les effectifs américains. Le recrutement au Canada. Les grèves des usines de munitions.
6N 174. Renseignements sur l'Italie.

– Fonds Poincaré.

– Fonds Buat.

– Fonds Gallieni.

Archives du G.Q.G.

Etat-major, premier bureau :
7N 138. Utilisation des effectifs. Les déserteurs et insoumis.
7N 466-487. Les automobiles.
7N 609-617. Les unités russes en France et en Orient.
7N 678 à 681. Bulletin d'information de quinzaine et bulletin quotidien de l'état-major de l'armée.

Deuxième bureau :
7N 711-716. Armée américaine. Organisation.
7N 743. Armée italienne. Organisation en 1914 et situation en 1917.
7N 794. Organisation de l'armée russe.
7N 795. Numéro du *Temps* sur la Russie économique et financière. Juin 1917.
7N 845-46. Armée austro-hongroise.
7N 936-942. L'Allemagne. L'industrie de guerre. Situation économique et financière.
7N 980 et suivants. Contrôle postal.
7N 112. Rapports des attachés militaires en Allemagne. Loi militaire, propagande pangermaniste.
7N 132. Mobilisation allemande.

Journaux de marche.
Sous série 26N.
26N 683. Le 12ᵉ régiment d'infanterie.
26N 821. Le 15ᵉ bataillon de chasseurs à pied.
26N 834. Les zouaves.
26N 844. Les tirailleurs algériens.
26N 901. Les spahis.
26N 865. L'infanterie coloniale.

Archives du Service historique de l'armée de l'air :

Série AA. Les débuts de l'aviation jusqu'en 1914.
Série A. L'aéronautique militaire. 1914-1918.

Archives nationales :

Série F7 sur les activités socialistes, 12495 à 12502, 12525, 13609, 13070, 13072, 13074 et 75.
Sur la C.G.T., 13571, 72, 74.

Sur les anarchistes, 13053 à 55, 13057 et 58.
Sur l'antimilitarisme et le pacifisme : 13333, 13335 à 44, 13345 à 48, 13065, 12911, 13372, 13375, 13961.

Archives départementales.

Nord : série R : 28, 29, 30, 55, 56; 145.
Pas-de-Calais : série IZ : 227 et 190.
Rhône : série 4M/Police. 4M 799/4 et 822/4.
Tarn-et-Garonne : le *Journal de Guerre* de Jules Moméja/12 gros cahiers : 30M5.

Choix de documents publiés par le C.D.D.P. de Montauban sur les séries M et R.

Bourgogne. Archives de Côte-d'Or.

Série R :
2384/2. Sociétés de tir.
2789/1. Sociétés de tir et de gymnastique.
1946. Listes tirage au sort Châtillon-Dijon en 1914.
1959. Ajournés, exemptés, 1913-1917. Sursis d'appel aux meuniers et boulangers.
1512. Alsaciens-Lorrains devenus français.
2801. Supplément. Ravitaillement civil et militaire. Transports et réquisitions de guerre.
2793 (13). Supplément. Pigeons voyageurs et chiens de guerre.
2800. Supplément. Secours de la Croix-Rouge américaine. Notice des familles les plus éprouvées des officiers et soldats morts pour la France.
2536/1. Assistance aux militaires tuberculeux.
2537. Supplément. Travailleurs étrangers au service de la Défense nationale.
3242. Mesures de précautions en cas d'incursions de dirigeables ou d'avions ennemis.
1532. Supplément. Sursis d'appel.
3500. Personnel de la préfecture. Demandes de sursis et suites réservées.
3536. Rapport biquotidien de police spéciale au ministère de l'Intérieur en 1914.
5839. Mesures de sécurité prises avant la déclaration de la guerre en juillet 1914.
3513. Sûreté générale. Firmes allemandes Kub, Maggi, Lion noir, etc.
1534 (3). Supplément. Surveillance des déserteurs et insoumis.
2796. Instructions générales de police.
7947. Suspects. Surveillance des personnes.
3518. Propos séditieux et fausses nouvelles.
3236. Demandes de renseignements sur des suspects, venant de l'autorité militaire.
3525. Rapports sur les permissionnaires. 1915-16.
1532 (12). Faux évadés d'Allemagne.
3520. Surveillance des permissionnaires. 1917.
2090. Grèves.

Série 20M. Police politique.

1184. Rapport sur l'état d'esprit de la population.
349. Une usine allemande.
20M 6. Surveillance des étrangers.
783. Expulsion d'étrangers en 1914.
384. Suspects d'espionnage.

Archives de Meurthe-et-Moselle :

Série 4M :
133. Recensement des étrangers.
276-77. L'espionnage allemand.
219. Zeppelin à Lunéville. Manifestations diverses.
1M 642. Partis antimilitaristes et pacifistes.
657. Fausses nouvelles ou nouvelles alarmistes.
4M 143. Instructions relatives aux étrangers et aux évacués en 1914.
4M 219. Manifestations pro-allemandes en France (1914) et anti-allemandes à Nancy.
4M 276. Suspects du point de vue national.
4M 277. Renseignements sur l'espionnage allemand.
8°M I 55 (10) Les bombardements de Nancy du 4.9.1914 au 31.10.1918.
4°J IV 36. Leuret Bruno, *Les réfugiés de Meurthe-et-Moselle pendant la Première Guerre mondiale.* Mémoire de maîtrise, Nancy II, 1948.
8°J IV 44 (11) Scherrer Auguste, *Souvenirs d'invasion et de captivité. 1914-1916.*
8°M II 19 Maire Pierre,. *Lunéville pendant la Grande Guerre.*
8°M II 25 Maire Pierre. *L'Occupation allemande* et *Pont-à-Mousson sous les obus.*
8°M II 140 (15) Berlet C, *Un village lorrain pendant le mois d'août et septembre 1914. Reméréville.*

Série R.
23170. Renseignements concernant les hommes déclarés insoumis. Rapports spéciaux de police 1910-1917.
8R 107. Exactions commises par les Allemands.
8R 107 bis. Atrocités commises par les Allemands.
931. Prisonniers de guerre ennemis.

Archives des Deux-Sèvres

Collection personnelle de M. Yves Drillaud de cartes postales expédiées pendant la guerre. Trois cartes publiées par le service des archives.
R202. La propagande anti-allemande.
4M6/29. Le préfet face à l'approche de la guerre, aux difficultés, aux dénonciations.
R183. Des tracts pacifistes.
R184. La mobilisation économique.
4M 7/4A. La censure de la presse locale.

Archives de la Sarthe :

Choix de documents publiés par le C.D.D.P. du Mans, sur les séries W et V pour la Grande Guerre.

Archives du Finistère :

Série 4M. Quimper. Police.
100. Personnel. 136. Copies de lettres. 199. Grèves.
224. Etat des esprits, bruits alarmistes. 225. Surveillance des usines travaillant pour la Défense nationale.
226. Sabotages, négligences, engins suspects. 230. Déserteurs. 235. Suspects.
246. Faits divers. 344. Suspects du carnet B.

Série R. Brest. Recrutement.

Archives de Seine-et-Marne.

Série R.
1R 30. Préparation militaire et concours de gymnastique.
1R 727. Les classes de 1887 à 1914.
9R 7. Prisonniers de guerre. (9R5, 6, 7.11)
1R 752. Alsaciens-Lorrains engagés volontaires.
2R 194. Déserteurs et insoumis.
2R 129. Réquisitions.

Série M. Rapport moral au ministère de l'Intérieur.

Documents publiés par les Archives du service historique de l'armée :

« Les Armées françaises dans la Grande Guerre » : 11 tomes parus avec volumes d'annexes et cartes.

Bibliothèque de Documentation internationale contemporaine :
Les registres de consigne de la censure parisienne.

Publications

I. Documents :

Les grandes collections internationales de *documents diplomatiques* concernant la Grande Guerre, dont la liste est longue, sont indiquées dans l'ouvrage de Pierre Renouvin : *Relations internationales* (page 3), du même auteur, dans *L'Armistice de Rethondes*, p. 454 et suivantes et dans le petit livre de R. Poidevin, *Les Origines de la Première Guerre mondiale*, Paris, P.U.F., 1975, p. 113. La publication la plus récente est celle de J. Grunewald et A. Sherer. *L'Allemagne et les problèmes de la paix pendant la Première Guerre mondiale.* (Documents des archives allemandes). Paris 1965-66, 2 vol. Des documents du G.Q.G. allemand ont été publiés en français chez Payot, *Ludendorff (Erich) Documents du G.Q.G. allemand.* 1922.
Voir aussi les *Documents allemands sur la Bataille de la Marne.* 1930. Une récente et excellente analyse des documents des archives américaines dans la thèse d'Yves Henri Nouailhat. *France et Etats-Unis. Août 1914 avril 1917.* Paris. Publications de la Sorbonne, 1979, p. 433 et suiv.

Les collections françaises et étrangères de documents parlementaires fournissent des renseignements précieux, ainsi que la publication, par le *Journal officiel*, des *Comités secrets* du Parlement français.

II. Presse :

Nous avons effectué des sondages dans les collections de journaux et d'illustrés des grands pays belligérants. On peut trouver la plupart de ces collections, ainsi qu'une excellente *Chronologie de la Guerre* de F. Debyser à la Bibliothèque de Documentation internationale contemporaine.

Presse parisienne : *Le Temps, L'Eclair, L'Humanité. La Guerre sociale, La Bataille syndicaliste, Le Bonnet rouge, Le Radical, L'Homme libre, Le Canard Enchaîné, Le Journal, L'Echo de Paris, L'Action française, Le Petit Parisien, Le Matin,* les *Croix, La Semaine religieuse, Le Pèlerin.*

Presse de province : *Le Réveil du Nord, L'Est républicain, Le Progrès de Lyon, Le Petit Provençal, Le Petit Marseillais, La Dépêche de Toulouse, La Petite Gironde, Le Populaire du Centre, Le Moniteur du Puy-de-Dôme, Ouest Eclair, Le Journal du Havre, Le Journal de Rouen.*

Presse allemande : *Berliner Tageblatt, Deutsche Zeitung, Frankfurter Zeitung, Vorwärts. Die rote Fahne.* Les illustrés : *Berliner illustrierte Zeitung : Das Illustrierte Blatt* et *Munchener Illustrierte Zeitung.*

Presse anglaise : *Daily Mail,* édition parisienne, *Daily News, The Herald, The Morning Post* et *The Times.*

Presse italienne :*Avanti. Corriere delle Sera. Idea Nazionale* et *Popolo d'Italia.*

Presse américaine : *The New York Times* et *The Sun. The North American Review.*

Collection de *La Gazette des Ardennes.*

III. Mémoires, souvenirs et correspondances :

Ils sont extrêmement nombreux. Nous ne citerons que ceux dont nous nous sommes effectivement servis.

Pour les politiques :

CAILLAUX Joseph, *Mes mémoires*, Paris, 1947, Plon.

FERRY Abel, *Les Carnets secrets. 1914-1918*, Paris, Grasset, 1957.

MALVY Louis, *Mon crime*, Paris, Flammarion, 1911.

MESSIMY Adolphe, *Mes Souvenirs*, Paris, Plon, 1937.

POINCARÉ Raymond, *Au service de la France. Neuf années de souvenirs*, Paris, Plon, 1921.

RIBOT Alexandre, *Journal et correspondances inédites. 1914-1922*, Paris, Plon, 1936.

TARDIEU André, *Avec Foch. Août-novembre 1914*, Paris, Flammarion, 1939.

CLEMENCEAU, *Grandeurs et misères d'une victoire*, Paris, Plon, 1930.

CHURCHILL Winston, *The World Crisis. 1911-1918*, Londres, 1943.

BETHMANN-HOLLWEG, *Betrachtungen zum Weltkriege*, Berlin, 1921.

LOUCHEUR Louis, *Carnets secrets. 1908-1932*, présentés par Jacques de Launay, Bruxelles, Brepols, 1962.

LLOYD GEORGE, *Mémoires de guerre*, Paris, 1934.

STANNARD BAKER RAY, WILSON W., *Life and Letters. Garden City 1927-1939*, 8 vol.
SEYMOUR Charles, *The intimate papers of colonel House*, 4 vol., Londres, 1926-28.

Pour les militaires:
FAYOLLE, *Cahiers secrets de la Grande Guerre*, présentés et annotés par Henri Contamine, Paris, Plon, 1964.
GALLIENI, *Carnets*, Paris, Albin Michel, 1932.
JOFFRE, *Mémoires. 1910-1917*, Paris, Plon, 1932, 2 vol.
FOCH, *Mémoires pour servir à l'histoire de la guerre de 1914-1918*, Paris, Plon, 2 vol., 1931.
WEYGAND, *Foch*, Paris, Flammarion, 1947.
MORDACQ, *Le Ministère Clemenceau. Journal d'un témoin*, 4 vol., Paris, 1930-31.
LANREZAC, *Le Plan de campagne français et le premier mois de la guerre*, Paris, 1929.
GAMELIN, *Manœuvre et victoire de la Marne*, Paris, 1954.
DEBENEY, *La Guerre et les Hommes*, Paris, 1937.
PÉTAIN, *La Bataille de Verdun*, Payot, Paris, 1929.
BLAKE, *Les Carnets secrets du maréchal Douglas Haig*, Paris, 1964.
ROBERTSON, *Conduite générale de la guerre*, Paris, 1929.
LUDENDORFF, *Souvenirs de Guerre*, Paris, Payot, 1920.
FALKENHAYN, *Le Commandement suprême dans l'armée allemande*, Paris, 1920.
KLUCK von, *La Marche sur Paris*, Payot, 1922.
DE PIERREFEU, *Au G.Q.G. Secteur I*, Paris, 2 vol., 1932.
DE GAULLE, *Lettres, notes et carnets*, Paris, Plon, 1980.
HAUSEN von, *Souvenirs de la campagne de la Marne*, Paris, Payot.
KRONPRINZ DE PRUSSE *Mémoires*, Paris, Payot.
– *Souvenirs de guerre, Ib.*, 1923.
KUHL von, *Le Grand État-Major allemand, avant et pendant la guerre mondiale*, Paris, Payot, 1925.
SANDERS Liman von, *Cinq ans de Turquie*, Paris, Payot, 1923.
SHEER, *Mémoires*, Paris, Payot, 1924.
RONARC'H Amiral, *Souvenirs de la Guerre*, Paris, Payot, 1925.
SARRAIL, *Mon commandement en Orient. 1916-1918*, Paris, 1920.
CADORNA, *Mémoires*, Paris, 1924.
TIRPITZ, *Mémoires*, Paris, Payot, 1925.
JELLICOE (amiral), *La Grand Fleet*, Paris, Payot, 1924.
BÜLOW von, *Mon rapport sur la bataille de la Marne*, Paris, Payot, 1924.
CRAMON von, *Quatre ans au G.Q.G. austro-hongrois*, Paris, Payot, 1923.
DANILOV, *La Russie dans la guerre mondiale*, Paris, Payot, 1922.
KANNENGIESSER PACHA, *Gallipoli*, Paris, Payot, 1934.

Pour les diplomates:
SCHOEN (baron von), *Mémoires. 1900-1914*, Paris, Plon, 1922.
PALÉOLOGUE Maurice, *Journal (1er janvier 1913-28 juin 1914). Au Quai d'Orsay à la veille de la tourmente*, Paris, Plon, 1947.
LOUIS Georges, *Les Carnets de...*, Paris, Rieder, 2 vol., 1936.

BEYENS (baron), *Deux années à Berlin. 1912-1914*, Revue des Deux Mondes, 1-1567, 1929.
ISVOLSKI, *Mémoires*, Paris, Payot, 1925.
BUCHANAN, *Mémoires*, Paris, Payot, 1933.
BOURBON-PARME Sixte de, *L'Offre de paix séparée de l'Autriche*, Paris, 1920, Plon.
LANCKEN, (Baron voir), *Mémoires*, Gallimard, 1932.
NIESSEL (général), *Le triomphe des Bolcheviks et la paix de Brest-Litovsk*, Paris, 1923.
NOULENS J., *Mon ambassade en Russie soviétique*, Paris, 1923.
CAMBON Paul, *Correspondance*, Paris, Plon, Tome 3 : 1911-24. 1940-46.

Pour les écrivains :
ALAIN, *Souvenirs de Guerre*, Paris, Hartmann, 1952.
ALAIN, *Correspondance avec Florence et Elie Halévy*, Paris, Gallimard, 1958.
BAINVILLE Jacques, *Journal inédit. 1914*, Paris, Plon, 1953.
BARRÈS Maurice, *Mes Cahiers*, Paris, 1936.
BLOCH Marc, *Souvenirs de guerre. 1914-1915*, In *Cahiers des Annales*, 26, 1969.
BORDEAUX Henry, *Il y a quarante ans. Souvenirs de la mobilisation. Écrits de Paris*, 143, 1956.
DAUDET Léon, *L'Hécatombe. Récits et souvenirs politiques, 1914-1918*, Paris, 1923.
GENEVOIX Maurice, *Ceux de 1914*, Paris, Flammarion, 1950.
GUÉHENNO Jean, *La Mort des autres*, Paris, Grasset, 1958.
LATREILLE André, *1914. Réflexions sur un anniversaire. Le Monde*, 31 décembre 1914.
ROLLAND Romain, *Journal des années de guerre, 1914-1918*, Paris, Albin Michel, 1952.
LANOUX Armand, *Adieu la vie, adieu l'amour. Correspondance de Dorgèles*, Albin Michel, Paris.
PÉGUY Charles, *Quelques lettres inédites de guerre*, In *Amitiés Charles Péguy*, n° 80, 1960.

En Orient :
CARCOPINO Jérôme, *Souvenirs de la guerre en Orient*, Paris, Hachette, 1970.
CHARLES ROUX, *L'expédition des Dardanelles*, Paris, 1920.
GIRAUDOUX Jean, *Carnet des Dardanelles*, Paris, Le Beher, 1969.

Pour les militants :
LECOIN Louis, *De prison en prison*, Antony, 1947.
DUMOULIN Georges, *Carnets de route. 40 ans de vie militante*, Lille, Editions de l'avenir.
PÉRICAT Raymond, *La Guerre vue par un ouvrier.*
VANDERVELDE Emile, *Souvenirs d'un militant socialiste*, Paris, Denoël, 1939.

Pour les administrateurs :
COYNE Etienne, *Le Tour de France d'un préfet de 1914*, Montauban, 1915.
LETAINTURIER Gabriel, *Deux années d'efforts de l'Yonne pendant la guerre, 1914-1916*, Auxerre, 1916.

Pour les marins :
LIETZMANN (capitaine), *Les Derniers Mois de l'escadre Von Spee*, Paris, 1938.
LÜCKNER (comte), *Le Dernier Corsaire*, Paris, Payot, 1927.
MICHELSEN (vice-amiral), *La Guerre sous-marine*, Paris, Payot, 1928.
SOWDEN Sims William (contre-amiral), *La victoire sur mer*, Paris, Payot, 1925.
GUEPRATTE P.E. (vice-amiral), *L'Expédition des Dardanelles, 1914-1915*, Paris, Payot, 1935.
ASHMEAD-BARTLETT E. (directeur du *Sunday Times*), *La Vérité sur les Dardanelles* (par un correspondant de guerre anglais), Paris, Payot, 1929.

THOMAS Lowell, *Les Corsaires sous-marins*, Paris, Payot, 1930 (interviews de sous-mariniers par un journaliste américain).
SPIESS JOHANNES, Lieutenant de vaisseau de sous-marins, *Six ans de croisières en sous-marin*, Paris, Payot, 1927.

Les espions :
MAC KENNA Marthe, *Souvenirs d'une espionne*, préface de Winston Churchill, Paris, Payot, 1933.
KARL Ernst, *Souvenirs d'un espion allemand*, Paris, N.C.R., 1936.
BOUCARD R., *La Guerre des renseignements*, Paris, 1929.
LADOUX (commandant), *Marthe Richard espionne au service de la France*, Paris, 1932.
LADOUX (commandant), *Mes souvenirs*, Paris, 1937.
JOHNSON. *L'Intelligence Service américaine pendant la guerre*, Paris, Payot, 1933.
BARDANNE J., *L'Intelligence Service en Belgique*, Paris, 1934.
ROUGÉ Max, (Général), *Les Maîtres de l'espionnage 1914-1918*, Payot, Paris, 1935.
BOUCARD R., *La Guerre des renseignements*, Paris, 1929.
RIVIÈRE. *Un centre de guerre secrète, Madrid 14-18*, Paris, Payot, 1935.
THOMSON Sir Basil (ancien chef de l'Intelligence Service), *Mes mémoires*. Librairie des Champs-Élysées, Paris, 1935.

Sur les régions envahies :
LEPAGE Louis. *Epernay pendant la guerre*. Paris, 1921.
BERLET C., *Réméréville. Un village lorrain pendant les mois d'août et septembre 1914*, Paris, 1916.
VIROT André, *Les Allemands à Nomény*, Nancy, 1916.
NOTTIN L. (curé archiprêtre), *Vitry-le-François pendant la bataille de la Marne. Occupation de la ville par les Allemands*. Vitry-le-François, 1917.
SCHMIDT Courtin, *Reportages de guerre, de Nancy aux Vosges*, Nancy, 1918.
BARZINI Luigi (reporter du *Corriere della Serra*), *Scènes de la Grande Guerre*, Paris, Payot, 1916.
ROUSSEL-LÉPINE Josèphe. *Les Champs de l'Ourcq*, Presses du Village, Etrépilly, 1982.
MEYER E., Inspecteur d'académie des Vosges, *Livre du Souvenir*, Épinal, 1918.

BLANCPAIN Marc, *Quand Guillaume II gouvernait de la Somme aux Vosges*, Paris, Fayard, 1980.
DEMEULENAERE F., *Histoire de Douai de 1914 à 1918*, Douai, éditions G. Sannier, 1963.
PRACHE Gaston, *Dans mon pays envahi* (journal d'un adolescent), 2 tomes multigraphié, 1968-69.
BAUDOUX Augustin, RÉGNIER Robert. *Une grande page de notre histoire locale : Noyon pendant la Première Guerre mondiale, 1914-18*, Chauny, 1962.
WEHRLEN René V. *Les Débuts de la guerre de 1914-1918 vus et vécus par Mgr Etienne Frey.* In *Annuaire de la société historique et littéraire de Colmar*, 1964 (Mgr Frey était curé doyen de Colmar).
EUGÈNE Lambert, *De la prison à la caserne. Journal d'un incarcéré politique à Ehrenbreitstein, 1914-18*, Metz, 1934.
PIQUELLE Paul, *La Vie de Metz pendant l'annexion*, Metz, s.d.
ROTH François, *Les Lorrains entre la France et l'Allemagne, Itinéraires d'annexés*, Publication Université Nancy II, 1981.
ESSEN Léon (van der), *Petite Histoire de l'invasion et de l'occupation allemande en Belgique*, Bruxelles et Paris, 1917.
SPINDER Charles, *L'Alsace pendant la guerre*, Strasbourg, 1925.
HUSSON (abbé) *Les Allemands à Chantilly en septembre 1914*, Pont-Saint-Maxence, 1914.
VANDENBUSCHE. *Le Pouvoir municipal à Douai sous l'occupation* in *Revue du Nord*, n° 241, spécial avril-juin 1979.
GRASSET (colonel), *Les Crimes allemands : les massacres d'Ethe et de Gomery en août 1914* in *Rev. mil. française*, janv.-mars 1928.
MARBEAU (Mgr E.) *Souvenirs de Meaux avant, pendant et après la bataille de la Marne*, Paris, *Revue hebdomadaire*, 1915.
BELLENOIT Brigitte, *Le Pas-de-Calais pendant la Première Guerre mondiale*, D. Maîtrise d'histoire de Paris I, 1968.
LAPIERRE (docteur), *Les Allemands à Sedan, 1914-1918*, Charleville.
GROMAIRE G., *L'Occupation allemande en France*, Payot, 1925.
DEMOLON. *La Mairie de Cambrai pendant l'occupation*, Paris, Plon, 1922.
Les atrocités allemandes à Lille. Trois témoignages de députés socialistes (document coté 23 312 à la Bibliothèque des archives de la guerre, Vincennes).
Metz et la Moselle pendant la Grande Guerre : documents rassemblés par Laurette Michaux aux Archives régionales et départementales.
COLIN E., *Saint-Dié sous la botte*, Paris, 1919.
CHOLLET (abbé), *Saint-Mihiel pendant l'occupation allemande*, Nancy, 1926.
BLAZY M., *La Compagnie des mines de Bruey et la Première Guerre mondiale*, Arras, 1978.
BARDANNE J., *Les Ardennais sous la botte*, Paris, 1933.
NOUSSANNE H de., *La guerre dans l'Île-de-France. Journal d'un bourgeois de Senlis*, Paris, 1916.
LEBERT F. *L'Invasion dans le nord de la Seine-et-Marne*, Paris, 1914.
PILON Edmond, *Villes meurtries de France. Laonnais et Île-de-France.*
Le Pays briard, Souvenirs de l'invasion de 1914, numéros du 22 février 1974, 13 septembre 1977, 29 juillet 1949, 8 mai 1979 et 9 septembre 1980.
Bulletin paroissial de Varreddes de septembre 1926.

GOULARD : *Brie-Comte-Robert*, juillet-septembre 1914. Souvenirs inédits, 1937.

BABIN, *La Ferté-sous-Jouarre* de 1914 à 1918. Paris 1930.

La Marne. « La guerre de 1914 à Lagny. » Numéro du 30 septembre 1944.

Les Allemands chez nous. L'affaire Reiss. Brochure de l'imprimerie *La République* à Melun 1919.

La guerre de 1914-1918 en Seine-et-Marne : Publication du service éducatif des archives départementales.

LEURET Bruno, *Les réfugiés de Meurthe-et-Moselle pendant la Première Guerre mondiale.* Diplôme d'études supérieures de l'université de Nancy, 1977.

FOURCHY Pierre, *Souvenirs d'un maire de la frontière* : *Charles Cartier-Bresson.* Celles-sur-Plaine, Vosges, août 1914. In *Le Pays lorrain*, 1978.

FRANÇOIS Christian, *Août-septembre 1914 : les Nancéiens dans la tourmente.*

CONGAR Yves, *Enfance sedanaise, 1904-1919.* In *Le Pays sedanais.* N° 40-44, 1975679.

MARCHAND Michel, *L'image de l'Alsace-Lorraine dans la presse de Nancy.* 1901-1914, D.E.S., Nancy, 1967.

LETOT Marc, *L'Opinion publique en Lorraine en 1917*, D.E.S. Nancy 1967.

Roisel et les environs en 1914. Événements vécus par les civils d'un canton de la Somme, en pays envahi, durant les années de la guerre 1914-1918, d'après les notes du Doyen de l'époque. Réalisé par *Loisirs et Culture* à la Mairie de Roisel.

LEFÈVRE Pierre, *L'occupation de 1914-1918 à Laon.* Comment les Laonnais ont vu leur libération le 13 octobre 1918.

BECKER Jean-Jacques, *A Lille au début de la guerre de 1914* in *Revue historique*, 1976, tome 256 (décembre).

SÉRET Pierre, *La Ville de Lyon*, marraine de Saint-Quentin en 1918. L'œuvre du comité Lyon-Saint-Quentin.

MARTIN Roger, *Les Alsaciens dans l'arrondissement de Remiremont pendant la guerre de 1914-1918.* In *Le Pays de Remiremont*, 1979, n° 2.

CHOPART Jean, *La vie des enfants de 6 à 10 ans pendant la guerre 1914-1918 à Château-Thierry*, Ronéotype.

STREICHER Jean-Claude, *Les réfugiés alsaciens de l'île de Tatihou (Manche)* in *Alsace historique*, décembre 1976.

Le Livre rouge belge. Rapports officiels, 1915.

GERLACHE DE GOMERY (commandant A. de) *La Belgique et les Belges pendant la guerre*, Paris, Nancy, 1917.

DUBOIS, *La bataille de Virton.* 21-22-23-8-1914. Fusillade des brancardiers militaires à Ethe, massacre des blessés français à Gomery-Arlon.

TOYNBEE A., *Le Terrorisme allemand en Belgique*, 1917.

TOYNBEE A., *Les Massacres d'Arménie*, Paris, Payot, 1916.

Album des crimes bulgares. Cote 23 503 à la Bibliothèque des Archives historiques des armées.

PAULY L., *Occupation allemande et guerre totale*, Nancy, 1930.

REISS., *Comment les Austro-Allemands ont fait la guerre en Serbie*, Paris, 1915.

Sur la France en guerre :

CARLES Émilie. *La Soupe aux herbes sauvages* (souvenirs d'une institutrice), Paris, Simoën, 1977.

BOUTET Gérard. *Le Temps des Guerres, 1914-39, Ils étaient de leur village*, Denoël, 1981.

LAOUENAN Roger, *Le Tocsin de la moisson*, Paris, France-Empire, 1980.

ARIS RUDEL (chanoine Ambroise Ledru), *Souvenirs manceaux de la Grande Guerre, 1914*, Le Mans, 1920.

CALENDINI Louis. *Le Clergé de la Sarthe et la guerre 1914-1915*, Le Mans, 1915.

LE GOFFIC Charles. *Bourguignottes et Pompons rouges*, Paris, Crès, 1916.

MÉDARD Henri. *Films de guerre*. La Mobilisation à Auxerre du 1er août au 17 août 1914, Auxerre, 1916.

MERCIER René. *Journal d'un bourgeois de Nancy*, Paris, Berger-Levrault, 1917.

PASCAL Joseph. *Les Mémoires d'un instituteur*, Paris, La Pensée universelle, 1974.

RAYNAUD Adrien (chanoine). *Digne pendant la guerre 1914-1918*, Digne, 1920.

SERAND Joseph. *Comment Annecy a vécu la mobilisation de 1914. Annesci II*, 1964.

CHATELLE Albert et TISON Georges. *Calais pendant la guerre*, Paris, Quillet, 1927.

GIGNOUX Claude-Joseph, *Bourges pendant la guerre*, Paris, P.U.F., 1926 (étude économique et sociale).

LEFÈVRE J. Robert, *Compiègne pendant la guerre*, Compiègne, 1926.

LE SUEUR Achille (chanoine) *Abbeville et son arrondissement pendant la guerre*, Abbeville, 1927.

Jean RALPHet SCHOR Claude, *Nice pendant la guerre* Multigraphié, Aix, 1964.

TRONCHON Pierre. *Lille avant et pendant l'occupation allemande*, Tourcoing, 1922.

BORDEAUX Henry, *Un coin de France pendant la guerre : Le Plessis-de-Roye*, Plon, 1920.

FAUCHILLE Paul, *L'Évacuation des territoires occupés par l'Allemagne dans le Nord de la France, février-mars 1917*, Paris, Sirey, 1917.

ALPHAND G., *La France pendant la guerre*, Paris, Hachette, 1918.

MASSON Pierre, *Marseille pendant la guerre*, Paris, P.U.F., 1926 (publication Carnegie).

LAUDET F., *Paris pendant la guerre*, Perrin, 1915.

GEREST Henri. *Les Populations du Montbrisonnais et la Grande Guerre*. Thèse de 3e cycle de Saint-Etienne. Publication du centre d'études foréziennes.

LACROIX Pierre, *L'été 1914 Lons-le-Saulnier : L'abbé Poulin et son Journal*. Société d'Émulation du Jura.

BAROU Lucien, *La guerre de 1914-1918 à travers le témoignage de paysans foréziens.*

BECQUART Noël, *L'opinion publique en août 1914 dans le département de la Dordogne*, in *Bulletin de la société historique et archéologique du Périgord.* 1969, tome XCVI.

Les premiers jours de la guerre de 14 à Avranches. In *Revue de l'Avranchin et du Pays de Granville.* Mars 1979, tome LVI, n° 298.

Sur les camps de prisonniers :

D'HARCOURT Robert. *Souvenirs de captivité et d'évasion*, 1915-1918, Paris, 1935.

DE GAULLE Charles, *Notes et Carnets, 1919-juin 40* (de Gaulle prisonnier). Plon, 1980.

MOUSSAT Émile, *L'âme des camps de prisonniers. Récits d'exil en Allemagne de 1914 à 1918*, Paris, 1946.

RAYBAUT Paul, *Les Raisins sont bien beaux. Correspondance de guerre d'un rural, 1914-1917*, Fayard, 1977.

DUVIGNER EDWIN, *Mon journal en Sibérie dans les camps de prisonniers*, Paris, 1930.

Témoignages de combattants

Ils sont nombreux et très significatifs dans ces ouvrages fondamentaux :

DUCASSE André, MEYER Jacques, PERREUX Gabriel, *Vie et mort des Français, 1914-1918.* Préfacé par Maurice Genevoix, Hachette, 1959 (quatre normaliens au front).

GENEVOIX Maurice, *Ceux de 14*, 4 vol. Flammarion (déjà cité).

DUCASSE André. *La Guerre racontée par les combattants*, Paris, Flammarion, 1932.

MEYER Jacques. *La Biffe*, Paris, Albin Michel, 1928.

– *La Guerre, mon vieux*, Paris, Albin Michel, 1931.

– *La Vie quotidienne des soldats pendant la Grande Guerre*, Paris, Hachette, 1966.

– *Le 11 novembre*, Hachette, 1964, Paris.

NORTON CRU J., *Témoins*, Paris. Les Étincelles, 1929.

PÉRICARD G., *Verdun* (3 000 témoignages), Librairie de France, 1983.

DEAUVILLE Max, *La Boue des Flandres*, Le Flambeau, Bruxelles.

DUPONT Marcel, *En campagne*, Plon.

GALTIER BOISSIÈRE. *La Fleur au fusil*, Baudinière.

HENRIOT Émile, *Carnets d'un dragon*, Hachette.

MAIRET Louis, *Carnets d'un combattant*, Crès.

PÉZARD André. *Nous autres, à Vauquois*, Renaissance du livre, 1918.

POTTECHER Jean. *Lettres d'un fils.* Émile-Paul.

BRIDOUX André. *Souvenirs du Temps des Morts*, Albin Michel, 1930.

RIMBAULT (capitaine), *Journal d'un officier de Ligne*, Berger-Levrault.

DORGELÈS Roland. *Les Croix de Bois*, Albin Michel, 1919.

BARBUSSE Henri, *Le Feu. Suivi de carnet de guerre*, Flammarion, réédit. 1965.

DIETERLIN Jacques. *Le Bois le Prêtre. Octobre 1914 avril 1915*, Hachette, 1917.

GISCLON Jean. *L'Escadrille Lafayette*, France-Empire, 1975.

DRIEU LA ROCHELLE, La Comédie de Charleroi, Paris, Gallimard, 1934.

CHAMBRUN (René de), *Général sorti du rang*, Paris, Atelier Marcel Jullian, 1980.

GRENADOU Ephraïm, PRÉVOST Alain, *Grenadou, paysan fançais*, Paris, Seuil, 1966.

KAHN André : *Journal de guerre d'un juif patriote, 1914-1918. (La correspondance du grand-père de Jean-François Kahn, trouvée dans un grenier)*, Paris, Simoëns, 1978.

GILLET Louis. *Un type d'officier français : Louis de Clermont-Tonnerre commandant de zouaves*, Perrin, 1919.

VIBRAYE (comte Tony de). *Carnet de route d'un cavalier*, Paris, 1939.

JUIN (Maréchal), *La Brigade marocaine à la bataille de la Marne*, Presses de la Cité, 1964.

MULLER (commandant), *Joffre et la Marne*, Paris, Crès, 1931 (par l'ordonnance du général).

DAVRAY Henri D., *Chez les Anglais pendant la guerre*, Paris, Plon, 1916.

MAUROIS André, *Les Silences du colonel Bramble* (par un interprète à la 9e division écossaise), Paris, 1918.

CASTEX Henri. *Verdun*, Paris, Albatros, 1980.

BOUDON Victor, *Avec Charles Peguy de la Lorraine à la Marne*, Hachette, 1916.

RIVIÈRE Jacques, *Carnets 1914-1917*, Paris, Fayard, 1974.

CHAMBE René, *L'Escadron de Gironde, 1914*, Baudinière, 1935.

DELABEYE B., *Avant la Ligne Maginot*, Montpellier, 1939.

MAGINOT André, *Carnets de patrouille*, Paris, Grasset 1940.

NICHOLSON (colonel), *Canadian Expeditionnary Force, 1914-1919*, Ottawa, Queen's Printer, 1962.

LIDDEL HART (capitaine), *La guerre mondiale racontée par un Anglais*, Paris, Payot, 1932.

STALLINGS Laurence, *Les Sammies*, Paris, Stock, 1964.

DORIA (commandant) *Histoire d'un raid de cavalerie pendant la Grande Guerre*, Paris, Plon, 1922.

DESAZARDS de MONTGAILHARD (capitaine), *Une charge heureuse de cavalerie, le 7e hussards à Rethel le 30 août 1914*, Paris, 1930.

Amicale des anciens du Premier régiment de tirailleurs algériens. Numéro 999 de juillet 1973.

CORNELOUP Joannis. *Souvenirs d'un aérostier de la Grande Guerre.* Paris, Pensée universelle, 1975.

BEUMELBURG Werner, *Douaumont*, Paris, Payot, 1932.

BEUMELBURG Werner, *Combattants allemands à Verdun*, Paris, Payot, 1934.

GUILLEMEAU (lieutenant-colonel), le 137e R.I. de la « tranchée des baïonnettes », *Revue de l'Armée*, n° 3, 1970.

GILLET Louis, *La Bataille de Verdun*, Paris, 1921.

MAC ORLAN Pierre, *Verdun*, Paris, Sorlot, 1935.

RAYNAL (commandant), *Journal*, Paris, Albin Michel, 1919.

VURUK Fritz von, *Verdun*, Paris, Sagittaire, 1924.

NORDACQ, *Le Drame de l'Yser. La surprise des gaz*, Paris, 1933.

MARSENGO (général), *Souvenirs d'un membre de la mission italienne auprès du G.Q.G russe, 1915-1917*, Paris, Plon, 1935.

BUXTORF, *En Italie avec la 24e division française*, Paris, 1918.

Le raid Jouinot-Gambetta eu la dernière chevauchée de la cavalerie française in *Marjolame*, n° 173-178, 1969-70.
DUCASSE André. *Balkans 14-18 ou le chaudron du diable*, Paris, Laffont, 1964.
HUMBERT (général), *Le Départ des saint-cyriens en 1914* in *Souvenir français*, n° 356, 1979.
BROEGER Karl, *Casemate 17, Histoire d'un groupe de camarades*, Paris, Albin Michel, 1932.
REMARQUE Erich-Maria, *A l'ouest rien de nouveau*, Paris, Stock, 1948.
PINGAUD A., *La Guerre vue par les combattants allemands*, Paris, Perrin, 1918.
Carnets de guerre de Louis Barthas, tonnelier, 1914-1918, Maspero, 1979.

IV. Ouvrages généraux sur la Grande Guerre :

RENOUVIN Pierre. *La Crise européenne et la Première Guerre mondiale*, P.U.F., 1948.
CONTAMINE Henri, *La Revanche, 1871-1914*, Paris, 1957.
FISCHER Fritz, *Griff nach der Weltmacht. Die Kriegszielpolitik des kaiserlichen Deutschland 1914-1918*, Düsseldorf, 1961.
BIDOU Henry, *Histoire de la Grande Guerre*, Paris, Gallimard, 1939.
FERRO Marc, *La Grande Guerre (1914-1918)*, Paris, Gallimard, collection Idées, 1969.
DUROSELLE Jean-Baptiste, *La France et les Français, 1914-1920*, Paris Éditions Richelieu, 1972.
BIDOU, GAUVAIN et SEIGNOBOS, *La Grande Guerre*, tome IX de *L'Histoire de France contemporaine* de Lavisse.
CRUTWELL J., *A History of the Great War*, Oxford, 1934.
ERDMANN K.D., *Die Zeit der Weltkriege*, Stuttgart, 1959.
KIELMANSEGG P., *Deutschland und der Erste Weltkrieg*, Francfort, 1968.
SCHWARTE Max, *Der Grosse Krieg*, Berlin 1932 (abrégé d'un ouvrage en 10 volumes).
GAMBIEZ (général) et SUIRE (colonel), *Histoire de la Première Guerre mondiale*. Paris, 1968, 2 volumes.

On peut aussi consulter :
HANOTEAUX Gabriel, *Histoire illustrée de la Grande Guerre*, Paris, 1915, 17 volumes.
ISORNI Jacques, *Histoire véridique de la Grande Guerre*, Paris, 1968, (4 volumes).
DESMAREST Jacques, *La Grande Guerre*, Hachette, 1978.

V. Ouvrages d'intérêt économique :

Sur l'impérialisme :
THOBIE Jacques, *La France impériale. L'impérialisme à la française, 1880-1914*, Megrelis, 1982.
BOUVIER Jean et GIRAULT René. *L'Impérialisme français d'avant 1914*, Mouton 1976 (recueil d'articles sur les différentes formes de l'impéria-

630   *La Grande Guerre*

lisme de J. Laffey, J.C. Allain, P. Guillen, C. Coquery-Vidrovitch, M. Bastid, L.F. Manigat R. Poidevin, P. Milza).

BRUNSCHWIG Henri. *Mythes et réalités de l'impérialisme colonial français*, Paris, Armand Colin, 1960.

WRIGHT Harrisson M., *The « new imperialism »*. Lexington Mass, 1961.

FIELDHOUSE D.K., *The theorie of Capitalist Imperialism*, London, Longsmans, 1967.

MOMMSEN W.J., *Der Moderne Imperialismus*. Stuttgart, Reihe Kohlhammer, 1971.

CROUZET F., Commerce et Empire, *L'Expérience britannique du libre échange à la Première Guerre mondiale*. In *Annales* H.E.S., mars-avril, 1964.

FEIS H., *Europ, the World's banker, 1870-1914*, Yale Univ. Press, 1930.

MICHEL Bernard, *Banques et banquiers en Autriche au début du XX⁰ siècle*, Presses de la Fondation nationale des Sciences politiques, Paris, 1976.

POIDEVIN Raymond. *Les Relations économiques et financières entre la France et l'Allemagne de 1898 à 1914*, Paris, Armand Colin, 1969.

THOBIE Jacques, *Intérêts et impérialisme français dans l'empire ottoman, 1895-1914*, Publications de la Sorbonne, Paris, 1977.

GIRAULT René, *Emprunts russes et investissements français en Russie*, Paris, Armand Colin, 1973.

CAMERON Rondo, *La France et le développement économique de l'Europe, 1800-1914*, Le Seuil, 1961.

CHEVALIER J.-M., DHOQUOIS G., LEFÈVRE A., PIERRE M. : *Contribution à l'étude des formes contemporaines de l'impérialisme*, Cahiers du C.E.R.M., 1969.

Sur l'Allemagne :
BAUMONT Maurice. *La Grosse Industrie allemande et le charbon*, Paris, Gaston Doin, 1928.

SINEY M.C., *The allied Blockade of Germany*, Ann Arbor, 1957.

PESCHAUD Marcel, *Les Chemins de fer allemands pendant la guerre*, Paris, 1924.

WITT Peter Christian, *Die Finanzpolitik des Deutschen Reiches von 1903 bis 1913*. Eine Studie des wilhelmischen Deustchland, Lübeck, Hambourg, 1970.

NAUMANN Friedrich. *MittelEuropa*, Berlin, 1916.

DROZ Jacques, *L'Europe centrale, Évolution historique de l'idée de MittelEuropa*, Paris, Payot, 1960.

BURGELIN Henri, *La Société allemande, 1871-1968*, Paris, Arthaud, 1969.

STOLPER G., HAUSER K., BORCHARDT K., *The German Economy 1870 to the Present*, Londres, 1967.

POIDEVIN Raymond, *Histoire de l'Allemagne de Guillaume II à Hitler*, Éditions de Richelieu, 1972.

Sur la France en guerre :
CLEMENTEL E. *La Guerre et le commerce. La France et la politique économique interalliée*. Paris, 1931.

MONNET Jean, *Mémoires*, Fayard, 1976.

CARON François, *Histoire de l'exploitation d'un grand réseau : la compagnie des chemins de fer du Nord*, Mouton, Paris, 1973.

MARCHAND A., *Les Chemins de fer de l'Est et la guerre de 1914-1918*, Paris, Berger-Levrault, 1924.

LE HENAFF (colonel), *La Préparation et l'exécution d'un plan de transports et de concentration, août-octobre 1914*. In *Revue militaire française*, avril 1922.

ALTERMANN. *Le Service autos en France*. In *Le Génie civil*. 12-4-1919.

DOUMENC (commandant), *Les Transports autos sur le front français*, Paris, Plon, 1920.

HEUZÉ P., *Le Service auto à Verdun*, Paris, 1918.

LARCHER, *Données statistiques sur la guerre*. Revue militaire française, nᵒˢ 140 et 142, février-avril 1933 et avril-juin 1934.

BASQUEL, *L'Effort colonial français pendant la guerre*, Paris, P.U.F., 1922-23, 2 tomes.

REBOUL, *La Mobilisation industrielle des fabrications de guerre en France 1914-1918*, Paris, 1925.

BACON, *La Sidérurgie française : février 1914-décembre 1915* (maîtrise de Paris I, 1971).

TARDE A. de, *La Préparation industrielle de la France et de l'Allemagne*, In *Rev. mil. fr.* juillet-septembre 1921 et octobre-décembre 1921.

JANSON Brigitte, *La Mission Tardieu aux États-Unis*. D.E.S. Sorbonne, Paris I, 1964.

GIDE Charles. *Bilan de la guerre pour la France*, Publication Carnegie.

MAUFFRE Jean-Claude, *La Fabrication des obus en France*, Maîtrise de Paris I, 1971.

LARIBÉ Augé : *L'Agriculture française pendant la guerre*, Paris, P.U.F., 1923.

HATRY G., *Renault usine de guerre, 1914-1918*, Paris, 1978.

DUCHEMIN, *Poudres et explosifs* in *Rev. mil. fr.*, janvier-mars 1925, avril-juin 1925, octobre-décembre 1925.

JEANNENEY Jean-Noël, *François de Wendel en République. L'argent et le pouvoir 1914-1940*, Seuil, 1976.

FRANÇOIS-PONCET André, *La Vie et l'œuvre de Robert Pinot*, Paris, Armand Colin, 1927.

AFTALION, *L'Industrie textile en France pendant la guerre*, Paris, 1925 (fondation Carnegie).

BOULIN P., *L'Organisation du travail dans les régions envahies*, Paris, 1927 (fondation Carnegie).

CRÉHANGE A., *Chômage et placement pendant la guerre*, Paris, 1927 (fondation Carnegie).

COLLINET et STAHL, *Le Ravitaillement de la France occupée*, Paris, 1928 (fondation Carnegie).

FONTAINE A., *L'Industrie française pendant la guerre*, Paris, 1925 (fondation Carnegie).

MARTIN Germain, *Les Finances publiques de la France et la fortune privée*, 1914-1925, Paris, 1925.

HAUSER H., *Les Méthodes allemandes d'expansion économique*, Paris, 1916.

JÈZE, *Les Dépenses de guerre de la France pendant la guerre*, Paris, 1925 (fondation Carnegie).

KERVILER G. de, *La Navigation intérieure en France pendant la guerre*. Paris, 1926 (fondation Carnegie).

NOGARO et WEIL, Main-d'œuvre étrangère et coloniale pendant la guerre, Paris, 1926 (fondation Carnegie).

PETIT L., *Histoire des finances extérieures de la France pendant la guerre*, Paris, 1929.

PINOT P., *Le contrôle du ravitaillement*, Paris, 1925 (fondation Carnegie).

TRUCHY H., *Les Finances de guerre de la France*, Paris 1927 (fondation Carnegie).

CROUZET François, *L'Industrie des armements en France (du milieu du XIXe siècle à 1914)*. In *Revue historique*, n° 509, janvier-mars 1974 et n° suivant.

BRUNEAU Louis, *L'Allemagne en France*. Enquêtes économiques, Paris, Plon, 1914.

DUROSELLE J.-B., *Bilan et perspectives économiques de l'Europe*. In *Rev. d'Hist. Moderne et cont.*, tome XVI, janvier-mars 1963.

Sur les Alliés :

MARX Roland, *La Grande-Bretagne contemporaine*, Armand Colin, 1973.

TAYLOR A.J.P., *English History, 1914-1945*, Oxford U.P., 1965.

MARWICK Arthur : *The Deluge : British society and the First World War*, 1965.
– *Britain in the century of Total War – War, Peace and Social Change, 1900-1967*, Pelican Book, 1970.

POLLARD Sidney, *The Development of the British Economy, 1914-1950*, Londres Arnolds, 1962.

HURWITZ Samuel J., *State Intervention in Great Britain, A study of Economic Control and Social Response, 1914-1919*, New York, 1949.

MORGAN E.V., *Studies in British Financial Policy, 1914-25*, 1952.

DUROSELLE J.-B. *La France et les États-Unis des origines à nos jours*, Paris, Le Seuil, 1976.

NOUAILHAT Yves-Henri, *France et États-Unis*, Août 1914-avril 1917, Publications de la Sorbonne, 1979.

NOUAILHAT Yves-Henri, *Les États-Unis. L'avènement d'une puissance mondiale, 1898-1933*, Paris, Éditions de Richelieu, 1973.

DUROSELLE J.-B. *De Wilson à Roosevelt*. Politique extérieure des États-Unis, 1913-45. Paris, Colin, 1960.

MAY Ernest R., *The World War and American Isolation, 1914-1917*, Chicago, 1966.

RENOUVIN Pierre, *La Politique des emprunts étrangers aux États-Unis de 1914 à 1917*, Annales, E.S.C. juillet-septembre 1951.

TANSILL Charles C., *America goes to War*, Boston, Little Brown, 1938.

PAXSON Frédéric L., *American democracy and the World War*. Boston, Houghton Mifflin, 3 vol. 1936-48.

CLARK John Maurice. *The Costs of the World War to the American People*. New Haven. Yale Univ. Press, 1931.

Trois articles sur les relations économiques franco-italiennes in *La France et l'Italie pendant la Première Guerre mondiale*. Presses univ. de Grenoble 1976 (Milza : Relations financières. Soutou : Politique commerciale et industrielle de la France en Italie. Castronovo : Les Relations de la Fiat et du gouvernement français).

VI. La révolution russe et les problèmes sociaux des belligérants :

ULAM Adam B., *Les Bolcheviks*, Paris, Fayard, 1973.
BETTELHEIM Charles, *Les Luttes des classes en U.R.S.S.*, Seuil, Maspero, 2 vol., Paris, 1977.
CARRÈRE d'ENCAUSSE Hélène, *L'Union soviétique de Lénine à Staline, 1917-1953*, Paris Éditions de Richelieu, 1972.
REED J. *Ten days that shook the World*. New York Modern Library, 1935.
BRUHAT J. *Lénine*, Paris, Club français du Livre, 1960.
CARR E.H. *A history of Soviet Russia*, Londres, Mac Millan, 1950 (4 tomes).
FERRO Marc. *La Révolution de 1917, la chute du Tsarisme et les origines d'octobre*, Paris, Aubier, 1967.
KENNAN G., *Russia leaves the War*, Princeton, 1956.
GIRAULT René, FERRO Marc, *De la Russie à l'U.R.S.S. L'histoire de la Russie de 1850 à nos jours*, Nathan 1974.
KOVALEVSKY P., *Histoire de Russie et de l'U.R.S.S.*, Paris, 1970.
BAREL Y., *Le Développement économique de la Russie tsariste*, Paris, 1968.
SADOUL J., *Lettres sur la Révolution*, Paris, 1971.
ELLENSTEIN J. *Histoire de l'U.R.S.S.* Tome I. *La conquête du pouvoir*. Paris, 1972.
KRIEGEL Annie et BECKER J.-J., *1914. La guerre et le mouvement ouvrier français*, Paris, A. Colin, 1964.
KRIEGEL Annie, *Aux origines du communisme français*, Paris, 2 vol., Mouton, 1964 (une bibliographie très complète se trouve dans cette thèse sur les rapports du mouvement ouvrier français avec la guerre et avec la révolution bolchevique).

Signalons cependant :
DRACHKHOVITCH Milorad M., *Le Socialisme français et allemand et le problème de la guerre, 1870-1914*, Droz, Genève, 1953.
FAINSOD Merle, *International Socialism and The World War*, Cambridge. Harvard, 1935.
BECKER J.-J., *Le Carnet B*, Paris, Klincksieck, 1973.
HAUPT Georges, *Le Congrès manqué*, Paris, Maspero, 1965.
GOLDBERG Harvey, *Jean Jaurès*, Paris, Fayard, 1970.
RABAUT Jean, *Jean Jaurès*, Paris, Perrin, 1971.
BECKER J.-J., *Les Français dans la Grande Guerre*. Paris, Robert Laffont, 1980 (larges analyses des crises sociales et du mouvement ouvrier).
1914-1918. L'autre front. Cahier du mouvement social, n° 2. Paris, 1977.Les Éditions ouvrières.
Articles de J.-J. Becker (sur la mobilisation) de Louis Köll sur « la population civile d'Aboué pendant l'occupation allemande », de Serge Bernstein sur le parti radical-socialiste; de Gerd Hardach sur « La mobilisation industrielle »; d'Alain Hennebique sur « Albert Thomas et le régime des usines de guerre 1915-1917 »; de Robert O. Paxton sur « L'affaire des carbures et l'abolition du délit de coalition 1915-

1926 »; de James M. Laux sur « Gnome et Rhône, une firme de moteurs d'avions durant la Grande Guerre ». De Mathilde Dubesset, Françoise Thebaud et Catherine Vincent, un article très original sur « Les munitionnettes de la Seine ». Enfin, un article de Gilbert Hatry sur « Les délégués d'atelier aux usines Renault ».

FRIEDENSON Patrick, *Histoire des Usines Renault*, Paris, Le Seuil.

VII. Problèmes politiques et diplomatiques :

Une bibliographie très complète se trouve dans l'ouvrage de Jacques DROZ, *Les Causes de la Première Guerre mondiale, Essai d'historiographie*, Le Seuil, 1973.

En particulier l'inventaire de tous les auteurs allemands de la *Kriegsschuldlüge*.

Signalons cependant les ouvrages en français qui permettent de faire le tour de la question :

RENOUVIN Pierre, *Les Origines immédiates de la guerre*, Paris, Costes, 1927.

ISAAC Jules, *Un débat historique. Le problème des origines de la Guerre*, Paris, Rieder, 1933

POIDEVIN Raymond, *Les Origines de la Première Guerre mondiale*, Paris, P.U.F., Documents d'Histoire, 1975.

Le livre de FISCHER, *Griff nach der Weltmacht* (Une bonne mise au point avec textes.) est publié en français sous le titre : *Les Buts de Guerre de l'Allemagne impériale, 1914-1918*, Paris, Trévise, 1970.

Il faut voir aussi :

FISCHER, *Krieg der Illusionen*, Düsseldorf, 1969.

Mais surtout le remarquable commentaire de documents diplomatiques traduit en anglais sous le titre *July 1914* par IMANUEL GEISS (B.T. Batsford, London, 1967).

Sur la préparation phychologique de la guerre :

DIGEON Claude, *La crise allemande de la pensée française, 1870-1914*, P.U.F., 1959.

ZIEBURA George, *Die Deutsche Frage in der öffentlichen Meinung Frankreichs von 1911-1914*, Berlin, 1955.

GIRARDET Raoul, *La Société militaire dans la France contemporaine*, Paris, Plon, 1953.

– *Le Nationalisme français 1871-1914*, Paris, A. Colin, 1966.

WEBER Eugen, *L'Action française*, Paris, Stock, 1964.

MASSIS H. et DE TARDE A., *Agathon, L'esprit de la Nouvelle Sorbonne*, Paris, Mercure de France, 1911.

WEBER Eugen, *The Nationalist Revival in France 1905-1914*, Berkeley, 1959.

ORDIONI Pierre, *Le Pouvoir militaire en France*, Albatros, 1981.

Sur l'état d'esprit des Français dans la période de l'entrée en guerre, l'ouvrage essentiel est celui de :

BECKER J.J., *1914. Comment les Français sont entrés en guerre*, Presses de la Fondation nationale des Sciences politiques, Paris, 1977.

KOHN Hans, *The Mind of Germany. The education of a nation,* New York, 1960.

STERN Fritz, *The Politics of Cultural Despair, A study in the rise of the german ideologie,* Berkeley, 1961.

Les militaires français et la guerre :

ARDANT DU PICQ (colonel), *Études sur le combat,* Chapelot, 1903.

BLOCH Jean de, *La Guerre* (6 volumes), Guillaumin, 1899-1900.

FOCH Ferdinand, *Des principes de la Guerre,* Berger-Levrault, 1903.
– *De la conduite de la Guerre,* 1911.

GRANDMAISON Louis de (commandant), *Dressage de l'infanterie en vue du combat offensif,* Berger-Levrault, 1906.

JAURÈS J. (en contrepoint), *L'Armée nouvelle, l'Humanité,* 1911.

WILLIAMS Samuel R Jr, *The politics of grand strategy, Britain and France prepare for War 1904-1914,* Cambrige, 1969.

CHALLENNER Richard D., *The French Theory of the Nation in arms,* New York, 1955.

LIDDEL HART sir Basil H., *French military Ideas before the First World War,* Essays for A J.P. Taylor, London, 1966.

LANESSAN J.L. de, *Notre défense maritime,* Paris, Alcan, 1914.

FLAMMER Philip M., *The Schlieffen Plan and PlanA short critic. Military Affairs,* 1966.

MICHON Georges, *La Préparation à la guerre : la loi de trois ans.* Paris, 1935.

FULLER J.F.C., *La Conduite de la guerre,* Paris, Payot, 1963.

FOERSTER Wolfgang, *Le Comte de Schlieffen et la guerre mondiale,* Paris, Payot, 1929.

DUPONT (général), *Le Commandement allemand en 1914,* Paris, Chapelot, 1922.

GUILLET J., *Le Plan XVII,* Maîtrise d'histoire de Paris I, 1969-70.

GAMBIEZ (général), *L'évolution doctrinale,* in *Revue des Deux Mondes,* 15-4-1965.

CAUROU, *La Genèse du plan de guerre allemand,* in *Rev. Mil. fr.,* oct.-déc. 1921.

Sur la guerre dans la vie politique des nations :

BONNEFOUS Édouard et Georges, *Histoire politique de la III* République. Tome II : la Grande Guerre,* P.U.F., 1957.

PEDOYA (général), *La Commission de l'armée pendant la guerre,* Paris, 1920.

AULARD A., *Histoire politique de la Grande Guerre,* Paris, 1924.

RENOUVIN Pierre, *Les Formes du gouvernement de guerre,* Paris, 1924.

BARRAL Pierre, *Le Département de l'Isère sous la III* République,* Paris, A. Colin, 1962.

JEANNENEY J.-N., *Abel Ferry et les étapes du contrôle aux armées, 1914-1918,* RHMC, 2⁰ trimestre 1968.

PEDRONCINI Guy, *Les Rapports du gouvernement et du haut commandement en France en 1917,* in R.H.M.C., janvier-mars 1968.

HAUSER H., *L'organisation gouvernementale française pendant la guerre. Le problème du régionalisme,* Paris, P.U.F., 1924.

MIQUEL Pierre, *Raymond Poincaré*, Paris, Fayard, 1961.
WORMSER Georges, *La République de Clemenceau*, Paris, P.U.F., 1961.
– *Clemenceau vu de près*, Paris, Hachette, 1979.
ALLAIN J.-C., *Joseph Caillaux*, Paris, Imprimerie nationale, 1978 (2 vol.).
SUAREZ Georges, *Aristide Briand*, Paris, Plon, 1938 (2 tomes).
LE RÉVÉREND André, *Lyautey*. Paris, Fayard, 1983.
ALLARD Pierre, *Les dessous de la guerre révélés par les comités secrets*, Paris, 1932.
HALEVY Elie, *Histoire du peuple anglais au XIXe siècle. Vers la démocratie sociale et vers la guerre, 1905-1914*, Épilogue II, Hachette, 1932.
TAYLOR A.J.P., *English History, 1914-1945*, Oxford, U.P. 1965.
ARTHUR Sir George, *Kitchener et la Guerre, 1914-1916*, Paris, Payot, 1921.
VERMEIL Edmond, *L'Allemagne contemporaine, sociale, politique et culturelle*, Aubier, 1952, 2 tomes.
DREYFUS François G., *Histoire des Allemagnes*, Paris, A. Colin, 1970.
GUILLEN Pierre, *L'Allemagne de 1848 à nos jours*, Paris, Nathan, 1970.

Sur les questions diplomatiques, on consultera les manuels d'histoire diplomatique :
RENOUVIN Pierre, *Les crises du XXe siècle, Histoire des relations internationales*. T. 7, Hachette, 1957.
DROZ Jacques, *Histoire diplomatique*, Dalloz, 1952.
PINGAUD Albert, *Histoire diplomatique de la France pendant la Grande Guerre*, 3 volumes, Paris, 1938-40.
On peut aussi consulter :
SOUTOU Georges-Henri, *La France et les Marches de l'Est*, Rev. Hist., 1978, n° 260. (Article très neuf sur les buts de la guerre.)
APPUHN (Charles), *La Politique allemande pendant la guerre*, Paris, 1926.
BARIETY Jacques, *L'Allemagne et les problèmes de la paix*, Revue historique, n°ˢ 476 et 486.
BONIN Georges, *Les Bolcheviks et l'argent allemand pendant la Première Guerre mondiale. Revue historique*, n° 473.
ERDMANN Karl Dietrich, *Les Buts de guerre de Bethmann-Hollweg*, Bulletin de la société des professeurs d'histoire et de géographie, n° 198.
RENOUVIN Pierre, *Les Buts de guerre du gouvernement français. Revue historique*, n° 477.
PEDRONCINI Guy, *Les Négociations secrètes pendant la guerre*, Paris, Flammarion, 1969.
ALLIZÉ Henri, *La Paix séparée avec l'Autriche*, Revue des Deux Mondes, 15 octobre 1932.
CASTELLA Gaston, *L'Entremise pontificale de 1917 pour la paix*, Fribourg, 1945.
CRAPOUILLOT, *Les Traités secrets*, Paris, mai 1933.
FRANGULIS, *La Grèce dans la guerre mondiale*, Paris, Alcan, 1926.

GUINN P., *British Strategie and Politics*, Londres, 1965.

PIERRE André, *Les Tentatives de paix séparées entre l'Allemagne et la Russie tsariste, 1914-1917, Revue d'histoire de la guerre mondiale* 1930.

RENOUVIN Pierre, *Les Tentatives de paix en 1917. Revue des Deux Mondes*, 15 octobre 1964.

Sur les problèmes d'opinion et de propagande.

RENOUVIN Pierre, *L'Opinion publique et la guerre en 1917.*
Revue d'Histoire moderne et contemporaine, Tome XV : janvier-mars 1968. On trouvera dans ce numéro les articles suivants :

WERESZYCKI Henry, *L'Opinion publique en Pologne devant la chute du tsarisme.*

LIENS Georges, *L'opinion publique à Marseille en 1917.*

RUFIN Georges, *L'opinion publique en 1917 dans l'arrondissement de Tournon.*

NOUAILHAT Yves-Henri, *L'opinion publique à l'égard des Américains à Saint-Nazaire en 1917.*

BAUMONT Michel, *Abel Ferry et les étapes du contrôle aux armées, 1914-1918.*

JEANNENEY Jean-Noël, *Les Archives de la Commission de contrôle postal aux armées, 1916-1918.* Une source précieuse pour l'histoire contemporaine de l'opinion et des mentalités.

NICOT Jean, *Psychologie du combattant français en 1918, in Revue historique de l'armée*, 1972, n° 2.

MAYEUR J.M., *Le catholicisme de la Première Guerre mondiale*, Francia 2, 1974.

DEVOS et WAKSMAN, *Le moral à la 3ᵉ armée en 1918 d'après les archives de la justice militaire et du contrôle postal.* Multigr. Bibl. Vincennes.

FACON-NICOT, *La crise du moral en 1917 dans l'armée et la nation d'après la commission du contrôle postal de Belfort*, Paris, B.N., 1979.

BERNSTEIN Serge, *L'Opinion française au miroir de la guerre*, Paris, 1931, Payot.

BOUYOUX P., *L'opinion publique à Toulouse pendant la Première Guerre mondiale*, Thèse de l'Université de Toulouse. 3ᵉ Cycle, 8350-50 bis Guerre.

KUPFERMAN A., *Les débuts de l'offensive morale allemande contre la France, décembre 1914-décembre 1915, in Revue historique*, n° 505, 1973.
– *L'offensive morale allemande contre la France, nov. 1914-nov. 1917, in revue d'Allemagne*, décembre 1972.

PEDRONCINI Guy, *Le moral de l'armée française en 1916*, in *Verdun 1916*, 1975.

NOBÉCOURT R.G., *L'action psychologique en 1918, La guerre des tracts*, in *Revue Hist. de l'armée*, 1971, n° 3.

GALTIER-BOISSIÈRE, *Le bourrage de crâne*, n° spécial du *Crapouillot*, juillet 1937.

GRAUX Lucien, *Mes fausses nouvelles pendant la guerre*, 7 volumes, Paris, 1918-1920.

VIDIL Ch., *Les Mutineries de la marine allemande*, Paris, Payot, 1931.

BERNIER Jean, *Les Fusillés par erreur*, Le Crapouillot, octobre 1960.

GALTIER-BOISSIÈRE, *Les Fusillés par erreur*, Le Crapouillot, juin 1931.
— *Les Fusillés pour l'exemple*, Le Crapouillot, août 1934.
NOBÉCOURT, *Les Fantassins du Chemin des Dames*, Paris, Laffont, 1965.
WATT Richard, *Trahisons*, Presses de la Cité, 1964.
WILLIAMS John, *Mutineries 1917*, Presses de la Cité, 1963.
PEDRONCINI Guy, *Les mutineries de 1917*, P.U.F., Paris, 1917. (Avec le concours du C.N.R.S.)
— *Les Cours martiales pendant la guerre*, in Revue historique n° 512, oct.-déc. 74, p. 183 et suiv.
Le Monde, n° du 9 novembre 1968, supplément : *Les écrivains pendant la guerre*.
Le Monde, supplément du 28 février 1968. Article de Jean GUÉHENNO : *Maurice Barrès et « la mort des autres »*.
WALLINE Pierre, *Les Crapouillots*, in Revue des Deux Mondes, 1ᵉʳ mars 1965.
CLAIR Louis, *La littérature universelle de la période entre les deux guerres mondiales*, in Revue hist. de l'armée, 1966, n° 4.
DURAND Pierre : *Moulia Vincent, Les Pelotons du général Pétain*, préface d'Armand Lanoux, Paris, Ramsay, 1978.
JEANNENEY Jean-Noël, *Recherches sur le moral dans l'armée française au printemps de 1917*, D.E.S., Paris, Sorbonne, 1964.
MEUNIER Pierre, *Les Conseils de guerre*, Ollendorf, 1919.

Sur les civils, les prisonniers, les blessés :
CAHEN-SALVADOR Georges, *Les prisonniers, 1914-1919*, Paris, Payot, 1929.
FINCK A., *Les mauvais traitements infligés aux P.G. allemands en Grande-Bretagne*, Bruxelles, 1940 (publication de propagande nazie).
BASDEVANT Jules, *Les Déportations du Nord de la France et de la Belgique*, Paris, Sirey, 1917.
MIGNON-NADEAU, *Le Service de santé pendant la guerre*, Paris, Masson, 1922, 4 volumes.
SAVART Marcel, *Quarante ans après*, Nancy, 1959.
PERREUX Gabriel, *La Vie quotidienne des civils en France pendant la Grande Guerre*, Hachette, 1966.
RENAUD Claude, *La Catastrophe de Moulins, 2-3 février 1918*, Moulins, 1920.
FACON R., *La Crise du moral en 1917 dans l'armée française d'Orient*, Revue historique des armées, n° 4, 1977 (sur les maladies).
POIRIER Jules, *Les Bombardements de Paris*, Paris, Payot, 1930.
FRANC-NOHAIN et DELAY, *Histoire anecdotique de la guerre de 1914*, Paris, 1915, fascicule 7.

VIII. Problèmes militaires :

Sur la bataille des frontières :
ISAAC Jules, *Joffre et Lanrezac*. Étude critique des témoignages sur le rôle de la 5ᵉ armée, août 1914, Paris, 1922.
Aperçu général des opérations de l'armée belge d'août 1914 au 11 novembre 1918-1919, in Bull. belge des Sciences militaires.

ROZET (Colonel), *Une journée de crise à la III* *armée allemande,* in *Revue mil. fr.,* janv.-mars 1929.

TEURMERMANS (général F.), *Les opérations derrière les lignes allemandes en 1914. La Belgique militaire,* n° 112, septembre 1975.

BERBEN P. (général), *Wo sind die Engländer, août 1914. Belgique militaire,* n° 111, juin 1975.

ROCOLLE P., *L'hécatombe des généraux,* Paris, 1980.

MARCHAL (capitaine), *La VII* *armée allemande en couverture en août 1914, Revue milit. fr.,* avril-juin 1929 et juil.-septembre 1929.

KOELTZ Louis, *La Garde allemande à la bataille de Guise, 28-29 août 1914,* Paris, 1928.

Voir aussi les mémoires de Fayolle et Lanrezac déjà citées.

Sur les Anglais :

CAMMAS (capitaine). *L'Effort militaire de la Grande-Bretagne sur le front français,* in *Rev. milit. fr.,* oct.-déc. 1930.

COMMANDANT L, *Le recrutement de l'armée anglaise pendant la Grande Guerre,* in *Revue mil. Fr.,* oct.-déc. 1921.

PUAUX René, *L'Armée anglaise 1914-1915,* Fasquelle, 1915.

HUGUET (général), *L'intervention militaire britannique en 1914,* Paris, 1928.

Sur la campagne de Prusse orientale :

MAURY (commandant), *La 2* *division de la Garde prussienne les 21-22 août 1914,* in *Rev. mil. fr.,* oct.-déc. 1927.

DANILOV YOURI (général), *La Russie dans la guerre mondiale,* Paris, Payot, 1925.

ANDOLENKO (général), *Aperçus de la guerre de 1914-1918 sur le front russe,* Paris, 1945.

PARES B., *Au jour le jour avec l'armée russe, 1914-1915,* Paris, Chapelot, 1916.

DANILOV Youro (général), *Les Premières Opérations de l'armée russe en 1914,* in *Rev. mil. fr.,* avril-juin 1923.

BUAT (général), *Les Campagnes d'Hindenburg-Ludendorff sur le front oriental, Rev. mil. fr.,* janv.-mars 1922, avril-juin 1922.

AUBLET (colonel), *La 10* *armée russe et le désastre d'Augustovo,* in *Rev. mil. fr.,* oct.-déc. 1931 et nov.-mars 1982.

CAMON (général), *La Catastrophe de Tannenberg,* in *Rev. mil. fr.,* septembre 1926.

INOSTRANTZEFF (général), *La Première Poussée allemande sur Varsovie,* in *Rev. mil. fr.,* avril-juin 1933.

ANDOLENKO C.-R. (général), *Histoire de l'armée russe,* Flammarion, 1967.

Voir aussi le remarquable :

SOLJÉNITSYNE (Alexandre), *Août quatorze,* Le Seuil, 1972.

Sur la Marne :

CONTAMINE Henry, *La Victoire de la Marne,* Paris, Gallimard, 1970.

LIDDLE HART (capitaine), *La Guerre moderne,* Paris, N.R.C., 1935.

CARRÉ (commandant), *La Véritable Histoire des taxis de la Marne,* Paris, 1921.

CASSOU (commandant), *La Vérité sur le siège de Maubeuge,* Paris, 1919.

FRENCH, *1914*, Paris, 1914.

MOUSSET (capitaine), *Le Renseignement et la manœuvre : l'engagement du 17ᵉ corps contre l'aile gauche de l'armée allemande les 6 et 7 septembre 1914*, in Rev. mil. fr., oct.-déc. 1929.

JOCHIM (colonel), *Les opérations et les arrières de la 1ʳᵉ armée allemande pendant la bataille de la Marne en 1914*, Paris, Payot, 1935.

LAURENT André, *La Bataille de la Marne*, Éditions Horwath, 1982 (très illustré de cartes postales).

SPEARS E.-L. (général), *En liaison, 1914*, Gallimard, 1932.

HANOTEAUX G., *La Bataille de la Marne*, Paris, 1922.

BECKER J.-J., *La Bataille de la Marne*, in l'*Histoire*, nᵒ 6, 1978.

RICHTER (Herman), *Carnets*.

Le Monde, 4 et 8 septembre 1964, articles d'André Passeron et du colonel Goutard sur la bataille de la Marne.

Sur la course à la mer :

RATINAUD J., *La Course à la mer*, Paris, 1967.

WANTY B.E.M. (major), *la Défense de Dixmude*, in *Bull. belge des sciences militaires*, 1938.

AZAN P. (général), *Les Belges sur l'Yser*, Paris, 1929.

MABIRE Jean, *La bataille de l'Yser*, Paris, Fayard 1979 (avec les archives des régiments allemands).

GULETON (colonel), *L'Épopée des fusiliers marins*, in *Rev. hist. de l'armée* 1970, nᵒ 3 (spécial).

BOQUET et HOTEN, *Les tirailleurs noirs sur l'Yser*, Paris, 1918.

Sur les Dardanelles et l'Orient :

MOOREHEAD A., *Dardanelles*, Paris, Presses de la Cité, 1958.

FERRI-PISANI, *Le Drame serbe*, Paris, Perrin, 1916.

STURZENEGGER, *La Serbie en guerre*, Paris, 1916.

DELAGE E., *La Tragédie des Dardanelles*, Paris, 1931.

LOREY H., *Der Krieg in den türkischen Gewässern*, tome II, Berlin, 1938.

LARCHER, *La Grande Guerre dans les Balkans*, Paris, 1930.

DEYGAS F.-J. (capitaine), *L'armée d'Orient dans la guerre mondiale, 1915-1919*, Paris, Payot, 1932.

WOODWARD (E.), *Great Britain and the War of 1914-1918*, Londres, 1967.

Le Monde des 17-6-65 et 14-11-77 : articles de R. Cans et du général Lehr.

Sur la guerre de position et les offensives

BLIN (général), *Les offensives de septembre 1915 sur le front français*, Paris, 1938.

REBOLD (colonel), *La guerre de forteresse, 1914-1918*, Paris, 1936.

Le Monde. Article du 2 juillet 1966 sur La Somme.

CADARS Louis, *1915, l'année sanglante*.

VINET (général), *Les gaz de combat, Conférences*, avril 1921.

MERCIER Raoul (docteur), *Le combattant aux prises avec les gaz*. Conférence du 13 octobre 1928 à l'École de santé de Tours.

Notices et statistiques du ministère de la Guerre (sous-secrétariat d'État à la Santé militaire) de 1918 sur l'intoxication par les gaz.

ANGLADE et IMBERT (docteurs), *Ypérite*, paris, 1939.
WEYER (professeur André), *Les gaz de combat*, Paris, 1938.
CHARRETON (capitaine Bied), *Rapport au sujet des effets des vagues de gaz sur l'ennemi*, novembre 1916.

Sur la bataille de Verdun :
Outre les mémoires de Joffre et de Pétain on peut consulter :
BOUVARD (colonel), *La Gloire de Verdun*, Paris, 1938.
BECKER (général), *Les Angoisses de la Grande Guerre : Verdun. Le premier choc de l'attaque allemande*, Paris, 1932.
WENDT H., *Verdun*, 1916, Berlin, 1930.
KABISCH E., *Verdun. Wende des Weltkrieges*, Berlin, 1935.
BLOND G., *Verdun*, Paris, 1980.
ROMAINS (Jules), *Verdun*, in : *Les Hommes de Bonne Volonté*.
MAC ORLAN (Pierre), *Verdun*, Paris, 1935.
PÉRICARD Jean, *Le Soldat de Verdun*, Paris, 1939.
PÉRICARD Jean et DELVERT Charles, *Verdun*, 1950.
Verdun, Fédération nationale des associations d'anciens combattants de Verdun, 1961.
GENEVOIX Maurice, *Ceux de 14, tome I. Sous Verdun*, Flammarion, 1964.
LOTHAR Hilbert, *Falkenhayn, l'homme et sa conception de l'offensive de Verdun*, in *Verdun 1916*. Actes du colloque international, 1976.
VURUK Fritz von, *Verdun*, Paris, Sagittaire, 1924.
BESSET (lieutenant), *Historique du 137ᵉ régiment d'infanterie pendant la Grande Guerre*, Fontenay-le-Comte, 1919.
ROCOLLE P. (colonel), *Douaumont 1916, un sujet de réflexion*, in *Actes de Verdun*, 1976.
FATOU René, *Lettre d'un sergent survivant de la tranchée des baïonnettes*, in *Revue du Rouergue*, 1979, n° 131.
GOUTTIN P., *Les Forêts mitraillées cent ans après*, in *Revue forestière française*, 1979.
CANINI Gérard, *L'Illustration et la bataille de Verdun*, in *Actes de Verdun*. Voir l'ensemble de la publication, avec des articles de Poidevin, Barral, les colonels Goutard et Defrasne, le général Gambiez, Pedroncini, Jacques Meyer, Andreani et Maurin, Salewski, Nouty, Riegel, Grasser et le docteur Pierre Mangin. Préface de Maurice Genevoix. Publié par l'université de Nancy II en 1975.

Sur la guerre navale et sous-marine :
La guerre navale 1914-1918 d'après le Service historique de la marine allemande, Paris, Payot, 1931.
CHATERTON Keble, *Les Coureurs de mer*, Paris, Payot, 1931.
CHACK Paul et ANTIER Jean-Jacques, *Histoire maritime de la Première Guerre mondiale*, Éditions France-Empire, trois volumes, 1969.
PLIEVER Theodor, *Les galériens du Kaiser*, Paris, Flammarion, 1970.
LAURENS, *Histoire de la guerre sous-marine allemande*, Paris, 1930.
LAURENS, *Le Blocus et la guerre sous-marine*, Paris, Armand Colin, 1924.
CARR (commandant), *Les sous-marins anglais*, Paris, Payot, 1931.
SPINDER, *La Guerre sous-marine*, Payot, 3 volumes, 1933-35.
MICHELSEN (vice-amiral), *La Guerre sous-marine*, Paris, Payot, 1928.

DELAGE E., *Le Drame du Jutland*, Paris, Grasset, 1929.

WILSON H.W., *Les Flottes de guerre au combat*, Paris, Payot, 1928.

GUICHARD Louis, *Histoire du blocus naval*, Paris, Payot, 1929.

BACON (amiral), *Le scandale de la bataille du Jutland*, Paris, Payot, 1928.

HASE P. Von, *Skagerrak*, Berlin, 1920.

Sur l'aviation et les formes de guerre aérienne :
On consultera l'excellente publication préfacée par le général Christienne, du Service historique de l'armée de l'air et de la revue *Icare*, réalisée par Simone Pesquiès-Courbier, intitulée *L'Aéronautique militaire française 1914-1918*, deux volumes, n°s 85 et 86, 1978.

PASQUIER Pierre (général), *L'Aviation dans le premier conflit mondial*, in *Rev. hist. de l'armée*, 1965, n° 2.

BERNARD Philippe, *A propos de la stratégie aérienne, pendant la Première Guerre mondiale*, Mythes et réalités, in *R.H.M.C.*, janv.-mars 1969, tome XVI.

MARTEL R., *L'Aviation française de bombardement pendant la guerre*, Paris, 1939.

LANCHESTER F.W., *Aircraft in Warfare. The dawn of the forth arm*, Londres, 1916.

MIRGUET Henri, *L'Évolution de l'aviation de 1914 à 1920*, L'Aérophile, déc. 1919.

PESQUIÈS-COURBIER Simone, *La Politique de bombardement des usines sidérurgiques en Lorraine et au Luxembourg pendant la Première Guerre mondiale*, Rev. hist. des armées, n° 4, 1981 et 1982, n° 2.

Sur les chars d'assaut :
GUDERIAN, *Die Panzertruppen und ihr Zusammenwirken mit den anderen Waffen*, Berlin, 1937.

GUDERIAN, *Achtung Panzer*, Stuttgart, 1936.

FULLER J.F.C., *Tanks in the Great War*, London, 1920.

PRIOUX, *Trois opérations de cavalerie de l'armée britannique*, in *Rev. mil. fr.*, n° 27, 1923.

GOLAZ A., *Les chars britanniques à Cambrai*, Rev. Hist. de l'Armée, 1965, n° 2.

Sur les troupes coloniales :
MEYNIER Gilbert, *L'Algérie révélée*, Droz, Paris, 1981.

BECKER Karl Heinrich, *Deutschland und der Islam*, Stuttgart, Berlin, 1914.

TRUMPENER Ulrich, *Germany and the Ottoman Empire*, Princeton, 1968.

AZAN Paul (colonel), *L'Armée indigène*, 1925.

NERHET, *L'Effort de guerre de Madagascar*, Mémoire de Paris, I, 1973.

MÉLIA Jean, *L'Algérie et la guerre, 1914-1918*, 1918, Paris.

BERNARD A., *L'Afrique du Nord pendant la guerre*, Paris, P.U.F., 1926.

MICHEL Marc, *Le concours de l'A.O.F. à la France pendant la Première Guerre mondiale*, Université de Paris, I.

– *Citoyenneté et service militaire au Sénégal*, in *Mélanges. Deschamps*, publications de la Sorbonne, tome 7.

ALMIDA Topor, *La population dahoméenne et le recrutement militaire* in *Rev. fr. d'Histoire d'outre-mer*, n° 279, 1973.

MICHEL Marc, *Le recrutement des tirailleurs en A.O.F.*, in *Rev. Hist. d'Outremer*, n° 221, 1973.

MICHEL Marc, *La Genèse du recrutement de 1918 enAfrique noire*, in *Rev. d'Hist. d'outre-mer*, n° 2, 1971.

PERREAU-PRADIER Pierre, BESSON Maurice, *L'Effort colonial des Alliés*, Paris, 1919.

MEYNIER, *La Guerre sainte des Senoussya*, in *Rev. mil fr.*, oct.-déc. 1933 et janv.-mars 1934.

DUFOUR, *Les confins sahariens pendant la guerre*, Mémoires de Paris, I, 1974.

CHARBONNEAU (colonel), *Du soleil et de la gloire, L'épopée de nos contingents coloniaux*, Paris, 1920.

MARSEILLE J., *Les Relations commerciales entre la France et son empire colonial de 1880 à 1914*, in *Relations internationales*, n° 6, 1976.

MEYNIER G., *Les Algériens en France 1914-1918*, in *Rev. d'Hist. Maghrébine*, 1976.

MEYNIER G., *Aspects de l'économie de l'Est algérien pendant la guerre de 1914-1918*, Rev. Hist., 1972.

CROWDER Michael, *West Africa and the 1914-1918 War*, in *Bulletin de l'Institut fondamental d'Afrique noire*, 1968, série B.

Sur les fronts extérieurs :
Russie :
JORGANOFF Général, *La Participation des Arméniens sur le front du Caucase, 1914-1918*, Paris, 1927.

CHALIAND Gérard, *Le Génocide des Arméniens*, Bruxelles, 1980.

MORGENTHAU Henri, *Vingt-six mois en Turquie*, Paris, Payot, 1919.

TOYNBEE J. Arnold, *Les Massacres arméniens*, Paris, 1916.

LEPSIUS Johannès, *Rapport secret*, Paris, Payot, 1918.

CARZOU Jean-Marie, *Arménie, 1915, Un génocide exemplaire*, Paris, Flammarion, 1975,

TERNON Yves, *Les Arméniens. Histoire d'un génocide*, Paris, Seuil, 1977.

WOLODYMYR Kosyk, *La politique de la France à l'égard de l'Ukraine*, mars 1917-février 1918, Publications de la Sorbonne, 1981.

FERRO Marc, *Le Soldat russe en 1917, Annales*, A. Colin, janv. 1971.

SINANOGLOU Ioannis, *La mission d'Eugène Petit en Russie*, in *Cahiers du Monde russe et soviétique*, XVII, avr.-sept. 1976.

GILBRIN E.-G., *Le docteur Léon de Lacombe, L'ambulance automobile chirurgicale pour le front sud-ouest de la Russie, 1917-1918*, L'hôpital français d'Odessa, janvier-février 1918, in *Rev. de l'Hist. des Sc. médicales*, 1976-77 n° 10 et 11.

GILBRIN E. et SAUVÉ G., *L'hôpital français de Kiev*, août 1917-février 1918, in *Rev. de l'Hist. des Sc. médicales*, n° 1 et 2, 1976.

GILBRIN E., DARTIGUES Louis (docteur), *L'hôpital chirurgical français de Tilfis*, août 1917-mai 1918, in *Rev. de l'Hist. des Sc. médicales*, n° 12-13, 1978-79.

644 *La Grande Guerre*

Roumanie :
KIRITZESCO Constantin, *La Roumanie pendant la Première Guerre mondiale*, Paris, Payot, 1934.

Orient :
BENOIST-MÉCHIN, *Lawrence d'Arabie*, Paris, Perrin, 1979.
SULEIMAN Mousa, *Songe et mensonge de Lawrence*, Paris, 1973.
LARCHER, *La Campagne du général Falkenhayn en Palestine, 1917-1918*, *Rev. mil. fr.*, 1925, oct.-nov.
PICHERY, *Le raid du capitaine Pichery en Macédoine, sept. 1918*, in *Vauban, Bull. de liaison du Génie*, n° 39, mai 1973.
SYKES Christopher, *Wassmuss, le Lawrence allemand*, Payot, Paris, 1936.

Italie :
BERTHEMET (capitaine), *Les Troupes françaises en Italie pendant la guerre, 31 oct. 1917-4 nov. 1918*, in *Rev. mil. fr.*, janv.-mars 1922.
Centre de Recherche d'Histoire de l'Italie et des pays alpins : La France et l'Italie pendant la Première Guerre mondiale, Grenoble, 1976 avec des articles de :
PEDRONCINI, *Le haut commandement français et le front italien, 1917-1918*.
KASPI, *La participation américaine au front italien*.
MONDINI L., *Novembre 1918; Italia contro Germania*.
BORDEAUX (général), *La Suisse et son armée. Lyon, 1930*.

Sur les étrangers combattant en France :
CARRÉ M.-A., *Les Volontaires alsaciens-lorrains pendant la guerre*, Paris, 1922.
NOUAILHATY.-H., *Les Américains à Nantes et à Saint-Nazaire. Annales de l'Univ. de Nantes*, Fascicule 4.
JUSSERAND J.-J., *Le Sentiment américain pendant la guerre*, Paris, 1931, Payot.
KASPI A., *Le Temps des Américains*, Paris, 1976.
ROUEL, *Article sur « l'usine frigorifique de Gièvres en 1917 »*, in *l'Agriculteur du Loir-et-Cher*, 8-11, 1982.
JESTIN Alain, *Histoire vécue du camp américain de Ponténézen pendant la guerre de 1914-1918*, in *Cahiers de l'Iroise*, 1969, n° 4.
HARDOUIN H., *L'épopée Garibaldi. 10ᵉ division française, Argonne 1914-1915*, Paris, 1939.
PATTYN Franck, *Histoire des unités russes sur le front occidental*, Mémoire de l'université libre de Bruxelles, 1979.
COULERN Danielle, *Les Troupes russes en France*, Maîtrise de Paris I, 1967-1968.
RYCHLINSKI (lieutenant), *Souvenirs d'un officier du corps expéditionnaire russe en France, 1916*, in *Rev. hist. de l'armée*, 1965, n° 1.
CHABANNIER (colonel), *Les Brigades russes en France et en Macédoine*, in *Rev. hist. des armées*, 1965, n° 1.
Sur les dernières offensives :
PEDRONCINI Guy, *Pétain général en chef*, Paris, P.U.F., 1974 (renouvelle le problème du haut commandement).
AMOUROUX Henri, *Pétain avant Vichy*, Paris, Fayard, 1867.

RECOULY Raymond, *Foch vainqueur de la guerre*, Paris, 1919.
History of the Great War based on official documents. Military operations. France and Belgium, 1918. Londres 1935 et suiv. 5 tomes.
Der Weltkrieg 1914-1918, Berlin 1925-1944, 14 vol. Voir le tome XIV : *Die Kriegsführung an der Westfront im Jahre 1918*. Berlin, 1944.
Rapport du maréchal commandant en chef les armées françaises, Paris, 1919, 15 vol. (rédigé par l'état-major de Pétain).
KOELTZ, *Les Causes de l'effondrement militaire allemand en 1918*, Paris, 1928.
LOIZEAU (général), *La Stratégie allemande en 1918*, in *Revue mil. fr.*, fév.-mars 1934.
PAQUET (lieutenant-colonel), *La Défaite militaire de l'Allemagne en 1918*, Paris, 1925.
TOURNÈS (général), *Foch et la victoire des Alliés*, Paris, 1918.
SCHWERTFEGER B., *Das Weltkriegsende. Gedanken über die deutsche Kriegsführung, 1918*, Potsdam, 1937.
TERRAINE John, *The Western Front 1914-1918*, New York, 1965.
ZWEHL (général von), *Die Schlachten in Sommer 1918 an dem Westfront*, Berlin, 1921.
PAQUET (lieutenant-colonel), *L'usure des effectifs allemands en 1918*, *Revue mil. fr.*, 1925.
AUBERT Paul, *Récit d'un coup de main. Attaque du Chemin des Dames*, in *Les Cahiers des 19e et 219e régiments d'infanterie :* janvier 1973, n° 85.
DEYGAS (capitaine), *L'armée d'Orient dans la guerre, 1915-1919*, Paris, 1932.
DIETRICH (général), *Weltgriegsende an der mazedonischen Front*, Oldenburg, 1925.
MOREIGNE (commandant), *L'Effondrement militaire de l'Autriche-Hongrie*, Paris, 1932.

Sur les armistices :
RENOUVIN Pierre, *L'Armistice de Rethondes*, Paris, Gallimard, 1968 (une mise au point essentielle).
RUDIN Harry R., *Armistice 1918*, New Haven, 1944.
MAURICE (général sir F.), *The armistice of 1918*, Londres, 1943.
BAUMGART Winfried, *Deutsche Ost-Politik 1918, Von Brest-Litovsk bis zum Ende des ersten Weltkrieges*, Munich, 1966.
KAZEMZADEH Firuz, *The struggle for Transcaucasia, 1917-1921*, New York and London, 1921.
GEISS Imanuel, *Der Polnische Grenzstreifen 1914-1918. Ein Beitrag zur deutschen Kriegszielpolitik im Ersten Weltkrieg*, Lübeck, 1960.
MARTIN Laurence W., *Peace without Victory. Woodrow Wilson and the British Liberals*, New Haven, 1958.
ROUX Charles, *La Paix des Empires centraux*, Paris, 1947.

Sur les Bulgares :
AZAN (général), *L'Armistice de septembre 1918* in *Rev. hist. de l'armée*, septembre 1949.
MAMATEY V., *The U.S. and Bulgaria in World War I*, in *American Slavic and East European Review*, 1953, n° 2.

Sur les Turcs :

LARCHER (commandant), *La Guerre turque dans la guerre mondiale,* Paris, 1923.
POMIANKOWSKI Joseph, *Der Zusammenbruch des ottomanischen Reiches,* Vienne, 1928.

Sur l'Autriche-Hongrie :
ALBERTI (général), *L'Italia e la fine della guerre mondiale I,* Villa Giusti, Rome, 1924.
AUERBACH, *L'Autriche-Hongrie pendant la guerre,* Paris, 1925.
MAY Arthur, *The Passing of the Habsburg Monarchy, 1914-1918,* Philadephie, 1966, 2 vol.
ZEMAN Z. A., *The Break-up of the Habsburg Empire, 1914-1918. A study in national and social revolution,* Londres, 1961.

Sur les Allemands :
BAUER Roland, *Zur Einschätzung des Characters der deutschen Novemberrevolution 1918,* in *Z für Geschichteswissenschaft,* 1958.
BAUMONT Maurice, *L'Abdication de Guillaume II,* Paris, 1930.
MITCHELL Allen, *Revolution in Bavaria, 1918-19,* Princeton, 1965.
WOLKMANN J., *Revolution über Deutschland,* Oldenburg, 1930.

Sur Wilson :
BAKER Ray S. W., *Wilson and the World Settlement,* New York, 1922, 3 vol.
BAILEY TH. A., *W. Wilson and the great Betrayal,* Chicago, 1963.
– *W. Wilson and the lost Peace,* New York, 1944.
DUROSELLE J.-B., *De Wilson à Roosevelt. La politique extérieure des États-Unis, 1913-1945,* Paris, Armand Colin, 1960.
SMITH Daniel, *The Great Departure, The U.S. and World War I,* New York, 1965.
YATES L., *United States and French Security, 1917-1920,* New York, 1957.

Sur l'armistice du 11 novembre :
GRASSET (colonel), *La guerre en action. L'armistice sur le champ de bataille,* Paris 1938.
PETZOLD J., *Die Dolchstosslegende,* Berlin, 1963.

Sur les Russes :
NOBICOURT R. G., *L'armée du 11 novembre,* R. Laffont, 1968.
BRISSAUD André, *1918, Pourquoi la victoire?* Plon, 1968.
BAUMONT Maurice, *La Faillite de la Paix, De Rethondes à Stresa, 1918-1935,* Paris, P.U.F., 1951.
BELOFF Max, *The Foreign Policy of Soviet Russia,* Londres, 1949, 2 vol.
FISCHER L., *The Soviets in World affairs,* Londres, 1930, 2 vol.
THOMPSON John M., *Russia, Bolchevism and the Versailles Peace,* Princeton, 1966.
MAYER Arno J., *Politics and Diplomacy of Peacemaking, Containment and counter-revolution at Versailles, 1918-1919,* New York, 1967.
IRONSIDE Edmond, *Arkangel,* 1918-1919, London, 1853.
CROSBY Gerda Richards, *Disarmment and Peace in British Politics, 1914-1919,* London, 1935.

HOLT William Stull, *Treaties defeated by the Senate*, Baltimore, 1933.

MAMATEY Victor, *The United States and East Central Europe, A study in wilsonian Diplomacy and Propaganda*, Princeton, 1957.

SHUMAN Frederick L., *American Policy towards Russia since 1917*, New York, 1928.

BRINKLEY George A., *The volonteer Army and Allied Intervention in South Russia, 1917-1921*, Notre-Dame, 1966.

BUNYAN James, *Intervention, civil war, and communism in Russia, April-december 1918*, Baltimore, 1936.

KENNAN George, *Russia and the West under Lenin and Stalin*, Boston, 1960.

Ouvrages généraux ou articles sur les conséquences de la guerre :

ARON Raymond, *The Dawn of Universal History*, New York, Praeger, 1961.

HALEVY Elie, *The World Crisis of 1914-1918*, London, 1930.

TOYNBEE Arnold, *The World after the Peace Conference*, New York, 1925.

BENOIST MÉCHIN, *Histoire de l'armée allemande depuis l'armistice*, Paris, 1964-66, 6 vol.

KEYNES (J. Maynard), *Les Conséquences économiques de la paix*, Paris, 1920.

Le Monde, 14/15-5-1972, art. d'André Latreille : *La France de la victoire à la paix, 1918-19.*

– 28-6-1969, art. de J.-B. Duroselle : *Versailles, cinquante ans après.*

– 8-11-1968, André Latreille : *La fin de la guerre.*

RENOUVIN Pierre, *Problèmes généraux de l'Europe. L'Europe au lendemain des armistices de 1918*, in *Revue d'Hist. mod. et contemp.*, tome XVI, janv.-mars 1969.

INDEX DES NOMS DE PERSONNES

Table des matières

Cet ouvrage a été réalisé sur
SYSTÈME CAMERON
par la Société Nouvelle Firmin-Didot
Mesnil-sur-l'Estrée
Pour le compte des éditions Fayard
le 6 octobre 1983

Imprimé en France
Dépôt légal : octobre 1983
N° d'édition : 6686 – N° d'impression : 0190
35-14-7100-01
ISBN 2-213-01323-3